O CAMINHO DE GUERMANTES

SODOMA E GOMORRA

marcel proust

EM BUSCA DO TEMPO PERDIDO

VOLUME II

Sumário

O CAMINHO DE GUERMANTES

SODOMA E GOMORRA

O CAMINHO DE GUERMANTES

marcel proust

EM BUSCA DO TEMPO PERDIDO

EDIOURO

A Léon Daudet
Ao autor
da Voyage de Shakespeare,
do Partage de l'enfant,
de L'Astre noir,
de Fantômes et vivants,
do Monde des images
de tantas obras-primas.

Ao incomparável amigo
em testemunho
de reconhecimento e
de admiração.

M. P.

PREFÁCIO | por Fernando Py

O Caminho de Guermantes

O Caminho de Guermantes, terceiro romance do ciclo *Em Busca do Tempo Perdido*, pode parecer um tanto árido à primeira vista. De fato, após a cantata de *No Caminho de Swann* e do lirismo de *À Sombra das Moças em Flor*, deparamo-nos com a atmosfera confinada dos salões, de pouca ação e muita conversa, onde a narrativa é pontuada de gracejos por vezes ridículos e tagarelices inconseqüentes. Mas devemos estar atentos para perceber o conjunto e não nos perdermos na ilusão dos detalhes.

Este é o mais longo romance do ciclo. Nele cabem episódios díspares, embora perfeitamente ajustados ao fim visado pelo autor. Chegou a ser apontado como "romance de transição". E, apesar de essa designação ter sido aplicada ao livro em caráter, digamos, "restritivo", talvez seja apropriado mantê-la para explicar sua natureza e os propósitos de Proust ao escrevê-lo.

O livro desenvolve temas já anteriormente explorados. Um deles, o da fascinação dos nomes sobre o Narrador, provém de "Nomes de lugares: o nome" (última parte de *No Caminho de Swann*). O Narrador se deixa seduzir pelos nomes de nobres e casas nobiliárquicas, a tal ponto que se julga apaixonado pela duquesa de Guermantes. Depois, crê-se apaixonado por outra mulher — nova decepção. Tudo lhe parece transitório, e a morte de sua avó apenas contribui para reforçar essa idéia. Essa morte, colocada no meio do livro, tem uma função de marco divisório, o que melhor se verá nos romances subseqüentes.

Mas o romance pode ser considerado "de transição" sob outros aspectos: transição entre a adolescência e a idade adulta do Narrador, entre a sensibilidade juvenil e a inteligência madura, entre a vida e a morte, esta igualmente prefigurada na doença terminal de Swann. E, acima de tudo, a transição entre o transcorrer do tempo e a apreensão da realidade: o Narrador se recorda e compara as ilusões do passado às certezas do presente. E o livro se encerra com sugestões várias que alimentam as expectativas pelos romances seguintes.

PRIMEIRA PARTE

O chilreio matinal dos pássaros soava sem graça a Françoise. Qualquer palavra das "criadinhas" lhe dava sobressaltos; incomodada pelos seus passos, indagava-se quanto a eles; é que tínhamos mudado de casa. É claro que os criados não perturbavam menos na nossa casa antiga; mas ela os conhecia; de suas idas e vindas, Françoise fizera uma coisa amigável. Agora, até ao silêncio ela prestava uma atenção dolorosa. E, como o nosso novo bairro parecia tão calmo quanto era ruidoso o bulevar para o qual se abria a nossa casa antiga, a canção (audível mesmo de longe, quando é fraca feito um motivo de orquestra) de um homem que passava fazia subir lágrimas aos olhos de Françoise exilada. Assim, se eu zombara dela, que, desolada por ter de deixar um prédio onde éramos "tão estimados por todos", fizera as malas chorando, conforme os ritos de Combray, e declarando superior a todas as casas possíveis àquela que nos pertencera; em compensação, eu, que assimilava tão dificilmente as novas coisas como facilmente abandonava as antigas, reconciliei-me com a nossa velha criada quando vi que a instalação em uma casa onde ela não recebera do porteiro, que ainda não nos conhecia, os sinais de consideração necessários à sua boa nutrição moral, deixara-a mergulhada num estado próximo ao definhamento. Somente ela poderia me compreender; certo, não seria o seu pequeno lacaio quem o faria; para ele, que era tampouco de Combray quanto possível, mudar de casa, morar em outro bairro, era como tirar férias, onde a novidade das coisas conferia o mesmo descanso que se a gente tivesse ido viajar; ele se considerava no campo; e uma coriza lhe deu, como um "golpe de ar" que se pega num vagão de trem em que a janela fecha com defeito, a impressão deliciosa de que tinha visto o campo; a cada espirro ele se regozijava por ter achado um lugar tão chique, pois sempre desejara patrões que viajassem muito. Portanto, sem ligar para ele, eu ia direto a Françoise; como caçoara de suas lágrimas diante de uma partida que me deixara indiferente, ela se mostrou fria ante a minha tristeza, visto que partilhava dela. O egoísmo dos nervosos cresce com a sua "sensibilidade"; não podem suportar, da parte dos outros, a exibição dos incômodos que cada vez mais os preocupam em si próprios. Françoise, que não deixava passar em branco o mais leve dos mal-estares que sentia, desviava o rosto se eu sofria, para que eu não tivesse o prazer de ver lamentado o meu sofrimento, e nem mesmo reparado. Assim procedeu, desde que pretendi lhe falar de nossa nova casa. De resto, tendo de ir dali a dois dias buscar roupas esquecidas na casa que acabáramos de deixar, ao passo que eu, devido à mudança, ainda estava com *temperatura* e, semelhante a uma sucuri que acabasse de engolir um boi, sentia-me penosamente empanturrado por um enorme baú que minha vista precisava "digerir", Françoise, com a infidelidade das mulheres, voltou dizendo que julgara ficar sufocada em nosso antigo bulevar, que para ir até lá se sentira totalmente *perdida*, que nunca vira escadarias tão desconfortáveis, que não voltaria a morar lá nem "por um império" e podiam lhe dar milhões — hipóteses gratuitas — e que *tudo* (quer dizer, o que se referia à cozinha e aos corredores) estava muito mais bem *agenciado* em nossa nova casa. Ora, é tempo de dizer que esta — e nela tínhamos ido morar porque minha avó não estava passando bem, razão que lhe escondemos, e tinha necessidade de ar mais puro — formava um apartamento nas dependências do palácio de Guermantes.

Na idade em que os Nomes, ofertando-nos a imagem do incognoscível que neles derramamos, no mesmo instante em que também designam para nós um lugar real, nos forçam desse modo a identificar um ao outro, a ponto de irmos buscar numa cidade uma alma que ela não pode conter mas que nós já não temos o poder de expulsar de seu nome, não é somente às cidades e aos rios que eles atribuem uma individualidade, como o fazem as pinturas alegóricas, não é somente ao universo físico que matizam de diferenças, que povoam com o maravilhoso, é também o universo social: então, cada castelo, cada mansão ou palácio famoso possui sua dama ou sua fada, como as florestas os seus gênios e as águas as suas divindades. Às vezes, oculta no fundo de seu nome, a fada se transforma ao sabor da vida de nossa imaginação, que a nutre; foi assim que a atmosfera em que a Sra. de Guermantes existia dentro de mim, depois de, durante muitos anos, não ter passado do reflexo de um vidro de lanterna mágica e de um vitral de igreja, começou a esmaecer quando sonhos bem diversos a impregnaram da umidade espumosa das torrentes.

Entretanto, a fada enfraquece se nos aproximamos da pessoa real a que seu nome corresponde, pois o nome, então, passa a refletir essa pessoa e ela não contém coisa alguma da fada; esta pode renascer, caso nos afastemos da pessoa. Mas, se permanecermos junto da pessoa, a fada morre definitivamente e com ela o nome, como aquela família de Lusignan que devia extinguir-se no dia em que desaparecesse a fada Melusina. Então o Nome, sob cujos retoques sucessivos poderíamos acabar por encontrar o belo retrato de uma estranha que jamais tenhamos conhecido, não passa da simples fotografia de identidade a que recorremos para saber se conhecemos, se devemos saudar ou não uma pessoa que passa. Mas que uma sensação de um ano de outrora — como esses instrumentos de música registradores que guardam o som e o estilo dos diferentes artistas que os tocaram — permita à nossa memória fazer-nos ouvir esse nome com o timbre especial que tinha então para o nosso ouvido e, nesse nome na aparência não mudado, sentimos a distância que separa uns dos outros os sonhos que significaram sucessivamente para nós as suas sílabas idênticas. Por um momento, do gorjeio reouvido que ele possuía em certa primavera antiga, podemos extrair, como dos pequenos tubos de que nos servimos para pintar, o matiz adequado, esquecido, misterioso e fresco dos dias que julgáramos recordar, quando, como os maus pintores, dávamos a todo o nosso passado estendido sobre a mesma tela os tons convencionais e semelhantes da memória voluntária. Ora, pelo contrário, cada um dos momentos que o compuseram empregava, para uma criação original, numa única harmonia, as cores de antigamente que já não conhecemos e que, por exemplo, ainda me deslumbram de repente se, graças a um acaso, o nome de Guermantes, tendo retomado por um momento, após tantos anos, o som, tão diferente do de hoje, que tinha para mim no dia do casamento da Srta. Percepied, me traz ele de novo esse tom de malva tão doce, por demais brilhante e novo, com que se aveludava a túmida gravata da jovem duquesa, e, como uma pervinca inatingível, reflorida, seus olhos ensolarados de um sorriso azul. E o nome de Guermantes desse tempo é também como um desses balõezinhos em que se encerrou oxigênio ou um outro gás: quando chego a rebentá-lo, a extrair dele o que ele contém, respiro o ar de Combray daquele ano, daquele dia, mesclado a um aroma de espinheiros alvos agitados pelo vento da esquina da praça, precursor da chuva, que sucessivamente expulsava o sol, deixava-o estender-se sobre o tapete de lã vermelha da sacristia e revestir-se de uma carnadura brilhante, quase rósea, de gerânio, e dessa doçura, por assim dizer wagneriana, na alegria, que soma tanta nobreza à festividade. Porém, mesmo fora dos raros minutos como esses, em que subitamente sentimos a entidade original vibrar e readquirir sua forma e cinzeladura no seio das sílabas mortas de hoje, se, no turbilhão vertiginoso da vida atual, onde só têm um emprego inteiramente prático, os nomes perderam todo o colorido, como um pião prismático a girar muito depressa e que parece cinzento, em compensação quando, num devaneio, refletimos, procuramos, para retornar ao passado, diminuir, suspender o movimento perpétuo em que somos arrastados, aos poucos vemos de novo aparecer, justapostos, mas inteiramente distintos uns dos outros, os matizes que no decurso de nossa existência nos ofereceu sucessivamente um mesmo nome.

Sem dúvida, não sei que forma se recortava a meus olhos ante esse nome de Guermantes, quando minha ama — que evidentemente ignorava, tanto quanto eu agora, em honra de quem fora composta — me ninava com esta velha canção: *Glória à Marquesa de Guermantes*, ou quando, alguns anos depois, o velho marechal de Guermantes, enchendo de orgulho a minha criada, parava nos Champs-Élysées dizendo: "Que belo menino!" e tirava de uma bomboneira de bolso uma pastilha de chocolate. Esses anos de minha primeira infância já não estão em mim, são-me exteriores, só posso apreendê-los, como a tudo que ocorreu antes do nosso nascimento, pelo relato alheio. Porém, mais tarde, encontro sucessivamente na duração em mim desse mesmo nome sete ou oito figuras diferentes; as primeiras eram mais belas: pouco a pouco o meu sonho, forçado pela realidade a abandonar uma posição insustentável, se entrincheirava de novo um pouco mais aquém, até ser obrigado a recuar ainda mais. E, ao mesmo tempo que a Sra. de Guermantes, transformava sua casa, igualmente provinda desse nome que fecundava ano após ano essa ou aquela palavra ouvida que modificava os meus sonhos, essa casa os refletia em suas próprias pedras, que se tornavam reverberantes como a superfície de uma nuvem ou de um lago. Um torreão sem espessura, que não passava de uma faixa de luz alaranjada e de cujo cimo o fidalgo e sua dama decidiam sobre a vida e a morte de seus vassalos, cedera o posto — bem no extremo desse "lado de Guermantes" onde, por tantas e tão belas tardes, eu seguia com meus pais o curso do Vivonne — àquela terra torrentosa em que a duquesa me ensinava a pescar truta e a conhecer o nome das flores de cachos cor-de-violeta e avermelhadas que decoravam os muros baixos dos cercados vizinhos; depois fora a terra hereditária, o domínio poético, onde essa raça altiva dos Guermantes, como uma torre amarelada e florida que atravessa as idades, já se elevava sobre a França, enquanto o céu ainda estava vazio ali onde mais tarde deveria aparecer a Notre-Dame de Paris e a Notre-Dame de Chartres; quando, no alto da colina de Laon, a nave da catedral ainda não pousara como a Arca da Aliança no cimo do monte Ararat, cheia de patriarcas e de Justos ansiosamente debruçados às janelas para ver se já se apaziguara a cólera de Deus, e repleta de espécies vegetais que se multiplicarão sobre a Terra, transbordante de animais que se escapam até pelas torres, em cujo telhado passeiam pacificamente os bois contemplando do alto as planícies da Champagne; quando o viajante que deixava Beauvais à tardinha ainda não via seguirem-no, a girar, desdobradas sobre a tela de ouro do poente, as alas negras e ramificadas da catedral. Estava esse Guermantes, como o cenário de um romance, uma paisagem imaginária que eu mal podia me afigurar e sentia maior desejo de descobrir, encravado no meio de terras e estradas verdadeiras que de súbito se impregnariam de particularidades heráldicas, a duas léguas de uma estação de trem; lembrava-me eu de nomes das localidades vizinhas como se elas estivessem situadas ao pé do Parnaso ou do Hélicon, e elas se me afiguravam preciosas como as condições materiais — em ciência topográfica — da produção de um fenômeno misterioso. Eu revia os brasões que estão pintados nos envasamentos dos vitrais de Combray, e cujos quartéis se haviam enchido, através dos séculos, de todos os senhorios que, por aquisições ou casamentos, aquela casa ilustre havia feito voarem para si de todos os cantos da Alemanha, da Itália e da França: terras imensas do Norte, cidades poderosas do Sul, todas vindas a se juntar e compor em Guermantes e, perdendo sua materialidade, inscrever alegoricamente seu torreão de sinople ou seu castelo de prata em seu campo de azul. Ouvira falar das célebres tapeçarias de Guermantes e via-as, azuis e medievas, um tanto espessas, destacarem-se como uma nuvem sobre o nome amarantino e legendário, à beira da antiga floresta onde Childeberto caçou seguidamente; e esse extremo fundo e misterioso de terras, essa distância de séculos, parecia-me que penetraria em seus segredos, assim como numa viagem, bastando-me para isso aproximar-me por um instante, em Paris, da Sra. de Guermantes, suserana do lugar e dama do lago, como se seu rosto e suas palavras devessem ter a posse do encanto local dos bosques e das margens, e as mesmas particularidades seculares da velha usança de seus arquivos. Então, porém, conhecera Saint-Loup; ele me ensinara que o castelo só se chamava Guermantes desde o século XVII, quando sua família o adquirira. Até então, ela residira nas vizinhanças, e seu título não provinha daquela região. A aldeia de Guermantes recebera esse nome do castelo junto ao qual fora erguida e, para que ela não lhe arruinasse as perspectivas, uma servidão, que permanecia em vigor, regulava o traçado das ruas e limitava a altura das casas. Quanto às tapeçarias, elas eram de Boucher, compradas no século XIX por um Guermantes amador, e estavam colocadas ao lado de medíocres quadros de caça que ele próprio havia pintado, num salão bem ordinário enfeitado de pelúcia e andrinopla. Por tais revelações, Saint-Loup introduziria elementos estranhos ao nome de Guermantes no castelo, elementos que não mais me permitiram continuar a extrair, apenas da sonoridade das sílabas, a fábrica das construções. Então, no fundo desse nome se desfizera o castelo refletido em seu lago, e o que me surgira ao redor da Sra. de Guermantes como sua residência fora o seu palácio de Paris, o palácio de Guermantes, límpido como o seu nome, pois nenhum elemento material e opaco lhe vinha ali interromper e cegar a transparência. Como a igreja não significa apenas o templo, mas também a assembléia de fiéis, esse palácio de Guermantes compreendia todos aqueles que partilhavam da vida da duquesa; mas os íntimos, a quem jamais vira, não passavam para mim de nomes célebres e poéticos, e, conhecendo unicamente pessoas que também não eram mais que nomes, outra coisa não faziam senão engrandecer e proteger o mistério da duquesa, estendendo à sua volta um enorme halo que quando muito se fazia mais rarefeito.

Nas festas que ela dava, como eu não imaginava para os convidados nenhum corpo, nenhum bigode, botina alguma, nenhuma frase pronunciada que fosse banal, ou mesmo original de um modo humano e racional, aquele turbilhão de nomes, introduzindo menos matéria do que o faria um banquete de fantasmas ou um baile de espectros, ao redor daquela estatueta de porcelana de Saxe que era a Sra. de Guermantes, conservava uma transparência de vitrine ao seu castelo de vidro. Depois, quando Saint-Loup me contou anedotas relativas ao capelão e aos jardineiros de sua prima, o palácio de Guermantes se tornou — como o poderia ter sido outrora algum Louvre — uma espécie de castelo cercado, em pleno centro de Paris, por suas terras hereditariamente possuídas, em virtude de um direito antigo estranhamente sobrevivo, e nas quais ela exercesse ainda privilégios feudais. Mas esta última residência ela mesma se evaporara quando fomos morar, tão perto da Sra. de Villeparisis, num dos apartamentos vizinhos ao da Sra. de Guermantes, em uma ala do seu palácio. Era uma dessas velhas moradias, como talvez ainda existam, e nas quais o pátio principal — seja por aluviões trazidas pela maré montante da democracia, seja por legados de tempos mais antigos em que os diversos ofícios vinham se agrupar em torno do senhor — tinha muitas vezes, dos lados, balcões, oficinas, e até alguma loja de sapateiro ou de alfaiate, como as que se vêem apoiadas nos flancos das catedrais e que a estética dos engenheiros não pôde arejar, ou um porteiro remendão que criava galinhas e cultivava flores — e, no fundo, no alojamento que "fazia de palácio", uma "condessa" que, quando saía em sua velha caleça tirada por dois cavalos, exibindo sobre o chapéu algumas capuchinhas que pareciam fugidas do jardinzinho da portaria (tendo ao lado do cocheiro um lacaio que descia para entregar cartões em cada residência aristocrática do bairro), enviava indistintamente sorrisos e acenos com a mão aos filhos do porteiro e aos locatários burgueses que passavam naquele instante e que ela confundia em sua desdenhosa afabilidade e igualitária arrogância.

Na casa em que tínhamos ido morar, a grande dama do fundo do pátio era uma duquesa, elegante e ainda jovem. Tratava-se da Sra. de Guermantes. E, graças a Françoise, depressa consegui informações sobre o palácio. Pois os Guermantes (que muitas vezes Françoise designava pelas expressões "lá embaixo", "os de baixo") eram sua preocupação constante desde a manhã, quando, lançando para o pátio um olhar proibido, irresistível e furtivo, enquanto penteava mamãe, dizia: — Vejam, duas freiras; certamente vão lá embaixo — ou: — Oh, que belos faisões na janela da cozinha, nem é preciso indagar de onde vêm, com certeza o duque andou caçando — até à noite, quando, ao me entregar minha roupa de dormir, se ouvia o som de um piano, um eco de cançoneta, deduzia: — Têm convidados os de baixo; estão festejando —; e, no seu rosto regular, sob os cabelos agora brancos, um sorriso de juventude, animado e sóbrio, colocava por um instante cada um de seus traços no devido lugar, harmonizava-os numa ordem requintada e sutil, como antes de uma contradança.

Mas o momento da vida dos Guermantes que mais vivamente excitava o interesse de Françoise, lhe dava mais satisfação e também lhe causava mais mal, era precisamente aquele em que, abrindo-se escancaradamente os dois batentes do portão, a duquesa subia à sua caleça. Em geral, era pouco tempo depois que os nossos criados acabavam de celebrar essa espécie de páscoa solene que ninguém deve interromper, chamada o seu almoço, e durante a qual eles eram de tal modo *tabus* que nem meu pai se permitia tocar a campainha para chamá-los, sabendo aliás que nenhum se moveria ao quinto como ao primeiro toque, e que assim teria ele cometido essa inconveniência em pura perda, mas não sem desprestígio para si próprio. Pois Françoise (que desde que se tornara velha fazia a todo propósito o que se chama uma "cara de circunstância") não teria deixado de lhe apresentar todo o dia um rosto cheio de pequenos traços cuneiformes e rubros que mostravam no exterior, porém de um modo pouco decifrável, o longo memorial de suas queixas e as profundas razões de seu descontentamento. Desenvolvia-os, aliás, para os bastidores, mas sem que pudéssemos distinguir perfeitamente as palavras. A isso denominava — que ela acreditava ser para nós *mortificante, vexatório* — dizer todo santo dia "missa calada".

Acabados os últimos ritos, Françoise, que era a um tempo, como na igreja primitiva, o celebrante e um dos fiéis, servia-se de um derradeiro copo de vinho, desatava o guardanapo do pescoço, dobrava-o, enxugando nos lábios um resto de água avinhada e de café, enfiava-o numa argola, agradecia com um olhar dolente ao "seu" jovem lacaio que, para mostrar zelo, lhe dizia: — Vamos, Madame, mais um pouco de uvas; estão magníficas —, e logo ia abrir a janela sob o pretexto de que fazia demasiado calor "naquela miserável cozinha". Lançando habilmente, ao mesmo tempo que abria os postigos e tomava ar, um olhar desinteressado para o fundo do pátio, ela escondia furtivamente a certeza de que a duquesa ainda não estava pronta, chocava por um momento com olhar desdenhoso e apaixonado a carruagem atrelada, e, uma vez dado com os olhos esse momento de atenção às coisas terrenas, erguia-os para o céu, cuja pureza já adivinhara ao sentir a suavidade do ar e o calor do sol; e mirava no canto do telhado o lugar onde, cada primavera, vinham fazer ninho, bem sobre a lareira do meu quarto, uns pombos semelhantes aos que arrulhavam na sua cozinha, em Combray.

— Ah, Combray, Combray! — exclamava. (E o tom quase cantado com que declamava esta invocação poderia, no caso de Françoise, tanto quanto a arlesiana pureza do seu rosto, fazer suspeitar uma origem meridional e que a pátria perdida que ela chorava não passava de uma pátria de adoção. Porém, talvez a gente se enganasse, pois parece que não há província que não tenha o seu *sul*, e com quantos saboianos e bretões não nos encontramos, nos quais se acham todas as doces transposições de longas e breves que identificam o meridional!) — Ah, Combray, quando é que voltarei a te ver, pobre terra! Quando é que poderei passar todo santo dia debaixo de teus espinheiros alvos e nossos pobres lilases, ouvindo os tentilhões e o Vivonne, que faz como que o murmúrio de alguém que sussurrasse, em vez de ouvir essa miserável campainha do nosso jovem patrão que não passa sequer meia hora sem me fazer correr ao longo desse maldito corredor! E ainda acha que não vou suficientemente depressa; seria então preciso ouvi-lo antes que tocasse a campainha; e, se a gente se atrasa um só minuto, ele "explode" em cóleras terríveis. Ai de mim, pobre Combray! Talvez só morta eu te veja de novo, quando me jogarem como uma pedra no buraco do túmulo. Então, não sentirei mais o aroma dos teus belos espinheiros sempre alvos. Porém, no sono da morte, acho que ouvirei ainda os três toques da campainha que já me danaram em vida.

Mas ela era interrompida pelos chamados do coleteiro do pátio, aquele que antigamente tanto havia agradado à minha avó no dia em que tinha ido ver a Sra. de Villeparisis e que não ocupava um lugar menos elevado na simpatia de Françoise. Tendo erguido a cabeça ao ouvir abrir-se a nossa janela, já procurava há alguns instantes atrair a atenção de sua vizinha para lhe desejar bom-dia. A coqueteria da moça que fora um dia Françoise afinava então, para o Sr. Jupien, o rosto mal-humorado da nossa velha cozinheira entorpecido pela idade e pelo calor do forno, e foi com uma encantadora mistura de reserva, familiaridade e pudor que ela dirigiu ao coleteiro uma graciosa saudação, mas sem lhe responder em voz alta, pois, se ela de fato transgredia as recomendações de mamãe olhando para o pátio, não teria coragem de desafiá-las a ponto de conversar pela janela, o que teria o dom, segundo Françoise, de lhe valer, da parte de Madame, "um sermão completo". Ela lhe mostrava a caleça atrelada dando a impressão de dizer: "Belos cavalos, hein?", mas sempre murmurando: — Que velho traste! — e sobretudo porque sabia que ele iria responder, pondo a mão sobre a boca para ser ouvido à meia-voz: — *Vocês* também poderiam ter uma dessas se quisessem, e até mesmo mais que eles, mas não gostam disso.

E Françoise, depois de um sinal modesto, evasivo e encantador, cujo significado era mais ou menos: "Cada qual no seu gênero; conosco é a simplicidade", voltava a fechar a janela, de medo que mamãe chegasse. Esses *vocês* que poderiam ter mais cavalos que os Guermantes éramos nós, mas Jupien tinha razão em dizer "vocês", pois, a não ser no caso de certos prazeres de amor-próprio puramente pessoais (como aquele, quando ela tossia sem parar e a casa inteira receava se contaminar, de pretender, com um risinho irritante, que não estava gripada), semelhante a essas plantas que um animal, ao qual aderem por completo, nutre com os alimentos que apanha, come e digere para elas e lhes oferece em seu último e assimilável resíduo, Françoise vivia em simbiose conosco; nós é que, com nossas virtudes, nossa fortuna, nosso modo de viver, nossa posição social, devíamos nos encarregar de elaborar as pequenas satisfações de amor-próprio de que se formava — acrescentando-lhe o direito reconhecido de exercer livremente o culto do almoço segundo o velho costume, comportando a conseqüente pequena tomada de ar à janela, quando acabava, algum passeio pela rua para fazer compras e uma saída aos domingos para ver a sobrinha — a parte de contentamento indispensável à sua existência. Assim compreende-se que Françoise tenha ficado abatida, nos primeiros dias, numa casa em que todos os títulos honoríficos de meu pai ainda não eram conhecidos — presa de um mal que ela mesma denominava aborrecimento, aborrecimento no sentido enérgico que o termo tem em Corneille ou na pena dos soldados que acabam por se suicidar porque se "aborrecem" demais longe das noivas, da cidade natal. O aborrecimento de Françoise fora rapidamente curado precisamente por Jupien, pois ele logo lhe causou um prazer tão vivo e mais refinado do que o prazer que teria tido se nos decidíssemos a comprar uma carruagem. — São boa gente esses Jupiens (Françoise assimilava de bom grado os novos termos aos que já conhecia), muito boa gente; está na cara. — Jupien de fato soube compreender e dar a entender a todos que, se não tínhamos equipagem, era porque não queríamos. Esse amigo de Françoise vivia pouco em casa, pois obtivera um lugar de funcionário num ministério. Fabricante de coletes a princípio, com a "garota" que minha avó tomara por sua filha, perdera toda vantagem em exercer o ofício depois que a menina — que, desde quase ainda criança, já sabia muito bem recoser uma saia na época em que minha avó fora visitar a Sra. de Villeparisis — se dedicara à costura para damas e se tornara uma especialista em saias.

Primeiro, fora auxiliar de uma modista, empregada para dar um ponto, remendar um volante, pregar um botão ou um colchete, ajustar uma prova com alfinetes; logo passara a segunda, depois a primeira oficial, e, tendo feito uma freguesia de damas da melhor sociedade, trabalhava em casa, ou seja, no nosso pátio, na maioria das vezes com uma ou duas de suas pequenas companheiras de ateliê, a quem empregava como aprendizes. Desde então, a presença de Jupien fora menos útil. Sem dúvida a menina, desde que crescera, precisava muitas vezes fazer coletes. Mas, ajudada por suas amigas, não tinha necessidade de ninguém. Portanto, Jupien, seu tio, solicitara um emprego. No começo era livre para voltar para casa ao meio-dia, mas depois, tendo substituído definitivamente o empregado a quem apenas auxiliava, nunca voltava antes da hora do jantar. Aliás sua titularização só se efetuou algumas semanas depois da nossa mudança, de modo que a gentileza de Jupien pôde se exercer durante muito tempo no sentido de ajudar Françoise a vencer sem muito sofrimento os primeiros tempos tão difíceis. Além disso, sem desconhecer a utilidade que assim teve para Françoise a título de "medicamento de transição", devo confessar que Jupien não me agradara muito à primeira vista. A alguns passos de distância, destruindo inteiramente o efeito que, sem isso, causariam suas faces rechonchudas e sua tez rosada, os olhos transbordantes de um olhar compadecido, desolado e sonhador, faziam pensar que estivesse bem doente ou que acabava de sofrer um grande desgosto. Não só não era nada disso como, desde que principiava a falar, aliás perfeitamente bem, mostrava-se antes frio e sarcástico. Desse desacordo entre o olhar e a palavra, resultava algo de falso que não era simpático e com o qual ele próprio parecia sentir-se tão constrangido como um convidado em traje de passeio em um sarau onde todo mundo está de casaca, ou como alguém que, tendo de responder a uma Alteza, não sabe exatamente o que é necessário dizer e contorna a dificuldade reduzindo suas frases a quase nada. As de Jupien, ao contrário — pois é simples comparação —, eram encantadoras. Correspondendo talvez àquela inundação do rosto pelos olhos (à qual não se prestava mais atenção desde que a gente o conhecia), de fato, logo lhe percebi uma inteligência rara e uma das mais naturalmente literárias que me foi dado conhecer, neste sentido em que, provavelmente sem cultura, ele possuía ou assimilara, com o auxílio de alguns livros percorridos às pressas, as mais engenhosas expressões da língua. As pessoas mais bem-dotadas que eu conhecera haviam morrido muito jovens. Portanto, eu estava convencido de que a vida de Jupien terminaria em breve. Tinha bondade, piedade, os mais delicados e generosos sentimentos. Seu papel na vida de Françoise deixara depressa de ser indispensável. Ela aprendera a substituí-lo.

Mesmo quando um fornecedor ou um criado vinha nos trazer algum pacote, Françoise, sempre dando a impressão de não se preocupar com ele, indicando-lhe apenas, com ar desligado, uma cadeira, enquanto ela continuava o seu serviço, aproveitava de modo tão hábil os poucos instantes que ele passava na cozinha à espera da resposta de mamãe, que raramente ele partia sem levar consigo indestrutivelmente gravada a certeza de que "se não tínhamos, era porque não queríamos". Se, aliás, ela se empenhava tanto para que soubessem que tínhamos "dinheiro" (pois ignorava o emprego do que Saint-Loup denominava artigos partitivos e dizia "ter dinheiro", "trazer água"),[1] em que nos soubessem ricos, não era porque a riqueza sem mais nada, a riqueza sem a virtude, fosse o bem supremo aos olhos de Françoise, mas a virtude sem riqueza tampouco era o seu ideal. Para ela, a riqueza era como uma condição necessária da virtude, cuja falta faria a virtude destituída de mérito e de encanto. Separava-as tampouco que acabara por emprestar a cada uma as qualidades da outra, a exigir algum conforto na virtude, a reconhecer algo de edificante na riqueza.

Assim que fechava a janela, bem depressa — senão mamãe, pelo visto, "lhe lançaria todas as injúrias imagináveis" —, Françoise começava, suspirando, a arrumar a mesa da cozinha.

— Há alguns Guermantes que continuam na rua da Chaise — dizia um criado-grave. — Eu tinha um amigo que trabalhou com eles de segundo cocheiro. E conheço alguém, não meu companheiro, e sim um seu cunhado, que serviu no exército com um picador do barão de Guermantes. "Vamos lá, afinal não é meu pai!", acrescentava o criado-grave, que tinha o costume de cantarolar as canções da moda, pontuando as frases com as mais recentes piadas.

Françoise, com o cansaço de seus olhos de mulher já de idade, e que aliás via tudo quanto se referia a Combray numa vaga lonjura, distinguiu não o gracejo contido naquelas palavras, mas sim que deviam mostrar alguma graça, pois não se relacionavam com o resto da conversa, e tinham sido lançadas com força por alguém que ela sabia ser brincalhão. Assim, sorriu com ar benévolo e fascinado, como se dissesse: "Sempre o mesmo, este Victor!" Ademais, sentia-se feliz, pois sabia que ouvir coisas desse tipo se assemelha de longe a essas distrações honestas da sociedade para as quais, em todas as esferas, a gente se apressa em preparar-se,

[1] A observação só tem sentido em francês, onde, devido ao uso do artigo partitivo, praticamente inexistente no português moderno, se diz *avoir de l'argent, apporter de l'eau.* Françoise diz: *avoir d'argent, apporter d'eau.* (N. do T.)

arriscando-se a apanhar um resfriado por elas. Enfim, achava que o criado-grave era um amigo para ela, pois não cessava de lhe denunciar com indignação as medidas terríveis que a República ia tomar contra o clero. Françoise ainda não compreendera que os nossos adversários mais cruéis não são os que nos contradizem e procuram nos convencer, mas aqueles que exageram ou inventam notícias que podem nos afligir, evitando dar-lhes uma aparência de justificação que diminua a nossa mágoa e nos inspire talvez uma leve estima por um partido que eles timbram em nos mostrar, para nossa tortura completa, a um tempo atroz e triunfante.

— A duquesa deve ser ligada a tudo isso — disse Françoise retomando a conversação sobre os Guermantes da rua Chaise, como se recomeça um trecho musical no andante. — Já nem sei mais quem me disse que um deles casara uma prima com o duque. Em todo caso, são dos mesmos *parênteses*. Uma grande família, os Guermantes! — acrescentava com respeito, assentando a grandeza dessa família a um tempo no número de membros e no brilho de sua ilustração, como Pascal assentava a verdade da religião sobre a razão e a autoridade das Escrituras. Pois, tendo apenas o vocábulo "grande" para as duas coisas, parecia-lhe que elas formavam uma só; assim, o seu vocabulário, como certas pedras, apresentava um defeito em alguns pontos, defeito que projetava obscuridade em seu pensamento.

— Pergunto-me se não serão esses que têm seu castelo de Guermantes, a dez léguas de Combray; então devem também ser parentes de sua prima de Argel. — Por muito tempo nos indagamos, minha mãe e eu, quem poderia ser essa prima de Argel, mas afinal compreendemos que Françoise queria indicar, com o nome de Argel, a cidade de Angers. O que está distante pode nos ser mais conhecido do que o que está próximo. Françoise, que conhecia o nome de Argel por causa das detestáveis tâmaras que recebíamos pelo Ano-Novo, ignorava o de Angers. Sua linguagem, como a própria língua francesa, e principalmente sua toponímia, era semeada de erros. — Eu queria falar sobre isso ao mordomo dos Guermantes. Como é mesmo que se diz? — interrompeu-se, como levantando uma questão de protocolo; e respondeu a si própria: — Ah, sim! É Antoine que se diz — como se Antoine fosse um título. — Ele é quem poderá me dizer, mas é um verdadeiro senhor, um grande pedante, dir-se-ia que lhe cortaram a língua ou que ele se esqueceu de aprender a falar. Ele nem sequer faz resposta quando lhe falam — acrescentava Françoise, que dizia "fazer resposta" como a Sra. de Sévigné. — Mas — ajuntava sem sinceridade —, desde o momento em que eu sei o que está cozinhando na minha marmita, não me ocupo com a dos outros. Em todo caso, tudo isso não é lá muito católico. E, depois, não é um homem corajoso (esta avaliação poderia fazer acreditar que Françoise mudara de opinião acerca da bravura que, segundo ela, em Combray, nivelava os homens aos animais ferozes; mas não se tratava disso. Corajoso para ela significava trabalhador). Diz-se também que é ladrão como uma pega, mas nem sempre se deve acreditar nos mexericos. Aqui todos os criados vão embora por causa da portaria; os porteiros são invejosos e enchem de coisas a cabeça da duquesa. Mas bem se pode dizer que é um grande fingido esse Antoine, e sua *Antoinesse* não vale mais que ele — dizia Françoise que, para encontrar para o nome de Antoine um feminino que designasse a mulher do mordomo, sem dúvida, em sua criação gramatical, tinha uma inconsciente recordação de *chanoine* e *chanoinesse* [cônego e canonisa]. E, sob este aspecto, não se expressava mal. Existe ainda, perto da Notre-Dame, uma rua chamada Canonisa, nome que lhe fora dado (por ser habitada somente de cônegos) por aqueles franceses de outrora de que Françoise era de fato contemporânea. Aliás, tinha-se, logo depois, um novo exemplo dessa maneira de formar os femininos, pois Françoise acrescentava: — Mas seguro e certo é que o castelo de Guermantes pertence à duquesa. E na região ela é que é a senhora *mairesse* [prefeita]. Já é alguma coisa.

— Compreendo que é alguma coisa — dizia convicto o criado-grave, sem ter percebido a ironia.

— Pensa que seja alguma coisa, meu filho? Mas, para gente como aquela, ser *maire* e *mairesse* é três vezes nada. Ah, se fosse meu o castelo de Guermantes, não me veriam com freqüência em Paris. É mesmo necessário que uns senhores, pessoas que têm com quê, como o patrão e a patroa, tenham idéias malucas na cabeça para ficarem nesta cidade miserável, em vez de irem para Combray, já que podem fazer livremente o que quiserem que ninguém os prende. Que é que esperam para ir embora, visto que nada lhes falta? Estarem mortos? Ah, se eu só tivesse pão seco para comer e um pouco de lenha para me aquecer no inverno, há muito que estaria em casa, na pobre morada do meu irmão em Combray. Lá, pelo menos, a gente se sente viver, não tem todas essas mansões pela frente, há tão pouco barulho que à noite se ouve as rãs coaxarem a mais de duas léguas.

— Isto deve ser verdadeiramente bonito, senhora — exclamou o jovem lacaio com entusiasmo, como se esta última particularidade fosse tão exclusiva de Combray como a vida em gôndola a Veneza.

Além disso, mais recente na casa que o criado-grave, o lacaio falava a Françoise de assuntos que podiam interessar não a si mesmo, mas a ela. E Françoise, que fazia uma careta quando a tratavam de cozinheira, tinha para com o lacaio, que dizia ao falar dela "a governanta", a benevolência especial que mostram certos príncipes de segunda categoria em relação aos jovens que os tratam por Alteza.

— Ao menos a gente sabe o que está fazendo e em que estação se encontra. Não é como aqui, onde não há um mísero botão de ouro pela Páscoa nem no Natal, e nem sequer ouço um pequeno *angelus* quando ergo a minha velha carcaça. Lá a gente ouve cada hora; não passa de um pobre sino, mas você diz consigo: "Aí vem o meu irmão que volta do campo", você vê o dia que vem baixando, tocam pelos bens da terra, e você tem tempo de voltar antes de acender o lampião. Aqui é dia, é noite, e a gente vai se deitar sem poder ao menos dizer o que fez, como os animais.

— Parece que Méséglise também é muito bonita, senhora — interrompeu o jovem lacaio, para cujo gosto a conversa ia tomando um rumo um tanto abstrato e que, por acaso, se lembrava de nos ter ouvido falar à mesa de Méséglise.

— Oh, Méséglise — dizia Françoise com um largo sorriso que lhe vinha aos lábios sempre que pronunciavam, na sua presença, os nomes de Méséglise, de Combray e de Tansonville. De tal modo faziam parte de sua própria existência que ela experimentava, ao encontrá-los no exterior, ao ouvi-los numa conversa, uma alegria bem próxima da que um professor excita em sua classe ao fazer alusão a um determinado personagem contemporâneo, cujo nome os alunos jamais esperariam pudesse cair do alto da cátedra. Seu prazer provinha igualmente de sentir que aqueles lugares eram, para ela, algo que não seriam para os outros, velhos camaradas com quem se passam bons momentos; e ela lhes sorria como se os achasse espirituosos, porque neles encontrava muito de si própria.

— Sim, você pode dizer, meu filho, que Méséglise é muito bonita — replicava ela, sorrindo sutilmente. — Mas como foi que ouviu falar de Méséglise?

— Como foi que ouvi falar de Méséglise? Mas é bastante conhecida. Falaram-me dela uma porção de vezes — respondeu ele com essa inexatidão criminosa dos informantes que, todas as vezes que procuramos nos certificar objetivamente da importância que pode ter para os outros alguma coisa que nos concerne, colocam-nos na impossibilidade de consegui-lo.

— Ah, digo-lhe que a gente está melhor ali debaixo das cerejeiras do que junto do fogão.

E falava-lhe até de Eulalie como de uma boa pessoa. Pois, desde que Eulalie morrera, Françoise esquecera por completo que a estimara muito pouco em vida, como estimara bem pouco toda pessoa que nada tinha a comer dentro de casa, que "arrebentava" de fome e vinha depois, como uma imprestável, *fazer uma boquinha* graças à bondade dos ricos. Já não se aborrecia pelo fato de ter Eulalie sabido tão bem "receber o seu" da parte de minha tia, todas as semanas. Quanto a esta última, Françoise não cessava de lhe entoar louvores.

— Mas então era mesmo em Combray, na casa de uma prima da patroa, que a senhora estava? — perguntava o jovem lacaio.

— Sim, na casa da Sra. Octave; ah! uma santa mulher, meus filhos. E lá havia sempre de tudo, do bom e do melhor; era uma boa mulher, pode-se dizer, que não lastimava as perdizes nem os faisões, nem nada; e a gente podia chegar para jantar às cinco, às seis, que não era carne o que havia de faltar; e de primeira, ainda por cima; e vinho branco, vinho tinto, tudo o que fosse necessário. — (Françoise empregava o verbo *lastimar* no mesmo sentido que La Bruyère.) — Tudo era sempre às suas custas, mesmo que a família ficasse meses ou anos. (Essa reflexão nada tinha de indelicado para conosco, pois Françoise era de um tempo em que *custas*[2] não era reservada ao estilo judiciário e significava simplesmente despesas.) — Ah, garanto-lhe que ninguém saía com fome. Como o Senhor cura nos observou tantas vezes, se existe uma mulher que vai direitinho para junto de Deus, é, com certeza, ela. Pobre senhora, ouço-a ainda a me dizer com sua vozinha: "Françoise, você sabe, eu não como, mas quero que seja tão bom para todos como se eu comesse." Certo que não era para ela. Se a tivessem visto; não pesava mais que um cestinho de cerejas. Não tinha mais peso nenhum. Nunca ligou para os meus conselhos, jamais quis ir ao médico. Ah! Não era lá que se comia às pressas. Ela queria que seus criados fossem bem alimentados. Aqui, ainda hoje de manhã, mal tivemos tempo de roer um bocado de pão. Tudo se faz correndo.

Exasperava-se principalmente com as torradas que meu pai comia. Estava convencida de que ele costumava comê-las de pura afetação e para obrigá-la a *raspar-se*. — Posso jurar — aprovava o jovem lacaio — que nunca vi uma coisa dessas! — Dizia aquilo como se tivesse visto todas as coisas e os conhecimentos de uma experiência milenar se estendessem a todas as terras e seus usos, entre os quais não figurava em parte alguma o hábito de comer torradas. — Sim, sim — resmungava o mordomo —, mas tudo isto bem que poderia mudar, os operários devem fazer uma greve no Canadá, e o ministro disse outro dia ao patrão que para isso ganhou duzentos mil francos. — O mordomo estava longe de censurá-lo, não que ele próprio não fosse perfeitamente honesto, mas, julgando venais todos os políticos, o crime de concussão lhe parecia menos grave que o mais leve de-

---

[2] Em francês, *dépens*, que existe em companhia de *dépense* ("despesa"). (N. do T.)

lito de roubo. Não se indagava sequer se ouvira bem aquela frase histórica e não o abalava a inverossimilhança de que tivesse sido pronunciada pelo próprio culpado ao meu pai, sem que este o pusesse porta afora. Mas a filosofia de Combray impedia que Françoise esperasse que as greves no Canadá tivessem repercussão sobre o uso das torradas: — Enquanto o mundo for mundo — dizia —, haverá patrões para nos fazerem trotar e criados para se prestarem a seus caprichos. — A despeito da teoria daquele trote perpétuo, já há um quarto de hora minha mãe, que provavelmente não empregava as mesmas medidas de Françoise para avaliar a duração do almoço dela, dizia: — Mas o que é que pode estar fazendo lá? Há mais de duas horas que almoçam. — E tocava timidamente a campainha três ou quatro vezes. Françoise, seu lacaio e o mordomo ouviam os toques não como um chamado e sem pensar em atender, mas como os primeiros sons dos instrumentos que se afinam quando em breve recomeça um concerto e vê-se que só haverá alguns minutos de intervalo. Assim, quando os toques começavam a se repetir, e a se tornar mais insistentes, nossos criados principiavam a lhes prestar mais atenção e, calculando que já não tinham muito tempo e que estava próxima a retomada do trabalho, davam um suspiro a um tilintar mais sonoro que os outros e, tomando cada qual o seu partido, descia o lacaio para fumar um cigarro diante da porta; Françoise, após algumas reflexões a nosso respeito, tais como "parece que estão com o diabo no corpo", subia para arrumar suas coisas no sexto andar, e o mordomo, tendo ido buscar papel de carta no meu quarto, expedia rapidamente a sua correspondência privada.

Apesar do ar arrogante do seu mordomo, Françoise, logo nos primeiros dias, pudera me informar que os Guermantes não moravam no seu palácio em virtude de um direito imemorial, e sim devido a uma locação bem recente, e que o jardim para onde dava, do lado que eu não conhecia, era muito pequeno e parecido com todos os jardins vizinhos; e eu soube, enfim, que ali não se viam nem forca senhorial, nem moinho fortificado, nem *sauvoir*, nem pombal com pilastras, nem forno comum, nem celeiro de nave, nem castelinho, nem pontes fixas ou levadiças, nem sequer volantes, nem tampouco pedágio, agulhas, diplomas, murais ou marcos. Mas como Elstir, quando a baía de Balbec, tendo perdido seu mistério, tornara-se para mim uma parte qualquer, intercambiável com qualquer outra, de certa quantidade de água salgada que existe no globo terrestre, lhe restituíra subitamente uma individualidade ao me dizer que era o golfo de opala de Whistler em sua harmonia de azul prateado — assim o nome de Guermantes vira morrer, aos golpes de Françoise, a última morada que dele saíra, quando um velho amigo de meu pai nos disse um dia, falando da duquesa: — Ela ocupa a posição mais destacada no *faubourg* Saint-Germain, tem a primeira casa do *faubourg* Saint-Germain. — Decerto, o primeiro salão e a primeira residência do *faubourg* Saint-Germain eram bem pouca coisa diante das outras residências que eu sucessivamente havia imaginado. Enfim, esta ainda, e devia ser a última, possuía algo, por mais humilde que fosse e que seria, além de sua própria matéria, uma secreta diferenciação.

E tanto me era mais necessário poder procurar no "salão" da Sra. de Guermantes, em seus amigos, o mistério de seu nome, quanto não o encontrava em sua pessoa, quando a via sair a pé de manhã, ou de carro, à tarde. Certamente, já na igreja de Combray ela me surgira ao fulgor de uma metamorfose, com suas faces irredutíveis, impenetráveis à cor do nome de Guermantes e das tardes à beira do Vivonne, no lugar do meu sonho fulminado, como um cisne ou um salgueiro no qual foi transformado um deus ou uma ninfa e que, desde então submetido às leis da natureza, deslizará pelas águas ou será agitado pelo vento. No entanto, esses reflexos desvanecidos, mal os havia deixado, tornavam a formar-se, como os reflexos róseos e verdes do sol posto, por detrás do remo que os quebrara, e, na solidão de meu pensamento, o nome de imediato se apropriara da lembrança do rosto. Mas agora eu a via muitas vezes à sua janela, no pátio, na rua; e, se nem ao menos conseguia integrar nela o nome de Guermantes, pensar que ela era a Sra. de Guermantes, eu acusava apenas a impotência do meu espírito em ir até o fim do ato que lhe pedia; mas ela, nossa vizinha, parecia cometer o mesmo erro; mais ainda, cometê-lo sem se perturbar, sem nenhum dos meus escrúpulos, sem nem sequer a suspeita de que se tratasse de um erro. Assim, a Sra. de Guermantes mostrava em seus vestidos a mesma preocupação de seguir a moda como se, julgando-se uma mulher como as outras, tivesse aspirado a essa elegância de toalete em que qualquer das mulheres a podia igualar, talvez ultrapassá-la; vira-a, na rua, olhar com admiração uma atriz bem-vestida; e de manhã, no momento em que ela ia sair a pé, como se a opinião dos transeuntes, cuja vulgaridade fazia ressaltar passeando no meio deles a sua vida inacessível, pudesse ser um tribunal para ela, eu podia vê-la diante do espelho, desempenhando, com uma convicção isenta de duplicidade e ironia, com paixão, com mau humor, com amor-próprio, como uma rainha que aceitou representar uma criada numa comédia da corte, esse papel, tão inferior a ela, de mulher elegante; e, no esquecimento mitológico de sua grandeza nativa, ela verificava se o véu estava bem colocado, ajeitava as mangas, ajustava a capa, como o cisne divino faz todos os movimentos de sua espécie animal, conserva os olhos pintados de cada lado do bico sem neles pôr o olhar e se lança de súbito sobre um botão ou um guarda-chuva, como cisne, sem se lembrar que é um deus. Mas como o viajante, decepcionado pela primeira impressão recebida de uma cidade, diz consigo mesmo que talvez penetre nos seus encantos visitando os museus, travando conhecimento com o povo, trabalhando em suas bibliotecas, eu dizia a mim mesmo que, se fosse recebido em casa da Sra. de Guermantes, se fosse um de seus amigos, se penetrasse em sua existência, haveria de conhecer aquilo que, sob o invólucro alaranjado e brilhante, o seu nome ocultava de fato, de modo objetivo, para os outros, visto que, enfim, o amigo de meu pai dissera que o meio dos Guermantes era algo à parte no *faubourg* Saint-Germain.

A vida que eu supunha levassem naquele meio derivava de uma fonte tão diversa da experiência e me parecia dever ser tão particular, que não teria podido imaginar nos saraus da duquesa a presença de pessoas que eu tivesse freqüentado outrora, pessoas reais. Pois, não podendo mudar bruscamente a sua natureza, ali diriam frases análogas às que já lhes conhecia; seus parceiros talvez se abaixassem a lhes responder na mesma linguagem humana; e, durante uma reunião no primeiro salão do *faubourg* Saint-Germain, teria havido instantes idênticos àqueles que eu já vivenciara: o que era impossível. É verdade que meu espírito se sentia embaraçado por certas dificuldades, e a presença do corpo de Jesus Cristo na hóstia não se me afigurava um mistério mais obscuro que esse primeiro salão do *faubourg* Saint-Germain, situado à margem direita do Sena, e cujos móveis eu podia ouvir limpar pela manhã. Mas a linha de demarcação que me separava do *faubourg* Saint-Germain, por ser inteiramente ideal, tanto mais real me parecia; bem sentia que era já o *faubourg*, o capacho dos Guermantes estendido do outro lado desse Equador e do qual minha mãe ousara dizer, tendo-o visto como eu, no dia em que se achava aberta a porta deles, que se encontrava em muito mau estado. Além do mais, de que forma a sua sala de jantar, sua galeria obscura, de móveis forrados de pelúcia vermelha, que eu podia às vezes entrever pela janela da nossa cozinha, não me pareceriam possuir o encanto misterioso do *faubourg* Saint-Germain, fazendo parte dele de um modo essencial, estar ali situados geograficamente, visto que o fato de ser recebido naquela sala de jantar era ter ido ao *faubourg* Saint-Germain, ter respirado a sua atmosfera, já que todos aqueles que, antes de ir para a mesa, sentavam-se ao lado da Sra. de Guermantes no canapé de couro da galeria eram do *faubourg* Saint-Germain? Sem dúvida, em outros locais que não Saint-Germain, em certas reuniões, podia-se ver às vezes, imperando majestosamente no meio da multidão banal dos elegantes, um desses homens que não passam de nomes e que assumem, alternadamente, quando tentamos representá-los, o aspecto de um torneio e de uma floresta patrimonial. Mas aqui, no primeiro salão do *faubourg* Saint-Germain, na galeria obscura, só existiam eles. Eram de preciosa matéria as colunas que sustentavam o templo. Mesmo para as reuniões familiares, era apenas entre eles que a Sra. de Guermantes podia escolher os seus convivas, e nos jantares de doze pessoas, reunidas em torno da mesa servida, eram como estátuas de ouro dos apóstolos da Santa Capela, pilares simbólicos e consagradores, diante da Santa Mesa. Quanto à pequena extremidade do jardim que se estendia entre altos muros, atrás do palácio, e onde, no verão, a Sra. de Guermantes mandava servir, depois do jantar, laranjada e licores, como não pensaria eu que sentar, entre as nove e onze da noite, em suas cadeiras de ferro — dotadas de um tão grande poder como o canapé de couro — sem respirar as brisas próprias ao *faubourg* Saint-Germain, era tão impossível como fazer a sesta no oásis de Figuig, sem por isso mesmo estar na África? Só a imaginação e a fé é que podem distinguir dos outros certos objetos, certos seres e criar uma atmosfera. Infelizmente aqueles sítios pitorescos, aqueles acidentes naturais, aquelas curiosidades locais, aquelas obras de arte do *faubourg* Saint-Germain, certamente nunca me seria dado pousar meus passos entre eles. E eu me contentava em estremecer quando lobrigava do alto-mar (e sem esperança de jamais ali abordar), como um minarete avançado, como uma palmeira inicial, como o princípio da indústria ou da vegetação exótica, o capacho gasto da margem.

Mas, se o palácio de Guermantes começava para mim no limiar do vestíbulo, suas dependências deviam estender-se muito mais além, a julgar pelo duque, o qual, considerando todos os seus locatários como rendeiros, camponeses, compradores de bens nacionais, cuja opinião não importa, fazia a barba de manhã em camisa de dormir, diante de sua janela, descia para o pátio conforme fizesse mais ou menos calor, em mangas de camisa, de pijama, de jaqueta escocesa felpuda, de cor singular, de casacos claros mais curtos que o paletó, e fazia com que um de seus picadores pusesse a trote, diante dele, algum cavalo novo que comprara. Por mais de uma vez, o cavalo derrubou o mostruário de Jupien, o qual deixou o duque indignado ao pedir uma indenização. — Quando mais não fosse, em consideração por todos os benefícios que a Senhora Duquesa faz na casa e na paróquia — dizia o Sr. de Guermantes — é uma infâmia da parte desse fulano reclamar qualquer coisa. — Mas Jupien sustentara a demanda, parecendo ignorar de todo qual o "bem" que havia feito a duquesa. Entretanto, ela o fazia, mas, como não é possível estendê-lo a todo mundo, a lembrança de ter cumulado a um é motivo para se abster em relação a outro, no qual se provoca tanto maior descontentamento. Aliás, sob outros pontos de vista que não o da beneficência, o bairro parecia ao duque — e isso a grandes distâncias — apenas um prolongamento do seu pátio, uma pista mais comprida para seus cavalos. Depois de ter visto como um cavalo novo trotava sozinho, mandava-o atrelar, atravessar todas as ruas vizinhas, enquanto o picador corria ao lado do carro, segurando as rédeas, fazendo-o passar e repassar diante do duque parado na calçada, aprumado, gigantesco, enorme, de roupa clara, charuto preso nos dentes, a cabeça erguida, o monóculo indagador, até o momento em que saltava para a boléia, e ele mesmo conduzia o cavalo para experimentá-lo, e partia com a nova atrelagem para se encontrar com a amante nos Champs-Élysées. O Sr. de Guermantes dava bom-dia no pátio a dois casais mais ou menos ligados ao seu ambiente: um casal de primos seus que, como operários, nunca estavam em casa para cuidar dos filhos, pois desde a manhã a mulher saía para a *Schola* a fim de aprender fuga e contraponto, e o marido ia para seu ateliê, onde fazia esculturas em madeira e trabalhos em couro; depois o barão e a baronesa de Norpois, sempre vestidos de preto, a mulher feito locadora de cadeiras e o marido, como um gato-pingado, que saíam diversas vezes por dia a fim de ir à igreja. Eram sobrinhos do antigo embaixador que já conhecíamos e que meu pai justamente encontrara debaixo da abóbada da escadaria, mas sem compreender de onde vinha; pois julgava que uma pessoa tão especial, que se achava em relações com os mais eminentes homens da Europa e era com certeza muito indiferente a vãs distinções aristocráticas, não deveria freqüentar aqueles nobres obscuros, clericais e limitados. Moravam há pouco na casa; Jupien, que fora dizer algo no pátio ao marido, que estava cumprimentando o Sr. de Guermantes, chamou-o de "Sr. Norpois", sem saber exatamente o seu nome.

— Ah! "Sr. Norpois", ah, essa é mesmo muito boa! Paciência! Ora, em breve este indivíduo o chamará de "cidadão Norpois" — exclamou o Sr. de Guermantes voltando-se para o barão. — Podia, por fim, externar seu mau humor contra Jupien, que o chamava de "senhor" e não de "senhor duque".

Um dia em que o Sr. de Guermantes necessitava de uma informação relativa à profissão de meu pai, apresentou-se ele próprio com muito encanto. Desde então, tinha seguidas vezes algum favor de vizinho a lhe pedir, e logo que sentia meu pai descendo a escada, pensando em algum trabalho e desejoso de evitar todo e qualquer encontro, o duque deixava seus escudeiros, vinha ao encontro de meu pai no pátio, arrumava-lhe a gola do sobretudo com a prestabilidade herdada dos antigos criados-graves do Rei, pegava-lhe a mão e a retinha nas suas, chegando a acariciá-la para provar, com um impudor de cortesã, que não pechinchava o contato de sua carne preciosa, e assim o levava, muito contrafeito, pensando apenas em escapulir, para além do portão. Fizera-nos grandes cumprimentos um dia em que cruzara por nós no momento em que saía de carro com a mulher; deve ter lhe dito o meu nome, mas que probabilidade havia que ela o recordasse, ou até a minha fisionomia? E depois, que reles recomendação o fato de ser designado apenas como sendo um de seus locatários! Recomendação mais importante teria sido encontrar a duquesa na casa da Sra. de Villeparisis, que exatamente mandara pedir, por minha avó, que a fosse ver e, sabendo que eu tinha intenção de fazer literatura, acrescentara que eu encontraria escritores em sua casa. Porém meu pai achava que eu ainda era muito jovem para freqüentar a sociedade e, como o meu estado de saúde não cessava de inquietá-lo, evitava proporcionar-me ocasiões inúteis para novas saídas.

Como um dos lacaios da Sra. de Guermantes conversava muito com Françoise, ouvi mencionar alguns dos salões aonde ela ia, mas não conseguia imaginá-los; do momento em que eram parte de sua vida, dessa vida que eu só via através do seu nome, não eram eles inconcebíveis?

— Esta noite há uma grande reunião com sombras chinesas na casa da princesa de Parma — dizia o lacaio —, mas nós não iremos porque, às cinco horas, a Senhora toma o trem de Chantilly para ir passar dois dias na casa do duque d'Aumale, mas quem vai é a criada de quarto e o camareiro. Quanto a mim, fico aqui. A princesa de Parma é que não vai ficar contente, escreveu mais de quatro vezes à duquesa.

— Então não irão mais ao castelo de Guermantes este ano?

— É a primeira vez que não estaremos lá. Por causa dos reumatismos do Senhor duque, o médico proibiu que voltassem antes que lá se instale um calorífero; mas antes disso, estávamos lá todos os anos até janeiro. Se o calorífero não ficar pronto, talvez a Senhora vá passar alguns dias em Cannes na casa da duquesa de Guise; mas ainda não é certo.

— E ao teatro, costumam ir?

— Às vezes vamos à Ópera, às vezes às vesperais de assinatura da princesa de Parma, de oito em oito dias; parece que é muito chique o que se vê: há peças, ópera, tudo. A Senhora duquesa não quis tomar assinaturas, mas vamos mesmo assim, uma vez no camarote de uma amiga da Senhora, outra vez em outro, muitas vezes na frisa da princesa de Guermantes, esposa do primo do Senhor duque. É irmã do duque da Baviera. — Quer dizer que a senhora já se vai para casa? — indagava o lacaio que, embora identificado com os Guermantes, tinha no entanto dos *senhores* em geral uma noção política que lhe permitia tratar Françoise com tanto respeito como se ela estivesse colocada na casa de uma duquesa. — A senhora é de excelente saúde.

— Ah, se não fossem essas malditas pernas! No plano, ainda vai bem, — ("no plano" queria dizer no pátio, nas ruas, onde Françoise não detestava passear, numa palavra, em terreno plano) — mas há estas diabólicas escadarias. Até logo, senhor, certamente ainda nos veremos hoje à tarde.

E tanto mais desejava continuar a conversar com o lacaio por ter este lhe revelado que os filhos dos duques usam com freqüência um título de príncipe, que conservam até a morte do pai. Sem dúvida, o culto da nobreza, misturado e acomodado a um certo espírito de revolta contra ela, hereditariamente bebido nas glebas da França, deve ser bem intenso entre o seu povo. Pois Françoise, a quem se podia falar do gênio de Napoleão ou da telegrafia sem fio sem lhe atrair a atenção, e sem que ela diminuísse por um momento sequer os movimentos com que retirava as cinzas da lareira ou punha a mesa, exclamava, bastando-lhe saber dessas particularidades e que o filho caçula do duque de Guermantes era geralmente conhecido como príncipe de Oléron: — Como é lindo isto! — e ficava fascinada como diante de um vitral.

Françoise soube igualmente, pelo lacaio do príncipe de Agrigento, que travara relações com ela ao vir muitas vezes trazer cartas para a duquesa, que de fato ouvira muito falar, na sociedade, do casamento do marquês de Saint-Loup com a Srta. de Ambresac, e que estava quase decidido.

Aquela vivenda, aquela frisa, para as quais a Sra. de Guermantes transbordava a sua vida, não se me afiguravam lugares menos feéricos que seus apartamentos. Os nomes de Guise, de Parma, de Guermantes-Baviera, se diferenciavam de todas as outras localidades de veraneio a que se dirigia a duquesa, e as festas diárias que o sulco de sua carruagem unia ao seu palácio. Se me informavam eles que nessas vilegiaturas e nessas festas consistiam sucessivamente a vida da Sra. de Guermantes, não me traziam qualquer esclarecimento sobre ela. Cada uma dava à vida da duquesa uma determinação diversa, mas somente a faziam mudar de mistério, sem que deixasse nada evaporar do seu, que apenas se deslocava, protegido por um tabique, encerrado em um vaso, no meio das ondas da vida de todos. A duquesa podia almoçar diante do Mediterrâneo à época do carnaval, mas na vivenda da Sra. de Guise, onde a rainha da sociedade parisiense, em seu vestido de piquê branco, no meio de numerosas princesas, não era mais que uma convidada igual às outras, e, por isso mesmo, mais emocionante ainda para mim, mais ela mesma, ao se renovar como uma estrela da dança que, na fantasia de um passo, vem tomar sucessivamente o lugar de cada uma das bailarinas suas irmãs; podia ela contemplar sombras chinesas, mas numa reunião da princesa de Parma; assistir à tragédia ou à ópera, mas na frisa da princesa de Guermantes.

Como localizamos no corpo de uma pessoa todas as possibilidades de sua vida, a lembrança das criaturas que ela conhece e que acaba de deixar ou com quem vai se encontrar, quando eu sabia, por Françoise, que a Sra. de Guermantes iria a pé almoçar na casa da princesa de Parma, via-a descer de casa ao meio-dia, com seu vestido de cetim cor-de-carne, sobre o qual o seu rosto era do mesmo matiz, como uma nuvem ao sol poente, eram todos os prazeres do *faubourg* Saint-Germain que eu via à minha frente, nesse pequeno volume como em uma concha, entre essas valvas lustrosas de rosado nácar.

Meu pai, no ministério, tinha um amigo, um certo A. J. Moreau, o qual, para se distinguir dos outros Moreau, tivera o cuidado de preceder sempre seu nome dessas duas iniciais, de modo que o chamavam, para abreviar, de A. J.. Ora, não sei como esse A. J. se encontrou de posse de uma poltrona para uma noite de gala na Ópera; enviou-a a meu pai e, como a Berma, que eu não vira mais desde a minha primeira decepção, devia representar um ato da *Fedra*, minha avó conseguiu que meu pai me cedesse o ingresso.

Para dizer a verdade, eu não ligava nenhuma importância a essa oportunidade de ouvir a Berma, que, alguns anos antes, me causara tanta agitação. E não foi sem melancolia que constatei a minha indiferença relativamente ao que outrora preferira à saúde e ao repouso. Não que fosse menos apaixonado que antes o meu desejo de poder ver de perto as parcelas preciosas de realidade que a minha imaginação entrevia. Mas esta já não as situava agora na dicção de uma grande atriz; desde minhas visitas à casa de Elstir, era a certas tapeçarias, certos quadros modernos, que eu havia transferido a fé interior que sentira outrora por aquele desempenho, por aquela arte trágica da Berma; já que minha fé e o meu desejo não vinham mais prestar um culto incessante à dicção e às atitudes da Berma, o "duplo" que possuía deles em meu coração definhara aos poucos, como aqueles outros "duplos" dos mortos do antigo Egito que era necessário alimentar constantemente para lhes manter a vida. Tal arte se tornara medíocre e mesquinha. Já nenhuma alma profunda a habitava.

No momento em que, aproveitando o ingresso recebido de meu pai, eu subia a grande escadaria da Ópera, percebi diante de mim um homem que a princípio julguei fosse o Sr. de Charlus, de quem possuía o aspecto e o porte; quando virou a cabeça para pedir uma informação a um empregado, vi que me enganara; entretanto, não hesitei em situar o desconhecido na mesma classe social, não só devido à maneira como se vestia, mas também pela forma como falava ao fiscal e às empregadas que o faziam esperar. Pois, apesar das particularidades individuais, ainda havia àquela época, entre todo homem chique e rico daquela parte da aristocracia e todo homem chique e rico do mundo das finanças ou da alta indústria, uma diferença bem marcante. Onde um desses últimos julgaria afirmar sua distinção com um tom categórico e altivo na presença de um inferior, o grão-senhor, suave e sorridente, dava a impressão de considerar e de exercer a afetação da humildade e da paciência, a simulação de ser qualquer um dos espectadores, como um privilégio de sua boa educação. É provável que, ao vê-lo dissimulando desse modo, sob um sorriso cheio de bonomia, a soleira intransponível do pequeno universo especial que carregava dentro de si, mais de um filho de rico banqueiro, entrando nesse instante no teatro, teria tomado esse grão-senhor por um homem de pouca importância, se não lhe achasse uma espantosa semelhança com o retrato, recentemente reproduzido pelos jornais ilustrados, de um sobrinho do imperador da Áustria, o príncipe de Saxe, que se encontrava precisamente em Paris naquele momento. Sabia-o eu um grande amigo dos Guermantes. Chegando perto do fiscal, ouvi o príncipe de Saxe, ou o seu suposto, dizer sorrindo: — Não sei o número do camarote; foi sua prima que me disse que bastava eu perguntar pelo camarote dela.

Talvez fosse o príncipe de Saxe; e era talvez a duquesa de Guermantes (que, nesse caso, eu poderia avistar vivendo um dos momentos de sua vida inimaginável, no camarote de sua prima) que seus olhos viam em pensamento quando dizia: — sua prima foi quem me disse que bastava perguntar pelo camarote —, de modo que aquele olhar risonho e especial, e aquelas palavras tão simples, me acariciavam o coração (bem mais do que o faria uma fantasia abstrata), com as antenas alternativas de uma possível felicidade e de um prestígio incerto. Pelo menos, dizendo essa frase ao fiscal, entroncava numa noitada vulgar da minha vida cotidiana uma passagem eventual em direção a um mundo novo; o corredor, que lhe indicaram depois que pronunciou a palavra camarote e pelo qual se enfiou, era úmido e gretado, parecendo levar a grutas marinhas, ao reino mitológico das ninfas das águas. Eu tinha diante de mim apenas um senhor de casaca que se afastava; porém manejava a seu redor, como a um refletor defeituoso, e sem conseguir focalizá-lo exatamente sobre ele, a idéia de que ele era o príncipe de Saxe e ia ver a duquesa de Guermantes. E, conquanto ele estivesse sozinho, essa idéia exterior a ele, impalpável, imensa e sacudida como uma projeção, parecia precedê-lo e conduzi-lo como essa Divindade, invisível para o restante dos homens, que se mantém junto do guerreiro grego.

Atingi meu lugar, sempre buscando recuperar um verso da *Fedra* de que não me recordava com exatidão. Tal como o recitava para mim mesmo, ele não tinha o número de sílabas requerido, mas, como não tentava contá-las, parecia-me não haver nenhuma medida comum entre seu desequilíbrio e um verso clássico. Não ficaria espantado se fosse preciso tirar mais de seis sílabas a esse verso monstruoso para compor um de doze pés. Mas lembrei-me dele de repente, e as irredutíveis asperezas de um mundo inumano se desfizeram como por mágica; as sílabas do verso logo preencheram a medida de um alexandrino, o que ele possuía em excesso se desprendeu com tanta facilidade de leveza como uma bolha de ar que vem rebentar à superfície da água. E, de fato, essa enormidade com que eu vinha lutando não passava de um único pé.

Um determinado número de cadeiras de primeira fila tinham sido postas à venda no escritório e foram compradas por esnobes ou curiosos que desejavam contemplar pessoas a que não teriam outra oportunidade de ver de perto. E, com efeito, era bem um pouco de sua verdadeira vida mundana, habitualmente escondida, que se poderia considerar em público, pois, tendo a princesa de Parma repartido entre seus amigos os camarotes, os balcões e as frisas, a sala era como um salão onde cada um mudava de lugar, ia sentar-se aqui ou ali, junto de uma amiga.

A meu lado estavam pessoas vulgares que, não conhecendo os assinantes, queriam mostrar serem capazes de reconhecê-los e os nomeavam em voz alta. Acrescentavam que esses assinantes compareciam aqui como se fossem para o seu salão, com isto querendo dizer que não prestavam atenção às peças representadas. Mas era o contrário o que ocorria. Um estudante talentoso que obteve uma poltrona para ouvir a Berma só pensa em não sujar as luvas, em não aborrecer, em se acomodar com o vizinho que o acaso lhe deu, em perseguir com um sorriso intermitente o olhar fugidio, em fugir com um olhar descortês ao olhar de uma conhecida sua que descobriu na sala e que, depois de mil perplexidades, decidiu ir cumprimentar no momento em que as três pancadas, ressoando antes que tenha chegado junto dela, forçam-no a fugir como os hebreus no Mar Vermelho, por entre as ondas encapeladas dos espectadores e espectadoras que fez levantar e a quem rasga os vestidos ou pisa as botinas. Ao contrário, era porque as pessoas da sociedade estavam em seus camarotes (por detrás dos balcões, em terraço), como em pequenos salões suspensos de que fora retirada uma divisória, ou em pequenos cafés onde se vai tomar um xarope, sem se ficar intimidado pelos espelhos com moldura de ouro e os assentos vermelhos do estabelecimento de tipo napolitano; era porque pousavam uma mão indiferente sobre os fustes dourados das colunas que sustentavam esse templo de arte lírica, era porque não se achavam emocionados com as honras excessivas que pareciam lhes prestar duas figuras esculpidas que estendiam palmas e louros para os camarotes, que somente eles poderiam ter o espírito livre para escutar a peça, desde que tivessem espírito.

No começo não foram senão vagas trevas, onde a gente via, de súbito, como o raio de uma pedra preciosa que não se enxerga, a fosforescência de dois olhos célebres, ou, como um medalhão de Henrique IV destacado sobre um fundo negro, o perfil inclinado do duque de Aumale, a quem uma dama invisível gritava: — Monsenhor, permita-me que lhe tire o sobretudo — ao passo que o príncipe respondia: — Mas, ora, por quem é, senhora de Ambresac. — Ela o fazia, não obstante esse vago protesto, e era invejada de todos por causa de tal honra.

Mas, nas outras frisas, quase por toda parte, as brancas deidades que moravam nessas sombrias paragens se haviam refugiado de encontro às paredes obscuras e permaneciam invisíveis. Contudo, à medida que o espetáculo prosseguia, suas formas vagamente humanas se destacavam debilmente, uma após outra, das profundezas da noite que alcatifavam e, erguendo-se para a luz do dia, deixavam emergir seus corpos seminus e vinham parar no limite vertical e na superfície claro-escura, onde seus rostos brilhantes surgiam por trás do desfraldar risonho, espumoso e leve de seus leques de plumas, sob suas cabeleiras de púrpura entretecidas de pérolas que a ondulação da maré parecia ter encurvado; depois começavam as cadeiras da primeira fila, o remanso dos mortais para sempre separado do reino sombrio e transparente ao qual, aqui e ali, serviam de fronteira, em sua superfície líquida e plana, os olhos límpidos e reflexivos das deusas das águas. Pois as "ostras" das margens, as formas dos monstros da orquestra, se pintavam nesses olhos segundo unicamente as leis da ótica e de acordo com o seu ângulo de incidência, como acontece no caso dessas duas partes da realidade exterior, às quais, sabendo nós que não possuem alma análoga à nossa, por mais rudimentar que seja, julgaríamos insensato dirigir um sorriso ou um olhar: os minerais e as pessoas com quem não temos relações. Aquém, ao contrário, do limite de seu domínio, as radiosas filhas do mar se voltavam a todo instante, sorrindo, para os tritões barbudos pendurados nas anfractuosidades do abismo, ou para algum semideus aquático que ostentava por crânio uma pedra polida, sobre a qual a onda colara uma alga lisa, e por olhar um disco de cristal de rocha. Elas se debruçavam para eles, ofertavam-lhes bombons; às vezes, a onda se entreabria diante de uma nova nereida que, atrasada, sorridente e confusa, acabava de desabrochar do fundo das sombras; depois, terminado o ato, sem mais esperar ouvir os rumores melodiosos da terra que as atraíra à superfície, todas mergulhando a um só tempo, as irmãs divinas desapareciam na noite. Mas de todas estas pousadas, a cujo limiar a leve preocupação de perceber as obras dos homens levava essas deusas curiosas, que não deixam ninguém chegar perto, a mais célebre era o bloco de semi-obscuridade conhecido pelo nome de camarote da princesa de Guermantes.

Como uma grande deusa que preside de longe aos jogos das divindades inferiores, a princesa permanecera voluntariamente um pouco ao fundo, sobre um canapé lateral, vermelho como um rochedo de coral, ao lado de uma larga reverberação de vidro que era provavelmente um espelho, e fazia pensar em alguma secção que um raio teria efetuado, perpendicular, obscura e líquida, no cristal ofuscante das águas. Ao mesmo tempo pluma e corola, bem como certas florações marinhas, uma grande flor branca, penugenta como uma asa, descia da testa da princesa ao longo de uma das faces, cuja inflexão seguia com graciosa, amorável e viva flexibilidade, e parecia encerrá-la a meio, como um rosado ovo, na doçura de um ninho de alcíone. Sobre a cabeleira da princesa, descendo até suas sobrancelhas, e depois retomada mais abaixo à altura da garganta, estendia-se uma coifa composta dessas conchas brancas que são pescadas em certos mares austrais e que estavam mescladas a pérolas, mosaico marinho mal saído das ondas que por momentos se achava mergulhado na sombra, em cujo fundo, mesmo então, se revelava uma presença humana pela mobilidade deslumbrante dos olhos da princesa. A beleza que colocava esta bem acima das outras mulheres fabulosas da penumbra não era inteiramente material e não estava inclusivamente inscrita em sua nuca, nos seus ombros, nos braços, no seu talhe. Mas a linha deliciosa e inacabada desse talhe era o preciso ponto de partida, o chamariz inevitável de linhas invisíveis nas quais o olho não podia se evitar de prolongá-las, maravilhosas, engendradas ao redor da mulher como o espectro de uma figura ideal projetada nas trevas.

— É a princesa de Guermantes — disse a minha vizinha ao senhor que estava com ela, tendo o cuidado de pôr diante da palavra princesa vários *pp*, indicando que semelhante apelativo era risível. — Ela não economizou suas pérolas. Creio que se tivesse outro tanto delas, não faria uma tal ostentação; não acho que seja distinto.

Entretanto, reconhecendo a princesa, todos os que procuravam saber quem estava na sala sentiam erguer-se no seu coração o trono legítimo da beleza. Com efeito, no caso da duquesa de Luxemburgo, da Sra. de Morienval, da Sra. de Saint-Euverte, no caso de tantas outras, o que permitia identificar-lhes os rostos era a conexão de um grosso nariz vermelho com um focinho-de-lebre ou duas faces enrugadas com um fino bigode. Aliás, esses traços eram suficientes para encantar, visto que, tendo apenas o valor convencional de uma escrita, davam a ler um nome célebre que se impunha; mas também acabavam por dar a idéia de que a feiúra tem algo de aristocrático e que é indiferente que o rosto de uma grande dama seja belo, se é distinto. Mas como certos artistas que, em vez das letras do próprio nome, põem na parte inferior de suas telas uma forma bonita por si mesma, uma borboleta, um lagarto, uma flor, da mesma maneira era a forma de um corpo e um rosto delicioso o que a princesa apunha ao canto de seu camarote, mostrando assim que a beleza pode ser a mais nobre das assinaturas; pois a presença da Sra. de Guermantes, que só levava ao teatro pessoas que durante todo o tempo faziam parte de sua intimidade, era, aos olhos dos amadores da aristocracia, o melhor certificado de autenticidade do quadro que seu camarote apresentava, espécie de evocação de uma cena da vida familiar e própria da princesa nos seus palácios de Munique e de Paris.

Sendo a nossa imaginação como um realejo defeituoso que sempre toca uma coisa diversa da ária indicada, a lembrança de certas obras do século XVI começava a cantar em mim sempre que ouvia falar da princesa de Guermantes-Baviera. Precisava despojá-la agora dessas recordações, já que a via no ato de oferecer bombons cristalizados a um corpulento senhor de fraque. Claro que estava bem longe de concluir daí que ela e seus convidados fossem criaturas semelhantes às outras. Compreendia perfeitamente que o que faziam ali não passava de um jogo e que, para preludiar os atos de sua vida verdadeira (cuja parte importante, sem dúvida, não era aqui que a viviam), era conveniente, em virtude de ritos de mim ignorados, que fingissem ofertar ou recusar bombons, gesto destituído de sua significação e antecipadamente regulado como o passo de uma dançarina, que sucessivamente se ergue na ponta dos pés e gira ao redor de uma faixa. Quem sabe? Talvez no momento em que oferecia seus bombons, a Deusa dissesse num tom de ironia (pois eu a via sorrir): — Querem bombons? — Que me importava? Eu teria achado de um requinte delicioso a secura intencional, à Mérimée ou à Meilhac, dessas palavras dirigidas por uma deusa a um semideus, que, ele sim, sabia quais eram os pensamentos sublimes que ambos resumiam, sem dúvida para o momento em que recomeçassem a viver sua vida verdadeira, e que, prestando-se a esse jogo, respondia com a mesma e misteriosa malícia: — Sim, quero um de cereja. — E eu teria ouvido esse diálogo com a mesma avidez com que ouviria determinada cena do *Marido da Estreante*, onde a ausência de poesia, de pensamentos profundos, coisas tão familiares para mim e que suponho Meilhac seria mil vezes capaz de pôr ali, me parecia por si só uma elegância, uma elegância convencional e, portanto, mais misteriosa e instrutiva.

— Aquele gordo é o marquês de Ganançay — disse com ar sabichão o meu vizinho, que mal ouvira o nome sussurrado atrás dele.

O marquês de Palancy, de pescoço estendido, o rosto oblíquo, o grande olho redondo colado contra o vidro do monóculo, deslocava-se devagar na sombra transparente e parecia não ver o público da orquestra, como um peixe que passa e ignora a multidão dos visitantes curiosos, por detrás da parede vítrea de um aquário. Detinha-se, por instantes, venerável, resfolegante e musgoso, e os espectadores não teriam podido dizer se sofria, dormia, nadava, punha um ovo ou simplesmente respirava. Ninguém excitava em mim tanta inveja como ele, por causa do hábito que parecia ter daquele camarote e pela indiferença com que deixava a princesa lhe estender bombons; ela então lhe lançava um olhar de seus belos olhos talhados em diamante, que a inteligência e a amizade, nesses momentos, bem pareciam fluidificar, mas que, em repouso, reduzidos à sua pura beleza material, a seu puro brilho mineralógico, incendiavam a profundidade da platéia com seus fogos inumanos, horizontais e esplêndidos, se o menor reflexo os deslocasse de leve. Entretanto, visto que ia começar o ato da *Fedra* representado pela Berma, a princesa chegou-se para a frente do camarote; então, como se ela própria fosse uma aparição teatral, eu vi, na zona diversa da luz que ela atravessou, mudar não somente a cor mas a matéria de seus adereços. E, no camarote seco e emerso, que não mais pertencia ao mundo das águas, a princesa, deixando de ser uma nereida, apareceu de turbante branco e de azul como uma trágica maravilhosa vestida de Zaïre ou talvez de Orosmane;[3] depois, quando se sentou na primeira fila, vi que o doce ninho de alcíone que suavemente protegia o rosado nácar de suas faces era macio, brilhoso e aveludado, uma imensa ave-do-paraíso.

Todavia, meus olhares foram desviados do camarote da princesa de Guermantes por uma mulherzinha malvestida, feia, de olhos ardentes, que, acompanhada de dois jovens, veio sentar-se a algumas cadeiras de mim. Depois, o pano se ergueu. Não sem melancolia, verifiquei não me restar coisa alguma de minhas disposições de outrora quando, para não perder nada do fenômeno extraordinário que teria ido contemplar nos confins do mundo, mantinha o meu espírito preparado como essas placas sensíveis que os astrônomos vão instalar na África, nas Antilhas, com vistas à observação escrupulosa de um cometa ou de um eclipse; quando eu receava que alguma nuvem (má-disposição da artista, incidente na assistência) impedisse que o espetáculo alcançasse o seu máximo de intensidade; quando julgara não assisti-lo nas melhores condições se não fosse ao próprio teatro que lhe era consagrado como um altar, onde então me pareciam ainda fazer

[3] Zaïre e Orasmane são personagens da tragédia *Zaïre*, de Voltaire. (N. do T.)

parte, embora acessoriamente, de seu aparecimento sob o pequeno pano rubro, os fiscais de cravo branco na botoeira, nomeados por ela, o envasamento da nave acima de uma platéia cheia de pessoas malvestidas, as empregadas vendendo um programa com a sua fotografia, os castanheiros do *square*, todos esses companheiros, esses confidentes de minhas impressões daquela época e que se me afiguravam inseparáveis dela. *Fedra*, a "Cena da declaração" e a Berma tinham então para mim uma espécie de existência absoluta. Situadas fora do mundo da experiência usual, existiam por si mesmas, era-me preciso ir até elas, penetraria delas o que fosse possível e, escancarando meus olhos e minha alma, absorveria ainda muito pouco. E como a vida me parecia agradável! A insignificância da que eu levava não tinha importância nenhuma, como os momentos em que a gente se veste, quando se prepara para sair, pois que além existiam, de medo absoluto, boas e difíceis de abordar, impossíveis de possuir por inteiro, essas realidades mais sólidas, *Fedra*, a "maneira de recitar da Berma". Saturado por esses devaneios sobre a perfeição na arte dramática das quais então se poderia extrair uma dose importante, se nesses tempos houvessem analisado o meu espírito em algum instante que fosse do dia, e talvez da noite, eu era como uma pilha que alimenta a sua eletricidade. E chegara um momento em que, enfermo, ainda que julgasse morrer por causa disso, teria sido necessário que fosse ouvir a Berma. Mas agora, como uma colina que ao longe parece feita de azul e que, de perto, recai em nossa visão comum das coisas, tudo aquilo abandonara o universo do absoluto e não passava de uma coisa igual às outras, de que eu tomava conhecimento porque estava ali, os artistas eram pessoas da mesma natureza das que eu conhecia, procurando recitar o melhor possível aqueles versos da *Fedra* que já não formavam uma essência sublime e individual, apartada de tudo, e sim versos mais ou menos bem-sucedidos, prontos para entrar na imensa matéria dos versos franceses a que se misturavam. Sentia um desânimo tanto mais profundo como se o objeto do meu ativo e teimoso desejo não mais existisse; em compensação, persistiam as mesmas disposições para um devaneio fixo, que mudava ano após ano, mas me conduzia a uma brusca impulsão, desatenta do perigo. Certo dia em que, doente, eu saía para ver num castelo um quadro de Elstir, uma tapeçaria gótica, parecia-se de tal forma ao dia em que eu deveria ter partido para Veneza, ao dia em que fora ouvir a Berma, ou viajara para Balbec, que de antemão sentia que o objeto atual do meu sacrifício me deixaria indiferente dentro de pouco tempo e que eu poderia então passar bem perto dele sem ir olhar esse quadro, essas tapeçarias, pelos quais teria naqueles momentos enfrentado tantas noites insones, tantas crises dolorosas. Sentia, pela instabilidade de seu objeto, a vaidade de meu esforço e, ao mesmo tempo, a sua enormidade, na qual não acreditara, como esses neurastênicos cuja fadiga é duplicada quando se lhes observa que estão fatigados. À espera disto, meus sonhos davam prestígio a tudo o que fosse possível ligar-se a eles. E, mesmo em meus desejos mais carnais, orientados sempre em certa direção, concentrados em torno de um mesmo sonho, eu teria podido reconhecer uma idéia como primeiro impulso, uma idéia à qual teria sacrificado a minha vida, e em cujo ponto mais central, como em meus devaneios durante as tardes de leitura no jardim de Combray, estava a idéia da perfeição.

Não tive mais a mesma indulgência de antigamente quanto às justas intenções de ternura ou de cólera que notara então na dicção e na mímica de Arícia, de Ismênia e de Hipólito. Não é que aqueles artistas — eram os mesmos — não buscassem sempre, com a mesma inteligência, dar à sua voz aqui uma inflexão carinhosa ou uma ambigüidade calculada, ali a seus gestos uma amplitude trágica ou uma doçura suplicante. Suas entonações ordenavam a essa voz: "Seja doce, cante como um rouxinol, acaricie", ou, ao contrário: "Torne-se furiosa", e então se precipitavam sobre ela para tentar empolgá-la em seu frenesi. Mas ela, rebelde, exterior à dicção deles, continuava sendo, irredutivelmente, sua voz natural, com seus defeitos ou encantos materiais, sua vulgaridade ou afetação cotidianas, e, assim, era um conjunto de fenômenos acústicos ou sociais que o sentimento dos versos recitados não alterara.

Do mesmo modo, os gestos desses artistas diziam a seus braços, a seu peplo: "Seja majestoso". Mas os membros insubmissos deixavam pavonear entre o ombro e o cotovelo um bíceps que nada entendia do papel; continuavam a exprimir a insignificância da vida de todos os dias e a pôr em destaque, em vez de matizes racinianos, conexões musculares; e o panejamento que soerguiam caía de novo segundo uma vertical em que uma flexibilidade insossa e têxtil era a única a disputá-lo às leis da queda dos corpos. Nesse momento, a mulherzinha perto de mim exclamou: — Nenhum aplauso! E como ela está presa! Mas é muito velha, não agüenta mais; nesses casos a gente deve desistir.

Diante dos psius dos vizinhos, os dois jovens que a acompanhavam trataram de sossegá-la, e então a sua raiva só se desencadeou em seus olhos. Essa raiva, aliás, só podia se dirigir à glória, ao sucesso, pois a Berma, que ganhara tanto dinheiro, estava crivada de dívidas. Marcando sempre encontros de negócios ou de amizade a que não podia comparecer, tinha em todas as ruas moços de recados que corriam para cancelar, nos hotéis, apartamentos antecipadamente reservados e que ela nunca ia ocupar, oceanos de perfumes para lavar suas cadelas, vales para descontar com todos os diretores. À falta de gastos mais consideráveis, e menos voluptuosa que Cleópatra, teria encontrado uma forma de devorar províncias e reinos apenas em telegramas e carros da Companhia Urbana. Mas a mulherzinha era uma atriz que não tivera oportunidade e votara ódio mortal à Berma. Esta acabava de entrar em cena. E então, ó milagre: como essas lições que debalde nos esgotamos para aprender à noite e que encontramos em nós, decoradas, depois de termos dormido, assim como essas faces de mortos que os esforços apaixonados da nossa memória perseguem sem os achar e que, quando já não pensamos neles, lá estão diante de nossos olhos, com a semelhança da vida, o talento da Berma que me fugira quando procurara com tanta avidez captar-lhe a essência, agora, após esses anos de olvido, nesta hora de indiferença, impunha-se com a força da evidência à minha admiração. Antigamente, para tentar isolar esse talento, eu desfalcava de alguma forma daquilo que ouvia o próprio papel, o papel, parte comum a todas as atrizes que representavam a Fedra e que havia estudado de antemão para ser capaz de subtraí-lo, de recolher como resíduo unicamente o talento da Sra. Berma. Mas esse talento que eu buscava perceber fora do papel formava um só todo com ele. Assim como ocorre com um grande músico (parece que era o caso de Vinteuil, quando ele tocava piano), seu desempenho é de um tão grande pianista que já nem se sabe mais se esse artista é pianista mesmo, porque (não interpondo todo esse aparato de esforços musculares, aqui e ali coroados de efeitos brilhantes, todos esses salpicos de notas, onde pelo menos o ouvinte que não sabe a que se ater julga descobrir talento em sua realidade material, tangível) tal execução tornou-se tão transparente, tão repleta do que ele está interpretando que a ele próprio já ninguém o vê, o artista não passa de uma janela que se abre para uma obra-prima. As intenções que cercam, como um bordado majestoso ou delicado, a voz e a mímica de Arícia, de Ismênia e de Hipólito, eu lograra distingui-las; porém Fedra as interiorizara, e meu espírito não conseguira arrancar à dicção e às atitudes, apreender na avara simplicidade de suas superfícies unidas àqueles achados, aqueles efeitos que não se ressaltariam tanto se não fossem profundamente reabsorvidos. A voz da Berma, na qual não subsistia mais um só resíduo de matéria inerte e refratária ao espírito, não deixava discernir a seu redor aquele excesso de lágrimas que se via correr porque não tinham podido se embeber na voz de mármore de Arícia ou de Ismênia, mas fora delicadamente suavizado em suas menores células, como o instrumento de um grande violonista no qual se deseja louvar, quando se diz que possui um bom som, não uma particularidade física, mas uma superioridade de alma; e, como numa paisagem antiga, onde, em vez de uma ninfa desaparecida existe uma fonte inanimada, uma intenção distinguível e consciente se transformara em uma qualidade de timbre, de estranha limpidez, fria e apropriada. Os braços da Berma que os próprios versos, na mesma emissão com que faziam sair sua voz dos lábios, pareciam erguer sobre seu peito como essas folhagens que a água desloca ao se escapar; sua atitude em cena, que ela vagarosamente constituíra, que modificaria ainda, e que era feita de raciocínios de uma profundeza diversa dos daqueles cujos traços se percebiam nos gestos das companheiras, raciocínios, porém, que tinham perdido sua origem voluntária, dissolvidos numa espécie de irradiação em que faziam palpitar, em torno ao personagem de Fedra, elementos ricos e complexos, mas que o espectador, fascinado, tomava não por um sucesso da artista e, sim, por um dom da vida; e até aqueles brancos véus, que, extenuados e fiéis, pareciam matéria viva e ter sido fiados pelo sofrimento meio pagão, meio jansenista, em torno ao qual se contraíam como um casulo frágil e friorento; tudo isto, voz, atitudes, gestos, véus, não era, ao redor daquele corpo, senão uma idéia do que é um verso (corpo que, ao contrário dos corpos humanos, não está diante da alma como um obstáculo opaco que impede percebê-la e, sim, como uma vestimenta purificada, vivificada, onde ela se difunde e onde a encontramos), senão invólucros suplementares que, em lugar de escondê-la, exibiam mais esplendorosamente a alma que os assimilara e neles se espalhara, como vagas de substâncias diversas, tornadas translúcidas, cuja superposição só faz refratar com maior riqueza o raio central e prisioneiro que as atravessa e tornar mais extensa, mais preciosa e mais linda a matéria embebida de flamas onde está envolvido. Assim, a interpretação da Berma era, em torno da obra, uma segunda obra, igualmente vivificada pelo gênio.

Minha impressão, a falar a verdade, mais agradável que a de outrora, não era diferente. Apenas, não mais a comparava a uma idéia preconcebida, abstrata e falsa, do gênio dramático, e compreendia que o gênio dramático era justamente aquilo. Havia pouco, pensava que, se não sentira prazer da primeira vez que ouvira a Berma, era que ia a ela com um desejo muito intenso, como antigamente quando encontrava Gilberte nos Champs-Élysées. Entre as duas decepções não havia talvez somente esta parecença, mas uma outra também, mais profunda. A impressão que nos causa uma pessoa, uma obra (ou uma interpretação) fortemente caracterizadas é particular. Chegamos com todas as nossas idéias de "beleza", "amplitude de estilo", "patético" que, a rigor, poderíamos ter a ilusão de reconhecer na banalidade de um talento e de um rosto corretos, porém o nosso espírito atento tem diante de si a insistência de uma forma da qual não possui o equivalente intelectual e cujo desconhecido precisa descobrir. Ouve um som agudo, uma entonação estranhamente interrogativa. Pergunta a si próprio:

"É belo? O que estou sentindo é admiração? É isto a riqueza de colorido, a nobreza, a força?" E o que lhe responde de novo é uma voz aguda, é um tom curiosamente questionador, é a impressão despótica provocada por um ser a quem não se conhece, impressão puramente material e na qual não se deixa nenhum espaço vago para a "amplitude da interpretação". E, devido a isso, as obras verdadeiramente belas, se sinceramente escutadas, são as que mais devem nos decepcionar, porque, na coleção das nossas idéias, não houve nenhuma que correspondesse a uma impressão individual.

Era precisamente isso o que me mostrava o desempenho da Berma. Era bem aquilo a nobreza e a inteligência da dicção. Agora eu me dava conta dos méritos de uma interpretação ampla, poética, poderosa; ou melhor, era aquilo a interpretação a que se convencionou atribuir esses títulos, mas como se dá o nome de Marte, de Vênus e de Saturno aos astros que nada têm de mitológico. Sentimos num mundo, pensamos e nomeamos em outro mundo, podemos entre ambos estabelecer uma concordância, mas não preencher o intervalo. Era bem pouca coisa esse intervalo, essa falha, que eu tivera de transpor quando, no primeiro dia em que fora ouvir a Berma, tendo-a escutado com todos os meus ouvidos, sentira um certo esforço para reunir minhas idéias de "nobreza de interpretação", de "originalidade", e só rompera em aplausos após um instante de vazio e como se tais aplausos nascessem não de minha própria impressão, mas como se os unisse a minhas idéias antecipadas, ao prazer que tinha em dizer a mim mesmo: "Enfim, estou ouvindo a Berma." E a diferença que há entre uma pessoa, uma obra fortemente individual e a idéia de beleza existe, igualmente grande, entre o que elas nos fazem sentir e as idéias de amor e de admiração. Portanto, não as reconhecemos. Eu não sentira prazer em ouvir a Berma (como não o sentira em ver Gilberte). Dissera comigo: "Logo, não a admiro." Todavia, só pensava então em criticar o desempenho da Berma, só me preocupava com isso, tentava abrir o meu pensamento o mais amplamente possível para receber tudo o que continha a sua interpretação. Agora compreendia que era justamente isto: admirar.

Este gênio, do qual a interpretação da Berma era apenas a revelação, seria na verdade unicamente o gênio de Racine?

Foi o que acreditei, a princípio. Deveria me desenganar, tão logo terminou o ato da *Fedra*, depois dos aplausos do público, durante os quais minha vizinha, a velha enraivecida, erguendo a minúscula estatura e enviesando o corpo, imobilizou os músculos do rosto e cruzou os braços no peito para mostrar que não se misturava aos aplausos alheios e tornar mais evidente um protesto que julgava sensacional, mas que passou despercebido. A peça seguinte era uma das novidades que, outrora, devido à falta de celebridade, achava eu que deveriam parecer fracas, restritas, destituídas como eram de existência fora da interpretação que lhe davam. Mas eu não tinha, como no caso de uma peça clássica, essa decepção de ver que a eternidade de uma obra-prima não era mais extensa que o tamanho do palco nem durava mais que a representação que a desempenhava como uma peça circunstancial. Depois, a cada tirada que sentia que o público apreciava e que um dia seria famosa, em vez da celebridade que não pudera ter no passado, eu acrescentava a que ela teria no futuro, por um esforço de espírito contrário ao que consiste em idealizar obras-primas ao tempo de sua estréia infeliz, quando seu título, que jamais fora ouvido, não parecia devesse ser posto um dia, confundido sob a mesma luz, ao lado do das outras obras do autor. E aquele viria a ser colocado, um dia, na lista de seus mais belos papéis, ao lado do de Fedra. Não que em si mesmo não fosse desprovido de qualquer valor literário; mas a Berma, nele, era tão sublime como em *Fedra*. Compreendi então que a obra do escritor não era, para a artista trágica, senão uma matéria quase indiferente em si mesma para a criação de sua obra-prima de interpretação, como o grande pintor que conhecera em Balbec, Elstir, encontrara o motivo de dois quadros que se equivalem num prédio escolar sem estilo e numa catedral que é, por si mesma, uma obra-prima. E como o pintor dissolve casa, carroça, personagens, em um grande efeito de luz que os torna homogêneos, a Berma estendia amplas camadas de terror, de ternura, sobre as palavras fundidas por igual, todas niveladas ou ressaltadas em conjunto, e que uma artista medíocre teria destacado uma após a outra. Sem dúvida, cada qual tinha uma inflexão própria, e a dicção da Berma não impedia que se percebesse o verso. Não é já um primeiro elemento de complexidade, de beleza, quando, ouvindo uma rima, isto é, algo ao mesmo tempo igual e diferente da rima anterior, por ela motivada, mas que aí introduz a variação de uma idéia nova, se sentem dois sistemas que se superpõem, um de pensamento e o outro de métrica? No entanto, a Berma fazia entrar as palavras, até os versos e mesmo as "tiradas", em conjuntos mais vastos que eles próprios, em cuja fronteira era um encanto vê-los obrigados a parar, a interromper-se; assim um poeta sente prazer em fazer hesitar, por um momento, na rima, a palavra que vai se lançar, e um compositor em confundir as palavras diversas de um libreto em um mesmo ritmo que as arrasta e contraria. Assim nas frases do dramaturgo moderno, como nos versos de Racine, a Berma sabia introduzir essas vastas imagens de dor, de nobreza, de paixão, que eram suas obras-primas pessoais, e onde a reconheciam como se reconhece um pintor nos quadros que pintou segundo modelos diferentes.

Não mais desejaria, como antigamente, poder imobilizar as atitudes da Berma, o belo efeito de cor que ela conferia por um instante apenas numa iluminação logo desvanecida e que não se reproduzia, nem fazer com que repetisse um verso uma centena de vezes. Compreendia que meu desejo de outrora era mais exigente que a vontade do poeta, da trágica, do grande artista decorador que era o seu cenógrafo, e que aquele encanto espalhado em pleno vôo sobre um verso, aqueles gestos vacilantes perpetuamente transformados, aqueles quadros sucessivos eram o resultado fugaz, o fim momentâneo, a móvel obra-prima que a arte teatral se propunha e que a atenção de um espectador demasiadamente apaixonado acabaria por destruir, querendo fixá-la. Até nem fazia questão de voltar outro dia para ouvir de novo a Berma; estava satisfeito com ela; era quando estava admirando demais para que não ficasse decepcionado com o objeto da minha admiração, fosse ele Gilberte ou a Berma, que eu pedia previamente à impressão do dia seguinte o prazer que me recusara a impressão da véspera. Sem procurar analisar a alegria que acabara de sentir, e a que talvez pudesse ter dado um emprego mais fecundo, murmurava comigo mesmo, como dizia outrora um de meus companheiros de colégio: "É verdadeiramente a Berma que coloco em primeiro lugar", todavia sentindo confusamente que o gênio da Berma não fosse talvez traduzido precisamente por aquela afirmação de minha preferência e por aquele posto de "primeira" que lhe atribuía, apesar da tranqüilidade que me causavam.

No momento em que principiou a segunda peça, olhei para o lado do camarote da Sra. de Guermantes. Esta princesa, por um movimento gerador de uma linha deliciosa que meu espírito perseguia no vácuo, acabava de virar a cabeça para o fundo do camarote; os convidados estavam de pé, também voltados para o fundo, e entre a dupla fila que formavam, em sua segurança e grandeza de deusa, mas com uma doçura desconhecida que se devia à confusão tímida e risonha de ter chegado tão tarde e de fazer todo mundo se levantar no meio da representação, entrou a duquesa de Guermantes, toda envolta em brancas musselinas. Foi direto para a sua prima, fez uma profunda reverência a um rapaz louro que estava sentado bem na frente e, voltando-se para os monstros marinhos e sagrados que flutuavam no fundo do antro, fez a esses semideuses do Jockey-Club — que naquele instante, e especialmente o Sr. de Palancy, foram os homens que eu mais gostaria de ser — um cumprimento familiar de velha amiga, alusão ao aspecto dia-a-dia de suas relações com eles há quinze anos. Eu percebia o mistério mas não podia decifrar o enigma daquele olhar risonho que ela dirigia aos amigos, no brilho azulado em que fulgia, enquanto abandonava a mão a uns e outros, e que, se lhe tivesse podido decompor o prisma, analisado suas cristalizações, talvez me revelasse a essência da vida desconhecida que nela se mostrava naquele instante. O duque de Guermantes seguia a mulher, com os reflexos de seu monóculo, o riso de seus dentes, a brancura do cravo em sua botoeira ou de seu plastrão plissado, e afastando, para dar lugar à luz de tudo isto, suas sobrancelhas, seus lábios e seu fraque; com um gesto da mão estendida, que baixou sobre os ombros deles, teso, sem mover a cabeça, ordenou que se sentassem aos monstros inferiores que lhe davam lugar, e inclinou-se profundamente diante do jovem louro. Poder-se-ia dizer que a duquesa adivinhara que sua prima, a quem criticava, diziam, o que ela chamava de exageros (nome que, de seu ponto de vista espirituosamente francês e bastante moderado, assumiam logo a poesia e o entusiasmo germânicos), usaria naquela noite uma das toaletes em que a considerava "fantasiada", e que desejara dar-lhe uma aula de bom gosto. Em vez das maravilhosas e macias plumas que desciam da cabeça da princesa até o seu pescoço, em vez da rede de conchinhas e pérolas, a duquesa não ostentava nos cabelos mais que uma simples *aigrette* que, dominando seu nariz arqueado e os olhos saltados, parecia a crista de um pássaro. Seu pescoço e ombros emergiam de uma onda nevada de musselina contra a qual vinha bater um leque de plumas de cisne, mas a seguir o vestido, cujo corpete possuía, como único ornamento, inumeráveis palhetas, seja de metal, em varinhas ou em grãos, seja de brilhantes, modelava-lhe o corpo com uma precisão absolutamente britânica. Mas, por mais diversas que fossem as toaletes de uma e de outra, depois que a princesa cedeu à prima a cadeira que ocupava até então, viram-nas se voltarem uma para a outra e se admirarem reciprocamente.

Talvez a duquesa de Guermantes, no dia seguinte, sorrisse ao falar do penteado um tanto complicado da princesa, mas certamente iria declarar que esta nem por isso estava menos deslumbrante e maravilhosamente arrumada; e a princesa que, por gosto, achava algo um tanto frio, um tanto seco, um tanto *couturier* demais no modo como se vestia a prima, descobria um refinamento delicado naquela sobriedade estrita. Aliás, entre elas, a harmonia e a gravitação universal preestabelecida de sua educação neutralizavam os contrastes não só de ajustamento mas de atitude. Nessas linhas invisíveis e imantadas que a elegância de maneiras estendia entre elas, vinha expirar a natureza expansiva da princesa, ao passo que a retidão da duquesa se deixava atrair e infletir para elas, fazendo-se doçura e encanto. Assim como na peça que se representava, para compreender o que a Berma irradiava de poesia pessoal, bastaria confiar o papel que ela desempenhava, e que somente ela podia desempenhar, a qualquer outra atriz, o espectador que erguesse os olhos para o balcão teria visto, em dois camarotes, um "arranjo", que ela julgava relembrar os penteados da princesa de Guermantes, dar simplesmente à baronesa de Morienval o ar excêntrico, pretensioso e mal-educado, e um esforço a um tempo custoso e paciente para imitar as toaletes e a elegância da duquesa de Guermantes, fazer apenas a Sra. de Cambremer se assemelhar a uma pensionista provinciana, armada em arame, tesa, seca e aguda, um penacho de carro fúnebre verticalmente enfiado nos cabelos. Talvez o lugar desta última não fosse numa sala onde era somente com as mulheres mais brilhantes do ano que os camarotes (e até os mais altos, que de baixo pareciam grandes cestos cheios de flores humanas e ligados à abóbada da sala pelas rédeas rubras de suas divisões de veludo) compunham uma paisagem momentânea que os mortos, os escândalos, as doenças e as brigas em breve modificariam, mas que naquele momento estava imobilizada pela atenção, pelo calor, pela vertigem, pela poeira, a elegância e o tédio, nesse tipo de instante eterno e trágico de espera inconsciente e de tranqüilo embotamento que, retrospectivamente, parece ter precedido a explosão de uma bomba ou a primeira chama de um incêndio.

O motivo pelo qual a Sra. de Cambremer se achava ali era que a princesa de Parma, desprovida de esnobismo como a maior parte das legítimas altezas e, em compensação, devorada pelo orgulho e pelo desejo de praticar a caridade, que nela igualava o gosto pelo que imaginava ser as Artes, cedera aqui e ali alguns camarotes para mulheres como a Sra. de Cambremer, que não fazia parte da alta sociedade aristocrática, mas com quem se relacionava devido às suas obras de beneficência. A Sra. de Cambremer não tirava os olhos da duquesa e da princesa de Guermantes, o que lhe era tanto mais fácil porque, não tendo verdadeiras relações com elas, não podia dar a impressão de implorar um cumprimento. Ser recebida em casa dessas duas grandes damas era no entanto o objetivo que ela perseguia há dez anos com infatigável paciência. Calculara que o conseguiria certamente dentro de cinco anos. Mas, atingida por uma doença que não perdoa e cujo caráter inexorável julgava conhecer, vangloriando-se de saberes médicos, temia não poder viver até lá. Pelo menos sentia-se feliz naquela noite ao pensar que todas aquelas mulheres a quem mal conhecia veriam junto dela um de seus amigos, o jovem marquês de Beausergent, irmão da Sra. de Argencourt, que também freqüentava as duas sociedades e cuja companhia as mulheres da segunda apreciavam muito ostentar aos olhos das da primeira. Estava sentado atrás da Sra. de Cambremer, numa cadeira enviesada, para poder observar os demais camarotes. Conhecia todos ali e, para cumprimentar, com a arrebatadora elegância das lindas mesuras garbosas de sua cabeça loura, erguia a meio o corpo bem aprumado, com um sorriso nos olhos azuis, num misto de respeito e desenvoltura, gravando assim com precisão, no retângulo do plano oblíquo em que se achava posto, algo como uma dessas velhas estampas que mostram um grão-senhor altivo e cortesão. Muitas vezes aceitava, desse modo, ir ao teatro com a Sra. de Cambremer; na sala, e à saída, no vestíbulo, permanecia corajosamente junto dela no meio da multidão de amigas mais brilhantes do que a que lhe estava ao lado, à qual evitava falar, não querendo constrangê-las, e como se estivesse em má companhia. Se então passava a princesa de Guermantes, ligeira e bela como Diana, arrastando atrás de si uma capa incomparável, fazendo com que todas as cabeças se virassem e seguida de todos os olhares (mais pelos da Sra. de Cambremer que pelos dos outros), o Sr. de Beausergent se absorvia numa conversação com sua vizinha, não correspondia ao sorriso amistoso e deslumbrante da princesa senão por obrigação e forçado, e com a reserva bem-educada e a caridosa frieza de alguém cuja amabilidade pode se tornar momentaneamente constrangedora.

A Sra. de Cambremer, mesmo que não soubesse que a frisa pertencia à princesa, teria no entanto reconhecido que a Sra. de Guermantes era a convidada, devido ao ar de maior atenção que esta prestava ao espetáculo da cena e da sala, para ser amável com quem a convidara. Mas ao mesmo tempo que essa força centrífuga, uma força contrária desenvolvida pelo mesmo desejo de amabilidade levava a atenção da duquesa de volta à própria toalete, para a sua *aigrette*, o colar, o corpete, e até para o da própria princesa, de quem parecia se proclamar vassala, escrava, vinda até aqui exclusivamente para vê-la, pronta para segui-la alhures se à titular do camarote lhe desse a fantasia de ir-se embora, e só considerando um grupo de estranhos curiosos o restante da sala, onde possuía entretanto um grande número de amigos, em cujos camarotes ela se encontrava em outras semanas e para com os quais então não deixava de dar mostras da mesma lealdade exclusiva, relativista e semanal. A Sra. de Cambremer estava espantada de ver a duquesa nessa noite. Sabia que ela ficava até bem tarde em Guermantes e supunha que ali se achasse ainda. Mas contaram-lhe que, às vezes, quando se dava em Paris um espetáculo que ela julgava interessante, a Sra. de Guermantes mandava atrelar um de seus carros logo depois de tomar chá com os caçadores e, ao sol poente, partia a trote rápido através da floresta crepuscular, depois pela estrada, para tomar o trem em Combray a fim de estar à noite em Paris. "Talvez ela tenha vindo de Guermantes expressamente para ouvir a Berma", pensava a Sra. de Cambremer com admiração. E se lembrava de que ouvira Swann dizer, nesse jargão ambíguo que ele possuía em comum com o Sr. de Charlus: — A duquesa é uma das criaturas mais nobres de Paris, da elite mais requintada e escolhida. — Por mim, que fazia derivar do nome de Guermantes, do nome de Baviera e do nome de Condé a vida e o pensamento das duas primas (não podia fazer o mesmo no tocante a seus rostos, pois já os vira), preferia conhecer o seu julgamento sobre a *Fedra* do que o do maior crítico do mundo. Pois no julgamento delas não teria encontrado mais que inteligência, inteligência superior à minha, mas da mesma natureza. Porém o que pensavam a duquesa e a princesa de Guermantes, e que me teria fornecido um documento inestimável acerca da natureza dessas duas poéticas criaturas, eu o imaginava com a ajuda de seus nomes, aos quais atribuía um encanto irracional e, com a sede e a nostalgia de uma pessoa febril, o que eu pedia que sua opinião sobre a *Fedra* me desse era o encanto das tardes de verão em que eu ia passear para os lados de Guermantes.

A Sra. de Cambremer tentava distinguir que espécie de toalete usavam as duas primas. Quanto a mim, não duvidava que essas toaletes lhe fossem peculiares. Não só no sentido em que a libré de gola vermelha ou lapela azul pertencera outrora exclusivamente aos Guermantes e aos Condé, mas antes como a um pássaro a plumagem que não é apenas um ornamento de sua beleza, mas uma extensão de seu corpo. A toalete dessas duas mulheres parecia-me como uma materialização nívea ou matizada de sua atividade interior, e, como os gestos que eu vira fazer a princesa de Guermantes, e que não duvidara correspondessem a uma idéia oculta, as plumas que desciam de sua testa e o corpete esplendoroso e recamado de sua prima pareciam ter um significado, ser, para cada uma, um atributo que era apenas delas e cujo sentido gostaria de conhecer: a ave-do-paraíso me parecia inseparável de uma, como o pavão de Juno; não imaginava que uma pudesse usurpar o corpete recamado da outra como não faria com a égide cintilante e franjada de Minerva. E, quando erguia meus olhos para aquele camarote, muito mais que no teto do teatro, onde estavam pintadas alegorias, era como se avistasse, graças à abertura miraculosa das nuvens de costume, a assembléia dos Deuses ocupados em contemplar o espetáculo dos homens, debaixo de um toldo rubro, numa clareira luminosa, entre dois pilares do Céu. Eu contemplava essa apoteose momentânea com uma perturbação que mesclava a paz ao sentimento de ser ignorado pelos Imortais; a duquesa me vira uma vez com o marido, mas certamente não devia se lembrar disso, e não me era penoso que ela, pelo posto que ocupava no camarote, ficasse contemplando as madréporas anônimas e coletivas da platéia das primeiras filas, pois sentia com felicidade o meu ser dissolvido no meio delas, quando, no momento em que, em virtude das leis da refração, veio sem dúvida pintar-se na corrente impassível dos dois olhos azuis, a forma confusa do protozoário desprovido de existência individual que eu era, vi uma claridade iluminá-los: a duquesa, transformada de deusa em mulher e parecendo-me subitamente mil vezes mais bela, ergueu para mim a mão enluvada de branco que mantinha apoiada no rebordo da frisa, agitou-a em sinal de amizade, meu olhar se sentiu atravessado pela incandescência involuntária e pelo fogo dos olhos da princesa, que os fizera entrar em conflagração só pelo fato de movê-los para ver a quem a prima cumprimentava; e esta, que me reconhecera, fez chover sobre mim o aguaceiro fulgurante e celeste de seu sorriso.

Agora, todas as manhãs, bem antes da hora em que ela saía, eu rumava por um longo desvio e ia me postar na esquina da rua pela qual ela costumava descer e, quando o momento de sua passagem me parecia próximo, subia com um ar distraído, olhando na direção oposta e erguendo os olhos para ela assim que chegava à sua altura, mas como se de modo nenhum esperasse vê-la. Nos primeiros dias até, para estar mais seguro de não perdê-la, eu esperava diante da casa. E, todas as vezes que o portão principal se abria (deixando passar sucessivamente tantas pessoas que não eram aquela que eu esperava), a sua agitação logo se prolongava em meu peito, em oscilações que custavam a se acalmar. Pois nunca um fanático de uma grande comediante a quem não conhece, cansando-se de esperar de pé diante de onde saem os artistas, nunca uma multidão exasperada ou idólatra, reunida para insultar ou carregar em triunfo o condenado ou o grande homem que se julga estar a ponto de passar a cada vez que se ouve um rumor vindo do interior da prisão ou do palácio, se sentiram tão emocionados como eu, esperando a saída daquela grande dama que, em sua toalete simples, sabia, pela graça de seu caminhar (bem diverso do modo de andar que exibia ao entrar num salão ou num camarote), fazer de seu passeio matinal — para mim, em todo o mundo, só existia ela a passear — todo um poema de elegância e o mais requintado adereço, a mais curiosa flor do bom tempo. Mas, depois de três dias, para que o porteiro não percebesse a minha manobra, fui até bem mais longe, até a um ponto qualquer do percurso habitual da duquesa. Com freqüência, antes daquela noite no teatro, eu dava desse modo pequenas escapadas antes do almoço, quando fazia bom tempo; se tivesse chovido, eu descia à primeira estiagem para dar alguns passos e, de repente, vindo pela calçada ainda úmida, transformada pela luz em laca de ouro, na apoteose de uma encruzilhada coberta de pó de uma névoa que o sol curtia e dourava, avistava uma pensionista seguida de sua professora, ou uma leiteira com suas mangas brancas; eu permanecia imóvel, uma mão no peito, e o coração já se lançava para uma vida estranha; procurava lembrar-me da rua, da hora, da porta em que a menina (que às vezes eu seguia) desaparecera sem voltar a sair. Felizmente, a fugacidade dessas imagens afagadas (e que eu me prometia tentar rever) as impedia de se fixarem com força em minha lembrança. Não importa, sentia-me menos triste por estar doente, de nunca ter tido ainda coragem de me pôr a trabalhar, a começar um livro. A terra me parecia mais agradável de morar, a vida mais interessante de percorrer desde que via que as ruas de Paris, como as estradas de Balbec, estavam floridas por essas belezas ignoradas que tantas vezes eu procurara fazer surgir dos bosques de Méséglise, e o desejo voluptuoso que cada uma excitava somente ela seria capaz de saciar.

Voltando da Ópera, acrescentara, para o dia seguinte, às imagens que desde alguns dias sonhava reencontrar, a da Sra. de Guermantes, grandiosa, com seu penteado alto de cabelos louros e leves, com a ternura prometida no sorriso que me endereçara da frisa de sua prima. Seguiria o caminho que Françoise me dissera que a duquesa tomava e, no entanto, trataria de não perder a saída de uma aula e de um catecismo, a fim de reencontrar duas moças que havia visto na antevéspera. Mas, à espera, de vez em quando, do cintilante sorriso da Sra. de Guermantes, a sensação de doçura que ele me proporcionara me voltava à lembrança. E, sem saber muito bem o que fazia, tentava pô-los (como uma mulher observa o efeito que faria sobre o vestido uma determinada espécie de botões de pedrarias que acabam de lhe presentear) ao lado das idéias romanescas que possuía há muito e que a frieza de Albertine, a partida prematura de Gisèle e, antes disso, a separação intencional e excessivamente prolongada de Gilberte, haviam liberado (a idéia, por exemplo, de ser amado por uma mulher, de ter uma vida em comum com ela); depois, era a imagem de uma ou outra das duas moças que eu aproximava dessas idéias, às quais, logo após, tratava de adaptar a lembrança da duquesa. Junto dessas idéias, a recordação da Sra. de Guermantes na Ópera era bem pouca coisa, uma estrelinha ao lado da longa cauda de seu cometa flamejante; além do mais, conhecia muito bem essas idéias longo tempo antes de conhecer a Sra. de Guermantes; a recordação, ao contrário, possuía-a imperfeitamente; escapava-me por instantes; e foi durante as horas em que, flutuando em mim na mesma qualidade das imagens de outras mulheres bonitas, ela passou aos poucos a uma associação única e definitiva — exclusiva de qualquer outra imagem feminina — com minhas idéias romanescas tão anteriores a ela, foi durante essas horas em que melhor a recordava que deveria ter-me ocorrido saber com exatidão em que consistia essa lembrança; mas eu não sabia então a importância que viria a ter para mim; era doce apenas como um primeiro encontro com a Sra. de Guermantes dentro de mim mesmo, era o primeiro esboço, o único verdadeiro, o único feito conforme a vida, o único que de fato foi a Sra. de Guermantes; durante as poucas horas em que tive a felicidade de a deter sem saber lhe prestar atenção, devia entretanto ser bastante encantadora essa recordação, visto que era sempre a ela, livremente ainda naquele momento, sem pressa nem cansaço, sem nada de necessário ou de ansioso, que minhas idéias de amor retornavam; a seguir, à medida que essas idéias se fixaram mais definitivamente, adquiriu delas uma força muito grande, mas tornou-se ele próprio mais vago; em breve, não consegui mais reencontrá-lo; e, nos meus devaneios, deformava-o completamente, sem dúvida, pois, cada vez que via a Sra. de Guermantes, constatava um afastamento, aliás sempre diferente, entre aquilo que havia imaginado e aquilo que via. Agora, todos os dias, certamente, no momento em que a Sra. de Guermantes desembocava no fim da rua, eu ainda avistava seu talhe alto, o rosto de olhar claro sob uma cabeleira leve, todas as coisas pelas quais estava ali; mas, em compensação, alguns segundos mais tarde, quando, tendo desviado os olhos em outra direção para fingir que não estava esperando esse encontro que viera buscar, erguia-os para a duquesa no momento em que chegava ao mesmo nível da rua que ela, e o que via então eram as marcas vermelhas, que não sabia se eram causadas pelo ar livre ou pela acne num rosto entediado que, por um sinal bastante seco e bem diverso da amabilidade da noite de *Fedra*, correspondia ao cumprimento que lhe dirigia diariamente com ar de surpresa e que não parecia lhe agradar. Entretanto, ao fim de alguns dias, durante os quais a lembrança das duas moças lutou com chances desiguais pelo predomínio de minhas idéias amorosas com a da Sra. de Guermantes, foi a desta, como se de si mesma, que principiou por renascer com mais freqüência, enquanto suas concorrentes eram eliminadas; em suma, foi para a Sra. de Guermantes que acabei transferindo, ainda voluntariamente e como por escolha e por prazer, todos os meus pensamentos de amor. Já não sonhava com as meninas do catecismo, nem com uma certa leiteira; e, no entanto, não esperava mais encontrar na rua o que fora buscar, nem a ternura prometida no teatro por um sorriso, nem a silhueta e o rosto claro sob a cabeleira loura que só o eram assim de longe. Agora, não poderia sequer dizer como era a Sra. de Guermantes, nem como a reconhecia, pois a cada dia, no conjunto de sua pessoa, o rosto era tão diverso como o vestido e o chapéu.

Por que, em determinado dia, vendo avançar de frente sob um capuz cor-de-malva um rosto suave e liso de encantos distribuídos com simetria ao redor de dois olhos azuis, e no qual a linha do nariz parecia reabsorvida, sabia com alegre comoção que não retornaria sem ter avistado a Sra. de Guermantes? Por que sentia a mesma perturbação, afetava a mesma indiferença, desviava os olhos da mesma forma distraída que na véspera, ao aparecimento de perfil, numa rua transversal e sob uma touquinha azul-marinho, de um nariz em formato de bico de pássaro, ao longo de uma face vermelha, cortado por um olho penetrante, como uma divindade egípcia? Certa vez, não foi apenas uma mulher de bico de pássaro o que vi, mas como que um pássaro verdadeiro: o vestido e até a touquinha da Sra. de Guermantes eram de peles e, não deixando assim ver nenhum tecido, ela parecia naturalmente forrada, como certos abutres cuja plumagem espessa, unida, fulva e macia, tem o aspecto de uma espécie de pelame. No meio dessa plumagem natural, a pequena cabeça recobria o seu bico de pássaro e os olhos saltados eram azuis e penetrantes.

Nesse dia, eu acabava de passear de um lado para o outro na rua durante horas sem avistar a Sra. de Guermantes, quando, de repente, no fundo de uma loja que vendia laticínios, escondida entre dois palacetes nesse bairro aristocrático e popular, se destacou o rosto confuso e novo de uma mulher elegante que examinava *petits suisses* e, antes que tivesse tempo de identificá-la, veio ferir-me, como um clarão que tivesse levado menos tempo a chegar até mim do que o resto da imagem, o olhar da duquesa; de outra vez, não a tendo encontrado e ouvindo bater meio-dia, compreendi que já não valia a pena ficar à sua espera, e voltava tristemente para casa; e, absorvido em minha decepção, olhando sem ver um carro que se afastava, compreendi de súbito que o movimento de cabeça que uma dama fizera pela portinhola era para mim, e que essa dama, cujas feições desfeitas e pálidas ou, pelo contrário, compostas e vivas, formavam, sob um chapéu redondo abaixo de uma longa *aigrette*, o rosto de uma estranha que eu julgara não conhecer, era a Sra. de Guermantes, por quem me deixara cumprimentar sem mesmo corresponder. E às vezes, ao voltar, encontrava-a junto da portaria, onde o detestável porteiro, cujo olhar metediço eu odiava, lhe fazia grandes cumprimentos e também, com certeza, "relatórios". Pois todo o pessoal dos Guermantes, dissimulado por trás das cortinas das janelas, espiava trêmulo o diálogo que não ouvia e em resultado do qual a duquesa não deixava de privar de suas saídas este ou aquele criado que o "alcagüete" denunciara. Devido a todas as aparições sucessivas de rostos diferentes que a Sra. de Guermantes oferecia, rostos que ocupavam uma extensão relativa e variada, ora estreita, ora ampla, no conjunto de sua toalete, meu amor não se ligava a esta ou aquela das partes mutantes de carne e de tecido, que assumiam, de acordo com os dias, o lugar de outras e que ela podia modificar e renovar quase inteiramente sem alterar minha perturbação, porque, através delas, através da gola nova e da face desconhecida, eu sentia que era sempre a Sra. de Guermantes. O que eu amava era a pessoa invisível que punha em movimento tudo aquilo, era ela, cuja hostilidade me desgostava, cuja aproximação me perturbava, cuja vida desejaria captar, e dela expulsar seus amigos. Ela podia arvorar uma pluma azul ou mostrar ou exibir uma pele em chamas sem que suas ações perdessem para mim qualquer importância.

Mesmo que eu próprio não sentisse que a Sra. de Guermantes estava cansada de me encontrar todos os dias, sabê-lo-ia indiretamente pelo rosto cheio de frieza, de reprovação, de piedade que era o de Françoise quando me ajudara na preparação para essas saídas matinais. Desde que lhe pedia os meus objetos, sentia erguer-se um vento contrário nas feições retraídas e pisadas do seu rosto. Nem sequer tentava ganhar a confiança de Françoise, pois sentia que o não poderia conseguir. Por saber de imediato tudo aquilo que podia nos ocorrer de desagradável, a meus pais e a mim, ela possuía um poder cuja natureza sempre me permaneceu obscura. Talvez não fosse sobrenatural e teria sido possível explicá-lo pelos meios de informação que lhe eram próprios; é assim que povos selvagens sabem de certas notícias vários dias antes que o correio as traga à colônia européia, e que, na realidade, lhes foram transmitidas não por telefone, mas de colina em colina com o auxílio de fogueiras acesas. Assim, no caso particular de meus passeios, talvez os criados da Sra. de Guermantes tenham ouvido a patroa expressar o seu cansaço de me encontrar inevitavelmente no seu caminho e tivessem repetido tais frases a Françoise. Meus pais, é verdade, poderiam pôr a meu serviço outra pessoa que não Françoise, mas eu nada ganharia com isso. De certo modo, Françoise era menos doméstica que os outros. Em sua maneira de sentir, de ser boa e piedosa, dura e altiva, fina e limitada, de ter a pele branca e as mãos vermelhas, ela era a senhorita da aldeia cujos pais "tinham casa própria", mas, arruinados, foram obrigados a pô-la para trabalhar. Sua presença em nossa casa, graças a uma espécie de viagem ao contrário, onde é a vilegiatura que vem ao encontro do viajante, era como o ar do campo e a vida social numa fazenda de há cinqüenta anos, até nós transportados. Como a vitrine de um museu regional é decorada com essas curiosas obras que os camponeses ainda realizam e guarnecem de passamanes em certas províncias, o nosso apartamento parisiense era decorado pelas palavras de Françoise inspiradas em um sentimento tradicional e local, e que obedeciam a regras muito antigas. E ela sabia ali traçar, como com fios coloridos, as cerejeiras e os pássaros de sua infância, o leito em que morrera sua mãe, e que ela ainda contemplava. Mas, apesar de tudo isso, desde que entrara para o nosso serviço em Paris, havia partilhado — e com mais forte motivo do que qualquer outra o faria em seu lugar — as idéias, as jurisprudências de interpretação dos criados dos outros pavimentos, recuperando-se o respeito que era obrigada a nos testemunhar, repetindo-nos o que a cozinheira do quarto andar dizia de grosserias à patroa, e com uma tal satisfação de doméstica que, pela primeira vez na nossa vida, sentindo uma espécie de solidariedade com a locatária do quarto andar, nós nos dizíamos que, de fato, talvez fôssemos patrões. Essa alteração do caráter de Françoise era talvez inevitável. Certas existências são tão anormais que devem fatalmente engendrar determinadas taras, como a vida que o rei levava em Versalhes entre seus cortesãos, tão estranha como a de um faraó ou de um doge e, muito mais que a do rei, a vida dos cortesãos. A dos criados é sem dúvida de uma estranheza ainda mais monstruosa e apenas o hábito no-la oculta. Porém, ainda nos mais particulares detalhes é que eu teria sido condenado, mesmo que me livrasse de Françoise, a conservar a mesma criadagem. Pois diversos outros puderam entrar mais tarde ao meu serviço; já providos dos defeitos gerais dos criados, nem por isso deixavam de sofrer em minha casa uma rápida transformação. Como as leis do ataque acionam as do revide, para não serem feridos pelas asperezas do meu caráter, todos realizavam no seu uma reentrância idêntica e no mesmo local; e, em compensação, aproveitavam minhas lacunas para ali instalar seus avanços. Tais lacunas, eu não as conhecia, como também não as saliências a que seus intervalos davam espaço, precisamente por serem lacunas. Mas meus criados, estragando-se aos poucos, fizeram-me conhecê-las. Foi devido a seus defeitos, invariavelmente adquiridos, que soube de meus próprios defeitos naturais e invariáveis, o caráter deles me apresentou uma espécie de negativo do meu. Muito havíamos rido antigamente, minha mãe e eu, da Sra. Sazerat que dizia, falando dos criados: "Essa raça, essa espécie." Mas devo confessar que o motivo pelo qual não me ocorria substituir Françoise por qualquer outro é que esse outro teria pertencido, do mesmo modo e inevitavelmente, à raça geral dos criados e à espécie particular dos meus.

Voltando a Françoise, nunca em minha vida experimentei uma humilhação sem ter encontrado prévias condolências no seu rosto; e quando, encolerizado por sofrer os lamentos dela, tentava ao contrário fingir que obtivera um êxito, minhas mentiras vinham se quebrar inutilmente em sua incredulidade respeitosa, porém visível, e na consciência que ela possuía de sua infalibilidade. Pois conhecia a verdade; calava-a e fazia apenas um pequeno movimento de lábios como se ainda tivesse a boca cheia e acabasse de comer um bom bocado. Calava-a? Pelo menos, foi o que julguei durante muito tempo, pois a essa época eu pensava ainda que era por meio das palavras que a gente revela aos outros a verdade. Mesmo as palavras que me diziam depositavam tão bem a sua significação inalterável em meu espírito sensível, que eu já não achava possível que alguém que me tivesse dito que me amava não me amasse, que a própria Françoise não poderia duvidar, depois de o ter lido no jornal, que um padre ou um senhor qualquer fosse capaz, a um pedido enviado pelo correio, de nos remeter gratuitamente um remédio infalível contra todas as enfermidades ou um meio de centuplicar nossas rendas. (Em compensação, se o nosso médico lhe desse a mais simples pomada contra o defluxo, ela, tão dura nos mais rudes sofrimentos, gemia por tudo quanto havia fungado, assegurando que aquilo "lhe pelava o nariz", e que a gente não sabia mais onde se meter.) Mas Françoise foi a primeira a me dar o exemplo (que só mais tarde eu devia compreender, quando me foi dado de novo, mais dolorosamente, como se verá nos últimos volumes desta obra, por uma pessoa que me era mais querida) de que a verdade não precisa ser dita para ser manifestada, e que talvez se possa obtê-la com mais certeza, sem esperar as palavras e até mesmo sem levá-las em consideração, em mil sinais exteriores, mesmo em certos fenômenos invisíveis, análogos, no mundo dos caracteres, ao que representam, na natureza física, as mudanças atmosféricas. Talvez pudesse ter desconfiado disso, visto que a mim mesmo, então, ocorria-me dizer muitas vezes coisas em que não havia verdade alguma, ao passo que a manifestava por tantas confidências involuntárias de meu corpo e de meus atos (as quais eram muito bem interpretadas por Françoise); talvez pudesse ter desconfiado, mas para isso seria necessário que eu soubesse que era então, às vezes, mentiroso e trapaceiro. Ora, a mentira e a trapaça eram em mim, como em todo mundo, comandadas de uma forma tão imediata e contingente, e para sua defesa, por um interesse tão particular, que meu espírito, fixo num belo ideal, deixava meu caráter cumprir na sombra aquelas tarefas urgentes e miseráveis e não se desviava para observá-las. Quando Françoise, à noite, era gentil comigo, e me pedia licença para se sentar no meu quarto, parecia-me que seu rosto se tornava transparente e que nela eu percebia a bondade e a franqueza. Mas Jupien, que possuía queda para a indiscrição que só vim a conhecer mais tarde, revelou posteriormente que ela dizia que eu não valia a corda para me enforcar e que procurara lhe fazer todo o mal possível. Estas palavras de Jupien mostraram-me logo, sob uma luz desconhecida, uma prova de minhas relações com Françoise tão diferente daquela em que me comprazia muitas vezes em descansar os olhos e na qual, sem a mais leve indecisão, Françoise me adorava e não perdia ocasião de me celebrar, que compreendi que não é só o mundo físico que difere do aspecto sob o qual o vemos; que toda realidade é talvez tão dissemelhante da que julgamos perceber diretamente e que compomos com a ajuda de idéias que não se mostram mas são ativas, assim como as árvores, o sol e o céu não seriam tais como os vemos se fossem conhecidos por seres que tivessem olhos constituídos de maneira diversa da nossa, ou então, que possuíssem, para esse fim, órgãos diferentes dos olhos e que proporcionassem das árvores, do sol e do céu equivalentes não-visuais. Assim como ocorreu, essa brusca fugida que me abriu uma vez Jupien para o mundo real me aterrorizou. Mesmo assim, só se tratava de Françoise, com quem pouco me preocupava. Seria assim em todas as relações sociais? E até que desespero aquilo poderia me levar um dia, se o mesmo ocorresse no amor? Era o segredo do futuro. Então, só se tratava ainda de Françoise. Pensaria ela sinceramente o que havia dito a Jupien? Dissera-o apenas para indispor Jupien comigo, talvez para que não tomassem a sobrinha de Jupien para substituí-la? O fato é que percebi a impossibilidade de saber de modo direto e seguro se Françoise me amava ou detestava. E assim, foi ela a primeira a me dar a idéia de que uma pessoa não é, como o acreditara, clara e imóvel diante de nós com suas qualidades, seus defeitos, seus projetos, suas intenções a nosso respeito (como um jardim que se contempla, com todas as suas platibandas, através de uma grade), e sim uma sombra onde jamais podemos penetrar, para a qual não existe conhecimento direto, a respeito de quem formamos numerosas crenças com o auxílio de palavras e até mesmo de ações, umas e outras nos dando apenas informações insuficientes e, aliás, contraditórias, uma sombra onde podemos, alternadamente, imaginar, com tanto maior verossimilhança, que brilham o ódio e o amor.

Eu amava de verdade a Sra. de Guermantes. A maior felicidade que teria podido pedir a Deus seria a de lançar sobre sua cabeça todas as calamidades e que, arruinada, desconsiderada, destituída de todos os privilégios que me separavam dela, já não tendo casa onde morar nem pessoas que consentissem em cumprimentá-la, ela fosse me pedir asilo. Imaginava-a fazendo isto. E, mesmo nas noites em que alguma mudança na atmosfera ou na minha própria saúde me traziam à consciência algum rolo esquecido, no qual estavam inscritas as impressões de outrora, ao invés de aproveitar as forças de renovação que acabavam de nascer em mim, em vez de empregá-las para decifrar em mim mesmo os pensamentos que de costume me fugiam, em vez de me pôr enfim a trabalhar, preferia falar em voz alta, pensar de forma movimentada, exterior, que não passava de uma gesticulação e um discurso inúteis, um romance puramente de aventuras, estéril e sem verdade, onde a duquesa, caída na miséria, vinha me implorar, a mim que, por uma série de circunstâncias opostas, me tornara rico e poderoso. E, quando havia passado horas dessa maneira, imaginando circunstâncias, pronunciando frases que diria à duquesa ao acolhê-la sob o meu teto, a situação permanecia a mesma; infelizmente, na realidade, eu havia escolhido para amar a mulher que reunia talvez o maior número de vantagens diferentes; e aos olhos de quem, por causa disso, eu não podia esperar ter qualquer prestígio; pois ela era tão rica como o mais rico que não fosse nobre; sem contar aquele encanto pessoal que a colocava na moda, fazendo-a dentre todas uma espécie de rainha.

Sentia que lhe era desagradável ir todas as manhãs ao encontro dela; mas, mesmo que tivesse tido a coragem de ficar dois ou três dias sem fazê-lo, talvez essa abstenção, que para mim significaria um sacrifício enorme, a Sra. de Guermantes não a tivesse notado, ou a teria atribuído a algum impedimento independente da minha vontade. E na verdade eu não conseguiria deixar de ir pelo seu caminho a não ser arrumando uma forma de ficar na impossibilidade de fazê-lo, pois a necessidade incessantemente renovada de encontrá-la, de ser durante um momento o objeto de sua atenção, a pessoa a quem se dirigia o seu cumprimento, tal necessidade era mais poderosa que o tédio de lhe ser desagradável. Seria preciso que me afastasse por algum tempo; e não tinha coragem de assim proceder. Às vezes pensava nisso. Então, dizia a Françoise que fizesse as minhas malas e, logo depois, que as desfizesse. E, como o demônio do pastiche e do medo de parecer antiquado altera a forma mais natural e mais segura de nós mesmos, Françoise, tomando emprestado este termo ao vocabulário da filha, dizia que eu era *dingo*.[4] Não gostava daquilo, dizia que eu "balançava" sempre, pois empregava, quando não queria rivalizar com os modernos, a linguagem de Saint-Simon. É certo que gostava ainda menos quando lhe falava como patrão. Sabia que isso não me era natural e não me assentava bem, o que ela traduzia dizendo que "o intencional não me quadrava bem". Eu só teria coragem de partir numa direção que me aproximasse da Sra. de Guermantes. Não era coisa impossível. De fato, não seria me encontrar mais perto dela do que o estava de manhã na rua, solitário, humilhado, sentindo que nem um só dos pensamentos que desejaria lhe dirigir nunca chegaria até ela, nesse marcar passo dos meus passeios, que poderia durar indefinidamente sem me trazer qualquer avanço — se eu fosse para muitas léguas da Sra. de Guermantes, mas para a casa de alguém que ela conhecesse, que soubesse ser difícil na escolha de suas relações, e que me apreciasse, que poderia lhe falar de mim e, se não obter dela aquilo que eu desejava, ao menos lhe fazer saber, alguém graças ao qual, em todo caso, só pelo fato de discutir com ele se poderia encarregar-se ou não desta ou daquela mensagem junto a ela, não daria eu a meus devaneios solitários e silenciosos uma nova forma, falada, ativa, que me parecesse um progresso, quase uma rea-

[4] Gíria francesa: "louco". (N. do T.)

lização? O que ela fazia durante a vida misteriosa da "Guermantes" que era, isto, que era objeto de um devaneio constante, intervir nessa vida, mesmo de forma indireta, como com uma alavanca, pondo em ação alguém a quem não fossem interditos o palacete da duquesa, as suas reuniões noturnas, a conversação prolongada com ela, não seria isso um contato mais distante porém mais efetivo que a minha contemplação na rua todas as manhãs?

A amizade e a admiração que Saint-Loup mostrava por mim pareciam-me indevidas e tinham-me deixado indiferente. De súbito, fizeram-se valiosas a meu ver; gostaria que ele as revelasse à Sra. de Guermantes. Seria capaz de lhe pedir que o fizesse. Pois, quando estamos apaixonados, todos os pequenos privilégios desconhecidos que possuímos, gostaríamos de poder divulgá-los à mulher a quem amamos, como fazem na vida os deserdados e os maçantes. Sofremos porque ela os ignora, buscamos consolar-nos dizendo para nós mesmos que, justamente por não serem visíveis, talvez ela acrescente à idéia que possui a nosso respeito essa possibilidade de vantagens que não conhece.

Há muito tempo Saint-Loup não podia vir a Paris, fosse, como dizia, por causa das exigências do ofício, ou antes, devido aos desgostos que lhe causava a amante, com a qual estivera já duas vezes a ponto de romper. Várias vezes me falara sobre o bem que lhe faria indo vê-lo naquela guarnição cujo nome, dois dias depois que ele deixara Balbec, me causara tanta alegria quando o li no envelope da primeira carta que dele recebera. Menos distante de Balbec do que o daria a crer a paisagem tão terrestre, era uma dessas cidadezinhas aristocráticas e militares, cercadas de uma vasta campina onde, quando faz bom tempo, tantas vezes flutua ao longe uma espécie de vapor sonoro e intermitente que — assim como uma cortina de choupos desenha, com suas sinuosidades, o curso de um rio que não se vê — revela as mudanças de lugar de um regimento em manobras, que a própria atmosfera das ruas, das avenidas e das praças acabou por contrair uma espécie de vibração permanente, musical e guerreira, e que o ruído mais bruto de carroça ou de bonde nela se prolonga em vagos chamamentos de clarim, indefinidamente repetidos, nos ouvidos alucinados pelo silêncio. Da mesma forma, não estava situada tão longe de Paris que eu não pudesse, descendo do trem expresso, voltar para casa, encontrar minha mãe e minha avó e dormir na minha cama. Tão logo o percebi, perturbado por um desejo doloroso, tive muito pouca vontade para decidir não voltar a Paris e permanecer naquela cidade; mas também muito pouca para impedir um empregado de elevar minha mala até um fiacre e para não assumir, enquanto o acompanhava, a alma deserta de um viajante que cuida de suas coisas e que nenhuma avó está esperando, para não subir para o carro com a desenvoltura de alguém que, tendo deixado de pensar no que deseja, parece saber o que quer, e para não dar ao cocheiro o endereço do quartel de cavalaria. Imaginava que Saint-Loup fosse dormir aquela noite no hotel onde me hospedasse, a fim de me tornar menos angustioso o primeiro contato com aquela cidade desconhecida. Um soldado de guarda foi procurá-lo e eu o esperei à porta do quartel, diante daquela nave toda retumbante do vento de novembro e de onde a cada momento, pois eram seis da tarde, homens saíam de dois em dois para a rua, vacilando como se descessem a terra em algum porto exótico onde estivessem momentaneamente desembarcados.

Saint-Loup chegou, movendo e deixando voar em todos os sentidos o monóculo à sua frente: eu não mandara dizer o meu nome, e estava impaciente para gozar a sua surpresa e alegria.

— Ah, que pena — exclamou ele, ao me ver de repente e tornando-se vermelho até a raiz dos cabelos; — acabei de tomar a minha semana de serviço e só poderei sair daqui a oito dias!

E, preocupado com a idéia de me ver passar sozinho essa primeira noite, pois sabia melhor que ninguém das minhas angústias noturnas, que muitas vezes observara e suavizara em Balbec, interrompia suas queixas para se voltar para mim, dirigir-me pequenos sorrisos, ternos olhares desiguais, uns vindo diretamente de seus olhos, outros através do monóculo; e todos eram uma alusão à emoção que sentia ao me rever, uma alusão também a essa coisa importante que nem sempre eu entendia, mas que me importava agora: a nossa amizade.

— Meu Deus, onde é que você vai dormir? Na verdade, não lhe aconselho o hotel em que fazemos as refeições, fica ao lado da Exposição onde as festas vão começar, e você estaria em meio a uma multidão enlouquecida. Não, é preferível o Hotel de Flandres; é um pequeno palácio do século XVIII com velhas tapeçarias. O que *faz* bastante o gênero de "velha mansão histórica".

A todo propósito Saint-Loup empregava o termo "faz" por "parece", porque a língua falada, como a escrita, experimenta de tempos em tempos essa necessidade de alterações no sentido das palavras, de requintes de expressão. E, da mesma maneira que muitas vezes os jornalistas ignoram de que escola literária provêm as "elegâncias" de que se utilizam, assim também o vocabulário e até a própria dicção de Saint-Loup eram formados pela imitação de três estetas diversos, a nenhum dos quais ele conhecia, mas cujos modos de linguagem lhe haviam sido inculcados de maneira indireta. — Além disso — concluiu — esse hotel está muito bem adaptado à sua hiperestesia auditiva. Você não terá vizinhos. Reconheço que é uma vantagem mesquinha, e, como, em suma, um outro viajante pode chegar aqui amanhã, não valeria a pena escolher esse hotel com vistas a um resultado precário. Não, é devido a seu aspecto que o recomendo. Os quartos são muito simpáticos, todos os móveis são antigos e confortáveis, ele possui algo de tranqüilizador. — Mas para mim, menos artista que Saint-Loup, o prazer que pode proporcionar uma bela morada era superficial, quase nulo, e não podia acalmar a minha angústia principiante, tão penosa como a que eu tivera outrora em Combray quando minha mãe não vinha despedir-se de mim ou a que sentira no dia de minha chegada a Balbec, no quarto excessivamente alto que cheirava a vetiver. Saint-Loup a compreendeu devido ao meu olhar fixo.

— Mas você está pouco ligando, meu pobrezinho, a esse belo palácio; está tão pálido. E eu, como um animal, lhe falo de tapeçarias que você nem mesmo tem ânimo de olhar. Conheço o quarto onde você ficaria. Pessoalmente, acho-o muito alegre, mas percebo perfeitamente que para você, com sua sensibilidade, não é nada disso. Não pense que o não compreendo; não sinto a mesma coisa, mas sei muito bem me colocar no seu lugar.

Um suboficial que experimentava um cavalo no pátio, muito ocupado em fazê-lo saltar, sem corresponder às continências dos soldados, mas cobrindo de injúrias os que se punham no seu caminho, dirigiu naquele momento um sorriso a Saint-Loup e, ao vê-lo em companhia de um amigo, cumprimentou. Mas seu cavalo se ergueu em toda a altura, espumando. Saint-Loup lançou-se ao seu pescoço, pegou-o pelas rédeas, conseguiu acalmá-lo e voltou para junto de mim.

— Sim — disse —, asseguro-lhe que percebo tudo e que sofro com o que você sente. Sinto-me infeliz — acrescentou, pondo afetuosamente a mão no meu ombro — em pensar que, se pudesse ficar perto de você, talvez conseguisse, conversando até de manhã, desfazer um pouco da sua tristeza. Poderia emprestar-lhe muitos livros, mas você não conseguirá ler no estado em que está. E nunca poderei conseguir que me substituam aqui; já fiz isso por duas vezes seguidas porque minha garota havia chegado.

E franzia as sobrancelhas de aborrecimento e também devido ao esforço em procurar, como um médico, que remédio poderia aplicar a meu mal.

— Corre para acender o fogo no meu quarto — disse a um soldado que passava. — Vamos, mais depressa, mexa-se.

Depois, voltou-se de novo para mim, e o monóculo e o olhar míope aludiam à nossa grande amizade:

— Não! Você aqui, neste quartel onde tanto pensei em você! Não posso acreditar em meus olhos, acho que estou sonhando. Em suma, está melhorzinho de saúde? Vai me contar tudo isto daqui a pouco. Vamos subir para o meu quarto, não fiquemos muito tempo neste pátio, faz um vento danado, eu nem sequer o sinto, mas você, que não está acostumado, receio que sinta frio. E já começou o trabalho? Não? Você é engraçado! Se fosse dotado de suas inclinações, creio que escreveria da manhã à noite. Diverte-se mais em não fazer nada. Que pena sejam os medíocres como eu que estejam sempre prontos para trabalhar, e aqueles que o poderiam não querem! E nem sequer lhe perguntei como está a senhora sua avó. Seu Proudhon já não me deixa.

Um oficial, alto, belo, majestoso, apareceu a passos lentos e solenes de uma escada. Saint-Loup o saudou e imobilizou a perpétua instabilidade do corpo enquanto mantinha a mão à altura do quepe. Mas ele a havia precipitado com tamanha força, endireitando-se com um movimento tão seco, e, mal terminada a continência, fê-la recair com um puxão tão brusco, mudando todas as posições da espádua, que esse momento foi menos de imobilidade que de uma vibrante tensão onde se neutralizavam os movimentos excessivos que acabavam de se produzir e aqueles que iam começar. Entretanto, o oficial, sem se aproximar, calmo, benevolente, digno, imperial, representando em resumo o oposto de Saint-Loup, ergueu também, mas sem pressa, a mão para o quepe.

— Preciso dizer uma palavra ao capitão — sussurrou Saint-Loup —; tenha a gentileza de ir me esperar em meu quarto; é o segundo à direita, no terceiro andar; estarei lá dentro de um momento.

E, deixando-me a passo de carga, precedido pelo monóculo que voava em todos os sentidos, marchou direto para o digno e vagaroso capitão, cujo cavalo traziam naquele instante, e que, antes de se preparar para montar, dava algumas ordens com uma nobreza estudada de gestos como num quadro histórico e como estivesse partindo para uma batalha do Primeiro Império, quando apenas voltava para casa, na residência que havia alugado durante sua estada em Doncières, e que ficava numa praça denominada, como por uma ironia antecipada a esse napoleônida, Praça da República! Avancei pela escada, quase escorregando a cada passo nos degraus cheios de cravos, enquanto entrevia dormitórios de paredes nuas, com o duplo alinhamento de camas e de equipamentos. Indicaram-me o quarto de Saint-Loup. Fiquei um instante à frente da porta fechada, pois ouvia movimentos; mexiam numa coisa, deixavam cair outra; sentia que o quarto não estava vazio e que lá havia alguém. Mas era apenas o fogo aceso que ardia. O fogo não podia ficar tranqüilo, movia a lenha, e isso de modo bem desajeitado. Entrei; o fogo fez rolar uma acha e fumegar outra. E, mesmo quando não se mexia, fazia ouvir o tempo todo, como as pessoas vulgares, barulhos que, no instante em que eu ouvia subir a chama, se me afiguravam ruídos de fogo, mas que, se estivesse do outro lado da parede, julgaria que proviessem de alguém que se assoasse e caminhasse. Por fim, senteime no quarto. Tapeçarias de *liberty* e de velhos tecidos alemães do século XVIII o preservavam do cheiro que o restante do prédio exalava, e que era grosseiro, insípido e corruptível como o do pão de rala. Era ali, naquele quarto encantador, que eu teria jantado e dormido com ventura e sossego. Saint-Loup parecia se achar quase presente, graças aos livros de trabalho que estavam na mesa ao lado de fotografias, entre as quais reconheci a minha e a da Sra. de Guermantes, em virtude do fogo que acabara por se acostumar à lareira e, como um animal deitado numa espera ardente, silenciosa e fiel, deixava apenas cair, de vez em quando, uma brasa que se destroçava, ou lambia com uma chama a parede da lareira. Ouvia o tique-taque do relógio de pulso de Saint-Loup, que não devia estar muito longe de mim. Esse tique-taque mudava de lugar a todo instante, pois eu não via o relógio; parecia vir de trás de mim, de diante, da direita, da esquerda, às vezes extinguir-se como se proviesse de muito longe. De repente, descobri o relógio sobre a mesa. Então ouvi o tique-taque num ponto fixo de onde ele não mais se moveu. Julgava ouvi-lo nesse lugar, mas não o ouvia, via-o, pois os sons não têm lugar. Pelo menos, associamo-los a movimentos e, assim, têm eles a utilidade de nos avisar sobre estes, de parecer torná-los naturais e necessários. É certo que ocorre às vezes que um doente, a quem taparam hermeticamente as orelhas, não ouve mais o ruído de um fogo semelhante ao que naquele momento crepitava na lareira de Saint-Loup, trabalhando para formar tições e cinzas que a seguir deixava cair sobre a grade; não ouve também a passagem dos bondes, cuja música erguia vôo, a intervalos regulares, sobre a grande praça de Doncières. Então, que o doente leia, e as páginas se virem silenciosamente como se fossem folheadas por um deus. O pesado barulho de um banho que está sendo preparado se atenua, aligeira-se e se afasta feito um murmúrio celeste. O recuo do barulho e seu atenuamento tiram-lhe, quanto a nós, toda potência agressiva; ainda há pouco desesperados pelos golpes de martelo que pareciam fazer desabar o teto sobre nossa cabeça, satisfazemo-nos agora em recolhê-los, leves, remotos, cariciosos como um murmúrio de folhagens que brincam na rua com a brisa. Jogamos paciência com cartas cujo rumor ninguém ouve, tanto assim que achamos não as ter removido, que elas se movem sozinhas e, vindo ao encontro de nosso desejo de jogar com elas, principiam a jogar conosco. E, a esse respeito, pode-se indagar se, quanto ao Amor (e acrescentemos ao Amor o amor à vida, o amor à glória, visto que parece haver pessoas que conhecem estes dois últimos sentimentos), não deveríamos agir como aqueles que, contra o barulho, em vez de implorar que ele cesse, tapam os ouvidos; e, imitando-os, concentrar a nossa defesa em nós próprios, dar-lhes como objeto de redução não a criatura exterior que amamos, mas a nossa capacidade de sofrer por ela.

Voltando ao som: se reforçarmos ainda os tampões que fecham o conduto auditivo, eles obrigam ao *pianissimo* a moça que tocava uma ária turbulenta acima da nossa cabeça; se untarmos um desses tampões com uma substância gordurosa, logo o seu despotismo é obedecido pela casa inteira e suas leis se estendem para o lado de fora. O *pianissimo* já não basta, o tampão faz o piano fechar-se de imediato, e a aula de música termina bruscamente; o senhor que andava sobre a nossa cabeça de súbito deixa de prosseguir em sua ronda; a circulação dos carros e dos bondes é interrompida como se se esperasse um chefe de Estado. E essa atenuação dos sons às vezes chega mesmo a perturbar o sono em vez de protegê-lo. Ontem mesmo, os rumores incessantes, descrevendo-nos de modo contínuo os movimentos na rua e na casa, acabavam por nos adormecer como um livro tedioso; hoje, na superfície de silêncio estendida sobre o nosso sono, um choque mais forte que os outros chega a fazer-se ouvir, leve como um suspiro, misterioso, sem laço com qualquer outro som. E o pedido de explicações que acarreta é suficiente para nos despertar. Que se retirem de um doente, por um momento, os algodões superpostos a seu tímpano, e de súbito a luz, o sol pleno do som se mostra de novo, ofuscante, renasce no universo; a toda pressa regressa o povo dos rumores exilados; assiste-se à ressurreição das vozes, como se elas fossem salmodiadas por anjos músicos. Num instante as ruas vazias se enchem com as asas rápidas e sucessivas dos bondes cantores. No próprio quarto, o doente acaba de criar não o fogo, como Prometeu, mas o ruído do fogo. E, aumentando e afrouxando os tampões de algodão em rama, é como se, alternadamente, se acionassem um e outro dos dois pedais ajuntados à sonoridade do mundo exterior.

Apenas, há igualmente supressões de ruído que não são momentâneas. Quem se tornou totalmente surdo não pode sequer aquecer o leite a seu lado sem precisar ficar vigiando, na vasilha destampada, o reflexo branco, hiperbóreo, semelhante ao de uma tempestade de neve, e que é o sinal premonitório ao qual é prudente em obedecer, desligando, como o Senhor afastou as águas, a tomada elétrica; pois já o ovo ascendente e espasmódico do leite que ferve está cumprindo a sua cheia em movimentos oblíquos, infla e arredonda algumas velas meio reviradas que a nata havia plissado, lança à tempestade uma de nácar; e a interrupção das correntes, se a tempestade elétrica é conjurada a tempo, fará todas girarem sobre si mesmas e as largará à deriva, transformadas em pétalas de magnólia. Se o doente não tomar bem depressa as precauções necessárias, em breve seus livros e o relógio, afundados, emergirão com esforço de um mar branco após essa mascarada láctea, e ele será obrigado a chamar em seu auxílio a velha criada que, mesmo que ele seja um ilustre político ou um grande escritor, lhe dirá que não tem mais juízo que uma criança de cinco anos. Em outros momentos no quarto, mágica, diante da porta fechada, uma pessoa que não estava ali agora há pouco faz a sua aparição; é um visitante que não se ouviu entrar e que só faz gestos como num desses teatrinhos de marionetes, tão repousantes para os que se aborreceram com a linguagem falada. E para aquele surdo total, como a perda de um sentido acrescenta tanta beleza ao mundo como o não faria a sua aquisição, é com delícias que ele passeia agora numa Terra quase edênica, onde o som ainda não foi criado. As mais altas cascatas desenrolam, só para seus olhos, sua toalha de cristal, mais calmas que o mar imóvel, puras como cataratas do Paraíso. Visto que o ruído era para ele, antes de sua surdez, a forma perceptível que revestia a causa de um movimento, os objetos movidos sem rumor parecem movidos sem causa; destituídos de toda qualidade sonora, mostram uma atividade espontânea, parecem vivos; agitam-se, imobilizam-se, incendeiam-se por si mesmos. Levantam vôo por si próprios feito monstros alados da pré-história. Na casa solitária e sem vizinhos do surdo, o serviço que, antes que a enfermidade fosse completa, já mostrava mais reserva e se fazia silenciosamente está agora assegurado por mudos, com algo de sub-reptício, como ocorre com um rei de *féerie*. Assim também, no mesmo cenário, o edifício que o surdo vê de sua janela — caserna, igreja, prefeitura — não passa de uma decoração. Se um dia é demolido, poderá lançar uma nuvem de poeira e escombros visíveis. Mas ainda menos material que um prédio de teatro, de que no entanto não possui a magreza, cairá no universo mágico sem que o desmoronamento de suas pesadas pedras de cantaria venha a macular a castidade do silêncio com a vulgaridade de algum ruído.

O silêncio, bem mais relativo, que reinava no pequeno quarto militar onde me achava há pouco foi quebrado: a porta se abriu, e Saint-Loup, deixando cair o monóculo, entrou vivamente.

— Ah, Robert, como a gente passa bem no seu aposento — disse-lhe eu —; como seria bom se me fosse permitido jantar e dormir aqui.

E, com efeito, se isso não fosse proibido, que repouso sem tristeza eu teria desfrutado ali, protegido por aquela atmosfera de tranqüilidade, vigilância e alegria que entrelinham mil vontades reguladas e sem inquietação, mil espíritos despreocupados, nessa grande comunidade que é uma caserna onde, tendo o tempo tomado a forma da ação, o triste sino das horas era substituído pela mesma alegre fanfarra desses apelos cuja sonora lembrança estava permanentemente em suspensão, difusa e pulverulenta, sobre as calçadas da cidade — voz segura de ser ouvida, e musical, porque não era apenas o comando da autoridade à obediência, mas também da sabedoria à felicidade.

— Ah, você gostaria mais de dormir aqui, junto a mim, do que sair sozinho para o hotel — disse Saint-Loup rindo.

— Oh, Robert, você é cruel por levar isso na ironia — disse eu —, pois sabe que é impossível e que lá vou sofrer tanto.

— Muito bem! Você me lisonjeia — tornou ele —, pois justamente agora tive essa idéia por mim mesmo, e sei que você gostaria de ficar aqui esta noite. E era precisamente isto o que eu tinha ido pedir ao capitão.

— E ele permitiu?! — exclamei.

— Sem nenhuma dificuldade.

— Oh, eu o adoro!

— Não; é demais. Agora, deixe-me chamar meu ordenança para que ele se ocupe do nosso jantar — acrescentou, enquanto eu me desviava para ocultar as lágrimas.

Várias vezes entraram um ou outro dos companheiros de Saint-Loup. Ele os enxotava:

— Vamos, dêem o fora!

Eu lhe pedia que os deixasse ficar.

— Não, vão aborrecê-lo; são criaturas completamente ignorantes que só sabem falar de corridas, quando não do tratamento dos animais. E depois, mesmo para mim, estragariam estes instantes tão preciosos que tanto desejei. Note bem que, se falo da mediocridade dos meus camaradas, não é que todo militar seja desprovido de intelectualidade. Bem longe disso. Temos um comandante que é um homem admirável. Deu um curso em que a história militar é tratada como uma demonstração, como uma espécie de álgebra. Mesmo esteticamente, é de uma beleza alternativamente indutiva e dedutiva e à qual você não seria insensível.

— Não é o capitão que me permitiu ficar aqui?

— Não, graças a Deus, pois o homem que você "adora" por tão pouco é o maior idiota que a Terra já suportou. É perfeito para se ocupar do rancho e do uniforme de seus comandados; passa horas com o sargento-mor e o alfaiate. Eis a sua mentalidade. Aliás, despreza muito, como todos, o admirável comandante de que lhe falo. Ninguém freqüenta este, porque é franco-maçom e não vai ao confessionário. Jamais o príncipe de Borodino receberia em sua casa este pequeno-burguês. O que é também um grande atrevimento da parte de um homem cujo bisavô era um pobre sitiante e que, sem as guerras de Napoleão, seria igualmente granjeiro. De resto, ele percebe um pouco a situação dúbia de que desfruta na sociedade. Mal vai ao Jockey este pretenso príncipe, de tanto que se sente constrangido — acrescentou Robert, que, levado pelo mesmo espírito de imitação a adotar as teorias sociais de seus mestres e os preconceitos mundanos dos parentes, unia, sem o perceber, ao amor da democracia o desdém pela nobreza do Império.

Eu examinava a foto de sua tia, e a idéia de que Saint-Loup, possuindo esse retrato, talvez me pudesse dá-lo me fez querer-lhe ainda mais e desejar prestar-lhe mil serviços, que me pareciam uma ninharia em troca dessa foto. Pois ela era como um encontro a mais, acrescentando aos que já tivera com a Sra. de Guermantes; melhor ainda, um encontro prolongado como se, por um brusco progresso de nossas relações, ela parasse ao meu lado, de chapéu de jardineiro, e tivesse me deixado olhar, pela primeira vez, com atenção, aquela polpa de rosto, aquela curva da nuca, o ângulo de sobrancelhas (até então ocultas para mim pela rapidez de sua passagem, pelo aturdimento de minhas impressões, pela inconsistência da lembrança); e sua contemplação, tanto como a do colo e dos braços de uma mulher que eu nunca houvesse visto senão de vestido afogado, representava para mim uma descoberta voluptuosa, um favor. Essas linhas que me parecia quase ser proibido olhar, poderia estudá-las ali como num tratado da única geometria que valesse para mim. Mais tarde, encarando Robert, percebi que ele era também um pouco feito a foto de sua tia, e por um mistério quase tão emocionante para mim, visto que, se seu rosto não fora diretamente produzido pelo rosto dela, ambos todavia possuíam uma origem comum. As feições da duquesa de Guermantes que estavam arquivadas na minha visão de Combray, o nariz em bico de falcão, os olhos penetrantes, pareciam ter servido igualmente para recortar — em outro exemplar análogo e delgado, de pele mais fina — o rosto de Robert, quase possível de se sobrepor ao de sua tia. Observava nele, com inveja, os traços característicos dos Guermantes, dessa raça que permanecera tão particular no meio do mundo, onde ela não se perde e se conserva isolada em sua glória divinamente ornitológica, pois parece surgida, nas eras mitológicas, da união de uma deusa com um pássaro.

Robert, sem atinar com o motivo, estava comovido com a minha emoção. Esta, aliás, aumentava com o bem-estar causado pelo calor do fogo e pelo champanhe que, ao mesmo tempo, orvalhava de gotas de suor a minha testa e de lágrimas os meus olhos; ele regava perdizes; eu as comia com o encanto de um profano qualquer, quando encontra, numa certa existência que não conhecia, aquilo que achara incompatível com ela (por exemplo, um livre-pensador preparando um jantar requintado num presbitério). E, na manhã seguinte, ao despertar, fui lançar pela janela de Saint-Loup, que, situada bem alto, dava para toda a região, um olhar de curiosidade para travar conhecimento com minha vizinha, a campina, que não pudera observar na véspera por ter chegado muito tarde, à hora em que ela já dormia na noite. Porém, por mais cedo que ela tivesse despertado, entretanto não a vi ao abrir o postigo, como se pode vê-la da janela de um castelo, para os lados do brejo, ainda meio envolta no branco e suave manto matinal de névoa, que não me deixava perceber quase nada. Mas sabia que, antes que os soldados que se ocupavam dos cavalos no pátio tivessem terminado a sua tarefa, ela o teria despido. Enquanto esperava, só podia ver uma delgada colina, erguendo contra o quartel o seu dorso já desprovido de sombras, esguio e rugoso. Através das cortinas borrifadas de geada, não tirava os olhos dessa estranha que me encarava pela primeira vez. Mas, quando tomei o hábito de ir ao quartel, a consciência de que a colina ali se achava, por conseguinte mais real, mesmo quando não a via, do que o hotel de Balbec, do que nossa casa em Paris, nos quais pensava como se pensa nos ausentes, nos mortos, isto é, sem quase acreditar em sua existência, fez com que, mesmo sem me aperceber de tal, sua forma reverberada sempre se perfilasse acima das menores impressões que recebi em Doncières e, para começar por aquela manhã, acima da boa impressão de calor que me proporcionou o chocolate preparado pelo ordenança de Saint-Loup naquele quarto confortável, que tinha o aspecto de um centro ótico para olhar a colina (a idéia de fazer coisa diversa de olhá-la e passear por ela tornara-se impossível devido à mesma névoa que ali havia). Embebendo a forma da colina, associado ao gosto do chocolate e à trama inteira de meus pensamentos de então, aquele nevoeiro, sem que eu absolutamente pensasse nele, vinha molhar todos os meus pensamentos com aquele tempo, como determinado ouro inalterável e maciço ficara aliado às minhas impressões de Balbec, ou como a presença vizinha das escadas exteriores de grés enegrecido conferiam algo de grisalho às minhas impressões de Combray. Aliás, o nevoeiro não permaneceu até muito tarde pela manhã, pois o sol começou a lançar inutilmente contra ele algumas setas que o cobriram de brilhantes, acabando por vencê-lo. A colina pôde oferecer o seu cimo acinzentado aos raios que, uma hora depois, quando desci para a cidade, davam aos vermelhos das folhas das árvores, e aos rubros e azuis dos cartazes eleitorais pregados nos muros, uma exaltação que a mim mesmo me reanimava e me fazia bater, cantando, as pedras do calçamento, sobre as quais me continha para não pular de alegria.

Mas, desde o segundo dia, precisei ir dormir no hotel. E já sabia, por antecipação, que fatalmente iria sentir-me triste. A tristeza era como um aroma irrespirável que, desde o meu nascimento, exalava para mim todo quarto novo, ou seja, todo quarto: naquele que de ordinário ocupava, eu não me achava presente, meu pensamento permanecia em outra parte, e, em seu lugar, enviava apenas o Hábito. Mas não podia encarregar esse criado menos sensível de se ocupar de meus assuntos em uma região nova, onde eu o precedia, onde chegava sozinho, onde me era necessário fazer entrar em contato com as coisas aquele "Eu" que só encontrava com anos de intervalo, mas sempre o mesmo, não tendo crescido desde Combray, desde minha primeira chegada a Balbec, chorando, sem poder ser consolado, junto de uma mala desfeita.

Ora, eu me enganara. Não tive tempo de ficar triste, pois não estive sozinho um só instante. É que me restava do palácio antigo um excedente de luxo, inaproveitável num hotel moderno, e que, destacado de toda utilidade prática, adquirira em sua ociosidade uma espécie de vida: corredores que arrepiavam caminho, dos quais a gente cruzava a todo momento as idas e vindas sem qualquer objetivo, vestíbulos compridos como corredores e ornamentados como salões, que tinham antes o aspecto de morar ali do que de fazer parte da casa, que fora impossível fazer entrar em algum apartamento, mas que rondavam o meu e logo vieram oferecer-me a sua companhia — espécie de vizinhos ociosos, mas não barulhentos, fantasmas subalternos do passado a quem haviam permitido residir sem rumor à porta dos quartos que se alugavam, e que, cada vez que os encontrava em meu caminho, davam mostras de uma silenciosa deferência. Em suma, a idéia de uma residência, simples continente da nossa vida atual e que só nos preserva do frio e da vista dos outros, era absolutamente inaplicável àquela morada, conjunto de peças tão reais como uma colônia de pessoas, é verdade que de uma vida silenciosa, mas que a gente era obrigado a encontrar, a evitar e a acolher quando voltava. Procurava-se não importunar, e não se podia olhar sem respeito o grande salão que adquirira, desde o século XVIII, o hábito de se estender entre suas colunas de ouro velho, sob as nuvens de teto pintado. E a gente era tomado de uma curiosidade mais familiar pelas pequenas peças que, sem nenhum cuidado de simetria, corriam ao redor dele, inumeráveis, espantadas, fugindo em desordem até o jardim, para onde desciam tão facilmente por três degraus embotados.

Se quisesse sair ou entrar sem tomar o elevador, nem ser visto na escada principal, uma outra, menor, privativa, que não servia mais, estendia-me seus degraus tão habilmente dispostos, um após o outro, que parecia haver em sua gradação uma proporção perfeita do tipo daquela que nas cores, nos perfumes e nos sabores muitas vezes nos excitam uma sensualidade peculiar. Mas a que existe em subir e descer, fora-me preciso vir até aqui para conhecê-la, como outrora a uma estância alpestre para saber que o ato de respirar, habitualmente não percebido, pode constituir uma volúpia permanente. Recebi essa isenção de esforço que apenas nos proporcionam as coisas que usamos longamente, quando pousei os pés pela primeira vez nesses degraus, familiares antes de serem conhecidos, como se possuíssem, talvez depositada, a eles incorporada pelos senhores de antigamente a quem acolhiam todos os dias, a antecipada suavidade de hábitos que eu ainda não adquirira e que até só poderiam se enfraquecer quando os tivesse tornado meus. Abri um quarto, a porta dupla se fechou atrás de mim, os cortinados fizeram entrar um silêncio sobre o qual senti uma espécie de embriagadora realeza; uma lareira de mármore ornada de cobres cinzelados, que seria errôneo pensar estivesse representando unicamente a arte do Diretório, me proporcionava fogo, e uma pequena poltrona de pés baixos me ajudou a aquecer-me tão confortavelmente como se estivesse sentado no tapete. As paredes estreitavam a peça, separando-a do resto do mundo e, para deixar entrar nela e nela encerrar o que a tornava completa, afastavam-se diante da biblioteca, reservavam o vão da cama a cujos lados umas colunas sustentavam ligeiramente o teto elevado da alcova. E o quarto se prolongava no sentido da profundidade em dois gabinetes tão amplos como ele, o último dos quais tinha suspenso à parede, para perfumar o recolhimento que se vinha buscar, um voluptuoso rosário de grãos de íris; as portas, se as deixava abertas enquanto me retirava para este último refúgio, não se contentavam em triplicá-lo, sem que deixasse de ser harmonioso, e não proporcionavam ao meu olhar apenas o prazer da extensão, mas ainda acrescentavam ao prazer de minha solidão, que permanecia inviolável e deixava de ser confinada, o sentimento de liberdade. Esse reduto dava para um pátio, belo, solitário, que me senti feliz de ter como vizinho quando, na manhã seguinte, o descobri cativo entre seus altos muros para onde não dava nenhuma janela, e tendo apenas duas árvores amareladas, suficientes para conferir uma suave doçura ao céu puro.

Antes de me deitar, quis sair do quarto para explorar todo o meu feérico domínio. Caminhei seguindo uma galeria longa que, sucessivamente, me fez homenagem de tudo o que possuía para me ofertar, caso eu estivesse sem sono, uma poltrona colocada a um canto, uma espineta, um vaso de faiança azul cheio de cinerárias sobre um consolo, e, em um quadro antigo, o fantasma de uma dama de outrora, os cabelos empoados entrelaçados de flores azuis e tendo na mão um buquê de cravos. Tendo chegado ao fim, sua parede maciça, onde não se abria porta alguma, disse-me singelamente: “Agora é preciso voltar, mas vês que estás em tua casa”, ao passo que o tapete macio ajuntava, para não ficar atrás, que, se eu não dormisse aquela noite, poderia muito bem vir descalço, e que as janelas sem postigos que olhavam para a campina me asseguravam que passariam uma noite em claro e que, voltando à hora que eu quisesse, não tinha a temer acordar alguém. E por trás de uma cortina descobri apenas um pequeno gabinete que, detido pela parede e não podendo se salvar, ali se escondera, todo embaraçado, e olhava-me assustado com seu olho de boi que o luar tornara azul. Deitei-me, mas a presença do edredom, das colunatas, da pequena lareira, pondo minha atenção num grau em que ela não estava em Paris, impediu-me de me entregar ao ramerrão habitual de meus devaneios. E como é esse estado particular de atenção o que envolve o sono e age sobre ele, modifica-o e o põe no mesmo plano de tal ou qual série de nossas recordações, as imagens que encheram meus sonhos naquela primeira noite foram tomadas de empréstimo a uma memória inteiramente diversa daquela a que de hábito meu sono recorria. Se fosse tentado, ao adormecer, a deixar-me arrastar de novo para a minha memória de costume, a cama à qual não estava habituado, a suave atenção que era obrigado a prestar às minhas posições quando me revirava bastariam para retificar ou manter o novo fio de meus sonhos. Ocorre com o sono o mesmo que se dá com a percepção do mundo exterior. Basta uma alteração em nossos hábitos para fazê-lo poético, basta que, ao nos despirmos, adormeçamos sem querer sobre a cama, para que as dimensões do sono sejam mudadas e que se sinta a sua beleza. A gente desperta, vê que são quatro horas no relógio, são apenas quatro horas da manhã, mas acreditamos que o dia inteiro já passou, de tanto que aquele sono de minutos, e que não buscamos, nos pareceu descer do céu, em virtude de algum direito divino, enorme e pleno como o globo de ouro de um imperador. De manhã, aborrecido com a idéia de que meu avô estava pronto e que me esperavam para ir para os lados de Méséglise, despertei com a fanfarra de um regimento que todos os dias passava debaixo de minhas janelas. Mas duas ou três vezes — e o afirmo, pois não se pode descrever muito bem a vida dos homens se esta não for banhada no sono em que mergulha e que, noite após noite, a contorna como uma península é rodeada pelo mar —, o sono interposto foi em mim bastante resistente para sustentar o choque da música, e não ouvi nada. Nos outros dias, ele cedeu um instante; mas, ainda aveludada por ter dormido, minha consciência, como esses órgãos previamente anestesiados, para os quais uma cauterização, primeiramente insensível, só é percebida no fim e feito uma leve queimadura, apenas era tocada suavemente pelas pontas agudas dos pífaros que a acariciavam como um vago e fresco chilreio matinal; e, depois dessa breve interrupção em que o silêncio se fizera música, recomeçava ele com o meu sono, antes mesmo que os dragões tivessem acabado de passar, ocultando-me as últimas florações desabrochadas do ramalhete sonoro e impetuoso. E a zona da minha consciência a que haviam aflorado seus caules jorrantes era tão estreita, tão cercada de sono, que mais tarde, quando Saint-Loup me perguntava se havia escutado a música, eu não tinha certeza de que o som da fanfarra não fosse tão imaginário como o que eu ouvia durante o dia erguer-se, ao menor ruído, sobre o calçamento da cidade. Talvez o tivesse ouvido somente em sonhos, pelo receio de ser acordado ou, ao contrário, de não acordar e não ver o desfile. Pois muitas vezes, quando eu permanecia dormindo no momento em que, ao contrário, pensava que o ruído me despertaria, julgava estar acordado, durante uma hora, enquanto dormia, e representava para mim mesmo, sobre a tela diminuta do meu sono, os diversos espetáculos de que ele me privava, mas aos quais eu tinha a ilusão de estar assistindo.

O que teríamos feito de dia, ao vir o sono, efetivamente ocorre que somente o realizamos sonhando, isto é, após a inflexão do adormecimento, conforme um outro caminho, diverso do que percorreríamos despertos. A mesma história se desvia e tem outro fim. Apesar de tudo, o mundo em que se vive durante o sono é de tal modo diferente que aqueles que têm dificuldade de adormecer procuram, antes de tudo, sair do nosso. Depois de terem desesperadamente, durante horas, de olhos fechados, revolvido pensamentos semelhantes aos que teriam tido de olhos abertos, retomam coragem se perceberem que o minuto anterior esteve carregado de um raciocínio em formal contradição com as leis da lógica e a evidência do presente; essa breve "ausência" significa que está aberta a porta pela qual talvez possam fugir logo à percepção do real, ir fazer algo mais ou menos longe dele, o que lhes dará um sono mais ou menos "bom". Mas já se deu um grande passo quando se volta as costas ao real, quando se atingem os primeiros antros onde as "auto-sugestões" preparam, como feiticeiras, a bebida infernal das doenças imaginárias ou a recrudescência das moléstias nervosas, e espiam a hora em que as crises que vêm à tona durante o sono inconsciente se manifestarão com força bastante para fazê-lo cessar.

Não longe dali está o jardim reservado onde crescem, como flores desconhecidas, os sonos tão diferentes uns dos outros, o sono do estramônio, o sono do cânhamo-da-índia, os múltiplos extratos do éter, o sono da beladona, do ópio, da valeriana, flores que permanecem cerradas até o dia em que o desconhecido predestinado vier tocá-las, fazer com que se abram, e, durante longas horas, vertam o aroma de seus sonhos particulares em uma criatura maravilhada e surpresa. No fundo do jardim fica o convento de janelas abertas onde se ouve repetir as lições aprendidas antes de dormir e que só serão sabidas ao despertar; enquanto que, presságio deste, faz ressoar o seu tique-taque esse despertador interno que a nossa preocupação regulou tão bem que, quando nossa caseira vier dizer-nos: "são sete horas!", já nos achará prontos. Das paredes escuras desse quarto que se abre sobre os sonhos, e onde trabalha sem cessar o esquecimento dos desgostos amorosos, do qual é às vezes interrompida e desfeita por um pesadelo cheio de reminiscências a tarefa de imediato reiniciada, pendem, mesmo depois que despertamos, as lembranças dos sonhos, porém tão ensombrecidas que muitas vezes só as percebemos pela primeira vez em plena tarde, quando o raio de uma idéia semelhante vem tocá-las por acaso; alguns já harmoniosamente claros, enquanto dormimos, mas tornados tão irreconhecíveis que, não os tendo reconhecido, só podemos apressarnos em devolvê-los à terra, como a cadáveres que se decompõem com muita rapidez, ou como objetos tão gravemente estragados e quase reduzidos a pó que nem o restaurador mais hábil poderia devolver-lhes a forma ou deles tirar alguma coisa.

Perto da grade está a pedreira em que os sonos profundos vão procurar substâncias que impregnam a cabeça de camadas tão duras que, para despertar o adormecido, sua própria vontade se vê obrigada, mesmo numa manhã de ouro, a desferir enormes machadadas como um jovem Siegfried. Mais além ficam os pesadelos, que os médicos estupidamente supõem serem mais cansativos que as insônias, quando, muito pelo contrário, permitem ao pensador escapar-se da atenção; os pesadelos, com seus álbuns fantasistas, onde nossos parentes já mortos acabam de sofrer um grave acidente que não exclui uma cura próxima. Enquanto esperamos, conservamo-los numa pequena gaiola para ratos, onde eles são menores que ratinhos brancos e, cobertos de grandes botões vermelhos, cada qual ornado de uma pena, dirigem-nos discursos ciceronianos. Ao lado desse álbum, está o disco giratório do despertar, graças ao qual sofremos por um momento o tédio de ter de voltar imediatamente a uma casa que está destruída há cinqüenta anos, e cuja imagem é apagada por várias outras à medida que o sono foi se afastando, antes que chegássemos àquela a que só se apresenta uma única vez o disco ao parar, e que coincide com a que havemos de ver de olhos abertos.

Algumas vezes eu nada ouvia, estando num desses sonos em que a gente cai como num poço, do qual nos sentimos muito felizes por ser tirados um pouco mais tarde, pesados, superalimentados, digerindo tudo o que nos trouxeram, parecidos com as ninfas que nutriam Hércules, essas ágeis potências vegetativas cuja atividade redobra enquanto dormimos.

Chama-se a isto um sono de chumbo, e parece que nós mesmos nos tornamos, durante alguns momentos depois que um tal sono terminou, simples bonecos de chumbo. Não somos mais ninguém. Como, então, buscando sua personalidade, seu pensamento, como se busca um objeto perdido, acaba-se por encontrar o seu próprio eu antes que qualquer outro? Por que, quando recomeçamos a pensar, não é então uma outra personalidade, em vez da anterior, que se encarna em nós? Não se percebe o que é que dita a escolha e por que, entre os milhões de seres humanos que poderíamos ser, pomos a mão justamente sobre aquele que éramos na véspera. O que é que nos guia, quando verdadeiramente ocorreu uma interrupção (seja porque o sono tenha sido completo, ou os sonhos inteiramente diversos de nós)? Na verdade houve morte, como quando o coração deixa de bater e somos reanimados por exercícios rítmicos da língua. É claro que o quarto, ainda que o tenhamos visto uma só vez, desperta recordações das quais pendem outras mais antigas; ou em nós dormiam algumas de que tomamos consciência. A ressurreição ao despertar — após esse benéfico acesso de alienação mental que é o sono — deve, no fundo, assemelhar-se ao que ocorre quando se reencontra um nome, um verso ou um refrão esquecidos. E talvez a ressurreição da alma após a morte seja concebível como um fenômeno de memória.

Quando acabara de dormir, atraído pelo céu ensolarado, mas retido pelo frio das derradeiras manhãs, tão luminosas e gélidas, em que principia o inverno, eu, para contemplar as árvores em que as folhas estavam indicadas apenas por um ou dois toques de ouro ou de rosa que pareciam ter ficado no ar, numa trama invisível, erguia a cabeça e esticava o pescoço enquanto mantinha o corpo meio escondido nos cobertores; como uma crisálida em vias de metamorfose, eu era uma criatura dupla cujas diversas partes não convinham ao mesmo ambiente; a meu ver, bastava a cor, sem calor; ao contrário, o meu peito se preocupava com o calor, e não com a cor. Só me levantava quando o fogo estava aceso e contemplava o quadro tão suave e transparente da manhã cor-de-malva e de ouro, à qual acabava de acrescentar artificialmente as partes de calor que lhe faltavam, atiçando o fogo que ardia e fumegava como um bom cachimbo e que me dava, como este o faria, um prazer a um tempo grosseiro, pois repousava num bem-estar material, e delicado, porque atrás dele se desvanecia uma pura visão. Meu gabinete de toalete era forrado de um papel vermelho violento, recamado de flores negras e brancas, às quais parece que teria alguma dificuldade de me habituar. Mas nada mais fizeram que me parecer novas, que me obrigar a entrar não em conflito mas em contato com elas, modificar a alegria e os cânticos de meu despertar; não fizeram mais que me prender à força no âmago de uma espécie de papoula para contemplar o mundo, que eu via bem diferente do que em Paris, desse alegre biombo que era essa nova casa, diversamente orientada da de meus pais e para onde afluía um ar puro. Em certos dias eu estava agitado pela vontade de rever minha avó ou pelo medo de que ela estivesse doente; ou então era a lembrança de algum negócio deixado em andamento em Paris, e que não caminhava; às vezes, também, alguma dificuldade em que, mesmo ali, arranjara um meio de meter-me. Qualquer dessas preocupações me impedira de dormir, e eu não tinha forças contra a tristeza, que, num instante, enchia toda a minha existência. Então, do hotel, eu enviava alguém ao quartel com um bilhete para Saint-Loup: dizia-lhe que, se lhe fosse materialmente possível — sabia que era muito difícil —, tivesse ele a bondade de passar um instante pelo meu quarto. Dentro de uma hora ele chegava; e, ao ouvir o toque da campainha, eu me sentia liberado de minhas preocupações. Sabia que, se eram mais fortes que eu, ele era mais forte que elas e minha atenção se desligava delas e se voltava para ele, que decidiria tudo. Saint-Loup acabava de entrar e já espalhava a meu redor o ar livre em que desenvolvia tanta atividade desde a manhã, meio vital bem diverso do meu quarto, e ao qual eu me adaptava imediatamente devido a reações adequadas.

— Espero que não me queira mal por tê-lo incomodado; alguma coisa me atormenta, e você com certeza o adivinhou.

— Claro que não; pensei simplesmente que tinha vontade de me ver e achei isso muito gentil. Estava encantado que tivesse mandado me chamar. Mas afinal o que tem? Algo não está certo? Que posso fazer por você?

Ouvia as minhas explicações, respondia com precisão; mas, antes mesmo que tivesse falado, Saint-Loup já me tornara semelhante a si próprio; além das ocupações importantes que o tornavam tão apressado, tão alerta, tão contente, os aborrecimentos que me impediam mesmo agora de ficar um instante sem sofrer me pareciam, como também a ele, desprezíveis. Eu era como um homem que, não podendo abrir os olhos há vários dias, manda chamar um médico, o qual, com jeito e suavidade, lhe levanta a pálpebra, lhe tira e mostra um grão de areia; o doente está curado e fica tranqüilo. Todas as minhas dificuldades se resolveriam com um telegrama que Saint-Loup se encarregaria de expedir. A vida me parecia tão diferente, tão bonita, sentia-me inundado de um tal excesso de energia que queria agir logo.

— Que vai fazer agora? — perguntei a Saint-Loup.

— Vou deixá-lo, pois saímos em marcha daqui a três quartos de hora e precisam de mim.

— Então foi muito incômodo ter de vir?

— De jeito nenhum; o capitão se mostrou muito gentil; disse que, se era por sua causa, eu tinha mesmo de vir; mas enfim não quero parecer que estou abusando.

— Mas, se eu me levantasse depressa e fosse por minha vez ao local em que vocês fazem as manobras, isso me interessaria muito e talvez pudesse conversar com você nos intervalos.

— Não lhe aconselho isso; você ficou acordado, quebrando a cabeça por uma coisa que, esteja certo, não tem a menor importância; mas agora que isso não o incomoda mais, volte ao travesseiro e durma, o que será excelente contra a desmineralização de suas células nervosas; não adormeça rápido demais porque a nossa maldita banda vai passar debaixo das suas janelas; mas logo depois, acho que terá sossego, e nos encontraremos esta noite para jantar.

Porém, pouco mais tarde, fui assistir com freqüência aos exercícios do regimento no campo, quando comecei a me interessar pelas teorias militares que os amigos de Saint-Loup expunham ao jantar; e tornou-se o desejo de meus dias ver mais de perto seus diferentes chefes, como alguém que faz da música o seu principal estudo, e vive nos concertos, sente prazer em freqüentar os cafés onde se mistura à vida dos músicos da orquestra. Para chegar ao campo das manobras, precisava dar grandes caminhadas. À noite, após o jantar, a vontade de dormir me fazia às vezes tombar a cabeça, como se tivesse uma vertigem. No dia seguinte, eu me dava conta de que não ouvira a fanfarra, assim como, em Balbec, nos dias seguintes às noites em que Saint-Loup me levara a Rivebelle para jantar, não ouvira o concerto na praia. E, no momento em que desejava me levantar, experimentava a deliciosa incapacidade de fazê-lo; sentia-me ligado a um solo invisível e profundo pelas articulações, que o cansaço me fazia sensíveis, de radículas musculosas e nutritivas. Sentia-me cheio de forças, a vida se estendia mais longa diante de mim; é que eu recuara até as boas fadigas de minha infância em Combray, no dia seguinte àquele em que tínhamos ido passear no caminho de Guermantes. Os poetas pretendem que reencontremos por um momento aquilo que fomos outrora, quando entramos em determinada casa, determinado jardim, onde vivemos na juventude. Trata-se de peregrinações muito arriscadas essas em cujo término se colhem tanto decepções como sucessos. Os locais fixos, contemporâneos de anos diferentes, vale mais encontrá-los em nós mesmos. É para isso que podem servir, em certa medida, as canseiras seguidas de uma boa noite. Mas estas, para nos fazerem descer às galerias mais subterrâneas do sono, onde nenhum reflexo da vigília, nenhum clarão de memória vem mais iluminar o monólogo interior, se é verdade que ele mesmo aí não cessa, revolvem tão bem o solo e o tufo do nosso corpo que nos fazem reencontrar, lá onde os nossos músculos mergulham e retorcem suas ramificações, e haurindo a vida nova, o jardim em que vivemos quando crianças. Não há necessidade de viajar para revê-lo, é preciso descer para encontrá-lo. O que cobriu a terra não está mais sobre ela, mas abaixo; a excursão basta para visitar a cidade morta, é necessário proceder a escavações. Porém, já se verá como certas impressões fugidias e casuais levam muito melhor ainda ao passado, com uma precisão mais aguda, um vôo mais leve, mais imaterial, mais vertiginoso, mais infalível, mais imortal, do que esses deslocamentos orgânicos.

Às vezes o meu cansaço era ainda maior: sem poder me deitar, eu seguia as manobras durante vários dias. Como era então abençoado o regresso ao hotel! Deitando na cama, parecia-me ter enfim escapado a encantadores, a feiticeiros, como os que povoam os "romances" amados do século XVII. Meu sono e minha manhã opulenta do dia seguinte não passavam de um delicioso conto de fadas. Encantador; talvez também benéfico. Dizia para mim mesmo que os piores sofrimentos têm o seu asilo, que sempre é possível, à falta de coisa melhor, encontrar repouso. Tais pensamentos me levavam muito longe.

Nos dias de descanso, e em que Saint-Loup, entretanto, não podia sair, ia eu com freqüência vê-lo no quartel. Era longe; precisava deixar a cidade, transpor o viaduto, de cujos dois lados eu desfrutava um panorama amplo. Uma brisa moderada soprava quase sempre naquelas alturas, enchendo os prédios erguidos dos três lados do pátio, que ecoavam sem parar como um antro de ventos. E, quando Saint-Loup estava ocupado com algum serviço, eu o esperava diante da porta do seu quarto, ou no refeitório, conversando com alguns de seus amigos a quem me apresentara (e que depois cheguei a ver algumas vezes, mesmo quando ele se achava ausente), vendo pela janela, a cem metros abaixo, a campina desnuda, mas onde, aqui e ali, sementeiras novas, muitas vezes ainda molhadas da chuva e iluminadas pelo sol, ostentavam algumas faixas verdes de um brilho e de uma limpidez translúcida de esmalte, acontecia-me ouvir falar nele; e bem cedo pude perceber o quanto ele era querido e popular. Entre muitos voluntários, que pertenciam a outros esquadrões, jovens burgueses ricos que só viam a alta sociedade aristocrática de fora, e sem nela penetrar, a simpatia que excitava neles o que sabiam do caráter de Saint-Loup era duplicada pelo prestígio que a seus olhos possuía aquele moço que muitas vezes, nas noites de sábado, quando vinham a Paris de licença, tinham visto ceando com o duque de Uzès e o príncipe de Orléans, no Café de La Paix. Por causa disso, em seu belo rosto, no seu modo despreocupado de andar, de cumprimentar, no perpétuo balançar de seu monóculo, na *fantasia* de seus quepes por demais altos, de suas calças de um pano muito fino e rosado, haviam eles introduzido a idéia de um "chique" de que afirmavam serem destituídos os oficiais mais elegantes do regimento, e até o soberbo capitão a quem devera eu o fato de ter dormido no quartel, e que parecia, comparativamente, solene demais e quase vulgar.

Um dizia que o capitão comprara um novo cavalo. — Ele pode comprar todos os cavalos que quiser. Domingo de manhã me encontrei com Saint-Loup na Alameda das Acácias; ele monta com outro porte! — dizia outro, e com conhecimento de causa; pois esses jovens pertenciam a uma classe que, se não freqüenta o mesmo pessoal mundano, não é diferente, no entanto, graças ao dinheiro e ao lazer, da aristocracia, na experiência de todas aquelas elegâncias que podem ser compradas. Quando muito, a elegância deles, no que respeita ao vestuário, por exemplo, possuía algo de mais aplicado, de mais impecável, do que aquela negligente e livre elegância de Saint-Loup, que tanto agradava à minha avó. Era emocionante para aqueles filhos de grandes banqueiros ou de corretores, ao comerem ostras após a sessão teatral, verem numa mesa vizinha o suboficial Saint-Loup. E quantos relatos feitos, segunda-feira no quartel, ao voltar da licença, por um deles que pertencia ao mesmo esquadrão de Saint-Loup e a quem este cumprimentara "muito amavelmente"; ou por um outro que não era do mesmo esquadrão, mas que acreditava que, apesar disso, Saint-Loup o reconhecera, pois duas ou três vezes assestara o monóculo em sua direção.

— Sim, meu irmão o viu no La Paix — dizia um outro que passara o dia na casa da amante —; parece até que usava um fraque meio folgado e que não lhe caía bem.

— Como era o seu colete?

— Não estava de colete branco, e sim cor-de-malva, com um tipo de palmas; estupendo!

Quanto aos veteranos (homens do povo que ignoravam o Jockey e que simplesmente incluíam Saint-Loup na categoria dos suboficiais muito ricos, à qual faziam entrar todos aqueles que, arruinados ou não, mantinham um certo nível de vida, possuíam uma cifra bem elevada de rendimentos ou de dívidas e eram generosos para com os soldados), se não viam nada de aristocrático no modo de andar, no monóculo, nas calças e nos quepes de Saint-Loup, nem por isso, no entanto, tais coisas lhe eram destituídas de importância e significação. Em tais particularidades reconheciam eles o caráter, o gênero que de uma vez por todas haviam conferido ao mais popular dos graduados do regimento maneiras que não eram idênticas às de ninguém, descaso pelo que pudessem pensar os chefes, e que se lhes afigurava a conseqüência natural de sua bondade para com os soldados. O café da manhã no dormitório, ou o repouso na cama à tarde, parecia melhor quando algum veterano servia ao grupo guloso e dorminhoco um saboroso detalhe sobre um quepe de Saint-Loup.

— Era tão alto como a minha mochila.

— Ora, velho! Não me venha com histórias para boi dormir. Não podia ser tão alto assim — interrompia um jovem licenciado em letras que procurava, usando essa expressão popular, não parecer um recruta e se arriscando, com essa contradita, a fazer confirmar um fato que o encantava.

— Ah, não era então da altura da minha mochila? Você mesmo a mediu, talvez? Pois afirmo que o tenente-coronel olhava-o como se o desejasse pôr na solitária. E o nosso famoso Saint-Loup nem se importava! Ia, vinha, baixava a cabeça, erguia a cabeça, e sempre com aquele jogo do monóculo. O que não vai dizer o capitão! Ah, é bem possível que não diga nada, mas por certo aquilo não vai lhe agradar. Mas esse quepe ainda não é nada. Dizem que tem mais de trinta desses em casa.

— Como é que sabe disso, velho? Pelo nosso maldito cabo? — perguntava o jovem licenciado com pedantismo, exibindo os novos modos de dizer que aprendera recentemente e com os quais gostava de ornamentar a conversa.

— Como é que sei? Pelo seu ordenança, ora!

— Eis aí um sujeito que não deve ser nada infeliz.

— Compreendo. Tem mais sorte que eu, é claro! E ainda lhe dá as suas coisas, e tudo o mais. Não lhe bastava o que recebia da cantina. E vai daí, o nosso Saint-Loup recomenda, o furriel que o diga: "Quero que ele seja bem alimentado, custe o que custar."

E o veterano compensava a insignificância das palavras com a energia do tom, numa imitação medíocre que obtinha o maior êxito.

Ao sair do quartel, eu dava uma volta e depois, aguardando o momento em que ia almoçar diariamente com Saint-Loup, no hotel em que ele e seus amigos tinham se hospedado, dirigia-me para o meu, tão logo o sol se punha, a fim de ter duas horas para ler e descansar. Na praça, o entardecer pousava, nos telhados do castelo, nuvenzinhas rosadas que combinavam com a cor dos tijolos e completavam a harmonização suavizando-os com um reflexo. Tamanha corrente de vida me afluía aos nervos que nenhum dos meus movimentos poderia esgotá-la; cada um dos meus passos, depois de ter tocado uma laje da praça, ressaltava, parecia-me ter nos calcanhares as asas de Mercúrio. Uma das fontes estava cheia de um clarão vermelho e na outra o luar tornava opalina a cor da água. Entre elas, meninos brincavam, soltavam gritos, descreviam círculos, obedecendo a alguma necessidade da hora, à maneira dos gaviões ou dos morcegos. Ao lado do hotel, os antigos palácios nacionais e a estufa de Luís XVI, nos quais se encontravam agora a Caixa Econômica e o regimento, estavam iluminados de dentro pelas douradas e pálidas lâmpadas do gás já aceso, que, no dia claro ainda, convinha àquelas amplas e altas janelas do século XVIII, onde ainda não se apagara o último reflexo do poente, como conviria a uma cabeça avivada em tons de vermelho um adereço de concha loura, e me convencia a ir ao encontro de meu fogo e de minha lâmpada que, na fachada do hotel em que eu morava, lutava sozinha contra o crepúsculo e pela qual eu regressava à casa, antes que fosse inteiramente noite, com prazer, como se faz pelo lanche. Conservava, dentro de casa, a mesma plenitude de sensação que experimentava lá fora. Ela curvava de tal modo a aparência das superfícies que nos parecem muitas vezes planas e vazias, a luz amarela do fogo, o espesso papel azul do céu sobre o qual a tardinha riscara, como um colegial, garatujas a lápis cor-de-rosa, a toalha de desenho singular da mesa redonda, sobre a qual uma resma de papel de escola e um tinteiro me esperavam com um romance de Bergotte, que desde então essas coisas continuaram a me parecer ricas de toda uma espécie particular de existência que julgo poderia extrair delas se me fosse dado encontrálas de novo. Pensava com alegria nesse quartel que acabara de deixar e cujo cata-vento girava em todos os sentidos. Como um mergulhador respirando por um tubo que sobe até a superfície das águas, era para mim como estar de novo ligado a uma vida saudável, ao ar livre, ter aquele quartel como ponto de contato, aquele alto observatório que dominava a campina trilhada de canais de esmalte verde, e a cujos barracões e edifícios eu contava, graças a um precioso privilégio que esperava fosse duradouro, poder ir quando quisesse, certo de sempre ser bem recebido.

Às sete horas eu me vestia e voltava a sair para jantar com Saint-Loup no hotel em que ele se hospedava. Gostava de ir a pé. A escuridão era profunda, e desde o terceiro dia começou a soprar, mal baixava a noite, um vento gélido que parecia anunciar a neve. Enquanto caminhava, parece que não deixava de pensar na Sra. de Guermantes; era só para tentar me sentir próximo dela que viera à guarnição de Robert. Mas uma recordação e um desgosto são coisas móveis. Há dias em que se vão para tão longe que mal os avistamos e os julgamos desaparecidos. Então prestamos atenção em outras coisas. E as ruas daquela cidade ainda não eram para mim, como nos locais onde temos o hábito de viver, simples meio de ir de um ponto para outro. A vida que levavam os habitantes daquele mundo desconhecido me parecia dever ser maravilhosa, e às vezes os vidros iluminados de alguma residência me mantinham longo tempo imóvel na noite, pondo diante de meus olhos cenas verídicas e misteriosas de existências em que eu jamais penetraria. Aqui o gênio do fogo me mostrava, num quadro purpurino, a taverna de um comerciante de castanhas onde dois suboficiais, com os cinturões colocados nas cadeiras, jogavam cartas sem adivinhar que um mágico os fazia surgir da noite, como numa aparição teatral, e os evocava tais como eram efetivamente, naquele instante mesmo, aos olhos de um passante parado que eles não podiam ver. Em um pequeno armazém de bricabraque, uma vela meio consumida, projetando seu clarão avermelhado sobre uma gravura, transformava-a em sangüínea, enquanto, lutando contra a sombra, a claridade do lampião amorenava um pedaço de couro, esmaltava um punhal de faiscantes lantejoulas, em quadros que não eram mais que cópias medíocres depositava uma douração preciosa como a pátina do passado ou o verniz de um mestre, e por fim fazia daquele casebre, onde só havia imitações e ninharias, um inestimável Rembrandt. Às vezes eu erguia os olhos para um amplo apartamento antigo, cujos postigos ainda não se achavam cerrados e onde homens e mulheres anfíbios, adaptando-se de novo cada noite a viver em um outro elemento que não o dia, nadavam lentamente no espesso licor que, ao cair da noite, surge incessantemente do reservatório das lâmpadas para encher os quadros até os bordos de suas paredes de pedra e de vidro, e em cujo seio eles propagam, deslocando seus corpos, redemoinhos untuosos e dourados. Retomava o meu caminho, e muitas vezes, na rua negra que passa diante da catedral, como antigamente no caminho de Méséglise, a força do meu desejo me fazia parar; parecia-me que uma mulher iria surgir para satisfazê-lo; se, na escuridão, sentia de súbito passar um vestido, a própria violência do prazer que experimentava impedia-me de crer que aquele roçar fosse casual, e tentava cerrar em meus braços uma passante assustada. Essa ruazinha gótica guardava para mim algo tão real que, se ali pudesse agarrar e possuir uma mulher, me teria sido impossível não acreditar que se tratasse da antiga volúpia que nos iria unir, mesmo que essa mulher não passasse de uma simples profissional ali postada todas as noites, mas à qual o inverno, a nostalgia, a escuridão e a Idade Média teriam emprestado o seu mistério. Eu pensava no futuro: tentar esquecer a Sra. de Guermantes me parecia horrível, porém razoável, e, pela primeira vez, possível, talvez fácil. No sossego absoluto daquele bairro, ouvia à minha frente palavras e risos que deviam provir dos que passeavam meio ébrios e voltavam para casa. Parava para vê-los, olhava para o lado de onde escutava o barulho. Mas era obrigado a esperar muito tempo, pois o silêncio circundante era tão profundo que deixava fluir com força e nitidez extremas os rumores ainda longínquos. Enfim chegavam os passeantes, não à minha frente, como julgara, mas bem atrás. Ou porque o cruzamento das ruas e a interposição das casas tivessem causado por refração aquele erro de acústica, ou porque é difícil situar um som cujo local não é conhecido, eu me havia enganado não só quanto à distância, mas também quanto à direção.

O vento aumentava. Era todo eriçado e granuloso de uma aproximação de neve; alcancei a rua principal e saltei para o bondezinho de cuja plataforma um oficial, que parecia não vê-los, respondia às continências dos soldados broncos que passavam pela calçada com o rosto vermelho de frio; e faziam pensar, naquela cidade que o brusco salto do outono nesse princípio de inverno parecia ter arrastado mais para o norte, nas faces rubicundas que Breughel confere a seus alegres camponeses, farristas e gelados.

E, justamente no hotel em que eu tinha encontro marcado com Saint-Loup e seus amigos e para onde as festas que começavam atraíam muita gente da vizinhança e estranhos, havia, enquanto eu atravessava diretamente o pátio que dava para cozinhas avermelhadas onde giravam frangos no espeto, onde se assavam porcos, onde lagostas ainda vivas eram atiradas naquilo que o hoteleiro chamava de "fogo eterno", uma grande afluência (digna de algum "Recenseamento em Belém", como os que eram pintados pelos velhos mestres flamengos) de pessoas que chegavam e se reuniam em grupos no pátio, indagando ao patrão ou a um de seus ajudantes (que lhes indicava um alojamento na cidade quando não os achava de boa cara) onde poderiam ter quarto e comida, enquanto um garçom passava segurando pelo pescoço uma ave que se debatia. E, na grande sala de jantar que atravessei no primeiro dia, antes de alcançar a pequena peça onde me esperava o meu amigo, era igualmente numa refeição do Evangelho, figurado com a ingenuidade dos tempos de outrora e o exagero da Flandres, que fazia pensar o número de peixes, de frangas cevadas, de tetrazes, de galinholas, de pombos, trazidos, enfeitados e fumegantes, por garçons sem fôlego que deslizavam pelo chão encerado para ir mais depressa e depô-los sobre o imenso consolo, onde logo eram trinchados, mas onde — pois muitas das refeições já estavam acabando quando eu chegara — ficavam empilhados inutilmente; como se sua profusão e a precipitação daqueles que os traziam respondessem, muito mais que aos pedidos dos fregueses, ao respeito ao texto sagrado escrupulosamente seguido em sua letra, mas ingenuamente ilustrado por detalhes reais tomados de empréstimo à vida local, e à preocupação estética e religiosa de mostrar aos olhos o brilho da festa pela profusão de vitualhas e pela pressa dos empregados. Um dentre eles, na extremidade da sala, sonhava, imóvel, ao lado de um guarda-louças; e, para indagar àquele, que parecia ser o único com tranqüilidade suficiente para me responder, em que peça fora preparada a nossa mesa, avançando por entre os fogareiros acesos aqui e ali, a fim de impedir que se resfriassem os pratos dos retardatários — o que não impedia que no centro da sala estivessem as sobremesas erguidas nas mãos de um enorme boneco a que às vezes serviam de suporte as asas de um pato de cristal, ao que parecia, mas na realidade feito de gelo, cinzelado diariamente a ferro em brasa por um cozinheiro escultor, no melhor gosto flamengo —, eu seguia reto, arriscando-me a ser derrubado pelos outros, na direção desse empregado, no qual julguei reconhecer um personagem tradicional nesses temas sagrados e de quem reproduzia escrupulosamente o rosto achatado, ingênuo e maltraçado, a expressão sonhadora, já meio presciente do milagre de uma presença divina de que os outros ainda não haviam suspeitado. Acrescentemos que, em virtude sem dúvida das festas próximas, a essa figuração se juntou um suplemento celeste inteiramente recrutado dentre um pessoal de querubins e serafins. Um jovem anjo músico, de louros cabelos emoldurando um rosto de quatorze anos, na verdade não tocava nenhum instrumento, mas devaneava diante de um gongo ou de uma pilha de pratos, ao passo que anjos menos infantis se apressavam através dos espaços desmesurados da sala, agitando o ar com o frêmito incessante dos guardanapos que desciam ao longo do corpo em forma de asas pontiagudas de primitivos. Fugindo dessas regiões mal definidas, veladas por uma cortina de palmas, onde os servidores celestiais pareciam, de longe, dar a impressão de chegarem do empíreo, abri caminho até a saleta onde ficava a mesa de Saint-Loup. Ali encontrei alguns de seus amigos com quem ele jantava sempre, todos nobres, salvo um ou dois plebeus, mas em quem os nobres tinham, desde o colégio, adivinhado amigos e aos quais se haviam ligado de muito boa vontade, provando assim que não eram, em princípio, hostis aos burgueses, fossem mesmo republicanos, contando que tivessem as mãos limpas e comparecessem à missa. Logo na primeira vez, antes que nos sentássemos à mesa, puxei Saint-Loup para um canto da sala de jantar e, diante de todos os outros, mas que aliás não nos ouviam, disse-lhe:

— Robert, o momento e o local não são próprios para lhe dizer isso, mas só vai levar um minuto. Sempre me esqueço de lhe perguntar no quartel; não é o retrato da Sra. de Guermantes o que você tem sobre a mesa?

— Claro que sim; é o da minha boa tia.

— Ora, é verdade, que loucura a minha; eu bem que o sabia antes, mas nunca pensara nisso; meu Deus, os seus amigos devem estar impacientes, falemos rápido, eles nos olham, ou fica para outra vez, isto não tem nenhuma importância.

— Que nada! Continue, eles estão aí é para esperar.

— De jeito nenhum, faço questão de ser cortês; eles são tão amáveis. Aliás, não tenho como proceder de outro modo, você sabe.

— Conhece então essa grande Oriane?

Essa "grande Oriane", como se tivesse dito "boa Oriane", não significava que Saint-Loup considerasse a Sra. de Guermantes como especialmente bondosa. Nesse caso, boa, excelente, grande, são simples reforços de "essa", designando uma pessoa que ambos os interlocutores conhecem e de quem não se sabe muito bem o que dizer ante uma pessoa que não é da nossa intimidade. "Boa" serve de *hors-d'oeuvre* e permite esperar um momento até que se tenha achado: "O senhor a vê muitas vezes?" ou "Faz meses que não a vejo", ou "Eu a vi na terça", ou "Ela já não deve estar na primeira juventude".

— Não sei dizer como me diverte que seja o retrato dela, pois moramos na mesma casa agora e eu soube a seu respeito coisas inauditas (ficaria muito embaraçado para dizer quais) que fazem com que ela me interesse muito, de um ponto de vista literário, você compreende, como direi, de um ponto de vista balzaquiano, você que é tão inteligente há de compreender isto em meia palavra, mas acabemos depressa; o que é que seus amigos hão de pensar de minha educação!

— Mas eles não pensam absolutamente nada; eu lhes disse que você é sublime, e eles estão ainda mais intimidados que você.

— Você é muito gentil. Mas veja: a Sra. de Guermantes não imagina que nos conhecemos, não é?

— Não sei; não a vejo desde o último verão, pois não consegui licença depois que ela voltou.

— É que, me disseram, ela me considera um perfeito idiota.

— Não creio nisso; Oriane não é nenhuma águia, mas também não tem nada de estúpida.

— Você bem sabe que, em geral, não faço nenhuma questão que torne públicos os bons sentimentos que sente por mim, pois não tenho amor-próprio. Assim, lastimo que tenha dito coisas amáveis sobre mim a seus amigos (com quem vamos nos reunir dentro de dois segundos). Mas, quanto à Sra. de Guermantes, se puder lhe fazer saber, mesmo com um pouco de exagero, o que pensa a meu respeito, me daria um grande prazer.

— Com muito gosto, se é somente isto o que tem a me pedir; não é muito difícil, mas que importância pode ter o que ela venha a pensar de você? Suponho que estará pouco se importando. Em todo caso, se é apenas isso, poderemos falar do assunto diante de todos, ou quando estivermos a sós, pois receio que você se canse de falar em pé e de forma tão incômoda, quando temos tantas oportunidades de estar juntos.

Era justamente esse incômodo que me dera coragem de falar com Robert; a presença dos outros servia-me de pretexto que me autorizasse a dar às minhas frases um jeito breve e desarrumado, graças ao qual podia mais facilmente dissimular a mentira que pregava ao dizer a meu amigo que esquecera o seu parentesco com a duquesa e para não lhe dar tempo de me fazer, sobre os meus motivos para desejar que a Sra. de Guermantes me soubesse ligado a ele, inteligente, etc., perguntas que tanto mais me desconcertariam como não saberia de que modo lhe responder.

— Robert, você, tão inteligente, me espanta que não compreenda que não se deve discutir o que dá prazer aos amigos, mas fazê-lo. Quanto a mim, se me pedisse seja o que for, e até desejaria muito que me pedisse alguma coisa, asseguro que não lhe pediria explicações. Vou mais longe do que desejo; não faço questão de conhecer a Sra. de Guermantes; mas deveria ter dito, para experimentá-lo, que desejaria jantar com a Sra. de Guermantes e sei que você não me conseguiria semelhante coisa.

— Não só conseguiria como vou consegui-lo.

— Quando?

— Logo que for a Paris, dentro de três semanas, sem dúvida.

— Veremos; aliás, ela nem vai querer isso. Nem sei lhe dizer como estou agradecido.

— Ora, não é nada.

— Não me diga isso, é demais, porque agora vejo o amigo que você é; seja ou não importante a coisa que lhe peço, seja ou não desagradável, que eu a queira de verdade ou só para o experimentar, pouco importa, você diz que a fará e assim mostra a finura de sua inteligência e do seu coração. Um amigo estúpido teria discutido.

Era justamente o que ele acabara de fazer; mas talvez eu quisesse prendê-lo pelo amor-próprio; talvez também fosse sincero, parecendo-me que a única pedra de toque do mérito era a utilidade que poderiam ter para mim os outros em relação à única coisa que eu julgava importante: o meu amor. Depois acrescentei, ou por duplicidade, ou por um acréscimo verdadeiro de ternura causado pela gratidão, pelo interesse e por tudo que a natureza pusera dos próprios traços da Sra. de Guermantes em seu sobrinho Robert:

— Mas é tempo de nos reunirmos aos outros e só lhe pedi uma das duas coisas, a menos importante; a outra é mais importante para mim, mas receio que você me recuse; não lhe aborreceria que nos tratássemos por *tu*?

— Aborrecer-me? Ora, por Deus! *Alegria! Lágrimas de alegria! Felicidade desconhecida!*

— Como lhe agradeço... te agradeço. Bem, depois que você tiver começado! Isto me dá um tal prazer que você até pode não fazer nada quanto à Sra. de Guermantes se não quiser; o tratamento por *tu* já me basta.

— Faremos as duas coisas.

— Oh, Robert! Escuta — disse ainda a Saint-Loup durante o jantar. — Oh, é tão cômica esta conversa de frases interrompidas, e aliás não sei por quê. Mas você sabe, a dama de quem lhe acabei de falar?

— Sim.

— Sabe bem a quem estou me referindo?

— Ora, você acha que sou algum cretino do Valais, um *retardado?*

— Será que você não desejaria me dar a fotografia dela?

Contava pedi-la apenas emprestada. Mas, no momento de falar, fui atacado de timidez, achei o meu pedido indiscreto e, para não deixá-lo reparar naquilo, formulei-o mais brutalmente e ainda o aumentei, como se fosse muito natural.

— Não, primeiro seria necessário que lhe pedisse licença — respondeu ele.

Em seguida enrubesceu. Compreendi que tinha um pensamento oculto, que me atribuía outro, que só serviria ao meu amor pela metade, sob a reserva de certos princípios de moral, e o detestei.

E, no entanto, estava comovido por ver como Saint-Loup se mostrava diferente a meu respeito desde que não mais estava sozinho com ele e seus amigos faziam o papel de terceiros. Sua maior gentileza me teria deixado indiferente se julgasse que era intencional; mas sentia-a involuntária e feita de tudo aquilo que ele devia dizer de mim quando eu estivesse ausente e que ele calava quando estávamos a sós. Nas nossas palestras, é certo que eu desconfiava do prazer que ele tinha em conversar comigo, mas esse prazer ficava quase sempre inexpresso. Agora, diante das mesmas frases minhas, que normalmente desfrutava sem o notar, ele espiava com o rabo dos olhos para ver se produziam nos amigos o efeito que havia esperado e que devia corresponder ao que lhes tinha anunciado. A mãe de uma estreante não põe sua atenção mais suspensa das réplicas da filha e da atitude do público. Se eu dizia uma palavra de que ele, sozinho comigo, tivesse sorrido, receando agora que a não compreendessem, me dizia: — Como, como? — para me fazer repeti-la, para forçar a prestar atenção, e, voltando-se logo para os outros e, sem querer, pondo-se a olhá-los com um riso bonachão, provocador do riso deles, apresentava-me pela primeira vez a idéia que fazia de mim e que já muitas vezes devia lhes ter expressado. De modo que, repentinamente, eu me via a mim mesmo do exterior, como alguém que lê o próprio nome no jornal ou se vê num espelho.

Numa daquelas noites, ocorreu-me desejar contar uma história bastante engraçada acerca da Sra. Blandais, mas parei imediatamente, pois me lembrei que Saint-Loup já a conhecia e, quando fora contá-la no dia seguinte à minha chegada, ele me interrompeu dizendo: — Você já me contou esta em Balbec. — Portanto, fiquei surpreso de vê-lo insistir para que continuasse, assegurando que não conhecia aquela história e que ela o divertiria muito. Disse-lhe: — Você deve estar esquecido, mas logo vai reconhecê-la.

— De modo nenhum, juro que estás confundindo. Nunca me contaste isso. Vai. — E, durante toda a história, cravava febrilmente os olhos maravilhados ora em mim, ora nos companheiros. Só entendi quando, ao terminar no meio das risadas de todos, percebi que ele imaginara que a história daria aos companheiros uma alta idéia do meu espírito e que fora para isso que fingira não a conhecer. Assim é a amizade.

Na terceira noite, um de seus amigos, ao qual não tivera ainda ocasião de falar nas duas primeiras vezes, conversou comigo longamente; e ouvia-o dizer a Saint-Loup, a meia voz, do prazer que lhe dera a nossa conversa. E, de fato, passamos juntos quase toda a noite conversando diante de nossos copos de Sauternes[5] que não chegamos a esvaziar, separados, protegidos dos outros pelos véus magníficos de uma dessas simpatias entre homens que, quando não têm por fundamento a atração física, são as únicas inteiramente misteriosas. Assim dessa natureza enigmática me parecera em Balbec o sentimento que Saint-Loup me tributava, que não se confundia com o interesse de nossas conversações, desligado de todo laço material, invisível, intangível e cuja presença, no entanto, experimentava em si mesmo como uma espécie de flogisto, de gás, o bastante para falar sorrindo sobre aquilo. E talvez houvesse algo de mais surpreendente ainda naquela simpatia nascida ali em uma única noite, como uma flor que desabrochasse em poucos minutos ao calor daquela saleta. Como Robert me falasse de Balbec, não pude deixar de lhe perguntar se estava de fato decidido que se casasse com a Srta. de Ambresac. Declarou-me que não só não estava nada decidido como jamais se falara em tal assunto, que ele nunca a vira, e não sabia de quem se tratava. Se eu tivesse visto, naquele momento, algumas das pessoas da sociedade que tinham anunciado esse casamento, me comunicariam o da Srta. de Ambresac com alguém que não fosse Saint-Loup e o deste com alguém que não fosse ela. E os teria deixado muito espantados ao recordar-lhes as suas predições opostas e ainda tão recentes. Para que esse joguinho pudesse continuar e multiplicar as falsas notícias, acumulando sucessivamente sobre cada nome o maior número possível delas, a natureza dotou esse tipo de jogadores de uma memória tanto mais curta quanto maior a sua credulidade.

Saint-Loup me falara de outro de seus companheiros, que também se achava presente, com o qual se entendia especialmente bem, pois eram, naquele meio, os dois únicos partidários da revisão do processo Dreyfus.

[5] *Sauternes*: vinho branco de Bordéus. (N. do T.)

— Oh, esse não é como Saint-Loup, é um energúmeno — disse o meu novo amigo —; nem sequer é confiável. No começo, dizia: "É só esperar, há um homem que conheço bem, muito fino, cheio de bondade, o general de Boisdeffre; pode-se, sem hesitação, aceitar o seu parecer." Mas, quando ele soube que Boisdeffre proclamava a culpabilidade de Dreyfus, Boisdeffre já não valia mais nada; o clericalismo e os preconceitos do Estado-Maior o impediam de julgar com isenção, embora ninguém seja, ou pelo menos fosse tão clerical do que o nosso amigo, antes do seu Dreyfus. Disse-nos, então, que em todo caso iríamos saber a verdade, pois o caso ia ficar nas mãos de Saussier, e que este, soldado republicano (nosso amigo era de uma família ultramonarquista), era um homem de bronze, uma consciência inflexível. Mas, quando Saussier proclamou a inocência de Esterhazy, ele encontrou novas explicações para esse veredito, desfavoráveis não a Dreyfus, mas ao general Saussier. Era o espírito militarista que cegava Saussier (e notem que ele é tão militarista quanto clerical, ou pelo menos o era, pois já não sei o que pensar a seu respeito). Sua família ficou desolada por vê-lo abraçar tais idéias.

— Vejam — disse eu, meio me voltando para Saint-Loup, para não dar a impressão de me isolar, bem como para seu companheiro, e a fim de fazê-lo participar da conversa —, é que a influência que se atribui ao meio é sobretudo verdadeira quanto ao meio intelectual. Cada um é homem de uma idéia própria; há muito menos idéias do que homens, portanto todos os homens de uma mesma idéia são parecidos. Como uma idéia nada tem de material, os homens que só materialmente estão ao redor do homem de uma idéia não a modificam em nada.

Nesse momento fui interrompido por Saint-Loup, porque um dos jovens militares acabara, sorrindo, de me apontar a ele, dizendo: "Duroc, é tal e qual Duroc." Eu não sabia o que aquilo queria dizer, mas sentia que a expressão do rosto intimidado era mais que benevolente. Saint-Loup não se contentou com essa aproximação. Num delírio de alegria que sem dúvida duplicava a que sentia em me fazer brilhar diante dos amigos, repetia-me com extrema volubilidade, dando-me pancadinhas como a um cavalo que tivesse chegado em primeiro lugar: — És o homem mais inteligente que conheço, e sabes disto. — Reconsiderou, acrescentando: — Juntamente com Elstir. Isto não te incomoda, não é mesmo? Escrúpulos, compreendes. Comparação: digo-te como teriam dito a Balzac: sois o maior romancista do século, junto com Stendhal. Excesso de escrúpulos, compreendes; no fundo, admiração imensa. Não? Não combinas com Stendhal? — acrescentava, com uma ingênua confiança no meu julgamento que se traduzia por uma risonha interrogação encantadora, quase infantil, de seus olhos verdes. —

Muito bem, vejo que és da minha opinião. Bloch detesta Stendhal, acho que é uma besteira da parte dele. A *Cartuxa* é mesmo uma coisa enorme, não? Estou contente por seres da minha opinião. Que é que preferes na *Cartuxa*? Responde — dizia-me ele com uma impetuosidade juvenil. E sua força física, ameaçadora, chegava quase a dar algo de assustador à pergunta. — Mosca? Fabrice? — Respondi com timidez que Mosca tinha alguma coisa do Sr. de Norpois. Diante disso, tempestade de riso do jovem Siegfried-Saint-Loup. E eu não tinha acabado de acrescentar: — Mas Mosca é bem mais inteligente, menos pedante — e já ouvia Robert gritar "bravo!" batendo palmas de verdade, rindo de sufocar e exclamando: — É de uma justeza! Excelente! És extraordinário! — Quando eu estava falando, a aprovação dos outros ainda parecia demais a Saint-Loup, que exigia silêncio. E, como um maestro interrompe os músicos batendo com a batuta porque alguém fez barulho, ele repreendeu o perturbador: — Gibergue — disse —, deve ficar calado quando estão falando. Vamos, continue — disse para mim.

Respirei, pois receava que me fizesse principiar tudo de novo.

— E como uma idéia — continuei — é algo que não pode participar dos interesses humanos e nem poderia gozar de suas vantagens, os homens de uma idéia não são influenciados pelo interesse.

— E então, estão de boca aberta, meus meninos? — exclamou, quando terminei de falar, Saint-Loup, que me seguira com o olhar com a mesma solicitude ansiosa como se eu tivesse caminhado na corda bamba. — Que é que você queria dizer, Gibergue?

— Eu dizia que o senhor aqui me recordava muito o comandante Duroc. Parece-me até que o estava ouvindo.

— Pensei nisso já diversas vezes — respondeu Saint-Loup. — Há muitos pontos de contato, mas você verá que este possui muitas coisas que Duroc não tem.

Assim como um irmão desse amigo de Saint-Loup, educado na *Schola cantorum*, pensava a respeito de toda nova obra musical não como seu pai, sua mãe, seus primos e companheiros de clube, mas precisamente como todos os outros alunos da *Schola*, aquele suboficial nobre (de quem Bloch formou uma idéia extraordinária quando lhe falei dele, pois, comovido ao saber que era do seu mesmo partido, imaginava-o todavia, por causa de suas origens aristocráticas e de sua educação religiosa e militar, uma criatura bem diferente, com o mesmo encanto de um nativo de um país longínquo) tinha uma "mentalidade" como então se principiava a dizer, análoga à de todos os dreyfusistas em geral e de Bloch em particular, e sobre a qual não podiam ter nenhum tipo de influência as tradições de sua família e os interesses de sua carreira. Assim é que um primo de Saint-Loup havia casado com uma jovem princesa do Oriente que, diziam, fazia versos tão belos como os de Victor Hugo ou Alfred de Vigny e a quem, não obstante, atribuíam um espírito diverso daquele que se podia imaginar, um espírito de princesa do Oriente presa num palácio das *Mil e Uma Noites.* Aos escritores que tiveram o privilégio de serem admitidos em sua intimidade, foi reservada a decepção, ou antes, a alegria, de ouvir uma conversa que dava idéia não de Xerazade, mas de uma criatura de gênio do gênero de Alfred de Vigny ou de Victor Hugo.

Agradava-me conversar sobretudo com este rapaz, como aliás com os outros amigos de Robert, e com o próprio Robert, sobre o quartel, os oficiais da guarnição, sobre o exército em geral. Graças a essa escala imensamente ampliada pela qual vemos as coisas, por pequeninas que sejam, entre as quais comemos, conversamos e levamos nossa vida real, graças a essa extraordinária majoração que elas sofrem e que faz com que o resto, ausente do mundo, não possa lutar com elas e assuma, a seu lado, a inconsistência de um sonho, eu começara a me interessar pelas diversas personalidades do quartel, pelos oficiais que avistava no pátio quando ia ver Saint-Loup ou, se estava acordado, quando o regimento passava debaixo de minhas janelas. Desejaria obter detalhes acerca do comandante que Saint-Loup tanto admirava e sobre o curso de história militar que me teria encantado "mesmo esteticamente". Sabia que, em Robert, certo verbalismo era com muita freqüência um tanto vazio, mas de outras vezes significava a assimilação de idéias profundas que ele era bem capaz de compreender. Infelizmente, do ponto de vista do exército, Robert estava preocupado, naquele momento, sobretudo com o Caso Dreyfus. Falava pouco dele, pois era o único de sua mesa a se declarar dreyfusista; os outros eram violentamente hostis à revisão, excetuando o meu vizinho de mesa, esse meu novo amigo cujas opiniões pareciam por demais vacilantes. Admirador convicto do coronel, que era tido por um oficial notável e que, em diversas ordens do dia, condenara a agitação contra o exército, o que o fazia passar por antidreyfusista, soubera meu vizinho que seu chefe deixara escapar algumas afirmações que fizeram crer que sentia algumas dúvidas quanto à culpabilidade de Dreyfus e conservava sua estima a Picquart. Em todo caso, quanto a este último aspecto, o boato de relativo dreyfusismo do coronel era sem fundamento, como todos os boatos nascidos não se sabe onde e que se multiplicam em torno de qualquer grande processo. Pois, pouco mais tarde, esse coronel, tendo sido encarregado de interrogar o antigo diretor do Gabinete de Informações, tratou-o com uma brutalidade e um desprezo nunca anteriormente igualados. Fosse como fosse, e embora jamais se tivesse permitido informar-se diretamente com o coronel, meu vizinho fizera a Saint-Loup a cortesia de lhe dizer — no tom com que uma dama católica anuncia a uma dama judia que seu padre censura os massacres de judeus na Rússia e admira a generosidade de certos israelitas — que o coronel não era para o dreyfusismo — para um certo dreyfusismo pelo menos — o adversário fanático, estreito, que haviam acreditado.

— Isto não me espanta — observou Saint-Loup —, pois trata-se de um homem inteligente. Mas, apesar de tudo, cegam-no os preconceitos de nascimento e principalmente o clericalismo. Ah — disse-me —, o comandante Duroc, o professor de história militar de quem te falei, eis aí um homem que parece compartilhar a fundo nossas idéias. Aliás, o contrário é que teria me assombrado, pois ele não só é de uma inteligência sublime, mas radical-socialista e franco-maçom.

Tanto por delicadeza para com os amigos, a quem eram desagradáveis as profissões de fé dreyfusistas de Saint-Loup, como porque o resto me interessava mais, perguntei a meu vizinho se era exato que esse comandante fizera, da história militar, uma demonstração de verdadeira beleza estética.

— Absolutamente exato.

— Mas que entende o senhor por isso?

— Pois bem; por exemplo, tudo o que o senhor lê, suponho, na narrativa de um historiador militar, os menores fatos, os mais insignificantes acontecimentos, não são mais que sinais de uma idéia que é preciso desvelar e que muitas vezes encobre outras, como um palimpsesto. De modo que o senhor tem um conjunto tão intelectual como o que possa oferecer qualquer ciência ou qualquer arte, e que satisfaz o espírito.

— Exemplos, se não estou abusando.

— É difícil dizer-te como — interrompeu Saint-Loup. — Lês, por exemplo, que um tal corpo tentou... Antes de ir mais adiante, o nome do corpo e sua composição têm seu significado. Se não é a primeira vez que se tenta a operação, e se, para a mesma operação, vemos aparecer um outro corpo, isto é talvez o sinal de que os precedentes foram aniquilados ou grandemente danificados pela dita operação, que já não estão mais em estado de levá-la ao fim. Ora, é necessário inquirir que corpo era esse que hoje está aniquilado; se eram tropas de choque, postas de reserva para ataques importantes, visto que um novo corpo de qualidade inferior tem poucas chances de êxito onde aquelas fracassaram. Além do mais, se não se está no início de uma campanha, esse mesmo corpo novo pode estar formado de elementos colhidos aqui e ali, o que, no tocante às forças de que ainda dispõe o beligerante, à aproximação do momento em que elas serão inferiores às do adversário, pode fornecer indicações que darão à própria operação que esse corpo vai tentar um significado diverso, porque, se ele já não está em condições de reparar suas perdas, seus próprios sucessos não farão mais que encaminhá-lo, aritmeticamente, para o aniquilamento final. De outra parte, o número designativo do corpo que lhe é oposto não é menos destituído de significação. Se, por exemplo, trata-se de uma unidade muito mais fraca, e que já consumiu várias unidades importantes do adversário, a mesma operação muda de caráter, pois, ainda que devesse findar pela perda da posição sustentada pelo defensor, o fato de havê-la ocupado por algum tempo pode representar um grande triunfo, se foi suficiente para destruir, com forças mínimas, outras muito importantes do adversário. Podes compreender que, se na análise dos corpos empenhados encontram-se coisas de tamanha importância, o estudo da própria posição, das estradas de ferro e de rodagem que ela domina, dos abastecimentos que protege, acarreta ainda maiores conseqüências. É preciso estudar o que eu chamaria de todo o contexto geográfico — acrescentou ele, rindo. (E, com efeito, mostrou-se tão contente com esta expressão que, a seguir, de cada vez que a empregava, ria sempre o mesmo riso.) — Enquanto a operação está em preparativos por um dos beligerantes, se lês que uma de suas patrulhas foi aniquilada nas proximidades da posição pelo outro beligerante, uma das conclusões que podes tirar é que o primeiro procurava informar-se quanto aos trabalhos defensivos com que o segundo intentava fazer fracassar o seu ataque. Uma ação especialmente violenta contra um dado ponto pode significar o desejo de conquistá-lo, mas também a intenção de reter nele o adversário, de não responder ao seu ataque ali onde ele atacou, ou também não passar de um despiste e ocultar, pelo recrudescimento da violência, as baixas de tropas no local. (É um despiste clássico nas guerras de Napoleão.) Por outro lado, para compreender o significado de uma manobra, seu objetivo provável e, conseqüentemente, de que outras será acompanhada ou seguida, não é indiferente consultar, não tanto o que a tal propósito anuncia o comandante — o que pode ser destinado a enganar o adversário, a mascarar um fracasso possível — como os regulamentos militares do país. É sempre de se admitir que a manobra que um exército quis tentar é aquela prescrita pelo regulamento em vigor em circunstâncias análogas. Se, por exemplo, o regulamento recomenda que um ataque frontal seja acompanhado por um outro de flanco, se, tendo fracassado este segundo ataque, o comandante pretende que ele não tem qualquer relação com o primeiro e não passava de uma diversão, há uma oportunidade para que a verdade deva ser procurada no regulamento e não nas palavras do comandante. E não existem apenas os regulamentos de cada exército, mas as suas tradições, seus costumes, suas doutrinas. O estudo da ação diplomática, sempre em permanente estado de ação e reação sobre a ação militar, também não deve ser desprezado. Incidentes na aparência insignificantes, malcompreendidos à época, te explicarão que o inimigo, contando com uma ajuda da qual esses incidentes mostram de que foi privado, só realizou de fato uma parte de sua ação estratégica. De modo que, se sabes ler a história militar, o que representa uma narração confusa para o leitor comum é, para ti, um encadeamento tão racional como um quadro para o amador que sabe enxergar o que o personagem traz consigo, segura nas mãos, enquanto que o visitante aturdido dos museus se deixa confundir e sente vertigens devido a umas cores vagas. Mas, como ocorre em certos quadros, em que não basta reparar que o personagem segura um cálice, mas é preciso saber por que o pintor lhe pôs esse cálice nas mãos, e o que deseja simbolizar com isso, essas operações militares, mesmo sem contar com sua finalidade imediata, são habitualmente, no espírito do general que dirige a campanha, calcadas em batalhas mais antigas, que são, se quiseres, como o passado, como a biblioteca, como a erudição, como a etimologia, como a aristocracia das batalhas novas. Repara que não te falo, neste momento, da identidade local — como direi? —, espacial das batalhas. Ela também existe. Um campo de batalha não foi, ou não será, através dos séculos apenas o campo de uma só batalha. Se foi campo de batalha, é que reunia certas condições de situação geográfica, de natureza geológica, e até de defeitos próprios para incomodar o adversário (um rio que o corte em dois, por exemplo) e que fazem dele um bom campo de batalha. Portanto, foi e será. Não se faz um ateliê de pintura com qualquer sala, não se faz um campo de batalha com qualquer local. Há lugares predestinados. Ainda uma vez, porém, não era disso que eu falava, e sim do tipo de batalha que se imita, de uma espécie de decalque estratégico, de pasticho tático se quiseres: a batalha de Ulm, de Lodi, de Leipzig, de Canas. Não sei se ainda haverá guerras, nem entre que povos; mas, se houver, fica certo de que haverá (e deliberadamente da parte do chefe) uma batalha de Canas, uma de Austerlitz, uma de Rossbach, uma de Waterloo, sem falar de outras. Alguns não se envergonham de dizê-lo. O marechal von Schlieffen e o general de Falkenhausen prepararam previamente contra a França uma batalha de Canas, à maneira de Aníbal, com fixação do adversário em toda a frente e avanço pelas duas alas, sobretudo pela direita, na Bélgica, ao passo que Bernhardi prefere a ordem oblíqua de Frederico, o Grande, antes Leuthen do que Canas. Outros expõem menos cruamente seus pontos de vista, mas posso te garantir, meu velho, que Beauconseil, esse comandante de cavalaria a quem te apresentei outro dia e que é um oficial de grande futuro, estudou a fundo o seu ataquezinho do Pratzen, conhece-o como a palma da mão, mantém-no de reserva e, se algum dia tiver oportunidade de executá-lo, não vacilará no golpe e nos há de servi-lo em grande escala. O rompimento do centro em Rívoli, vê, ainda vai se repetir, se houver guerras. Não é mais caduco do que a *Ilíada*. Acrescento que estamos quase condenados aos ataques frontais porque não queremos cair de novo nos erros de 1870, e sim fazer ofensiva, apenas ofensiva. A única coisa que me perturba é que, se só vejo espíritos retrógrados se oporem a essa magnífica doutrina, no entanto um de meus mais jovens mestres, que é um homem de gênio, Mangin, gostaria que se deixasse um lugar, naturalmente provisório, à defensiva. A gente fica muito embaraçado para lhe responder quando ele cita como exemplo Austerlitz, onde a defensiva é apenas o prelúdio do ataque e da vitória.

Essas teorias de Saint-Loup me fizeram feliz. Permitiram-me esperar que talvez eu não me enganasse em minha vida em Doncières, com respeito a esses oficiais de quem ouvia falar bebendo o Sauternes que projetava encantadores reflexos sobre eles, com o mesmo caso de aumento que me fizera parecer imensos, enquanto estava em Balbec, o rei e a rainha da Oceania, e pequena sociedade dos quatro *gourmets,* o jovem jogador, o cunhado de Legrandin, agora diminuídos a meus olhos a ponto de me parecerem inexistentes. O que me agradava, hoje, talvez não se me tornasse indiferente amanhã, como até então sempre me sucedera; a criatura que eu era ainda naquele momento talvez não fosse votada a uma destruição próxima, visto que, à paixão ardente e fugitiva que eu dedicava, naquelas poucas noites, a tudo o que se referisse à vida militar, Saint-Loup, pelo que acabara de me dizer quanto à arte da guerra, acrescentava uma base intelectual, de natureza permanente, capaz de sujeitar-me com força bastante para que pudesse acreditar, sem tentar enganar a mim mesmo, que, uma vez longe dali, continuaria a me interessar pelos trabalhos de meus amigos de Doncières e não tardaria em voltar para junto deles. A fim de estar mais certo, no entanto, de que essa arte bélica fosse mesmo uma arte no sentido espiritual da palavra:

— Você me interessa, perdão, tu me interessas muito — disse a Saint-Loup —; mas conta-me, há um ponto que me inquieta. Sinto que poderia me apaixonar pela arte militar, mas para isso seria necessário que não a julgasse diversa das outras artes, a tal ponto que a regra aprendida não fosse tudo. Tu me dizes que se copiam batalhas. Encontro nisso um efeito estético, como dizias, de ver sob uma batalha moderna uma outra mais antiga. Nem sei te dizer como isto me agrada. Mas então, o gênio do comandante não vale nada? Na verdade, ele não faz senão aplicar regras? Ou então, para ciência igual, existem grandes generais, como há grandes cirurgiões que, sendo idênticos os elementos fornecidos por dois estados doentios, do ponto de vista material, sentem no entanto por um nada, talvez tirado de sua experiência, mas interpretado, que num caso é preferível fazer isto, noutro caso melhor fazer aquilo, que nesse caso o melhor talvez seja operar e naquele abster-se?

— Claro que sim! Verás Napoleão não atacar quando todas as regras mandam que ataque, mas uma obscura adivinhação o aconselha a não fazê-lo. Por exemplo, vês em Austerlitz, ou então em 1806, suas instruções a Lannes. Mas verás generais imitarem escolasticamente determinada manobra de Napoleão e chegarem a resultado diametralmente oposto. Dez exemplos disso em 1870. Porém, mesmo para a interpretação do que pode fazer o adversário, o que ele faz é apenas um sintoma que pode significar muitas coisas diferentes. Cada uma delas possui chances idênticas de ser a verdadeira se nos ativermos ao raciocínio e à ciência, assim como, em certos casos complexos, toda a ciência médica do mundo não será bastante para decidir se o tumor invisível é fibroso ou não, se a operação deve ou não ser feita. É o faro, a adivinhação do tipo da Sra. de Thèbes (tu me compreendes), que decide tanto no grande general como no grande médico. Assim te disse, para dar um exemplo, o que podia significar um reconhecimento no começo de uma batalha. Mas pode significar dez outras coisas; por exemplo, fazer o inimigo crer que vai ser atacado num ponto enquanto se deseja atacá-lo em outro, erguer uma cortina que o impeça de ver os preparativos da operação verdadeira, forçá-lo a trazer tropas, a fixá-las, a imobilizá-las em outro local diverso de onde elas serão necessárias, inteirar-se das forças de que ele dispõe, sondá-lo, forçá-lo a abrir o jogo. Até, às vezes, o fato de se empregarem tropas enormes numa operação não é prova de que ela seja a verdadeira; pois muito bem pode-se executá-la a sério, embora se trate apenas de um despistamento, para que tal despistamento tenha mais probabilidades de iludir. Se tivesse tempo de te contar, sob este ponto de vista, as guerras de Napoleão, asseguro-te que estes simples movimentos clássicos que estudamos, e que nos verás executando em serviço no campo, por simples distração de passeio, meu jovem tratante; não, sei que estás doente, perdão! Muito bem, numa guerra, quando sentimos por trás desses movimentos a vigilância, o raciocínio e as profundas investigações do alto comando, emocionamo-nos diante deles como diante dos simples fogos de um farol, luz material, mas emanação do espírito e que pesquisa o espaço para assinalar o perigo aos navios. Talvez esteja errado em te falar exclusivamente da literatura de guerra. Na realidade, como a direção do vento e da luz, e a constituição do solo, indicam para que lado uma árvore há de crescer, as condições em que se faz uma campanha e as características da região na qual se manobra comandam de algum modo, e limitam, os planos entre os quais o general pode escolher. De forma que, ao longo das montanhas, num sistema de vales, em determinadas planícies, é quase com o caráter de necessidade e de beleza grandioso de avalanchas que podes prever a marcha dos exércitos.

— Agora, tu me recusas a liberdade do chefe, a adivinhação do adversário que deseja ler em seus planos, e que há pouco admitias.

— Mas de jeito nenhum! Lembra-te daquele livro de filosofia que líamos juntos em Balbec, a riqueza do mundo dos possíveis em relação ao mundo real. Muito bem! Ocorre o mesmo na arte militar. Numa dada situação, haverá quatro planos que se impõem, e entre eles o general pôde escolher, como uma doença pode seguir diversas evoluções às quais o médico deve se cingir. E ainda aí a fraqueza e a grandeza humanas são novas fontes de incerteza. Pois entre esses quatro planos, digamos que por motivos contingenciais (como objetivos acessórios a atingir, ou o tempo, que urge, ou o número pequeno, ou o mau abastecimento dos efetivos), o general prefira o primeiro plano, que é menos perfeito, mas de execução menos dispendiosa, mas rápida e que tem como terreno uma região mais rica para alimentar o seu exército. Tendo começado por esse primeiro plano no qual o inimigo, a princípio inseguro, em breve lerá claramente, ele pode não conseguir êxito, devido a obstáculos excessivos — é o que denomino o acaso que provém da fraqueza humana —, e abandoná-lo para tentar o segundo, o terceiro ou o quarto planos. Mas também pode acontecer que ele não tenha tentado o primeiro — e dá-se aqui o que chamo de grandeza humana — senão por despiste, a fim de fixar o adversário de modo a surpreendê-lo no ponto em que este não imaginava ser atacado. Foi assim que, em Ulm, Mack, que esperava o inimigo a oeste, foi envolvido pelo norte, onde se considerava bem tranqüilo. Aliás, o meu exemplo não é muito bom. E Ulm é um tipo melhor de batalha de envolvimento que o futuro verá reproduzir-se, porque não é unicamente um exemplo clássico em que os generais hão de se inspirar, mas uma forma de algum modo necessária (necessária entre outras, o que dá margem à escolha, à variedade), como um tipo de cristalização. Mas tudo isso não significa nada, pois esses quadros, apesar de tudo, são fictícios. Retorno ao nosso livro de filosofia: isto é como os princípios racionais ou as leis científicas, a realidade se conforma a essas coisas de maneira aproximada; mas lembra-te do grande matemático Poincaré: ele não está certo de que as matemáticas sejam rigorosamente exatas. Quanto aos próprios regulamentos, de que já te falei, eles são em suma de uma importância secundária; aliás, são mudados de tempos em tempos. Assim, quanto a nós, da cavalaria, vivemos de acordo com o *Serviço de Campanha*, de 1895, do qual se pode dizer que está ultrapassado, pois se baseia na velha e desusada doutrina que considera que o combate de cavalaria tem um efeito quase só moral devido ao terror que causa ao adversário. Ora, os mais inteligentes de nossos mestres, que são o que há de melhor na cavalaria, e notadamente o comandante de que te falei, consideram ao contrário que a decisão será obtida graças a uma verdadeira peleja em que se esgrimam o sabre e a lança e onde será vencedor o mais tenaz, não só moralmente e devido a uma impressão de terror, mas materialmente.

— Saint-Loup tem razão e é provável que o próximo *Serviço de Campanha* apresente o traço dessa evolução — disse o meu vizinho.

— Não me desagrada a tua aprovação, pois tuas opiniões parecem causar mais impressão do que as minhas sobre o meu amigo — disse rindo Saint-Loup, seja que essa simpatia nascente entre mim e o seu companheiro o agastasse um pouco, seja que ele achasse amável consagrá-la constatando-a oficialmente. — E, depois, talvez eu tenha diminuído a importância dos regulamentos. É certo que são mudados. Mas, enquanto isso, eles comandam a situação militar, os planos de campanha e a concentração. Se refletem uma falsa concepção estratégica, podem ser o princípio inicial da derrota. Tudo isto é um pouco técnico demais para ti — disse ele. — No fundo, não te esqueças de que o que precipita ao máximo a evolução da arte da guerra são as próprias guerras. No decurso de uma campanha, se é um tanto prolongada, vê-se um dos beligerantes aproveitar-se das lições que lhe dão os êxitos e os enganos do adversário, aperfeiçoar os métodos deste, que, por sua vez, disputa com ele. Mas isto pertence ao passado. Com os terríveis progressos da artilharia, as guerras futuras, se ainda houver guerras, serão tão curtas que, antes que se possa sonhar em tirar partido das informações, a paz já estará concluída.

— Não sejas tão suscetível — disse eu a Saint-Loup, respondendo ao que ele dissera antes destas últimas palavras. — Eu te escutei com bastante avidez!

— Se não te irritas de novo e me dás licença — tornou o amigo de Saint-Loup —, acrescentarei ao que acabas de dizer que, se as batalhas se imitam e se superpõem, não é apenas devido ao espírito do chefe. Pode suceder que um erro do chefe (por exemplo, sua avaliação insuficiente do mérito do adversário) o conduza a pedir sacrifícios exagerados às tropas, sacrifícios que certas unidades hão de cumprir com uma abnegação tão sublime que seu papel, assim, será análogo ao daquela outra unidade em uma determinada batalha diversa, e ambas serão citadas na história como exemplos intercambiáveis: para nos atermos a 1870, a guarda prussiana em Saint-Privat, os *turcos* em Froeschwiller e em Wissemburgo.

— Ah! Intercambiáveis, muito justo! Excelente! Tu és inteligente — disse Saint-Loup.

Não me deixavam indiferente estes últimos exemplos, como ocorria sempre que alguém me mostrava o geral sob o particular. Entretanto, o que me interessava era o gênio do chefe. Gostaria de perceber em que consistia, e como, em determinada circunstância em que o chefe sem gênio não poderia resistir ao adversário, se comportaria o chefe genial para reparar a batalha comprometida, o que, segundo Saint-Loup, era bem possível e fora realizado várias vezes por Napoleão. E, para compreender em que consistia o valor militar, eu pedia comparações entre os generais cujos nomes conhecia, indagava o que possuía a mais a natureza de um chefe, perguntava a respeito dos dotes de um estrategista, arriscando-me a aborrecer meus novos amigos, que ao menos não o aparentavam e me respondiam com infatigável bondade.

Sentia-me separado, não só da grande noite gelada que se estendia ao longe e na qual ouvíamos de vez em quando o silvo de um trem que apenas tornava mais vivo o prazer de estar ali, ou as batidas de uma hora que felizmente ainda estava afastada daquela em que esses rapazes deveriam pegar os sabres e ir embora, mas também de todas as preocupações exteriores, quase até da lembrança da Sra. de Guermantes, pela bondade de Saint-Loup à qual a de seus amigos, que se lhe acrescentava, dava como que maior espessura, e também pelo calor daquela saleta de jantar, pelo sabor dos pratos requintados que nos serviam. Davam tanto maior prazer à minha imaginação quanto à minha gulodice; às vezes, a pequena porção de natureza de onde tinham sido extraídos rugosa pia benta da ostra na qual ficam algumas gotas de água salgada, ou sarmento nodoso, pâmpanos amarelados de um cacho de uvas, essa porção ainda os cercava, incomestível, poética e distante como uma paisagem, e fazendo seguir-se, no decurso do jantar, as evocações de uma sesta sob uma videira e de um passeio no mar; de outras vezes, somente pelo cozinheiro é que era posta em relevo essa particularidade original das vitualhas, que ele apresentava em seu quadro natural como uma obra de arte; e um peixe cozido em molho de escabeche era trazido num longo prato de barro, onde, como se destacasse em relevo sobre camadas de ervas azuis, infrangível mas contorcido ainda por ter sido jogado vivo em água fervente, rodeado de um círculo de mariscos, animaizinhos satélites, caranguejos, camarões e mexilhões, era como se aparecesse numa cerâmica de Bernard Palissy.

— Estou com ciúmes, estou furioso — disse-me Saint-Loup, meio rindo, meio a sério, fazendo alusão às intermináveis conversas à parte que eu tinha com seu amigo. — Será que você o acha mais inteligente que eu?

Será que gosta mais dele que de mim? Então, pelo visto, é só com ele agora? — (Os homens que amam demasiadamente uma mulher, que vivem numa sociedade de mulherengos, se permitem gracejos que outros não ousariam, e que nisso veriam menos inocência.)

Já que a conversação tornava-se geral, evitavam todos falar em Dreyfus com receio de constranger Saint-Loup. No entanto, uma semana depois, dois de seus camaradas assinalaram como era curioso que, vivendo num meio tão militar, ele fosse tão dreyfusista e quase antimilitarista: — O caso é que — disse eu, não querendo entrar em detalhes — a influência do meio não tem toda essa importância que lhe dão... — É claro que eu esperava parar por ali, não retomando as reflexões que formulara a Saint-Loup alguns dias antes. Apesar disso, como essas palavras, pelo menos, dissera-as quase textualmente, ia desculpar-me acrescentando: — Era justamente o que no outro dia... — Mas não contara com o reverso da gentil admiração de Robert por mim e por algumas outras pessoas. Essa admiração era completada por uma assimilação tão total de suas idéias que, ao fim de quarenta e oito horas, ele havia esquecido que tais idéias não eram suas. Assim, no que se referia à minha tese modesta, Saint-Loup, absolutamente como se ela sempre houvesse habitado o seu cérebro, e como se eu não fizesse mais que caçar em suas terras, achou-se no dever de me desejar calorosamente boas-vindas e me aprovar.

— Claro que sim! O meio não tem importância.

E, com a mesma força de quem temesse ser interrompido ou incompreendido:

— A verdadeira influência é a do meio intelectual! Cada um é o homem de sua própria idéia.

Deteve-se por um momento, com o sorriso de alguém que digeriu bem, deixou cair o monóculo e, pousando o olhar em mim feito uma verruma:

— Todos os homens de uma mesma idéia são semelhantes — disse-me em tom de desafio. Sem dúvida, não se lembrava que eu lhe dissera, poucos dias antes, aquilo que em compensação lembrava tão bem.

Nem sempre eu chegava todas as noites ao restaurante de Saint-Loup com as mesmas disposições. Se uma recordação, um desgosto que a gente sinta são capazes de nos abandonar, a ponto de não os percebermos mais, também voltam às vezes e por muito tempo não nos largam. Havia noites em que, atravessando a cidade para ir ao restaurante, sentia tantas saudades da Sra. de Guermantes que mal podia respirar: dir-se-ia que uma parte do meu peito fora seccionada por hábil anatomista, retirada e substituída por uma porção igual de sofrimento imaterial, por um equivalente de nostalgia e de amor. E, por mais bem-feitos que fossem os pontos de sutura, a gente vive muito mal quando a saudade de alguém substitui nossas vísceras, parece que aquela ocupa mais lugar do que estas, sentimo-la permanentemente, e depois, que ambigüidade sermos obrigados a *pensar* uma parte do nosso corpo! Unicamente, parece que ficamos valendo mais. À menor brisa, suspiramos de opressão, mas também de langor. Eu contemplava o céu. Se estava claro, dizia comigo: "Talvez ela esteja no campo, contemple as mesmas estrelas, e quem sabe se, ao chegar ao restaurante, Robert não vai me dizer: 'Boas notícias. Minha tia acaba de me escrever, ela gostaria de te ver, e virá até aqui.'" Não era só no firmamento que eu colocava o pensamento da Sra. de Guermantes. Um ventinho suave que passasse parecia trazer-me uma mensagem dela, como outrora de Gilberte nos trigais de Méséglise: a gente não muda, o que fazemos é inserir nos sentimentos relativos a uma criatura certo número de elementos adormecidos que eles despertam, mas que lhe são estranhos. E, além disso, tais sentimentos particulares, algo em nós sempre se esforça por levá-los a uma verdade maior, ou seja, fazê-los juntarem-se a um sentimento mais geral, comum a toda a humanidade, coisas com que os indivíduos e os desgostos que nos causam não são mais que uma oportunidade de nos pôr em contato. O que proporcionava um pouco de prazer à minha pena é que eu a sabia uma parcela mínima do amor universal. Sem dúvida, por julgar reconhecer tristezas que experimentara a respeito de Gilberte, ou então quando à noite, em Combray, mamãe não ficava no meu quarto, e também a lembrança de certas páginas de Bergotte, no sofrimento que sentia e ao qual a Sra. de Guermantes, mais sua frieza e sua ausência, não estavam claramente ligadas como a causa o é ao efeito no espírito de um sábio, eu não concluía que a Sra. de Guermantes fosse tal causa. Pois não há dores físicas difusas, estendendo-se por irradiação nas regiões exteriores à parte doente, mas que as abandonam para se dissipar por inteiro se um facultativo toca o ponto preciso de onde elas provêm? E, no entanto, antes disso, sua extensão dava-nos um tal caráter de vaguidão e de fatalidade que, impotentes em explicá-la, e até em localizá-la, julgávamos impossível fosse curada. Encaminhando-me para o restaurante, dizia comigo: "Já faz quatorze dias que não vejo a Sra. de Guermantes." Quatorze dias, o que só parecia uma coisa imensa para mim, que, quando se tratava da Sra. de Guermantes, contava os minutos. Para mim, não eram apenas as estrelas e a brisa, mas até as divisões aritméticas do tempo que adquiriam algo de poético e doloroso. Todo dia era agora como a crista móvel de uma incerta colina: de um lado, eu sentia que podia cair no esquecimento; do outro, era levado pela necessidade de rever a duquesa. E estava mais próximo ora de um, ora de outro, não tendo equilíbrio estável. Um dia eu me disse: "Talvez haja uma carta esta noite" e, ao chegar para jantar, tive a coragem de indagar de Saint-Loup:

— Por acaso, não recebeste notícias de Paris?

— Sim — respondeu-me com ar sombrio —, e elas não são boas.

Respirei, compreendendo que não era somente ele quem tinha desgostos e que as notícias eram de sua amante; mas logo vi que uma das conseqüências seria a de impedir Robert, durante muito tempo, de me levar à casa de sua tia.

Percebi que rebentara uma briga entre ele e a amante, seja por correspondência, seja que ela tivesse vindo visitá-lo de manhã, entre dois trens. E as brigas, ainda as menos graves, que tinham tido até então pareciam sempre insolúveis. Pois ela tinha mau gênio, sapateava, chorava, por motivos tão incompreensíveis como as crianças que se trancam num quarto escuro, não vêm jantar, recusando-se a dar qualquer explicação e apenas redobram de soluços quando, perdendo a paciência, lhes damos palmadas. Saint-Loup sofreu horrivelmente com essa briga, mas é uma forma de dizer por demais simples e que torna falsa a idéia que se deve fazer dessa dor. Quando Robert se achou sozinho de novo, sem mais ter de pensar na amante, que partira cheia de respeito por ele ao vê-lo tão enérgico, as angústias que sentira nas primeiras horas se acabaram diante do irreparável, e o fim de uma angústia é algo tão suave que a briga, uma vez certa, assumiu para ele um pouco do mesmo tipo de encanto que lhe daria uma reconciliação. Aquilo de que principiou a sofrer um pouco mais tarde foram uma dor e um acidente secundário cujos fluxos vinham incessantemente de si mesmo, à idéia de que ela talvez quisesse reaproximar-se, que não era impossível que esperasse uma palavra dele, que, enquanto isso, por vingança, talvez fizesse n'alguma noite, em algum lugar, alguma coisa, e que bastaria que ele telegrafasse que ia chegar para que tal coisa não ocorresse, que talvez outros se aproveitariam do tempo que perdia, e que, dentro de alguns dias, seria tarde demais para tê-la de volta, pois já teria sido tomada por alguém. De todas essas possibilidades ele não sabia coisa alguma, sua amante mantinha um silêncio que acabou por lhe transtornar as idéias, a ponto de fazê-lo indagar-se se ela não estaria escondida em Doncières ou se não teria partido para a Índia.

Tem-se dito que o silêncio é uma força; num sentido inteiramente diverso, é de fato uma força terrível à disposição dos que são amados. Ele aumenta a ansiedade de quem está esperando. Nada convida tanto a aproximar-se de uma criatura como aquilo que dela nos separa, e qual a barreira mais intransponível que o silêncio? Diz-se também que o silêncio é um suplício, capaz de tornar louco a quem a ele seja coagido nas prisões. Mas que suplício — maior do que guardar silêncio — o de suportá-lo vindo de quem se ama! Robert se dizia: "Que será que ela está fazendo então, para se calar desse modo? Sem dúvida está me enganando com outros..." E pensava ainda: "Que será que eu fiz para que se cale assim? Talvez me odeie, e para sempre." E se acusava. Dessa forma, o silêncio o enlouquecia mesmo, pelo ciúme e pelo remorso. Além disso, mais cruel que o das prisões, semelhante silêncio é a própria prisão. Um tabique imaterial, sem dúvida, mas impenetrável, essa camada interposta de atmosfera vazia, mas que os raios visuais do abandonado não podem atravessar. Existirá mais terrível iluminação que o silêncio que nos mostra não uma ausente, mas mil, cada uma se entregando a uma traição? Às vezes, num alívio brusco, Robert julgava que aquele silêncio ia terminar em breve, que a carta esperada chegaria. Ele a via, ela chegava, ele auscultava cada ruído, já estava acalmado, murmurava: "A carta! A carta!" Depois de assim ter entrevisto um oásis imaginário de carinho, voltava a ver-se engatinhando no deserto real do silêncio sem fim.

Sofria por antecipação, sem se esquecer de uma só, todas as dores de um rompimento que, em outras ocasiões, julgava poder evitar, como as pessoas que regulam todos os seus assuntos em vista de uma expatriação que não se efetuará, e cujo pensamento, que já não sabe onde deverá situar-se no dia seguinte, agita-se momentaneamente desligado delas, semelhante ao coração que se retira de um enfermo e que permanece batendo, separado do corpo. Em todo caso, a esperança de que a amante regressaria lhe dava a coragem para perseverar no rompimento, assim como a crença de que se retornará vivo da batalha ajuda a enfrentar a morte. E, como o hábito é, de todas as plantas humanas, a que menos precisa de solo nutritivo para viver e que é a primeira a aparecer sobre o rochedo aparentemente o mais desolado, talvez praticando a princípio o rompimento por dissimulação, acabasse Robert por se acostumar sinceramente a ele. Mas a incerteza mantinha nele um estado que, ligado à recordação daquela mulher, se parecia com o amor. Entretanto, ele se obrigava a não lhe escrever, pensando talvez que seria menos cruel o tormento de viver sem a amante do que viver com ela em determinadas condições, ou que, depois da forma como se tinham deixado, esperar as suas desculpas era necessário para que ela conservasse o que ele julgava lhe dedicar, se não amor, ao menos a estima e o respeito. Contentava-se em ir ao telefone, que acabavam de instalar em Doncières, e pedir notícias, ou dar instruções a uma criada de quarto que colocara junto da amiga. De resto, tais comunicações eram complicadas e lhe ocupavam mais tempo, porque, seguindo as opiniões de seus amigos literários quanto à feiúra da capital, mas sobretudo em consideração de seus animais, seus cachorros, seu macaco, seus canários e seu papagaio, cujos gritos incessantes o seu proprietário de Paris deixara de tolerar, a amante de Robert acabava de alugar uma pequena propriedade nos arredores de Versalhes. Entretanto, Robert, em Doncières, já não dormia um só instante de noite. Uma vez, no meu quarto, vencido pelo cansaço, adormeceu um pouco. Mas de repente começou a falar, queria correr, evitar alguma coisa; dizia: — Estou ouvindo... não, não faça... — Acordou. Disse-me que acabara de sonhar que estava no campo, na casa do sargento-mor. Este procurava afastá-lo de certa parte da casa. Saint-Loup adivinhara que o sargento-mor hospedava em sua casa um tenente muito rico e depravado, que ele sabia que desejava muito a sua amiga. E de súbito, no sonho, ouvira distintamente os gritos intermitentes e regulares que sua amante costumava soltar nos momentos de volúpia. Quisera obrigar o sargento-mor a levá-lo àquele quarto. E este o detinha para impedi-lo de entrar ali, ao passo que fingia um ar ofendido com tanta indiscrição que Robert dizia que nunca poderia esquecer.

— Meu sonho é idiota — acrescentou, ainda sufocado.

Mas vi perfeitamente que, na hora seguinte, esteve várias vezes a ponto de telefonar à amante para lhe pedir a reconciliação. Meu pai tinha telefone há pouco, mas não sei se isso teria servido muito a Saint-Loup. Aliás, não me parecia muito conveniente dar a meus pais, mesmo a um simples aparelho instalado em casa deles, esse papel de intermediário entre Saint-Loup e sua amante, por mais distinta e nobre de sentimentos que ela fosse. O pesadelo que Saint-Loup tivera se apagou um pouco de seu espírito. Com olhar distraído, fixo, ele veio me visitar durante todos aqueles dias atrozes que delinearam para mim, seguindo-se um após outro, a curva magnífica de alguma rampa duramente forjada, onde Robert ficava, perguntando-se que resolução a sua amiga iria tomar.

Por fim, ela lhe perguntou se ele consentia em perdoá-la. E, logo que ele compreendeu que o rompimento fora evitado, percebeu todos os inconvenientes de uma reaproximação. Aliás, já sofria menos e quase aceitara uma dor da qual seria preciso, talvez dentro de poucos meses, encontrar de novo a dentada caso a ligação recomeçasse. E talvez só tenha hesitado por enfim estar certo de poder reaver a amante; de poder e, conseqüentemente, fazê-lo. Unicamente ela, para poder recuperar a calma, pediu-lhe que não voltasse a Paris a 1º de janeiro. Ora, ele não tinha ânimo de ir a Paris sem vê-la. Por outro lado, ela consentira em viajar em sua companhia, mas para isso era necessário uma licença especial, que o capitão de Borodino não queria conceder.

— Isto me aborrece por causa da nossa visita à casa de minha tia, que terá de ser adiada. Sem dúvida voltarei a Paris pela Páscoa.

— Não poderemos ir à casa da Sra. de Guermantes nessa ocasião, pois então já estarei em Balbec. Mas isso não tem importância.

— Em Balbec? Mas você não iria só no mês de agosto?

— Sim, mas este ano, devido à minha saúde, devem me mandar mais cedo.

Todo o seu temor era de que eu julgasse mal a sua amante, depois do que me contara. — Ela é violenta só porque tem muita franqueza, é demasiado íntegra nos seus sentimentos. Mas é uma criatura sublime. Tu não podes imaginar as delicadezas poéticas que possui. Vai passar, todos os anos, o Dia de Finados em Bruges. É "bem", não é verdade? Se algum dia a conheceres, verás, ela tem uma grandeza... — E, como estivesse imbuído de uma certa linguagem que se falava em torno daquela mulher, nos meios literários: — Ela tem algo de sideral e até de *vatídico*,[6] compreendes o que quero dizer, o poeta que era quase um sacerdote.

Durante todo o jantar, procurei um pretexto que permitisse a Saint-Loup pedir à tia que me recebesse sem esperar que ele voltasse a Paris. Ora, tal pretexto me foi fornecido pelo desejo que eu tinha de rever os quadros de Elstir, o grande pintor que Saint-Loup e eu tínhamos conhecido em Balbec. Pretexto em que havia, aliás, alguma verdade, pois se, em minhas visitas a Elstir, pedira eu à sua pintura que me conduzisse à compreensão e ao amor das coisas melhores que ela própria, a um degelo verdadeiro, a uma autêntica praça de província, a mulheres de carne e osso na praia (quando muito, lhe encomendara o retrato das realidades que não soubera aprofundar, como um caminho orlado de espinheiros-alvos, não para que me conservasse a sua beleza, mas para que a desvelasse para mim), agora, pelo contrário, a originalidade e a sedução de tais pinturas é que excitavam o meu desejo, e o que eu queria ver acima de tudo eram outros quadros de Elstir.

Parecia-me, aliás, que seus menores quadros eram algo inteiramente diverso das obras-primas de outros pintores, mesmo os maiores que ele. Sua obra era como um reino fechado, de fronteiras indevassáveis, de matéria sem par. Colecionando avidamente as raras revistas onde tinham sido publicados estudos sobre ele, fiquei sabendo que só recentemente é que ele começara a pintar paisagens e naturezas-mortas, mas que havia principiado por quadros mitológicos (vira eu as fotos de dois deles no seu ateliê), e que depois ficara por muito tempo impressionado pela arte japonesa.

[6] *Vatídico*: neologismo forjado pelo autor (*vatidique*) a partir da palavra *vate*, poeta-profeta. (N. do T.)

Algumas obras mais características de suas diferentes maneiras se achavam na província. Certa casa dos Andelys, onde se encontrava uma de suas mais belas paisagens, parecia-me tão preciosa, dava-me um desejo tão vivo de viajar como uma aldeia de Chartres, em cuja pedra de mó está engastado um glorioso vitral; e eu me sentia atraído para esse homem que, no interior de sua casa grosseira, na rua principal, encerrado como um astrólogo, interrogava um desses espelhos do mundo que é um quadro de Elstir e que talvez tivesse comprado por milhares de francos — com essa simpatia que une até os corações, até as índoles dos que pensam da mesma forma que nós acerca de um assunto essencial. Ora, três obras importantes do meu pintor preferido estavam relacionadas numa daquelas revistas como pertencentes à Sra. de Guermantes. Afinal, foi com sinceridade que, na tarde em que Saint-Loup me anunciara a viagem de sua amiga a Bruges, pude, no decorrer do jantar, diante de seus amigos, atirar-lhe como que de improviso:

— Escuta, me permites? Na última conversa a respeito da dama de que falamos, não te lembras de Elstir, o pintor que conheci em Balbec?

— Sim, naturalmente.

— Lembras-te da minha admiração por ele?

— Perfeitamente, e da carta que lhe mandamos entregar.

— Muito bem. Um dos motivos, e não dos mais importantes, um motivo acessório pelo qual eu desejaria conhecer a dita senhora, sabes muito bem qual é?

— Claro que sim! Tantos parênteses!

— É que ela possui em casa pelo menos um quadro muito bonito de Elstir.

— Ora, eu não sabia.

— Elstir estará em Balbec, sem dúvida, pela Páscoa. Sabe que ele passa agora quase o ano inteiro naquela costa. Gostaria muito de ter visto esse quadro antes de minha partida. Não sei se você tem bastante intimidade com sua tia; não poderia, valorizando-me habilmente a seus olhos a ponto que ela não se recuse, pedir-lhe que me deixe ir ver o quadro sem estar na sua companhia, já que você não estará presente?

— Está combinado, respondo por ela; vou tratar disso.

— Robert, como gosto de você.

— Você é amável em gostar de mim, mas também o seria se me tratasse por *tu* como me prometeu e como começara a fazê-lo.

— Espero que não seja a sua partida o que estão tramando — disse-me um dos amigos de Robert. — Você sabe, se Saint-Loup sai de licença, isso não deve mudar coisa alguma, pois estamos aí. Será talvez menos agradável para você, mas não mediremos esforços para tentar fazê-lo esquecer a ausência dele.

Com efeito, no momento em que se supunha que a amiga de Robert estava sozinha em Bruges, acabava-se de saber que o capitão de Borodino, até então de opinião contrária, vinha de conceder ao suboficial Saint-Loup uma longa licença para Bruges. Eis o que se passara. O príncipe, muito cioso de sua basta cabeleira, era um assíduo freguês do maior cabeleireiro da cidade, outrora ajudante do velho cabeleireiro de Napoleão III. O capitão de Borodino dava-se bem com o cabeleireiro, pois era, apesar de seus modos imponentes, muito simples com as pessoas do povo. Mas o cabeleireiro, em cujo estabelecimento o príncipe tinha uma conta atrasada de pelo menos cinco meses, e que os frascos de "Portugal", de "Água dos Soberanos", os ferros de frisar, as navalhas e os couros inchavam, não menos que os xampus, os cortes de cabelo, etc., colocava mais alto Saint-Loup, que pagava integralmente as contas, possuía vários carros e cavalos de sela. Posto ao corrente do aborrecimento de Saint-Loup por não poder viajar com a amante, o cabeleireiro vivamente falou do assunto ao príncipe, atado com uma sobrepeliz branca no momento em que o barbeiro lhe mantinha a cabeça inclinada e ameaçava a sua garganta. A narração dessas aventuras galantes de um rapaz arrancou ao capitão-príncipe um sorriso de indulgência bonapartista. É pouco provável que pensasse em sua conta não paga, mas a recomendação do cabeleireiro o inclinava tanto ao bom humor como ao mau humor de um duque. Ainda estava com o queixo coberto de espuma quando prometeu a licença, que foi assinada na mesma tarde. Quanto ao cabeleireiro, que se acostumara a gabar-se incessantemente, e que, para isso, se arrogava, com extraordinária faculdade de mentiras, prestígios totalmente inventados, por uma vez que prestou um serviço notável a Saint-Loup, não só não lhe trombeteou o mérito, mas, como se a vaidade tivesse necessidade de mentir, e, quando não havia motivos para fazê-lo, cedesse o lugar à modéstia, jamais voltou a falar do caso a Robert.

Todos os amigos de Robert me disseram que, enquanto ficasse em Doncières, ou em qualquer época em que para ali regressasse, se Robert estivesse ausente, os seus carros, seus cavalos, suas casas, suas horas de liberdade estariam à minha disposição, e eu sentia que era de coração que aqueles rapazes punham o seu luxo, sua juventude e o seu vigor a serviço da minha fraqueza.

— Por que afinal — recomeçaram eles, após terem insistido para que eu ficasse — não haveria você de voltar todos os anos? Veja que esta vida lhe agrada muito! E mesmo porque você se interessa por tudo que se passa no regimento, como se fosse um veterano.

Pois eu continuava a lhes pedir, com avidez, que classificassem os diferentes oficiais cujos nomes conhecia, conforme a admiração maior ou menor que eles lhes pareciam merecer, como antigamente, no colégio, fazia com os colegas, quanto aos atores do *Théâtre Français*. Se, em vez de um general, eu ouvia sempre ser citado antes dos outros um Galliffet ou um Négrier, algum amigo de Saint-Loup dizia: — Mas Négrier é um general dos mais medíocres — e lançava o nome novo, intato e saboroso de Pau ou de Geslin de Bourgogne, eu experimentava a mesma feliz surpresa de antigamente quando os nomes esgotados de Thiron ou de Febvre se viam repelidos pela súbita irrupção do nome inusitado de Amaury. — Superior até a Négrier? Mas em quê? Dê-me um exemplo. — Gostaria que houvesse profundas diferenças até mesmo entre os oficiais subalternos do regimento, e esperava, em função dessas mesmas diferenças, captar a essência do que fosse a superioridade militar. De um dos que mais me interessaria ouvir falar, era o príncipe de Borodino, pois tratava-se de alguém a quem via mais vezes. Porém, nem Saint-Loup nem seus amigos, embora fizessem justiça ao belo oficial que assegurava a seu esquadrão uma apresentação incomparável, simpatizavam com o homem. Evidentemente sem falar dele com o mesmo tom que de certos oficiais tarimbados e franco-maçons, que não freqüentavam os outros e mantinham ao lado deles um aspecto rude de ajudantes, eles não me pareciam incluir o Sr. de Borodino no número dos outros oficiais nobres, dos quais, é verdade, ele muito diferia pela atitude, mesmo aos olhos de Saint-Loup. Eles, aproveitando-se de que Robert era apenas suboficial e que assim a sua poderosa família ficaria satisfeita de vê-lo convidado à casa de chefes que sem isto teria desdenhado, não perdiam ocasião de recebê-lo em sua mesa quando ali se encontrava um figurão capaz de ser útil a um jovem sargento-mor. Somente o capitão de Borodino é que não tinha com Robert senão relações de serviço, aliás excelentes. É que o príncipe, cujo avô fora feito marechal e príncipe-duque pelo Imperador, a cuja família em seguida se aliou pelo casamento, e cujo pai, depois, desposara uma prima de Napoleão III, sendo duas vezes ministro após o golpe de Estado, sentia que, apesar de tudo isso, não significava muita coisa para Saint-Loup e a sociedade dos Guermantes, os quais, por seu turno, como o príncipe de Borodino não se punha no mesmo ponto de vista que eles, não significavam nada para este. Borodino desconfiava que, para Saint-Loup, ele era — ele, aparentado aos Hohenzollern — não um verdadeiro nobre, mas o neto de um granjeiro; mas, em compensação, considerava Saint-Loup o filho de um homem cujo condado fora confirmado pelo Imperador — a isso, denominava-se no *faubourg* Saint-Germain os condes refeitos — e solicitara deste uma prefeitura e depois um outro posto colocado bem abaixo sob as ordens de Sua Alteza o príncipe de Borodino, ministro de Estado, a quem escreviam "Monsenhor" e que era sobrinho do soberano.

Mais que sobrinho, talvez. A primeira princesa de Borodino passava por ter tido condescendências para com Napoleão I, a quem seguiu à ilha de Elba, e a segunda para com Napoleão III. E se, no rosto plácido do capitão, se encontravam, de Napoleão I, se não os traços naturais da fisionomia, ao menos a majestade estudada da máscara, o oficial possuía, sobretudo no olhar melancólico e bondoso, no bigode caído, algo que lembrava Napoleão III; e isso de modo tão espantoso que, tendo ido pedir, depois de Sédan, para reunir-se ao Imperador, e tendo sido mandado embora por Bismarck, a cuja presença o haviam levado, este último, erguendo casualmente os olhos para o jovem que se dispunha a afastar-se, ficou repentinamente impressionado com tal semelhança e, mudando de idéia, chamou-o e concedeu-lhe a autorização que, como a todos, acabara de recusar.

Se o príncipe de Borodino não queria uma aproximação com Saint-Loup nem com os outros membros da sociedade do *faubourg* Saint-Germain que havia no regimento (ao passo que convidava muitas vezes dois tenentes plebeus que eram homens agradáveis), era porque, considerando a todos eles do alto de sua grandeza imperial, estabelecia, entre aqueles inferiores, a diferença de que uns eram inferiores que sabiam sê-lo e com quem se sentia encantado em travar relações, sendo, sob as aparências de majestade, de humor simples e jovial, e os outros inferiores que se julgavam superiores, o que ele não podia admitir. Assim, enquanto todos os oficiais do regimento agradavam Saint-Loup, o príncipe de Borodino, a quem ele fora recomendado pelo marechal de X, limitou-se a dar mostras de atenção para com ele no serviço, onde aliás Saint-Loup era exemplar, mas nunca o recebeu em sua casa, salvo numa circunstância particular em vista da qual foi, de certo modo, obrigado a convidá-lo, e, como sucedeu durante a minha estada em Doncières, lhe pediu que me trouxesse junto. Naquela noite, vendo Saint-Loup à mesa de seu capitão, pude facilmente discernir, até nas maneiras e na elegância de cada um, a diferença existente entre as duas aristocracias: a nobreza antiga e a do Império. Saído de uma casta cujos defeitos, ainda que os repudiasse com toda a inteligência, haviam passado para o seu sangue, e que, tendo deixado de exercer uma autoridade real há pelo menos um século, só vê na amabilidade protetora que faz parte da educação que recebe um exercício como a equitação ou a esgrima, cultivado sem objetivo sério, por divertimento, diante dos burgueses a quem essa nobreza despreza o bastante para crer que sua familiaridade os lisonjeia e que sua descortesia os deixaria honrados, Saint-Loup apertava amigavelmente a mão de qualquer burguês que lhe apresentassem e cujo nome talvez não tivesse ouvido; e, conversando com ele (sem cessar de cruzar e descruzar as pernas, inclinando-se para trás, numa atitude displicente, com o pé na mão), chamava-o de "meu caro". Ao contrário, porém, de uma nobreza cujos títulos ainda guardavam sua significação, providos, como continuavam, de ricos morgadios que recompensavam gloriosos serviços e faziam mais viva a lembrança de altas funções em que se exerce o comando sobre muitos homens e onde é necessário conhecê-los, o príncipe de Borodino — se não distintamente e em sua consciência clara e pessoal, pelo menos no corpo, que o revelava por seus modos e atitudes — considerava a sua linhagem como uma prerrogativa de fato; a esses mesmos plebeus a quem Saint-Loup bateria no ombro e tomaria pelo braço, ele se dirigia com uma afabilidade imponente, em que uma reserva cheia de grandeza temperava a bonomia sorridente que lhe era natural, num tom ao mesmo tempo de sincera benevolência e de altivez intencional. Isto, sem dúvida, se devia a que ele estava menos afastado das grandes embaixadas e da corte, onde seu pai desfrutara dos mais altos cargos e onde as maneiras de Saint-Loup, de cotovelo na mesa e pé na mão, teriam sido mal recebidas; mas se devia, sobretudo, a que desprezava menos essa burguesia, visto que ela era o grande reservatório onde o primeiro imperador fora buscar seus marechais, seus nobres, e onde o segundo encontrara um Fould e um Rouher.

Sem dúvida, filho ou neto de imperador, e só tendo um esquadrão para comandar, as preocupações de seu pai ou de seu avô não podiam, por falta de objeto a que se aplicar, sobreviver de fato no pensamento do Sr. de Borodino. Mas, como o espírito de um artista continua a modelar muitos anos depois de se haver extinto a estátua que esculpiu, tais preocupações tinham tomado corpo nele, nele se haviam materializado, encarnado; eram elas que o seu rosto refletia. Era com a vivacidade do primeiro imperador na voz que ele dirigia uma censura a um cabo, com a melancolia sonhadora do segundo que exalava a baforada de um cigarro. Quando passava em trajes civis pelas ruas de Doncières, um certo brilho do olhar, fugindo por sob o chapéu-coco, fazia reluzir em torno ao capitão um soberano incógnito; as pessoas tremiam quando ele entrava no escritório do sargento-mor, seguido pelo ajudante e pelo furriel, como por Berthier e por Masséna. Quando escolhia a fazenda de uma calça para o seu esquadrão, fixava no cabo alfaiate um olhar capaz de frustrar Talleyrand e de enganar Alexandre. E às vezes, ao passar uma tropa em revista, parava, deixando que seus admiráveis olhos azuis sonhassem, torcia o bigode, dava a impressão de edificar uma Prússia e uma Itália novas. Mas logo, tornando-se de Napoleão III Napoleão I, observava que o enfardamento não estava polido e queria provar o rancho da tropa. E em sua casa, na vida privada, era para as esposas de oficiais burgueses (desde que não fossem franco-maçons) que mandava exibir não apenas uma baixela de Sèvres, de azul régio, digna de um embaixador (dada a seu pai por Napoleão, e que parecia ainda mais preciosa na casa provinciana onde residia, no Passeio Público, como essas porcelanas raras que os turistas admiram com mais prazer no armário rústico de uma velha casa senhorial transformada em fazenda bem freqüentada e próspera), mas ainda outros presentes do imperador: aquelas nobres e encantadoras maneiras que também teriam feito maravilhas em algum posto de representação, se para alguns o ser "nascido" não representasse passar a vida inteira no mais injusto dos ostracismos, assim como os gestos familiares, a bondade, a graça e, encerrando imagens gloriosas sob um azul igualmente régio, a relíquia misteriosa, iluminada e sobrevivente do olhar. E, a propósito das relações burguesas que o príncipe cultivava em Doncières, convém dizer o seguinte: o tenente-coronel tocava piano admiravelmente, a esposa do médico-chefe cantava como se tivesse conquistado um primeiro prêmio no conservatório. Este último casal, assim como o tenente-coronel e sua mulher, jantava todas as semanas na casa do Sr. de Borodino. Certamente ficavam lisonjeados, sabendo que o príncipe, quando ia de licença a Paris, jantava na casa da Sra. de Pourtalès, dos Murat, etc.. Mas diziam consigo: "É um simples capitão, sente-se muito feliz por irmos à sua casa; afinal, é um grande amigo nosso." Mas, quando o Sr. de Borodino, que desde há muito vinha trabalhando para aproximar-se de Paris, foi nomeado para Beauvais, fez a sua mudança, esqueceu tão completamente os dois casais músicos como o teatro de Doncières e o pequeno restaurante de onde mandava vir com freqüência o seu almoço e, para grande indignação deles, nem o tenente-coronel, nem o médico-chefe, que tantas vezes tinham jantado em casa do príncipe, nunca mais receberam, em toda a vida, qualquer notícia sua.

Certa manhã, Saint-Loup me confessou que escrevera à minha avó para lhe dar notícias a meu respeito e lhe sugerir a idéia de conversar comigo, já que estava em funcionamento um serviço telefônico entre Doncières e Paris. Em breve, no mesmo dia, ela devia me mandar chamar ao aparelho, e ele me aconselhou que estivesse às quinze para as quatro no posto. Àquela época, o telefone ainda não era de uso tão corrente como hoje. E, no entanto, o hábito leva tão pouco tempo para despojar de seu mistério as forças sagradas com que estamos em contato que, não tendo conseguido imediatamente a minha ligação, a única idéia que tive foi de que aquilo era tão demorado, tão incômodo, que quase acabei fazendo uma queixa: como todos nós agora, eu não achava bastante rápida, à minha disposição, em suas bruscas mudanças, a admirável magia pela qual são suficientes uns poucos instantes para que surja junto a nós, invisível mas presente, a criatura a quem desejávamos falar e que, ficando à sua mesa, na cidade em que mora (no caso de minha avó era Paris), sob um céu diverso do nosso, durante um tempo que não é forçosamente o mesmo, em meio a circunstâncias e preocupações que ignoramos e que essa criatura vai nos dizer, se acha de súbito transportada a centenas de léguas (ela e todo o ambiente em que permanece mergulhada), perto de nossos ouvidos, no momento em que o nosso capricho assim ordenou. E somos como o personagem do conto a quem uma fada, ante o desejo que ele exprime, faz surgir, banhada em claridade sobrenatural, a avó ou a noiva no ato de folhear um livro, de derramar lágrimas, de colher flores, tão perto do espectador e entretanto tão longe, no próprio local onde se encontra de verdade. Para que tal milagre se cumpra, basta-nos aproximar os lábios da prancheta mágica e chamar — às vezes, admito-o, um pouco longamente — as Virgens Vigilantes, cuja voz podemos ouvir todos os dias sem jamais conhecer-lhes o rosto, e que são anjos da guarda nas trevas vertiginosas cujas portas vigiam com ciúme; as Todo-poderosas devido a quem os ausentes surgem ao nosso lado, sem que seja permitido vislumbrá-los; as Danaides do invisível que sem cessar esvaziam, voltam a encher e transmitem as urnas de sons; as irônicas Fúrias que, no momento em que murmuramos uma confidência a uma amiga, com a esperança de que ninguém nos ouça, gritam cruelmente: "Estou ouvindo!"; as servas sempre irritadas do Mistério, as desconfiadas sacerdotisas do Invisível, as Senhoritas do telefone!

E logo que nosso chamado ressoou, na noite cheia de aparições para a qual só os nossos ouvidos se abrem, um leve ruído — um ruído abstrato — o da distância suprimida — e a voz do ser amado se dirige a nós.

É ele, é a sua voz que nos fala, que está ali. Mas como está longe! Quantas vezes não pude escutá-la sem angústia, como se diante dessa impossibilidade de ver, antes de longas horas de viagem, aquela cuja voz estava tão perto de meu ouvido, eu sentisse melhor o que há de decepcionante na aparência de uma reaproximação mais doce, e a que distância podemos estar das pessoas amadas no momento em que parece não termos mais que estender a mão para retê-las. Presença real a dessa voz tão próxima — na separação efetiva! Mas também antecipação de uma separação eterna! Com muita freqüência, escutando desse modo, sem ver quem me falava de tão longe, pareceu-me que essa voz clamava das profundezas de onde não se sobe, e conheci a ansiedade que ia me estreitar um dia, quando uma voz voltasse assim (sozinha e já não presa a um corpo que eu não devia rever nunca mais) a cochichar no meu ouvido palavras que eu gostaria de beijar de passagem sobre lábios para sempre em pó.

Infelizmente, naquele dia em Doncières o milagre não ocorreu. Quando cheguei ao posto telefônico, minha avó já me havia chamado; entrei na cabine, a linha estava ocupada; alguém conversava, sem dúvida sem saber que não havia ninguém para lhe responder, pois, quando puxei para mim o receptor, aquele pedaço de madeira se pôs a falar como Polichinelo; fi-lo calar-se, assim como no *guignol*, repondo-o em seu lugar, mas, como Polichinelo, logo que o trazia para junto de mim, ele começava o seu palavrório. Em desespero de causa, acabei por pendurar em definitivo o receptor, acabei por sufocar as convulsões daquela coisa sonora, que tagarelou até o último segundo, e fui procurar o funcionário que me disse para esperar um momento; depois falei e, após alguns instantes de silêncio, ouvi de súbito aquela voz que eu julgava erroneamente conhecer tão bem, pois até então, de cada vez que minha avó conversava comigo, o que ela me dizia eu sempre o acompanhara na partitura aberta de seu rosto, onde os olhos ocupavam enorme espaço; mas sua própria voz, escutava-a hoje pela primeira vez. E porque essa voz me surgia mudada em suas proporções desde o instante em que era um todo, e assim me chegava sozinha e sem o acompanhamento das feições do rosto, descobri o quanto era doce aquela voz; talvez mesmo nunca o tivesse sido a esse ponto, pois minha avó, sentindome distante e infeliz, julgava poder abandonar-se à efusão de uma ternura que, por "princípios" de educação, ela habitualmente recalcava e escondia. A voz era doce, mas também como era triste, primeiro devido à própria doçura, quase filtrada, mais do que nunca o seriam algumas vozes humanas, de toda dureza, de todo elemento de resistência aos outros, de todo egoísmo; frágil à força de delicadeza, parecia a todo instante prestes a quebrar-se, a expirar em um puro correr de lágrimas; a seguir, tendo-a sozinha comigo, vista sem a máscara do rosto, nela reparava, pela primeira vez, os desgostos que a tinham marcado no decurso da vida.

Além disso, seria unicamente a voz que, por estar só, me dava essa nova impressão que me dilacerava? De jeito nenhum, mas esse isolamento da voz era antes como um símbolo, uma evocação, um efeito direto de outro isolamento, o de minha avó, pela primeira vez separada de mim. As ordens e proibições que me dirigia a todo momento no comum de sua vida, o tédio à obediência ou a febre da rebelião que neutralizavam a ternura que eu sentia por ela, eram suprimidos naquele momento e até poderiam sê-lo para o futuro (visto que minha avó já não exigia ter-me junto dela sob sua lei, e dizia de sua esperança que eu ficasse em Doncières, ou, em todo caso, que prolongasse a minha estada o máximo possível, se isso fosse proveitoso à minha saúde e ao meu trabalho); assim, o que eu tinha sob o pequeno sino próximo ao meu ouvido era, desembaraçada das pressões opostas que todos os dias lhes fizeram contrapeso, e desde agora irresistível, animando-me todo inteiro, a nossa mútua ternura. Minha avó, dizendo-me que ficasse, dava-me uma ansiosa e louca necessidade de voltar. Essa liberdade que me deixava daí em diante, e à qual eu jamais imaginara que ela consentisse, pareceu-me de repente tão triste como o poderia ser minha liberdade após a sua morte (quando ainda a amasse e ela tivesse para sempre renunciado a mim). Eu gritava: "Vovó, vovó", e desejaria beijá-la; mas, perto de mim só tinha aquela voz, fantasma tão impalpável como o que talvez viesse me visitar quando minha avó morresse. "Fale comigo"; mas aconteceu então que, deixando-me mais só ainda, deixei subitamente de perceber aquela voz. Minha avó já não me ouvia, não estava mais em comunicação comigo, tínhamos deixado de estar em face um do outro, de ser audíveis um para o outro, eu continuava a interpelá-la, tateando na noite, sentindo que os apelos dela também deveriam ter se extraviado. Palpitava com a mesma angústia que, num passado remoto, experimentara antigamente num dia em que, bem pequeno, eu a havia perdido na multidão, angústia menos por não encontrá-la do que por sentir que ela me procurava, por sentir que ela dizia consigo que eu a estava procurando; angústia muito parecida com a que eu sentiria no dia em que falamos àqueles que já não podem nos responder e a quem desejaríamos pelo menos fazer ouvir tudo aquilo que não lhes dissemos, e com a segurança de que já não sofremos. Parecia-me que já era uma sombra querida que eu acabava de deixar perder-se por entre as sombras e, sozinho diante do aparelho, continuava a repetir em vão: "Vovó, vovó", como Orfeu, sozinho, repete o nome da morta. Decidi deixar o posto, ir ao encontro de Robert no restaurante para lhe dizer que, indo talvez receber uma correspondência que me obrigaria a regressar, gostaria de saber, fosse como fosse, o horário dos trens. E, no entanto, antes de tomar essa resolução, teria desejado invocar uma última vez as Filhas da Noite, as Mensageiras da palavra, as divindades sem rosto; mas as caprichosas Guardiãs não mais tinham querido abrir as Portas maravilhosas, ou sem dúvida não o puderam; por mais que invocassem, segundo seu costume, o venerável inventor da imprensa e o jovem príncipe amador de pintura impressionista e de automobilismo (o qual era sobrinho do capitão de Borodino), Gutenberg e Wagram deixaram suas súplicas sem resposta, e eu fui embora, sentindo que o Invisível solicitado permaneceria surdo.

Chegando junto de Robert e seus amigos, não lhes confessei que meu coração não estava mais com eles, que minha partida já estava irrevogavelmente decidida. Saint-Loup pareceu acreditar em mim, mas soube depois que ele, desde o primeiro momento, compreendera que minha incerteza era simulada e que no dia seguinte já não me encontraria. Ao passo que, deixando os pratos esfriando à frente deles, seus amigos procuravam com ele, no guia, o trem que eu poderia tomar de volta a Paris, e, enquanto se ouviam na noite estrelada e fria os silvos das locomotivas, eu certamente já não sentia a mesma tranqüilidade que me haviam proporcionado aqui, em tantas noites, a amizade de uns e a passagem distante de outros. Entretanto, não faltavam naquela noite, sob uma outra forma, a esse mesmo ofício. Minha partida me acabrunhou menos quando não fui mais obrigado a pensar nela sozinho, quando senti empregar-se nisso a atividade mais normal e mais saudável de meus enérgicos amigos, os companheiros de Robert, e daqueles outros seres fortes, os trens, cujas idas e vindas, de manhã à noite, de Doncières a Paris, esmigalhavam, retrospectivamente, em possibilidades cotidianas de regresso, o que havia de mais compacto e insustentável no meu longo isolamento de minha avó.

— Não duvido da veracidade de tuas palavras e que não contas partir ainda — disse Robert rindo —, mas procede como se partisses e vem me dizer adeus amanhã cedinho, pois sem isso estou me arriscando a não te ver mais; almoço justamente na cidade, o capitão me autorizou; é necessário que eu esteja de volta ao quartel às duas horas, pois vamos marchar o dia inteiro. Por certo o senhor com quem vou almoçar a três quilômetros daqui vai me trazer de volta a tempo para estar às duas no quartel.

Mal dissera estas palavras, quando vieram me procurar, da parte do hotel, dizendo que me chamavam no posto telefônico. Corri, pois ele ia fechar. A palavra "interurbano" voltava sem cessar nas respostas que me davam os empregados. Sentia-me no auge da ansiedade, pois era minha avó quem chamava. O escritório ia fechar. Por fim, consegui a ligação. — És tu, vovó? — Uma voz de mulher, com um forte sotaque inglês, me respondeu: — Sim, mas não reconheço a sua voz. — Tampouco reconhecia eu a voz que me falava, já que minha avó não me tratava de "você". Enfim, tudo se esclareceu. O rapaz cuja avó pedira para chamá-lo ao telefone tinha um nome quase igual ao meu e morava num anexo do hotel. Ao me chamarem no mesmo dia em que eu quisera telefonar à minha avó, eu não duvidara um só instante que fosse ela quem me chamava. Ora, era por uma simples coincidência que o posto telefônico e o hotel acabavam de cometer um duplo erro.

Na manhã seguinte, atrasei-me e não encontrei Saint-Loup, que já saíra para almoçar no tal castelo próximo. Cerca de uma e meia, preparava-me para ir, fosse como fosse, ao quartel para já estar ali à sua chegada, quando, atravessando uma das avenidas que me levavam ao mesmo, vi, na própria direção em que eu ia, um tílburi que, passando junto a mim, me obrigou a desviar-me; um suboficial o conduzia, de monóculo no olho — era

Saint-Loup. A seu lado estava o amigo em cuja casa almoçara e que eu já encontrara uma vez no hotel em que Robert jantava. Não tive coragem de chamá-lo, visto que não estava sozinho, mas, desejando que parasse para me levar consigo, atraí sua atenção com um grande cumprimento supostamente motivado pela presença de um desconhecido. Sabia que Robert era míope e no entanto julgava que, se pelo menos me visse, não deixaria de me reconhecer; ora, ele viu perfeitamente o cumprimento e lhe correspondeu, mas sem deter-se; e, afastando-se rapidamente, sem um sorriso, sem que um só músculo do rosto se movesse, contentou-se em manter a mão erguida à altura do quepe, como se respondesse a um soldado a que não houvesse reconhecido. Corri até o quartel, mas ainda estava longe; quando cheguei, o regimento se perfilava no pátio, onde não me deixaram ficar, e senti-me desolado por não ter podido dizer adeus a Saint-Loup; subi para o seu quarto, e ele já não se achava ali; pude indagar a seu respeito a um grupo de soldados doentes, recrutas dispensados da marcha, o jovem bacharel e um veterano que observavam o regimento em forma.

— Vocês não viram o sargento-mor Saint-Loup? — perguntei.

— Ele já desceu, senhor — disse o veterano.

— Não o vi — disse o bacharel.

— Não viste — disse o veterano, sem mais se ocupar de mim —, não viste o nosso famoso Saint-Loup, que arrasa com suas calças novas? Quando o capitão vir aquilo, com fazenda de oficial!

— Fazenda de oficial... tens cada uma! — disse o jovem bacharel que, enfermo no quarto, não fazia marchas e tentava, não sem uma certa inquietação, ser atrevido com os veteranos. — Aquilo é fazenda de oficial tanto quanto esta aqui.

— Senhor?! — exclamou furioso o veterano que falara das calças.

Estava indignado porque o jovem bacharel punha em dúvida que aquelas calças fossem de fazenda de oficial; mas, bretão, nascido numa aldeia que se chama Penguern-Stereden, tendo aprendido o francês com tanta dificuldade como se fosse inglês ou alemão, quando era possuído por uma emoção, dizia duas ou três vezes "Senhor" para ter tempo de encontrar as palavras; depois desses preparativos, entregava-se à eloqüência, contentando-se em repetir algumas palavras que conhecia melhor, mas sem pressa, tomando cuidado contra a falta de hábito da pronúncia.

— Ah, então é um pano como esse? — retomou ele, com uma cólera de que progressivamente iam aumentando a intensidade e a lentidão de seu enunciado. — Ah, é um pano como esse! Quando digo que é uma fazenda de oficial, quando te digo, e já que te digo, é que sei, eu penso. A gente não precisa gastar palavras com isso.

— Ah, sendo assim... — disse o jovem bacharel, vencido por essa argumentação.

— Veja, aí está justamente o capitão passando. Não, mas olha só o Saint-Loup. Isso é modo de atirar a perna? E, depois, a cabeça. Nem parece um suboficial. E o monóculo então? Ah, ele é um dos tais.

Pedi àqueles soldados, que minha presença não perturbava, que me deixassem olhar também pela janela. Não me impediram de fazê-lo, e tampouco se mexeram. Vi o capitão de Borodino passar majestosamente, fazendo trotar o seu cavalo e parecendo ter a ilusão de que se achava na batalha de Austerlitz. Alguns curiosos estavam reunidos diante das grades do quartel para ver o regimento sair. Ereto no seu cavalo, o rosto um tanto cheio, as faces de uma plenitude imperial, o olhar lúcido, o príncipe devia ser o joguete de alguma alucinação, como eu próprio o era de cada vez que, após a passagem do bonde, o silêncio que se seguia ao seu rolar me parecia percorrido e estriado por uma vaga palpitação musical. Sentia-me desolado por não ter me despedido de Saint-Loup, mas parti do mesmo jeito, pois minha única preocupação era voltar para junto de minha avó; até esse dia, naquela cidadezinha, quando pensava no que minha avó estaria fazendo, solitária, imaginava-a como ela era comigo, mas suprimindo-me, sem levar em conta os efeitos dessa supressão sobre ela; agora, precisava livrar-me, o mais depressa possível, em seus braços, do fantasma, até então insuspeitado e de súbito evocado por sua voz, de uma avó realmente separada de mim, resignada, tendo, o que ainda não lhe conhecera, uma idade, e que acabava de receber uma carta minha no apartamento vazio onde eu já imaginara mamãe quando partira para Balbec.

Infelizmente, esse fantasma, foi ele mesmo que avistei quando, ao entrar no salão sem que minha avó estivesse avisada do meu regresso, a encontrei lendo. Eu estava ali, ou melhor, ainda não estava, pois ela não o sabia e, como uma mulher que a gente surpreende no ato de fazer um trabalho que esconderá ao entrarmos, estava entregue a pensamentos que jamais havia mostrado diante de mim. De mim — por esse privilégio que não dura e em que temos, durante o breve instante do regresso, a faculdade de assistir bruscamente à nossa própria ausência — não havia ali senão o testemunho, o observador, de chapéu e capa de viagem, o estranho que vem tirar uma foto dos lugares que nunca mais há de ver. O que se fez em meus olhos, mecanicamente, quando avistei minha avó, foi mesmo uma fotografia. Jamais vemos os seres queridos a não ser no sistema animado, no movimento permanente de nossa incessante ternura, a qual, antes de deixar chegarem até nós as imagens que nos apresentam o seu rosto, arrebata-as em seu turbilhão, atira-as sobre a idéia que fazemos deles desde sempre, fá-las aderir a ela, coincidir com ela. Como, visto que eu fazia a fronte e as faces de minha avó significarem o que havia de mais delicado e permanente em seu espírito, como, visto que todo olhar habitual é uma necromancia e cada rosto que amamos é o espelho do passado, como não teria eu omitido o que nela pudera ter-se tornado pesado e diferente, considerando que, mesmo nos espetáculos mais indiferentes da vida, o nosso olhar, carregado de pensamentos, negligencia, como o faria uma tragédia clássica, todas as imagens que não concorrem para a ação, retendo apenas as que podem tornar inteligível o desfecho? Mas que, em vez do nosso olhar, seja uma objetiva puramente material, uma placa fotográfica, que haja contemplado, e então o que havemos de ver, por exemplo no pátio do Instituto, em vez da saída de um acadêmico que quer chamar um fiacre, será a sua vacilação, suas precauções para não cair para trás, a parábola de sua queda, como se estivesse embriagado, ou como se o solo estivesse coberto de gelo. Dá-se o mesmo quando uma cruel cilada do acaso impede a nossa inteligente e piedosa ternura de acorrer a tempo para ocultar a nossos olhos o que eles jamais devem contemplar, quando aquela é ultrapassada por estes que, chegando primeiro e entregues a si mesmos, funcionam mecanicamente à maneira de películas, mostrando-nos, em vez do ser amado que há muito já não existe, mas cuja morte a nossa ternura jamais quisera nos fosse revelada, o ser novo que cem vezes ao dia ela revestia de uma querida aparência falsa. E, como um enfermo que, não vendo há muito tempo a si mesmo e compondo a todo instante o rosto que não enxerga segundo a imagem ideal que de si próprio conserva no pensamento, recua ao perceber no espelho, no meio de um rosto árido e deserto, a protuberância oblíqua e rósea de um nariz gigantesco feito uma pirâmide do Egito, eu, para quem a minha avó era ainda eu próprio, eu que nunca a vira senão em minha alma, sempre no mesmo lugar do passado, através da transparência de lembranças contíguas e superpostas, de repente, em nosso salão que fazia parte de um mundo novo, o do Tempo, aquele em que vivem os estranhos de quem se diz "está bem envelhecido", eis que pela primeira vez e apenas por um instante, pois desapareceu logo, avistei no canapé, à luz da lâmpada, rubra, pesada e vulgar, enferma, devaneando, passeando por um livro os olhos um tanto alucinados, uma velha acabada que eu não conhecia.

Ao meu pedido para ir ver os Elstirs da Sra. de Guermantes, Saint-Loup dissera: — Respondo por ela. — E, com efeito, só ele é que havia respondido por ela. Respondemos facilmente aos outros quando, dispondo no pensamento as pequenas imagens que os figuram, manejamo-las à vontade. É claro que, mesmo nesse momento, levamos em conta as dificuldades provenientes da natureza de cada um, diversas da nossa, e não deixamos de recorrer a esse ou àquele poderoso meio de ação sobre ela, interesse, persuasão, emoção, que há de neutralizar tendências contrárias. Porém, essas diferenças quanto à nossa natureza, é ainda a nossa natureza que as imagina; essas dificuldades, somos nós que as erguemos; esses meios de ação eficazes, somos nós que os dosamos. E os movimentos que em nosso espírito fizemos outra pessoa repetir, e que a fazem agir à nossa vontade, quando queremos que ela os execute na vida, tudo então muda, e damos de encontro a resistências imprevistas que podem ser invencíveis. Uma das mais fortes é sem dúvida a que pode desenvolver, numa mulher que não ama, o nojo que lhe inspira, fétido e insuperável, o homem que a ama: durante as longas semanas em Paris, sua tia, a quem não duvidei que ele tivesse escrito para rogar-lhe que o fizesse, não me convidou uma única vez para que fosse à sua casa ver os quadros de Elstir.

Recebi sinais de frieza da parte de outra pessoa da casa. Foi de Jupien. Acharia ele que eu deveria entrar para lhe dar bom-dia, na minha volta de Doncières, antes até de subir para o meu quarto? Minha mãe disse que não, não precisava ficar espantado. Françoise lhe dissera que ele era assim, sujeito a bruscos acessos de mau humor, sem motivo. Isso passava sempre em pouco tempo.

Entretanto, o inverno findava. Certa manhã, depois de algumas semanas de aguaceiros e tempestades, ouvi na minha lareira — em lugar do vento informe, elástico e sombrio que me sacudia de vontade de ir à beira-mar — o arrulho dos pombos que nidificavam na muralha: irisado, imprevisto como um primeiro jacinto rompendo suavemente seu coração nutritivo para que dele brotasse, malva e acetinada, sua flor sonora, fazendo entrar, como uma janela aberta, no meu quarto ainda fechado e escuro, a quentura, o deslumbramento, a fadiga de um primeiro dia bonito. Naquela manhã, surpreendi-me a cantarolar uma música de café-concerto que havia esquecido desde o ano em que deveria ter ido a Florença ou a Veneza. Tão profundamente, ao acaso dos dias, age a atmosfera sobre nosso organismo, extraindo as obscuras reservas em que tínhamos esquecido as melodias inscritas que nossa memória não decifrou. Um sonhador mais consciente em breve acompanhou o músico que eu ouvia dentro de mim, sem mesmo ter reconhecido de imediato o que ele estava tocando.

Sabia muito bem que não eram próprios de Balbec os motivos pelos quais, quando ali chegara, não havia encontrado em sua igreja o encanto que ela me apresentava antes que a conhecesse; que em Florença, em Parma ou em Veneza, minha imaginação já não poderia substituir-se a meus olhos para contemplar. Sentia-o. Do mesmo modo, numa tarde de primeiro de janeiro, ao cair da noite, diante de uma coluna de anúncios, eu descobrira a ilusão que existe em crer que certos dias de festa diferem essencialmente dos outros. E, no entanto, não podia evitar que a lembrança do tempo durante o qual julgara passar em Florença a Semana Santa continuasse a fazer desta como que a atmosfera da Cidade das Flores, a dar ao dia da Páscoa, ao mesmo tempo, algo de florentino, e a Florença algo de pascal. A semana da Páscoa ainda estava longe; mas, na fileira dos dias que se estendiam à minha frente, os dias santos destacavam-se mais claros no fim dos dias médios. Tocados por um raio como certas casas de uma aldeia que se entrevê ao longe num efeito de sombra e luz, retinham em si todo o sol.

O tempo melhorara. E até meus pais, aconselhando-me a passear, davam-me um pretexto para continuar minhas saídas matutinas. Gostaria de acabar com elas, pois aí encontrava a Sra. de Guermantes. Mas era por causa dela mesma que pensava o tempo todo nessas saídas, o que me fazia achar a cada instante um novo motivo para sair, motivo que não tinha qualquer relação com a Sra. de Guermantes e convencia-me facilmente que, se ela não existisse, nem por isso deixaria de passear a essa mesma hora.

Ai, se para mim encontrar qualquer outra pessoa que não ela seria indiferente, sentia que, para ela, encontrar qualquer outro que não eu teria sido suportável. Sucedia-lhe, nos seus passeios matinais, receber cumprimentos de muitos patetas, e que ela considerava como tais. Mas julgava o aparecimento deles, se não uma promessa de satisfação, ao menos obra do acaso. E fazia-os parar às vezes, pois há momentos em que se tem necessidade de sair de si mesmo, aceitar a hospitalidade da alma alheia, sob a condição de que essa alma, por modesta e feia que seja, seja uma alma estranha, ao passo que no meu coração ela sentia, exasperada, que o que teria encontrado era ela própria. Assim, mesmo quando eu tinha, para seguir o mesmo caminho, um motivo diverso que o de vê-la, tremia como um culpado no momento em que ela passava; e às vezes, para neutralizar o que podiam ter de excessivo as minhas tentativas de aproximação, mal correspondia a seu cumprimento, ou olhava-a fixamente sem saudar, e nada conseguia a não ser irritá-la ainda mais e fazer com que começasse a me achar cada vez mais insolente e mal-educado.

Usava ela agora vestidos mais leves, ou pelo menos mais claros, e descia a rua onde, como se já fosse primavera, diante das estreitas lojas intercaladas entre as amplas fachadas dos velhos palacetes aristocráticos, na varanda da vendedora de manteiga, de frutas, de legumes, os toldos já estavam pendurados para proteger do sol. Dizia comigo que a mulher que via ao longe a caminhar, abrir a sombrinha, atravessar a rua era, de acordo com a opinião dos conhecedores, a maior artista contemporânea na arte de realizar esses movimentos e transformá-los em algo delicioso. Entretanto, ela avançava; ignorando aquela reputação que se espalhara, seu corpo delgado, refratário, e que nada havia absorvido, se encurvava obliquamente sob uma estola de *surah* violeta. Seus olhos claros e entediados olhavam para frente distraídos e talvez me tivessem visto; ela mordia o canto da boca; via-a endireitar o regalo, dar esmola a um pobre, comprar um buquê de violetas a uma vendedora, com a mesma curiosidade que eu teria tido em contemplar um grande pintor a dar pinceladas. E, quando, tendo chegado onde eu estava, cumprimentava-me acrescentando às vezes um leve sorriso, era como se tivesse executado para mim, ajuntando-lhe uma dedicatória, uma aquarela que era uma obra-prima. Cada um de seus vestidos era-me como uma ambiência natural, necessária, como a projeção de um aspecto particular de sua alma. Numa dessas manhãs de quaresma em que ela ia almoçar na cidade, encontrei-a usando um vestido de veludo vermelho-claro, ligeiramente decotado. O rosto da Sra. de Guermantes parecia pensativo debaixo dos cabelos louros. Eu estava menos triste que de costume porque a melancolia de sua expressão, a espécie de claustro que a violência da cor punha entre ela e o resto do mundo conferiam-lhe algo de solitário e infeliz que me tranqüilizava. Aquele vestido me parecia a materialização, a seu redor, dos raios escarlates de um coração que eu não lhe conhecia e que talvez pudesse consolar; refugiada na luz mística do tecido de ondas suaves, ela me fazia pensar nalguma santa dos primeiros tempos cristãos. Então, sentia vergonha de magoar aquela mártir com a minha vista. "Mas enfim, a rua é de todo mundo."

"A rua é de todo mundo", continuava eu, dando a estas palavras um sentido diverso e admirando que, de fato, na rua populosa, freqüentemente molhada de chuva, e que se tornava preciosa como o é às vezes a rua nas velhas cidades da Itália, a duquesa de Guermantes misturasse à vida pública momentos de sua vida secreta, mostrando-se assim a qualquer um, misteriosa, acotovelada por todos, com a esplêndida gratuidade das grandes obras-primas. Como eu saía de manhã depois de ficar acordado a noite inteira, à tarde meus pais diziam que me deitasse um pouco e procurasse dormir. Para saber como dormir, não é preciso muita reflexão, mas o hábito é muito útil para tanto e até mesmo a ausência de reflexão. Ora, nessas ocasiões ambos me faziam falta. Antes de adormecer pensava por muito tempo que o não conseguiria, que, mesmo dormindo, me restaria um pouco de pensamento. Não passava de um clarão na quase obscuridade, mas bastava para refletir, no meu sono, primeiro a idéia de que eu não poderia dormir, depois, reflexo desse reflexo, que era dormindo que eu tinha tido a idéia de que não dormia; depois, por uma nova refração, meu despertar...

em um novo sono onde eu queria contar aos amigos que tinham entrado no meu quarto que, há pouco, dormindo, julgava que não dormia. Tais sombras mal se distinguiam: seria necessária uma grande e muito vã delicadeza de percepção para discerni-las. Assim, mais tarde, em Veneza, bem depois do pôr-do-sol, quando parece que é completamente noite, no entanto, vi, graças ao eco invisível de uma derradeira nota de luz indefinidamente sustentada nos canais como por efeito de algum pedal ótico, os reflexos dos palácios desenrolados como para sempre em veludo mais negro sobre o cinza crepuscular das águas. Um de meus sonhos era a síntese do que minha imaginação procurara se representar muitas vezes, na vigília, de uma certa paisagem marinha e de seu passado medieval. Em meu sono, eu via uma cidade gótica no meio de um mar de ondas imobilizadas como num vitral. Um braço de mar dividia a cidade em duas; a água verde se estendia a meus pés; banhava, na margem oposta, uma igreja oriental e depois casas que ainda existiam no século XIV, de forma que ir na direção delas seria remontar o curso das idades. Este sonho, onde a natureza aprendera a arte, onde o mar tornara-se gótico, este sonho onde eu desejava, onde julgava abordar o impossível, parecia-me que já o tivera muitas vezes. Mas como é próprio daquilo que se imagina ao dormir, multiplicar-se no passado e parecer, embora sendo novo, familiar, achei que me enganara. Ao contrário, percebi que tivera de fato muitas vezes aquele sonho.

Até as diminuições que caracterizam o sono se refletiam no meu, mas de forma simbólica: eu não podia distinguir, na obscuridade, os rostos dos amigos que ali estavam, pois a gente dorme de olhos fechados; eu, que fazia incessantemente raciocínios verbais ao sonhar, logo que desejava falar a esses amigos sentia o som deter-se em minha garganta, pois a gente não fala distintamente no sono; queria ir-lhes ao encontro e não podia mover as pernas, pois a gente também não caminha no sonho; e, de repente, envergonhava-me de aparecer diante deles, pois a gente dorme despido. Assim, de olhos cegos, lábios selados, pernas pregadas, corpo nu, a figura do sono que meu próprio sono projetava dava a impressão dessas grandes figuras alegóricas em que Giotto representou a Inveja com uma serpente na boca, e que Swann me oferecera.

Saint-Loup veio a Paris somente por algumas horas. Conquanto me assegurasse que não tivera ocasião de falar à prima a meu respeito: — Ela não é nada amável, Oriane — disse, traindo-se ingenuamente —; não é mais a minha Oriane de outrora, mudaram-na. Juro-te que já não vale a pena que te ocupes dela. Fazes-lhe muita honra. Não queres que te apresente à minha prima Poictiers? — acrescentou sem se dar conta de que aquilo não me traria nenhum prazer. — Eis uma moça inteligente e que vai te agradar.

Casou-se com meu primo, o duque de Poictiers, que é um bom rapaz, mas um tanto simplório para ela. Falei-lhe de ti. Pediu-me que te levasse para visitá-la; é bem mais bonita que Oriane, e mais jovem. É bastante gentil, sabes? É o que há de distinto. — Eram expressões há pouco e ardentemente adotadas por Saint-Loup e que significavam que a prima possuía uma natureza delicada: — Não digo que seja dreyfusista, é necessário levar em conta o seu ambiente, mas enfim ela diz: "Se ele era inocente, que horror seria que fosse para a Ilha do Diabo!" Compreendes, não é? E depois, afinal, é uma pessoa que faz muito por suas antigas governantas; proibiu que as mandassem subir pela escada de serviço. Asseguro-te, é uma pessoa muito distinta. No fundo, Oriane não gosta dela porque sente que ela é mais inteligente.

Embora absorvida pela piedade que lhe causava um lacaio dos Guermantes — o qual não podia ir ver a noiva mesmo quando a duquesa estava fora, pois aquilo seria logo denunciado pelo porteiro —, Françoise ficou aflita por não se achar presente no momento da visita de Saint-Loup, mas é que agora também andava em visitas. Saía infalivelmente nos dias em que eu tinha necessidade dela. Era sempre para ir ver o irmão, a sobrinha, e sobretudo a própria filha, chegada de pouco a Paris. Já a natureza familiar dessas visitas de Françoise aumentava a minha irritação de ser privado de seus serviços, pois previa que ela haveria de falar de cada visita como de uma dessas coisas que é impossível dispensar, segundo as leis ensinadas em Saint-André-des-Champs. Assim, não ouvia nunca as suas desculpas sem um mau humor bastante injusto, que era levado ao auge pela maneira não como Françoise dizia: "Fui ver o meu irmão, fui ver minha sobrinha", mas sim: "Fui ver meu irmão, entrei *correndo* cumprimentar a sobrinha" (ou "minha sobrinha a açougueira"). Quanto à filha, Françoise gostaria que voltasse a Combray. Mas a nova parisiense, usando, como uma elegante, abreviaturas, porém vulgares, dizia que a semana que devesse passar em Combray lhe pareceria bem comprida sem ao menos ter o *Intran*.[7] Muito menos ainda queria ir à casa da irmã de Françoise — nada têm de "interessante", dando à palavra *interessante* um sentido novo e horrível. Não podia decidir-se a voltar para Méséglise onde "todos são tão idiotas", onde, no mercado, as comadres, as *pétrousses*, descobririam um parentesco com ela e diriam: "Vejam, não é a filha do defunto Bazireau?" Preferia morrer a voltar a se fixar naquela terra, "agora que provara o gostinho da vida em Paris", e Françoise, tradicionalista, sorria entretanto com indulgência ao espí-

[7] *Intran*: abreviatura de *Intransigente*, jornal francês. (N. do T.)

rito de inovação que a nova "parisiense" encarnava quando dizia: "Muito bem, mãe, se não tiveres saída, é só mandar-me um *pneu*.[8]"

O tempo voltara a esfriar. — Sair? Para quê? Para acabar morrendo — dizia Françoise que preferia ficar em casa durante a semana em que a filha, a irmã e a açougueira tinham ido a Combray. Além disso, última sectária em quem sobreviveu obscuramente a doutrina da minha tia Léonie no tocante à física, Françoise acrescentava ao falar desse tempo fora de estação: — É o restante da cólera de Deus! — Mas eu só respondia às suas queixas com um sorriso cheio de langor, tanto mais indiferente a essas predições, visto que, de qualquer modo, o tempo seria bom para mim; já via brilhar o sol da manhã sobre a colina de Fiesole, aquecia-me a seus raios; sua intensidade me obrigava a abrir e fechar as pálpebras sorrindo e, como lamparinas de alabastro, elas se enchiam de um clarão róseo. Não eram só os sinos que voltavam da Itália, a Itália voltava com eles. Não faltariam flores às minhas mãos fiéis para honrar o aniversário da viagem que eu tivera de fazer outrora, pois, desde que o tempo voltava a ser frio em Paris, como em outro ano por ocasião dos nossos preparativos para partir pelo fim da quaresma, no ar líquido e glacial que banhava os castanheiros, os plátanos dos bulevares e a árvore do pátio da nossa casa, os narcisos, os junquilhos e as anêmonas de Ponte-Vecchio já entreabriam as suas folhas, como numa taça de água pura.

Meu pai nos contara que agora sabia, por meio de A. J., para onde ia o Sr. de Norpois quando o encontrava.

— Vai à casa da Sra. de Villeparisis, são muito conhecidos, e eu não sabia de nada. Parece que se trata de uma pessoa deliciosa, uma mulher superior. Devias ir vê-la — disse-me. — Aliás, fiquei muito espantado. Ele me falou do Sr. de Guermantes como de um homem muito distinto; eu sempre o julgara um cretino. Parece que sabe uma infinidade de coisas, e tem um gosto perfeito; apenas é muito soberbo pelo seu nome e por seus parentes. Ademais, segundo Norpois, sua fortuna é imensa, não só aqui mas em toda a Europa. Parece que o imperador da Áustria e o da Rússia o tratam como a um igual. O pai Norpois me disse que a Sra. de Villeparisis gostava muito de ti e que, no seu salão, irias conhecer pessoas interessantes. Ele me fez um grande elogio de ti; tu o encontrarás em casa dela, e ele poderia ser um bom conselheiro, mesmo se deves escrever. Pois vejo que

[8] *Pneu*: abreviatura coloquial de pneumático, ou melhor, *tubo pneumático*, aparelho constituído por um tubo em cujo interior, por meio de vácuo, se movem cartuchos que transportam correspondência. (N. do T.)

não farás outra coisa. Podem achar isso uma boa carreira; quanto a mim, não é a que teria preferido para ti, mas em breve serás um homem, não estaremos sempre a teu lado, e não devemos impedir que sigas a tua vocação.

Se ao menos eu tivesse podido começar a escrever! Mas fossem quais fossem as condições em que abordasse esse projeto (assim como, pobre de mim, o de não mais beber álcool, o de deitar cedo, dormir, passar bem de saúde), desde que fosse com exaltação, com método, com prazer, privando-me de um passeio, adiando-o e reservando-o como uma recompensa, aproveitando uma hora de boa saúde, utilizando para tanto a inação forçada de um dia de doença, o que acabava sempre por sair de meus esforços era uma página em branco, virgem de toda escrita, inelutável como a carta obrigatória que em certos lances acabamos fatalmente por tirar, de qualquer modo que se tenha antecipadamente embaralhado as cartas. Eu não passava do instrumento dos hábitos de não trabalhar, de não me deitar, de não dormir, que deviam realizar-se custasse o que custasse; se não lhes resistia, se me contentava com o pretexto que extraíam da primeira circunstância que lhes proporcionava aquele dia para deixá-los agir à sua vontade, eu me livrava da questão sem maiores perigos, não deixava de repousar algumas horas no fim da noite, lia um pouco, não fazia muitos excessos, mas, se queria contrariá-los, se pretendia ir mais cedo para a cama, beber somente água, eles se irritavam, dispunham de grandes meios de que se valiam para me deixar bem doente, e eu era obrigado a duplicar a dose de álcool, passava dois dias sem ir para a cama, e nem sequer podia ler, prometendo a mim mesmo ser mais razoável de outra vez, isto é, ser menos sábio, como uma vítima que se deixa roubar de medo de ser assassinada, caso resista.

Nesse meio tempo, meu pai se encontrara uma ou duas vezes com o Sr. de Guermantes, e agora que o Sr. de Norpois lhe dissera que o duque era um homem notável, ele prestava mais atenção a suas palavras. No pátio, falavam justamente da Sra. de Villeparisis. — Ele me disse que era a sua tia; ele pronuncia Viparisi. Disse que ela era extraordinariamente inteligente. Chegou mesmo a acrescentar que ela possuía um "balcão de espírito" — concluiu meu pai, impressionado com a vaguidão desse termo, que lera já algumas vezes em memórias, mas ao qual não atribuía um sentido preciso. Minha mãe tinha tanto respeito por ele que, vendo-o não julgar indiferente que a Sra. de Villeparisis mantivesse balcão de espírito, achou que esse fato seria de alguma significação. Conquanto sempre tivesse sabido, pela minha avó, o que valia a marquesa, imediatamente fez, a respeito dela, uma idéia mais vantajosa. Minha avó, que estava um pouco adoentada, a princípio não foi favorável à visita. E depois se desinteressou. Desde que ocupávamos o nosso novo apartamento, a Sra. de Villeparisis lhe pedira várias vezes que a fosse ver, e minha avó sempre respondera que não vinha saindo ultimamente, numa dessas cartas que, por um hábito novo e que não compreendíamos, ela nunca fechava, deixando a Françoise o cuidado de fazê-lo. Quanto a mim, sem me afigurar muito bem esse "balcão de espírito", não ficaria muito espantado se visse a velha senhora de Balbec instalada diante de um balcão, o que, aliás, aconteceu.

Além disso, meu pai também gostaria de saber se o apoio do embaixador lhe valeria muitos votos no Instituto, onde contava se apresentar como membro independente. A falar a verdade, sem ousar duvidar do apoio do Sr. de Norpois, não tinha certeza dele, entretanto; julgara estar tratando com más línguas quando lhe haviam dito no ministério que o Sr. de Norpois, desejando apresentar-se sozinho ao Instituto, levantaria todos os obstáculos possíveis a uma candidatura que, aliás, o incomodaria particularmente naquela ocasião em que estava apoiando outra. No entanto, quando o Sr. Leroy-Beaulieu o aconselhara a se apresentar e havia calculado as suas chances, ficara impressionado ao ver que, entre os colegas com que podia contar em tais circunstâncias, o eminente economista não citara o Sr. de Norpois. Meu pai não se atrevia a apresentar a questão diretamente ao antigo embaixador, mas esperava que eu voltasse da casa da Sra. de Villeparisis com sua eleição decidida. Tal visita era iminente. A propaganda do Sr. de Norpois, capaz de fato de garantir a meu pai dois terços da Academia, lhe parecia além do mais bem provável, visto que era proverbial a obsequiosidade do embaixador, e as pessoas que menos o estimavam reconheciam que ninguém apreciava tanto prestar serviços. Por outro lado, sua proteção, no ministério, estendia-se sobre meu pai de uma forma muito mais acentuada que sobre qualquer outro funcionário.

Meu pai teve um outro encontro, mas este primeiro lhe causou um espanto e depois uma indignação extremas. Passou na rua pela Sra. Sazerat, cuja relativa pobreza reduzia sua vida em Paris a raras temporadas em casa de uma amiga. Ninguém aborrecia tanto meu pai como a Sra. Sazerat, a ponto que mamãe era obrigada a lhe dizer, uma vez por ano, com voz doce e implorativa: "Meu amigo, é necessário que eu convide ao menos uma vez a Sra. Sazerat, ela não vai ficar muito tempo" e até: "Escuta, meu amigo, vou te pedir um grande sacrifício, vou fazer uma visitinha à Sra. Sazerat. Sabes que não gosto de te aborrecer, mas seria gentil da tua parte." Ele ria, zangava-se um pouco, e ia fazer a tal visita. Portanto, embora a Sra. Sazerat não o divertisse em nada, ao encontrá-la foi em sua direção, tirando o chapéu; mas, para sua grande surpresa, a Sra. Sazerat se contentou com um cumprimento frio, forçado pela cortesia relativamente a alguém que é culpado de má ação ou condenado a viver daí em diante em um hemisfério diferente. Meu pai voltou zangado para casa, estupefato. No dia seguinte, minha mãe encontrou a Sra. Sazerat em um salão. Esta não lhe estendeu a mão, e lhe sorriu com um ar distante e triste como a uma pessoa com quem tivesse brincado na infância, mas com a qual há muito deixasse de ter quaisquer relações porque tem levado uma vida desregrada, casou com um presidiário ou, o que é pior, é um homem divorciado. Ora, meus pais haviam concedido e inspirado sempre à Sra. Sazerat a mais profunda estima. Porém (o que minha mãe ignorava), a Sra. Sazerat, única de sua espécie em Combray, era dreyfusista. Meu pai, amigo do Sr. Méline, estava convencido da culpabilidade de Dreyfus. Mandara passear, com mau humor, alguns colegas que lhe haviam pedido que assinasse uma moção revisionista. Não me falou durante oito dias quando soube que eu seguira uma linha diversa de comportamento. Suas opiniões eram conhecidas. Não estavam longe de considerá-lo nacionalista. Quanto à minha avó, a única da família a quem parecia inflamar uma dúvida generosa, cada vez que lhe falavam da inocência possível de Dreyfus, sacudia a cabeça num movimento de que então não percebíamos o sentido, e que era semelhante ao de uma pessoa a quem acabam de perturbar em pensamentos mais sérios. Minha mãe, dividida entre o amor a meu pai e a esperança de que eu fosse inteligente, mantinha uma indecisão que traduzia pelo silêncio. Enfim, meu avô, adorando o exército (conquanto suas obrigações de guarda nacional tivessem sido o pesadelo de sua maturidade), nunca via, em Combray, um regimento desfilar diante da grade sem tirar o chapéu quando passavam o coronel e a bandeira. Tudo isso era bastante para que a Sra. Sazerat, que conhecia a fundo a vida de desinteresse e de honra de meu pai e de meu avô, os considerasse cúmplices da Injustiça. Perdoam-se os crimes individuais, mas não a participação num crime coletivo. Quando soube que meu pai era antidreyfusista, colocou, entre ela e ele, continentes e séculos. O que explicava que, a uma tal distância no tempo e no espaço, seu cumprimento haja parecido imperceptível a meu pai e que ela não tenha pensado em um aperto de mão ou em palavras, que não poderiam transpor os mundos que os separavam.

Devendo Saint-Loup vir a Paris, prometera-me levar à casa da Sra. de Villeparisis, onde eu esperava, sem lhe ter dito, que encontraríamos a Sra. de Guermantes. Pediu-me que fosse jantar no restaurante com ele e a amante, a quem levaríamos a seguir a um ensaio. Devíamos ir buscá-la de manhã, nos arredores de Paris, onde morava.

Pedira a Saint-Loup que o restaurante aonde íamos jantar (na vida dos jovens aristocratas que gastam dinheiro, o restaurante desempenha um papel tão importante como as arcas de tecidos nos contos árabes) fosse, de preferência, o que Aimé me anunciara como sendo aquele para o qual devia trabalhar como mordomo, enquanto esperava a temporada de Balbec. Era um grande encanto para mim, que sonhava com tantas viagens e tão poucas fazia, rever alguém que tomava parte, mais que de minhas lembranças de Balbec, da própria Balbec, que ia lá todos os anos, que, quando o cansaço ou os estudos me forçavam a permanecer em Paris, nem por isso deixava de contemplar, nos longos fins de tarde de julho, esperando que os hóspedes chegassem para jantar, o sol descer e se pôr no mar, através das vidraças da ampla sala de jantar, por trás das quais, à hora em que ele desaparecia, as asas imóveis dos barcos distantes e azulados pareciam borboletas exóticas e noturnas em uma vitrine. Ele próprio magnetizado pelo seu contato com o potente ímã de Balbec, aquele mordomo, por sua vez, transformava-se num ímã para mim. Conversando com ele, eu esperava já estar em comunicação com Balbec, e perceber, no mesmo local, um pouco do encanto da viagem.

Saí cedinho de casa, onde deixei Françoise gemendo porque o lacaio noivo não pudera, mais uma vez, na véspera à noite, ir ver sua prometida. Françoise o encontrara aos prantos, ele estivera a ponto de ir esbofetear o porteiro, mas se contivera, pois queria manter o emprego.

Antes de chegar à casa de Saint-Loup, que devia esperar-me à porta, encontrei Legrandin, que havíamos perdido de vista desde Combray e que, bem grisalho agora, conservara o ar ingênuo e jovem. Deteve-se.

— Ah, eis você, feito homem chique — disse-me ele —, e ainda por cima de sobrecasaca! Eis uma libré à qual não se adequaria a minha independência. É verdade que você deve ser mundano, fazer visitas! Para ir sonhar como o faço, diante de alguma sepultura meio destruída, minha *lavallière* e minha jaqueta não estão deslocadas. Você sabe que aprecio a bela qualidade de seu espírito; é o mesmo que dizer o quanto lamento que vá renegá-la entre os Gentios. Sendo capaz de permanecer por um instante na atmosfera nauseabunda dos salões, irrespirável para mim, lança contra o seu próprio futuro a condenação, a maldição do Profeta. Daqui vejo isso, você freqüenta os "corações levianos", a sociedade dos castelos; tal é o vício da burguesia contemporânea. Ah, os aristocratas, o Terror foi bastante culpado de não ter degolado a todos. São todos crápulas sinistros, quando não simplesmente sombrios idiotas. Enfim, meu pobre rapaz, se isso lhe agrada! Enquanto você vai a algum *five o'clock*, seu velho amigo será mais feliz que você, pois, sozinho num subúrbio, verá subir no céu violáceo a lua cor-de-rosa. A verdade é que quase não pertenço a esta Terra onde me sinto de tal modo exilado; é necessária toda a força da lei da gravidade para me manter aqui e evitar que eu fuja para uma outra esfera. Sou de outro planeta. Adeus, não leve a mal a velha franqueza do camponês do Vivonne que também permaneceu camponês do Danúbio. Para lhe provar que me importo com você, vou enviar-lhe o meu último romance. Mas você não vai gostar; não é bastante degenerado, bastante fim de século para você; é muito franco, muito honesto. O que lhe serve é Bergotte, você mesmo já o confessou, é *faisandé* para o paladar estragado de degustadores requintados. No seu grupo, devo ser considerado um velho pretensioso; cometi o erro de pôr o meu coração no que escrevo, isto já passou da moda; e depois, a vida do povo não é distinta o suficiente para interessar as suas *snobinettes*. Vamos, procure se lembrar de vez em quando das palavras de Cristo: "Fazei isto e vivereis." Adeus, amigo.

Não foi de muito mau humor contra Legrandin que o deixei. Algumas lembranças são como amigos comuns, sabem fazer reconciliações; lançada no meio dos campos semeados de botões-de-ouro, onde se acumulavam ruínas feudais, a pontezinha de madeira nos unia, a mim e a Legrandin, como as duas margens do Vivonne.

Tendo deixado Paris, onde, apesar da primavera que principiava, as árvores dos bulevares mal estavam carregadas das primeiras folhas, o trem circular nos deixou, a Saint-Loup e a mim, na aldeia dos arredores em que morava a amante dele. Foi uma verdadeira maravilha ver cada jardinzinho adornado dos imensos altares brancos das árvores frutíferas em flor. Era como uma dessas festas singulares, poéticas, efêmeras e locais que a gente vem contemplar de muito longe em datas fixas, mas esta era dada pela natureza. As flores das cerejeiras são tão estreitamente unidas aos ramos como um envoltório branco, que de longe, entre as árvores que não estavam nem floridas nem cobertas de folhas, poderíamos julgar, pelo dia de sol ainda tão frio, que era a neve, aliás derretida, que ainda permanecia junto aos arbustos. Mas as grandes pereiras envolviam cada casa, cada pátio modesto, com uma brancura mais vasta, mais unida, mais deslumbrante, como se todas as residências, todas as cercas do povoado estivessem fazendo na mesma data a sua primeira comunhão.

Essas aldeias dos arredores de Paris conservam ainda, às suas portas, parques dos séculos XVII e XVIII que foram as "loucuras" dos intendentes e das favoritas. Um horticultor utilizara um deles, situado em nível inferior à estrada, para a cultura de árvores frutíferas (ou talvez tivesse apenas conservado o delineamento de um imenso pomar daquela época). Cultivadas em quincôncios, essas pereiras, mais espaçadas, menos avançadas do que as que havia eu visto, formavam grandes quadriláteros — separados por cercas baixas — de flores brancas, a cada lado dos quais a luz vinha pintar-se de maneira diversa, embora todos esses quartos sem teto e ao ar livre parecessem ser os do Palácio do Sol, exatamente como poderia ser descoberto em alguma Creta; e também lembravam as câmaras de um reservatório ou as partes de mar que o homem subdivide para alguma pesca ou ostreicultura, quando se via, conforme a exposição, a luz vir brincar nas latadas, como nas águas primaveris, e fazer quebrar-se aqui e ali, cintilando pela treliça cheia do azul dos ramos, a espuma alvejante de uma flor musgosa e ensolarada.

Era uma aldeia antiga, com sua velha prefeitura tostada e dourada, diante da qual, à maneira de paus de sebo e auriflamas,[9] três grandes pereiras estavam, como para uma festa cívica e local, galantemente ornamentadas de cetim branco.

Nunca Robert me falou com tanta ternura de sua amiga como durante esse trajeto. Somente ela possuía raízes em seu coração; o futuro que ele tinha no exército, sua posição mundana, sua família, tudo isto com certeza não lhe era indiferente, mas nada valia junto das menores coisas que diziam respeito à sua amante. Só ela tinha prestígio a seus olhos, um prestígio infinitamente maior que o dos Guermantes e o de todos os reis da Terra. Não sei se formulava a si mesmo que ela era de uma essência superior a tudo, mas sei que só tinha consideração e preocupação pelo que lhe concernia. Por ela, era capaz de sofrer, ser feliz, talvez de matar. Na verdade, para ele nada existia de interessante, apaixonante, senão o que queria e o que faria a sua amada, o que se passava, perceptível no máximo por expressões fugidias, no exíguo espaço do seu rosto e sob a sua fronte privilegiada. Tão cuidadoso para tudo o mais, admitia a possibilidade de um casamento brilhante apenas para poder continuar a sustentá-la, conservá-la. Se lhe perguntassem a que preço a estimava, julgo que nunca se poderia imaginar um preço bastante elevado. Se não a desposava, é que um instinto prático lhe fazia sentir que, quando não tivesse mais nada a esperar dele, ela o abandonaria ou, pelo menos, viveria como bem entendesse, e que seria necessário mantê-la na expectativa do amanhã. Pois supunha que ela talvez não o amasse. Sem dúvida, a afeição geral chamada amor devia forçá-lo — como todos os homens — a crer, por instantes, que ela o amava. Mas praticamente sentia que esse amor que a moça manifestava por ele não impedia que ficasse com ele apenas devido a seu dinheiro, e que, no dia em que ela nada mais tivesse a esperar dele, se apressaria (vítima das teorias de seus amigos literatos e amando-o sempre, pensava Robert) em abandoná-lo.

[9] *Auriflama*: antigo estandarte rubro dos reis da França. (N. do T.)

— Hoje, se for boazinha — disse-me ele —, vou lhe dar um presente que a deixará satisfeita. É um colar que ela viu na casa Boucheron. É um tanto caro para mim neste momento: trinta mil francos. Mas essa pobre menina não teve tantos prazeres assim na vida. Vai ficar contentíssima. Falou-me dele e disse que conhecia alguém que lho daria talvez. Não creio que seja verdade, mas entendi-me de qualquer jeito com Boucheron, que é o fornecedor de minha família, para que o reserve para mim. Fico feliz em pensar que vais vê-la; de rosto não é nada extraordinária, sabes — (percebi perfeitamente que ele pensava o contrário e não o confessava para que minha admiração fosse maior) —; tem acima de tudo um tino esplêndido; talvez não ouse falar muito diante de ti, mas já me alegro, por antecipação, com o que ela me dirá de ti depois; sabes, ela diz coisas que a gente pode aprofundar indefinidamente, na verdade possui algo de pítico![10]

Para chegar à casa em que ela morava, passamos por jardinzinhos e eu não pude deixar de parar, pois estavam todos floridos de cerejeiras e pereiras; sem dúvida vazios e desabitados ainda ontem, como uma propriedade que não foi alugada, eram subitamente embelezados e povoados por aquelas recém-chegadas da véspera e cujos lindos vestidos brancos avistávamos através das grades na esquina das aléias.

— Escuta, já que vejo que desejas observar tudo isto, criatura poética — disse Robert —, espera-me aqui; minha amiga mora bem pertinho e vou buscá-la.

Enquanto esperava, dei alguns passos, à frente dos modestos jardins. Se erguia a cabeça, por vezes via moças nas janelas, mas mesmo ao ar livre e à altura de um pequeno andar, aqui e ali, leves e esbeltas em sua fresca toalete cor-de-malva, jovens moitas de lilases, suspensas às folhagens, deixavam-se embalar pela brisa sem se ocupar do passante que levantava os olhos para o entressolo de verdura. Nelas, eu reconhecia os pelotões violáceos dispostos à entrada do parque do Sr. Swann, passada a pequena barreira branca, nas tardes quentes da primavera, para uma deslumbrante tapeçaria provinciana. Tomei por um atalho que terminava numa campina. Soprava ali uma aragem fria, viva como em Combray; mas, no meio da terra fértil, úmida e campesina, que poderia ficar às margens do Vivonne, não deixara de aparecer, pontual ao encontro como todo o grupo de seus companheiros, uma grande pereira branca que agitava, risonha, e opunha ao sol, como uma cortina de luz materializada e palpável, suas flores convulsas pela brisa, porém lustrosas e envernizadas de prata pelos raios.

[10] *Pítico*: relativo a *pítia*, sacerdotisa de Apolo no oráculo de Delfos. (N. do T.)

De repente, Saint-Loup surgiu acompanhado de sua amante; e então, nessa mulher que era para ele todo o amor, todas as doçuras possíveis da vida, cuja personalidade, misteriosamente encerrada em um corpo como num Tabernáculo, era ainda o objeto sobre o qual trabalhava sem cessar a imaginação do meu amigo, que ele sentia que jamais haveria de conhecer, e de quem se indagava perpetuamente o que seria em si mesma, por detrás do véu dos olhares e da carne, nessa mulher eu reconheci de imediato "Rachel-quando-do-Senhor", aquela que, alguns anos antes — as mulheres mudam tão depressa de condição nesse mundo, quando mudam —, dizia à alcoviteira: "Então, amanhã à noite, se a senhora precisar de mim para alguém, mande-me chamar."

E quando, de fato, "mandavam chamá-la" e ela se achava a sós no quarto com alguém, sabia tão perfeitamente o que desejavam dela que, depois de ter fechado à chave, por precaução de mulher prudente, ou por um gesto ritual, começava a despir-se de todas as suas coisas, como fazemos diante do médico que vai auscultar-nos, e só parava se o "alguém", não apreciando a nudez completa, lhe dizia que ficasse de camisa, como certos facultativos que, tendo o ouvido muito fino e receando que o paciente se resfrie, se limitam a ouvir a respiração e as batidas do coração através de um tecido. A essa mulher, cuja vida inteira, cujos pensamentos, cujo passado, cujos homens por quem pudesse ter sido possuída eram para mim coisa tão indiferente que, se me tivesse contado tudo isto, tê-la-ia escutado por simples cortesia e sem mesmo ouvi-la — senti que a inquietação, o tormento, o amor de Saint-Loup se haviam aplicado até fazer, do que era para mim somente um jogo mecânico, um objeto de sofrimentos infinitos, tendo como prêmio a própria existência. Vendo esses dois elementos dissociados (porque havia conhecido "Rachel-quando-do-Senhor" num bordel), compreendia que muitas mulheres por quem os homens vivem, sofrem, se matam, podem ser em si mesmas, ou para outros, o que Rachel era para mim. A idéia de que é possível ter uma dolorosa curiosidade no que respeitava à sua vida, deixava-me estupefato. Poderia contar muitas trepadas suas a Robert, as quais me pareciam a coisa mais indiferente do mundo. E como elas o teriam magoado! E quanto não daria para conhecê-las, sem consegui-lo.

Percebia tudo quanto uma imaginação pode pôr atrás de um palminho de cara como o daquela mulher, se foi a imaginação que a conheceu primeiro; e, inversamente, em que miseráveis elementos materiais e desprovidos de todo valor podia decompor-se o que era o objetivo de tantas fantasias, se, ao contrário, aquilo fosse mesmo conhecido de maneira oposta, através do conhecimento mais trivial. Compreendia que o que me parecera não valer vinte francos, quando me fora oferecido por tal preço no bordel, onde, para mim, não passava de uma mulher desejosa de ganhar vinte francos, pode valer mais que um milhão, mais que a família, mais que todas as posições invejadas, se nela se começa por imaginar uma criatura desconhecida, curiosa de se conhecer, difícil de obter, de conservar. Decerto era o mesmo rosto franzino e miúdo que Robert e eu víamos. Porém, a ele chegáramos por vias opostas que jamais se comunicariam, e dele nunca veríamos a mesma face. Esse rosto, com seus olhares, seus sorrisos, os movimentos da boca, eu o conhecera de fora como sendo o de uma mulher qualquer, que faria tudo o que eu quisesse por vinte francos. Assim os olhares, os sorrisos e os movimentos da boca me haviam parecido apenas significativos de atos gerais, sem nada de individual, e sob os quais não teria tido a curiosidade de procurar uma pessoa. Mas o que, de algum modo, me fora oferecido à partida, esse rosto permissivo, fora para Robert um ponto de chegada, para o qual se dirigia através de tantas esperanças, dúvidas, suspeitas e fantasias. Dava mais de um milhão para possuir, a fim de que não fosse oferecido a outros, o que me fora ofertado, como a todos, por vinte francos. Por que motivo ele não a obtivera por tal preço, isso talvez se devesse ao acaso de um instante, um instante durante o qual aquela que parece prestes a se entregar se furta, tendo porventura um encontro, alguma razão que a faz mais difícil nesse dia. Se está tratando com um sentimental, ela começa um jogo terrível, mesmo que não o perceba, e sobretudo se o percebe. Incapaz de superar sua decepção, de passar sem essa mulher, ele a persegue, ela foge, de modo que um sorriso que ele já não se atrevia a esperar é pago mil vezes mais do que o deveriam ser os últimos favores. Nesse caso, acontece mesmo, às vezes, quando se teve, por uma mescla de ingenuidade no julgamento e de covardia no desgosto, a loucura de fazer de uma mulher à-toa um ídolo inacessível, cujos últimos favores, ou até o primeiro beijo, jamais poderemos obtê-los, nem sequer teremos coragem de pedi-los para não desmentir as seguranças do amor platônico. E então é um grande sofrimento abandonar a vida sem ter jamais sabido o que poderia ter sido o beijo da mulher a quem mais amamos. Os favores de Rachel, no entanto, Saint-Loup os obtivera a todos por acaso. Certamente, se soubesse agora que haviam sido ofertados a todo mundo por um luís,[11] decerto teria sofrido terrivelmente, mas nem por isso deixaria de dar um milhão para conservá-los, pois tudo o que ficasse sabendo não poderia fazê-lo sair — pois o que está acima das forças do homem só pode ocorrer con-

[11] *Luís*: antiga moeda de ouro francesa, de vinte francos. (N. do T.)

tra sua vontade, pela ação de alguma grande lei natural — do caminho que ele trilhava e de onde esse rosto só lhe podia aparecer através dos sonhos que concebera. A imobilidade desse rosto miúdo, como o de uma folha de papel submetida às pressões colossais de duas atmosferas, me parecia equilibrada pelos dois infinitos que vinham terminar nela sem se encontrarem, pois ela os separava. E com efeito, olhando-a Robert e eu, não a víamos pelo mesmo lado do mistério.

Não era "Rachel-quando-do-Senhor" que me parecia insignificante. Era a potência da imaginação humana, a ilusão sobre a qual pousavam as dores do amor que eu julgava grandes. Robert viu que eu estava emocionado. Desviei os olhos para as pereiras e cerejeiras do jardim em frente para que ele pensasse que era a sua beleza que me impressionava. E impressionava-me um pouco da mesma forma, colocava também junto a mim essas coisas que só se vêem com os olhos, mas que sentimos no coração. Os arbustos que eu vira no jardim, tomando-os por deuses estranhos, acaso não me enganara como Madalena quando, em outro jardim, num dia cujo aniversário ainda ia ocorrer em breve, ela viu uma forma humana e "julgou que era o jardineiro"? Guardiães das lembranças da idade de ouro, fiadores da promessa de que a realidade não é o que se julga ser, que o esplendor da poesia e o clarão maravilhoso da inocência podem resplandecer nela e poderão ser a recompensa que nos esforçaremos por merecer, as grandes criaturas brancas admiravelmente inclinadas acima da sombra propícia à sesta, à pesca, à leitura, não seriam por acaso anjos? Troquei algumas palavras com a amante de Saint-Loup. Atravessamos a aldeia. As casas eram sórdidas. Mas, ao lado das mais miseráveis, das que pareciam ter sido queimadas por uma chuva de salitre, um viajante misterioso, detido por um dia na cidade maldita, um anjo resplandecente mantinha-se de pé, estendendo largamente sobre ela a deslumbrante proteção de suas asas de inocência em flor: era uma pereira. Saint-Loup adiantou-se alguns passos comigo:

— Gostaria que pudéssemos, nós dois, esperar juntos, e gostaria ainda mais de almoçar sozinho contigo, e que ficássemos juntos a sós, até o momento de ir para a casa de minha tia. Mas minha pobre garota, isso lhe dá tanto prazer e ela é tão gentil comigo, sabes, não pude me negar. Além do mais, ela te agradará, é uma literata, uma vibrante, e depois é algo tão gentil almoçar com ela no restaurante, ela é tão agradável, tão simples, está sempre satisfeita com tudo.

Entretanto, creio que justamente naquela manhã, e provavelmente pela única vez, Robert se evadiu por um momento para fora da mulher que, carinho após carinho, lentamente compusera, e percebeu de repente a alguma distância de si uma outra Rachel, um duplo dela, mas absolutamente diverso, e que parecia uma simples putinha. Deixando o belo pomar, íamos tomar o trem para voltar a Paris quando, na gare, Rachel, andando a alguns passos de nós, foi reconhecida e interpelada por "galinhas" vulgares como ela, e que a princípio, julgando-a sozinha, lhe gritaram: — Alô, Rachel! Vem conosco! Luciene e Germaine já estão no vagão e ainda há exatamente um lugar! Vem, vamos juntas ao *skating*. — Elas se apressavam a apresentar dois caixeiros, seus amantes, que as acompanhavam, quando, diante do jeito meio sem graça de Rachel, ergueram curiosamente os olhos para mais longe, viram-nos e se desculparam despedindo-se e recebendo de Rachel também um adeus, um pouco embaraçado mas amistoso. Eram duas pobres prostitutas, com golas de falsa lontra, tendo mais ou menos o aspecto que apresentava Rachel quando Saint-Loup a vira pela primeira vez. Ele não as conhecia, nem mesmo sabia seus nomes, e, vendo que pareciam muito ligadas à sua amiga, teve a idéia de que esta talvez tivesse tido seu lugar, talvez o tivesse ainda, numa vida insuspeitada dele, bem diversa da que eles levavam juntos, uma vida em que se conseguiam mulheres por um luís, ao passo que ele dava mais de cem mil francos anuais a Rachel. Não fez mais que entrever essa vida, mas também, no meio dela, uma Rachel completamente diferente da que conhecia, uma Rachel semelhante àquelas duas pequenas prostitutas, uma Rachel por vinte francos. Em suma, por um instante Rachel se desdobrara para ele, que percebera a uma certa distância de sua Rachel a Rachel putinha, a Rachel verdadeira, supondo que a Rachel putinha fosse mais real que a outra. Robert talvez tenha tido então a idéia daquele inferno em que vivia, com a perspectiva e necessidade de um matrimônio rico, de uma venda de seu nome, para poder continuar a dar cem mil francos anuais a Rachel; e talvez pudesse lhe escapar facilmente e ter os favores de sua amante, como aqueles caixeiros os de suas rameiras, por preço vil. Mas como fazê-lo? Ela não desmerecera em nada. Menos satisfeita, ela seria menos gentil, não lhe diria nem escreveria mais aquelas coisas que o tocavam tanto e que ele citava com um pouco de ostentação aos companheiros, tendo o cuidado de assinalar o quanto era gentil da parte dela, omitindo porém o fato de que a sustentava com fausto, e até que lhe dava o que quer que fosse, que aquelas dedicatórias numa fotografia ou aquela fórmula para terminar um despacho eram a transmutação, sob sua forma mais preciosa e reduzida, de cem mil francos. Se evitava dizer que essas raras gentilezas de Rachel eram pagas por ele, seria falso dizer — e no entanto esse raciocínio simplista é usado absurdamente para com todos os amantes que pagam, para tantos maridos — que era por amor-próprio ou por vaidade. Saint-Loup era bastante inteligente para perceber que teria encontrado, fácil e gratuitamente na sociedade, todos os prazeres da vaidade graças a seu grande nome, a seu belo rosto, e que sua ligação com Rachel, ao contrário, era o que o havia posto um pouco fora desse mundo e fazia com que fosse menos cotado. Não, esse amor-próprio de querer mostrar que temos gratuitamente as marcas visíveis da predileção daquela a quem amamos é simplesmente um derivado do amor, a necessidade de figurar para si mesmo e para os outros como sendo amado pela que se ama tanto. Rachel se aproximou de nós, deixando as duas prostitutas subirem para seu compartimento; mas, não menos que a falsa lontra delas e o ar afetado dos caixeiros, os nomes de Lucienne e de Germaine mantiveram por um instante, diante de Robert, a nova Rachel. Por um momento, ele imaginou uma vida da praça Pigalle, com amigos desconhecidos, aventuras sórdidas, tardes de divertimentos ingênuos, passeios ou farras, naquela Paris onde o ensolaramento das ruas, desde o bulevar de Clichy, não lhe pareceu o mesmo da claridade solar em que ele passeava com a amante, e sim outro, pois o amor e o sofrimento, que forma com ele um todo único, têm, como a embriaguez, o poder de nos diferenciar as coisas. Ele suspeitou quase uma Paris desconhecida em meio à própria Paris; sua ligação lhe surgiu como a exploração de uma vida estranha, pois se, com ele, Rachel era um pouco parecida a seu amante, era entretanto uma boa parte de sua vida verdadeira que Rachel vivia com ele, e mesmo a parte mais preciosa, devido às fabulosas somas que ele lhe dava, a parte que a fazia de tal modo invejada das amigas e que lhe permitiria um dia retirar-se para o campo ou de se lançar nos grandes teatros, depois de ter feito o seu pé-de-meia. Robert gostaria de perguntar à amiga quem eram Lucienne e Germaine, as coisas que estas lhe teriam dito se ela tivesse subido para o seu compartimento, e em que, ela e suas companheiras, teriam passado juntas um dia que talvez tivesse acabado como divertimento máximo, após os prazeres do *skating*, na taverna da Olympia, se ele, Robert, e eu não estivéssemos presentes. Por um instante, as vizinhanças da Olympia, que até então lhe tinham parecido aborrecidas, excitaram a sua curiosidade, seu sofrimento, e o sol daquele dia primaveril na rua Caumartin, onde talvez, se não tivesse conhecido Robert, Rachel teria ido há pouco e ganho um luís, lhe deu uma vaga nostalgia. Mas para que fazer perguntas a Rachel, quando sabia previamente que a resposta seria um simples silêncio ou uma mentira, ou algo ainda mais penoso para ele, sem todavia lhe descrever coisa nenhuma? Os empregados fechavam as portas, subimos rapidamente para um vagão de primeira, as pérolas admiráveis de Rachel fizeram-no ver de novo que ela era uma mulher de alto preço, ele acariciou-a, fê-la entrar em seu próprio coração, onde a contemplou, interiorizada, como tinha feito até então — salvo durante esse breve instante em que a vira numa praça Pigalle de pintor impressionista —, e o trem partiu.

Aliás, era verdade que ela era uma "literária". Não deixou de me falar em livros, *art nouveau*, tolstoísmo, a não ser para censurar Saint-Loup por beber demais.

— Ah, se pudesses viver um ano comigo, haveriam de ver, eu te faria beber água e serias muito melhor.

— Combinado! Vamos.

— Mas sabes muito bem que tenho mais o que fazer (pois ela levava a sério a arte dramática). Além disso, o que diria a tua família?

E pôs-se a fazer, sobre a família de Robert, censuras que me pareceram aliás muito justas e às quais Saint-Loup aderiu inteiramente, conquanto desobedecesse a Rachel no artigo sobre o champanha. Eu, que temia tanto o excesso de vinho para Saint-Loup e sentia a boa influência de sua amante, estava pronto a aconselhá-lo que mandasse a família passear. As lágrimas subiram aos olhos da moça porque tive a imprudência de falar de Dreyfus.

— O pobre mártir — disse ela, retendo um soluço —, vão fazê-lo morrer lá longe.

— Tranqüiliza-te, Zézette — retrucou Robert. — Ele voltará, será absolvido, o erro será reconhecido.

— Mas antes disso ele estará morto! Enfim, pelo menos seus filhos usarão um nome imaculado. Mas o que me mata é pensar no que deve estar sofrendo. E acredita que a mãe de Robert, uma mulher piedosa, diz que ele deve permanecer na ilha do Diabo, mesmo se for inocente; não é um horror?

— Sim, é absolutamente verdade, ela diz essas coisas — afirmou Robert. — É minha mãe, nada tenho a objetar, mas é bem claro que ela não possui a sensibilidade de Zézette.

Na realidade, esses almoços, "coisas tão amáveis", sempre transcorriam muito mal. Pois, logo que Saint-Loup se achava com a amante em um local público, imaginava que ela olhava para todos os homens presentes, tornava-se sombrio, ela se apercebia de seu mau humor, que se divertia talvez em atiçar, mas que, mais provavelmente por um bobo amor-próprio, não queria, ofendida com o seu tom, parecer que buscava desarmar; dava a impressão de não desviar os olhos deste ou daquele homem, e, aliás, nem sempre o fazia por puro divertimento. De fato, quando o senhor que, no teatro ou no café, fosse seu vizinho, ou simplesmente o cocheiro do fiacre que eles tinham tomado, tivesse algo de agradável, Robert, logo advertido pelo ciúme, o havia notado antes de sua amante; imediatamente via nele um desses seres imundos de que me falara em Balbec, que pervertem e desonram as mulheres para se divertirem, e suplicava à amante que desviasse dele os olhares, e por isso mesmo o apontava. Ora, às vezes ela achava que Robert tinha tido tão bom gosto nas suas suspeitas que acabava mesmo por deixar de importuná-lo a fim de que ele se tranqüilizasse e consentisse em ir dar uma volta, para lhe dar tempo de entrar em conversação com o desconhecido, muitas vezes de marcar um encontro, e às vezes até de darem uma escapada. Desde que entramos no restaurante, percebi muito bem que Robert mostrava preocupação. É que logo havia reparado, o que nos escapara em Balbec, que, no meio de seus colegas vulgares, Aimé, com um brilho modesto, irradiava, bem involuntariamente, o romanesco que emana, durante alguns anos, de cabelos finos e de um nariz grego, graças aos quais ele se distinguia em meio à multidão dos outros criados. Estes, quase todos de idade avançada, representavam tipos extraordinariamente feios e marcados de padres hipócritas, de confessores santarrões, mais freqüentemente de velhos atores cômicos, cujo crânio de pão de açúcar não se encontra mais senão nas coleções de retratos expostas no saguão humildemente histórico dos teatrinhos antiquados, onde são representados como lacaios ou supremos pontífices, e cujo tipo solene parecia ser conservado por aquele restaurante, graças a um recrutamento selecionado e talvez a um modo de nomeação hereditário, numa espécie de colégio augural. Infelizmente, Aimé, tendo-nos reconhecido, veio ele próprio atender-nos, enquanto se escoava para outras mesas o cortejo dos grandes sacerdotes de opereta. Aimé se informou sobre a saúde de minha avó, pedi-lhe notícias da esposa e dos filhos. E ele as deu com emoção, pois era um homem muito apegado à família. Tinha um ar inteligente, enérgico, mas respeitoso. A amante de Robert pôs-se a encará-lo com estranha atenção. Mas os olhos fixos de Aimé, aos quais uma leve miopia dava uma espécie de profundeza dissimulada, não traíram qualquer impressão em meio do seu rosto imóvel. No hotel provinciano, onde servira muitos anos antes de ir a Balbec, o belo desenho, agora um tanto amarelecido e fatigado, que era o seu rosto, e que durante tantos anos, como certa gravura que representava o príncipe Eugênio, tinham visto sempre no mesmo lugar, no fundo da sala de jantar ordinariamente vazia, não devia ter atraído muitos olhares curiosos. Durante muito tempo havia permanecido na ignorância do valor artístico de seu rosto, certamente por falta de conhecedores, e aliás pouco disposto a fazê-lo notado, pois era de temperamento frio. Quando muito, uma parisiense de passagem, detendo-se alguma vez na cidade, teria erguido os olhos para ele, teria pedido que ele fosse servi-la no quarto antes de voltar para o trem, e, no vazio translúcido, monótono e profundo dessa existência de bom marido e de doméstico provinciano, Aimé havia enterrado o segredo de um capricho sem amanhã que ninguém jamais viria descobrir. No entanto, deve ter percebido a insistência com que os olhos da jovem artista se fixavam nele. Em todo caso, isso não escapou a Robert, em cujo rosto eu via espalhar-se um rubor não vivo — como o que lhe daria uma coloração purpurina se ele tivesse uma emoção brusca —, porém fraco, esmaecido.

— É muito interessante esse mordomo, Zézette? — perguntou à amante depois de ter dispensado Aimé com muita brusquidão. — Dir-se-ia que desejas fazer um estudo tirado dele.

— Já começa de novo. Eu tinha certeza!

— Mas o que é que começa, minha pombinha? Se estava errado, já não está aqui quem falou. Mas ainda assim tenho o direito de te pôr de sobreaviso contra esse lacaio que conheço de Balbec (sem isso não me importa), e que é um dos maiores velhacos que a Terra já viu.

Ela pareceu querer obedecer a Robert e travou comigo uma conversa literária à qual ele se misturou. Eu não me aborrecia ao conversar com ela, pois Rachel conhecia muito bem as obras que eu admirava e mais ou menos estava de acordo comigo em suas apreciações; mas como eu ouvira dizer, pela Sra. de Villeparisis, que ela não tinha talento, não dava muita importância a essa cultura. Rachel gracejava com finura sobre mil assuntos, e teria sido verdadeiramente agradável caso não afetasse, de maneira irritante, o jargão dos teatros e dos ateliês. Estendia-o, aliás, a tudo e, por exemplo, tendo adquirido o hábito de dizer de um quadro, se era impressionista, ou de uma ópera, se era wagneriana: "Ah, está *certo*", num dia em que um rapaz lhe beijara a orelha, e que, lisonjeado por ter ela simulado um arrepio, bancava o modesto, ela disse: — Sim, como sensação, acho que está *certo*. — Mas o que principalmente me espantava era que as expressões próprias de Robert (e que, aliás, tinham talvez chegado até ele por meio de literatos que ela conhecia), Rachel as empregava diante dele, e ele diante dela, como se se tratasse de uma linguagem necessária e sem se darem conta do vazio de uma originalidade que é de todos.

Ao comer, ela se atrapalhava com as mãos a tal ponto que fazia supor que devia se mostrar muito embaraçada no palco. Só recobrava a destreza no amor devido a essa premonição tocante das mulheres que amam tanto o corpo do homem que adivinham logo o que dará mais prazer a esse corpo, todavia tão diverso do seu.

Deixei de tomar parte na conversa quando se falou de teatro, pois nesse assunto Rachel era muito malévola. É verdade que assumiu, em tom de comiseração — contra Saint-Loup, o que provava que o atacava muitas vezes diante dele mesmo —, a defesa da Berma, ao dizer: — Oh, não! É uma mulher notável. Evidentemente, o que ela faz já não nos diz nada, não corresponde mais absolutamente ao que procuramos, mas é preciso colocá-la no momento em que apareceu, a gente lhe deve muito. Fez as coisas *certo*, tu sabes. E, depois, é uma mulher tão corajosa, tem um grande coração, naturalmente não preza as coisas que nos interessam, mas teve, como um rosto bem impressionante, uma bela qualidade de inteligência. — (Os dedos não acompanham da mesma forma todos os juízos estéticos. Se se trata de pintura, para mostrar que é uma bela peça, de largas pinceladas, limita-se a ressaltar o polegar. Mas a "bela qualidade de espírito" é mais exigente. São-lhe precisos dois dedos, ou melhor, duas unhas, como se se tratasse de fazer pular um grão de poeira.) Mas, aberta esta exceção, a amante de Saint-Loup falava dos artistas mais conhecidos num tom de ironia e superioridade que me irritava, porque eu achava que ela é que lhes era inferior — enganando-me nisso. Rachel percebeu muito bem que a devia considerar uma artista medíocre e, pelo contrário, ter muita consideração por aqueles a quem ela desprezava. Mas não se sentiu ofendida, porque há, no grande talento ainda não reconhecido, como o seu, por mais seguro que possa estar de si mesmo, uma certa humildade, e proporcionamos as considerações que exigimos não aos nossos dons ocultos, mas à posição que adquirimos. (Uma hora depois, eu devia ver, no teatro, a amante de Saint-Loup demonstrar muita deferência para com os artistas sobre quem externava um juízo tão severo.) Assim, por menos dúvidas que pudesse ter deixado o meu silêncio, ela insistiu para que jantássemos juntos de noite, assegurando que jamais se agradara tanto da conversa de alguém como da minha. Se ainda não estávamos no teatro, aonde deveríamos ir após a refeição, dávamos a impressão de nos acharmos num *foyer*, decorado com retratos antigos da companhia, de tal forma os mordomos tinham caras que pareciam perdidas com toda uma geração de artistas fora do comum, do Palais-Royal; também pareciam acadêmicos: parado diante de um bufê, um examinava pêras com o rosto e a curiosidade desinteressada que poderia ter o Sr. de Jussieu. Outros, a seu lado, lançavam pela sala os olhares cheios de curiosidade e frieza que os membros do Instituto, já presentes, lançam sobre o público trocando algumas palavras que ninguém ouve. Eram figuras célebres entre os *habitués*. Entretanto, mostrava-se um novato, de nariz pregueado e lábio hipócrita, que tinha um jeito de igreja e exercia as funções pela primeira vez, e todos observavam o novo eleito. Mas em breve, talvez para que Robert partisse e ela pudesse encontrar-se a sós com Aimé, Rachel pôs-se a encarar um jovem bolsista que almoçava com um amigo numa mesa próxima.

— Zézette, peço-te que não olhes assim para esse rapaz — disse Saint-Loup, em cujo rosto os rubores hesitantes de há pouco se haviam concentrado em uma sombra sangrenta que dilatava e afundava os traços distensos do meu amigo —; se pretendes nos fazer uma cena, prefiro almoçar em separado e ir te esperar no teatro.

Nesse momento, vieram dizer a Aimé que um senhor lhe rogava fosse lhe falar na portinhola de seu carro. Saint-Loup, sempre inquieto e temendo que se tratasse de um recado amoroso a ser transmitido à sua amante, olhou pela vidraça e vislumbrou, no fundo de seu cupê, as mãos enfiadas em luvas brancas raiadas de preto, com uma flor na botoeira, o Sr. de Charlus.

— Estás vendo — disse-me ele em voz baixa — que minha família me manda perseguir até aqui. Peço-te, eu não posso mais, mas já que conheces bem o mordomo, que certamente nos vai denunciar, diga-lhe que não vá até o carro. Pelo menos que seja um garçom que não me conheça. Se dizem a meu tio que não me conhecem, sei como ele é, não virá olhar no café, detesta esses locais. E, mesmo assim, não é asqueroso que um velho mulherengo como ele, que ainda não sossegou, me dê permanentemente lições de moral e venha me espionar?!

Aimé, tendo recebido minhas instruções, enviou um de seus ajudantes, que devia dizer que ele não podia ausentar-se do salão naquele momento e que, se perguntassem pelo marquês de Saint-Loup, que não o conheciam. E logo o carro partiu. Mas a amante de Saint-Loup, que não entendera nossas frases sussurradas em voz baixa e julgara que se tratava do rapaz a quem Robert lhe censurara por ter encarado, explodiu em insultos:

— Como? É esse rapaz agora?! Fazes bem em me prevenir; oh, é delicioso almoçar nessas condições! Não ligue para o que ele diz, está um tanto ofendido, e principalmente — acrescentou ela voltando-se para mim —, ele diz isto porque julga que é elegante, que isso de ter ciúmes é coisa de grão-senhor.

E pôs-se a dar sinais de nervosismo com os pés e com as mãos.

— Mas Zézette, para mim é que é desagradável. Tu nos tornas ridículos aos olhos deste senhor que vai ficar convencido que lhe dás atenções, e que me parece que é o que existe de pior.

— A mim, ao contrário, ele me agrada muito; em primeiro lugar, tem olhos deslumbrantes, e que possuem uma forma de olhar as mulheres; percebe-se que ele deve amá-las.

— Cala-te pelo menos até que eu tenha ido embora, se é que estás louca! — gritou Robert. — Garçom, minhas coisas.

Não sabia se devia segui-lo.

— Não, preciso estar sozinho — disse-me no mesmo tom com que acabara de falar à amante e como se estivesse zangado comigo. Sua cólera parecia uma mesma frase musical sobre a qual, numa ópera, cantam-se várias réplicas no libreto, inteiramente diversas entre si de sentido e de natureza, mas que ela reúne num mesmo sentimento. Quando Robert partiu, sua amante chamou Aimé e lhe pediu várias informações. E, a seguir, quis saber o que eu achava dele.

— Tem um olhar divertido, não é? Compreende, o que me agradaria seria saber o que ele pode estar pensando, ser servida por ele muitas vezes, levá-lo em viagem. Porém não mais do que isso. Se a gente fosse obrigada a amar todas as pessoas que nos agradam, seria no fundo uma *coisa terrível*. Robert não tem motivos para imaginar coisas. Tudo isto só me passa pela cabeça, Robert devia ficar tranqüilo. — Continuava a olhar para Aimé. — Veja, repare nos olhos pretos que ele tem; gostaria de saber o que há por detrás deles.

Em breve, vieram lhe dizer que Robert a mandava chamar em um gabinete particular, onde, passando por uma outra entrada, ele fora acabar o seu almoço sem atravessar o restaurante. Assim, fiquei sozinho, e depois Robert me mandou chamar por minha vez. Encontrei sua amante estendida num sofá rindo ante os beijos e as carícias que ele lhe prodigalizava. Bebiam champanha. — Meus cumprimentos — disse-lhe ela, pois aprendera recentemente essa fórmula que lhe parecia a última palavra em matéria de ternura e de espírito. Eu almoçara mal, não me sentia à vontade e, sem que as palavras de Legrandin servissem de nada para isso, lamentava começar num gabinete reservado de restaurante e acabar nos bastidores de teatro aquela primeira tarde de primavera. Depois de ter olhado a hora para ver se não estava atrasada, Rachel me ofereceu champanha, estendeu-me um de seus cigarros orientais e retirou para mim uma rosa do corpete. Então murmurei comigo: "Não tenho muito que lamentar o meu dia; estas horas passadas junto dessa moça não estão perdidas para mim, visto que, por meio dela, possuo, coisa graciosa e que a gente pode pagar caro, uma rosa, um cigarro perfumado e uma taça de champanha." Dizia-o porque me parecia, dessa forma, dotar de um caráter estético, e assim justificar, salvar essas horas de tédio. Talvez devesse ter pensado que a própria necessidade que eu experimentava de uma razão que me consolasse do meu tédio bastava para provar que eu não sentia nada de estético. Quanto a Robert e sua amante, davam a impressão de não guardar qualquer lembrança da discussão que tinham tido minutos antes e nem que eu assistira à tal cena. Não fizeram qualquer alusão a ela, não procuraram nenhuma desculpa para o fato, e nem mesmo para o contraste que formavam com ela as suas maneiras de agora. À força de beber champanha com eles, comecei a sentir um pouco a embriaguez que experimentara em Rivebelle, provavelmente a mesma. Não só cada gênero de embriaguez, desde aquela que dá o sol ou a viagem, àquela que dá o cansaço ou o vinho, mas também cada grau de ebriedade, e que deveria trazer consigo uma "cota" diferente, como as que mostram os fundos no mar, põe a nu em nós, precisamente na profundidade em que se encontra, um homem especial. O gabinete em que se achava Saint-Loup era pequeno, mas o espelho único que o decorava era de tal espécie que parecia refletir uns trinta gabinetes, ao longo de uma perspectiva infinita; e a lâmpada elétrica, colocada no topo da moldura, devia à noite, quando estava acesa, seguida da procissão de uns trinta reflexos semelhantes a ela própria, dar ao bebedor, mesmo solitário, a idéia de que o espaço a seu redor se multiplicava, ao mesmo tempo que suas sensações exaltadas pela embriaguez e que, encerrado sozinho nesse pequeno reduto, no entanto reinava sobre algo muito mais extenso, em sua curva indefinida e luminosa, que uma aléia do "Jardim de Paris". Ora, sendo eu então nesse momento esse bebedor, de súbito, procurando-o no espelho, avistei-o, horrível, desconhecido, a encarar-me. A alegria da embriaguez era mais forte que o nojo; por alegria ou bravata, sorri-lhe, ao mesmo tempo que ele me sorria. Sentia-me de tal forma sob o império efêmero e poderoso do minuto em que as sensações são tão fortes, que não sei se minha única tristeza seria pensar que o eu horrendo que acabava de ver estava talvez no seu último dia, e que nunca mais encontraria aquele estranho durante a minha vida.

Robert só estava aborrecido por eu não querer brilhar mais aos olhos de sua amante.

— Ora vamos, este senhor que encontraste esta manhã e que mistura esnobismo e astronomia, conta-lhe, eu não me lembro bem — e olhava-a com o rabo do olho.

— Mas, meu filho, não há nada a dizer além do que já disseste.

— És insuportável. Então conta coisas de Françoise nos Champs-Élysées; isso vai lhe agradar muito.

— Ah sim. Bobbey me falou tanto de Françoise. — E, segurando Saint-Loup pelo queixo, repetiu, por falta de invenção, atraindo esse queixo para a luz: — Meus cumprimentos!

Desde que os atores já não eram exclusivamente, para mim, os depositários, na dicção e no desempenho, de uma verdade artística, interessavam-me por si mesmos; divertia-me, julgando ter diante de mim os personagens de um velho romance cômico, em ver a ingênua ouvir distraidamente, no rosto novo de um jovem fidalgo que acabava de entrar na sala, a declaração que lhe fazia o jovem galã na peça, ao passo que este, no fogo intenso de sua tirada amorosa, não deixava de dirigir um olhar inflamado a uma velha senhora sentada num camarote vizinho, e cujas pérolas magníficas o tinham siderado; e assim, sobretudo graças às informações dadas por Saint-Loup acerca da vida privada dos artistas, eu via uma outra peça, muda e expressiva, representar-se por detrás da peça falada, a qual, aliás, apesar de medíocre, me interessava; pois nela sentia germinar e desabrochar, durante uma hora, à luz da ribalta — feitas da aglutinação, sobre o rosto de um ator, de um outro rosto de pintura e papelão, as palavras de um papel sobre a sua alma pessoal —, essas individualidades vivazes e efêmeras que são as personagens de uma peça, igualmente sedutoras, que a gente ama, admira, lastima, e que desejaríamos voltar a encontrar ainda, tão logo deixamos o teatro, mas que já se desagregaram em um comediante que não tem mais a condição que tinha na peça, num texto que já não exibe o rosto do comediante, num pó colorido que o lenço desfaz, que, numa palavra, viraram elementos que nada mais têm deles, por causa de sua dissolução, consumidas logo após o encerramento do espetáculo, e que fazem, como a perda de um ente querido, duvidar da realidade do eu e meditar sobre o mistério da morte.

Um número do programa me foi extremamente penoso. Uma moça, que Rachel e várias de suas amigas detestavam, devia fazer sua estréia cantando canções antigas, estréia na qual fundara todas as suas esperanças de futuro e as dos seus. Essa moça tinha um traseiro proeminente, quase ridículo, e uma voz bonita, mas muito débil, enfraquecida ainda pela emoção, e que contrastava com aquela musculatura possante. Rachel colocara na sala um certo número de amigos e amigas cujo papel era desconcertar a estreante com seus sarcasmos; sabiam que era tímida, e contavam fazê-la perder a cabeça de modo que ela fosse um total fiasco, após o que o diretor não lhe assinaria o contrato. Desde as primeiras notas da infeliz, alguns espectadores, recrutados para esse fim, começaram a apontar para as suas costas, rindo; algumas mulheres que participavam do complô riram bem alto, cada nota aflautada aumentava a hilaridade intencional que se transformava em escândalo. A infeliz, que suava de dor sob a maquilagem, tentou lutar por um momento; depois lançou a seu redor, sobre a assistência, olhares desolados, indignados, que só fizeram redobrar os apupos. O espírito de imitação, o desejo de se mostrarem espirituosas e atrevidas, fez com que belas atrizes, que não tinham sido prevenidas, entrassem no jogo, e lançavam às outras umas olhadelas de malévola cumplicidade, torciam-se de rir em violentas explosões, de modo que, no fim da segunda canção, e embora o programa anunciasse cinco, o diretor de cena fez baixar o pano. Esforcei-me para não pensar naquele incidente, como no sofrimento da minha avó quando meu tio-avô, para aborrecê-la, fazia meu avô beber conhaque, pois a idéia da malvadez possuía, para mim, algo de muito doloroso. No entanto, assim como a piedade pela desgraça não é talvez muito exata, pois com a imaginação recriamos toda uma dor, pela qual o infeliz, obrigado a lutar contra ela, nem pensa em enternecer-se, do mesmo modo a malvadez não tem provavelmente na alma do mau essa pura e voluptuosa crueldade que tanto mal nos faz só de imaginar. O ódio o inspira, a cólera lhe dá um ardor e uma atividade que nada têm de muito alegre; seria necessário sadismo para dele extrair prazer, e o malvado julga que é malvado aquele a quem faz sofrer. Rachel certamente imaginava que a atriz que ela fazia sofrer estava longe de ser interessante e, em todo caso, fazendo-a sofrer, achava que ela própria vingava o bom gosto e dava uma lição a uma colega ruim. Não obstante, preferi não falar daquele incidente, visto não ter tido nem a coragem nem o poder de impedi-lo; teria sido muito penoso para mim, falando bem da vítima, fazer assemelharem-se às satisfações da crueldade os sentimentos que animavam os carrascos daquela estreante.

Mas o começo do espetáculo interessou-me de outra maneira. Fez-me compreender em parte a natureza da ilusão de que era vítima Saint-Loup em relação a Rachel e que colocara um abismo entre as imagens que nós dois tínhamos acerca de sua amante, quando a víamos naquela mesma manhã sob as pereiras em flor. Rachel representava um papel quase de simples figurante na pecinha. Porém, vista assim, era uma outra mulher. Possuía um desses rostos que o afastamento — e não necessariamente o da platéia ao palco, sendo para isso o mundo apenas um teatro maior — modela e que, vistos de perto, recaem em pó. Junto dela, não se via mais que uma nebulosa, uma via-láctea de sardas, pontinhos, e nada mais. A uma distância adequada, tudo aquilo deixava de ser visível e, das faces apagadas, reabsorvidas, erguia-se, como um crescente lunar, um nariz tão fino, tão puro, que a gente desejaria tornar-se objeto da atenção de Rachel, revê-la tanto quanto se quisesse, possuí-la junto de si, caso nunca a houvesse visto de outro modo e de perto. Não era a minha situação, mas a de Saint-Loup, quando a vira representar pela primeira vez. Então, perguntara-se como se aproximar dela, como conhecê-la, abrira-se nele todo um domínio maravilhoso — aquele onde ela vivia — do qual emanavam deliciosas radiações, mas onde não poderia penetrar. Saiu do teatro dizendo a si próprio que seria louco se lhe escrevesse, que ela não lhe responderia, pronto para dar sua fortuna e seu nome para a criatura que nele vivia em um mundo de tal forma superior a essas realidades por demais conhecidas, um mundo embelezado pelo desejo e pelo sonho, quando do teatro, velha construçãozinha que tinha ela mesma o aspecto de um cenário, viu à saída dos artistas, por uma porta, desembocar o grupo alegre e gentilmente enchapelado dos artistas que tinham representado. Pessoas jovens que os conheciam ali estavam a esperá-los. Sendo o número de peões humanos menor que o das combinações que podem formar, numa sala em que faltam todas as pessoas que a gente podia conhecer, encontra-se uma que nunca se julgaria ter ocasião de rever e que vem tão a propósito que o acaso parece providencial, ao qual, entretanto, um outro acaso substituiria se tivéssemos ido não àquele lugar, mas a outro, onde teriam nascido desejos diferentes e onde seria reencontrado outro velho conhecido para secundá-los. As portas de ouro do mundo dos sonhos tinham-se fechado de novo sobre Rachel antes que Saint-Loup a tivesse visto sair do teatro, de modo que as sardas e os sinaizinhos careceram de importância. Todavia lhe desagradaram, visto que, deixando de estar só, já não tinha o mesmo poder de sonhar que no teatro. Mas tal poder, embora já não o pudesse perceber, continuava a reger seus atos como esses astros que nos governam por sua atração, mesmo nas horas em que não são visíveis para nós. Assim, o desejo da comediante de finos traços, que nem mesmo estavam presentes na lembrança de Robert, fez com que, abordando o antigo colega que ali se achava por acaso, ele se fizesse apresentar à pessoa sem traços e com sardas, pois era a mesma, e dizendo consigo que mais tarde buscaria saber qual das duas essa mesma pessoa era na realidade. Ela estava apressada e, naquele momento, nem mesmo dirigiu a palavra a Saint-Loup, e só depois de vários dias é que ele pôde enfim, conseguindo que ela deixasse os companheiros, regressar em sua companhia. Ele já a amava. A necessidade de sonho, o desejo de ser feliz devido àquela com quem se sonhou fazem não ser necessário muito tempo para que a gente confie todas as oportunidades de ventura àquela que, alguns dias antes, não passava de uma aparição fortuita, desconhecida, indiferente, nos tablados do palco.

Quando, descido o pano, passamos para o palco, intimidado por passear ali, quis falar vivamente com Saint-Loup; desse modo, minha atitude, como não soubesse qual a que devia tomar naqueles lugares novos para mim, seria totalmente monopolizada pela nossa conversa e pensariam que eu estava tão absorto nela, tão distraído, que achariam natural que eu não tivesse as expressões de fisionomia que deveria ter num lugar onde, atento a tudo o que eu mesmo dizia, mal sabia onde me achava; e apanhando, para sair mais depressa, o primeiro assunto da conversa:

— Sabes — disse a Robert — que fui te dizer adeus no dia da minha partida? Nunca tivemos oportunidade de falar a respeito. Cumprimentei-te na rua.

— Nem me fales nisso — respondeu ele —, fiquei entristecido. Encontramo-nos bem perto do quartel, mas não pude parar porque já estava muito atrasado. Garanto que estava desolado.

Assim, ele me reconhecera! Revia eu ainda o cumprimento totalmente impessoal que me dirigira erguendo a mão ao quepe, sem um olhar que denunciasse que me conhecera, sem um gesto que manifestasse lastimar o fato de não poder parar. Evidentemente, essa ficção que adotara naquele momento, de não me reconhecer, devia lhe ter simplificado muitas coisas. Mas eu estava estupefato de que tivesse sabido adotá-la tão rapidamente e antes que um reflexo revelasse a sua primeira impressão. Já havia notado em Balbec que, ao lado dessa sinceridade ingênua do seu rosto, cuja pele deixava ver por transparência o brusco afluir de certas emoções, seu corpo fora admiravelmente treinado pela educação para determinado número de dissimulações de conveniência e que, como um perfeito comediante, podia, em sua vida de caserna, em sua vida mundana, desempenhar papéis diferentes, um após o outro. Num de seus papéis, ele gostava profundamente de mim, tratava-me quase como se eu fosse seu irmão; meu irmão ele o fora, voltara a sê-lo, mas por um instante tinha sido um outro personagem que não me conhecia e que, segurando as rédeas, monóculo no olho, sem um olhar nem um sorriso, erguera a mão à viseira do quepe para me dar corretamente a saudação militar!

Os cenários ainda armados, entre os quais passava, vistos assim de perto, desprovidos de tudo o que lhes acrescentam o afastamento e a iluminação que o grande pintor que os executara havia calculado, eram miseráveis, e Rachel, quando me aproximei dela, não sofreu menor poder de destruição. As asas de seu nariz encantador tinham ficado na perspectiva, entre a platéia e o palco, bem como o relevo dos cenários. Já não era ela, só a reconhecia graças aos olhos, onde sua identidade se refugiara. A forma e o brilho desse jovem astro, tão fulgurante ainda há pouco, haviam desaparecido. Em compensação, como se nos aproximássemos da lua e ela deixasse de parecer-nos cor-de-rosa e ouro, naquele rosto tão igual momentos antes eu só distinguia protuberâncias, manchas, ravinas. Apesar da incoerência em que se resolviam de perto, não somente o rosto feminino mas as telas pintadas, sentia-me feliz por estar ali, por andar entre os cenários, todo esse quadro que outrora o meu amor à natureza me faria considerar tedioso e artificial, mas ao qual a sua pintura por Goethe no *Wilhelm Meister* me dera uma certa beleza; e já me sentia encantado por avistar, em meio aos jornalistas ou às pessoas da sociedade amigos das atrizes, que cumprimentavam, conversavam, fumavam, como se estivessem na cidade, um rapaz de touca de veludo negro, de saia hortênsia, as faces pintadas de lápis vermelho como uma página de álbum de Watteau, que, de boca risonha, os olhos voltados para o céu, esboçava sinais graciosos com as palmas das mãos, saltando de leve, parecia de tal maneira pertencer a uma espécie diferente das pessoas razoáveis de paletó e sobrecasaca, em meio às quais perseguia como um louco o seu sonho extasiado, tão alheio às preocupações de suas vidas, tão anterior aos hábitos de sua civilização, tão isento das leis da natureza, que era algo tão repousante e viçoso como ver uma borboleta extraviada na multidão, seguir com os olhos, entre os frisos, os arabescos naturais que ali traçava o seu folguedo alado, arrebicado e caprichoso. Mas, no mesmo instante, Saint-Loup imaginou que sua amante prestava atenção naquele dançarino, que ensaiava pela última vez uma figura da fantasia em que ia aparecer, e seu rosto voltou a ficar sombrio.

— Poderias olhar para o outro lado — disse-lhe soturnamente Robert. — Sabes que esses dançarinos não valem a corda a que fariam bem subir para quebrar o pescoço, e são pessoas capazes de irem se gabar depois que lhes deste confiança. Aliás, estás ouvindo muito bem que te dizem para ir ao camarim para te preparar. Vais chegar atrasada de novo.

Três senhores — três jornalistas —, vendo o jeito enfurecido de Saint-Loup, aproximaram-se, divertidos, para ouvir o que se dizia. E, como estavam armando um cenário do outro lado, ficamos apertados contra eles.

— Oh, mas reconheço-o, é meu amigo — exclamou a amante de Saint-Loup ao reparar no dançarino. — Como é bonito, olhem estas mãozinhas que dançam como todo o resto do corpo!

O dançarino virou-se para ela e, sua pessoa humana aparecendo sob o silfo que ele se empenhava em ser, a gelatina precisa e cinzenta de seus olhos estremeceu e brilhou por entre as pestanas endurecidas e pintadas, e um sorriso prolongou-lhe a boca de ambos os lados na face coberta de pastel vermelho; depois, para divertir a moça, como uma cantora que cantarola por complacência a melodia em que lhe dissemos que a admirávamos, pôs-se a refazer o movimento de suas palmas, arremedando a si próprio com uma finura de pastichador e um bom humor de criança.

— Oh, que gentileza a sua em imitar a si mesmo! — exclamou Rachel batendo palmas.

— Rogo-te, minha filha — disse-lhe Saint-Loup com voz desolada —, não te dês em espetáculo desse modo, tu me matas; juro que se dizes uma só palavra a mais, não te acompanho ao camarim e vou embora; vamos, não te faças de má. E não fiques assim, aspirando a fumaça do charuto; vai te fazer mal — acrescentou ele, voltando-se para mim com aquela solicitude que me testemunhava desde Balbec.

— Oh, que sorte se fores embora!

— Previno-te que não voltarei mais.

— Nem ouso esperá-lo.

— Escuta, sabes, eu te prometi o colar se fosses gentil, mas já que me tratas deste modo...

— Ah, eis uma coisa que não me espanta de tua parte. Fizeste uma promessa, e eu bem deveria ter imaginado que não haverias de cumpri-la. Queres alardear que tens dinheiro, mas não sou interesseira como tu. Não ligo para o teu colar. Tenho alguém que me poderá dá-lo.

— Ninguém mais te poderá dar esse colar, pois eu o reservei na casa Boucheron e tenho a sua palavra de que o venderá somente a mim.

— É isso mesmo, quiseste me prender, tomaste todas as precauções antecipadamente. É bem como se diz: Marsantes, *Mater Semita*, sente-se o cheiro da raça — retrucou Rachel, repetindo uma etimologia fundada num grosseiro contra-senso, pois *semita* significa "senda" e não "semita", mas que os nacionalistas aplicavam a Saint-Loup devido às suas opiniões dreyfusistas, que no entanto ele devia à atriz. (Esta era menos indicada que ninguém para chamar de judia a Sra. de Marsantes, em quem os etnógrafos da sociedade nada podiam encontrar de judaico, a não ser o seu parentesco com os Lévy-Mirepoix.) — Mas nem tudo está liquidado, podes estar certo. Uma palavra dada em tais condições não tem nenhum valor. Agiste traiçoeiramente comigo. Boucheron vai saber disso e hão de lhe dar o dobro pelo colar. Fica tranqüilo que em breve terás notícias minhas.

Robert tinha cem vezes razão. Mas as circunstâncias são sempre tão confusas que o que tem cem vezes razão pode não tê-la uma vez. E não pude evitar de me lembrar aquela frase desagradável, no entanto bem inocente, que ele dissera em Balbec: — Desse modo, tenho-a nas mãos.

— Compreendeste mal o que disse a respeito do colar. Eu não o havia prometido de maneira formal. Do momento em que fazes tudo para que te deixe, entende, é muito natural que não te dê o colar; não percebo onde é que está a traição nesse caso, nem admito ser interesseiro. Não se pode dizer que eu faça alarde do meu dinheiro, digo-te sempre que sou um pobre-diabo sem tostão. Não procedes bem tomando as coisas por esse lado, minha filha. Em que eu sou interessado? Sabes muito bem que meu único interesse és tu.

— Sim, sim, podes continuar — disse ela ironicamente, esboçando o gesto de alguém que nos faz a barba. E voltando-se para o dançarino:

— Ah, na verdade ele é assombroso com as mãos. Eu, que sou mulher, não poderia fazer o que ele faz — e voltando-se para ele, mostrando-lhe as feições convulsas de Robert: — Olha, ele está sofrendo — disse baixinho, no momentâneo impulso de uma crueldade sádica, aliás sem qualquer relação com seus verdadeiros sentimentos de afeto por Saint-Loup.

— Escuta, pela última vez, te juro que, por mais que faças, poderás sentir daqui a oito dias todos os remorsos do mundo, mas eu não voltarei; a taça está repleta, presta atenção, isto é irrevogável, um dia hás de te arrepender e será tarde demais.

Talvez fosse sincero, e o tormento de abandonar a amante lhe parecia menos cruel que o de estar junto dela em determinadas condições.

— Mas meu filho — acrescentou, dirigindo-se a mim —, não fiques aí que vais começar a tossir.

Mostrei-lhe o cenário que me impedia de mudar de lugar. Ele tocou de leve no chapéu e disse ao jornalista:

— Senhor, pode jogar fora o charuto? O fumo faz mal ao meu amigo.

A amante, sem esperá-lo, encaminhava-se para o camarote e, voltando-se:

— Será que essas mãozinhas fazem a mesma coisa com as mulheres? — atirou ela ao dançarino do fundo do teatro, com uma voz artificialmente melodiosa e inocente de "ingênua". — Tu mesmo pareces uma mulher. Acho que seria possível fazer uma combinação entre ti e uma de minhas amigas.

— Não é proibido fumar, que eu saiba; quando a gente está enfermo, deve ficar em casa — disse o jornalista.

O dançarino sorriu misteriosamente à atriz.

— Oh, cala-te! Estás me deixando louca! — gritou ela. — Vais ver que coisas faremos.

— Em todo caso, senhor, não é nada amável — disse Saint-Loup ao jornalista, sempre em tom suave e cortês, com o ar de constatação de alguém que acaba de julgar, retrospectivamente, um incidente findo.

Nesse momento, vi Saint-Loup erguer o braço verticalmente acima da cabeça, como se tivesse feito um sinal a alguém que eu não via, ou como um regente de orquestra, e de fato — sem maior transição que, num simples gesto de batuta, numa sinfonia ou num balé, ritmos violentos se sucederam a um gracioso andante —, depois das palavras polidas que acabava de dizer, abateu a mão sobre a face do jornalista numa bofetada sonora.

Agora que, às conversações cadenciadas dos diplomatas, às artes risonhas da paz, sucedera o ímpeto furioso da guerra, golpes chamando golpes, não ficaria muito espantado em ver os adversários banhando-se no próprio sangue. Mas o que não podia compreender (como as pessoas que não consideram ser justo que ocorra uma guerra entre dois países quando ainda só se pensou numa retificação de fronteiras, ou a morte de um doente quando apenas se cuidava de um tumor no fígado) era como Saint-Loup pudera fazer seguir, às palavras que apreciavam um matiz de amabilidade, um gesto que não provinha de modo algum delas, que elas não anunciavam, o gesto daquele braço erguido não só com desprezo pelo direito das gentes, mas pelo princípio de causalidade, numa geração espontânea de cólera, esse gesto criado *ex nihilo*. Felizmente o jornalista que, cambaleando ante a violência do golpe, empalidecera e hesitara por um momento, não reagiu. Quanto a seus amigos, um desviara logo a cabeça, observando com atenção, para o lado dos bastidores, alguém que evidentemente não se achava ali; o segundo fingiu que um cisco lhe entrara no olho e pôs-se a apertar as pálpebras com caretas de dor; quanto ao terceiro, saíra correndo a gritar:

— Meu Deus, acho que vai subir o pano, vamos perder nossos lugares!

Gostaria de falar com Saint-Loup, mas ele estava de tal modo cheio de sua indignação contra o dançarino, que esta vinha exatamente assomar-lhe à superfície das pupilas; como uma armadura interior, esticava-lhe as faces, de forma que sua agitação interior se traduzia por uma total inamovibilidade externa; ele não possuía nem mesmo o relaxamento, o "jogo" necessário para acolher uma palavra minha e a ela responder. Os amigos do jornalista, vendo que tudo estava terminado, voltaram para junto dele, ainda trêmulos. Mas, envergonhados por havê-lo abandonado, esforçavam-se absolutamente para que ele julgasse que não tinham notado coisa alguma. Assim, um dissertava sobre o cisco no olho, outro sobre o alarma falso que tivera ao pensar que subiam o pano, o terceiro sobre a extraordinária semelhança de uma pessoa que passara com seu irmão. E até lhe manifestaram um certo mau humor por não ter compartilhado de suas emoções.

— Como, não reparou? Será que não enxerga bem?

— Quer dizer que vocês todos são uns medrosos — resmungou o jornalista esbofeteado.

Inconseqüentes com a ficção que haviam adotado e devido à qual deveriam — mas nem pensaram nisso — fingir não compreender o que ele queria dizer, proferiram uma frase que é de tradição em tais circunstâncias: — Você está se exaltando. Calma! Parece até que tomou o freio nos dentes!

Pela manhã eu havia compreendido, diante das pereiras em flor, em que ilusão se baseava o amor de Robert por "Rachel-quando-do-Senhor", mas igualmente percebia o que, pelo contrário, tinham de real os sofrimentos que nasciam desse amor. Aos poucos, a dor que ele estava sentindo há uma hora, sem parar, se retraiu, abrigou-se nele, e uma zona disponível e branda apareceu em seus olhos. Deixamos o teatro, Saint-Loup e eu, e primeiro caminhamos um pouco. Atrasei-me um tanto na esquina da avenida

Gabriel, de onde muitas vezes via Gilberte chegar outrora. Durante alguns segundos tentei recordar essas impressões distantes e ia reunir-me a Saint-Loup a passo "ginástico", quando vi que um senhor muito mal vestido parecia falar-lhe de bem perto. Concluí que era um amigo pessoal de Robert; no entanto, eles pareciam se aproximar ainda mais um do outro; de súbito, como aparece no céu um fenômeno astral, vi corpos ovóides assumirem, com vertiginosa rapidez, todas as posições que lhes permitiriam compor, diante de Saint-Loup, uma constelação instável. Lançados como por uma funda, pareceram-me ser pelo menos em número de sete. Todavia, não eram senão os dois punhos de Saint-Loup, multiplicados por sua velocidade, mudando de lugar naquele conjunto aparentemente ideal e decorativo. Mas essa peça de artifício não passava de uma sova que Saint-Loup aplicava e cujo caráter agressivo, em vez de estético, me foi revelado primeiro pelo aspecto do senhor mediocremente vestido, o qual pareceu perder ao mesmo tempo toda compostura, um maxilar e muito sangue. Ele deu explicações mentirosas às pessoas que se aproximavam para interrogá-lo, virou a cabeça e, vendo que Saint-Loup se afastava definitivamente para se juntar a mim, ficou olhando-o com ar de rancor e abatimento, mas de modo algum furioso. Ao contrário, Saint-Loup o estava, embora não tivesse sofrido nenhum golpe, e seus olhos ainda rebrilhavam de cólera quando me alcançou. O incidente não se ligava em nada, conforme eu receara, às bofetadas do teatro. Era um passeante apaixonado que, vendo o belo militar que era Saint-Loup, fizera-lhe certas propostas. Meu amigo não se recobrava do assombro que lhe causara a audácia daquela "corja" que nem mesmo esperava as sombras da noite para se arriscar, e falava das propostas que lhe tinham sido feitas com a mesma indignação com que os jornais falam de um roubo a mão armada, ousado em pleno dia, num bairro central de Paris. Entretanto, o senhor espancado era desculpável nisto que um plano inclinado aproxima muito depressa demais o desejo do gozo para que a simples beleza já surja como um consentimento. Ora, que Saint-Loup fosse belo, isso era indiscutível. Murros como os que acabara de dar têm uma certa utilidade, para homens da espécie do que o abordara há pouco, no sentido de fazê-los refletir seriamente, mas durante bem pouco tempo, para que possam se corrigir e assim escapar aos castigos judiciais. Assim, embora Saint-Loup tivesse dado a surra sem pensar muito, todas as do mesmo gênero, mesmo que venham em auxílio das leis, não chegam a homogeneizar os costumes.

Esses incidentes, e sem dúvida aquele em que mais pensava, decerto deram a Robert o desejo de ficar um pouco sozinho. Depois de um momento, pediu que nos separássemos e que eu fosse, de minha parte, à casa da Sra. de Villeparisis; ali se encontraria comigo, mas preferia que não entrássemos juntos, para parecer que acabava de chegar a Paris, em vez de dar a entender que já tínhamos passado juntos uma parte da tarde.

Como havia suposto, antes de travar conhecimento com a Sra. de Villeparisis em Balbec, existia uma grande diferença entre o ambiente em que ela vivia e o da Sra. de Guermantes. A Sra. de Villeparisis era uma dessas mulheres que, nascidas numa casa gloriosa, e entrando pelo casamento em outra que não o era menos, todavia não desfrutam de uma grande posição social, e, afora algumas duquesas suas sobrinhas ou cunhadas, e mesmo uma ou duas cabeças coroadas, velhas relações de família, não têm em seu salão senão um público de terceira ordem, burguesia, nobreza de província ou deteriorada, cuja presença há muito afastou as pessoas elegantes e esnobes que não são obrigadas a comparecer por dever de parentesco ou de intimidade bem antiga. Por certo, ao cabo de alguns instantes não tive nenhuma dificuldade em compreender por que a Sra. de Villeparisis se achava, em Balbec, tão bem informada, e melhor que nós próprios, dos menores detalhes da viagem que meu pai fazia então pela Espanha com o Sr. de Norpois. Mas, apesar disso, não era possível deter-se à idéia de que a ligação, já de vinte anos, da Sra. de Villeparisis com o embaixador pudesse ser a causa da desclassificação da marquesa numa sociedade em que as mulheres brilhantes exibiam amantes menos respeitáveis que este, o qual, aliás, já não era para a marquesa, provavelmente há muito tempo, outra coisa que não um velho amigo. Tivera a Sra. de Villeparisis outras aventuras antigamente? Sendo então de um temperamento mais apaixonado que agora, numa velhice apaziguada e piedosa, que no entanto devia um pouco do seu colorido àqueles anos ardentes e consumidos, não quisera, na província onde vivera por muito tempo, evitar certos escândalos, desconhecidos das novas gerações, as quais apenas constatavam os seus efeitos pela composição misturada e defeituosa de um salão destinado, a não ser isso, a tornar-se um dos mais isentos de toda liga medíocre? Essa "má língua" que o sobrinho lhe atribuía acaso lhe valera inimigos naqueles tempos? Levara-a a aproveitar-se de certos êxitos junto aos homens para exercer vinganças contra mulheres? Tudo isso era possível; e não era a maneira requintada, sensível — matizando tão delicadamente não só as expressões como as entonações —, com que a Sra. de Villeparisis falava do pudor e da bondade que poderia invadir semelhante hipótese; pois os que não só falam bem de certas virtudes, mas até lhes sentem o encanto e as compreendem às maravilhas, e saberão pintar, em suas memórias, uma digna imagem dela, provêm muitas vezes — mas eles próprios não fazem parte — da geração muda, frustrada e sem arte, que as praticou. Esta se reflete, porém não continua neles. Em vez do caráter que possuía a geração anterior, encontra-se nela uma sensibilidade e uma inteligência que não servem à ação. E, houvesse ou não, na vida da Sra. de Villeparisis, desses escândalos que o brilho de seu nome teria apagado, foi essa inteligência, uma inteligência quase de escritor de segunda ordem mais que de mulher da sociedade, certamente a causa de sua decadência mundana.

Decerto eram qualidades muito pouco exaltantes, como a ponderação e a moderação, que a Sra. de Villeparisis principalmente pregava; mas, para falar da moderação de modo perfeitamente adequado, a moderação não basta e são necessários certos méritos de escritor que suponham uma exaltação pouco medida; eu notara em Balbec que o gênio de alguns grandes artistas permanecia incompreendido pela Sra. de Villeparisis, e que ela apenas sabia troçar deles com finura, e dar à sua incompreensão uma forma espirituosa e graciosa. Mas esse espírito e essa graça, no grau a que haviam chegado nela, tornavam-se eles mesmos — em outro plano, e ainda que empregados para depreciar as mais altas obras — verdadeiras qualidades artísticas. Ora, tais qualidades exercem em toda situação mundana uma ação mórbida eletiva, como dizem os médicos, e tão desagregadora que as mais solidamente assentadas mal podem lhes resistir alguns anos. O que os artistas chamam inteligência parece pretensão pura à sociedade elegante, a qual, incapaz de se pôr no único ponto de vista de onde eles julgam tudo, jamais compreendem a atração particular à qual cedem ao escolher uma expressão ou ao estabelecer uma aproximação — e experimenta junto deles um cansaço e uma irritação, de onde bem depressa nasce a antipatia. Entretanto, em sua conversação, e o mesmo ocorre com as Memórias que foram editadas posteriormente, a Sra. de Villeparisis só mostrava uma espécie de graça totalmente mundana. Tendo abordado grandes coisas sem aprofundá-las, às vezes sem distingui-las, retivera apenas, dos anos que tinha vivido, e que aliás pintava com muito encanto e exatidão, o que tinham oferecido de mais frívolo. Mas uma obra, mesmo que se debruce exclusivamente sobre assuntos que não são intelectuais, ainda assim é uma obra da inteligência, e, para dar num livro, ou numa conversa que dele pouco difira, a impressão acabada da frivolidade, é preciso uma dose de seriedade de que seria incapaz uma pessoa inteiramente frívola. Em certas memórias escritas por uma mulher e consideradas obras-primas, determinada frase, citada como um modelo de graça leve, sempre me fez supor que, para chegar a essa leveza, a autora deveria ter possuído outrora uma ciência um tanto pesada, uma cultura rebarbativa, e que, quando jovem, provavelmente parecia às amigas uma literata pedante. E, entre certas qualidades literárias e o fracasso mundano, é tão necessária a conexão que, lendo hoje as Memórias da Sra. de Villeparisis, certo epíteto adequado, certas metáforas que se repetem bastarão ao leitor para que reconstitua, com seu auxílio, a saudação profunda, mas glacial, que deveria dirigir à velha marquesa, na escadaria de uma embaixada, uma esnobe como a Sra. Leroi, que talvez lhe deixasse um cartão ao ir à casa dos Guermantes, mas jamais punha os pés no seu salão, com receio de ali se desclassificar no meio de todas aquelas esposas de médicos ou de tabeliães. Literata pedante, talvez a Sra. de Villeparisis o tivesse sido na primeira juventude e, ébria então de seu saber, talvez não soubera conter, contra pessoas da sociedade menos inteligentes e instruídas que ela, os ditos mordazes que o atingido não esquece.

Depois, o talento não é um apêndice postiço que se ajunta artificialmente a essas qualidades diversas que fazem ter êxito na sociedade, a fim de formar, com o todo, o que os mundanos denominam uma "mulher completa". Ele é o produto vivo de uma certa índole moral onde geralmente fazem falta muitas qualidades e onde predomina uma sensibilidade, com outras manifestações que não percebemos num livro e que podem se fazer sentir bem vivamente no curso da existência, como, por exemplo, certas curiosidades, certas fantasias, o desejo de ir aqui ou ali por seu próprio prazer e não no intento de aumentar, manter ou simplesmente fazer funcionar as relações mundanas. Eu vira em Balbec a Sra. de Villeparisis encerrada entre seus iguais e sem dar uma olhada às pessoas sentadas no saguão do hotel. Mas tivera o pressentimento de que tal abstenção não era por indiferença, e parece que nem sempre se instalara nela. Acontecia-lhe relacionar-se com este ou aquele indivíduo que não possuía nenhum título para ser recebido em sua casa, às vezes porque o julgara bonito, ou apenas porque lhe haviam dito que era divertido, ou porque lhe parecera diferente das pessoas que conhecia, as quais, àquela época em que não as apreciava ainda por julgar que jamais a abandonariam, pertenciam todas ao *faubourg* Saint-Germain. Tal boêmio, tal pequeno-burguês a quem havia distinguido, era ela obrigada a fazer convites, cujo valor ele não podia apreciar, com uma insistência que a desqualificava aos poucos aos olhos dos esnobes habituados a estimar um salão antes conforme as pessoas que a dona da casa exclui do que pelas pessoas que recebe. Certamente, se num dado momento da juventude a Sra. de Villeparisis, aborrecida com a satisfação de pertencer à fina flor da aristocracia, de alguma forma se divertira em escandalizar as pessoas entre as quais vivia, em desfazer deliberadamente a sua posição social, todavia começara a dar importância a essa posição depois que a perdera. Quisera mostrar às duquesas que valia mais que elas, dizendo e fazendo tudo o que elas não ousavam fazer nem dizer. Mas agora que estas, a não ser as de sua mais próxima intimidade, não mais compareciam à sua casa, ela sentia-se diminuída e desejava reinar ainda, mas de outra maneira que pelo espírito. Gostaria de atrair todas aquelas que tivera tanto empenho em afastar. Quantas vidas de mulheres, vidas aliás mal conhecidas (pois cada uma, de acordo com a idade, conheceu um mundo diferente, e a discrição dos velhos impede os jovens de formar uma idéia do passado e de abarcar todo o ciclo), foram assim divididas em períodos contrastantes, o último todo empenhado em reconquistar aquilo que no segundo fora tão alegremente lançado ao vento. Lançado ao vento de que modo? Os jovens tanto menos o imaginam por terem ante os olhos uma velha e respeitável marquesa de Villeparisis, e não fazem idéia de que a grave memorialista de hoje, tão digna sob sua peruca branca, pudesse ter sido outrora uma alegre consumidora que, nesse tempo, talvez fizesse as delícias e devorasse a fortuna de homens há muito deitados na sepultura. Que se tenha empenhado em desfazer, desse modo, com uma indústria natural e perseverante, uma posição social que recebera do berço insigne, não quer dizer aliás, de maneira nenhuma, que, mesmo nessa época recuada, a Sra. de Villeparisis não atribuísse grande valor à sua posição. Da mesma forma, o isolamento e a inação em que vive um neurastênico podem ser urdidos por ele da manhã à noite, sem por isso lhe parecerem suportáveis; e, ao passo que se apressa em acrescentar outra malha à rede que o mantém prisioneiro, é possível que sonhe unicamente com bailes, caçadas e viagens. Trabalhamos a todo instante para dar sua forma à nossa vida, mas copiando, malgrado nosso, como um desenho, os traços da pessoa que somos e não daquela que nos agradaria ser. Os cumprimentos desdenhosos da Sra. Leroi podiam exprimir, de algum modo, a verdadeira natureza da Sra. de Villeparisis, mas não correspondiam absolutamente aos seus desejos.

Sem dúvida, no mesmo momento em que a Sra. Leroi, segundo uma expressão cara à Sra. Swann, "cortava" a marquesa, esta podia buscar consolo lembrando-se que um dia a rainha Maria Amélia lhe dissera: "Gosto de você como a uma filha." Mas essas amabilidades régias, secretas e ignoradas, só existiam, para a marquesa, cobertas de pó feito o diploma de um antigo primeiro prêmio do Conservatório. Os únicos reais lucros mundanos são os que geram vida, os que podem desaparecer sem que seu beneficiário tenha de procurar retê-los ou divulgá-los, porque no mesmo dia cem outros lhes sucederam. Lembrando-se dessas palavras da rainha, a Sra. de Villeparisis, no entanto, as teria de boa vontade trocado pelo perpétuo poder de ser convidada que a Sra. Leroi possuía, como, num restaurante, um grande artista desconhecido, e cujo gênio não está escrito nem nos traços da fisionomia tímida, nem no corte antiquado do casaco puído, bem que desejaria ser o jovem corretor do último degrau da sociedade, mas que almoça numa mesa vizinha com duas atrizes, e para quem, numa corrida obsequiosa e interminável, se apressam patrão, mordomo, garçons, moços de recados e até ajudantes de cozinheiro, que saem em desfile para cumprimentá-lo como nas *féeries*, enquanto avança o despenseiro, tão empoeirado como suas garrafas, ofuscado e de pernas tortas feito se, vindo da adega, tivesse torcido o pé antes de subir à claridade.

No entanto, é preciso dizer que, no salão da Sra. de Villeparisis, a ausência da Sra. Leroi, se deixava desolada a dona da casa, passava despercebida aos olhos de um grande número de convidados. Ignoravam totalmente a situação particular da Sra. Leroi, conhecida apenas do mundo elegante, e não duvidavam que as recepções da Sra. de Villeparisis fossem, como hoje estão convencidos disso os leitores de suas Memórias, as mais brilhantes de Paris.

Nessa primeira visita que, deixando Saint-Loup, fui fazer à Sra. de Villeparisis, segundo o conselho que o Sr. de Norpois havia dado a meu pai, encontrei-a em seu salão revestido de seda amarela, sobre a qual se destacavam os canapés e as admiráveis poltronas de tapeçaria de Beauvais em uma cor rósea, quase violácea, de framboesas maduras. Ao lado dos retratos dos Guermantes, dos Villeparisis, viam-se — ofertados pelo próprio modelo — os da rainha Maria Amélia, da rainha dos belgas, do príncipe de Joinville e da imperatriz da Áustria. A Sra. de Villeparisis, com uma touca de rendas pretas do tempo antigo (que ela conservava com o mesmo instinto precavido de cor local ou histórica de um hoteleiro bretão que, por mais parisiense que tenha se tornado a sua freguesia, julga mais hábil que suas criadas conservem as toucas e as mangas largas), estava sentada a uma pequena escrivaninha, onde, à sua frente, ao lado de seus pincéis, de sua palheta e de uma principiada aquarela de flores, havia, em copos, em pires, em taças, rosas espumosas, zínias, cabelos-de-vênus, que, devido à afluência das visitas naquele momento, ela deixara de pintar e que davam a impressão de atrair fregueses para o balcão de uma florista, em alguma estampa do século XVIII. Naquele salão, ligeiramente aquecido de propósito porque a marquesa se resfriara ao voltar do castelo, havia, dentre as pessoas presentes quando cheguei, um arquivista com quem a Sra. de Villeparisis havia classificado, pela manhã, as cartas autógrafas de personalidades históricas a ela endereçadas e que estavam destinadas a figurar em fac-símiles como peças justificativas nas Memórias que ela estava redigindo, e um historiador solene e intimidado que, tendo sabido que ela possuía por herança um retrato da duquesa de Montmorency, viera lhe pedir licença para reproduzi-lo em uma prancha de sua obra sobre a Fronda, visitantes a que se veio juntar meu antigo colega Bloch, agora jovem autor dramático, com quem a marquesa contava para conseguir-lhe de graça os artistas que tocariam em suas próximas reuniões matinais. É verdade que o calidoscópio social estava prestes a mudar e que o caso Dreyfus ia precipitar os judeus para o último degrau da escala social. Mas, por um lado, por mais que rugisse o ciclone dreyfusista, não é no começo de uma tempestade que as ondas atingem sua maior violência. E, além disso, a Sra. de Villeparisis, deixando uma parte inteira de sua família esbravejar contra os judeus, permanecera até então inteiramente alheia ao Caso Dreyfus e não se preocupava com ele. Por fim, um rapaz como Bloch, que ninguém conhecia, podia passar despercebido, enquanto os grandes judeus representativos de seu partido já estavam ameaçados. Bloch ostentava agora o queixo pontuado por uma barba de "bode", usava óculos, uma longa sobrecasaca e uma luva, feito um papiro, na mão. Os romenos, os egípcios e os turcos podem detestar os judeus. Mas, num salão francês, as diferenças entre esses povos não são perceptíveis, e um israelita, fazendo sua entrada como se saísse do fundo do deserto, o corpo inclinado como uma hiena, a nuca baixada obliquamente e se espalhando em grandes *salams*, satisfaz inteiramente um certo gosto de orientalismo. Para isto, unicamente, é preciso que o judeu não pertença à "sociedade", sem o que ele toma facilmente o aspecto de um lorde, e suas maneiras ficam de tal forma afrancesadas que, nele, o nariz rebelde, que aumenta, como as capuchinhas, nas direções mais imprevistas, antes faz pensar no nariz de Mascarilho que no de Salomão. Porém Bloch, não tendo sido "maleabilizado" pela ginástica do *faubourg*, nem enobrecido por um cruzamento com a Inglaterra ou a Espanha, permanecia, para um amador de exotismo, tão estranho e saboroso de se olhar, apesar da sua roupa européia, como um judeu de Decamps. Admirável força da raça que, do fundo dos séculos, impele até a moderna Paris, nos corredores de nossos teatros, por trás dos guichês de nossas repartições, num enterro, na rua, uma falange intacta, que, estilizando o penteado moderno, absorvendo, fazendo esquecer e disciplinando a sobrecasaca, em suma continua sendo idêntica à dos escribas assírios que, pintados em trajes de cerimônia na frisa de um monumento de Susa, defendem as portas do palácio de Dario. (Uma hora mais tarde, Bloch ia imaginar que era por má vontade anti-semita que o Sr. de Charlus se informava se ele tinha prenome judeu, quando era simplesmente por curiosidade estética e amor à cor local.) Mas, além disso, falar da permanência de raças dá inexatamente a idéia de que somos herdeiros dos judeus, dos gregos, dos persas, de todos esses povos aos quais será melhor deixar sua variedade. Pelas pinturas antigas, conhecemos o rosto dos antigos gregos, vimos assírios no frontão de um palácio de Susa. Ora, quando encontramos na sociedade alguns orientais que pertencem a este ou àquele grupo racial, parece que estamos em presença de criaturas que a força do espiritismo teria feito aparecer. Conhecíamos apenas uma imagem superficial; eis que ela assumiu uma profundidade, estende-se pelas três dimensões, move-se. A jovem dama grega, filha de um rico banqueiro, e agora na moda, parece uma dessas figurantes que, num balé a um tempo histórico e estético, simbolizam a arte helênica em carne e osso; e no teatro ainda, a cenografia banaliza tais imagens; ao contrário, o espetáculo a que nos faz assistir a entrada de uma turca ou de um judeu no salão, animando as figuras, torna-as mais estranhas, como se de fato se tratasse de seres evocados por esforço mediúnico. É a alma (ou antes, o pouco a que ela se reduz, pelo menos até aqui, nesse tipo de materialização), é a alma, entrevista antes por nós apenas nos museus, a alma dos gregos antigos, dos antigos judeus, arrancada a uma vida ao mesmo tempo insignificante e transcendental, que parece executar à nossa frente essa mímica desconcertante. Na jovem dama grega que se esquiva, o que em vão desejaríamos abraçar é uma figura outrora admirada nos flancos de um vaso. Parecia-me que, se tivesse tirado clichês de Bloch, à luz do salão da Sra. de Villeparisis, eles teriam dado aquela mesma imagem que nos mostram as fotografias espíritas, tão perturbadora por não parecer emanar da humanidade, tão decepcionante porque mesmo assim se assemelha demais à humanidade. De um modo geral, mesmo a nulidade das frases ditas pelas pessoas em meio às quais vivemos nos dá a impressão do sobrenatural no nosso pobre mundo de todos os dias, onde até um homem de gênio, de quem esperamos, reunidos como ao redor de uma mesa giratória, o segredo do infinito, pronuncia apenas estas palavras — as mesmas que acabavam de sair dos lábios de Bloch: — Tenham cuidado com a minha cartola.

— Meu Deus, os ministros, meu caro senhor — estava dizendo a Sra. de Villeparisis, dirigindo-se mais particularmente ao meu antigo camarada e retomando o fio de uma conversação que a minha chegada havia interrompido —, ninguém queria vê-los. Por pequenina que eu fosse, lembro-me ainda do rei pedindo a meu avô que convidasse o Sr. Decazes para uma festa em que meu pai devia dançar com a duquesa de Berry. — Dar-me-ia prazer, Florimond — dizia o rei. Meu avô, que era um tanto surdo, tendo entendido Sr. de Castries, achou muito natural o pedido. Quando compreendeu que se tratava do Sr. Decazes, teve um instante de revolta, mas inclinou-se e escreveu na mesma noite ao Sr. Decazes, pedindo que lhe fizesse o favor e a honra de comparecer ao seu baile que se daria na semana seguinte. Pois era-se cortês naqueles tempos, senhor, e uma dona de casa não saberia se limitar a enviar seu cartão sem acrescentar por escrito: "uma taça de chá" ou "chá dançante" ou "chá musical". Mas, se se conhecia a polidez, igualmente não se ignorava a impertinência. O Sr. Decazes aceitou, mas, na véspera do baile, todos souberam que meu avô, sentindo-se adoentado, havia cancelado a festa. Obedecera ao rei, mas não tivera o Sr. Decazes no seu baile... Sim, senhor, lembro-me muito bem do Sr. Molé; era um homem de espírito, e o provou quando recebeu o Sr. de Vigny na Academia, mas era em extremo solene, e o vejo ainda descendo para jantar em sua casa com a cartola na mão.

— Ah, é bem evocativo de um tempo tão perniciosamente filisteu, pois, sem dúvida, tratava-se de um hábito universal estar de chapéu na mão em casa — disse Bloch, desejoso de aproveitar aquela ocasião tão rara para instruir-se, junto a uma testemunha ocular, acerca das particularidades da vida aristocrática de antigamente, enquanto o arquivista, espécie de secretário intermitente da marquesa, lançava a esta olhares enternecidos e parecia nos dizer: "Eis como ela é, ela sabe tudo, conheceu todo mundo, podem interrogá-la sobre o que quiserem, ela é extraordinária."

— De modo algum — respondeu a Sra. de Villeparisis, trazendo para mais perto de si o copo onde estavam mergulhados os cabelos-de-vênus que dali a pouco voltaria a pintar —, era apenas um hábito do Sr. Molé. Nunca vi meu pai de chapéu em casa, exceto, é claro, quando o rei aparecia, pois, como o rei em toda parte está em casa, o dono da casa é apenas um visitante em seu próprio salão.

— Aristóteles nos diz, no capítulo II... — ousou o Sr. Pierre, o historiador da Fronda, mas de modo tão tímido que ninguém lhe prestou atenção. Atingido desde algumas semanas por insônias nervosas que resistiam a todos os tratamentos, ele já não se deitava e, quebrado pela fadiga, só saía quando seus trabalhos exigiam que se deslocasse. Incapaz muitas vezes de recomeçar as expedições tão simples para os outros, mas que lhe custavam tanto como se, para realizá-las, tivesse que descer da lua, surpreendia-se com freqüência ao ver que a vida de cada um não estava organizada de modo permanente a dar o máximo de rendimento aos bruscos impulsos da sua. Às vezes, encontrava fechada uma biblioteca que só tinha ido ver postando-se artificialmente de pé e numa casaca, como um personagem de Wells. Felizmente, encontrara a Sra. de Villeparisis em casa e ia ver o retrato.

Bloch lhe cortou a palavra.

— Na verdade — disse ele, respondendo ao que a Sra. de Villeparisis acabara de dizer a respeito do protocolo que regulava as visitas reais —, eu não sabia absolutamente nada disso (como se fosse estranho que o não soubesse).

— A propósito desse tipo de visitas, sabe da brincadeira estúpida que me fez na manhã de ontem o meu sobrinho Basin? — perguntou a Sra. de Villeparisis ao arquivista. — Em vez de se anunciar, mandou dizer-me que era a rainha da Suécia que desejava me ver.

— Ah, ele lhe mandou dizer isso sem mais nem menos? É boa! — exclamou Bloch, rebentando numa gargalhada, enquanto o historiador sorria com majestosa timidez.

— Estava muito espantada, pois fazia poucos dias que regressara do campo; para ter um pouco de sossego, recomendara que não dissessem a ninguém que me encontrava em Paris, e me indagava como a rainha da Suécia já o soubera — continuou a Sra. de Villeparisis, deixando os convivas espantados de que uma visita da rainha da Suécia não fosse por si só nada de anormal para a anfitriã.

Decerto que, se de manhã a Sra. de Villeparisis tinha compulsado com o arquivista a documentação de suas Memórias, naquele momento ensaiava sem querer seu mecanismo e sortilégio sobre um público mediano, representativo daquele em que se recrutariam os seus leitores um dia. O salão da Sra. de Villeparisis podia diferenciar-se de um salão verdadeiramente elegante, de que estariam ausentes muitas das burguesas que ela recebia e onde, em compensação, se veriam algumas das damas brilhantes que a Sra. Leroi acabara por atrair, mas essa nuança não era perceptível em suas Memórias, de onde desaparecem certas relações medíocres que tivera a autora, pois não têm ocasião de serem citadas; e aí não fazem falta visitantes inexistentes, porque, no espaço forçosamente restrito que as Memórias oferecem, podem figurar poucas pessoas, e, se tais pessoas são personalidades principescas, históricas, acha-se alcançada a impressão máxima de elegância que algumas Memórias podem fornecer ao público. No entender da Sra. Leroi, o salão da Sra. de Villeparisis era um salão de terceira categoria; e a Sra. de Villeparisis sofria com o julgamento da Sra. Leroi. Mas hoje quase ninguém mais sabe quem era a Sra. Leroi, seu julgamento se desfez, e é o salão da Sra. de Villeparisis, que a rainha da Suécia freqüentava, e que fora freqüentado pelo duque de Aumale, pelo duque de Broglie, por Thiers, Montalembert, pelo Monsenhor Dupanloup, que será considerado como um dos mais brilhantes do século XIX por essa posteridade que não mudou desde os tempos de Homero e de Píndaro, e para quem a posição invejável é a de nascimento nobre, real ou quase real, a amizade dos reis, dos líderes do povo, dos homens ilustres.

Ora, de tudo isto a Sra. de Villeparisis tinha um pouco em seu salão atual e nas recordações, às vezes retocadas de leve, e com auxílio das quais ela o prolongava no passado. Além disso, o Sr. de Norpois, que não era capaz de refazer uma posição sólida para a amiga, em compensação lhe trazia estadistas estrangeiros ou franceses que precisavam dele e sabiam que a única maneira eficaz de cortejá-lo era freqüentar a casa da Sra. de Villeparisis. Talvez a Sra. Leroi também conhecesse essas eminentes personalidades européias. Mas, como mulher agradável e que se esquiva ao tom das pretensiosas, ela evitava falar da questão do Oriente aos primeiros-ministros, tanto quanto da essência do amor aos romancistas e aos filósofos. — O amor? — dissera uma vez em resposta a uma dama pretensiosa que a interrogara: "— Que pensa do amor?" — O amor? Faço-o muitas vezes, mas nunca falo sobre ele. — Quando tinha em sua casa celebridades literárias e políticas, contentava-se, como a duquesa de Guermantes, em fazê-las jogar pôquer. Com freqüência, eles gostavam mais disto que das grandes conversas sobre idéias gerais a que os constrangia a Sra. de Villeparisis. Porém, tais conversações, talvez ridículas na sociedade, forneceram às "Lembranças" da Sra. de Villeparisis alguns desses trechos excelentes, dessas dissertações políticas que ficam muito bem nessas Memórias, como em tragédias à moda de Corneille. Aliás, apenas os salões das Sras. de Villeparisis podem passar à posteridade porque as Sras. Leroi não sabem escrever e, mesmo que soubessem, não teriam tempo para tal. E, se as disposições literárias das Sras. de Villeparisis são o motivo do desdém das Sras. Leroi, por sua vez o desdém destas serve singularmente às disposições literárias das Sras. de Villeparisis, proporcionando às damas literatas o lazer que a carreira das letras exige. Deus, que quer que haja alguns livros bem escritos, inspira para tanto esses desdéns ao coração das Sras. Leroi, pois sabe que, se elas convidassem as Sras. de Villeparisis para jantar, estas largariam imediatamente os seus estúdios e mandariam atrelar as carruagens para as oito horas.

Após um instante entrou, a passo lento e solene, uma velha dama de alta estatura e que, sob o chapéu de palha de aba erguida, entremostrava um penteado monumental à maneira de Maria Antonieta. Eu não sabia então que se tratava de uma das três mulheres que ainda era possível observar na sociedade parisiense, e que, como a Sra. de Villeparisis, sendo de alto berço, tinham sido reduzidas, por motivos que se perdiam na noite dos tempos, e que só poderia ter-nos dito algum velho distinto daquela época, a receber apenas pessoas que ninguém mais desejava acolher em outro lugar. Cada uma dessas damas tinha a sua "duquesa de Guermantes", sua sobrinha brilhante que vinha lhe pagar suas obrigações, mas que não seria capaz de atrair à sua casa a "duquesa de Guermantes" das outras duas. A Sra. de Villeparisis era muito ligada a essas três damas, mas não gostava delas. Talvez a situação destas, tão análoga à sua, lhe mostrasse uma imagem que não lhe era nada agradável. E depois, azedas, literatas, procurando, pela quantidade de sainetes que faziam representar, dar a si mesmas a ilusão de um salão, tinham entre si rivalidades que uma fortuna bastante arruinada no decurso de uma vida pouco tranqüila, forçando-as a buscar, a desfrutar do concurso gratuito de um artista, transformava numa espécie de luta pela vida. Além do mais, a dama do penteado à Maria Antonieta, cada vez que via a Sra. de Villeparisis, não podia evitar pensar que a duquesa de Guermantes não ia às suas recepções das sextas. Seu consolo era que a essas sextas jamais faltava, como boa parenta, a princesa de Poix, que era a sua Guermantes, e que nunca ia à casa da Sra. de Villeparisis, embora a Sra. de Poix fosse amiga íntima da duquesa.

Todavia, do palácio do cais Malaquais aos salões da rua de Tournon, da rua de la Chaise e do *faubourg* Saint-Honoré, um laço tão forte quanto detestado unia as três divindades decaídas, das quais bem que eu gostaria de saber, folheando algum dicionário mitológico da sociedade, que aventura galante, que petulância sacrílega, havia causado a punição. A mesma origem brilhante, a mesma decadência atual, colaborava talvez muito em tal necessidade que as impelia, ao mesmo tempo, a se odiarem e a se freqüentarem. E, depois, cada uma encontrava nas outras um modo cômodo de fazer finezas aos visitantes. Como é que estes não julgariam penetrar no *faubourg* mais fechado quando eram apresentados a uma dama de grandes títulos, cuja irmã havia desposado um duque de Sagan ou um príncipe de Ligne? Tanto que se falava infinitamente mais na imprensa desses pretensos salões do que dos verdadeiros. Mesmo os sobrinhos grã-finos, a quem um camarada pedia que o apresentassem na sociedade (Saint-Loup em primeiro lugar), diziam: "Vou levá-lo à casa da minha tia Villeparisis ou da minha tia X; é um salão interessante." Eles sabiam principalmente que isto lhes daria menos trabalho do que fazer penetrar os tais amigos em casa das sobrinhas ou cunhadas elegantes dessas damas. Os homens muito idosos, as moças que o tinham sabido por eles, disseram-me que essas velhas damas não eram recebidas devido ao desregramento incrível de sua conduta, a qual, quando objetei que isso não era um impedimento à elegância, me foi apresentada como tendo ultrapassado todas as proporções conhecidas hoje. O mau procedimento daquelas damas solenes, que se mantinham sentadas e bem direitas, adquiria, na boca dos que tocavam no assunto, algo que eu não podia imaginar, proporcional à grandeza das épocas pré-históricas, à Idade do Mamute. Em resumo, aquelas três Parcas de cabelos brancos, azuis ou cor-de-rosa tinham contribuído para a ruína de um número incalculável de senhores. Eu pensava que os homens de hoje exagerassem os vícios daqueles tempos fabulosos, como os gregos que formaram Ícaro,

Teseu e Hércules com homens pouco diferentes dos que muito tempo depois os divinizaram. Mas só se faz a soma dos vícios de uma criatura quando esta já não está em condições de praticá-los, e quando, pela enormidade do castigo social, que principia a cumprir-se e que é só o que se pode constatar, medimos, imaginamos e exageramos a do crime cometido. Nessa galeria de figuras simbólicas que é a "sociedade", as mulheres verdadeiramente levianas, as Messalinas completas, apresentam sempre o aspecto solene de uma dama de pelo menos setenta anos, altaneira, que recebe a quantos pode, mas não a quem deseja, a cuja casa não admitem ir as mulheres cuja conduta se presta um pouco a falatórios, e à qual o Papa dá sempre a sua "rosa de ouro", e que às vezes escreveu acerca da juventude de Lamartine uma obra premiada pela Academia Francesa. — Bom dia, Alix — disse a Sra. de Villeparisis à dama de penteado branco à Maria Antonieta, a qual dama lançava um olhar penetrante sobre a assembléia a fim de ver se não havia naquele salão algo que pudesse ser útil para o seu e que, em tal caso, deveria descobrir por si mesma, pois a Sra. de Villeparisis, sem dúvida, seria bastante maligna para tentar ocultá-lo. Assim é que a Sra. de Villeparisis teve grande cuidado de não apresentar Bloch à velha dama, com receio de que ela fizesse representar o mesmo sainete da sua casa na mansão do cais Malaquais. Com isso, aliás, estava pagando na mesma moeda. Pois a velha dama tivera na véspera em sua casa a Sra. Ristori,[12] que recitara versos, e fora cuidadosa no sentido de que a Sra. de Villeparisis, a quem havia furtado a artista, ignorasse o fato até que estivesse consumado. Para que esta não soubesse do caso pelos jornais, e não ficasse ofendida, vinha ela mesma contá-lo como se não se sentisse culpada. A Sra. de Villeparisis, julgando que minha apresentação não oferecia os mesmos inconvenientes da de Bloch, pôs-me em presença da Maria Antonieta do cais. Esta, fazendo o mínimo de movimentos possível, buscando na velhice aquela linha de deusa de Coysevox que tinha, há muitos anos, encantado a juventude elegante e que falsos homens de letras celebravam agora em rimas forçadas — tendo aliás adquirido o hábito do empertigamento altaneiro e compensatório, comum a todas as pessoas a quem uma desgraça particular obriga permanentemente a dar o primeiro passo —, inclinou levemente a cabeça com majestade glacial e, virando-se para o outro lado, não se ocupou mais de mim, como se eu nunca tivesse existido. Sua atitude de duplo objetivo

[12] *Sra. Ristori*: Adelaide Ristori, trágica italiana (1822-1906), muito célebre na Europa em seu tempo. Esteve no Brasil em 1869; Machado de Assis, sob o pseudônimo de *Platão*, escreveu folhetins sobre ela no *Diário do Rio*. (N. do T.)

parecia dizer à Sra. de Villeparisis: "Veja que mais uma ou outra relação é algo a que não dou nenhuma importância, e que os rapazinhos — sob nenhum ponto de vista, sua linguaruda — não me interessam." Mas quando, um quarto de hora depois, ela se retirou, aproveitando-se da balbúrdia, segredou-me ao ouvido que comparecesse na sexta-feira seguinte ao seu camarote, onde estaria com uma das três, cujo nome fulgurante — aliás ela mesma nascera Choiseul — me causou um efeito prodigioso.

— Senhor, *crreio* que deseja escrever algo sobre a Sra. duquesa de Montmorency — disse a Sra. de Villeparisis ao historiador da Fronda, com esse ar rabugento de que, sem querer, sua grande amabilidade se franzia devido às rugas de aborrecimento, ao despeito fisiológico da velhice, bem como pela afetação de imitar o tom quase camponês da antiga aristocracia. — Vou lhe mostrar o seu retrato, o original da cópia que está no Louvre.

Ela se ergueu, pousando os pincéis perto de suas flores, e o pequeno avental, que então apareceu à sua cintura e que ela usava para não se sujar com as cores, aumentava ainda mais a impressão quase de uma camponesa que lhe davam o boné e as grossas lentes dos óculos, e contrastava com o luxo de seus empregados, do mordomo que trouxera o chá e os doces, do lacaio de libré a quem tocou a campainha, chamando-o para que iluminasse o retrato da duquesa de Montmorency, abadessa de um dos mais célebres cabidos do Oriente. Todos tinham se levantado. — O engraçado — disse ela — é que nesses cabidos em que nossas tias-avós eram freqüentemente abadessas, as filhas do rei da França não teriam sido admitidas. Eram cabidos extremamente fechados. — Não admitidas as filhas do rei; e por quê? — indagou Bloch, estupefato. — Mas é porque a Casa da França já não possuía bastantes quartéis de nobreza, desde que fez casamentos desiguais. — O espanto de Bloch ia aumentando. — Casamentos desiguais na Casa da França? Como assim? — Aliando-se aos Médicis, ora — respondeu a Sra. de Villeparisis no tom mais natural. — O retrato é belo, não? E num estado perfeito de conservação — acrescentou.

— Minha querida amiga — disse a dama penteada à Maria Antonieta —, deve lembrar-se de que, quando lhe trouxe Liszt, ele lhe disse que este é que era a cópia.

— Eu me inclinarei diante de uma opinião de Liszt sobre música, mas não sobre pintura! Além do mais, ele já estava caducando e eu não me lembro de que tenha dito isto alguma vez. Mas não foi você quem me trouxe Liszt. Já tinha jantado umas vinte vezes com ele na casa da princesa de Sayn-Wittgenstein.

O golpe de Alix falhara; ela calou-se, permanecendo de pé e imóvel. Com camadas de pó emplastando-lhe o rosto, este parecia um rosto de pedra. E, como o perfil era nobre, ela se assemelhava, sobre o pedestal triangular e musgoso oculto pelo mantelete, à deusa estragada de um parque.

— Ah, eis ainda um outro belo retrato — disse o historiador.

A porta se abriu e a duquesa de Guermantes entrou.

— Alô, bom-dia — disse-lhe a Sra. de Villeparisis sem mover a cabeça, tirando de um bolso do avental uma mão que estendeu à recém-chegada; e logo deixando de se ocupar dela para se dirigir ao historiador. — É o retrato da duquesa de La Rochefoucauld...

Um jovem criado de ar arrogante e rosto encantador (mas cortado tão rente para ficar perfeito que seu nariz estava um tanto vermelho e a pele ligeiramente inflamada, como se conservassem traços da recente e escultural incisão) entrou trazendo um cartão numa salva.

— É aquele senhor que já veio várias vezes para ver a Sra. marquesa.

— Disse-lhe que eu recebia?

— Ele ouviu as conversas.

— Pois bem, faça-o entrar. É um senhor que me apresentaram — disse a Sra. de Villeparisis. — Disse-me que muito desejava ser recebido aqui. Nunca o autorizei a vir. Mas enfim, são já cinco vezes que ele se incomoda, não convém constranger as pessoas. Senhor — disse-me ela — e o senhor — acrescentou, designando o historiador da Fronda —, apresento-lhes a minha sobrinha, a duquesa de Guermantes.

O historiador inclinou-se profundamente, bem como eu, e, julgando que esse cumprimento devia ser seguido por uma reflexão cordial, seus olhos se animaram e ele se preparava para abrir a boca, porém gelou-o o aspecto da Sra. de Guermantes, que aproveitara a independência de seu torso para lançá-lo adiante com uma polidez exagerada e retraí-lo com justeza, sem que sua fisionomia e seu olhar parecessem ter notado que havia alguém diante deles; depois de ter soltado um leve suspiro, limitou-se a manifestar a nulidade da impressão que lhe produziam a vista do historiador e a minha, executando certos movimentos das narinas com uma precisão que atestava a inércia absoluta de sua atenção ociosa.

Entrou o visitante importuno, encaminhando-se diretamente para a Sra. de Villeparisis com ar ingênuo e fervoroso; era Legrandin.

— Fico-lhe muito grato por me receber, senhora — disse ele, sublinhando a palavra *muito*; — é um prazer de qualidade totalmente rara e sutil que dá a um velho solitário, asseguro-lhe que sua repercussão...

Parou de repente, ao me ver.

— Eu estava mostrando a este senhor o belo retrato da duquesa de La Rochefoucauld, esposa do autor das *Máximas*; veio-me de família.

Quanto à Sra. de Guermantes, cumprimentou Alix desculpando-se por não ter podido ir visitá-la naquele ano como nos anteriores. — Tive notícias suas por meio de Madeleine — acrescentou.

— Ela almoçou comigo esta manhã — disse a marquesa do cais Malaquais, com a satisfação de pensar que a Sra. de Villeparisis jamais poderia dizer outro tanto.

Nesse meio tempo, eu conversava com Bloch e, receando, pelo que me tinham dito acerca da mudança do pai a seu respeito, que invejasse a minha vida, disse-lhe que a sua devia ser mais feliz. Tais palavras eram de minha parte um simples efeito da amabilidade. Mas elas convencem facilmente de sua boa sorte aqueles que têm muito amor-próprio, ou lhes dão o desejo de convencer os outros disso. — Sim, de fato levo uma vida deliciosa — disse-me Bloch com ar de beatitude. — Tenho três grandes amigos, nem desejaria um outro a mais, uma amante adorável, sou infinitamente feliz. Raro é o mortal a quem o pai Zeus concede tantas venturas. — Acho que, principalmente, procurava elogiar a si próprio e fazer-me sentir inveja. Talvez também houvesse algum desejo de originalidade em seu otimismo. Ficou evidente que não queria responder as mesmas banalidades de todos: "Oh, não foi nada, etc." — quando, à minha pergunta "Esteve bonita?", a propósito de uma matinê dançante dada em sua casa, e à qual eu não pudera comparecer, respondeu num tom igual e indiferente, como se se tratasse de outra pessoa: — Claro que sim, foi muito bonita, não podia ser melhor. Foi de fato deslumbrante.

— Isso que a senhora nos informa é infinitamente interessante para mim — disse Legrandin à Sra. de Villeparisis —, pois exatamente dizia comigo outro dia que a senhora marquesa possuía muito dele na viva nitidez das frases, nesse algo que designarei com dois termos contraditórios, a rapidez lapidar e a imortal instantaneidade. Gostaria, esta noite, de tomar nota de todas as coisas que a senhora diz; mas poderei retê-las. Elas são amigas da memória, de acordo com uma frase de Joubert, creio. Nunca leu Joubert? Oh, a senhora marquesa lhe agradaria tanto! Nesta mesma noite me permitiria enviar-lhe suas obras, com muito orgulho de lhe apresentar o seu espírito. Ele não possuía a força da senhora marquesa. Mas era dotado também de muita graça.

Desejaria ir logo cumprimentar Legrandin, mas ele se mantinha constantemente o mais possível afastado de mim, sem dúvida esperando que eu não ouvisse as lisonjas que, com grande refinamento de expressão, não deixava de dirigir à Sra. de Villeparisis.

Ela fez pouco caso, sorrindo, como se ele estivesse gracejando, e voltou-se para o historiador:

— E esta aqui é a famosa Marie de Rohan, duquesa de Chevreuse, que casou em primeiras núpcias com o Sr. de Luynes.

— Minha querida, a Sra. de Luynes me faz lembrar Yolande; ela foi ontem lá em casa e, se eu soubesse que a sua vesperal não estava ocupada por ninguém, teria mandado buscá-la. A Sra. Ristori, que chegou de improviso, disse diante da autora uns versos da rainha Carmen Sylva; eram de uma beleza!

"Que perfídia!" — pensou a Sra. de Villeparisis. — "Certamente era nisso que estava falando baixinho, outro dia, à Sra. de Beaulaincourt e à Sra. de Chaponay." — Eu estava livre — respondeu. — Ouvi a Sra. Ristori nos seus bons tempos; hoje não passa de uma ruína. E depois, detesto os versos de Carmen Sylva. A Ristori veio aqui uma vez, trazida pela duquesa de Aosta, recitar um canto do *Inferno* de Dante. Aí é que ela é incomparável.

Alix suportou o golpe sem fraquejar. Permanecia de mármore. Seu olhar era penetrante e vazio, o nariz nobremente recurvo. Mas uma face se escamava. Vegetações leves, estranhas, verdes e róseas, invadiam o queixo. Talvez um inverno mais a derrubasse.

— Olhe, senhor, se gosta de pintura, observe o retrato da Sra. de Montmorency — disse a Sra. de Villeparisis a Legrandin, para interromper os cumprimentos que recomeçavam.

Aproveitando o fato de que ele se afastara, a Sra. de Guermantes o designou à tia com um olhar irônico e interrogativo.

— É o Sr. Legrandin — disse a Sra. de Villeparisis a meia voz. — Tem uma irmã que se chama Sra. de Cambremer, o que aliás não deve lhe dizer mais do que a mim.

— Como, mas conheço-a perfeitamente! — exclamou a Sra. de Guermantes pondo a mão diante da boca. — Ou melhor, não a conheço; mas não sei o que deu em Basin, que encontra o marido sabe Deus onde, e diz a essa mulheraça que venha visitar-me. Não posso nem dizer o que foi essa visita. Ela me contou que fora a Londres, enumerou-me todos os quadros do British. Aqui como me vê, ao sair de sua casa, vou deixar um cartão na casa desse monstro. E não que seja coisa das mais fáceis, pois, sob o pretexto de estar agonizante, encontra-se sempre em casa; e, tanto faz visitá-la às sete horas da noite ou às nove da manhã, ela está pronta a nos oferecer torta de morangos. Está claro que é mesmo um monstro — continuou a Sra. de Guermantes diante de um olhar interrogativo da tia. — É uma pessoa impossível; ela diz "plumitivo" e coisas assim. — O que quer dizer "plumitivo"? — indagou a Sra. de Villeparisis à sobrinha. — Não faço a menor idéia! — exclamou a duquesa com raiva fingida. — Nem quero saber. Não falo esse tipo de francês. — E, vendo que a tia não sabia de fato o que significava "plumitivo", para ter a satisfação de mostrar que era sábia tanto quanto purista, e para troçar da tia depois de haver troçado da Sra. de Cambremer: — Claro que sim — disse com um meio-sorriso reprimido pelos restos do mau humor afetado —, todo mundo sabe disso, um plumitivo é um escritor, é alguém que se utiliza de uma pena. Mas é uma palavra horrível. É de fazer cair os dentes do siso. Jamais me obrigarão a dizer isto. Com que então, é o irmão dela! Ainda não tinha percebido. Mas no fundo não é incompreensível. Ela tem a mesma humildade de esteira de cama, os mesmos recursos de biblioteca ambulante. É tão bajuladora, tão enfadonha como ele. Começo a perceber bem esse parentesco.

— Sente-se, vai-se tomar um pouco de chá — disse a Sra. de Villeparisis à Sra. de Guermantes —; sirva-se você mesma, não precisa ver os retratos de suas tataravós, conhece-os tão bem quanto eu.

A Sra. de Villeparisis voltou em breve para sentar-se e pôs-se a pintar. Todos se aproximaram; aproveitei para ir ao encontro de Legrandin e, não achando nada de culposo em sua presença na casa da Sra. de Villeparisis, disse-lhe, sem imaginar o quanto iria a um tempo feri-lo e fazê-lo acreditar na intenção de o ferir: — Muito bem, senhor, estou quase desculpado de estar num salão, visto que o encontro aqui. — O senhor Legrandin concluiu dessas palavras (pelo menos foi esse o juízo que fez de mim alguns dias depois) que eu era uma criaturinha essencialmente má que só se agradava do mal.

— Você poderia ter a delicadeza de começar por me cumprimentar — respondeu-me ele, sem me estender a mão e num tom de voz enraivecido e vulgar que não lhe imaginava e que, sem qualquer relação racional com o que ele dizia de costume, possuía uma outra mais imediata e impressionante com algo que estava sentindo. É que, como estamos sempre ocultando o que sentimos, nunca pensamos no modo pelo qual o expressaríamos. E, de repente, é um animal imundo e desconhecido que se faz ouvir em nós e cujo acento às vezes pode causar medo a quem recebe essa confidência involuntária, elíptica e quase irresistível de nosso defeito ou de nosso vício, como o causaria a súbita confissão, indireta e estranhamente proferida por um criminoso que não pudesse deixar de confessar um assassinato do qual não o sabíamos culpado. Decerto, eu bem sabia que o idealismo, mesmo subjetivo, não impede que grandes filósofos continuem sendo gulosos ou que se apresentem tenazmente à Academia. Mas na verdade Legrandin não precisava lembrar tão amiúde que pertencia a um outro planeta, quando todos os seus movimentos convulsivos de cólera ou de amabilidade eram governados pelo desejo de obter uma boa posição social neste.

— Naturalmente, quando me perseguem vinte vezes seguidas para que eu vá a um certo lugar — continuou em voz baixa —, conquanto eu tenha direito à minha liberdade, não posso todavia proceder como um grosseirão.

A Sra. de Guermantes se assentara. Seu nome, como era seguido pelo título, ajuntava à pessoa física o seu ducado, que se projetava a seu redor e fazia reinar a frescura sombria e dourada dos bosques de Guermantes no meio do salão, em torno ao tamborete em que ela estava. Apenas sentia-me espantado de que a semelhança não fosse mais legível no rosto da duquesa, que nada possuía de vegetal e onde, quando muito, as sardas — que, parece, deveriam estar brasonadas pelo nome de Guermantes — eram o efeito mas não a imagem de longas cavalgadas ao ar livre. Mais tarde, quando a duquesa se me tornou indiferente, cheguei a conhecer muitas de suas particularidades, e notadamente (a fim de me ater no momento àquilo cujo encanto já sofria sem que o soubesse então distinguir) seus olhos, onde está preso, como num quadro, o céu azul de uma tarde francesa, largamente descoberto, banhado de luz mesmo quando ela não brilhava; e uma voz que se julgaria, pelos primeiros sons enrouquecidos, quase canalha, onde se arrastava, como pelos degraus da igreja de Combray, ou pela pastelaria da praça, o ouro preguiçoso e fértil de um sol provinciano. Mas, neste primeiro dia, eu não distingui coisa alguma; minha atenção ardente volatizava de imediato o pouco que pudesse ter recolhido e onde poderia ter encontrado algo relativo ao nome de Guermantes. Em todo caso, dizia comigo que era mesmo ela quem designava para todo mundo o nome da duquesa de Guermantes: a vida inconcebível que este nome significava, continha-a de fato aquele corpo; ele acabava de introduzi-la no meio de seres diversos, naquele salão que a rodeava de todos os lados e sobre o qual ela exercia uma reação tão viva que eu supunha ver, no ponto onde essa vida deixava de alongar-se, uma franja de efervescência a delimitar-lhe as fronteiras; na circunferência que a saia de pequim azul recortava sobre o tapete, e nas claras pupilas da duquesa, na intersecção dos problemas, das lembranças, do pensamento incompreensível, depreciativo, divertido e curioso que as povoavam, e das imagens estranhas que aí se refletiam. Talvez tivesse ficado menos impressionado se a encontrasse em casa da Sra. de Villeparisis em uma vesperal, em vez de vê-la assim num dos "dias" da marquesa, num desses chás que, para as mulheres, não passam de uma curta parada no meio da sua saída e onde, conservando o chapéu com que acabam de fazer compras, trazem à série de salões a qualidade do ar de fora e dão mais claridade a Paris no fim da tarde do que as altas janelas abertas por onde se ouve o rolar das vitórias: a Sra. de Guermantes estava com um chapéu de palha ornado de acianos; e o que essas flores me evocavam não era, sobre as trilhas de Combray onde muitas vezes as colhera, sobre a ladeira rente à sebe de Tansonville, os sóis dos anos de outrora; era o odor e a poeira do crepúsculo, tais como há pouco ainda estavam, no momento em que a Sra. de Guermantes acabara de atravessá-los, na rua de La Paix. Com ar risonho, desdenhoso e vago, os lábios apertados num ricto, ela, com a ponta da sombrinha, como se com a extrema antena de sua vida misteriosa, desenhava círculos no tapete; depois, com essa atenção indiferente que principia por eliminar todo ponto de contato entre o que a gente considera e o próprio eu, seu olhar se fixava alternadamente em cada um de nós, depois inspecionava os canapés e as poltronas, porém suavizando-se então com aquela simpatia humana que desperta a própria presença insignificante de uma coisa que se conhece, de uma coisa que é quase uma pessoa; aqueles móveis não eram como nós, pertenciam vagamente ao seu mundo, estavam ligados à vida de sua tia; depois, do móvel de Beauvais aquele olhar se voltava para a pessoa que nele estava sentada, e então retomava o mesmo ar de perspicácia e de desaprovação que o respeito da Sra. de Guermantes pela tia a teria impedido de exprimir, mas enfim que ela teria sentido se houvesse percebido sobre as poltronas, em vez da nossa presença, a de uma mancha de graxa ou de uma camada de pó.

O excelente escritor G*** entrou; vinha fazer à Sra. de Villeparisis uma visita que julgava um suplício. A duquesa, que se mostrou encantada em revê-lo, no entanto não lhe fez nenhum sinal, mas, com toda a naturalidade, ele se chegou para junto dela, visto que o encanto da duquesa, seu tato, sua simplicidade, faziam-na ser considerada uma mulher de espírito. Aliás, mandava a polidez que fosse falar com ela, pois, como ele era agradável e famoso, a Sra. de Guermantes o convidava seguidamente para almoçar, mesmo a sós com ela e o marido, ou, no outono, em Guermantes, se aproveitava dessa intimidade para convidá-lo algumas noites para jantar com altezas curiosas de conhecê-lo. Pois a duquesa gostava de receber certos homens de elite, porém sob a condição de que fossem solteiros, condição que, mesmo casados, eles preenchiam sempre para ela, pois, como suas mulheres, sempre mais ou menos vulgares, destoariam num salão onde só havia as mais elegantes beldades de Paris, eram sempre convidados sem elas; e o duque, para prevenir toda e qualquer suscetibilidade, explicava a esses viúvos forçados que a duquesa não recebia mulheres, não suportava a sociedade das mulheres, quase como se fosse por ordens do médico e como se este dissesse que ela não podia permanecer num quarto onde houvesse cheiros, comer coisas excessivamente salgadas, viajar no último vagão ou usar colete. É verdade que esses grandes homens viam, na casa dos Guermantes, a princesa de Parma, a princesa de Sagan (a quem Françoise, ouvindo sempre falar dela, acabou por chamá-la, crendo que esse feminino era exigido pela gramática, de A Sagana), e muitas outras, mas a sua presença era justificada dizendo-se que pertenciam à família, ou eram amigas de infância que não se podia eliminar. Convencidos ou não pelas explicações que o duque de Guermantes lhes dera sobre a singular enfermidade da duquesa de não poder freqüentar mulheres, os grandes homens as transmitiam às esposas. Algumas pensavam que a doença não passava de um pretexto para ocultar o seu ciúme, pois a duquesa queria ser a única a reinar sobre uma corte de adoradores. Mais ingênuas ainda, outras pensavam que talvez a duquesa fosse um tipo singular, até mesmo com um passado escandaloso, que as mulheres não desejavam ir à casa dela, e que ela dava um nome de sua fantasia à necessidade. As melhores, ouvindo os maridos dizerem maravilhas do espírito da duquesa, achavam que esta era tão superior ao resto das mulheres que se aborrecia na sua sociedade, pois as mulheres não sabem falar de nada. E é verdade que a duquesa se aborrecia junto das mulheres quando a sua qualidade principesca não lhes emprestava um interesse especial. Mas as esposas eliminadas se enganavam ao imaginar que a Sra. de Guermantes não queria receber senão homens para poder falar de literatura, ciência e filosofia. Pois nunca falava disso, ao menos com os grandes intelectuais. Se, em virtude da mesma tradição de família que faz com que as filhas dos grandes militares conservem, em meio às suas mais vaidosas preocupações, o respeito às coisas do exército, ela, neta de mulheres que tinham sido ligadas a Thiers, Mérimée e Augier, pensava que, antes de tudo, é preciso guardar em seu salão um espaço para as pessoas de espírito, mas, por outro lado, mantivera, da maneira a um tempo condescendente e íntima com que esses homens eram recebidos em Guermantes, o costume de considerar as pessoas de talento como relações familiares, cujas qualidades não ofuscam e a quem não se fala de suas obras, o que aliás não lhes interessaria. E, além disso, o gênero de espírito de Mérimée, e de Meilhac e Halévy, que era o seu, a conduzia, por contraste com o sentimentalismo verbal de uma época anterior, a um tipo de conversação que rejeita tudo aquilo que se exprime em frases altissonantes e demonstra sentimentos elevados, e fazia com que ela exibisse uma espécie de elegância, quando estava com um poeta ou um músico, em só falar dos pratos que comiam ou dos jogos de cartas que iam praticar. Semelhante abstenção apresentava, para um terceiro que não estivesse ao corrente da coisa, algo de perturbador que chegava ao mistério.

Se a Sra. de Guermantes lhe perguntava se desejaria ser convidado junto com determinado poeta célebre, ele comparecia à hora marcada, devorado de curiosidade. A duquesa falava ao poeta sobre o tempo que estava fazendo. Passavam à mesa. — Gosta desse modo de preparar os ovos? — perguntava ela ao poeta. Diante de sua aquiescência, de que ela compartilhava, pois tudo o que fosse de sua casa lhe parecia delicioso, até mesmo uma cidra detestável que mandava vir de Guermantes: — Torne a servir ovos ao senhor — ordenava ao mordomo, enquanto o terceiro, ansioso, esperava sempre o que o poeta e a duquesa tinham a se dizer, visto que, apesar de mil dificuldades, haviam conseguido uma forma de se ver antes da partida do poeta. Mas a refeição continuava, os pratos eram levados uns após outros, não sem fornecer à Sra. de Guermantes a ocasião de gracejos espirituosos ou de finas historietas. Entretanto, o poeta comia sempre sem que o duque ou a duquesa parecessem lembrar que ele era poeta. E logo o jantar acabava, e as pessoas se despediam sem ter dito uma palavra da poesia que, no entanto, todos apreciavam, mas da qual ninguém falava, devido a uma reserva análoga àquela da qual Swann me dera a antecipação. Essa reserva era simplesmente de bom gosto. Mas, para o terceiro, se refletisse um pouco a respeito, tinha ela algo de muito melancólico, e as refeições do círculo dos Guermantes faziam então pensar nessas horas que namorados tímidos passam muitas vezes juntos, falando de banalidades até o instante de se separarem, e sem que, seja por timidez, pudor ou falta de jeito, tenham podido passar do coração aos lábios o grande segredo que ficariam tão felizes em confessar. Aliás, cumpre acrescentar que tal silêncio guardado sobre coisas profundas, cujo momento de serem abordadas sempre se espera em vão, se podia passar como característico da duquesa, nela não era absoluto. A Sra. de Guermantes tinha passado a juventude num ambiente um pouco diverso, também aristocrático, porém menos brilhante e sobretudo menos fútil que o daquele em que hoje vivia, e de grande cultura. Este deixara à sua frivolidade atual uma espécie de tufo mais sólido, invisivelmente nutritivo, e onde a própria duquesa ia buscar (muito raramente, pois detestava o pedantismo) alguma citação de Victor Hugo ou de Lamartine que, muito bem adequada, dita com um olhar sentido de seus belos olhos, não deixava de surpreender e de encantar. Às vezes até, sem pretensões, com pertinência e simplicidade, ela dava a um dramaturgo acadêmico um conselho sagaz, fazia com que atenuasse uma situação ou modificasse um desfecho.

Se, no salão da Sra. de Villeparisis, tanto como na igreja de Combray, eu custava a encontrar no rosto bonito e por demais humano da Sra. de Guermantes o desconhecido de seu nome, pensava ao menos que, quando ela falasse, sua conversação, profunda, misteriosa, teria uma estranheza de tapeçaria medieval, de vitral gótico. Mas, para que eu não me decepcionasse com as palavras que ouviria pronunciar a uma pessoa que se chamava Sra. de Guermantes, mesmo que não a amasse, não bastaria que tais palavras fossem delicadas, belas e profundas; seria necessário que refletissem aquele tom de amaranto da última sílaba de seu nome, aquela cor que, desde o primeiro dia, eu me espantava por não encontrar em sua pessoa, e que eu fizera refugiar-se no seu pensamento. Decerto eu já ouvira a Sra. de Villeparisis, Saint-Loup, pessoas cuja inteligência nada apresentava de extraordinário, pronunciarem sem precauções esse nome de Guermantes, simplesmente como sendo o de uma pessoa que chegaria de visita ou com quem iam jantar, não parecendo sentir nesse nome terrenos de bosques amarelecidos e todo um misterioso recanto de província. Mas isto devia ser uma afetação da parte deles, como quando os poetas clássicos não nos advertem das profundas intenções que no entanto tiveram, afetação que eu também me esforçava por imitar, dizendo no tom mais natural: a duquesa de Guermantes, como um nome que se assemelhasse a outros. Além disso, todos asseguravam que se tratava de uma mulher muito inteligente, de conversação espirituosa, vivendo num grupinho dos mais interessantes: palavras que se faziam cúmplices do meu sonho. Pois, quando diziam "grupo inteligente", "conversação espirituosa", o que imaginava não era, de modo algum, a inteligência tal como eu a conhecia, mesmo que fosse a dos maiores espíritos, não era de forma alguma de pessoas como Bergotte que eu compunha aquele grupo. Não; por inteligência, eu entendia uma faculdade inefável, dourada, impregnada de um frescor silvestre. Mesmo enunciando as coisas mais inteligentes (no sentido em que empregava o vocábulo "inteligente", quando se tratava de um filósofo ou de um crítico), a Sra. de Guermantes teria talvez decepcionado ainda mais a minha expectativa de uma faculdade tão especial, do que se, numa conversação insignificante, ela se limitasse a falar de receitas culinárias ou do mobiliário do castelo, se restringisse a citar nomes de vizinhos ou de parentes seus, que me tivessem evocado a sua vida.

— Pensava encontrar Basin aqui, ele planejava vir vê-la — disse a Sra. de Guermantes à tia.

— Não vejo o seu marido há vários dias — respondeu a Sra. de Villeparisis num tom suscetível e amuado. — Não o vi, ou melhor, quem sabe uma vez, desde aquela graçola encantadora de se fazer anunciar como a rainha da Suécia.

Para sorrir, a Sra. de Guermantes apertou os cantos da boca feito se tivesse mordido o véu.

— Jantamos ontem com ela na casa de Blanche Leroi, a senhora não a reconheceria; ela se tornou enorme, tenho certeza de que está doente.

— Estava justamente dizendo a estes senhores que você achava que ela se parecia com uma rã.

A Sra. de Guermantes fez ouvir uma espécie de som rouco, o que indicava que ela troçava por descargo de consciência.

— Não sabia que tinha feito esta linda comparação, mas, nesse caso, agora foi a rã que conseguiu tornar-se tão grande como o boi. Ou melhor, não é precisamente isto, porquanto toda a sua corpulência se acumulou no ventre; é antes uma rã em estado interessante.

— Ah, acho engraçada a sua imagem — disse a Sra. de Villeparisis, que, no fundo, diante dos visitantes, tinha muito orgulho do espírito da sobrinha.

— Ela é principalmente *arbitrária* — replicou a Sra. de Guermantes, destacando com ironia o epíteto escolhido, como o teria feito Swann —, pois confesso jamais ter visto uma rã grávida. Em todo caso, essa rã, que aliás não pede rei, pois nunca a vi tão brincalhona como depois da morte do marido, deve ir jantar lá em casa um dia, na próxima semana. Eu disse que, de qualquer modo, avisaria a senhora.

A Sra. de Villeparisis deixou ouvir uma espécie de resmungo indistinto.

— Sei que ela jantou anteontem na casa da Sra. de Mecklembourg — acrescentou. — Lá estava Hannibal de Bréauté. Ele veio contar-me tudo, devo dizer, aliás, que com muita graça.

— Nesse jantar havia alguém ainda mais espirituoso que Babal — disse a Sra. de Guermantes, que, por mais íntima que fosse do Sr. de Bréauté-Consalvi, fazia questão de mostrá-lo chamando-o por esse diminutivo. — Era o Sr. Bergotte.

Eu não imaginara que Bergotte pudesse ser tido como espirituoso; ademais, ele me parecia como que mesclado à humanidade inteligente, quer dizer, infinitamente distante daquele reino misterioso que eu havia percebido sob os véus de púrpura de uma frisa, e onde o Sr. de Bréauté, fazendo rir a duquesa, mantinha com ela, na língua dos deuses, esta coisa inimaginável: uma conversação entre pessoas do *faubourg* Saint-Germain. Fiquei aflito ao ver romper-se o equilíbrio e Bergotte passar por cima do Sr. de Bréauté. Sobretudo, porém, o que me desesperou foi ter evitado Bergotte na noite da *Fedra*, não ter ido ao seu encontro, quando ouvi a Sra. de Guermantes dizer à Sra. de Villeparisis:

— É a única pessoa que tenho vontade de conhecer — acrescentou a duquesa, em quem sempre se podia ver, como no momento de uma maré espiritual, o fluxo de uma curiosidade em relação a intelectuais famosos cruzando-se com o reflexo do esnobismo aristocrático. — Isso me daria muito prazer!

A presença de Bergotte a meu lado, presença que me teria sido tão fácil de conseguir, mas que eu pensara pudesse dar má idéia de mim à Sra. de Guermantes, teria sem dúvida tido como resultado, ao contrário, que a duquesa me chamasse ao seu camarote para me pedir que levasse um dia o grande escritor para almoçar.

— Parece que ele não tem sido muito amável; apresentaram-no ao Sr. de Cobourg e ele não lhe disse uma só palavra — acrescentou a Sra. de Guermantes, assinalando esse traço curioso como se contasse que um chinês se assoara com papel. — Não lhe disse uma só vez "Monsenhor" — continuou, divertida por esse detalhe, tão importante para ela como a recusa, por um protestante, durante uma audiência do Papa, de se pôr de joelhos diante de Sua Santidade.

Interessada por essas particularidades de Bergotte, não dava, aliás, a impressão de achá-las censuráveis, parecendo antes considerá-las um mérito, sem que soubesse exatamente de que tipo. Apesar desse modo estranho de compreender a originalidade de Bergotte, sucedeu-me posteriormente não julgar de todo desprezível o fato de que a Sra. de Guermantes, para grande espanto de muitos, achasse Bergotte mais espirituoso que o Sr. de Bréauté. Tais julgamentos subversivos, isolados e, apesar de tudo, justos, são assim levados à sociedade por algumas raras pessoas superiores às outras. E nela desenham os primeiros delineamentos da hierarquia de valores tal como será estabelecida pela geração seguinte, em vez de prender-se eternamente à antiga.

O conde de Argencourt, encarregado dos Negócios da Bélgica e primo em terceiro grau por casamento da Sra. de Villeparisis, entrou coxeando, seguido logo de dois rapazes, o barão de Guermantes e Sua Alteza o duque de Châtellerault, a quem a Sra. de Guermantes disse: — Bom-dia, meu pequeno Châtellerault — com um ar distante e sem se erguer do tamborete, pois era uma grande amiga da mãe do jovem duque, o qual, por causa disso e desde a infância, sentia enorme respeito por ela. Altos e esguios, de pele e cabelos dourados, inteiramente do tipo Guermantes, esses dois rapazes davam a idéia de uma condensação da luz primaveril e vesperal que inundava o grande salão. Conforme um hábito que estava na moda na ocasião, puseram a cartola no chão, a seu lado. O historiador da Fronda pensou que estivessem constrangidos, como um camponês quando entra na Prefeitura e não sabe o que fazer do chapéu. Julgando dever vir caridosamente em auxílio do jeito canhestro e da timidez que lhes atribuía, disse-lhes: — Não, não as coloquem no chão; assim vão estragá-las.

Um olhar do barão de Guermantes, tornando oblíquo o plano de suas pupilas, derramou-lhes de súbito uma cor de um tom azul cru e cortante que gelou o benévolo historiador.

— Como se chama este senhor? — perguntou-me o barão, que acabara de ser-me apresentado pela Sra. de Villeparisis.

— Sr. Pierre — respondi a meia voz.

— Pierre de quê?

— Pierre é o seu sobrenome; é um historiador de muito mérito.

— Bem, se o senhor o diz...

— Não, é um hábito novo que têm estes senhores de pôr os chapéus no chão — explicou a Sra. de Villeparisis —; sou como o senhor, não consigo habituar-me. Mas prefiro assim do que o que faz o meu sobrinho Robert, que sempre deixa o seu na antecâmara. Quando o vejo entrar assim, digo-lhe que parece o relojoeiro e pergunto se veio acertar os pêndulos.

— Falava há pouco, senhora marquesa, do chapéu do Sr. Molé; em breve chegaremos a fazer, como Aristóteles, um capítulo sobre os chapéus — disse o historiador da Fronda, um tanto sossegado pela intervenção da Sra. de Villeparisis, mas com voz ainda tão fraca que ninguém, a não ser eu, o ouviu.

— Ela é verdadeiramente espantosa, a duquesinha — disse o Sr. de Argencourt, mostrando a Sra. de Guermantes que conversava com G. — Desde que haja um homem em evidência no salão, está sempre a seu lado. É claro que quem se acha ali só pode ser o sumo pontífice. Não pode ser todos os dias o Sr. de Borelli, Schlumberger ou d'Avenel. Mas então será o Sr. Pierre Loti ou o Sr. Edmond Rostand. Ontem à tarde, na casa dos Doudeauvilles, onde, de passagem, ela estava esplêndida sob um diadema de esmeraldas, num longo vestido rosado de cauda, tinha de um lado o Sr. Deschanel e do outro o embaixador da Alemanha: discutia com eles sobre a China; o grosso do público, a distância respeitosa, e que não ouvia o que eles estavam dizendo, se perguntava se haveria guerra. Na verdade, dir-se-ia uma rainha que se dirigisse a seus cortesãos.

Todos se aproximaram da Sra. de Villeparisis para vê-la pintar.

— Estas flores são de um tom róseo verdadeiramente celeste — disse Legrandin —; quero dizer, da cor do céu róseo. Pois existe um róseo celeste como há um azul celeste. Porém — murmurou, para tentar ser ouvido somente pela marquesa —, creio que me inclino mais para o róseo sedoso, para o encarnado vivo da cópia que a senhora faz. Ah! A senhora deixa muito para trás o Pisanello e Van Huysum, com seu herbário minucioso e morto.

Um artista, por mais modesto que seja, aceita sempre ser preferido aos rivais e cuida apenas de lhes fazer justiça.

— O que lhe dá essa impressão é que eles pintavam flores daquele tempo, que já não conhecemos, mas possuíam grande técnica.

— Ah, flores daquele tempo! Como é engenhoso! — exclamou Legrandin.

— Com efeito, a senhora pinta belas flores de cerejeira... ou de rosas de maio — disse o historiador da Fronda, não sem hesitação quanto à flor, mas com segurança na voz, pois começava a esquecer o incidente dos chapéus.

— Não, são flores de macieira — disse a duquesa de Guermantes, dirigindo-se à tia.

— Ah, vejo que é uma camponesa; como eu, você sabe distinguir as flores.

— Ah, sim; é verdade! Mas julgava que o tempo das macieiras já havia passado — disse ao acaso o historiador da Fronda, para se desculpar.

— Não, pelo contrário, elas ainda não estão floridas, só daqui a quinze dias, talvez três semanas — disse o arquivista, o qual, administrando até certo ponto as propriedades da Sra. de Villeparisis, estava mais a par das coisas do campo.

— Sim, e ainda nos arredores de Paris, onde estão muito adiantadas. Na Normandia, por exemplo, na casa de seu pai — disse a marquesa, designando o duque de Châtellerault —, que possui magníficas macieiras à beira-mar, como num biombo japonês, elas só estão de fato cor-de-rosa depois de 26 de maio.

— Não as vejo nunca — disse o jovem duque — porque me provocam a febre do feno; é incrível.

— Febre do feno. Nunca ouvi falar nisso — disse o historiador.

— É a doença da moda — disse o arquivista.

— Depende. Talvez não lhe desse nada se fosse um ano de maçãs. Conhece o ditado dos normandos: "Para um ano em que houver maçãs" — disse o Sr. de Argencourt que, não sendo inteiramente francês, procurava dar-se ares de parisiense.

— Tem razão — respondeu a Sra. de Villeparisis à sobrinha —; são macieiras do Sul. Foi uma florista que me enviou esses ramos, pedindo que os aceitasse. Espanta-o, senhor Vallenères — disse ela voltando-se para o arquivista — que uma florista me mande ramos de macieira? Mas, apesar de ser uma velha dama, conheço muita gente, tenho alguns amigos — acrescentou sorrindo por simplicidade, como geralmente acreditaram, mas antes, na minha opinião, porque achava picante envaidecer-se da amizade de uma florista quando dispunha de tão elevadas relações.

Bloch se ergueu para ir, por sua vez, admirar as flores que a Sra. de Villeparisis estava pintando.

— Não importa, marquesa — disse o historiador voltando à sua cadeira —, mesmo que ocorresse de novo uma dessas revoluções que têm tão freqüentemente ensangüentado a história da França — e, meu Deus, nos tempos em que vivemos, nunca se sabe — acrescentou, lançando um olhar circunspecto em torno, como para ver se não achava algum "mau pensador" no salão, embora não o esperasse —, com um talento como o seu e falando cinco línguas, a senhora poderia sempre estar segura de se livrar de apertos. — O historiador da Fronda gozava de um certo repouso, pois havia esquecido suas insônias. Mas se lembrou de repente que não dormia há seis dias; então um duro cansaço, nascido de seu espírito, se apoderou de suas pernas, fê-lo curvar os ombros, e seu rosto desolado pendeu como o de um velho.

Bloch quis fazer um gesto para exprimir sua admiração, mas, com uma cotovelada, derrubou o vaso onde estavam os ramos de macieira, e toda a água se espalhou pelo tapete.

— Na verdade, a senhora tem dedos de fada — disse à marquesa o historiador, que, de costas naquele momento, não percebera o desastre de Bloch.

Mas este julgou que tais palavras se aplicavam a ele próprio e, para esconder sob uma insolência a vergonha de seu gesto infeliz:

— Isso não tem nenhuma importância — disse —, pois nem fiquei molhado.

A Sra. de Villeparisis tocou a campainha e um lacaio veio enxugar o tapete e reunir os cacos de louça. Ela convidou os dois rapazes para a matinê, bem como a duquesa de Guermantes, a quem recomendou:

— Lembre-se de avisar Gisèle e Berthe — eram as duquesas de Auberjon e de Portefin — de que estejam aqui um pouco antes das duas, para me ajudar — como teria dito a mordomos extras que chegassem de antemão a fim de preparar as compoteiras.

Não tinha, para com os parentes principescos, nem mesmo com o Sr. de Norpois, nenhuma dessas amabilidades que mostrava para com o historiador, com Cottard, com Bloch ou comigo, e tais parentes pareciam não ter para ela outro interesse senão o de apresentá-los para satisfazer nossa curiosidade. É que sabia que não precisava incomodar-se com pessoas para quem não era uma mulher mais ou menos brilhante, e sim a irmã suscetível e econômica de seu pai ou de seu tio. Não lhe teria servido de nada procurar brilhar diante deles, a quem não poderia enganar quanto à sua situação, e que, melhor que ninguém, conheciam a sua história e respeitavam a estirpe ilustre de que ela descendia. Mas, principalmente, já não passavam, para ela, de um resíduo morto que não mais daria frutos, não a fariam mais conhecer os seus novos amigos, nem partilhar de seus prazeres. Ela só podia alcançar a sua presença, ou a possibilidade de falar deles, na sua recepção das cinco horas, como mais tarde em suas Memórias, de que aquela era apenas uma espécie de ensaio, de primeira leitura em voz alta diante de um pequeno círculo. E na companhia que todos esses parentes nobres lhe prestavam para interessar, deslumbrar e arrastar a companhia dos Cottard, dos Bloch, dos autores dramáticos notórios, historiadores da Fronda de todos os tipos, era nessa última companhia que, para a Sra. de Villeparisis — à falta da parte do mundo elegante que não ia à sua casa —, se encontravam o movimento, a novidade, as diversões e a vida; era dessas pessoas que ela podia extrair vantagens sociais (o que bem valeria que as fizesse encontrar às vezes a duquesa de Guermantes, sem que a jamais tivessem conhecido): jantares com homens notáveis cujos trabalhos a tinham interessado, uma ópera-cômica ou uma pantomima já encenada e que o autor fazia representar em sua casa, camarotes para espetáculos curiosos. Bloch se ergueu para ir embora. Dissera em voz alta que o incidente do vaso de flores não tinha qualquer importância, mas o que havia dito baixinho era diferente, mais diferente até do que pensava: — Quando não se tem criados perfeitamente adestrados para saber colocar um vaso sem o risco de molhar e mesmo de ferir os visitantes, é bom não ter esses luxos — resmungava em voz baixa. Bloch era dessas pessoas suscetíveis e "nervosas" que não podem suportar terem feito uma asneira, que, no entanto, não confessam a si mesmos, e que lhes estraga o dia inteiro. Furioso, estava cheio de negros pensamentos, não mais queria freqüentar a sociedade. Um pouco de distração era necessária naquele momento. Felizmente, em um segundo, a Sra. de Villeparisis logrou detê-lo. Seja por conhecer as opiniões de seus amigos e a vaga anti-semita que principiava a se elevar, seja por distração, ela não o apresentara às pessoas que ali se achavam. Entretanto, ele, que não tinha o traquejo da sociedade, julgou que, ao retirar-se, devia cumprimentá-los, por uma questão de cortesia, mas sem amabilidade; inclinou várias vezes a cabeça, enfiou o queixo barbudo no colarinho postiço, olhando sucessivamente cada um através do *pince-nez*, com ar de frieza e descontentamento. Mas a Sra. de Villeparisis o fez parar; precisava lhe falar ainda do pequeno ato que devia ser representado em sua casa e, por outro lado, não teria gostado que ele partisse sem ter tido a satisfação de conhecer o Sr. de Norpois (que ela se espantava de não ver entrar), e, embora tal apresentação fosse supérflua, pois Bloch já se resolvera a persuadir os dois artistas, de que falara, a vir cantarem de graça na casa da marquesa, no interesse de sua glória, numa das recepções freqüentadas pela elite da Europa. Chegara mesmo a propor, a mais, uma atriz trágica, "de olhos garços, bela como Hera", que diria prosas líricas com a noção da "beleza plástica". Mas, diante de seu nome, a Sra. de Villeparisis havia recusado: era a amiga de Saint-Loup.

— Tenho melhores notícias — disse-me ela ao ouvido —; creio que o caso deles está se azedando, e em breve estarão separados. Apesar de um oficial que desempenhou um papel abominável em toda a história — acrescentou. (Pois a família de Robert começava a nutrir ódio mortal ao Sr. de Borodino por ter dado licença para que fosse a Bruges, a instâncias do barbeiro, e acusava-o de favorecer uma ligação infame.) — É um sujeito muito vil — disse-me a Sra. de Villeparisis com o acento virtuoso dos Guermantes, mesmo os mais depravados. — Muito, muito vil — repetiu, pondo três *mm* em *muito*. Sentia-se que ela não duvidava que ele entrasse de terceiro em todas as orgias. Mas, como a amabilidade era, na marquesa, o hábito predominante, sua expressão de severidade franzida em relação ao horrível capitão, cujo nome pronunciou com ênfase irônica: "o príncipe de Borodino", como mulher para quem o Império não tem valor, acabou num terno sorriso na minha direção, acompanhado de uma piscadela mecânica de vaga conivência comigo.

— Gosto muito de Saint-Loup-en-Bray — disse Bloch —, embora ele seja muito sovina, porque é muito bem-educado. Gosto muito, não dele, mas das pessoas extremamente bem-educadas, é tão raro — continuou, sem se dar conta, porque ele próprio era muito mal-educado, de como suas palavras desagradavam. — Vou dar-lhes uma prova, que me parece bem típica, de sua perfeita educação. Encontrei-o certa vez com um rapaz, quando ia subir no seu carro de belas rodas, depois de ter ele próprio passado as correias esplêndidas em dois cavalos nutridos de aveia e cevada, e que não é preciso excitar com o chicote cintilante. Ele nos apresentou, mas não percebi o nome do rapaz, pois a gente nunca percebe o nome das pessoas a quem somos apresentados — acrescentou rindo, porque se tratava de um gracejo de seu pai. — De Saint-Loup-en-Bray não deixou a sua simplicidade, não prestou atenções exageradas ao rapaz, não pareceu de modo algum incomodado. Ora, por acaso, soube, alguns dias depois, que aquele jovem era filho de Sir Rufus Israels!

O fim dessa historieta pareceu menos chocante que o seu começo, pois permaneceu incompreensível para as pessoas presentes. Com efeito, Sir Rufus Israels, que parecia a Bloch e a seu pai uma personagem quase régia, diante da qual Saint-Loup devia tremer, era, pelo contrário, aos olhos do meio Guermantes, um estrangeiro arrivista, tolerado pela sociedade, e de cuja amizade não se tinha idéia de orgulhar-se, muito ao contrário!

— Soube-o — disse Bloch — pelo procurador de Sir Rufus Israels, que é amigo de meu pai e um homem absolutamente extraordinário. Ah! Um indivíduo bastante curioso — acrescentou, com essa energia afirmativa, esse acento de entusiasmo que só emprestamos às convicções que não formamos por conta própria. — Mas diga-me — continuou Bloch, falando baixinho comigo —, qual será a fortuna de Saint-Loup? Compreendes perfeitamente que, se pergunto isto, interessa-me tanto como os anos quarenta, mas do ponto de vista balzaquiano, compreendes. E nem ao menos sabes em que estará investida, se ele possui títulos franceses, títulos estrangeiros, terras?

Não pude informá-lo de nada. Deixando de falar a meia voz, Bloch pediu em voz alta licença para abrir as janelas e, sem esperar a resposta, encaminhou-se para elas. A Sra. de Villeparisis disse que era impossível abri-las, que ela estava gripada. — Ah, isso deve lhe fazer mal — comentou Bloch, decepcionado. — Mas pode-se dizer que faz calor! — E pôs-se a rir, obrigando seu olhar a uma ronda pela assistência, numa indagação que reclamava apoio contra a Sra. de Villeparisis. Não o obteve no meio daquelas pessoas bem-educadas. Seus olhos incendiados, que não tinham podido seduzir ninguém, retomaram resignados o tom sério; declarou, para disfarçar a derrota: — Está fazendo pelo menos vinte e dois graus. Vinte e cinco? Não me espanta. Estou quase suando. E não tenho, como o sábio Antenor, filho do rio Alfeu, a faculdade de mergulhar na onda paterna, para estancar o suor, antes de me meter numa banheira luzidia e de me untar de óleos perfumados. — E com aquela necessidade que temos de esboçar, para uso alheio, teorias médicas cuja aplicação seria favorável ao nosso próprio bem-estar: — Visto que a senhora julga que lhe faz bem! Quanto a mim, acho o contrário. É justamente isso o que a deixa gripada.

Bloch mostrara-se encantado à idéia de conhecer o Sr. de Norpois. — Gostaria — disse — de fazê-lo falar acerca do caso Dreyfus.

— Aí está uma mentalidade que não conheço bem, e seria muito atraente ter uma *interview* com esse diplomata considerável — aduziu num tom sarcástico, para não parecer que se julgava inferior ao embaixador.

A Sra. de Villeparisis lamentou que ele tivesse dito aquilo em voz alta, mas não ligou muita importância ao fato quando viu que o arquivista, cujas opiniões nacionalistas a traziam, por assim dizer, encadeada, achava-se longe demais para poder ouvir. Ficou mais chocada ao escutar que Bloch, arrastado pelo demônio de sua má-educação, que o tornara previamente cego, lhe perguntava, rindo pelo gracejo paterno:

— Não terei lido, de sua autoria, um sábio estudo em que ele demonstrava com razões irrefutáveis que a guerra russo-japonesa devia terminar com a vitória dos russos e a derrota dos japoneses? E já não está um tanto caduco? Parece-me que foi ele quem vi olhar para sua cadeira, antes de ir sentar-se nela, deslizando como se andasse sobre rodas.

— Nunca na vida! Espere um instante — acrescentou a marquesa —, não sei o que poderá estar fazendo.

Tocou a campainha e, quando o criado entrou, como ela não dissimulava de modo algum e até gostava de mostrar que seu velho amigo passava a maior parte do tempo em sua casa:

— Vá logo dizer ao Sr. de Norpois que venha; ele está catalogando papéis no meu escritório; disse que viria dentro de vinte minutos e já faz quase duas horas que estou esperando. Ele lhe falará do caso Dreyfus, de tudo aquilo que o senhor quiser — disse ela a Bloch em tom amuado —; não aprova muito o que está acontecendo.

Pois o Sr. de Norpois estava em más relações com o ministério atual, e a Sra. de Villeparisis, conquanto ele não se permitisse levar-lhe pessoas do governo (ainda assim ela mantinha sua altivez de dama da alta aristocracia e permanecia alheia e acima das relações que ele era obrigado a cultivar), estava, por meio dele, a par do que se passava. Da mesma forma, os políticos do regime não ousariam pedir ao Sr. de Norpois que os apresentasse à Sra. de Villeparisis. Porém, vários deles tinham ido procurá-lo na casa dela, no campo, quando precisaram de seu concurso em circunstâncias graves. Conheciam o endereço. Iam ao castelo. Não viam a castelã. Mas no jantar ela dizia: — Senhor, sei que vieram incomodá-lo. Os negócios vão melhor?

— Não está com muita pressa? — indagou a Sra. de Villeparisis de Bloch.

— Não, não, eu queria partir porque não me sinto muito bem; talvez seja mesmo ocasião de fazer uma estação de cura em Vichy por causa da minha vesícula biliar — disse ele, articulando estas palavras com uma ironia satânica.

— Pois veja: o meu sobrinho-neto Châtellerault deve ir até lá; o senhor poderia combinar ir junto. Será que ele ainda está aqui? Ele é muito amável, o senhor sabe — disse a Sra. de Villeparisis, talvez de boa-fé e pensando que duas pessoas que ela conhecia não tinham motivo para não se juntarem.

— Oh, não sei se isso lhe agradará, não o conheço... quase; lá está ele — disse Bloch, confuso e deslumbrado.

Certamente o mordomo não executara de modo completo a comissão de que acabara de ser encarregado para o Sr. de Norpois. Pois este, para dar a entender que vinha de fora e ainda não vira a dona da casa, pegou um chapéu ao acaso na antecâmara, e veio beijar cerimoniosamente a mão da Sra. de Villeparisis, pedindo-lhe notícias com o mesmo interesse que se manifesta após uma longa ausência. Ignorava que a marquesa tirara previamente toda verossimilhança a essa comédia, a qual, aliás, cortou de imediato, enviando o Sr. de Norpois e Bloch para um salão contíguo. Bloch, que vira todas as gentilezas que se faziam àquele que ainda não sabia ser o Sr. de Norpois, e as saudações compassadas, graciosas e profundas com que o embaixador respondia, Bloch, sentindo-se inferior a todo esse cerimonial e, vexado por pensar que tais saudações nunca se dirigiam a ele, dissera-me para parecer estar à vontade: — Quem é esse tipo de imbecil? — Aliás, como todos esses cumprimentos do Sr. de Norpois chocassem o que havia de melhor em Bloch, a franqueza mais direta de um ambiente moderno, talvez fosse em parte com sinceridade que ele os achava ridículos. Em todo caso, deixaram de lhe parecer ridículos, chegando mesmo a encantá-lo, desde o instante em que ele, Bloch, se viu alvo de tais cumprimentos.

— Senhor embaixador — disse a Sra. de Villeparisis —, gostaria de fazê-lo conhecer este cavalheiro. Senhor Bloch, o Sr. marquês de Norpois. — Apesar da rudeza com que tratava o Sr. de Norpois, ela fazia questão de lhe dizer: "Senhor embaixador" por polidez, numa consideração exagerada pelo cargo de embaixador, consideração que o marquês lhe inculcara, e, enfim, para aplicar essas maneiras menos familiares, mais cerimoniosas em relação a um homem, maneiras que, no salão de uma mulher distinta, contrastando com a liberdade que tem para com os demais convivas, designam logo o seu amante.

O Sr. de Norpois afogou o olhar azul em sua barba branca, curvou profundamente a elevada estatura como se se inclinasse diante de tudo o que para ele representava de notório e de imponente o nome de Bloch, e murmurou: — Encantado —, ao passo que seu jovem interlocutor, emocionado, mas achando que o célebre diplomata ia muito longe, retificou apressado, dizendo: — Mas de forma alguma; ao contrário, eu é que estou encantado! — Mas essa cerimônia, que o Sr. de Norpois, por amizade à Sra. de Villeparisis, renovava diante de cada desconhecido que sua velha amiga lhe apresentava, não pareceu a esta uma cortesia suficiente para Bloch, a quem disse:

— Mas pergunte-lhe tudo o que deseja saber, leve-o para um canto se isso lhe for mais cômodo; ele ficará encantado de conversar com o senhor. Creio que lhe gostaria de falar acerca do caso Dreyfus — acrescentou ela, sem mais se preocupar se aquilo agradava ao Sr. de Norpois, assim como não lhe ocorreria pedir licença ao retrato da duquesa de Montmorency antes de mandar iluminá-lo para o historiador, ou ao chá antes de oferecer uma taça.

— Fale alto — disse ela a Bloch —; ele é um tanto surdo, mas lhe dirá tudo o que o senhor quiser saber, conheceu muito bem Bismarck e Cavour. Não é verdade, senhor — disse ela com força —, que conheceu muito bem a Bismarck?

— Tem alguma coisa em andamento? — perguntou-me o Sr. de Norpois com um sinal de inteligência, apertando-me cordialmente a mão. Aproveitei-me disso para livrá-lo delicadamente do chapéu que julgara dever trazer em sinal de cerimônia, pois acabava de perceber que era justamente o meu que ele pegara por acaso. — O senhor havia me mostrado uma obrinha um tanto rebuscada, em que se mostrava muito detalhista, e dei-lhe francamente a minha opinião; o que o senhor tinha feito não valia a pena que o pusesse no papel. Está preparando alguma coisa? O senhor é um entusiasta de Bergotte, se bem me lembro. — Ah, não fale mal de Bergotte — exclamou a duquesa. — Não lhe contesto o talento de pintor; ninguém faria tal coisa, duquesa. Ele sabe gravar a buril ou a água-forte, se não pintar à broxa, como o Sr. Cherbuliez, uma ampla composição. Mas me parece que, nos dias de hoje, faz-se uma confusão de gêneros e que o próprio do romancista é antes urdir uma intriga e elevar os corações do que cinzelar, a ponta-seca, um frontispício ou uma vinheta. Verei seu pai no domingo, na casa daquele bom A. J. — acrescentou, voltando-se para mim.

Por um instante esperei, ao vê-lo falar à Sra. de Guermantes, que talvez me prestasse, para ir à casa dela, o auxílio que me negara para ir à casa da Sra. Swann. — Outra de minhas grandes admirações — disse-lhe — é Elstir. Parece que a duquesa de Guermantes possui quadros maravilhosos dele, especialmente aquele admirável molho de rabanetes, que vi na Exposição e que muito gostaria de rever; que obra-prima aquele quadro! — E, de fato, se eu fosse um homem em evidência e me perguntassem que obra de pintura preferia, teria citado esse molho de rabanetes.

— Uma obra-prima!? — exclamou o Sr. de Norpois com ar de espanto e censura. — Aquilo nem mesmo pode ter a pretensão de ser um quadro, não passa de um simples esboço — (tinha razão). — Se o senhor chama de obra-prima aquelas pinceladas, que dirá então da *Virgem*, de Hébert, ou da de Dagnan-Bouveret?

— Ouvi-a recusar a amante de Robert — disse a Sra. de Guermantes à tia, depois que Bloch tomou à parte o embaixador. — Creio que não tem nada a lastimar; a senhora sabe que ela é um horror, não tem a menor sombra de talento e, além do mais, é grotesca.

— Mas como a senhora a conhece, duquesa? — perguntou o Sr. de Argencourt.

— Pois então o senhor não sabe que ela recitou em minha casa antes que em qualquer outro lugar? Nem por isso me orgulho do fato — disse rindo a Sra. de Guermantes, feliz no entanto, já que falavam nessa atriz, de fazer saber que ela tivera a primazia de seus ridículos. — Vamos, só me resta partir — acrescentou sem se mexer.

Acabava de ver entrar o marido, e, pelas palavras que pronunciava, aludia ao cômico de parecerem estar fazendo juntos uma visita de núpcias, e de modo algum às relações muitas vezes difíceis existentes entre ela e aquele imenso rapagão que ia envelhecendo, mas que continuava a levar sempre uma vida de jovem. Passeando pelo grande número de pessoas que rodeavam a mesa de chá o olhar afável, malicioso e um tanto ofuscado pelos raios do sol poente, de suas pequenas pupilas redondas e precisamente incrustadas no olho como "moscas" de alvo, que sabia visar e acertar tão perfeitamente, como excelente atirador que era, o duque avançava com uma lentidão maravilhada e prudente, como se, intimidado por uma tão brilhante assembléia, temesse pisar nos vestidos e atrapalhar as conversas. Um permanente sorriso de bom rei de Yvetot, levemente embriagado, uma das mãos meio estendida, flutuando, como a barbatana de um tubarão, ao lado do peito, e que ele deixava ser apertada indistintamente por seus velhos amigos e pelos desconhecidos que lhe eram apresentados, lhe permitiam, sem precisar fazer um só gesto, nem interromper a sua ronda complacente, indolente e régia, satisfazer a solicitude de todos, murmurando apenas: "Boa-tarde, meu velho", "Boa-tarde, meu caro amigo", "Encantado, senhor Bloch", "Boa-tarde, Argencourt", e junto a mim, que fui o mais favorecido, ao ouvir meu nome: "Boa-tarde, meu pequeno vizinho, como está seu pai? Que belo homem!" Só deu grandes demonstrações de atenção à Sra. de Villeparisis, que o saudou com um aceno de cabeça, tirando uma das mãos do aventalzinho.

Extraordinariamente rico, num mundo onde a gente o é cada vez menos, tendo assimilado à sua pessoa, de modo permanente, a noção dessa enorme fortuna, a vaidade do grão-senhor era nele duplicada pela do homem endinheirado, a educação refinada do primeiro sendo o bastante para controlar a suficiência do segundo. Compreendia-se, aliás, que os seus sucessos com as mulheres, que constituíam a infelicidade da sua, não fossem devidos exclusivamente ao seu nome e à sua fortuna, pois ele ainda mostrava grande beleza, com um perfil que tinha a pureza e a nitidez de contornos de um deus grego.

— Na verdade, ela representou em sua casa? — perguntou o Sr. de Argencourt à duquesa.

— Ora, ela veio recitar, com um buquê de lírios na mão e outros lírios "sôbe" o vestido. (A Sra. de Guermantes, como a Sra. de Villeparisis, afetava pronunciar certos vocábulos de modo bastante provinciano, embora de forma alguma rolasse os *rr* como sua tia.)

Antes que o Sr. de Norpois, constrangido e forçado, levasse Bloch para a pequena sacada onde poderiam conversar a sós, voltei um instante para junto do velho diplomata e insinuei-lhe uma palavra a respeito da cadeira acadêmica que meu pai almejava. A princípio, ele quis adiar a conversa para mais tarde. Mas objetei que iria partir para Balbec. — Como! Você vai de novo a Balbec? Mas de fato é um verdadeiro *globe-trotter*! — Depois, ouviu-me. Ao nome de Leroy-Beaulieu, o Sr. de Norpois me encarou com ar suspeitoso. Imaginei que ele talvez tivesse dito ao Sr. Leroy-Beaulieu algo desfavorável a meu pai, e temia que o economista o houvesse repetido. E logo pareceu animado de verdadeira afeição por meu pai. E, após uma dessas lentidões de conversa onde subitamente uma palavra explode, como que a contragosto de quem fala, quando a irresistível convicção arrebata os esforços balbuciantes que fazia por se manter calado: — Não, não — disse-me emocionado —; *não convém* que seu pai se candidate. Não deve candidatar-se no seu próprio interesse, por si mesmo, por respeito a seu valor, que é grande e que ele comprometeria em tal aventura. Ele vale mais que isso. Caso fosse nomeado, teria tudo a perder e nada a ganhar. Graças a Deus, ele não é orador. E isso é a única coisa a contar para os meus caros confrades, ainda quando o que se diz não passa de ninharias. Seu pai tem um objetivo importante na vida; deve caminhar diretamente para ele, sem se deixar desviar pelos bosques, mesmo que sejam os do jardim de Academo, mais espinhosos que floridos. Além disso, obteria apenas uns poucos votos. A Academia gosta de obrigar o postulante a um estágio antes de admiti-lo em seu meio. Hoje em dia, nada se pode fazer. Mais tarde, não afirmo. Mas é necessário que seja a própria Companhia que vá buscá-lo. Ela pratica com mais fetichismo do que felicidade o *Farà da se* dos nossos vizinhos de além-Alpes. Leroy-Beaulieu falou-me de tudo isso de uma forma que não me agradou. Aliás, pareceu-me mais ou menos defender a candidatura de seu pai. Eu talvez lhe tenha feito sentir um tanto vivamente que, acostumado a lidar com algodão e metais, ele desconhecia o papel dos imponderáveis, como dizia Bismarck. O que, antes de tudo, é preciso evitar, é que seu pai se candidate: *Principiis obsta*. Seus amigos se veriam numa posição delicada se ele os pusesse diante do fato consumado. Olhe — disse bruscamente, com um ar de franqueza, cravando em mim os olhos azuis —, vou lhe dizer uma coisa que vai espantá-lo de minha parte, eu que tanto aprecio a seu pai. Pois bem, justamente porque o estimo (somos os dois inseparáveis, *Arcades ambo*), justamente porque conheço os serviços que ele pode prestar ao país, os recifes que pode evitar se permanecer no leme, por afeto, por estima elevada, por patriotismo, não votaria nele. De resto, julgo ter-lhe dado a entender isso mesmo. — (E acreditei perceber em seus olhos o perfil assírio e severo de Leroy-Beaulieu.) — Portanto, dar-lhe o meu voto seria, de minha parte, uma espécie de palinódia. — Por diversas vezes, o Sr. de Norpois chamou seus colegas de fósseis. Fora outras razões, todo membro de um clube ou de uma academia compraz-se em atribuir aos colegas o tipo de caráter mais oposto ao seu, menos pela vantagem de poder dizer: "Ah, se isso só dependesse de mim!", do que pela satisfação de apresentar o título que obteve como mais difícil e lisonjeiro. — Eu lhe direi — concluiu o Sr. de Norpois — que, no interesse dele e de todos os seus, prefiro para seu pai uma eleição triunfal dentro de dez ou quinze anos. — Palavras que foram julgadas por mim, se não ditadas pelo ciúme, ao menos por uma falta absoluta de obsequiosidade e que depois assumiram, pelos próprios fatos, um sentido diverso.

— O senhor não pretende falar acerca do Instituto do Preço do Pão durante a Fronda? — perguntou o historiador da Fronda, timidamente, ao Sr. de Norpois. — Poderia com isso obter um êxito considerável — (o que significava fazer-me uma publicidade monstro) —, acrescentou, sorrindo para o embaixador com pusilanimidade, mas também com uma ternura que o fez erguer as pálpebras e descerrar os olhos, grandes como um céu. Parecia-me já ter visto esse olhar; no entanto, somente hoje conhecera o historiador. De súbito, lembrei-me: havia visto esse mesmo olhar nos olhos de um médico brasileiro que pretendia curar as sufocações do gênero das que eu tinha por meio de absurdas inalações de essências vegetais. E como, para que tomasse mais cuidado pela minha pessoa, lhe dissesse que conhecia o professor Cottard, respondera-me como no interesse de Cottard: — Pois eis aí um tratamento que, se o senhor lhe falasse nele, iria fornecer-lhe assunto para uma sensacional comunicação à Academia de Medicina! — Não ousara insistir, mas olhara-me com aquele mesmo ar de interrogação tímido, interessado e suplicante que eu acabara de admirar no historiador da Fronda. Certamente esses dois homens não se conheciam e não se pareciam em nada, mas as leis psicológicas possuem, como as leis físicas, uma certa generalidade. E, se as condições necessárias são as mesmas, um mesmo olhar ilumina animais humanos diversos, como um mesmo céu matinal a lugares da terra situados bem longe um do outro, e que nunca se viram entre si. Não ouvi a resposta do embaixador, pois todos, com algum rumor, se aproximaram da Sra. de Villeparisis para vê-la pintar.

— Sabe de quem estamos falando, Basin? — perguntou a duquesa ao marido.

— Naturalmente adivinho — disse o duque. — Ah, não é o que chamamos uma comediante de alta linhagem.

— O senhor nunca poderia imaginar algo tão risível — continuou a Sra. de Guermantes, dirigindo-se ao Sr. de Argencourt.

— Era até drolático — interrompeu o Sr. de Guermantes, cujo estranho vocabulário permitia-lhe, a um tempo, não ser considerado um tolo pelas pessoas da sociedade, e ser tido, pelos homens de letras, como o pior dos imbecis.

— Não posso compreender — retornou a duquesa — como Robert pôde chegar a se apaixonar por ela. Oh, sei muito bem que nunca se deve discutir tais coisas — acrescentou com um belo muxoxo de filósofa e de sentimental desencantada. — Sei que qualquer um pode amar seja o que for; e — acrescentou, porque, se ainda zombava da nova literatura, esta, talvez pela vulgarização dos jornais ou através de certas conversas, nela se infiltrara um pouco — é isso mesmo o que há de bonito no amor, porque é justamente o que o torna "misterioso".

— Misterioso! Ah, confesso que é um pouco forte para mim, minha prima — disse o conde de Argencourt.

— Mas sim, é muito misterioso o amor — replicou a duquesa, com um doce sorriso de amável mulher mundana, mas também com a convicção intransigente de uma wagneriana que afirma, a um homem do seu círculo, que não há somente barulho em *A Valquíria*. Aliás, no fundo, não se sabe por que uma pessoa ama a outra; talvez não seja, em absoluto, devido ao que imaginamos — aduziu ela sorrindo, repelindo assim, de um golpe, com sua interpretação, a idéia que ela própria acabara de externar. — E depois, no fundo, nunca se sabe de coisa alguma — concluiu, com ar cético e fatigado. — Assim, olhe, é mais "inteligente": nunca se deve discutir a escolha dos amantes.

Mas, depois de ter firmado esse princípio, traiu-o imediatamente ao criticar a escolha de Saint-Loup.

— Mesmo assim, vejam, julgo espantoso que se possa achar sedutora uma pessoa ridícula.

Bloch, ouvindo que falávamos de Saint-Loup e compreendendo que ele se encontrava em Paris, pôs-se a dizer tanto mal dele que todos ficaram revoltados. Começava a nutrir ódios e via-se que, para saciá-los, não recuaria diante de nada. Tendo estabelecido o princípio de que possuía um alto valor moral, e que o tipo de pessoas que freqüentava a Boulie (círculo esportivo que ele acreditava ser elegante) merecia o cárcere, pareciam-lhe meritórios todos os golpes que pudesse lhes dar. Certa ocasião, chegou a falar de um processo que pretendia abrir contra um de seus amigos da

Boulie. No decurso desse processo, contava fazer um depoimento mentiroso e cuja falsidade, no entanto, o acusado não teria condições de provar. Desse modo, Bloch, que aliás não pôs em execução o seu projeto, pensava transtorná-lo e levá-lo ao desespero. Que mal havia nisso, já que aquele a quem desejava ferir de tal maneira era um homem que só pensava na elegância, um homem da Boulie, e que contra semelhantes pessoas todas as armas são válidas, sobretudo da parte de um santo como ele, Bloch?

— Entretanto, veja a Sra. Swann — objetou o Sr. de Argencourt, o qual, acabando enfim por compreender o sentido das palavras da prima, estava impressionado com a sua justeza e buscava na memória o exemplo de pessoas que se houvessem apaixonado por gente que não lhe agradava.

— Ah, ela não está exatamente no mesmo caso — protestou a duquesa. — Seria mesmo de espantar, pois tratava-se de uma perfeita imbecil, mas não era ridícula e foi bonita.

— Hum, hum — resmungou a Sra. de Villeparisis.

— Ah, não a achava bonita? Mas ela tinha coisas encantadoras, lindos olhos, lindos cabelos, vestia-se e veste-se ainda admiravelmente. Agora, reconheço que é imunda, mas foi uma criatura deslumbrante. O que não me dá menos desgosto de que Charles tenha se casado com ela, pois foi algo totalmente inútil. — A duquesa não julgava ter dito nada de notável, mas, como o Sr. de Argencourt se pôs a rir, repetiu a frase, seja por achá-la engraçada, seja apenas por achar amável o homem que ria, a quem se pôs a olhar com expressão carinhosa, para acrescentar o encanto da doçura ao do espírito. Ela continuou: — Sim, não é verdade? Não vale a pena, mas enfim ela não era desprovida de encantos, e eu compreendo perfeitamente que a amassem, ao passo que a garota de Robert, asseguro-lhes que é de matar de rir. Bem sei que me podem retrucar com a velha lengalenga de Augier: "Que importa o frasco, desde que eu me embriague?" Muito bem, Robert talvez esteja embriagado, mas na verdade não mostrou bom gosto na escolha da garrafa! Antes de tudo, imaginem que ela teve a pretensão de fazer com que eu levantasse uma escadaria em pleno salão. Coisa sem importância, não é mesmo? E me anunciou que ficaria deitada de bruços nos degraus. Ademais, se tivessem ouvido o que ela recitava! Conheço apenas uma cena, mas não creio que se possa imaginar algo parecido: chama-se *As Sete Princesas*.

— *As Sete Princesas*, oh, que esnobismo! — exclamou o Sr. de Argencourt. — Mas espere, eu conheço a peça inteira. O autor a enviou ao rei, que nada entendeu e me pediu que a explicasse.

— Não é por acaso do Sar Peladan? — perguntou o historiador da Fronda, com uma intenção de finura e atualidade, mas tão baixo que a pergunta passou despercebida.

— Ah, o senhor conhece *As Sete Princesas*? — replicou a duquesa ao Sr. de Argencourt. — Meus cumprimentos! Eu só conheço uma, mas essa me tirou a curiosidade de conhecer as outras seis. Se forem todas iguais à que vi!

"Que tola!", pensei, irritado com a fria acolhida que me fizera. Sentia uma espécie de rude contentamento ao constatar a sua completa incompreensão de Maeterlinck. "É por uma mulher assim que, todas as manhãs, percorro tantos quilômetros! Sou até bom demais! Agora, sou eu quem não quer mais saber dela." Tais eram as palavras que eu me dizia; eram o oposto do meu pensamento; eram puras palavras de conversação, como as que dizemos nesses momentos em que, agitados demais para permanecer sozinhos com nós mesmos, sentimos a necessidade de, na falta de outro interlocutor, conversar conosco, sem sinceridade, como com um estranho.

— Não posso lhe dar uma idéia — continuou a duquesa. — Aquilo era da gente se torcer de riso. Não deixaram de fazê-lo, e até demais, pois a mulherzinha não gostou disso, e no fundo Robert sempre me quis mal pelo que aconteceu. O que aliás não lastimo, pois, se tudo tivesse corrido bem, a garota voltasse, quem sabe; e eu me pergunto até que ponto isso teria agradado a Marie-Aynard.

Assim era chamada na família a mãe de Robert, a Sra. de Marsantes, viúva de Aynard de Saint-Loup, para distingui-la de sua prima, a princesa de Guermantes-Bavière, outra Maria, a cujo prenome os sobrinhos, primos e cunhados acrescentavam, para evitar confusão, ora o prenome do marido, ora um de seus outros prenomes, o que resultava em Marie-Gilbert ou Marie-Hedwige.

— Em primeiro lugar, houve na véspera uma espécie de ensaio que foi uma beleza! — prosseguiu ironicamente a Sra. de Guermantes. — Imaginem que ela recitava uma frase, nem mesmo isso, um quarto de frase, e depois parava; não dizia mais nada durante cinco minutos. Sem exagero!

— Oh! Oh! Oh! — exclamou o Sr. de Argencourt.

— Com toda a polidez do mundo, permiti-me insinuar que aquilo talvez espantasse um pouco. E ela me respondeu textualmente: "É sempre necessário dizer uma coisa como se a gente mesma a estivesse compondo." Se refletirem nisso, verão que é monumental essa resposta.

— Mas eu julgava que ela não recitava mal os versos — disse um dos dois rapazes.

— Ela nem desconfia do que é isso — respondeu a Sra. de Guermantes. — Em todo caso, não precisei ouvi-la. Bastou-me vê-la chegar com os lírios! Logo percebi que ela não tinha talento, quando vi os lírios!

Todos riram.

— Minha tia, não me levou a mal o gracejo de outro dia a respeito da rainha da Suécia? Venho lhe pedir perdão.

— Não, não te quero mal por isso; dou-te até o direito de comer, se estás com fome.

— Vamos, Sr. Vallenères, banque a mocinha da casa — disse a Sra. de Villeparisis ao arquivista, segundo um gracejo consagrado.

O Sr. de Guermantes se endireitou na poltrona onde se afundara, o chapéu a seu lado sobre o tapete, examinou com ar satisfeito os pratos de sequilhos que lhe eram apresentados.

— Mas, com muito gosto; agora que começo a ficar familiarizado com esta nobre assistência, aceitarei um pudim; parecem excelentes.

— O senhor desempenha às maravilhas o seu papel de mocinha da casa — disse o Sr. de Argencourt que, por espírito de imitação, repetiu o gracejo da Sra. de Villeparisis.

O arquivista apresentou o prato com sequilhos ao historiador da Fronda.

— O senhor cumpre às maravilhas as suas funções — disse este por timidez e para tentar ganhar a simpatia geral.

Assim, lançou um olhar furtivo de conivência àqueles que já tinham feito como ele.

— Diga-me, minha boa tia — perguntou o Sr. de Guermantes à Sra. de Villeparisis —, quem é aquele senhor bastante simpático, que ia saindo quando eu entrava? Devo conhecê-lo, porque me fez um grande cumprimento, mas não o reconheci; a senhora sabe, eu me confundo com os nomes, o que é bem desagradável — concluiu com ar de satisfação.

— O Sr. Legrandin.

— Ah, mas Oriane tem uma prima cuja mãe, se não me engano, é Grandin de nascimento. Sei muito bem, são os Grandin de l'Épervier.

— Não — respondeu a Sra. de Villeparisis —, não há relação nenhuma. Estes são Grandin simplesmente. Grandin de absolutamente nada. Mas só querem sê-lo de tudo o que se possa imaginar. A irmã deste se chama Sra. de Cambremer.

— Ora, Basin, você sabe muito bem a quem a minha tia está se referindo — exclamou a duquesa com indignação —; é o irmão daquele enorme herbívoro que você teve a estranha idéia de mandar me visitar outro dia. Ela ficou uma hora; pensei que fosse enlouquecer. Mas já comecei imaginando que ela é que era louca, ao ver entrar em minha casa uma pessoa a quem não conhecia e que parecia uma vaca.

— Escute, Oriane, ela me perguntou qual era o seu dia de recepção; e eu não podia ser grosseiro; e depois, ora, você exagera; ela não parece uma vaca — acrescentou com ar queixoso, mas não sem lançar furtivamente um olhar risonho à assistência.

Sabia ele que a verve da esposa precisava ser estimulada pela contradição, a contradição do bom-senso que protesta, por exemplo, que não se pode tomar uma mulher por uma vaca (era assim que a Sra. de Guermantes, encarecendo uma primeira imagem, chegava muitas vezes a produzir seus ditos mais espirituosos). E, ingenuamente, o duque se apresentava, sem parecê-lo, para ajudá-la a concluir o jogo, como, num vagão, o parceiro inconfesso de um jogador que faz um truque de cartas.

— Reconheço que ela não parece uma vaca, pois parece muitas — exclamou a Sra. de Guermantes. — Juro que estava muito embaraçada ao ver aquele rebanho de vacas que entrava de chapéu no meu salão, e que me perguntava como é que eu ia. De um lado, tinha vontade de lhe responder: "Mas, rebanho de vacas, você confunde, você não pode ter relações comigo, pois é um rebanho de vacas"; e, de outro lado, tendo procurado na minha memória, acabei por julgar que a sua Cambremer era a infanta Dorothée, que tinha dito que viria certa vez e que também era bastante *bovina*, de modo que estive quase para dizer Vossa Alteza real e falar na terceira pessoa majestática a um rebanho de vacas. Ela também tem o tipo de papada da rainha da Suécia. Aliás, aquele ataque a viva força fora preparado por um tiro a distância, de acordo com todas as regras da arte. Desde não sei quanto tempo, eu era bombardeada com seus cartões, encontrava-os por toda a parte, em todos os móveis, como prospectos. Ignorava o objetivo dessa publicidade. Em minha casa só se via "Marquês e Marquesa de Cambremer" com um endereço do qual já não me lembro e de que, aliás, estou resolvida a nunca utilizar.

— Mas é muito lisonjeiro parecer-se com uma rainha — disse o historiador da Fronda.

— Oh, meu Deus! Senhor, os reis e as rainhas já não valem grande coisa no nosso tempo — disse o Sr. de Guermantes, porque tinha a pretensão de ser um espírito liberal e moderno, e também para não dar a impressão de levar muito em conta as relações reais, com que muito se preocupava.

Bloch e o Sr. de Norpois, que haviam se erguido, encontraram-se mais perto de nós.

— Senhor — disse a Sra. de Villeparisis —, falou-lhe do Caso Dreyfus?

O Sr. de Norpois ergueu os olhos para o céu, porém sorrindo, como para atestar a enormidade dos caprichos aos quais a sua Dulcinéia lhe impunha o dever de obedecer. Não obstante, falou a Bloch, com muita afabilidade, dos anos terríveis, talvez fatais, que a França atravessava. Como isso provavelmente significava que o Sr. de Norpois (a quem Bloch todavia dissera acreditar na inocência de Dreyfus) fosse ardentemente antidreyfusista, a amabilidade do embaixador, o jeito que aparentava ao dar razão ao seu interlocutor, de não duvidar que fossem da mesma opinião, de ligar-se em cumplicidade com ele para arrasar com o governo, lisonjeavam a vaidade de Bloch e excitavam sua curiosidade. Quais eram os pontos importantes, que o Sr. de Norpois não especificava, mas sobre os quais parecia admitir, implicitamente, que Bloch e ele estavam de acordo, que opinião teria assim acerca do Caso, que pudesse reuni-los? Bloch tanto mais se espantava do acordo misterioso que parecia existir entre ele e o Sr. de Norpois, por ser um acordo só de natureza política, visto que a Sra. de Villeparisis falara longamente ao Sr. de Norpois sobre os trabalhos literários de Bloch.

— O senhor não é do seu tempo — disse a este o antigo embaixador —; e por isso eu o felicito; o senhor não pertence a este tempo em que os estudos desinteressados já não existem, onde só se vendem ao público inépcias ou obscenidades. Esforços tais como o seu deveriam ser estimulados se tivéssemos um governo.

Bloch sentia-se lisonjeado por sobrenadar sozinho no naufrágio universal. Mas ainda aí desejaria precisões, saber de que inépcias falava o Sr. de Norpois. Bloch tinha o sentimento de trabalhar no mesmo sentido que muitos, não se julgara tão excepcional. Retornou ao Caso Dreyfus, mas não pôde destrinçar a opinião do Sr. de Norpois. Tentou fazê-lo falar dos oficiais cujo nome volta e meia aparecia nos jornais naquele momento; provocavam mais curiosidade que os homens da política envolvidos no mesmo Caso, porque não eram já conhecidos como estes, e, numa vestimenta especial, do fundo de uma vida diferente e de um silêncio religiosamente conservado, apenas acabavam de surgir e de falar, como Lohengrin descendo de uma barca conduzida por um cisne. Graças a um advogado nacionalista a quem conhecia, Bloch pudera assistir a várias audiências do processo Zola. Lá chegava pela manhã, para só sair à tardinha, com uma provisão de sanduíches e uma garrafa de café, como no concurso geral ou nas composições de bacharelato, e, como essa mudança de hábitos despertasse a excitação nervosa que o café e as emoções do processo alçavam ao cúmulo, ele saía dali de tal forma enamorado de tudo o que se passara que, à noitinha, chegando em casa, queria mergulhar novamente no belo sonho e corria para encontrar, num restaurante freqüentado pelos dois partidos, companheiros com quem voltava a falar incessantemente sobre o que acontecera durante o dia, e reparava, com uma ceia encomendada num tom imperioso que lhe dava a ilusão do poder, o jejum e as canseiras de um dia começado tão cedo e no qual não tinha almoçado. O homem, jogando perpetuamente entre os dois planos da experiência e da imaginação, gostaria de aprofundar a vida ideal das pessoas que conhece e conhecer as criaturas cuja vida teve de imaginar. Às perguntas de Bloch, o Sr. de Norpois respondeu:

— Há dois oficiais envolvidos no processo em curso, e de quem ouvi falar antigamente através de um homem cujo parecer inspirava-me grande confiança e que deles fazia uma alta idéia, o Sr. de Miribel; são o tenente-coronel Henry e o tenente-coronel Picquart.

— Mas — exclamou Bloch —, a divina Atena, filha de Zeus, pôs no espírito de um o contrário do que está no espírito do outro. E eles lutam um contra o outro, como dois leões. O coronel Picquart desfrutava de uma alta posição no exército, mas a sua Moira[13] o levou para o lado que não é o seu. A espada dos nacionalistas cortará seu corpo delicado, e ele servirá de pasto aos animais carniceiros e aos pássaros que se nutrem da gordura dos mortos.

O Sr. de Norpois não respondeu.

— De que falam eles a um canto? — indagou o Sr. de Guermantes à Sra. de Villeparisis, apontando o Sr. de Norpois e Bloch.

— Do Caso Dreyfus.

— Ah, diabo! A propósito, sabia quem é partidário ferrenho de Dreyfus? Aposto como não adivinha. Meu sobrinho Robert! Pois lhe digo que no Jockey, quando souberam dessas proezas, foi uma revolta, uma indignação geral. Como vai ser proposto para sócio daqui a oito dias...

— Evidentemente — interrompeu a duquesa —, se são todos como Gilbert, que sempre sustentou que todos os judeus deveriam ser despachados para Jerusalém.

— Ah, então o príncipe de Guermantes está perfeitamente de acordo com as minhas idéias — interrompeu o Sr. de Argencourt.

O duque se orgulhava da esposa, mas não a amava. Muito presunçoso, detestava ser interrompido e, além disso, em casa se habituara a ser brutal com ela. Fremido de uma dupla cólera de mau marido de palavra cortada e de bom falador a quem não ouvem, parou de súbito e lançou à duquesa um olhar que constrangeu a todos.

— Que história é essa de falar de Gilbert e de Jerusalém? — perguntou afinal. — Não se trata disso. Mas — acrescentou em tom mais su-

[13] *Moira*: divindade encarregada do destino das pessoas, entre os gregos, correspondente à *Parca* dos romanos. (N. do T.)

ave — você há de confessar que, se um dos nossos fosse recusado pelo Jockey, e sobretudo Robert, cujo pai foi seu presidente durante dez anos, seria o cúmulo. Que quer, minha cara? A coisa alarmou essa gente, ficaram de olhos arregalados; não posso culpá-los. Sabe que não alimento, pessoalmente, nenhum preconceito racial; acho que é coisa ultrapassada e tenho a pretensão de acompanhar o meu tempo. Mas enfim, que diabo! Quando alguém se chama marquês de Saint-Loup, não pode ser dreyfusista; que quer que eu lhe diga?!

O Sr. de Guermantes pronunciou essas palavras "quando alguém se chama marquês de Saint-Loup" com ênfase. No entanto, bem sabia que era muito mais importante chamar-se "duque de Guermantes". Mas, se o seu amor-próprio tendia antes a exagerar a superioridade do título de duque de Guermantes, talvez não fossem tanto as regras do bom gosto como as leis da imaginação que o levavam a diminuí-lo. Cada um vê mais bonito o que vê a distância, o que vê nos outros. Pois as leis gerais que regulam a perspectiva na imaginação se aplicam igualmente bem tanto aos duques como aos outros homens. Não só as leis da imaginação, mas também as da linguagem. Ora, qualquer das leis da linguagem poderia ser aplicada aqui. Uma pretende que nos expressemos como as pessoas de nossa classe mental, e não da nossa estirpe de origem. Assim, o Sr. de Guermantes podia ser, em suas expressões, mesmo quando queria falar da nobreza, tributário de baixos burgueses que diriam: "quando alguém se chama duque de Guermantes", ao passo que um homem letrado, um Swann, um Legrandin, não o teria dito. Um duque pode escrever romances de cordel, mesmo sobre os costumes da alta sociedade, pois os títulos de nobreza de nada valem neste caso, e o epíteto de aristocrático pode ser merecido pelos escritos de um plebeu. Quem era neste caso o burguês a quem o Sr. de Guermantes ouvira dizer: "Quando alguém se chama", sem dúvida ele não o sabia. Mas uma outra lei da linguagem é que, de vez em quando, assim como aparecem e desaparecem certas doenças de que a seguir não se ouve mais falar, nascem, não se sabe como, seja espontaneamente, seja por um acaso comparável àquele que fez germinar na França uma erva daninha da América, cuja semente, grudada na lã de um cobertor de viagem, caiu num barranco da estrada de ferro, modas de expressões que se ouvem na mesma década, ditas por pessoas que não se combinaram para isso. Ora, da mesma forma que, em determinado ano, ouvi Bloch dizer, falando de si mesmo: "Como as pessoas mais agradáveis, mais brilhantes, mais sérias, mais exigentes, perceberam que só havia uma criatura que achavam inteligente, agradável, e que não podiam dispensar, e que era Bloch", e a mesma frase na boca de muitos outros jovens que não o conheciam e que apenas substituíam o nome de Bloch pelo seu próprio nome, assim também eu devia ouvir muitas vezes o "Quando alguém se chama".

— Que quer? — continuou o duque. — Com o espírito que reina por lá, é bastante compreensível.

— É principalmente cômico — respondeu a duquesa —, considerando as idéias da mãe dele, que nos arrasa da manhã à noite com a Pátria Francesa.

— Sim, mas não existe só a sua mãe; não é preciso nos contar lorotas. Por aí anda uma fulana, uma sirigaita da pior espécie, que tem maior influência sobre ele e que é precisamente compatriota do Sr. Dreyfus. Ela transmitiu a Robert o seu estado de espírito.

— Talvez não saiba, senhor duque, mas há uma palavra nova para expressar esse gênero de espírito — disse o arquivista, o qual era secretário de comitês anti-revisionistas. — Diz-se "mentalidade". Significa exatamente a mesma coisa, mas ao menos ninguém sabe o que quer dizer. É o que há de mais fino, como se diz, o *dernier cri*.

Entretanto, tendo ouvido o nome de Bloch, ele o via fazer perguntas ao Sr. de Norpois, com uma inquietação que despertou uma inquietação diversa, mas igualmente intensa na marquesa. Temendo o arquivista e se fingindo de antidreyfusista com ele, receava as suas censuras caso ele percebesse que havia recebido um judeu mais ou menos filiado ao "Sindicato".

— Ah, mentalidade; vou tomar nota, hei de aproveitar — disse o duque. (Não se tratava de uma imagem: o duque possuía um caderninho cheio de "citações", e que relia antes dos grandes jantares.) — "Mentalidade" me agrada. Há várias dessas palavras novas que se lançam, porém elas não duram. Ultimamente, tenho lido que um escritor era "talentudo". Compreenda quem quiser. Depois, nunca mais vi tal palavra.

— Mas mentalidade é mais empregada que "talentudo" — disse o historiador da Fronda para se misturar à conversa. — Sou membro de uma Comissão no Ministério da Instrução Pública, onde a ouvi empregar diversas vezes, e também no meu grupo, o círculo Volney, e até no jantar em casa do Sr. Émile Ollivier.

— Eu que não tenho a honra de fazer parte do Ministério da Instrução Pública — respondeu o duque com fingida humildade, mas com uma vaidade tão profunda que sua boca não pôde evitar de sorrir e seus olhos de lançar à assistência olhares cintilantes de alegria, sob cuja ironia enrubesceu o pobre historiador —, eu que não tenho a honra de fazer parte do Ministério da Instrução Pública — repetiu, ouvindo-se falar — nem do círculo Volney (pertenço apenas ao União e ao Jockey); o senhor não pertence ao Jockey? — perguntou ele ao historiador que, enrubescendo ainda mais, previa uma insolência sem compreendê-la, e se pôs a tremer com todos os membros —; eu que não janto sequer na casa do Sr. Émile Ollivier, confesso que não conhecia "mentalidade". Estou certo de que está no mesmo caso que eu, Argencourt. Sabe por que não é possível mostrar as provas da traição de Dreyfus? Parece que é porque ele é amante da mulher do ministro da Guerra; é o que se murmureja à boca pequena.

— Ah, pensava que fosse do presidente do Conselho — disse o Sr. de Argencourt.

— Acho vocês todos muito tediosos com este assunto — disse a duquesa de Guermantes, que, do ponto de vista mundano, fazia sempre questão de mostrar que não se deixava levar por ninguém. — Isso não pode ter importância para mim, no que respeita aos judeus, pela boa razão de que não tenho relações com eles, e pretendo continuar sempre nessa feliz ignorância. Mas, por outro lado, acho intolerável que, ao pretexto de que são bem pensantes, de que nada compram dos comerciantes judeus ou de que têm escrito "Morte aos judeus" em suas sombrinhas, um bando de senhoras Durand ou Dubois, a quem jamais teríamos conhecido, nos sejam impostas por Marie-Aynard ou por Victurnienne. Fui à casa de Marie-Aynard anteontem. Antigamente era um encanto. Hoje, a gente encontra ali todas as pessoas que a gente tem passado a vida evitando, sob o pretexto de que são contra Dreyfus, e outras que a gente nem imagina quem são.

— Não; trata-se da mulher do ministro da Guerra. É pelo menos o rumor que corre nas ruelas — retornou o duque, que, assim, empregava na conversa alguns termos que considerava *Ancien Régime*. — Enfim, seja como for, sabe-se que eu, pessoalmente, penso o contrário de meu primo Gilbert. Não sou um feudal, como ele, passearia com um negro, se este fosse um de meus amigos, e pouco me importaria a opinião de terceiros, mas enfim, de qualquer modo, hão de concordar que, quando alguém se chama Saint-Loup, não pode se divertir em contrariar as idéias de todos que têm mais espírito que Voltaire e até que o meu sobrinho. E, sobretudo, a gente não se entrega ao que denominaria acrobacias de sensibilidade oito dias antes de se candidatar ao Clube! Esta é dura de roer! Não, provavelmente foi a sua peruinha que lhe meteu isso na cabeça. Ela o terá convencido de que se classificaria entre os "intelectuais". Os intelectuais, é o "doce de creme" desses senhores. Aliás, isso causou um belo trocadilho, mas muito maldoso.

E o duque citou baixinho para a duquesa e o Sr. de Argencourt: *Mater Semita*, que, de fato, já se dizia no Jockey, pois, de todas as sementes migradoras, aquela a que estão ligadas as asas mais sólidas, que lhe permitem ser disseminada a maior distância de seu local de eclosão, é ainda a piada.

— Poderíamos pedir explicações ao senhor aqui, pois tem o aspecto de *uma* intelectual — disse ele indicando o historiador. — Mas é preferível não falar nisso, tanto mais que o fato é completamente falso. Não sou tão ambicioso como a minha prima Mirepoix, que pretende poder seguir a filiação de sua casa, antes de Jesus Cristo, até a tribo de Levi, e comprometo-me a demonstrar que nunca houve uma gota de sangue judeu em nossa família. Mas enfim, não convém que nos deixemos embair; é certo que as encantadoras opiniões do senhor meu sobrinho podem causar muito barulho em Landerneau. Ainda mais que Fezensac está doente, e Duras é quem vai presidir a eleição, e vocês sabem como ele gosta de provocar incômodos — concluiu o duque, que jamais chegara a conhecer o sentido exato de certas palavras e julgava que "provocar incômodos" queria dizer não "importunar", e sim "complicar as coisas".

— Em todo caso, se Dreyfus é inocente — interrompeu a duquesa —, ele não o prova de modo algum. Que cartas idiotas, enfáticas, escreve da sua ilha! Não sei se o Sr. Esterhazy vale mais que ele, mas tem outra finura na forma de compor as frases, uma outra cor. Isto não deve agradar aos partidários de Dreyfus. Que desgraça para eles não poderem trocar de inocente! — Todo mundo riu às gargalhadas. — Ouviu a frase de Oriane? — perguntou ansiosamente o duque à Sra. de Villeparisis. — Sim, acho-a muito engraçada. — Aquilo não bastava ao duque: — Ora, quanto a mim, não a considero engraçada; ou melhor, pouco me importa se é engraçada ou não. Não faço caso algum do espírito. — O Sr. de Argencourt protestou. — Ele não pensa uma só palavra do que está dizendo — murmurou a duquesa. — Sem dúvida, é porque fiz parte das Câmaras, onde ouvi discursos brilhantes que não significavam coisa alguma. Ali aprendi a apreciar principalmente a lógica. Decerto, é a isto que devo não ter sido reeleito. As coisas engraçadas me são indiferentes. — Basin, não banque o Joseph Prudhomme, sabe muito bem que ninguém aprecia mais o espírito que você. — Deixe-me acabar. É justamente porque sou insensível a um certo gênero de facécias, que prezo muitas vezes o espírito de minha mulher. Pois parte em geral de uma observação justa. Ela raciocina como um homem, formula como um escritor.

Bloch procurava fazer com que o Sr. de Norpois se pronunciasse acerca do coronel Picquart.

— É fora de dúvida — respondeu o Sr. de Norpois — que seu depoimento era necessário. Sei que, sustentando esta opinião, fiz mais de um de meus colegas soltar gritos, mas julgo que o governo tinha o dever de deixar falar o coronel. Não se sai de um impasse desses com uma simples pirueta, ou então arriscamo-nos a cair num atoleiro. Quanto ao próprio oficial, esse depoimento provocou uma impressão das mais favoráveis na primeira audiência. Quando o viram, bem aprumado em seu belo uniforme dos caçadores, vir contar, num tom perfeitamente simples e franco, o que tinha visto e o que havia suposto, e dizer: "Pela minha honra de soldado" (e aqui a voz do Sr. de Norpois vibrou num leve *tremolo* patriótico), "esta é a minha convicção", não há como negar, a impressão foi profunda.

"Aí está, ele é dreyfusista, sem qualquer sombra de dúvida", pensou Bloch.

— Mas o que lhe tirou inteiramente as simpatias que pudera angariar a princípio foi a sua confrontação com o arquivista Gribelin, quando se ouviu esse velho funcionário, esse homem que só tem uma palavra — (e o Sr. de Norpois acentuou com a energia das convicções sinceras as palavras seguintes) —, quando o viram olhar nos olhos ao seu superior, não temer enfrentá-lo e dizer-lhe, num tom que não admitia réplica: "Ora, meu coronel, o senhor bem sabe que, neste momento, como sempre, nunca menti, bem sabe que sempre digo a verdade." O vento mudou, e por mais que Picquart movesse céus e terra nas audiências seguintes, fez um completo fiasco.

"Não, decididamente ele é antidreyfusista, claro", pensou Bloch. "Mas se julga Picquart um traidor que mente, como pode levar a sério as suas revelações e evocá-las como se lhes achasse algum encanto e as acreditasse sinceras? E se, ao contrário, enxerga em Picquart um homem justo que descarrega sua consciência, como pode supor que esteja mentindo em sua confrontação com Gribelin?"

Talvez o motivo pelo qual o Sr. de Norpois falava desse jeito a Bloch, como se ambos estivessem de acordo, decorresse de que ele era de tal modo antidreyfusista que, achando que o governo não o era bastante, era tão inimigo deste como os dreyfusistas. Talvez porque o objeto a que se ligava em política fosse algo mais profundo, situado num plano diverso, e de onde o dreyfusista aparecia como uma modalidade sem importância e que não merece prender a atenção de um patriota preocupado com os grandes problemas externos. Ou melhor, talvez porque as máximas de sua sabedoria política, aplicando-se apenas às questões de forma, de procedimento, de oportunidade, eram tão impotentes para resolver as questões de fundo, como em filosofia a pura lógica o é para destrinçar as questões da existência ou porque essa mesma sabedoria lhe fizesse achar perigoso tratar desses assuntos e, por prudência, se limitasse a falar de circunstâncias secundárias. Mas onde Bloch se enganava era quando julgava que o Sr. de Norpois, ainda que menos prudente de temperamento e de espírito menos exclusivamente formal, lhe pudesse dizer, caso o quisesse, a verdade sobre o papel de Henry, de Picquart, de Du Paty de Clam, sobre todos os pontos do Caso

Dreyfus. De fato, Bloch não podia duvidar que o Sr. de Norpois conhecesse a verdade sobre todas essas coisas. Como podia ignorá-la, visto que conhecia os ministros? Por certo, Bloch pensava que a verdade política pode ser aproximativamente reconstituída pelos cérebros mais lúcidos, porém imaginava, bem como a maioria do povo, que ela habita sempre, indiscutível e material, o dossiê secreto do presidente da República e do presidente do Conselho, os quais dão conhecimento dele aos ministros. Ora, mesmo quando a verdade política abrange documentos, é raro que estes alcancem mais valor que um clichê radioscópico, onde o vulgo supõe que a enfermidade do paciente se inscreve com todas as letras, ao passo que, de fato, esse clichê fornece um simples elemento de apreciação que se juntará a muitos outros, sobre os quais há de se aplicar o raciocínio do médico, e de onde ele vai extrair o seu diagnóstico. Assim, a verdade política, ao nos aproximarmos dos homens bem informados, nos foge quando julgávamos atingi-la. Mesmo mais tarde, e para permanecer no Caso Dreyfus, quando ocorreu um fato tão estarrecedor como a confissão de Henry, seguida de seu suicídio, tal fato foi logo interpretado de modo oposto pelos ministros dreyfusistas, e por Cavaignac e Cuignet, que haviam descoberto a falsidade e conduzido o interrogatório; mais ainda, entre os próprios ministros dreyfusistas, e do mesmo tom, julgando não só conforme os mesmos documentos, mas dentro do mesmo espírito, o papel de Henry foi explicado de maneira inteiramente oposta, uns vendo nele um cúmplice de Esterhazy, outros, ao contrário, atribuindo esse papel a Du Paty de Clam, concordando assim com uma tese do seu adversário Cuignet e estando em completa oposição com seu partidário Reinach. Tudo o que Bloch pôde extrair do Sr. de Norpois foi que, se era verdade que o chefe do Estado-Maior, o Sr. de Boisdeffre, fizera uma comunicação secreta ao Sr. de Rochefort, havia aí, sem dúvida alguma, uma coisa singularmente lamentável.

— Tenha como certo que o ministro da Guerra deve ter, *in petto* pelo menos, votado seu chefe de Estado-Maior aos deuses infernais. Um desmentido oficial não seria, a meu ver, uma excrescência. Mas o ministro da Guerra, sobre o assunto, se exprime com muita crueza *inter pocula*.[14] De resto, há certos assuntos sobre os quais é muito imprudente criar uma agitação que depois nos fuja ao controle.

— Mas esses documentos são visivelmente falsos — disse Bloch.

O Sr. de Norpois não respondeu, mas declarou que não aprovava as manifestações do príncipe Henri de Orléans:

[14] *Inter pocula* (lat.): "entre golpes", ou seja, "entre amigos". (N. do T.)

— Além disso, elas podem apenas perturbar a serenidade do tribunal e estimular agitações que, num ou noutro sentido, seriam de lamentar. Certamente é necessário dar um basta às manobras antimilitaristas, mas também não devemos passar por alto as agitações provocadas pelos elementos de direita que, em vez de servir à idéia patriótica, sonham em servir-se dela. A França, graças a Deus, não é uma república sul-americana, e não se faz sentir a necessidade de um general de *pronunciamiento*.

Bloch não conseguiu fazê-lo falar sobre a questão da culpabilidade de Dreyfus, nem que desse um prognóstico acerca do julgamento que resultaria do processo civil atualmente em curso. Em compensação, o Sr. de Norpois pareceu satisfeito em lhe fornecer detalhes sobre as conseqüências desse veredicto.

— Se for uma condenação — disse ele —, será provavelmente cassada, pois é raro que, num processo em que os depoimentos das testemunhas são tão numerosos, não haja vícios de forma que os advogados possam invocar. Quanto à balbúrdia criada pelo príncipe Henri de Orléans, duvido muito que tenha sido do gosto de seu pai.

— Acha que Chartres apóia Dreyfus? — perguntou a duquesa sorrindo, olhos arregalados, as faces rosadas, o nariz inclinado para o pires de biscoitinhos, com ar escandalizado.

— De modo nenhum. Quis dizer apenas que há em toda a família, por esse lado, um senso político de que se pôde ver, no caso da admirável princesa Clémentine, o *nec plus ultra*, e que seu filho, o príncipe Ferdinand, conservou como legado precioso. Não haveria de ser o príncipe da Bulgária quem abraçaria o comandante Esterhazy.

— Teria preferido um simples soldado — murmurou a Sra. de Guermantes, que jantava diversas vezes com o búlgaro na casa do príncipe de Joinville e que lhe respondera, certa vez, quando ele lhe perguntara se não era invejosa: "Sim, monsenhor, de seus braceletes."

— Não vai esta noite ao baile da Sra. de Sagan? — perguntou o Sr. de Norpois à Sra. de Villeparisis, para cortar a conversa com Bloch. Este não desagradava ao embaixador, que nos disse mais tarde, não sem ingenuidade, e sem dúvida por causa de alguns vestígios que subsistiam, na linguagem de Bloch, da moda neo-homérica que ele, no entanto, já abandonara: — Ele é bem divertido, com seu jeito de falar um tanto antiquado, um tanto solene. Por um pouco mais, dir-se-ia "as Doutas Irmãs", como Lamartine ou Jean-Baptiste Rousseau. É algo que se tornou muito raro na juventude de hoje, e já o era na anterior. Nós mesmos éramos um pouco românticos. — Mas, por singular que lhe parecesse o interlocutor, o Sr. de Norpois considerava que a conversa já havia durado demais.

— Não, senhor, não vou mais aos bailes — respondeu ela com um lindo sorriso de velha. — E os senhores, vão? É próprio da sua idade — acrescentou, englobando num mesmo olhar o Sr. de Châtellerault, seu amigo, e Bloch. — Eu também fui convidada — disse ela, fingindo que se sentia vaidosa com aquilo. — Até vieram me convidar. (*Vieram* referia-se à princesa de Sagan.)

— Eu não tenho cartão de convite — informou Bloch, pensando que a Sra. de Villeparisis lhe fosse oferecer um, e que a princesa de Sagan ficaria feliz em receber o amigo de uma pessoa que ela tinha ido convidar pessoalmente.

A marquesa não respondeu coisa alguma, e Bloch não insistiu, pois tinha um negócio mais sério a tratar com ela e para o qual acabava de lhe pedir um encontro para dali a dois dias. Tendo ouvido os dois rapazes dizer que haviam pedido demissão do círculo da rua Royale, onde qualquer um entrava facilmente, queria pedir à Sra. de Villeparisis que o fizesse ser recebido nele.

— Não são muito falsamente elegantes, muito esnobes, esses Sagans? — indagou ele com ar sarcástico.

— De forma alguma, é o que fazemos de melhor no gênero — respondeu o Sr. de Argencourt, que adotara todos os gracejos parisienses.

— Então — disse Bloch, meio irônico — é que se chama uma das *solenidades*, das grandes *sessões mundanas* da estação!

A Sra. de Villeparisis disse alegremente à Sra. de Guermantes:

— Ora vamos, então é uma grande solenidade mundana o baile da Sra. de Sagan?

— Não é a mim que se deve perguntar isso — respondeu-lhe a duquesa com ironia —; ainda não cheguei a saber o que é uma solenidade mundana. Além do mais, os assuntos mundanos não são o meu forte.

— Ah, eu julgava o contrário — disse Bloch, que pensava ter a Sra. de Guermantes falado com sinceridade.

Para grande desespero do Sr. de Norpois, Bloch continuou a lhe fazer muitas perguntas sobre o Caso Dreyfus; o Sr. de Norpois declarou que o coronel Du Paty de Clam lhe dava, mais ou menos, a impressão de um cérebro um tanto confuso e que talvez não fora escolhido com muita felicidade para conduzir essa coisa delicada que é um inquérito, e que exige tanto sangue-frio e discernimento.

— Sei que o partido socialista exige a sua cabeça com insistência, bem como a libertação imediata do prisioneiro da Ilha do Diabo. Porém, penso que ainda não estamos reduzidos assim a um ato de tal modo vergonhoso dos Srs. Gérault-Richard e cúmplices. Até agora, esse caso é muito complicado. Não digo que tanto de um lado como de outro haja coisas muito baixas e vis para ocultar. Que mesmo certos protetores mais ou menos desinteressados desse seu cliente possam ter boas intenções não digo o contrário; mas bem sabe que de boas intenções o inferno está cheio — acrescentou com um olhar penetrante. — É essencial que o governo dê a impressão de que já não está em mãos das facções de esquerda e de que não lhe resta senão entregar-se, de pés e mãos atados, às intimidações de não sei qual exército pretoriano, que, acredite-me, não é o Exército. É claro que, se ocorresse um fato novo, seria tentada uma revisão. A conseqüência salta aos olhos. Reclamar semelhante coisa é o mesmo que arrombar uma porta aberta. Nesse dia, ou o governo há de saber falar alto e em bom som, ou abdicará do que é a sua prerrogativa essencial. Os despropósitos não bastarão. Será preciso dar juízes a Dreyfus. E isto será coisa fácil, pois, embora seja costume em nossa doce França, onde gostamos de nos caluniar a nós próprios, acreditar ou deixar que acreditem que, para fazer ouvir as palavras da verdade e da justiça, é indispensável atravessar o canal da Mancha, o que muitas vezes é uma forma disfarçada de alcançar o Spree. Não somente em Berlim é que há juízes. Mas, uma vez posta em movimento a ação governamental, saberão os senhores ouvir o governo? Quando ele os convidar a cumprir com o seu dever cívico, saberão escutá-lo, ajuntar-se-ão ao redor dele? Ao seu patriótico apelo, saberão não ficar surdos e responder: "Presente!"?

O Sr. de Norpois fazia essas perguntas a Bloch com uma veemência que, sem deixar de intimidá-lo, também o lisonjeava: pois o embaixador dava a impressão de dirigir-se, na pessoa dele, a todo um partido, de interrogar Bloch como se este houvesse recebido as confidências de semelhante partido e pudesse assumir a responsabilidade pelas decisões que seriam tomadas. — Se os senhores não se desarmarem — continuou o Sr. de Norpois sem esperar a resposta coletiva de Bloch —, se, antes mesmo que esteja seca a tinta do decreto que instituiria o processo de revisão, obedecendo a não sei que insidiosa palavra de ordem, os senhores não se desarmarem, mas se se restringirem a uma oposição estéril que, para alguns, parece a *ultima ratio* da política, se se retirarem para as suas tendas e queimarem os navios, será para seu maior dano. São os senhores prisioneiros dos fautores da desordem? Por acaso, deram-lhes garantias? — Bloch estava embaraçado para responder. O Sr. de Norpois não lhe deu tempo para isso. — Se a negativa for verdadeira, como quero crer, e se os senhores têm um pouco daquilo que, infelizmente, me parece faltar a alguns de seus chefes e amigos, certo espírito político, no próprio dia em que houver intervenção na Câmara Criminal, se não se deixarem levar pelos pescadores de águas turvas, terão ganho a partida. Não afirmo que todo o Estado-Maior possa sair incólume do episódio, mas já será muito bom que pelo menos uma parte possa livrar a cara sem pôr fogo na pólvora. Aliás, é claro que compete ao governo proclamar o direito e fechar a lista excessivamente longa dos crimes impunes, decerto que não obedecendo às excitações socialistas, e nem sei de que soldadesca — ajuntou, encarando Bloch nos olhos e talvez com o instinto de todos os conservadores para obter apoios no campo adversário. — A ação governamental deve se exercer sem a preocupação de sobrelanços, venham de onde vierem. O governo não está, graças a Deus, às ordens nem do coronel Driant nem no pólo oposto, do Sr. Clémenceau. É necessário abater os agitadores profissionais e impedi-los de levantar a cabeça. A França, em sua imensa maioria, deseja o trabalho dentro da ordem! A esse respeito, já formei a minha religião. Mas não é preciso temer o esclarecimento da opinião; e, se alguns carneiros, desses que tão bem conheceu o nosso Rabelais, se atirarem n'água de cabeça baixa, seria conveniente mostrar-lhes que essa água é turva, que foi deliberadamente turvada por uma corja que não é da nossa casa, a fim de lhe dissimular o fundo perigoso. E o Governo não deve parecer que sai a contragosto de sua passividade, quando exercer o direito que lhe é essencialmente seu, ou seja, de pôr em movimento a Senhora Justiça. O Governo aceitará todas as sugestões dos senhores. Se se demonstrar que houve erro judicial, o governo estará apoiado por uma esmagadora maioria, o que lhe permitiria dar as cartas.

— O senhor, cavalheiro — disse Bloch, voltando-se para o Sr. de Argencourt, a quem fora apresentado ao mesmo tempo que aos demais —, certamente é dreyfusista: no estrangeiro, todo mundo o é.

— É uma questão que só diz respeito aos franceses, não é mesmo? — respondeu o Sr. de Argencourt, com essa insolência particular, que consiste em emprestar a um interlocutor uma opinião de que se sabe claramente que ele não compartilha, pois acaba de emitir uma outra oposta.

Bloch enrubesceu; o Sr. de Argencourt sorriu, olhando a seu redor, e se esse sorriso, enquanto dirigia aos demais convivas, foi maldoso para Bloch, ele o temperou de cordialidade detendo-o finalmente sobre o meu amigo, a fim de lhe tirar o pretexto para se aborrecer com as palavras que os outros acabavam de ouvir e que nem por isso eram menos cruéis. A Sra. de Guermantes disse ao ouvido do Sr. de Argencourt algo que não ouvi, mas que deveria se relacionar com a religião de Bloch, pois nesse momento passou pelo rosto da duquesa essa expressão a que o medo de ser observado pela pessoa de quem se fala confere algo de hesitante e falso, e na qual se mistura a alegria curiosa e malévola que inspira um grupamento humano, ao qual nos sentimos radicalmente estranhos. Para se desforrar, Bloch voltou-se para o duque de Châtellerault: — O senhor, cavalheiro, visto que é francês, certamente sabe que no estrangeiro são dreyfusistas, embora na França se finja nunca saber o que se passa no exterior. Além do mais, sei que se pode conversar com o senhor, Saint-Loup me afirmou. — Porém o jovem duque, que percebia que todos se colocavam contra Bloch e que era covarde como se é muitas vezes na sociedade, empregando, de resto, um espírito afetado e mordaz que, por atavismo, parecia herdar do Sr. de Charlus: — Desculpe-me, senhor, não discutir contigo o Caso Dreyfus, mas trata-se de um assunto que tenho por norma discutir apenas entre jaféticos. — Todos sorriram, menos Bloch, não que não tivesse o costume de dizer frases irônicas acerca de suas origens judaicas, sobre o seu lado que se prendia um pouco ao Sinai. Mas em vez de uma dessas frases, as quais sem dúvida não estavam prontas, o gatilho da máquina interior fez disparar uma outra na boca de Bloch. E só se pôde recolher isto: — Mas como foi que o senhor pôde saber? Quem lhe contou? — como se ele fosse filho de um condenado a trabalhos forçados. Por outro lado, tendo em vista o seu nome, que não passa precisamente por ser cristão, e seu rosto, o seu espanto demonstrava uma certa ingenuidade.

Não ficando totalmente satisfeito com o que lhe dissera o Sr. de Norpois, Bloch se aproximou do arquivista e lhe perguntou se não se via às vezes, na casa da Sra. de Villeparisis, o Sr. Du Paty de Clam ou o Sr. Joseph Reinach. O arquivista não respondeu; era nacionalista e não deixava de pregar à marquesa que em breve haveria uma guerra social, e que ela deveria ser mais prudente na escolha de suas relações. Perguntava a si mesmo se Bloch não seria um emissário secreto do Sindicato, que tivesse vindo para obter informações dele, e foi imediatamente repetir à Sra. de Villeparisis as perguntas que Bloch acabara de lhe fazer. Ela achou que Bloch era pelo menos mal-educado, talvez perigoso para a situação do Sr. de Norpois. Por fim, quis dar uma satisfação ao arquivista, a única pessoa que lhe inspirava algum temor, e por quem era doutrinada sem muito sucesso. (Todas as manhãs ele lia para ela o artigo do Sr. Judet no *Le Petit Journal*.) Logo, quis indicar a Bloch que ele não deveria voltar e achou naturalmente, em seu repertório mundano, a cena pela qual uma grande dama põe alguém porta afora, cena que não comporta de maneira nenhuma o dedo em riste e os olhos flamejantes que as pessoas imaginam. Como Bloch se aproximasse dela para se despedir, afundada em sua grande poltrona, a marquesa pareceu meio imersa em vaga sonolência. Seus olhos afogados só apresentavam o clarão débil e encantador de uma pérola. As despedidas de Bloch, mal abrindo no rosto da marquesa um sorriso de langor, não lhe arrancaram uma palavra sequer, e ela não lhe estendeu a mão. Tal cena levou Bloch ao auge do espanto, mas, como um grupo de pessoas a estava testemunhando, julgou que não poderia prolongar-se sem inconveniente para ele, e, para forçar a marquesa, estendeu espontaneamente a mão que não lhe apertavam. A Sra. de Villeparisis ficou chocada. Mas sem dúvida, tendo que dar uma satisfação imediata ao arquivista e ao clã antidreyfusista, queria também resguardar o futuro, e contentou-se em abaixar as pálpebras e entrecerrar os olhos.

— Creio que ela dorme — disse Bloch ao arquivista, o qual, sentindo-se apoiado pela marquesa, assumiu um ar de indignação. — Adeus, senhora — exclamou ele.

A marquesa fez um leve movimento de lábios de criatura agonizante que desejaria abrir a boca, mas cujo olhar já não reconhece ninguém. Depois se voltou, transbordante de vida reencontrada, para o marquês de Argencourt, enquanto Bloch se afastava, persuadido de que ela estava de "miolo mole". Cheio de curiosidade e desejoso de esclarecer um incidente tão estranho, ele retornou para vê-la alguns dias depois. Ela o recebeu muito bem, pois era uma mulher bondosa, porque o arquivista não se achava presente, porque fazia questão do sainete que Bloch deveria representar em sua casa, e, por fim, porque desempenhara o papel de grande dama que desejava fazer, o qual foi universalmente admirado e comentado naquela mesma noite nos diversos salões, mas segundo uma versão que já não tinha qualquer relação com a verdade.

— A senhora falava das *Sete Princesas*, duquesa; sabe que o autor desse... como direi, desse memorial, é um de meus compatriotas (e nem por isso me sinto mais orgulhoso) — disse o Sr. de Argencourt, com uma ironia mesclada pela satisfação de conhecer melhor que os outros o autor de uma obra da qual se acabava de falar. — Sim, ele é de nacionalidade belga — acrescentou.

— Verdade? Não, não o estamos acusando de qualquer conivência em *As Sete Princesas*. Felizmente para o senhor e seus compatriotas, o senhor não se parece em nada com o autor de semelhante inépcia. Conheço belgas muito gentis, o senhor, o seu rei, que é um pouco tímido mas cheio de verve, meus primos Ligne e muitos outros, mas felizmente o senhor não fala a mesma linguagem do autor das *Sete Princesas*. Aliás, se quer que lhe diga, já é demais falar nisso, pois não vale coisa nenhuma. Trata-se de pessoas que procuram parecer obscuras e até ridículas conseguem ficar, para ocultar o fato de não terem idéias. Se existisse algo em tudo isso, eu lhe diria não temer certas audácias — acrescentou ela em tom sério — desde que houvesse pensamento. Não sei se o senhor viu a peça de Borrelli. Pessoas houve que se sentiram chocadas; quanto a mim, mesmo que me apedrejassem — acrescentou, sem se dar conta de que não corria muitos riscos —, confesso que a achei infinitamente curiosa. Mas *As Sete Princesas*! Por mais que uma delas seja boazinha para o meu sobrinho, não posso levar os sentimentos de família...

A duquesa parou de repente, pois entrava uma dama que era a viscondessa de Marsantes, a mãe de Robert. A Sra. de Marsantes era considerada, no *faubourg* Saint-Germain, como um ser superior, de uma bondade e de uma resignação angélicas. Era o que me haviam dito e eu não tinha nenhum motivo especial para surpreender-me de tal fato, não sabendo, naquele momento, que ela era a própria irmã do duque de Guermantes. Mais tarde, sempre me espantava a cada vez que tomava conhecimento, naquela sociedade, de que mulheres melancólicas, puras, sacrificadas, veneradas como ideais santas de vitral, tinham florescido no mesmo tronco genealógico dos irmãos brutais, depravados e vis. Irmãos e irmãs, quando são muito parecidos de rosto, como o eram o duque de Guermantes e a Sra. de Marsantes, pareciam-me dever ter em comum uma única inteligência, um mesmo coração, como no caso de uma pessoa que pode ter bons e maus momentos, mas de quem, afinal, não se pode esperar grande discernimento se tem espírito limitado, e uma abnegação sublime se é de coração duro.

A Sra. de Marsantes seguia as aulas de Brunetière. Entusiasmava o *faubourg* Saint-Germain e, por sua vida de santa, também o edificava. Porém a conexão morfológica do belo nariz e do olhar penetrante levava-me, entretanto, a classificar a Sra. de Marsantes na mesma família intelectual e moral de seu irmão, o duque. Eu não podia crer que só pelo fato de ser mulher e, talvez, por ter sido infeliz e desfrutar da opinião de todos a seu favor, ela pudesse ser tão diferente dos seus, como nas canções de gesta, onde todas as virtudes e as graças estão reunidas na irmã de irmãos ferozes. Parecia-me que a natureza, menos livre que os antigos poetas, devia se servir quase que exclusivamente dos elementos comuns à família, e não podia atribuir-lhe tal poder de inovação que fizesse, com os materiais análogos aos que compõem um tolo e um rústico, um grande espírito sem qualquer tara de imbecilidade, uma santa sem mancha nenhuma de brutalidade. A Sra. de Marsantes trajava um vestido de *surah* branco, de grandes palmas, sobre as quais se destacavam flores negras de pano. É que ela perdera, havia três semanas, seu primo, o Sr. de Montmorency, o que no entanto não a impedia de fazer visitas, de comparecer a jantares íntimos, mas de luto. Era uma grande dama. Por atavismo, sua alma estava repleta da frivolidade das existências da corte, com tudo o que elas têm de superficial e rigoroso. A Sra. de Marsantes não tivera forças para lastimar por muito tempo seu pai e sua mãe, mas por nada no mundo teria usado trajes coloridos antes do mês seguinte à morte do primo. Foi mais do que gentil comigo, pois eu era o amigo de Robert, e porque não pertencia ao mesmo mundo dele. Esta bondade era acompanhada de uma timidez fingida, dessa espécie de intermitente movimento de perda da voz, do olhar, do pensamento que é recolhido como uma sala indiscreta, para não ocupar muito espaço, para ficar bem aprumada, mesmo na flexibilidade, como exige a boa educação. Boa educação que, aliás, não é preciso tomar ao pé da letra, pois várias dessas damas recaem depressa na sem-vergonhice dos costumes sem jamais perder a correção quase infantil de maneiras. A Sra. de Marsantes irritava um pouco ao conversar, porque, de cada vez que se tratava de um plebeu, por exemplo Bergotte ou Elstir, ela dizia, destacando a palavra, valorizando e salmodiando-a em dois tons diferentes, numa modulação que era particular aos Guermantes: — Tive a *honra*, a grande *hon-ra* de encontrar o Senhor Bergotte, de conhecer o Senhor Elstir —, seja para fazer admirada a sua humildade, seja pelo mesmo gosto do Sr. de Guermantes de regressar às formas em desuso, para protestar contra os costumes da má educação de hoje, quando já não se diz bastantes vezes "honrado". Fosse qual fosse o verdadeiro desses dois motivos, de qualquer modo sentia-se que, quando a Sra. de Marsantes dizia: "Tive a *honra*, a grande *hon-ra*", ela julgava preencher um grande papel e mostrar que sabia acolher os nomes dos homens de valor como os teria recebido a eles próprios em seu castelo, se eles se encontrassem nas vizinhanças. De outra parte, como sua família era numerosa, e ela a apreciasse muito, e, de palavra lenta e amiga de explicações, quisesse fazer compreender os parentescos, ocorria-lhe (sem nenhum desejo de espantar e sinceramente gostando apenas de falar de camponeses comoventes e sublimes guardas florestais) citar a todo instante todas as famílias da alta aristocracia da Europa, o que as pessoas menos brilhantes não lhe perdoavam e, se eram um tanto intelectuais, troçavam como se se tratasse de uma estupidez.

No campo, a Sra. de Marsantes era adorada pelo bem que fazia, mas principalmente porque a pureza de um sangue, onde, há várias gerações, só se encontrava o que há de mais grandioso na história da França, retirara à sua maneira de ser tudo aquilo que as pessoas do povo chamam de "maneiras", e lhe concedera a simplicidade perfeita. Ela não temia abraçar uma pobre mulher infeliz, e lhe dizer que fosse buscar uma carrada de lenha no castelo. Era, diziam, a perfeita cristã. Fazia questão de obter um casamento formidavelmente rico para Robert. Ser grande dama é posar de grande dama, ou seja, por um lado, representar simplicidade. É um jogo que custa muito caro, tanto mais que a simplicidade só deslumbra com a condição de que os outros saibam que a pessoa possa não ser simples, isto é, que seja muitíssimo rica. Disseram-me depois, quando contei que a tinha visto: — Deve ter percebido que ela foi deslumbrante. — Porém, a verdadeira beleza é tão particular, tão nova, que não é reconhecida como tal. Naquele dia, disse apenas, de mim para mim, que ela possuía um nariz bem pequeno, olhos muito azuis, pescoço comprido e ar triste.

— Escuta — disse a Sra. de Villeparisis à duquesa de Guermantes —, creio que daqui a pouco terei a visita de uma mulher que não desejas conhecer; prefiro que estejas prevenida para que isso não te aborreça. Além do mais, podes ficar tranqüila, nunca a terei de novo em casa futuramente, mas ela deve vir hoje pela única vez. É a mulher de Swann.

A Sra. Swann, vendo as proporções que assumia o Caso Dreyfus, e temendo que as origens de seu marido se voltassem contra ela, rogara-lhe que nunca mais falasse na inocência do condenado. Quando ele não estava presente, ia mais longe e fazia profissão do mais ardente nacionalismo; aliás, nisso só fazia seguir a Sra. Verdurin, em cuja casa despertara e atingira uma verdadeira exasperação, um anti-semitismo burguês e latente. A Sra. Swann obtivera, com essa atitude, a entrada em algumas das ligas de senhoras da sociedade anti-semitas, que principiavam a se formar, e travara relações com diversas pessoas da aristocracia. Pode parecer estranho que, longe de imitá-las, a duquesa de Guermantes, tão amiga de Swann, ao contrário, sempre resistisse ao desejo, que ele não lhe ocultara, de lhe apresentar sua esposa. No entanto, veremos mais tarde que isso era um efeito do caráter especial da duquesa, que julgava *não ter* de fazer essa ou aquela coisa, e impunha, com despotismo, o que havia decidido o seu "livre-arbítrio" mundano, extremamente arbitrário.

— Agradeço que tenha-me prevenido — respondeu a duquesa. — De fato, isto me seria muito desagradável. Mas, como a conheço de vista, levantar-me-ei a tempo.

— Asseguro-te, Oriane, que ela é muito agradável, é uma mulher excelente — disse a Sra. de Marsantes.

— Não duvido, mas não tenho necessidade alguma de certificar-me por mim mesma.

— Foste convidada à casa de Lady Israels? — perguntou a Sra. de Villeparisis à duquesa, para mudar de assunto.

— Graças a Deus não a conheço — respondeu a Sra. de Guermantes. É à Marie-Aynard que é preciso fazer tal pergunta. Ela a conhece, e eu sempre me pergunto por quê.

— De fato, conheci-a — respondeu a Sra. de Marsantes —, confesso os meus erros. Mas estou resolvida a não mais ter relações com ela.

Parece que é das piores e não o esconde. Aliás, todos nós fomos muito confiantes, muito hospitaleiros. Não freqüentarei mais ninguém dessa raça. Enquanto tínhamos velhos primos de província, a quem fechávamos a porta, nós a abríamos para os judeus. Agora vemos a sua gratidão. Ai de mim, nada tenho a dizer, tenho um filho adorável e que declama, jovem doido que é, todas as insanidades possíveis — acrescentou, percebendo que o Sr. de Argencourt fizera alusão a Robert. — Mas, a propósito de Robert, por acaso a senhora não o viu? — perguntou ela à Sra. de Villeparisis —; como hoje é sábado, eu achava que ele poderia passar vinte e quatro horas em Paris e, nesse caso, certamente viria visitar-nos.

— Robert aqui! Mas eu nem sequer recebi uma palavra dele; creio que não o vejo desde Balbec.

— Está tão ocupado, tem tantas coisas para fazer — disse a Sra. de Marsantes.

Um imperceptível sorriso fez ondular os cílios da Sra. de Guermantes, que contemplava o círculo que, com a ponta da sombrinha, ia traçando no tapete. A cada vez que o duque deixava por demais abertamente a esposa, a Sra. de Marsantes tomava, contra o próprio irmão, as dores da cunhada. Esta guardava de semelhante proteção uma lembrança reconhecida e rancorosa, e não se aborrecia muito com as estroinices de Robert. Nesse momento, a porta se abriu de novo e o próprio Robert entrou.

— Ora vejam, quando se fala de Saint-Loup — disse a Sra. de Guermantes.

A Sra. de Marsantes, que estava de costas para a porta, não vira o filho entrar. Quando o viu, a alegria, nessa mãe, bateu verdadeiramente como se tivesse asas; o corpo da Sra. de Marsantes se ergueu a meio, seu rosto palpitou e ela fitou Robert com um olhar maravilhado:

— Como, então vieste?! Que felicidade! Que surpresa!

— Ah, *quando se fala de Saint-Loup*! Compreendo — disse o diplomata belga, rindo às gargalhadas.

— É delicioso — replicou secamente a Sra. de Guermantes, que detestava os trocadilhos e só arriscara aquele dando a impressão de zombar de si mesma. — Boa-noite, Robert — disse ela —; ora, ora, assim é que se esquece da sua tia.

Conversaram por um instante e sem dúvida a meu respeito, pois, enquanto Saint-Loup se aproximava da mãe, a Sra. de Guermantes voltou-se para mim.

— Boa-noite, como vai? — disse ela.

Deixou chover sobre mim a luz do seu olhar azul, hesitou por um instante, desdobrou e estendeu a haste de seu braço, inclinou para diante o corpo, que se endireitou rapidamente para trás, como um arbusto que foi vergado e que, deixado livre, retorna à posição natural. Assim agia sob o fogo dos olhares de Saint-Loup, que a observava e fazia esforços desesperados para obter ainda um pouco mais de sua tia. Receando que a conversa caísse no vazio, veio alimentá-la e respondeu por mim:

— Não passa muito bem, está um tanto cansado; além disso, ele se sentiria melhor se te visse mais vezes, pois não te escondo que gosta muito de te ver.

— Ah, mas ele é muito amável — disse a Sra. de Guermantes com um ar deliberadamente banal, como se eu lhe tivesse entregado a sua capa. — Fico muito lisonjeada.

— Olha, vou ficar um pouco junto de minha mãe, fica na minha cadeira — disse-me Saint-Loup, forçando-me assim a sentar ao lado da tia.

Nós dois nos calamos.

— Vejo-o às vezes de manhã — disse ela, como se fosse uma notícia que me desse e como se eu não a visse. — Isso faz muito bem à saúde.

— Oriane — disse a meia voz a Sra. de Marsantes —, você dizia que ia ver a Sra. de Saint-Ferréol; será que poderia ter a gentileza de lhe dizer que não me espere para jantar? Ficarei em casa porque estou com Robert. Se não fosse abuso, pediria também a você que dissesse, ao passar em casa, que mandem logo comprar os charutos que Robert aprecia, chamados "Corona". Ele já não tem mais.

Robert se aproximou; apenas ouvira pronunciar o nome da Sra. de Saint-Ferréol.

— Quem é essa tal de Sra. de Saint-Ferréol? — perguntou em tom de espanto e decisão, pois afetava ignorar tudo o que dissesse respeito à sociedade.

— Ora, meu querido, sabes muito bem — disse sua mãe —; é a irmã de Vermandois; foi ela quem te deu aquele belo jogo de bilhar de que tanto gostavas.

— Como, é a irmã de Vermandois?! Não fazia a menor idéia. Ah, a minha família é espantosa — disse ele, voltando-se a meio para mim e assumindo, sem o perceber, a entonação de Bloch, assim como tomava de empréstimo as suas idéias. — Conhece pessoas incríveis, pessoas que se chamam mais ou menos Saint-Ferréol (destacando a última consoante de cada palavra), ela vai a um baile, passeia numa vitória, leva uma existência fabulosa. É prodigioso.

A Sra. de Guermantes fez com a garganta esse leve ruído, breve e intenso, como o de um sorriso forçado que se corta de imediato, e que se destinava a mostrar que ela participava, na medida em que o parentesco a obrigava, do espírito do sobrinho. Vieram anunciar que o príncipe de Faffenheim-Munsterburg-Weiningen mandava dizer ao Sr. de Norpois que acabava de chegar.

— Vá procurá-lo, senhor — disse a Sra. de Villeparisis ao antigo embaixador, que foi ao encontro do primeiro-ministro alemão.

Mas a marquesa o chamou de novo.

— Espere, senhor; é preciso que eu lhe mostre a miniatura da imperatriz Carlota?

— Ah, creio que ele ficaria encantado — disse o embaixador num tom convicto e como se invejasse o ministro venturoso pelo favor que o esperava.

— Ah, sei que ele é muito *bem pensante* — observou a Sra. de Marsantes —; e isso é tão raro entre os estrangeiros. Mas estou informada. É o anti-semitismo em pessoa.

O nome do príncipe conservava, na franqueza com que suas primeiras sílabas eram — como se diz em música — atacadas, e na balbuciante repetição com que as escandia, o impulso, a ingenuidade amaneirada, as pesadas "delicadezas" germânicas, projetadas como ramagens esverdeadas sobre o "Heim" de esmalte azul-escuro, que desdobrava o misticismo de um vitral renano por detrás dos ouros pálidos e finamente burilados do século XVIII alemão. Esse nome continha, por entre os diversos nomes de que se formava, o de uma pequena estação de águas alemã, onde, bem pequenino, eu estivera com minha avó, ao sopé de uma montanha honrada pelos passeios de Goethe, e de cujos vinhedos bebíamos no Kurhof a ilustre produção, de nome composto e retumbante como os epítetos que Homero confere a seus heróis. Assim, mal ouvi pronunciar o nome do príncipe, quando, antes de me lembrar das águas termais, pareceu-me que diminuía, que se impregnava de humanidade, que encontrava um lugar suficiente em minha memória, à qual aderiu, familiar, terra-a-terra, pitoresco, saboroso, leve, com algo de autorizado, de prescrito. Bem mais; o Sr. de Guermantes, explicando quem era o príncipe, citou diversas vezes os seus títulos, e reconheci o nome de uma aldeia atravessada pelo rio onde, todas as tardes, terminado o tratamento, eu ia de barca em meio aos mosquitos; e o de uma floresta bastante afastada para que o médico me permitisse alcançá-la a passeio. E, de fato, era compreensível que a suserania do senhor se estendesse aos lugares circunvizinhos e associasse de novo, na enumeração de seus títulos, os nomes que se podem ler, uns ao lado dos outros, num cartão de visitas. Assim, sob a viseira do príncipe do Sacro-Império e do escudeiro da Francônia, o que vi foi a fisionomia de uma terra querida onde haviam se detido para mim, com freqüência, os raios do sol das seis horas, pelo menos antes que entrasse o príncipe, governador do Reno e eleitor palatino. Pois, em poucos instantes, fiquei sabendo que os rendimentos que ele obtinha da floresta e do rio povoados de gnomos e ondinas, onde se ergue o velho castelo que mantém a lembrança de Lutero e de Luís o Germânico, ele os empregava para possuir cinco automóveis Charron, um palacete em Paris e outro em Londres, um camarote às segundas-feiras na Ópera, e outro às "terças" nos "Franceses". Não me parecia, e ele próprio não dava a impressão de acreditar nisso, um homem diferente dos outros de igual fortuna e da mesma idade que tinham uma origem menos poética. Possuía a sua cultura, o seu ideal, alegrava-se da sua linhagem, mas apenas devido às vantagens que esta lhe conferia, e só demonstrava uma ambição na vida — a de ser eleito membro correspondente da Academia de Ciências Morais e Políticas, razão pela qual tinha vindo à casa da Sra. de Villeparisis. Se ele, cuja esposa liderava um dos círculos mais fechados de Berlim, solicitara ser apresentado em casa da marquesa, não era porque anteriormente desejara tal coisa. Roído há muitos anos por essa ambição de entrar para o Instituto, infelizmente nunca pudera contar com mais de cinco acadêmicos que parecessem dispostos a votar nele. Sabia que o Sr. de Norpois dispunha, por si só, de pelo menos uma dezena de votos, aos quais seria capaz de acrescentar alguns outros, graças a transações hábeis. Assim, o príncipe, que o havia conhecido na Rússia, quando ambos eram embaixadores, fora vê-lo e fizera de tudo para conseguir o seu apoio. Porém, por mais que multiplicasse as gentilezas e conseguisse condecorações russas para o marquês, e o citasse em artigos sobre política estrangeira, tinha diante de si um ingrato, um homem para quem todas essas delicadezas pareciam não contar, que não fizera sua candidatura avançar um passo e nem sequer lhe prometera seu voto! É claro que o Sr. de Norpois o recebia com extrema polidez, e nem queria que ele se incomodasse e "tivesse o trabalho de vir até a sua porta", e ia ele próprio ao palacete do príncipe e, quando o cavalheiro teutônico dizia: "Bem que eu gostaria de ser seu colega", respondia num tom esperançoso: "Eu ficaria muito feliz!" E sem dúvida um ingênuo, um doutor Cottard, diria consigo: "Ora, aí está ele na minha casa, foi ele quem se deu o trabalho de vir, porque me considera uma pessoa mais importante que ele, disse que ficaria feliz se eu pertencesse à Academia, as palavras ainda assim têm um sentido, que diabo! Sem dúvida, se ele não se propõe a votar em mim, é que não pensa nisso. Ele fala muito do meu grande poder, com certeza julga que as cotovias já me caem assadas do céu, que disponho de tantos votos quantos queira, e é por isso que não me oferece o seu, mas basta-me colocá-lo entre a espada e a parede, cá entre nós, e lhe dizer: 'Muito bem! Vote em mim' e ele será obrigado a fazê-lo."

Mas o príncipe de Faffenheim não era um ingênuo; era o que o doutor Cottard teria chamado "um fino diplomata", e sabia que o Sr. de Norpois não era menos fino, nem um homem que não descobrisse por si mesmo que poderia ser agradável a um candidato votando nele. O príncipe, em suas embaixadas e como ministro das Relações Exteriores, mantivera, por seu país, em vez de agora para proveito próprio, dessas conversações em que se sabe, por antecipação, até onde se deseja ir e o que não nos farão dizer. Não ignorava que, na linguagem diplomática, conversar significa oferecer. E para tanto é que obtivera para o Sr. de Norpois a insígnia de Santo André. Mas se comunicasse a seu governo a entrevista que tivera depois disso com o Sr. de Norpois, teria podido enunciar em seu despacho: "Compreendi que tomara pelo caminho errado." Pois, desde o momento em que voltara a pronunciar a palavra Instituto, o Sr. de Norpois lhe repetira:

— Eu gostaria muito disso, por meus colegas. Creio que eles devem se sentir verdadeiramente honrados pelo fato de o senhor ter pensado neles. É uma candidatura bem interessante, um pouco fora de nossos hábitos. O senhor sabe, a Academia é muito rotineira, ela se apavora com tudo o que lhe saiba a novidade. Pessoalmente, censuro-a por isto. Quantas vezes aconteceu-me dá-lo a entender aos meus colegas. Nem sei mesmo, Deus me perdoe, se alguma vez a palavra "rançosos" não me saiu da boca — acrescentou com um sorriso escandalizado, a meia voz, quase à parte, como num efeito teatral e lançando ao príncipe uma olhadela rápida e oblíqua de seu olho azul, como um velho ator que deseja apreciar o seu efeito. — Príncipe, o senhor compreende que não gostaria de deixar que uma personalidade tão eminente como a sua se metesse numa jogada de antemão perdida. Enquanto as idéias de meus colegas permanecerem tão atrasadas, creio que seria sábio se se abstivesse. Aliás, queira acreditar que, se algum dia visse um espírito um pouco mais novo, um pouco mais vivo, desenhar-se nesse colégio que tende a se tornar uma necrópole, se vislumbrasse uma oportunidade possível para o senhor, seria o primeiro a avisá-lo.

"A insígnia de Santo André é um erro", pensou o príncipe; "as negociações não adiantaram um passo; não era isto o que ele queria. Não peguei a chave adequada."

Era um tipo de raciocínio de que o Sr. de Norpois, formado na mesma escola que o príncipe, seria capaz. Pode-se troçar da pedantesca simplicidade com que os diplomatas do tipo de Norpois se extasiam diante de uma palavra oficial mais ou menos insignificante. Mas a sua infantilidade tem uma contrapartida: os diplomatas sabem que, na balança que assegura esse equilíbrio, europeu ou outro, que se denomina paz, os bons sentimentos, os bons discursos e as súplicas pesam muito pouco; e que o peso pesado, o verdadeiro, o determinante, consiste em outra coisa, na possibilidade que o adversário tem, se é bastante forte, ou não tem, de contentar um desejo por meio de troca. Essa ordem de verdades, que uma pessoa inteiramente desinteressada, como a minha avó, por exemplo, não teria compreendido, o Sr. de Norpois e o príncipe von*** se tinham muitas vezes visto às voltas com ela. Encarregado dos negócios em países com os quais muitas vezes tínhamos estado a dois passos da guerra, o Sr. de Norpois, ansioso com o aspecto que iam tomando os acontecimentos, sabia muito bem que não era por meio da palavra "Paz", ou da palavra "Guerra" que elas lhe seriam notificadas, mas por uma outra, aparentemente banal, terrível ou abençoada, que o diplomata, com a ajuda de sua cifra, saberia ler de imediato, e à qual, para resguardar a dignidade da França, responderia com outra palavra, igualmente banal, mas por baixo da qual o ministro da nação inimiga veria logo: Guerra. E até mesmo, segundo um costume antigo, análogo ao que dava ao primeiro encontro de dois seres prometidos um ao outro a forma de uma entrevista fortuita num espetáculo do Teatro do Ginásio, o diálogo em que o destino ditaria a palavra "Guerra" ou a palavra "Paz" em geral não ocorria no gabinete do ministro, mas no banco de um "Kurgarten", onde o ministro e o Sr. Norpois iam ambos beber copinhos de uma água curativa nas fontes termais. Por uma espécie de tácita convenção, eles se encontravam à hora regulamentar, primeiramente dando juntos alguns passos de um passeio que, sob sua aparência benigna, os dois interlocutores sabiam que era tão trágico quanto uma ordem de mobilização. Ora, em um negócio privado como aquela candidatura ao Instituto, o príncipe utilizara-se do mesmo sistema de induções que havia posto em prática na carreira, e do mesmo método de leitura através dos símbolos superpostos.

Decerto não se pode pretender que minha avó e seus raros semelhantes fossem os únicos a ignorar esse gênero de cálculo. Em parte, a média da humanidade, exercendo profissões traçadas com antecedência, fica, devido à sua falta de intuição, no mesmo nível de ignorância de minha avó, que o devia ao seu grande desinteresse. Muitas vezes é preciso descer até os seres sustentados, homens ou mulheres, para ter de procurar o móvel da ação ou palavras aparentemente as mais inocentes, no interesse e na necessidade de viver. Qual o homem que não sabe que, quando vai pagar a uma mulher e esta lhe diz: "Não falemos de dinheiro", esta frase deve ser interpretada, como se diz em música, como "um compasso de silêncio", e que, se mais tarde ela lhe declara: "Fizeste-me sofrer muito, muitas vezes me ocultaste a verdade, não agüento mais", ele deve entender: "Um outro protetor mais me oferece"? E mesmo isso não passa da linguagem de uma cocote bem próxima das mulheres da sociedade. Os apaches fornecem exemplos mais impressionantes. Mas o Sr. de Norpois e o príncipe alemão, se os apaches lhes eram desconhecidos, tinham se acostumado a viver no mesmo plano das nações, as quais também são, apesar de sua grandeza, criaturas de astúcia e egoísmo, que só se domam pela força, pela consideração do seu interesse, que pode levá-las ao assassínio, um assassínio também muita vez simbólico, já que a simples hesitação em combater ou a recusa em combater podem significar para uma nação: "perecer". Mas, como tudo isso não está escrito nos diversos Livros Amarelos e outros, o povo é de índole pacifista; se é guerreiro, o é instintivamente, por ódio, por rancor, e não pelos motivos que moveram os estadistas prevenidos pelos Norpois.

No inverno seguinte, o príncipe esteve seriamente enfermo; curou-se, mas seu coração ficou irremediavelmente afetado.

"Diabo!", pensou, "não há tempo a perder no caso do Instituto; pois, se demoro muito, arrisco-me a morrer antes de ser nomeado. Seria verdadeiramente desagradável."

Escreveu um ensaio sobre a política dos últimos vinte anos para a *Revue des Deux Mondes* e, em muitos pontos, referiu-se ao Sr. de Norpois nos termos mais elogiosos. Este foi visitá-lo para agradecer, acrescentando que não sabia como expressar a sua gratidão. O príncipe disse para si mesmo, como alguém que acaba de experimentar outra chave para a fechadura: "Ainda não é esta", e, sentindo-se um tanto sufocado ao levar o Sr. de Norpois até a porta, pensou: "Com os diabos! Esses sujeitos vão me deixar arrebentar antes de me aceitarem. Apressemo-nos."

Na mesma noite, encontrou-se com o Sr. de Norpois na Ópera:

— Meu caro embaixador — disse-lhe —, o senhor me dizia esta manhã que não sabia como me provar o seu reconhecimento; é muito exagero de sua parte, pois não me deve coisa alguma, mas vou ter a indelicadeza de tomá-lo ao pé da letra.

O Sr. de Norpois não estimava menos o tato do príncipe do que o príncipe o seu. Compreendeu logo que não era um pedido que lhe ia fazer o príncipe de Faffenheim, e sim um oferecimento, e, com uma sorridente afabilidade, achou-se no dever de escutá-lo.

— Bom, vai me achar muito indiscreto. Existem duas pessoas às quais sou muito ligado, e de forma completamente diversa, como vai compreender, e que se fixaram há pouco em Paris, onde contam viver de agora em diante: minha mulher e a grã-duquesa Jean. Elas darão alguns jantares, principalmente em honra ao rei e à rainha da Inglaterra, e o seu sonho seria o de poder oferecer aos convivas uma pessoa a quem, sem a conhecer, ambas tributam grande admiração. Confesso que não sabia como fazer para lhes contentar o desejo, quando soube há pouco, pelo maior dos acasos, que o senhor conhecia essa pessoa; sei que vive muito retirada, só deseja ver pouca gente, *happy few*; mas, se o senhor me der o seu apoio, com a benevolência que me tem testemunhado, estou certo de que ela permitiria que o senhor me apresentasse em sua casa e que eu lhe transmitisse o desejo da grã-duquesa e da princesa. Talvez até consentisse em vir jantar com a rainha da Inglaterra e, quem sabe, se não a aborrecermos demais, passar conosco o feriado da Páscoa em Beaulieu, na casa da grã-duquesa Jean. Esta pessoa se chama a marquesa de Villeparisis. Confesso que a esperança de me tornar um dos convivas habituais de semelhante círculo de espírito me consolaria, me faria encarar sem tédio a renúncia a me candidatar ao Instituto. Em sua casa, também se cuida de coisas da inteligência e de finas conversas.

Com uma sensação inexprimível de prazer, o príncipe sentiu que a fechadura não resistia e que, por fim, aquela chave entrava.

— Uma tal opção é bem inútil, meu caro príncipe — respondeu o Sr. de Norpois —; nada se harmoniza melhor com o Instituto que o salão do qual o senhor está falando e que é um autêntico viveiro de acadêmicos. Transmitirei o seu pedido à senhora marquesa de Villeparisis: ela certamente ficará lisonjeada. Quanto a ir jantar em sua casa, ela sai muito pouco, e isso talvez seja mais difícil. Mas eu o apresentarei, e o senhor mesmo poderá defender a sua causa. Principalmente, não é necessário renunciar à Academia; almoço precisamente, de amanhã a quinze dias, na casa de Leroy-Beaulieu, para logo depois ir em sua companhia a uma sessão importante. Sem ele, ninguém pode ser eleito; eu já lhe havia falado no seu nome, que ele naturalmente conhece às maravilhas. Fez-me algumas objeções. Mas acontece que ele precisa do apoio do meu grupo para a próxima eleição, e tenho a intenção de voltar à carga; dir-lhe-ei muito francamente os laços bastante cordiais que nos unem, não lhe esconderei que, se o senhor se candidatar, pediria a todos os meus amigos que votassem no senhor (o príncipe soltou um profundo suspiro de alívio), e ele sabe que tenho amigos. Acho que, se conseguisse me certificar do seu concurso, suas chances seriam bem fortes. Vá, portanto, nesse dia, às seis da tarde, à casa da Sra. de Villeparisis; eu o introduzirei e poderei lhe dar conta da minha entrevista da manhã.

Assim é que o príncipe de Faffenheim fora induzido a visitar a Sra. de Villeparisis. Minha profunda desilusão se deu quando ele falou. Eu não imaginara que, se uma época tem traços característicos e gerais mais fortes que uma nacionalidade, de modo que, num dicionário ilustrado, onde se dá até o retrato legítimo de Minerva, Leibnitz, com sua peruca e seu mantéu,[15] difere pouco de Marivaux ou de Samuel Bernard, uma nacionalidade tem traços particulares mais fortes que uma casta. Ora, tais traços se traduziram diante de mim, não por um discurso em que julgasse de antemão ouvir o roçagar dos elfos e a dança dos Kobolds, mas por uma transposição que não menos legitimava essa origem poética: o fato de que, inclinando-se pequeno, vermelho e barrigudo, diante da Sra. de Villeparisis, o governador do Reno lhe disse: — Pom tia, zenhorra marrquesa — com o mesmo sotaque de um porteiro alsaciano.

— Não quer que lhe alcance uma taça de chá ou um pedaço de torta recheada? Está muito boa — disse-me a Sra. de Guermantes, desejosa de se mostrar o mais gentil possível. — Faço as honras desta casa como se fosse a minha — acrescentou num tom irônico, que dava à sua voz algo um tanto gutural, como se ela estivesse abafando um riso rouco.

— O senhor — disse a Sra. de Villeparisis ao Sr. de Norpois — vai lembrar que daqui a pouco tem algo a dizer ao príncipe a respeito da Academia?

A Sra. de Guermantes baixou os olhos, e deu uma virada no pulso para ver as horas.

— Oh, meu Deus; é tempo de me despedir da minha tia, devo ainda passar na casa da Sra. de Saint-Ferréol, e vou cear na casa da Sra. Leroi.

E levantou-se sem se despedir de mim. Acabava de ver a Sra. Swann, que pareceu bem constrangida ao dar comigo. Sem dúvida, lembrava-se de me ter dito, antes que a qualquer outra pessoa, estar convencida da inocência de Dreyfus.

— Não quero que minha mãe me apresente à Sra. Swann — disse-me Saint-Loup. — É uma antiga prostituta. Seu marido é judeu, e ela nos prega o nacionalismo. Ora, aí está o meu tio Palamède.

A presença da Sra. Swann tinha para mim um interesse especial, por causa de um fato ocorrido alguns dias antes e que é preciso relatar, devido às conseqüências que teria mais tarde, e que seguiremos em detalhe no momento oportuno. Assim, alguns dias antes desta visita, recebi uma que de modo algum esperava: a de Charles Morel, o filho, desconhecido de mim, do antigo criado de quarto do meu tio-avô. Esse tio-avô (em cuja casa eu vira a dama cor-de-rosa) tinha morrido no ano anterior. Seu criado de quarto manifestara diversas vezes a intenção de vir visitar-me; eu ignorava

[15] *Mantéu*: colarinho largo, que se usava antigamente. Tinha abas pendentes sobre o peito, ou formato de canudo. (N. do T.)

o motivo de sua visita, mas tê-lo-ia recebido de boa vontade, pois sabia por Françoise que ele conservara um verdadeiro culto à memória de meu tio e em todas as oportunidades fazia a sua romaria ao cemitério. Obrigado, no entanto, a ir tratar-se em sua terra, e contando ficar muito tempo lá, enviou-me o filho. Fiquei surpreso ao ver entrar um belo moço de dezoito anos, vestido antes com luxo do que bom gosto, mas que, entretanto, parecia tudo, menos um lacaio. Aliás, fez questão, desde o começo, de cortar os laços com a domesticidade de onde saía, informando-me, com um sorriso satisfeito, que obtivera o primeiro prêmio do Conservatório. O objetivo de sua visita era este: dentre as lembranças recebidas de meu tio Adolphe, seu pai separara algumas que julgara inconveniente enviar a meus pais, mas que, segundo pensava, eram de natureza a interessar um rapaz da minha idade. Eram fotografias de atrizes célebres, de grandes cocotes que meu tio conhecera, as últimas imagens daquela vida de velho boêmio que ele separava, por um compartimento estanque, de sua vida de família. Enquanto o jovem Morel as mostrava, dei-me conta de que ele procurava me falar como a um igual. Sentia, em dizer "você" e usar o menos possível "senhor", o prazer de alguém cujo pai nunca havia empregado, ao dirigir-se a meus pais, senão a "terceira pessoa". Quase todas as fotos traziam uma dedicatória do tipo: "Ao meu melhor amigo." Uma atriz mais ingrata e mais prudente escrevera: "Ao melhor dos amigos", o que lhe permitia, conforme me asseguraram, dizer que meu tio não era de modo algum o seu melhor amigo, mas o amigo que lhe prestara o maior número de pequenos serviços, o amigo de que ela se servia, um homem excelente, quase um velho animal. Por mais que o jovem Morel procurasse fugir às suas origens, sentia-se que a sombra de meu tio Adolphe, venerável e desmedida aos olhos do velho lacaio, não cessara de flutuar, quase sagrada, sobre a infância e a juventude do filho. Enquanto eu olhava as fotografias, Charles Morel examinava o meu quarto. E, como eu procurasse um lugar para guardá-las: — Mas como é que — disse ele (num tom em que a censura não tinha necessidade de se expressar, de tanto que se continha nas próprias palavras) — não vejo uma só fotografia do seu tio neste quarto? — Senti a vermelhidão me subir ao rosto, e balbuciei: — Acho que não tenho. — Mas como, você não tem uma só fotografia de seu tio Adolphe, de quem gostava tanto?! Vou lhe mandar uma, que pegarei dentre as muitas que meu pai possui, e espero que a colocará no lugar de honra, sobre esta cômoda que lhe proveio justamente de seu tio. — É verdade que, como eu não tinha sequer uma fotografia de meu pai ou de minha mãe no quarto, não havia nada de chocante que ali não existisse uma do meu tio Adolphe. Mas não era difícil adivinhar que, para Morel, que transmitira ao filho essa maneira de ser, meu tio era o personagem importante da família, de quem meus pais unicamente herdavam um brilho amortecido. Eu era mais favorecido porque meu tio dizia diariamente que eu seria uma espécie de Racine, de Vaulabelle, e Morel me considerava mais ou menos como um filho adotivo, como o filho de eleição de meu tio. Bem depressa percebi que o filho de Morel era bastante "arrivista". Assim, naquele dia, perguntou-me, por ser também o seu tanto compositor, e capaz de musicar alguns versos, se eu não conhecia algum poeta de posição importante no mundo da nobreza. Citei-lhe um. Ele não conhecia as obras desse poeta e jamais ouvira falar no seu nome, de que tomou nota. Ora, soube que pouco depois ele escrevera ao poeta, dizendo-lhe ser admirador fanático de suas obras e que musicara um soneto seu, e ficaria feliz se o libretista lhe conseguisse uma audição na casa da condessa***. Era ir um pouco depressa demais e desmascarar o seu plano. O poeta, melindrado, não respondeu.

Aliás, Morel parecia possuir, além da ambição, uma viva tendência às realidades mais concretas. Havia reparado, no pátio, na sobrinha de Jupien ocupada em fazer um colete e, embora me dissesse apenas ter precisamente necessidade de um colete "de fantasia", senti que a moça lhe causara uma grande impressão. Não hesitou em pedir que descesse e o apresentasse, "mas não relacionado com a sua família, o senhor me compreende, conto com sua discrição quanto a meu pai, diga apenas um grande artista seu amigo, compreende, é preciso impressionar bem os comerciantes." Embora me tivesse insinuado que, não o conhecendo bastante para chamá-lo "caro amigo", ele compreendia, eu poderia lhe dizer, diante da moça, algo como "não caro Mestre, evidentemente..., mas, se quiser: 'caro grande artista'" — evitei, na loja, "qualificá-lo", como diria Saint-Simon, e me limitei a responder aos seus "você" com "você". Entre algumas peças de veludo, ele encomendou uma do mais vivo vermelho, e tão gritante que, apesar do seu mau gosto, nunca mais pôde usar esse colete. A moça voltou a trabalhar com suas duas "aprendizes", mas pareceu-me que a impressão fora recíproca, e que Charles Morel, que ela julgou pertencesse ao "meu mundo" (apenas mais elegante e mais endinheirado), lhe agradara singularmente. Como eu ficara muito espantado por encontrar, entre as fotografias que me enviara seu pai, uma do retrato de Miss Sacripant (isto é, Odette) por Elstir, disse a Charles Morel, acompanhando-o até o portão principal: — Receio que você não possa me informar. Será que meu tio conhecia bastante esta senhora? Não vejo em que época da vida de meu tio possa situá-la; e isto me interessa, por causa do Sr. Swann... — Justamente eu me esquecia de lhe dizer que meu pai havia recomendado que chamasse a sua atenção para essa senhora. De fato, essa *demi-mondaine* almoçava na casa do seu tio no último dia em que o viu. Meu pai estava indeciso se podia ou não fazê-la entrar. Parece que o senhor agradou bastante àquela mulher leviana, e ela esperava revê-lo. Mas, justamente por aquela época, houve uma briga na família, pelo que me disse meu pai, e o senhor nunca mais avistou seu tio. — Sorriu nesse instante para a sobrinha de Jupien, dando-lhe adeus de longe. Ela o observava, sem dúvida admirando o seu rosto magro, de feições regulares, seus cabelos leves e os olhos alegres. Apertando-lhe a mão, eu pensava na Sra. Swann, e dizia para mim mesmo, espantado, de tal modo eram diferentes e separadas na minha recordação, que de agora em diante teria de identificá-la com a "dama cor-de-rosa".

O Sr. de Charlus logo se sentou ao lado da Sra. Swann. Em todas as reuniões em que se achava, e desdenhoso quanto aos homens, cortejado pelas mulheres, ia logo se juntar à mais elegante, de cuja toalete se sentia envaidecido. A casaca ou o fraque do barão faziam-no parecer-se com esses retratos, pintados por um grande colorista, de um homem de preto, mas que tem perto de si, sobre uma cadeira, uma capa deslumbrante que vai pôr para um baile à fantasia. Essa familiaridade, em geral com alguma Alteza, proporcionava ao Sr. de Charlus as distinções que apreciava. Por exemplo, em decorrência disso, acontecia que as donas de casa deixavam, numa festa, que o barão tivesse uma cadeira só para ele na frente, na companhia das damas, enquanto os outros homens se amontoavam no fundo. Além disso, muito absorto, ao que parecia, em contar em voz alta histórias divertidas à dama encantada, o Sr. de Charlus estava dispensado de cumprimentar os outros e, por conseguinte, de ter deveres a cumprir. Por detrás da barreira perfumada que lhe erguia a beldade escolhida, ele estava isolado no meio de um salão como num camarote no meio de uma sala de espetáculos e, quando vinham cumprimentá-lo, através, por assim dizer, da formosura da sua companheira, era desculpável que respondesse com muita brevidade e sem interromper o que falava a uma senhora. Decerto a Sra. Swann não era exatamente o tipo de pessoa com quem ele apreciava se mostrar desse modo. Mas professava admiração por ela, amizade por Swann, sabia que ela ficaria lisonjeada com o seu desvelo, e ele próprio sentia-se encantado por estar comprometido com a mais bela pessoa ali presente.

A Sra. de Villeparisis, aliás, só estava meio contente com a visita do Sr. de Charlus. Este, apesar de lhe achar graves defeitos, gostava muito dela. Mas, por momentos, sob o ímpeto da cólera, devido a agravos imaginários, endereçava-lhe, sem resistir a seus impulsos, cartas de extrema violência em que levava em conta coisas miúdas que até então parecia não ter notado. Entre outros exemplos, posso citar este fato, porque minha temporada em Balbec me pôs ao corrente dele: a Sra. de Villeparisis, receando não ter levado dinheiro suficiente para prolongar suas férias em Balbec, e não querendo mandar vir dinheiro de Paris por ser avara e por temer os gastos supérfluos, pedira emprestados três mil francos ao Sr. de Charlus. Este, um mês depois, descontente com a tia por um motivo insignificante, reclamou o empréstimo por um despacho telegráfico. Recebeu dois mil novecentos e noventa e alguns francos. Vendo a tia alguns dias após em Paris e conversando amistosamente com ela, fez-lhe notar, com muita doçura, o erro cometido pelo banco encarregado da remessa. — Mas não houve erro — respondeu a Sra. de Villeparisis —, o despacho pelo telégrafo custa seis francos e setenta e cinco cêntimos. — Ah, desde o momento em que não é intencional, tudo bem — replicou o Sr. de Charlus. — Falei apenas para o caso da senhora ignorá-lo, porque então, se o banco tivesse agido da mesma forma com pessoas que lhe sejam menos íntimas do que eu, isso poderia contrariá-la. — Não, não há erro algum. — No fundo, a senhora teve toda a razão — concluiu alegremente o Sr. de Charlus, beijando com ternura a mão da tia. De fato, ele não lhe queria mal por isso, de modo algum, e sorria apenas daquela pequena mesquinharia. Mas, pouco tempo depois, julgando que, num caso de família, sua tia quisera enganá-lo e "armar todo um complô contra ele", e, como ela se escudasse bobamente atrás de homens de negócios com os quais precisamente achava que ela se aliara contra ele, o Sr. de Charlus lhe escrevera uma carta transbordante de furor e insolência. "Não me contentarei em me vingar", acrescentou em pós-escrito, "vou torná-la ridícula. A partir de amanhã vou contar a todo o mundo a história do despacho telegráfico e dos seis francos e setenta e cinco cêntimos que a senhora reteve sobre os três mil francos que lhe emprestei; vou desonrá-la." Em vez disso, foi no dia seguinte pedir perdão à tia Villeparisis, arrependido de uma carta em que havia frases verdadeiramente horríveis. Além disso, a quem poderia ele contar a história do despacho telegráfico? Não desejando a vingança, mas sim uma sincera reconciliação, agora mesmo é que devia calar-se a respeito dela. Mas antes já a contara por toda parte, quando estava de bem com a tia, contando-a sem maldade, para fazer rir, e porque era a indiscrição em pessoa. Contara-a, mas sem que a Sra. de Villeparisis o soubesse. De modo que, tendo sabido pela sua carta que ele pretendia desonrá-la divulgando um episódio onde ele próprio lhe declarara que ela agira bem, a Sra. de Villeparisis pensara que ele se enganara antes, e mentia fingindo amá-la. Tudo isto se pacificara, mas ambos não sabiam exatamente a opinião que um tinha do outro. Decerto, trata-se aí de um caso um tanto especial de brigas intermitentes. De natureza diversa eram as brigas de Bloch e de seus amigos. De outra natureza ainda, as do Sr. de Charlus, como se verá, com pessoas bem diferentes da Sra. de Villeparisis. Apesar disso, é preciso lembrar que a opinião que temos uns dos outros, as relações de amizade, de família, não têm nada de fixo a não ser em aparência, e são eternamente mutáveis como o mar. Daí, tanto rumor de divórcio entre esposos que parecem tão perfeitamente unidos e que, pouco depois, falam ternamente um do outro; tantas infâmias ditas por um amigo que julgávamos inseparável e com quem nos reconciliaremos antes de termos tido tempo de nos recobrar da surpresa; tantas alianças desfeitas entre os povos, em tão pouco tempo.

— Meu Deus, a coisa está ardendo entre meu tio e a Sra. Swann — disse-me Saint-Loup. — E mamãe que, em sua inocência, vem perturbá-los. Aos puros, tudo é puro!

Eu observava o Sr. de Charlus. O pequeno tufo de seus cabelos cinzentos, seu olho, cuja sobrancelha estava erguida pelo monóculo e que sorria, sua botoeira com flores rubras, formavam como que os três vértices móveis de um triângulo convulsivo e impressionante. Não ousara cumprimentá-lo, pois ele não me fizera nenhum aceno. Ora, ainda que ele não se tivesse virado na minha direção, eu estava convencido de que me havia visto; enquanto contava alguma história à Sra. Swann, cujo esplêndido manto cor de amor-perfeito flutuava até mesmo sobre um joelho do barão, os olhos errantes do Sr. de Charlus, idênticos aos de um camelô que teme a chegada do rapa, certamente haviam explorado cada parte do salão, descobrindo todas as pessoas que ali se encontravam. O Sr. de Châtellerault foi cumprimentá-lo sem que nada no rosto do Sr. de Charlus revelasse que ele tivesse se apercebido do jovem duque antes do momento em que este se achou à sua frente. Era assim que, nas reuniões um pouco numerosas como esta, o Sr. de Charlus conservava, de forma quase constante, um sorriso sem direção determinada nem destinação especial, e que, preexistente desse modo aos cumprimentos dos recém-chegados, apresentava-se, quando estes penetravam em sua zona, desprovido de qualquer sinal de amabilidade para com eles. Não obstante, era necessário que eu fosse cumprimentar a Sra. Swann. Mas, como ela ignorava que eu conhecia a Sra. de Marsantes e o Sr. de Charlus, mostrou-se bastante fria, temendo sem dúvida que eu lhe pedisse para ser apresentado. Então, encaminhei-me para o Sr. de Charlus e logo me arrependi, pois, devendo muito bem ter-me visto, não o deixou transparecer em coisa alguma. No momento em que me inclinei diante dele, encontrei, distante de seu corpo, do qual impedia-me de me aproximar todo o comprimento de seu braço estendido, um dedo viúvo, por assim dizer, de um anel episcopal, que ele dava a impressão de oferecer, para que o beijassem no lugar consagrado, e pareceu que eu havia penetrado, contra a vontade do barão, e por um arrombamento cuja responsabilidade ele me deixava, na permanência e na dispersão anônima e vaga de seu sorriso. Essa frieza não foi própria a encorajar a Sra. Swann a abandonar a sua.

— Como pareces cansado e inquieto — disse a Sra. de Marsantes ao filho, que tinha vindo saudar o Sr. de Charlus.

E com efeito, os olhos de Robert pareciam por instantes atingir uma profundeza que logo abandonavam, como um mergulhador que tocou o fundo. Tal fundo, que fazia tanto mal a Robert quando o tocava, que ele o abandonava logo para a ele retornar um momento após, era a idéia de que havia rompido com a amante.

— Não quer dizer nada — acrescentou sua mãe acariciando-lhe o rosto. — É bom estar com o meu filhinho.

Mas como essa ternura parecia irritar Robert, a Sra. de Marsantes arrastou o filho para o fundo do salão, onde, num desvão forrado de seda amarela, algumas poltronas de Beauvais condensavam seus panejamentos violáceos como íris purpurinos num campo de botões-de-ouro. A Sra. Swann, achando-se sozinha e tendo compreendido que eu era ligado a Saint-Loup, me fez sinal para que fosse para junto dela. Não a tendo visto há bastante tempo, não sabia de que lhe falar. Não perdia de vista o meu chapéu, entre todos os que se encontravam no tapete, mas perguntava-me, com curiosidade, a quem poderia pertencer um que não era o do duque de Guermantes, em cuja copa a letra G estava superada pela coroa ducal. Eu sabia quem eram todos os visitantes e não achava um só a quem pudesse pertencer o tal chapéu.

— Como é simpático o Sr. de Norpois — disse eu à Sra. Swann, apontando-o. — É verdade que Robert de Saint-Loup me disse que é uma peste, mas...

— Ele tem razão — respondeu ela.

E, vendo que seu olhar refletia algo que estava me escondendo, apertei-a com perguntas. Talvez satisfeita por parecer estar muito ocupada com uma pessoa naquele salão, onde não conhecia quase ninguém, ela me levou para um canto.

— Aqui está o que, com certeza, o Sr. de Saint-Loup quis lhe dizer — respondeu ela —, mas não lho repita, pois ele me acharia indiscreta e eu faço muita questão de sua estima, sou muito "cavalheiro", você sabe. Ultimamente Charlus tem jantado na casa da princesa de Guermantes; não sei como, falaram de você. O Sr. de Norpois lhes teria dito — uma estupidez, não vá se inquietar com isso, ninguém deu importância, sabiam muito bem de que boca saía aquilo — que você era um adulador meio histérico.

Já falei bem antes do meu espanto que um amigo de meu pai, como era o Sr. de Norpois, pudesse se exprimir dessa maneira ao falar de mim. Experimentei um espanto maior ao saber que minha emoção daquele dia antigo, quando falara da Sra. Swann e de Gilberte, era conhecida da princesa de Guermantes, de quem me julgava ignorado. Cada uma de nossas ações, de nossas palavras, de nossas atitudes, está separada do "mundo", das pessoas que não as perceberam diretamente, por um meio cuja permeabilidade varia ao infinito e nos permanece desconhecida; tendo sabido pela experiência que determinada frase importante que vivamente desejáramos fosse difundida (como aquelas, tão entusiastas, que eu outrora dizia a todo mundo em qualquer ocasião a respeito da Sra. Swann, pensando que entre tantos bons grãos disseminados se encontraria um que germinasse), sucedera, muitas vezes devido ao nosso próprio desejo, ficar imediatamente sepultada, com muito mais razão estávamos longe de crer que certa palavra minúscula, que havíamos esquecido, e até mesmo jamais pronunciada por nós e formada a meio caminho pela refração imperfeita de uma palavra diferente, seria transportada, sem que sua marcha nunca se detivesse, a distâncias infinitas — no caso, até a residência da princesa de Guermantes — e fosse divertir às nossas custas o festim dos deuses. O que recordamos de nossa conduta permanece ignorado do nosso vizinho mais próximo; o que esquecemos haver dito, ou mesmo aquilo que nunca dissemos, vai causar hilaridade até em outro planeta, e a idéia que os outros fazem de nossos feitos e gestos já não se parece com a que nós próprios deles nos fazemos, assim como um desenho a um decalque mal feito e onde, ora a um traço negro corresponderia um espaço vazio, e a um branco um contorno inexplicável. Além do mais, pode ocorrer que o que não foi reproduzido seja um traço irreal que só vemos por complacência, e que, ao contrário, o que nos parece acrescentado nos pertença de verdade, mas de modo tão essencial que nos escapa inteiramente. De modo que essa prova estranha que nos parece tão pouco semelhante tem às vezes o gênero de verdade, com certeza pouco lisonjeiro, mas profundo e útil, de uma fotografia de raios X. Não é motivo para que nos reconheçamos nela. Alguém que tem o hábito de sorrir ao espelho diante de seu belo rosto e ao seu belo torso, se lhe mostrarmos a sua radiografia, terá, diante dessa enfiada de ossos, indicada como sendo uma imagem de si mesmo, a mesma suspeita de erro daquele que visita uma exposição e que, diante do retrato de uma mulher jovem, lê no catálogo: Dromedário deitado. Mais tarde, essa discrepância, entre a imagem que desenhamos e a que é desenhada por outrem, devia eu descobri-la através de terceiros, que, vivendo devotamente em meio a uma coleção de fotografias que haviam tirado de si mesmos, enquanto à sua volta careteavam imagens horrendas, normalmente invisíveis para eles próprios, sentiam-se profundamente espantados, se por um acaso lhas mostravam, dizendo: "É o senhor."

Alguns anos antes, ficaria muito feliz em dizer à Sra. Swann "com que objetivo" me mostrara tão carinhoso para com o Sr. de Norpois, visto que esse "objetivo" era o desejo de conhecê-la. Porém não o sentia mais, não amava mais a Gilberte. Por outro lado, não conseguia identificar a Sra. Swann com a dama cor-de-rosa da minha infância. Assim, falei da mulher que me preocupava naquele momento.

— Viu agora há pouco a duquesa de Guermantes? — perguntei à Sra. Swann.

Mas, como a duquesa não cumprimentava a Sra. Swann, esta queria dar a impressão de considerá-la uma pessoa sem importância e cuja presença nem sequer se percebe.

— Não sei, não *realizei* — disse com ar desagradável, empregando uma palavra traduzida do inglês.

Entretanto, eu gostaria de obter informações não só a respeito da Sra. de Guermantes, mas sobre todas as criaturas que tinham relações com ela, e, exatamente como Bloch, com a falta de tato das pessoas que procuram, na conversação, não agradar os outros, mas elucidar egoistamente questões que lhes interessam, interroguei a Sra. de Villeparisis acerca da Sra. Leroi, para tentar imaginar perfeitamente a vida da Sra. de Guermantes.

— Sim, eu sei — disse ela com desdém fingido —; é filha de um desses grandes comerciantes de madeira. Sei que ela agora dá recepções, mas estou muito velha para fazer novos conhecimentos. Conheci pessoas tão interessantes, tão gentis que, na verdade, creio que a Sra. Leroi não acrescentaria nada ao que já possuo.

A Sra. de Marsantes, que fazia de dama de honra da marquesa, me apresentou ao príncipe e ainda não tinha acabado quando o Sr. de Norpois me apresentou igualmente nos mais calorosos termos. Talvez achasse cômodo fazer-me uma fineza que não punha em risco o seu crédito, já que eu acabava justamente de ser apresentado, talvez porque pensasse que um estranho, mesmo pessoa ilustre, estivesse menos a par dos salões franceses e quem sabe podia crer que o apresentavam a um rapaz da alta sociedade, talvez para exercer uma de suas prerrogativas, a de acrescentar o peso de sua própria recomendação de embaixador, ou pelo gosto arcaico de fazer reviver, em honra ao príncipe, o uso, lisonjeiro para essa Alteza, de que seriam necessários dois padrinhos para quem lhe quisesse ser apresentado.

A Sra. de Villeparisis interpelou o Sr. de Norpois, sentindo a necessidade de me dizer, por meio dele, que nada lastimava em não conhecer a Sra. Leroi.

— Senhor embaixador, não é verdade que a Sra. Leroi é uma pessoa sem interesse, muito inferior a todas estas que se encontram aqui e que tive razão em não atraí-la?

Seja por independência, seja por cansaço, o Sr. de Norpois se limitou a responder por um cumprimento cheio de respeito, porém vazio de significado.

— Senhor — disse-lhe rindo a Sra. de Villeparisis —, há pessoas bem ridículas. Creia que tive hoje a visita de um senhor que quis me fazer acreditar que tinha mais prazer em beijar a minha mão do que a de uma jovem.

Compreendi imediatamente que se tratava de Legrandin. O Sr. de Norpois sorriu com um leve piscar de olho, como se se tratasse de uma concupiscência tão natural que não se poderia querer mal àquele que a sentia, quase um princípio de romance que estava prestes a absolver, até mesmo a encorajar, com uma indulgência perversa à Voisenon ou à Crébillon Filho.

— Muitas mãos de jovens mulheres seriam incapazes de fazer o que vejo ali — disse o príncipe mostrando as aquarelas começadas pela Sra. de Villeparisis.

E lhe perguntou se ela havia visto as flores de Fantin-Latour, que acabavam de ser expostas.

— Elas são de primeira ordem e, como se diz hoje, de um belo pintor, de um dos mestres da palheta — declarou o Sr. de Norpois —; acho apenas que não podem sustentar comparação com as da Sra. de Villeparisis, onde reconheço melhor o colorido da flor.

Mesmo considerando que a parcialidade de velho amante, o costume de lisonjear e as opiniões admitidas num círculo ditassem estas palavras ao antigo embaixador, elas entretanto provavam sobre que vazio de gosto genuíno repousa o julgamento artístico das pessoas da sociedade, tão arbitrário que uma ninharia as pode levar aos piores absurdos, quando não encontram pela frente nenhuma impressão verdadeiramente sentida.

— Não tenho mérito algum em conhecer as flores, sempre vivi no campo — respondeu com modéstia a Sra. de Villeparisis. — Mas — acrescentou graciosamente, dirigindo-se ao príncipe —, se desde muito jovem tive, sobre elas, noções um pouco mais sérias do que as outras crianças da roça, devo-as a um homem muito distinto do seu país, o Sr. de Schlegel. Conheci-o em Broglie, aonde minha tia Cordelia (a marechala de Castellane) me havia levado. Lembro-me muito bem que o Sr. Lebrun, o Sr. de Salvandy e o Sr. Doudan faziam-no falar sobre as flores. Eu era muito pequenina, não podia compreender bem o que ele dizia. Mas ele se divertia em me fazer brincar e, ao voltar ao seu país, enviou-me um belo herbário como lembrança de um passeio que tínhamos feito de *phaéton* ao Val Richer, e onde adormeci sobre seus joelhos. Sempre guardei esse herbário, e ele me ensinou a reparar bem nas particularidades das flores, o que não teria percebido sem ele. Quando a Sra. de Barante publicou algumas cartas da Sra. de Broglie, bonitas e afetadas como o era ela própria, esperava eu encontrar ali algumas das conversas do Sr. de Schlegel. Mas tratava-se de uma mulher que só buscava na natureza argumentos para a religião.

Robert me chamou do fundo do salão, onde se achava com a mãe.

— Tens sido gentil — disse-lhe eu. — Como te agradecer? Podemos jantar juntos amanhã?

— Amanhã, se quiseres, mas então na companhia de Bloch; encontrei-o à porta; após um instante de frieza, pois eu, contra a minha vontade, deixara sem resposta duas cartas dele (não me disse que era isto o que o ofendera, mas o compreendi perfeitamente), mostrou-se de tal modo amável que não pude ser ingrato para um amigo assim. Entre nós, da sua parte pelo menos, sinto que é para a vida e para a morte.

Não creio que Robert se enganasse de modo algum. A difamação furibunda era muitas vezes, em Bloch, o efeito de uma viva simpatia que ele julgava não lhe tributarem. E, como imaginava pouco a vida dos outros, não pensava que pudessem ter estado enfermos ou em viagem, etc.; um silêncio de oito dias lhe parecia decorrer de uma frieza intencional. Assim, eu jamais acreditara que suas piores violências de amigo e, mais tarde, de escritor fossem muito profundas. Exacerbava-se se lhe respondiam com uma dignidade glacial, ou uma trivialidade que o animava a redobrar os golpes, mas cedia com freqüência a uma simpatia calorosa. — Quanto a ser gentil — continuou Saint-Loup —, pretendes que o tenho sido para contigo, mas não fui gentil de modo nenhum, minha tia disse que tu é que foges dela, que não lhe dizes uma só palavra. Ela se indaga se não tens algo em seu desfavor.

Felizmente para mim, se me iludia com tais palavras, nossa partida para Balbec, que eu julgava iminente, me impediria de tentar ver de novo a Sra. de Guermantes, de lhe assegurar que nada tinha contra ela e, assim, colocá-la na necessidade de me provar que ela é quem tinha algo contra mim. Mas aquilo bastou-me para lembrar que ela nem sequer me convidara para ir ver os seus Elstirs. Além disso, não se tratava de uma decepção; absolutamente não esperava que ela me falasse nisso; sabia que não lhe agradava, que não podia esperar que me amasse; o máximo a que podia aspirar era que, graças à sua bondade, tivesse dela, já que não deveria revê-la antes de deixar Paris, uma impressão inteiramente afável, que eu levaria a Balbec indefinidamente prolongada, intacta, ao invés de uma recordação mesclada de tristeza e ansiedade.

A todo momento a Sra. de Marsantes interrompia a conversa com Robert para me dizer o quanto ele lhe falara de mim, o quanto me estimava; tratava-me com uma solicitude que quase me dava pena, pois sentia-a ditada pelo temor de se zangar por minha causa com o filho, esse filho que ainda não vira hoje e com quem estava impaciente por se sentir a sós, e sobre quem, então, julgava que o império que exercia não se igualava ao meu, a que devia poupar. Tendo-me ouvido antes pedir a Bloch notícias do Sr. Nissim Bernard, seu tio, a Sra. de Marsantes indagou se era o mesmo que havia morado em Nice.

— Nesse caso, conheceu ali o Sr. de Marsantes antes que se casasse comigo — respondera a Sra. de Marsantes. — Meu marido falou-me diversas vezes dele como de um homem excelente, de coração terno e generoso.

"E dizer que uma vez ao menos ele não mentiu; é incrível!", teria dito Bloch.

Durante todo esse tempo, desejaria dizer à Sra. de Marsantes que Robert sentia por ela infinitamente mais afeto que por mim e que, mesmo que ela me demonstrasse hostilidade, eu não era de natureza a procurar preveni-lo contra ela. Mas, desde que a Sra. de Guermantes partira, eu estava mais livre para observar Robert, e só então percebi que novamente uma espécie de cólera parecia ter-se erguido nele, aflorando-lhe ao rosto sombrio e endurecido. Temia eu que, à lembrança da cena da tarde, ele se sentisse humilhado diante de mim por ter se deixado tratar tão rudemente pela amante sem retrucar.

Bruscamente, ele se arrancou de junto da mãe, que lhe passara um braço pelo pescoço e, vindo para mim, arrastou-me para trás do pequeno balcão florido da Sra. de Villeparisis, onde esta voltara a sentar-se, e fez-me sinal para que o seguisse ao pequeno salão. Dirigia-me para lá com vivacidade quando o Sr. de Charlus, achando que me encaminhava para a saída, deixou de súbito o Sr. de Faffenheim, com quem estava conversando, e deu uma volta rápida que o pôs cara a cara comigo. Vi com inquietação que pegara o chapéu em cujo fundo havia um G e uma coroa ducal. No vão da porta do pequeno salão, disse-me sem me olhar:

— Já que o senhor agora freqüenta a sociedade, dê-me então o prazer de ir visitar-me. Mas é bastante complicado — acrescentou com ar distraído e intencional, e, como se se tratasse de um prazer que ele temia não mais encontrar, uma vez que deixasse escapar a ocasião de combinar comigo os meios de realizá-lo. — Paro pouco em casa, seria necessário que o senhor me escrevesse. Porém preferiria lhe explicar isso com mais sossego. Vou sair dentro de um instante. Pode dar dois passos comigo? Não vou detê-lo mais que um momento.

— Seria melhor que prestasse atenção, senhor — disse-lhe. — Por engano, pegou o chapéu de um dos visitantes.

— Quer me impedir de pegar meu chapéu?

Como o mesmo me acontecera um pouco antes, imaginei que alguém levara o seu chapéu e ele tomara um ao acaso para não voltar de cabeça descoberta, e eu o embaraçava ao revelar o seu ardil. Assim, não insisti. Disse-lhe que primeiro tinha de falar com Saint-Loup. — Ele está falando com aquele idiota do duque de Guermantes — acrescentei. — É encantador o que o senhor diz, vou contá-lo ao meu irmão. — Ah, o senhor acha que isso pode interessar ao Sr. de Charlus? — (Imaginava que, se ele tinha um irmão, esse irmão deveria chamar-se também Charlus. Saint-Loup me dera algumas explicações a esse respeito em Balbec, mas eu as tinha esquecido.) — Quem é que está falando no Sr. de Charlus? — perguntou o barão num tom insolente. — Vá para junto de Robert. Sei que o senhor participou, esta manhã, de um desses almoços de orgia que ele tem com uma mulher que o desonra. O senhor deveria usar de sua influência sobre ele para lhe fazer compreender o desgosto que ele causa à sua pobre mãe, e a nós todos, arrastando o nosso nome na lama.

Gostaria de lhe ter respondido que no almoço aviltante só se falara de Emerson, Ibsen, Tolstoi, e que a moça rogara a Robert que só bebesse água. A fim de dar um pouco de alívio a Robert, cujo orgulho julgava ferido, procurei desculpar a sua amante. Não sabia que naquele momento, apesar de encolerizado contra ela, era a si mesmo que dirigia as censuras. Mesmo nas brigas entre um homem bondoso e uma mulher malvada, e quando o direito está inteiramente de um lado, ocorre sempre que existe uma ninharia que pode dar à malvada a aparência de não estar errada num determinado ponto. E, como ela despreza todos os outros pontos, por pouco que o bondoso tenha precisão dela e seja desmoralizado pela separação, seu enfraquecimento o tornará escrupuloso, ele se lembrará das censuras absurdas que lhe foram feitas e se indagará se elas não terão algum fundamento.

— Creio que andei errado nesse caso do colar — disse Robert. — É claro que não procurei com más intenções, mas sei muito bem que os outros não se colocam no mesmo ponto de vista que nós mesmos. Ela teve uma infância muito dura. Para ela eu sou, no entanto, o rico que julga que se pode conseguir tudo através do dinheiro, e contra quem o pobre não pode lutar, trate-se de influenciar Boucheron ou de ganhar um processo no tribunal. Sem dúvida, ela foi bem cruel comigo, que nunca procurei senão o seu bem. Mas percebo perfeitamente que ela acha que eu desejei lhe fazer sentir que se pode sujeitá-la pelo dinheiro, e isto não é verdade. Ela, que me ama tanto, que deverá estar pensando! Pobre querida, se soubesse, ela tem tamanhas delicadezas, não posso te dizer, muitas vezes ela fez coisas adoráveis para mim. Como deve se sentir desgraçada neste momento! Em todo caso, aconteça o que acontecer, não quero que ela me tome por um grosseirão, corro à casa de Boucheron a buscar o colar. Quem sabe, talvez ao ver que ajo assim, reconheça os seus erros. Estás vendo? A idéia de que ela sofre neste momento é o que não consigo suportar! O que a gente sofre, a gente sabe, não é nada. Mas ela, pensar que está sofrendo e não poder imaginá-lo; creio que ficaria louco, preferiria não vê-la nunca mais a deixá-la sofrer. Que seja feliz sem mim, se for preciso, é só o que peço. Escuta, sabes que, para mim, tudo que lhe diz respeito é imenso, assume algo de cósmico, corro para o joalheiro e depois vou lhe pedir perdão. Até chegar lá, que pensará ela de mim? Se ela ao menos soubesse que eu ia vê-la! Poderás passar na casa dela casualmente; quem sabe, tudo se acomodaria talvez. Talvez — disse ele com um sorriso, como se não ousasse crer num tal sonho — iremos todos os três jantar no campo. Mas não é possível saber ainda, nunca sei como tratá-la; pobre pequena, talvez vá machucá-la ainda. E depois, sua decisão talvez seja irrevogável.

Arrastou-me bruscamente para a sua mãe.

— Adeus — disse-lhe —; sou obrigado a partir. Não sei quando voltarei de licença, sem dúvida não antes de um mês. Escreverei logo que souber.

Certamente Robert não era desses filhos que, quando estão na sociedade com a mãe, julgam que uma atitude exasperada em relação a ela deve compensar os sorrisos e cumprimentos que dirigem aos estranhos. Nada é mais comum que essa odiosa vingança dos que parecem achar que a grosseria em relação à família completa naturalmente o tom de cerimônia. Diga o que diga a pobre mãe, o filho, como se levado sem querer e como desejando fazê-la pagar caro a sua presença, refuta imediatamente com uma contradição irônica, precisa, cruel, a asserção timidamente arriscada; a mãe adota logo, sem por isso desarmá-lo, a opinião daquele ser superior que ela continuará a enaltecer a todos, na sua ausência, como sendo um temperamento delicioso e que, no entanto, não lhe poupa nenhum dos dardos mais agudos. Saint-Loup era bem diferente, mas a angústia provocada pela ausência de Rachel fazia que, por motivos diversos, ele se comportasse não menos duramente com a mãe. E às palavras que pronunciou, vi a mesma palpitação, semelhante ao de uma asa, que a Sra. de Marsantes não pudera reprimir à chegada do filho, soerguê-la toda; mas agora era uma fisionomia ansiosa e uns olhos desolados o que ela lhe dirigia.

— Como, Robert, vais embora? É sério? Meu filhinho! No único dia em que poderia estar contigo!

E baixinho, no tom mais natural, com uma voz de que se esforçava por banir toda tristeza para não inspirar ao filho uma piedade que talvez fosse cruel para ele, ou inútil, e servisse apenas para irritá-lo, como um argumento de simples bom senso, acrescentou:

— Sabes que não é gentil o que estás fazendo.

Mas a essa simplicidade ajuntava tanta timidez, para lhe mostrar que não tolhia a sua liberdade, tanta ternura para que ele não a censurasse por atrapalhar os seus divertimentos, que Saint-Loup não pôde deixar de perceber em si mesmo a possibilidade de um enternecimento, ou seja, um obstáculo para passar o resto da noite com a amiga. Assim, enraiveceu-se:

— É lamentável, mas, gentil ou não, é assim.

E fez à mãe as censuras de que sem dúvida se sentia talvez merecedor. É assim que os egoístas têm sempre a última palavra; tendo estabelecido, em primeiro lugar, que a sua resolução é inabalável, quanto mais tocante é o sentimento para o qual lhes apelam com o fim de que renunciem a tal resolução, tanto mais condenáveis julgam, não a si próprios, que lhe resistem, mas aqueles que os põem diante da necessidade de lhe resistir, de modo que sua própria dureza pode chegar à mais extrema crueldade sem que isso, a seus olhos, não faça mais que agravar a culpa da pessoa bastante indelicada para sofrer, para ter razão, e assim covardemente lhes causar a dor de agir contra sua própria piedade. Aliás, por si mesma a Sra. de Marsantes deixou de insistir, pois sentia que não poderia retê-lo.

— Deixo-te — disse-me ele —; mas não o prenda por muito tempo, mamãe, pois ele precisa fazer uma visita daqui a pouco.

Percebia eu muito bem que minha presença não podia dar nenhum prazer à Sra. de Marsantes, mas preferia, não saindo com Robert, que ela não me julgasse misturado a esses prazeres que a privavam da sua companhia. Gostaria de encontrar alguma desculpa para a conduta do filho, menos por afeto a ele do que por piedade dela. Mas foi ela quem falou primeiro:

— Pobre filhinho — disse —, estou certa de que o magoei. Veja, meu senhor, as mães são tão egoístas, e ele, no entanto, tem tão poucos divertimentos, já que vem poucas vezes a Paris. Meu Deus, se ele ainda não saiu, gostaria de ir ao seu encontro, decerto que não para retê-lo, mas para lhe dizer que não lhe quero mal, que acho que ele tem razão. Não se incomoda que eu vá olhar na escada?

E fomos até lá:

— Robert, Robert! — gritou ela. — Não, já se foi, é tarde demais.

Agora eu me encarregaria de uma missão para provocar o rompimento entre Robert e sua amante, com tanta boa vontade como, poucas horas antes, para que ele partisse a fim de ir viver só com ela. No primeiro caso, Robert me julgaria um amigo traidor; no outro, sua família teria me considerado o seu mau gênio. No entanto, eu continuaria sendo o mesmo homem a algumas horas de distância.

Voltamos para o salão. Não vendo retornar Saint-Loup, a Sra. de Villeparisis trocou com o Sr. de Norpois esse olhar dubitativo, trocista e sem muita piedade que se tem ao indicar uma esposa ciumenta em excesso ou uma mãe carinhosa demais (que dão aos outros o espetáculo da comédia) e que significa: "Olha, deve ter havido tempestade."

Robert foi à casa da amante levando-lhe o esplêndido colar que, segundo tinham combinado, não lhe deveria dar. Mas deu no mesmo, afinal, pois ela não o quis e, mesmo depois, ele não conseguiu fazer com que aceitasse. Alguns amigos de Robert pensavam que essas provas de desinteresse que ela dava seriam um cálculo para prendê-lo ainda mais. Entretanto, ela não ligava para o dinheiro, a não ser talvez para poder gastá-lo sem conta. Eu a vi fazer caridades insensatas, a torto e a direito, a pessoas que ela julgava pobres. "Nesse momento", diziam a Robert os seus amigos, para compensar, com suas palavras mal-intencionadas, uma ação desinteressada de Rachel, "nesse momento ela deve estar no passeio das Folies-Bergère. Essa Rachel é um enigma, uma verdadeira esfinge." De resto, quantas mulheres interessadas, visto serem manteúdas, não as vemos nós, por uma delicadeza que floresce em meio a essa existência, criar por si mesmas mil pequenos limites à generosidade dos amantes!

Robert ignorava quase todas as infidelidades da amante e fazia o espírito trabalhar sobre o que não passava de nadas insignificantes em face à verdadeira vida de Rachel, vida que só principiava todos os dias quando ele acabava de deixá-la. Ignorava quase todas essas infidelidades. Poderiam ter lhe contado tudo sem abalar sua confiança em Rachel; pois, devido a uma encantadora lei da natureza, que se manifesta no seio das mais complexas sociedades, é que se vive na perfeita ignorância daquilo que se ama. De um lado do espelho, o enamorado se diz: "É um anjo, jamais se dará a mim, não tenho mais que morrer, e no entanto ela me ama; ela me ama tanto que talvez... mas não, não seria possível!" E, na exaltação do seu desejo, na angústia da espera, quantas jóias não depõe aos pés dessa mulher, como não corre ele a pedir dinheiro emprestado a fim de lhe poupar preocupações! Entretanto, do outro lado da divisória através da qual essas conversas não passarão mais que as dos passeantes diante de um aquário, o público diz: "Não a conhece? Parabéns: ela roubou, arruinou não sei quantos homens, não há nada pior que essa mulher. É uma pura trapaceira. E espertalhona!" E talvez o público não esteja absolutamente enganado no que concerne a este último epíteto, pois mesmo o homem descrente, que não está verdadeiramente apaixonado por essa mulher e a quem ela apenas agrada, diz a seus amigos: "Não, meu caro, não se trata absolutamente de uma cocote; não digo que não tenha tido dois ou três caprichos na vida, mas não é uma mulher que se paga, ou então seria cara demais. Com ela, é cinqüenta mil francos ou nada." Ora, Saint-Loup gastara cinqüenta mil francos com ela, possuíra-a uma vez, mas Rachel, achando para isso, aliás, um cúmplice nele mesmo, na pessoa do seu amor-próprio, soube convencê-lo de que ele era daqueles que a tinham tido por nada. Assim é a sociedade, onde cada criatura é dupla, e onde o indivíduo mais transparente, o de pior fama, nunca será conhecido por um outro a não ser no fundo e sob a proteção de uma concha, de um suave casulo, de uma deliciosa curiosidade natural. Havia em Paris dois excelentes homens a quem Saint-Loup não mais cumprimentava e de quem nunca falava sem que a voz lhe tremesse, chamando-os de exploradores de mulheres: é que tinham sido arruinados por Rachel.

— Só me arrependo de uma coisa — disse-me bem baixinho a Sra. de Marsantes. — É de lhe haver dito que não era gentil. Ele, esse filho adorável, único, como não existe outro igual, ter dito que não era gentil na única vez em que o vejo; preferiria ter recebido uma paulada, pois estou certa de que, seja qual for o seu prazer desta noite, ficará estragado para ele por causa dessa palavra injusta. Mas, senhor, não vou retê-lo mais, visto que está com pressa.

A Sra. de Marsantes se despediu com ansiedade. Tais sentimentos se referiam a Robert, ela era sincera. Porém deixou de sê-lo para tornar-se de novo uma grande dama:

— Fiquei tão *interessada, tão feliz, lisonjeada*, em conversar um pouquinho com o senhor. Obrigada, obrigada!

E, com ar humilde, lançava sobre mim olhares agradecidos, arrebatados, como se minha conversação fosse um dos maiores prazeres que tivesse conhecido na vida. Esses olhares encantadores combinavam muito bem com as flores negras do vestido branco de ramagens. Eram de uma grande dama que conhece o seu ofício.

— Mas não estou com pressa, Senhora — respondi —; além disso, espero o Sr. de Charlus, com quem devo ir-me.

A Sra. de Villeparisis ouviu estas últimas palavras. Pareceu contrariada com elas. Se não se tratava de uma coisa que não poderia interessar a um sentimento dessa natureza, ter-me-ia parecido que o que alarmava a Sra. de Villeparisis naquele momento era o pudor. Mas essa hipótese nem sequer ocorreu ao meu espírito. Sentia-me contente com a Sra. de Guermantes, com Saint-Loup, a Sra. de Marsantes, o Sr. de Charlus, a Sra. de Villeparisis; não refletia e falava alegremente, a torto e a direito.

— Deve partir com meu sobrinho Palamède? — perguntou ela.

Pensando que poderia produzir uma impressão bastante favorável sobre a Sra. de Villeparisis o fato de eu ser ligado a um sobrinho que ela prezava tanto, respondi com alegria: — Ele me pediu que saíssemos juntos. Estou encantado. Aliás, somos mais amigos do que a senhora imagina, e estou decidido a fazer tudo para que o sejamos ainda mais.

De contrariada, a Sra. de Villeparisis passou a mostrar-se inquieta. — Não o espere — disse ela com ar de preocupação —; está conversando com o Sr. de Faffenheim. Já não pensa no que lhe disse. Olhe, parta logo, aproveite depressa agora que ele está de costas.

Essa primeira emoção da Sra. de Villeparisis teria se assemelhado, não fossem as circunstâncias, ao pudor. Sua insistência e oposição poderiam parecer, se apenas consultássemos a sua fisionomia, ditadas pela virtude. De minha parte, não tinha pressa alguma em ir encontrar-me com Robert e sua amante. Mas a Sra. de Villeparisis parecia fazer tanta questão de que eu fosse embora que, pensando que talvez ela tivesse negócios importantes a tratar com o sobrinho, lhe fiz minhas despedidas. Ao lado dela, o Sr. de Guermantes, soberbo e olímpico, sentava-se pesadamente. Dir-se-ia que a noção, onipresente em todos os seus membros, de suas grandes riquezas lhe conferia uma densidade especialmente alta, como se tivessem sido fundidas no crisol em um só lingote humano, para produzir esse homem que valia tão caro. No momento em que dele me despedi, ergueu-se cortesmente do assento e senti a massa inerte de trinta milhões de francos que a velha educação francesa fazia mover, erguia e punha de pé à minha frente. Parecia-me ver aquela estátua de Júpiter Olímpico que Fídias, dizem, fundira integralmente em ouro. Tal era a força que a educação dos jesuítas exercia sobre o Sr. de Guermantes, sobre o corpo do Sr. de Guermantes ao menos, pois não reinava da mesma forma sobre o espírito do duque. O Sr. de Guermantes ria dos próprios ditos espirituosos, mas se mantinha impassível diante dos alheios.

Na escada, ouvi atrás de mim uma voz que me interpelava:

— É assim que o senhor me espera!

Era o Sr. de Charlus.

— Importa-lhe andar comigo um pouco a pé? — perguntou-me secamente ao chegarmos ao pátio. — Vamos caminhar até que eu haja encontrado um fiacre que me convenha.

— O senhor queria falar de alguma coisa?

— Ah, sim, de fato, eu tinha certas coisas a lhe dizer, mas já não sei se as direi. Decerto julgo que poderiam ser, para o senhor, o ponto de partida de vantagens inestimáveis. Mas entrevejo também que trariam à minha existência, à minha idade, quando a gente começa a preferir a tranqüilidade, muita perda de tempo, incômodos de todo tipo; ora, pergunto-me se o senhor valeria a pena que eu me desse a todo esse trabalho, e não tenho o prazer de conhecê-lo bastante para decidir-me. Também é possível que não se interesse muito pelo que poderia fazer pelo senhor, para que eu sofra tantos aborrecimentos, pois, senhor, repito com toda a franqueza que, para mim, não passa talvez de aborrecimento.

Protestei que, nesse caso, não era preciso pensar nisso. Essa ruptura de negociações pareceu não lhe agradar.

— Essa cortesia não significa nada — retrucou num tom duro. — Não há nada mais agradável do que aborrecer-se por uma pessoa que valha a pena. Para os melhores dentre nós, o estudo das artes, o gosto pelas antigüidades, as coleções, os jardins, não passam de *ersatz*, sucedâneos, álibis. No fundo do nosso tonel, como Diógenes, procuramos um homem. Cultivamos begônias, aparamos teixos como último recurso, porque os teixos e as begônias se deixam manusear. Porém preferiríamos empregar o nosso tempo com um arbusto humano, se estivermos certos de que ele vale a pena. Toda a questão está aí; o senhor deve se conhecer um pouco. Vale a pena ou não?

— Não gostaria, senhor, por nada deste mundo, de ser motivo de suas preocupações — disse-lhe —; mas, quanto ao meu prazer, creia que tudo o que vier de sua parte me dará grande alegria. Estou profundamente comovido de que tenha se interessado por mim, procurando me ser útil.

Para meu grande espanto, foi quase com efusão que ele me agradeceu estas palavras. Passando seu braço por baixo do meu com aquela familiaridade intermitente que já me assombrara em Balbec, e que contrastava com a dureza do acento, disse-me:

— Com a desconsideração própria da sua idade, o senhor poderia às vezes ter palavras capazes de cavar um abismo intransponível entre nós. Ao contrário, essas que acaba de pronunciar pertencem ao gênero que é justamente capaz de me emocionar e fazer muito pelo senhor.

Enquanto caminhava de braço dado comigo e dizia estas palavras que, embora mescladas de desdém, eram tão afetuosas, o Sr. de Charlus ora fixava seus olhares em mim com aquela fixidez intensa, aquela dureza penetrante que me haviam impressionado na primeira manhã, em que o vira diante do cassino em Balbec, e até muitos anos antes, perto do espinheiro cor-de-rosa, ao lado da Sra. Swann, que então eu julgava sua amante, no parque de Tansonville, ora fazia-os errarem a seu redor, examinando os fiacres que passavam em grande quantidade àquela hora de repouso, com tamanha insistência que vários paravam, tendo o cocheiro imaginado que desejavam tomá-lo. Mas o Sr. de Charlus os despedia logo.

— Nenhum me convém — disse ele —; é tudo uma questão de lanternas, do bairro a que regressam. Eu gostaria, senhor — continuou —, que não se equivocasse quanto ao caráter puramente desinteressado e caritativo da proposta que lhe vou fazer.

Impressionava-me o quanto a sua dicção se assemelhava à de Swann, ainda mais do que em Balbec.

— O senhor é bastante inteligente, suponho, para não acreditar que ela seja inspirada por "ausência de relações", pelo medo da solidão e do tédio. Não preciso lhe falar da minha família, pois acho que um rapaz de sua idade, pertencente à pequena burguesia — (acentuou esse termo com satisfação) — deve conhecer a história da França. São as pessoas da minha sociedade que não lêem nada e possuem uma ignorância de lacaio. Antigamente os camareiros do rei eram recrutados entre os grão-senhores; agora os grão-senhores não são mais que camareiros. Mas os jovens burgueses como o senhor lêem; o senhor certamente conhece, a respeito dos meus, a bela página de Michelet: "Vejo-os bem grandes, esses poderosos Guermantes. E quem é, junto deles, o pobre reizinho da França, fechado em seu palácio de Paris?" Quanto ao que sou pessoalmente, senhor, é um assunto de que não me agrada muito falar. Mas enfim, talvez o senhor o saiba, pois um artigo retumbante do *Times* lhe faz alusão, que o imperador da Áustria, que sempre me honrou com a sua benevolência e tem a bondade de manter comigo relações de parentesco, declarou recentemente, numa conversa que se tornou pública, que, se o Sr. Conde de Chambord houvesse tido a seu lado um homem tão profundamente conhecedor, como eu, dos bastidores da política européia, seria hoje rei da França. Muitas vezes pensei, senhor, que havia em mim, não devido a meus fracos dons, mas sim a circunstâncias que um dia talvez aprenderá, um tesouro de experiências, uma espécie de dossiê secreto e inestimável, que julguei não dever utilizar pessoalmente, mas que seria sem preço para um jovem a quem eu entregaria, em poucos meses, o que levei mais de trinta anos para adquirir e que talvez seja o único a possuir. Não falo do prazer intelectual que o senhor teria em aprender certos segredos que um Michelet dos nossos dias daria anos de sua vida para conhecer, e graças aos quais certos fatos ganhariam a seus olhos um aspecto inteiramente diverso. E não falo apenas dos fatos consumados, mas do encadeamento das circunstâncias — (era uma das expressões prediletas do Sr. de Charlus e, freqüentemente, quando a pronunciava, juntava as mãos como quando a gente quer rezar, mas com os dedos rígidos, e como para fazer compreender, com esse complexo, tais circunstâncias, que não especificava, e o seu encadeamento.) — Eu lhe daria uma explicação inédita, não só do passado mas também do futuro.

O Sr. de Charlus se interrompeu para me fazer perguntas sobre Bloch, de quem haviam falado, sem que parecesse ouvir, na casa da Sra. de Villeparisis. E, com esse acento que ele sabia tão bem destacar daquilo que dizia, de modo a dar a impressão de que pensava em coisa diferente e de falar maquinalmente por simples polidez, perguntou se meu colega era jovem, bonito, etc. Bloch, se o ouvisse, teria ainda muito mais trabalho do que com o Sr. de Norpois, mas, devido a razões bem diversas, para saber se o Sr. de Charlus era a favor ou contra Dreyfus. — Não está errado, se quiser se instruir — disse o Sr. de Charlus após fazer essas perguntas acerca de Bloch —, em ter entre seus amigos alguns estrangeiros. — Respondi que Bloch era francês. — Ah! — exclamou o Sr. de Charlus — pensei que fosse judeu. — A declaração dessa incompatibilidade me fez acreditar que o Sr. de Charlus era mais antidreyfusista que qualquer das pessoas que eu conhecera. Ao contrário, ele protestou contra a acusação de traição levantada contra Dreyfus. Porém fê-lo sob esta forma: — Creio que os jornais dizem que Dreyfus cometeu um crime contra a sua pátria, creio que é isso, não presto muita atenção aos jornais; leio-os como lavo as mãos, sem achar que valha a pena me interessar. Em todo caso, o crime é inexistente, o compatriota do seu amigo teria cometido um crime contra a sua pátria se houvesse traído a Judéia, mas o que é que ele tem a ver com a França? — Objetei que, se alguma vez houvesse uma guerra, os judeus seriam igualmente convocados como os demais. — Talvez, e não é certo que não se trate de uma imprudência. Mas, se convocarem senegaleses e malgaxes, não creio que façam muito empenho em defender a França, o que é natural. O seu Dreyfus antes poderia ser condenado por infração às regras da hospitalidade. Mas deixemos isso. Talvez o senhor possa pedir a seu amigo que me consiga assistir a alguma bela festa no Templo, a uma circuncisão, aos cantos judeus. Talvez ele pudesse alugar uma sala e proporcionar-me algum espetáculo bíblico, assim como as meninas de Saint-Cyr representaram episódios tirados dos *Salmos* por Racine, para distração de Luís XIV. Talvez pudessem até me arrumar algumas cenas para fazer rir. Por exemplo, uma luta entre o seu amigo e o pai deste, em que aquele o ferisse como Davi a

Golias. Isso comporia uma farsa bem divertida. Ele poderia até, uma vez que principiou, dar boas pancadas na carcaça ou, como diria a minha velha criada, na rabugenta da mãe.[16] Isto seria muito bem-feito e não nos desagradaria, não é, meu amiguinho, pois ambos apreciamos os espetáculos exóticos, e espancar essa criatura extra-européia seria dar um corretivo merecido a um velho camelo. — Dizendo essas horríveis palavras quase doidas, o Sr. de Charlus me apertava o braço a ponto de me fazer sentir mal. Lembrava-me da família do Sr. de Charlus citando tantos casos de bondade admiráveis do barão, para com essa velha criada cujo patoá molieresco acabava de evocar, e dizia comigo que seria interessante estabelecer as relações, ao que me parecia pouco estudadas até agora, entre a bondade e a malvadez em um mesmo coração, por mais diversas que pudessem ser.

Adverti-o de que, em todo caso, a Sra. Bloch já não existia e que, quanto ao Sr. Bloch, eu me perguntava até que ponto ele se entregaria a um jogo que poderia muito bem vazar-lhe os olhos. O Sr. de Charlus pareceu zangado. — Eis uma mulher que teve grande sorte em morrer — disse ele. — Quanto aos olhos vazados, justamente a sinagoga é cega, não enxerga as verdades do Evangelho. De qualquer forma, pense, neste momento, em todos esses desgraçados judeus que tremem diante da fúria estúpida dos cristãos, que honra seria para eles verem um homem como eu condescender em divertir-se com seus jogos! — Naquele instante vi o Sr. Bloch pai que passava, sem dúvida indo adiante do filho. Ele não nos via, mas ofereci-me ao Sr. de Charlus para apresentá-lo. Tinha certeza da cólera que ia desencadear em meu companheiro: — Apresentá-lo a mim! Mas é preciso que o senhor não tenha muita noção dos valores! Não me conhecem tão facilmente assim. No caso presente, a inconveniência seria dupla por causa da juventude do apresentador e da indignidade do apresentado. Quando muito, se um dia me derem o espetáculo asiático que eu esboçava, poderia dirigir a esse velhote horrível algumas palavras carregadas de bonomia. Mas com a condição de que se deixe surrar barbaramente pelo filho. Eu poderia chegar mesmo a exprimir a minha satisfação. — Aliás, o Sr. Bloch não prestava nenhuma atenção em nós. Estava ocupado em dirigir grandes cumprimentos à Sra. Sazerat, cumprimentos que ela acolhia muito bem. Aquilo me surpreendia, pois outrora, em Combray, ela ficara indignada pelo fato de meus pais terem recebido o jovem Bloch, de tanto que ela era anti-semita.

[16] No original há um trocadilho entre *charogne* (cadáver, carcaça) e *carogne*, forma deturpada que se usa em certas regiões da França, com o sentido de "mulher rabugenta". (N. do T.)

Mas o dreyfusismo, como uma corrente de ar, fizera voar o Sr. Bloch até ela alguns dias antes. O pai do meu amigo achara encantadora a Sra. Sazerat e estava particularmente envaidecido pelo anti-semitismo dessa dama, julgando-o uma prova da sinceridade de sua fé e da verdade de suas opiniões dreyfusistas e que assim dava mais valor à visita que ela o autorizara a fazer. Nem sequer se ofendera que ela tivesse dito estouvadamente na sua presença: — O Sr. Drumont tem a pretensão de pôr os revisionistas no mesmo saco que os protestantes e os judeus. É deliciosa essa promiscuidade! — Bernard — dissera ele com orgulho, na volta, ao Sr. Nissim Bernard —, sabes, ela tem o preconceito! — Mas o Sr. Nissim Bernard nada respondera, erguendo aos céus um olhar angélico. Entristecendo-se com a desgraça dos judeus, lembrando-se dos amigos cristãos, tornando-se amaneirado e preciosista à medida que os anos passavam, por motivos que veremos mais tarde, dava idéia agora de uma larva pré-rafaelita onde os pêlos fossem imundamente implantados, como cabelos afogados numa opala.

— Todo esse Caso Dreyfus — continuou o barão, sempre segurando o meu braço — só tem um inconveniente: é que destrói a sociedade (não digo a boa sociedade, há muito que a sociedade não merece esse epíteto elogioso) pelo afluxo de senhores e senhoras do Camelo, da Camelaria, da Cameleira, enfim, pessoas desconhecidas que encontro até na casa de minhas primas, porque fazem parte da Liga da Pátria Francesa, antijudaica, não sei o quê, como se uma opinião política desse direito a uma qualificação social.

Esta frivolidade do Sr. de Charlus o aproximava mais da duquesa de Guermantes. Apontei-lhe a semelhança. Como parecesse crer que eu não a conhecia, lembrei-lhe a vesperal da Ópera onde ele dera a impressão de querer se esconder de mim. Disse-me com tanto empenho que absolutamente não me vira que teria acabado por acreditar nele, se em breve um pequeno incidente não me levasse a pensar que o Sr. de Charlus, talvez excessivamente orgulhoso, não gostava de ser visto em minha companhia.

— Voltemos ao senhor — disse — e aos meus projetos a seu respeito. Senhor, existe entre certos homens uma franco-maçonaria de que não posso lhe falar, mas que neste momento conta em suas fileiras quatro soberanos da Europa. Ora, os companheiros de um deles, que é o imperador da Alemanha, querem curá-lo de sua quimera. Isto é uma coisa muito grave e pode nos levar à guerra. Sim, senhor, perfeitamente. O senhor conhece a história daquele homem que julgava manter numa garrafa a princesa da China. Era uma loucura. Curaram-no. Mas, desde que deixou de ser louco, tornou-se imbecil. Há males cuja cura não se deve procurar porque eles nos protegem contra outros mais graves. Um de meus primos tinha uma doença do estômago, não podia digerir coisa alguma. Os mais sábios especialistas do estômago cuidaram dele sem resultado. Eu o levei a um certo médico (de passagem, uma criatura bastante curiosa e sobre a qual haveria muito a dizer). Este adivinhou logo que se tratava de uma doença nervosa, convenceu o enfermo, ordenou-lhe que comesse sem receio o que quisesse que seria sempre bem tolerado. Mas seu primo também sofria de nefrite. O que o estômago digere perfeitamente, o rim acaba por não poder eliminar, e meu primo, em lugar de viver até velho com uma doença imaginária do estômago que o forçava a seguir uma dieta, morreu aos quarenta anos, com o estômago curado, mas o rim perdido. Com um adiantamento formidável sobre sua própria vida, quem sabe se o senhor não será o que poderia ter sido um homem eminente do passado se um gênio benfazejo lhe houvesse revelado, em meio à humanidade que as ignorava, as leis do vapor e da eletricidade. Não seja bobo, não recuse por discrição. Compreenda que, se lhe presto um grande serviço, não imagino que seja menor o que há de me prestar. Há muito que as pessoas da sociedade cessaram de me interessar, só tenho uma paixão, buscar remir as culpas da minha vida, fazendo com que tire proveito do que sei uma alma ainda virgem e capaz de ser inflamada pela virtude. Tive grandes desgostos, senhor, de que lhe falarei talvez um dia; perdi minha mulher, que era a criatura mais nobre, mais bela, a mais perfeita que se possa imaginar. Tenho parentes jovens que são, não direi indignos, mas incapazes de receber a herança moral de que lhe falo. Quem sabe se o senhor não é aquele em cujas mãos pode ficar essa herança, aquele que eu poderei orientar e erguer tão alto na vida? A minha ganharia por acréscimo. Quem sabe se, ao lhe revelar as grandes questões diplomáticas, voltaria eu mesmo a lhes sentir o gosto e por fim me pusesse a fazer coisas interessantes em que o senhor seria o parceiro. Porém, antes de sabê-lo, seria necessário que o visse várias vezes, com muita freqüência, todos os dias.

Desejaria desfrutar das boas disposições inesperadas do Sr. de Charlus para lhe perguntar se ele não poderia me fazer encontrar com sua cunhada, mas, naquele momento, tive o braço vivamente deslocado por uma sacudidela, como um choque elétrico. Era o Sr. de Charlus que acabava de retirar precipitadamente o seu braço de sob o meu. Embora falando sempre, e voltando os olhos em todas as direções, somente agora é que vira o Sr. de Argencourt, que desembocava de uma rua transversal. Ao nos ver, este pareceu contrariado, lançou sobre mim um olhar de desconfiança, quase como aquele olhar destinado a uma criatura de outra raça que a Sra. de Guermantes lançara sobre Bloch, e tratou de evitar-nos. Mas parecia que o Sr. de Charlus se preocupava em lhe mostrar que não buscava de modo algum não ser visto por ele, pois chamou-o e para lhe dizer algo bem insignificante. E, talvez temendo que o Sr. de Argencourt não me reconhecesse, o Sr. de Charlus lhe disse que eu era um grande amigo da Sra. de Villeparisis, da duquesa de Guermantes, de Robert de Saint-Loup, que ele mesmo, Charlus, era um velho amigo de minha avó, feliz em tributar ao neto um pouco da simpatia que sentia por ela. Não obstante, reparei que o Sr. de Argencourt, a quem no entanto mal havia sido apresentado na casa da Sra. de Villeparisis e a quem o Sr. de Charlus acabava de falar longamente da minha família, fez-se mais frio comigo do que o fora uma hora antes, e desde então, durante muito tempo, procedia da mesma forma quando me encontrava. Observou-me naquela noite com uma curiosidade que nada tinha de simpática e pareceu mesmo ter de vencer uma certa resistência quando, ao nos deixar, depois de breve hesitação, estendeu-me a mão, que retirou logo.

— Lamento esse encontro — disse o Sr. de Charlus. — Este Argencourt, bem-nascido mas mal-educado, diplomata mais que medíocre, marido detestável e mulherengo, velhaco feito nas comédias, é um desses homens incapazes de compreender, mas bem capazes de destruir as coisas verdadeiramente grandes. Espero que a nossa amizade o seja, se deve se fundar um dia, e que o senhor me faça a honra de mantê-la, tanto como eu, a salvo dos coices de um desses burros que, por ociosidade, por falta de jeito, por malvadez, esmagam o que parece feito para durar. Infelizmente, é por esse molde que é feita a maioria das pessoas deste mundo.

— A duquesa de Guermantes parece muito inteligente. Falávamos há pouco de uma possível guerra. Parece que a duquesa tem, a esse respeito, luzes especiais.

— Não tem nenhuma — respondeu secamente o Sr. de Charlus. — As mulheres e, aliás, muitos homens não entendem nada das coisas de que eu desejaria falar. Minha cunhada é uma mulher encantadora que se imagina ser ainda dos tempos dos romances de Balzac, quando as mulheres tinham influência na política. A convivência delas não poderia exercer agora sobre o senhor senão uma influência maléfica, como aliás toda e qualquer convivência. E era justamente uma das primeiras coisas que ia lhe dizer quando esse idiota me interrompeu. O primeiro sacrifício que tem de me fazer — o hei de exigir tantos quantos forem os benefícios que lhe fizer — é o de não freqüentar a sociedade. Sofri agora há pouco ao vê-lo nessa reunião ridícula. O senhor me dirá que também ali estive, mas para mim não era uma reunião mundana, e sim uma visita de família. Mais tarde, quando for um homem *arrivé*, se lhe agradar descer por instantes à sociedade, talvez não haja inconveniente. Então já não precisarei lhe dizer de que utilidade lhe seria. O "Sésamo" do palacete Guermantes e de todos aqueles que merecem que a porta se abra de par em par diante do senhor, eu é que o detenho. Serei juiz e tenciono permanecer o árbitro da hora. Atualmente o senhor é um catecúmeno. Sua presença naquela reunião era um tanto escandalosa. É preciso, antes de tudo, evitar a indecência.

Como o Sr. de Charlus falava da visita à casa da Sra. de Villeparisis, desejei indagar sobre o seu parentesco exato com a marquesa, a origem desta, mas a pergunta se fez em meus lábios de forma diferente da que eu quisera, e acabei perguntando o que era a família Villeparisis.

— Meu Deus, a resposta não é muito fácil — respondeu o Sr. de Charlus com uma voz que parecia deslizar nas palavras. — É como se o senhor me pedisse para dizer o que é o nada. Minha tia, que pode permitir-se a tudo, teve a fantasia, ao se casar em segundas núpcias com um certo Sr. Thirion, de mergulhar no nada o maior nome da França. Este Thirion pensou que poderia sem inconveniente, como ocorre nos romances, assumir um nome aristocrático e extinto. A história não diz se ele foi tentado por La Tour de Auvergne, se hesitou entre Toulouse e Montmorency. Em todo caso, fez uma escolha diferente e tornou-se o Sr. de Villeparisis. Como não há mais ninguém com tal nome desde 1702, imaginei que ele queria modestamente significar com isso que se tratava de um senhor de Villeparisis, pequena localidade perto de Paris, e que possuía uma banca de advogado ou um salão de cabeleireiro em Villeparisis. Porém minha tia não sabia nada a esse respeito — aliás, chega a uma idade em que não se entende mais de coisa alguma. Ela pretendeu que esse marquesado estava na família, escreveu a todos nós, quis fazer as coisas regularmente, não sei por quê. Uma vez que se se apropria de um nome ao qual não se tem direito, o melhor é não estar com tantas histórias, como a nossa excelente amiga, a condessa de **M*****, que, apesar dos conselhos da Sra. Alphonse Rothschild, recusou aumentar os dinheiros de São Pedro[17] por um título que nem por isso se tornaria mais verdadeiro. O engraçado é que, desde essa ocasião, minha tia monopolizou todas as pinturas que se referiam aos verdadeiros Villeparisis, com os quais o falecido Thirion não tinha qualquer parentesco. O castelo de minha tia se tornou uma espécie de sede de monopólio de seus retratos, autênticos ou não, sob o fluxo crescente dos quais alguns Guermantes e alguns Condés, que no entanto não são de pouca importância, tiveram de desaparecer. Os negociantes de quadros fabricam-nos todos os anos. E ela chega mesmo a ter, na sala de jantar, no campo, um retrato de Saint-Simon por causa do primeiro casamento de sua sobrinha com o

[17] *Dinheiro de São Pedro*: oferenda voluntária feita ao Papa pelos fiéis. (N. do T.)

Sr. de Villeparisis, e embora o autor das *Memórias* tenha talvez outros títulos para o interesse dos visitantes que não o fato de ter sido bisavô do Sr. Thirion.

Não passando de uma Sra. Thirion, a Sra. de Villeparisis completou a queda que havia começado em meu espírito quando vira a composição misturada do seu salão. Eu achava injusto que uma mulher, de quem até o título e o nome eram tão recentes, pudesse iludir os contemporâneos e devesse iludir também a posteridade, graças às amizades régias. Voltando a ser o que me havia parecido em minha infância, uma pessoa que nada tinha de aristocrático, esses grandes parentescos que a cercavam me pareceram restar de todo estranhos a ela. Desde então, não deixou de se mostrar encantadora conosco. Às vezes eu ia vê-la, e ela me mandava uma lembrança de vez em quando. Mas de modo algum eu tinha a impressão de que pertencesse ao *faubourg* Saint-Germain, e, se queria alguma informação a respeito, ela seria uma das últimas pessoas a quem me dirigiria.

— Atualmente — continuou o Sr. de Charlus — o senhor só faria prejudicar sua situação freqüentando a sociedade; deformaria seu caráter e sua inteligência. Ademais, seria necessário fiscalizar até mesmo, e sobretudo, suas camaradagens. Tenha amantes, caso sua família não veja inconveniente nisso, isso não me diz respeito e até só posso encorajá-lo a tanto, seu travesso, que logo logo vai ter de fazer a barba — disse ele, tocando-me o queixo. — Mas a escolha dos amigos homens tem uma outra importância. Em cada dez pessoas, oito são uns canalhas, miseráveis capazes de lhe fazer danos de que o senhor jamais se há de recobrar. Olhe, meu sobrinho Saint-Loup é, a rigor, um excelente companheiro para o senhor. Do ponto de vista do seu futuro, ele não lhe poderá ser útil para nada; mas para isso, basto eu. E afinal de contas, para sair com o senhor nos momentos em que estiver farto de mim, não me parece apresentar nenhum inconveniente grave, ao que suponho. Pelo menos, trata-se de um homem, não é um desses efeminados, como a gente encontra tanto hoje em dia, que parecem pequenos *truqueurs* e que amanhã talvez levem ao cadafalso suas inocentes vítimas. — (Eu não sabia o significado desse termo de gíria, *truqueur*.[18] Quem quer que o conhecesse, ficaria tão surpreendido como eu. As pessoas da sociedade gostam de falar em gíria, e aquelas a quem se pode censurar certas coisas, de mostrar que não receiam falar nas mesmas. Prova de inocência a seus olhos. Porém perderam a noção da escala de valores, já não percebem o grau a partir de que um certo gracejo se torna muito especial,

[18] *Truqueur*: rapaz que se prostitui para os outros homens. (N. do T.)

por demais chocante, e será mais uma prova de corrupção do que de ingenuidade.) — Ele não é como os outros; é muito amável e bastante sério.

Não pude deixar de sorrir diante desse epíteto de "sério", ao qual a entonação que lhe dava o Sr. de Charlus parecia conferir o sentido de "virtuoso", de "bem-comportado", como de uma operariazinha se diz que é séria. Nesse momento passou um fiacre que ia à toa; um cocheiro jovem, tendo descido da boléia, conduzia-o do fundo do carro, onde se assentara sobre almofadas, parecendo meio bêbado. O Sr. de Charlus fê-lo parar com vivacidade. O cocheiro parlamentou por um momento.

— Para que lado o senhor vai?

— Para o seu. (Aquilo me espantou, pois o Sr. de Charlus já recusara vários fiacres com lanternas da mesma cor.)

— Mas não quero voltar para a boléia. Importa-se que eu fique dentro do carro?

— Não, mas baixe a capota. Enfim, pense na minha proposta — disse-me o Sr. de Charlus antes de ir embora. — Dou-lhe alguns dias para refletir, escreva-me. Repito-lhe, será preciso vê-lo todos os dias e que eu receba do senhor garantias de lealdade, de discrição, que aliás, devo dizê-lo, o senhor parece oferecer. Mas, durante a minha vida, tenho sido tão freqüentemente enganado pelas aparências que não quero mais confiar nelas. Diabo, não é nada demais que, antes de abandonar um tesouro, eu saiba em que mãos vou depositá-lo. Enfim, lembre-se bem do que lhe estou oferecendo, o senhor é como Hércules de quem, infelizmente, não parece ter a forte musculatura, na encruzilhada de dois caminhos. Procure não ter de lamentar pelo resto da vida não haver escolhido aquele que conduziria à virtude. Como — disse, dirigindo-se ao cocheiro —, ainda não baixou a capota? Eu mesmo vou dobrar as molas. Pelo visto, creio que terei também de conduzir o carro, levando em conta o estado em que parece estar.

E saltou para junto do cocheiro, no fundo do fiacre, o qual partiu a trote largo.

De minha parte, mal entrei em casa encontrei uma réplica da conversa que haviam tido um pouco antes o Sr. de Norpois e Bloch, mas sob uma forma breve, invertida e cruel: era uma discussão entre o nosso mordomo, que era dreyfusista, e o dos Guermantes, antidreyfusista. As verdades e contraverdades que entre si opunham no alto os intelectuais da Liga da Pátria Francesa e a dos Direitos do Homem se propagavam de fato até as profundezas do povo. O Sr. Reinach manobrava, pelo sentimento, pessoas que jamais o tinham visto, enquanto que para ele a questão Dreyfus se apresentava diante de sua razão apenas como um teorema irrefutável e que ele "demonstrou de fato" com o mais espantoso êxito da política racional (êxito contra a França, disseram alguns) que jamais se viu. Em dois anos, ele substituiu um ministério Billot por um ministério Clémenceau, mudou de alto a baixo a opinião pública, tirou Picquart da prisão para colocá-lo, ingrato, no Ministério da Guerra. Talvez esse nacionalista manobrador de massas fosse ele próprio manobrado por sua raça. Quando os sistemas filosóficos que contêm mais verdades são ditados a seus autores, em última análise por razões de sentimento, como supor que, numa simples questão política, como o Caso Dreyfus, motivos desse gênero não possam, contra a vontade do raciocinador, governar-lhe a razão? Bloch julgava ter escolhido logicamente o seu dreyfusismo, e no entanto sabia que seu nariz, sua pele e cabelos tinham-lhe sido impostos pela sua raça. Evidentemente, a razão é mais livre; todavia, ela obedece a certas leis que não impôs a si mesma. O caso do mordomo dos Guermantes e do nosso era particular. As vagas das duas correntes, do dreyfusismo e do antidreyfusismo, que dividiam a França de alto a baixo, eram bem silenciosas, mas os raros ecos que emitiam eram sinceros. Ouvindo alguém, que no meio de uma conversa afastava-se voluntariamente do caso, anunciar furtivamente uma notícia política, em geral falsa mas sempre desejada, era possível deduzir do objeto de suas previsões a orientação de seus desejos. Assim, defrontavam-se sobre alguns pontos, de uma parte um apostolado tímido, de outra uma santa indignação. Os dois mordomos que ouvi ao voltar para casa eram exceção à regra. O nosso deixou ouvir que Dreyfus era culpado; o dos Guermantes, que ele era inocente. Não era para dissimular suas convicções, mas por maldade e encarniçamento no jogo. Nosso mordomo, inseguro sobre se ia ocorrer a revisão, queria previamente, no caso de um fracasso, tirar ao mordomo dos Guermantes a alegria de julgar derrotada uma causa justa. O mordomo dos Guermantes pensava que, no caso de uma recusa à revisão, o nosso ficaria mais aborrecido por ver ser mantido um inocente na Ilha do Diabo. O porteiro os olhava. Tive a impressão de que não era ele quem dividia a domesticidade dos Guermantes.

Subi e achei minha avó bem pior. Desde algum tempo, sem bem saber do que sofria, ela se queixava da saúde. Na enfermidade é que percebemos que não vivemos sós, mas acorrentados a uma criatura de outro reino, cujos abismos nos separam, que não nos conhece e pelo qual nos é impossível fazer-nos compreender: nosso corpo. Qualquer assaltante que encontrássemos no caminho, talvez pudéssemos sensibilizá-lo em seu interesse pessoal, senão pela nossa desgraça. Mas rogar piedade ao nosso corpo é discursar diante de um polvo, para quem nossas palavras não podem ter mais sentido que o rumor das águas, e com o qual nos aterrorizaríamos de ser condenados a conviver. Os achaques de minha avó lhe passavam muitas vezes despercebidos à atenção, sempre voltada para nós. Quando ela sofria muito, esforçava-se em vão para compreender seus males a fim de curá-los. Se os fenômenos mórbidos de que seu corpo era o palco permaneciam obscuros e inatingíveis ao seu pensamento, eram nítidos e inteligíveis para os seres que pertenciam ao mesmo reino físico deles, destes a quem o espírito humano acabou por se dirigir para compreender o que lhe diz seu corpo, como diante das respostas de um estrangeiro a gente vai procurar alguém do mesmo país para servir de intérprete. Estes podem conversar com o nosso corpo, dizer-nos se sua cólera é grave ou em breve se acalmará. Cottard, que haviam chamado para junto da minha avó e que nos irritara ao perguntar com um sorriso fino, desde o primeiro minuto em que lhe tínhamos dito que ela estava doente: "Doente? Não será pelo menos uma doença diplomática?", Cottard tentou, para acalmar a agitação da sua cliente, a dieta de leite. Mas as perpétuas sopas de leite não fizeram efeito porque minha avó punha nelas muito sal, cuja inconveniência era ignorada naquele tempo (pois Widal ainda não tinha feito suas descobertas). Sendo a medicina um compêndio de erros sucessivos e contraditórios dos médicos, recorrendo-se aos melhores dentre estes corre-se o risco de solicitar uma verdade que será reconhecida como falsa alguns anos depois. De modo que acreditar na medicina seria a maior loucura, caso não acreditar em absoluto nela não fosse uma outra ainda maior, pois desse amontoado de erros se desprenderam, ao longo dos anos, algumas verdades. Cottard havia recomendado que lhe tirassem a temperatura. Foram buscar um termômetro. Em quase toda a sua altura, o tubo estava vazio de mercúrio. Mal se distinguia, agachada no fundo de sua pequena cuba, a salamandra cor de prata. Parecia morta. Puseram o canudinho de vidro na boca da minha avó. Não precisamos deixá-lo ali por muito tempo; a pequena feiticeira não havia demorado em tirar o seu horóscopo. Encontramo-la imóvel, empoleirada a meio em sua torre e, sem mais um gesto, mostrando-nos com exatidão a cifra que todos nós lhe pedíramos e que todas as reflexões que pudesse fazer sobre si mesma a alma da minha avó teriam sido bem incapazes de lhe fornecer: 38,3°. Pela primeira vez, sentimos uma certa inquietação. Sacudimos com força o termômetro para apagar o signo fatídico, como se, assim, tivéssemos podido abaixar a febre ao mesmo tempo que a temperatura marcada. Infelizmente, ficou bem claro que a pequena sibila desprovida de razão não fornecera arbitrariamente aquela resposta, pois no dia seguinte, mal o termômetro foi recolocado entre os lábios de minha avó, quase imediatamente, como de um só salto, magnífica de certeza e da intuição de um fato para nós invisível, a pequena profetisa viera parar no mesmo ponto, numa imobilidade implacável, mostrando-nos ainda a marca de 38,3° de sua haste fulgurante. Não nos dizia outra coisa, e, por mais que desejássemos, quiséssemos, implorássemos, permanecia surda e parecia que esse era o seu último aviso ameaçador. Então, para tentar constrangê-la a modificar sua resposta, recorremos a uma outra criatura do mesmo reino, porém mais poderosa, que não se contenta em interrogar o corpo mas pode comandá-lo, um febrífugo da mesma natureza da aspirina, ainda não empregado à época. Não tínhamos baixado o termômetro além dos 37,5°, na esperança de que assim não teria de subir. Mandamos dar esse febrífugo à minha avó e depois recolocamos o termômetro. Como um guarda implacável a quem se mostra a ordem de uma autoridade superior, cuja proteção se obteve, e que, encontrando-a em ordem, responde: "Está certo, não tenho nada a dizer, já que é assim, passem", a vigia da torre não se mexeu desta vez. Mas, carrancuda, parecia dizer: "De que lhes servirá isto? Já que conhecem a quinina, ela me dará ordens no sentido de não me mover uma vez, dez vezes, vinte vezes. E depois ficará cansada, conheço-a; vamos! Isto não vai durar para sempre. E então vocês vão ficar na mesma." Então a minha avó sentiu, em si mesma, a presença de uma criatura que conhecia melhor o corpo humano que ela, a presença de uma contemporânea de raças desaparecidas, a presença do primeiro ocupante — bem anterior à criação do homem que pensa; sentiu esse aliado milenar que a apalpava, até com certa dureza, na cabeça, no coração, no cotovelo, reconhecendo os locais, organizando tudo para o combate pré-histórico que ocorreu logo após. Num instante, a serpente Píton esmagada, a febre foi vencida pelo poderoso elemento químico a que minha avó, através dos reinos, passando por cima de todos os animais e vegetais, gostaria de poder agradecer. E ficava abalada com essa entrevista que acabava de ter, através de tantos séculos, com um elemento anterior à própria criação das plantas. Por seu turno, o termômetro, como uma Parca momentaneamente vencida por um deus mais antigo, mantinha imóvel o seu fuso de prata. Infelizmente, outras criaturas inferiores que o homem treinou para a caça desses animais misteriosos que não pode perseguir no fundo de si mesmo nos traziam cruelmente, todos os dias, uma taxa de albumina fraca, mas suficientemente fixa para que parecesse estar em relação com algum estado persistente que ignorávamos. Bergotte havia incubado em mim o instinto escrupuloso que me fazia subordinar a minha inteligência, quando me falara do doutor Du Boulbon como de um médico que não me aborreceria, que encontraria modos de tratar, mesmo que fossem aparentemente bizarros, mas que se adaptariam à singularidade de minha inteligência. Mas as idéias se transformam em nós, triunfam sobre as resistências que a princípio lhes opomos e se alimentam de ricas reservas intelectuais já prontas, que não sabíamos feitas para elas. Agora, como acontece cada vez que as frases ouvidas, a propósito de alguém que não conhecemos, têm a virtude de despertar em nós a idéia de um grande talento, de uma espécie de gênio, no fundo de meu espírito eu fazia o doutor Du Boulbon se beneficiar dessa confiança ilimitada que nos inspira aquele que, com um olho mais penetrante que o de outro, percebe a verdade. Certamente eu sabia que ele era especialista mais das doenças nervosas, aquele a quem Charcot, antes de morrer, havia previsto que reinaria sobre a neurologia e a psiquiatria. — Ah, não sei, é bem possível — disse Françoise, que se achava presente e ouvira pela primeira vez o nome de Charcot e o de Du Boulbon. Mas isso não a impedia em absoluto de dizer: — É possível. — Seus "é possível", seus "pode ser", seus "eu não sei" eram exasperantes em casos parecidos. A gente ficava com vontade de lhe responder: "Está claro que você não sabia, pois já que não conhece nada do assunto de que se trata como é que pode dizer se é possível ou não, você não sabe nada disso. Em todo caso, agora você não pode dizer que não sabe o que Charcot disse sobre Du Boulbon, etc.; está sabendo porque nós o dissemos, e os seus 'talvez', os seus 'é possível' não são aceitáveis, visto que é certo".

Apesar dessa competência mais particular em matéria nervosa e cerebral, como eu soubesse que Du Boulbon era um grande médico, um homem superior, de uma inteligência inventiva e profunda, supliquei à minha mãe que o mandasse vir, e a esperança de que, por uma visão justa do mal, ele talvez a curasse, acabou por vencer o medo que tínhamos de assustar a minha avó, chamando um novo médico. O que decidiu minha mãe foi que, inconscientemente animada por Cottard, minha avó não saía mais, não deixava a cama. Debalde nos respondia com a carta da Sra. de Sévigné sobre Madame de La Fayette: "Diziam que ela estava louca por não querer sair. Eu dizia a essas pessoas tão precipitadas em seu julgamento: 'Madame de La Fayette não está louca', e ficava nisso. Foi preciso que ela morresse para verem que tinha razão em não querer sair." Du Boulbon, chamado, discordou, se não da Sra. de Sévigné, que não lhe citaram, pelo menos de minha avó. Em vez de auscultá-la, pousando nela seus admiráveis olhares onde havia talvez a ilusão de que estava escrutando profundamente a enferma, ou o desejo de lhe dar essa ilusão, que parecia espontânea mas devia ter se tornado maquinal, ou de não lhe deixar ver que pensava em algo bem diverso, ou para obter domínio sobre ela, começou a falar de Bergotte.

— Ah, acredito minha senhora, é admirável; como tem razão em gostar dele! Mas qual de seus livros prefere? Verdade? Meu Deus, talvez seja de fato o melhor! Em todo caso, é o seu romance mais bem estruturado: Claire é encantadora; como personagem masculino, qual é o que mais lhe agrada?

A princípio, julguei que ele a fazia desse modo falar sobre literatura porque a medicina o aborrecia, talvez também para mostrar sua largueza de espírito, e até mesmo, com uma finalidade mais terapêutica, para que a doente adquirisse mais confiança, fazê-la ver que não estava inquieto, distraí-la de seu estado. Mas depois compreendi que, sobretudo notável como alienista e por seus estudos sobre o cérebro, quisera verificar, com suas perguntas, se a memória de minha avó estava intacta. Como contra a vontade, interrogou-a um pouco sobre sua vida, de olho fixo e sombrio. Depois, de repente, como se percebesse a verdade e decidisse atingi-la custasse o que custasse, com um gesto preliminar que parecia difícil de esboçar-se, afastando as ondas das últimas hesitações que poderia ter e de todas as objeções que lhe poderíamos fazer, examinando minha avó com olhar lúcido, livremente e como que pisando enfim a terra firme, pontuando as palavras com um tom suave e sedutor do qual a inteligência matizava todas as inflexões (aliás, sua voz permaneceu, em toda a visita, cariciosa, como era o seu natural, e, sob as sobrancelhas espessas, seus olhos irônicos eram cheios de bondade):

— A senhora irá bem um dia, remoto ou próximo, e só depende de si mesma que esse dia seja hoje, quando compreender que não tem nada e retomará a vida comum. Disse-me já não comia, nem saía?

— Mas doutor, estou com um pouco de febre.

Ele tocou-lhe a mão.

— Não neste momento, em todo caso. E depois, que bela desculpa! Não sabe que deixamos ao ar livre, e que fazemos superalimentação, no caso de tuberculosos com 39º de febre?

— Mas também tenho um pouco de albumina.

— Não deveria sabê-lo. A senhora tem o que descrevi como albumina mental. Todos nós já tivemos, no decurso de uma indisposição, nossa crisezinha de albumina, que nosso médico se apressou a tornar duradoura ao nos fazer notá-la. Para uma só afecção que os médicos curam com medicamentos (assegura-se, pelo menos, que isso aconteceu algumas vezes), provocam dez outras em pacientes saudáveis, inoculando-lhes esse agente patogênico, mil vezes mais virulento que todos os micróbios, a idéia de que estamos doentes. Uma tal crença, poderosa sobre o temperamento de todos, age com especial eficácia sobre os nervosos. Digam-lhes que uma janela fechada está aberta às suas costas, e eles começam a espirrar; façam-nos acreditar que puseram magnésia em sua beberagem, e eles serão tomados de cólicas; que o seu café estava mais forte que de costume, e eles não pregarão os olhos de noite. Acredite, senhora, que não me bastou ver seus olhos, ouvir apenas o modo como se expressa, que direi? Ver a senhora sua filha e o seu neto, que se parece tanto contigo, para saber com quem estava tratando?

— Tua avó poderia talvez ir sentar-se, se o doutor der licença, numa alameda tranqüila dos Champs-Élysées, perto daquele bosque de loureiros diante do qual brincavas antigamente — disse-me a minha mãe, assim consultando indiretamente a Du Boulbon e cuja voz assumia por isso algo de tímido e deferente que não teria se se dirigisse somente a mim. O médico voltou-se para a minha avó e, como não era menos letrado que sábio:

— Vá aos Champs-Élysées, minha senhora, para perto do bosque de loureiros apreciado pelo seu neto. O loureiro lhe será salutar. Ele purifica. Depois de haver exterminado a serpente Píton, foi com um ramo de loureiro à mão que Apolo entrou em Delfos. Queria, assim, preservar-se dos germes mortais da fera venenosa. Verá que o loureiro é o mais antigo, o mais venerável e, acrescentarei — o que tem seu valor terapêutico tanto como profiláxico —, o mais belo dos antissépticos.

Como uma grande parte do que os médicos sabem lhes é ensinada pelas doenças, são facilmente levados a crer que esse saber dos "pacientes" é o mesmo em todos eles, e gabam-se de espantar aquele com quem se encontram com alguma observação aprendida com aqueles a quem trataram antes. Assim, foi com um fino sorriso de parisiense que, conversando com um camponês, esperaria assombrá-lo servindo-se de uma palavra dialetal, que o doutor Du Boulbon disse à minha avó: — Provavelmente o tempo ventoso conseguiria fazê-la dormir, enquanto que fracassariam os mais fortes hipnóticos. — Pelo contrário, doutor, o vento me impede absolutamente de dormir. — Mas os médicos são suscetíveis: — Ah! — murmurou Du Boulbon, franzindo as sobrancelhas, como se lhe tivessem pisado no pé e se as insônias de minha avó nas noites tempestuosas lhe fossem uma injúria pessoal. Todavia, não era dotado de muito amor-próprio e como, na situação de um "espírito superior", julgava de seu dever não confiar muito na medicina, retomou logo a serenidade filosófica.

Minha mãe, no seu desejo apaixonado de ser tranqüilizada pelo amigo de Bergotte, acrescentou, em apoio ao médico, que uma prima-irmã de minha avó, presa de uma afecção nervosa, ficara sete anos reclusa em seu quarto em Combray, sem se levantar mais que uma ou duas vezes por semana.

— Veja, minha senhora; eu não sabia disso e poderia tê-lo dito.

— Mas doutor, eu não sou absolutamente igual a ela, pelo contrário. Meu médico não pode me fazer ficar deitada — disse a minha avó, ou porque se sentisse irritada com as teorias do médico, ou porque desejasse submeter-lhe as objeções que lhe poderiam ser feitas, na esperança de que ele as refutasse, e que, tão logo ele partisse, ela não mais teria qualquer dúvida a opor a seu feliz diagnóstico.

— Mas é claro, minha senhora, não é possível ter, perdoe-me a expressão, todas as vesânias; a senhora tem outras, não essa. Ontem, visitei uma casa de saúde para neurastênicos. No jardim, um homem estava em pé sobre um banco, imóvel como um faquir, o pescoço inclinado numa posição que devia ser bastante penosa. Como lhe perguntasse o que fazia ali, respondeu-me sem fazer um movimento nem virar a cabeça: — Doutor, sou extraordinariamente sujeito a reumatismo e resfriado; acabo de fazer muito exercício e, enquanto assim me aquecia bestamente, meu pescoço estava abrigado na gola de flanela. Se agora o afastasse desse abrigo, antes que meu corpo esfrie, tenho a certeza de ficar com um torcicolo ou apanhar uma bronquite. — "E de fato a apanharia. O senhor é um grande neurastênico, isso é que é" — disse-lhe. Sabem qual foi a razão que me deu para provar que não? É que, ao passo que todos os enfermos do estabelecimento tinham a mania de ver o peso, a ponto de ser preciso colocar correntes na balança para que não passassem o dia inteiro a se pesar, a ele eram obrigados a forçá-lo a subir à balança, de tão pouca vontade que tinha em pesar-se. Gabava-se de não ter a mania dos outros, sem pensar que também tinha a sua e que era ela que o preservava de uma outra. Não fique ofendida com a comparação, minha senhora, pois aquele homem que não ousava virar o pescoço, com medo de ficar resfriado, é o maior poeta do nosso tempo. Aquele pobre maníaco é a mais alta inteligência que conheço. Tolere que a considerem nervosa. A senhora pertence a essa família magnífica e lastimável que é o sal da terra. Tudo o que sabemos de grandioso nos vem dos nervosos. Foram eles e não os outros que fundaram as religiões e compuseram as obras-primas. O mundo jamais saberá tudo o que lhes deve, e principalmente o que eles sofreram para lhe dar o que deram. Desfrutamos das finas músicas, dos belos quadros, mil delicadezas, mas não sabemos o que essas obras custaram aos que as inventaram, em insônias, choros, risos espasmódicos, urticárias, asmas, epilepsias, numa angústia de morrer que é pior que tudo isso, e que a senhora talvez conheça — acrescentou ele, sorrindo à minha avó —, pois, confesse, quando cheguei, a senhora não estava muito tranqüila. A senhora se julgava doente, talvez perigosamente enferma. Deus sabe de que afecção julgava a senhora descobrir em si mesma os sintomas. E a senhora não se enganava, possuía-os. O nervosismo é um pastichador genial. Não há doença que ele não imite às maravilhas. Ele imita, a ponto de iludir-nos, a dilatação dos dispépticos, as náuseas da gravidez, a arritmia do cardíaco, o estado febril do tuberculoso. Capaz de enganar o médico, por que não enganaria o doente? Ah, não julgue que ridicularizo os seus males; não me empenharia em tratá-los se não soubesse compreendê-los. E, veja bem, não há boa confissão que não seja recíproca. Disse-lhe que sem doença nervosa não existe um grande artista; digo-lhe mais — acrescentou, erguendo gravemente o dedo —, não há um grande sábio. Acrescentarei que, sem que ele próprio seja atingido por uma doença nervosa, não há, não me faça dizer um bom médico, mas um médico correto das doenças nervosas. Na patologia nervosa, um médico que não diz muita asneira é um doente meio curado, como um crítico é um poeta que já não faz versos, um policial é um ladrão que já não rouba. Quanto a mim, não me julgo albuminúrico feito a senhora, não tenho o medo nervoso do alimento, do ar livre, mas não consigo dormir sem me levantar mais de vinte vezes para verificar se minha porta está fechada. E, nessa casa de saúde onde encontrei ontem um poeta que não virava o pescoço, eu ia reservar um quarto, pois, cá entre nós, lá passo as minhas férias a me tratar, desde que aumentei meus males cansando-me demais em curar os males alheios.

— Mas, doutor, deverei fazer uma cura semelhante? — disse espantada a minha avó.

— É inútil, minha senhora. As manifestações que acusa cederão ante a minha palavra. E depois, a senhora tem por perto alguém muito poderoso que de ora em diante se constituirá o seu médico. É o seu mal, o seu excesso de atividade nervosa. Se soubesse a forma de curá-la, evitaria fazê-lo. Basta-me dirigir esse mal. Vejo sobre sua mesa um livro de Bergotte. Curada de seu nervosismo, a senhora não gostaria mais dele. Ora, teria eu o direito de trocar as alegrias que ele proporciona pela integridade nervosa que será certamente incapaz de proporcioná-las? E essas mesmas alegrias constituem um poderoso remédio, talvez o mais eficaz de todos. Não, não quero mal à sua energia nervosa. Peço-lhe apenas que me ouça; confio a senhora a ela. Que dê marcha a ré. A força que empregava para impedi-la de passear, de se alimentar bastante, que a empregue em fazê-la comer, sair, ler, se distrair de todas as formas. Não me diga que está cansada. O cansaço é a realização orgânica de uma idéia preconcebida. Comece por não pensar nele. E, se tiver uma pequena indisposição, o que pode ocorrer com todo mundo, será como se não a tivesse, pois ela terá feito da senhora, conforme uma expressão profunda do Sr. de Talleyrand, um sadio imaginário. Olhe, ela principiou a curá-la, a senhora está me escutando bem ereta, sem ter se apoiado uma só vez, o olho vivo, fisionomia atenta, e isso há uma meia hora marcada no relógio; e nem mesmo se deu conta de tal. Senhora, tenho muita honra em cumprimentá-la.

Quando, após ter conduzido o doutor até a porta, voltei para o quarto onde minha mãe estava sozinha, o desgosto que me oprimia há várias semanas se desfez; senti que minha mãe ia deixar explodir sua alegria e que ia ver a minha, e experimentei essa impossibilidade de suportar a espera do instante próximo, em que uma pessoa, junto a nós, vai se emocionar, impossibilidade que, em outra ordem, é um tanto como o medo que experimentamos quando sabemos que alguém vai entrar e assustar-nos, por uma porta ainda fechada; quis dizer uma palavra a mamãe, mas minha voz se quebrou e, rompendo em lágrimas, fiquei por muito tempo com a cabeça em seu ombro, chorando, saboreando, aceitando essa dor, agora que sabia que ela saíra da minha vida, como gostamos de exaltar-nos com projetos virtuosos que as circunstâncias não nos permitem pôr em prática. Françoise me exasperou por não tomar parte em nossa alegria. Estava muito comovida porque rebentara uma cena terrível entre o lacaio e o porteiro delator. Fora preciso que a duquesa interviesse com sua bondade, restabelecesse uma aparência de paz e perdoasse ao lacaio. Pois era bondosa, e o emprego seria ideal se ela não desse ouvidos aos mexericos.

Há vários dias já tinham começado a saber que minha avó estava doente e todos pediam notícias. Saint-Loup me escrevera: "Não quero aproveitar essas horas em que a tua querida avó não passa bem para te fazer o que é muito mais que simples censuras e das quais ela não tem culpa nenhuma. Porém mentiria se dissesse, mesmo provisoriamente, que alguma vez esquecerei a perfídia da tua conduta, e que jamais haverá perdão para a tua trapaça e tua traição." Porém alguns amigos, achando minha avó pouco doente ou até ignorando que ela o estivesse, tinham-me pedido que os encontrasse no dia seguinte nos Champs-Élysées, para ali fazer uma visita e comparecer, no campo, a um jantar que me agradava. Não tinha mais nenhum motivo para renunciar a esses dois prazeres. Quando haviam dito à minha avó que agora era necessário, para obedecer ao doutor Du Boulbon, que ela passeasse muito, viu-se que ela imediatamente falou nos Champs-Élysées. Ser-me-ia fácil conduzi-la até lá; e, enquanto ela estivesse lendo sentada, poderia me entender com meus amigos acerca do local onde nos encontraríamos, e ainda teria tempo, se me apressasse, de pegar com eles o trem para Ville-d'Avray. No momento combinado, minha avó não quis sair, achando-se cansada. Mas minha mãe, instruída por Du Boulbon, teve a energia de se zangar e se fazer obedecer. Quase chorava à idéia de que minha avó recairia em sua fraqueza nervosa e não mais se recobraria. Nunca um dia tão bonito e quente se prestou de modo mais admirável à saída de casa. O sol, mudando de lugar, intercalava aqui e ali, na solidez quebrada do balcão, suas musselinas inconstantes e dava à pedra de cantaria uma tépida epiderme, um halo de ouro impreciso. Como Françoise não tivera tempo de enviar um "cabo" à sua filha, deixou-nos logo após o almoço. Já era muito que antes tivesse entrado na loja de Jupien, para que ele desse um ponto no mantelete que a minha avó iria pôr para sair. Voltando justo naquele instante de meu passeio matinal, fui com ela à casa do coleteiro. — É o seu patrãozinho quem a traz aqui, é a senhora quem o traz, ou então é algum vento favorável que os traz a ambos? — perguntou Jupien a Françoise. Embora não tivesse muito ensino, Jupien respeitava tão naturalmente a sintaxe como o Sr. de Guermantes, apesar de seus esforços, a violava. Logo que Françoise partiu e o mantelete já estava consertado, foi necessário que minha avó se vestisse. Tendo recusado obstinadamente que mamãe ficasse com ela, levou um tempo enorme, sozinha, para se aprontar. E agora que eu sabia que ela estava bem de saúde, com essa estranha indiferença que temos para com os parentes enquanto estão vivos, que faz com que os negligenciemos em favor de todo o mundo, achava-a muito egoísta por demorar tanto, por me arriscar a ficar atrasado quando ela sabia que eu tinha um encontro com meus amigos e devia jantar em Ville-d'Avray. De tanta impaciência, acabei por descer antes, depois de me dizerem duas vezes que ela já estaria pronta. Por fim ela foi ao meu encontro (sem se desculpar pelo atraso, como fazia de costume nesses casos, vermelha e distraída como uma pessoa que está com pressa e esqueceu metade de suas coisas), no momento em que eu chegava à porta envidraçada, entreaberta, que deixava entrar o ar líquido, vibrante e morno de fora, como se tivessem aberto um reservatório entre as gélidas paredes do prédio, sem absolutamente aquecê-las.

— Meu Deus, já que vais ver os teus amigos, eu bem podia ter posto outro mantelete. Com este, fico parecendo meio miserável.

Impressionou-me vê-la tão congestionada e compreendi que, atrasando-se, devia ter se apressado muito. Como acabávamos de deixar o fiacre à entrada da avenida Gabriel, nos Champs-Élysées, vi que minha avó se afastara, sem me falar, e se dirigia para o pequeno pavilhão antigo, de grades verdes, onde um dia eu tinha esperado por Françoise. O mesmo guarda florestal que ali se encontrava então ainda permanecia junto da "marquesa", quando, seguindo minha avó que, devido certamente a uma náusea, levava a mão à boca, subi os degraus do teatrinho rústico erguido no meio dos jardins. Na fiscalização, como nesses circos de feira em que o *clown*, pronto para entrar em cena e todo enfarinhado, recebe ele mesmo à porta os ingressos, a "marquesa", arrecadando as entradas, estava sempre ali com o seu rosto enorme e irregular, endurecido de grosseira maquilagem, e seu bonezinho de flores vermelhas e renda preta encarapitado sobre a peruca ruiva. Mas não creio que me reconhecesse. O guarda, abandonando a vigilância da grama, com cuja cor seu uniforme combinava, conversava sentado a seu lado.

— Pelo visto — dizia —, está sempre aqui. Não pensa em se aposentar?

— E por que me aposentaria, meu senhor? Diga-me onde estarei melhor do que aqui, a meu gosto e com todo o conforto? E depois, sempre há movimento e distração; é o que chamo meu pequeno Paris; meus fregueses me põem a par do que está acontecendo. Olhe, há um que saiu há menos de cinco minutos, é um magistrado da mais alta posição. Pois bem, senhor! — exclamou com ardor, como se estivesse pronta para sustentar essa afirmação pela violência, caso o agente da autoridade fizesse cara de lhe contestar a exatidão — há oito anos, está ouvindo, todos os dias que Deus dá, às três em ponto ele está aqui, sempre bem-educado; nunca levantou a voz, nem sujou coisa alguma; e fica lendo seus jornais por mais de meia hora, e mais as suas necessidades. Apenas num só dia ele não compareceu. No momento não reparei, mas à noite, de repente, pensei comigo: "Olha, aquele senhor não veio, talvez esteja morto." Aquilo mexeu comigo, pois eu crio amizade às pessoas quando são bem-educadas. Por isso, fiquei muito contente quando o vi no dia seguinte, e lhe disse: "Senhor, aconteceu-lhe alguma coisa ontem?" Então ele me disse que nada lhe acontecera, que sua mulher é que havia morrido, e ele ficara tão transtornado que não pudera vir. Claro que estava muito triste, compreende, vinte e cinco anos de casados, mas mesmo assim parecia contente por voltar. A gente percebia que ele tinha sido transtornado nos seus pequenos hábitos. Procurei reanimá-lo e disse: "É preciso não se deixar abater. Venha sempre como antes; no seu desgosto, será uma pequena distração."

A "marquesa" assumiu um tom mais doce, pois havia constatado que o vigia das árvores e gramados a escutava com bonomia, sem pensar em contradizê-la, mantendo inofensiva na bainha uma espada que parecia antes algum instrumento de jardinagem ou um atributo de horticultura.

— E depois — disse ela —, escolho os meus fregueses, não recebo qualquer um no que chamo os meus salões. Será que isto não parece um salão, com as minhas flores? Como tenho fregueses muito gentis, um ou outro sempre deseja me trazer um raminho de lilases, de jasmins ou de rosas, esta minha flor predileta.

Enrubesci à idéia de que talvez fôssemos mal avaliados por essa senhora, por nunca lhe trazer lilases nem rosas bonitas; e, para tentar escapar fisicamente — ou de não ser por ela julgado senão por contumácia — a um julgamento desfavorável, avancei para a porta de saída. Mas nem sempre na vida são tidas por mais amáveis as pessoas que trazem lindas rosas, pois a "marquesa", julgando que eu me aborrecia, dirigiu-se a mim:

— Não quer que eu lhe abra um reservado?

E, como eu recusasse:

— Não quer mesmo? — acrescentou com um sorriso —; é oferecido de boa vontade, mas bem sei que são necessidades que não basta não pagar para senti-las.

Nesse momento, uma mulher mal vestida entrou precipitadamente, parecendo justamente senti-las. Mas não fazia parte do mundo da "marquesa", pois esta, com uma ferocidade de esnobe, disse-lhe secamente:

— Nenhum está livre, senhora.

— Será que vai demorar muito? — indagou a pobre senhora, vermelha sob suas flores amarelas.

— Ah, senhora, aconselho-a a ir a outra parte, pois, como vê, ainda há estes dois senhores à espera — disse ela, apontando para mim e para o guarda —, e só tenho um reservado; os outros estão em obras... Tem cara de mau pagador — disse a "marquesa". — Não é esse o tipo daqui, essa gente não tem asseio, nenhum respeito, e eu teria de passar uma hora limpando por causa dela. Não lastimo os seus dois tostões.

Por fim a minha avó saiu e, imaginando que ela não procuraria compensar com uma gorjeta a indiscrição que havia mostrado ficando ali tanto tempo, bati em retirada para não sofrer uma parte do desdém que certamente lhe testemunharia a "marquesa", e me enfiei por uma alameda, mas devagar, para que minha avó pudesse me alcançar com facilidade e continuar junto comigo. Foi o que logo aconteceu. Pensava que minha avó ia dizer: "Eu te fiz esperar demais; mas acho que mesmo assim não vais faltar ao encontro com teus amigos", mas ela não disse uma só palavra, e, embora um tanto desapontado, eu não quis ser o primeiro a falar. Por fim, erguendo o olhar para ela, vi que, sempre caminhando a meu lado, ela tinha a cara virada para o lado oposto. Receei que ainda estivesse com náuseas. Encarei-a melhor e me espantei com seu passo sacudido. Seu chapéu estava torto na cabeça, seu casaquinho sujo, e ela apresentava uma fisionomia descomposta e descontente, o rosto rubro e preocupado de uma pessoa que acaba de ser atropelada por um carro ou que tiraram de um fosso.

— Receei que tivesse tido um enjôo, vovó; estás te sentindo melhor?

Sem dúvida ela pensou que era impossível não responder sem inquietar-me.

— Ouvi toda a conversa entre a "marquesa" e o guarda — disse. — Era exatamente como Guermantes e o pequeno clã dos Verdurin. Meu Deus! Em que termos galantes eram tratadas aquelas coisas! — E ela acrescentou ainda, diligentemente, esta frase da sua marquesa, a dela, Sra. de Sévigné: "Ao ouvi-los, pensava que eles me preparavam as delícias de uma despedida."

Estas foram as palavras que me disse, e nas quais pusera toda a sua finura, o seu gosto pelas citações, sua memória relativa aos clássicos, até um pouco mais do que habitualmente faria e como para mostrar que mantinha mesmo a posse daquilo tudo. Mas essas frases, adivinhei-as mais do que as ouvi, de tanto que as pronunciava com uma voz pastosa e cerrando os dentes mais do que poderia explicá-lo o medo de vomitar.

— Vamos — disse eu com bastante displicência, a fim de não parecer que levava a sério demais o seu mal-estar —; já que estás um pouco enjoada, voltemos para casa, não quero fazer passear pelos Champs-Élysées uma avó que está com indigestão.

— Não tinha coragem de te pedir isto por causa dos teus amigos — respondeu ela. — Pobre pequeno! Mas já que o queres, é o mais aconselhável.

Tive medo de que ela própria reparasse na maneira como pronunciava estas palavras.

— Vamos — disse-lhe bruscamente —, não te canses falando, já que estás com enjôo, seria um absurdo; pelo menos espera que entremos em casa.

Ela me sorriu tristemente e apertou-me a mão. Compreendera que não tinha como me ocultar aquilo que eu adivinhara logo: acabara de sofrer um pequeno ataque.

SEGUNDA PARTE

CAPÍTULO PRIMEIRO

Doença da minha avó. — Doença de Bergotte. — O duque e o médico. — Declínio da minha avó. — Sua morte.

Atravessamos a avenida Gabriel, no meio da multidão de passeantes. Fiz a minha avó sentar-se num banco e fui procurar um fiacre. Ela, em cujo coração eu sempre me colocava para ajuizar a pessoa mais insignificante, agora estava fechada para mim, tornara-se uma parte do mundo exterior, e, mais do que a simples passantes, eu ainda era forçado a lhe calar o que pensava de seu estado, silenciar acerca da minha inquietação. Não poderia falar-lhe disso com mais confiança que a uma pessoa estranha. Ela acabava de me restituir os pensamentos, os desgostos, que desde a minha infância lhe confiara para sempre. Ainda não estava morta. Eu já me sentia só. E até aquelas alusões que ela fizera aos Guermantes, a Molière, a nossas conversas sobre o pequeno clã, assumiam uma aparência sem apoio, sem causa, fantástica, porque saíam do nada dessa mesma criatura que amanhã talvez já não existisse e para quem já não teriam sentido algum, daquele nada — incapaz de concebê-las — que minha avó seria em breve.

— Senhor, não digo que não, mas o senhor não marcou hora comigo, não tem número. Além disso, não é meu dia de consulta, O senhor deve ter o seu médico. Não posso substituí-lo, a menos que ele me mande chamar para uma conferência. É uma questão de deontologia...

No momento em que eu fazia sinal para um fiacre, havia encontrado o célebre professor E***, quase amigo de meu pai e de meu avô, de qualquer modo em relações com eles, e que morava na avenida Gabriel, e, tomado de súbita inspiração, fizera-o parar no instante em que entrava em casa, pensando que talvez desse um conselho excelente para a minha avó. Mas, apressado, depois de ter apanhado a sua correspondência, queria despedir-me e só lhe pude falar subindo com ele no elevador, do qual me pediu para deixar apertar os botões, o que nele era mania.

— Mas, meu senhor, não lhe peço que receba minha avó, há de compreender depois do que lhe disser, ela não tem condições de subir; pelo contrário, peço-lhe que passe daqui a meia hora em nossa casa, para onde ela vai voltar.

— Passar em sua casa? Mas, senhor, nem pense nisso. Vou jantar na casa do ministro do Comércio, preciso fazer uma visita antes, vou me vestir imediatamente e, para cúmulo da desgraça, uma das minhas duas casacas se rasgou e a outra não tem botoeira para colocar as condecorações. Rogo-lhe, faça-me o favor de não tocar nos botões do elevador, o senhor não sabe manejá-los, é preciso prudência em tudo. Essa botoeira vai me atrasar ainda mais. Enfim, por amizade com os seus familiares, se a sua avó vier logo, poderei recebê-la. Mas previno-lhe que só terei exatamente um quarto de hora para atendê-la.

Eu partira de imediato, sem mesmo ter saído do elevador, que o professor E*** pusera ele próprio em movimento para me fazer descer, não sem me olhar com desconfiança.

Bem dizemos que a hora da morte é incerta, mas, quando dizemos isto, afiguramo-nos essa hora como situada num espaço vago e longínquo, não imaginamos que ela tenha uma relação qualquer com o dia já começado, e possa significar que a morte — ou sua primeira posse parcial de nós, após a qual não nos larga mais — poderá ocorrer nessa mesma tarde, tão pouco incerta, essa tarde em que o emprego de todas as horas está previamente agendado. A gente se empenha em passear para obter, em um mês, o total de ar puro necessário, hesitamos quanto à escolha de uma capa para levar, do cocheiro para chamar, estamos num fiacre, o dia está inteiramente diante de nós, curto, porque desejamos voltar a tempo para receber uma amiga; também gostaríamos que fizesse bom tempo amanhã; e não desconfiamos que a morte que caminhava em nós em outro plano escolheu precisamente aquele dia para entrar em cena, dentro de alguns minutos, mais ou menos no instante em que o carro alcançasse os Champs-Élysées. Talvez aqueles a quem habitualmente assusta a singularidade própria da morte encontrem algo de tranqüilizador nesse gênero de morte — esse gênero de primeiro contato com a morte — porque aí ela se reveste de uma aparência conhecida, familiar, cotidiana. Precederam-na um bom almoço e a mesma caminhada que fazem as pessoas de boa saúde. Um regresso em carro descoberto se superpõe ao seu primeiro ataque; por mais doente que estivesse minha avó, afinal diversas pessoas poderiam dizer que às seis da tarde, quando voltamos dos Champs-Élysées, elas a haviam cumprimentado, passando de carro descoberto, num tempo magnífico. Legrandin, que se dirigia para a praça da Concórdia, tirou o chapéu para nós, detendo-se com ar de espanto. Eu, que ainda não me desligara da vida, perguntei à minha avó se ela havia correspondido, lembrando-lhe que ele era suscetível. Minha avó, decerto me achando muito superficial, erguera a mão como para dizer: "E então? Isso não tem nenhuma importância."

Sim, poderia ser dito, momentos antes, enquanto eu buscava um fiacre, que minha avó estava sentada num banco, na avenida Gabriel, que logo depois ela havia passado em carro descoberto. Mas seria mesmo verdade? O banco, ele, para que se mantenha numa avenida — embora também esteja submetido a certas condições de equilíbrio —, não necessita de energia. Mas, para que uma criatura viva seja estável, mesmo apoiada num banco ou dentro de um carro, é preciso uma tensão de forças que em geral não percebemos, assim como não percebemos a pressão atmosférica, pois se exerce em todos os sentidos. Talvez se se fizesse o vácuo em nós e se nos deixassem suportar a pressão do ar, sentiríamos, no instante que precederia a nossa destruição, o terrível peso que nada mais neutralizaria. Da mesma forma, quando os abismos da doença e da morte se abrem em nós e que nada mais temos a opor ao tumulto com que o mundo e o nosso próprio corpo desabam sobre nós, então, até sustentar o peso de nossos músculos, até o arrepio que nos devasta a medula, então, até mesmo manter-nos imóveis no que de hábito julgamos não ser mais que a simples posição negativa de uma coisa, exige, se desejamos que a cabeça permaneça ereta e o olhar tranqüilo, uma energia vital e torna-se objeto de uma luta exaustiva.

E, se Legrandin nos olhara com aquele ar de espanto, era que, a ele como aos que então passavam, no fiacre em que minha avó parecia estar sentada sobre a banqueta, ela lhes aparecera afundando, deslizando para o abismo, agarrando-se desesperadamente às almofadas que mal podiam reter seu corpo precipitado, os cabelos em desordem, o olhar perdido, já incapaz de fazer frente ao assalto das imagens que sua pupila não conseguia mais sustentar. Ela aparecera, embora a meu lado, mergulhada nesse mundo desconhecido em cujo seio já recebera os golpes de que ostentava os sinais quando a vira há pouco nos Champs-Élysées, seu chapéu, seu rosto e seu casaco desarrumados pela mão do anjo invisível com quem havia lutado.

Desde então, tenho pensado que aquele momento de seu ataque não deve ter surpreendido de todo a minha avó, que talvez ela mesma o houvesse previsto muito tempo antes, e vivera à sua espera. Sem dúvida, não tinha sabido quando viria o instante fatal, incerta, semelhando-se aos amantes que uma dúvida do mesmo gênero leva alternativamente a alimentar esperanças sem fundamento e suspeitas injustificadas sobre a fidelidade de sua amante. Mas é raro que essas grandes enfermidades, como a que por fim acabava de feri-la em pleno rosto, não se alojem por muito tempo no doente antes de matá-lo, e durante esse período não se façam logo conhecer, como um vizinho ou locatário sociável. É um terrível conhecimento, menos pelos sofrimentos que provoca do que pela estranha novidade das restrições definitivas que impõe à vida. Vemo-nos morrer, neste caso, não no próprio momento da morte, porém meses e até anos antes, desde que ela horrendamente veio morar conosco. A doente trava conhecimento com o estranho que ela ouve ir e vir pelo cérebro. Decerto não o conhece de vista, mas, pelos ruídos que o ouve fazer regularmente, deduz os seus hábitos. Será um malfeitor? Certa manhã, não o ouve mais. Foi-se embora. Ah, se fosse para sempre! De noite, ele voltou. Quais são os seus desígnios? O médico, submetido à indagação, como uma amante adorada, responde com juramentos acreditados num dia, postos em dúvida no outro. De resto, mais que o da amante, o médico desempenha o papel dos domésticos interrogados. Eles não passam de terceiros. A amante que pressionamos, que suspeitamos esteja a ponto de nos trair, é a própria vida e, embora sintamos que já não é a mesma, ainda acreditamos nela, pelo menos ficamos em dúvida até o dia em que ela enfim nos abandona.

Coloquei minha avó no elevador do professor E*** e, um instante após, ele veio ao nosso encontro e nos fez passar ao seu gabinete. Porém aí, por mais pressa que tivesse, seu jeito mal-humorado mudava, de tão fortes que são os hábitos, e ele se mostrava amável e até mesmo jovial com seus pacientes. Como sabia que minha avó era muito letrada, e ele o era igualmente, pôs-se a citar durante dois ou três minutos, e aludindo ao tempo radioso que fazia, versos lindos sobre o verão. Sentara-a numa poltrona, ficando ele contra a luz, de maneira a observá-la bem. Seu exame foi minucioso, precisou até que eu saísse por um momento. Continuou ainda o exame e depois, tendo terminado, embora o quarto de hora já se esgotasse, pôs-se a fazer novos recitativos à minha avó. Dirigiu-lhe mesmo algumas pilhérias com bastante finura, que eu teria preferido ouvir em outra ocasião, mas que me tranqüilizaram completamente devido ao tom engraçado do médico. Lembrei-me então que o Sr. Fallières, presidente do Senado, sofrera há muitos anos um falso ataque, e que, para desespero de seus concorrentes, retomara suas funções três dias depois, preparando mesmo, segundo se dizia, uma candidatura mais ou menos remota à Presidência da República. Minha confiança num pronto restabelecimento de minha avó foi tanto mais completa porque, no momento em que me lembrava do exemplo do Sr. Fallières, fui distraído dessa comparação por uma sonora gargalhada que rematou um gracejo do professor E*** . Após o que, ele puxou o relógio, franziu febrilmente as sobrancelhas ao ver que estava atrasado cinco minutos e, ao passo que se despedia, tocava a campainha para que lhe trouxessem a sua casaca imediatamente. Deixei a minha avó passar primeiro, fechei a porta e pedi ao doutor que me dissesse a verdade.

— A sua avó está perdida — disse ele. — É um ataque provocado pela uremia. Em si, a uremia não é fatalmente uma doença mortal, mas o caso me parece desesperador. Nem preciso lhe dizer que espero estar enganado. Além disso, com Cottard, estão em excelentes mãos. Com licença — disse ao ver entrar uma camareira com sua casaca nos braços. — O Senhor sabe que vou jantar com o ministro do Comércio, e tenho uma visita para fazer antes. Ah, a vida não é um mar de rosas, como se crê na sua idade.

E estendeu-me graciosamente a mão. Eu voltara a fechar a porta e um lacaio nos guiava no vestíbulo, a mim e à minha avó, quando ouvimos grandes gritos de cólera. A camareira se esquecera de abrir a botoeira para as condecorações. Aquilo ainda ia levar dez minutos. O professor continuava sempre a esbravejar, enquanto eu olhava, no patamar da escada, para a minha avó, que estava perdida. Como está sozinha cada pessoa! Regressamos a casa.

O sol declinava; inflamava um muro interminável que o nosso fiacre tinha de ladear antes de atingir a rua em que morávamos, muro sobre o qual a sombra do carro e do cavalo, projetada pelo poente, se destacava em negro sobre o fundo avermelhado, como um carro fúnebre numa terracota de Pompéia. Enfim chegamos. Fiz a enferma sentar-se ao pé da escadaria, no vestíbulo, e subi para avisar a minha mãe. Disse-lhe que minha avó voltara um tanto adoentada, e tivera uma tonteira. Desde as minhas primeiras palavras, a fisionomia de minha mãe atingiu o paroxismo de um tal desespero, entretanto já resignado, que compreendi que há muitos anos ela o trazia preparado dentro de si mesma para um dia incerto e final. Não me perguntou nada; parecia que, assim como a maldade gosta de exagerar os sofrimentos dos outros, ela não queria admitir, por ternura, que sua mãe estivesse muito mal, principalmente que se tratasse de uma doença que podia afetar a inteligência. Mamãe estremecia, seu rosto chorava sem lágrimas, ela se apressou a dizer que fossem buscar o médico, mas, como Françoise perguntasse quem estava doente, não pôde responder, a voz se lhe embargou na garganta. Desceu correndo comigo, e apagando do rosto o soluço que o contraía. Minha avó esperava embaixo, no canapé do vestíbulo, mas, logo que nos ouviu, ergueu-se, ficou em pé, fez a mamãe alegres acenos com a mão. Eu lhe envolvera metade da cabeça com uma mantilha de renda branca, dizendo que era para que não sentisse frio na escada. Não queria que mamãe notasse muito a alteração da fisionomia, o desvio da boca; minha precaução era inútil: mamãe se aproximou da minha avó, beijou-lhe a mão como a de seu Deus, susteve-a, ergueu-a até o elevador com infinitas precauções, em que havia, junto com o medo de não se mostrar cuidadosa e de magoá-la, a humildade de quem se sente indigno de tocar o que conhece de mais precioso; mas nem uma só vez ergueu os olhos e fitou o rosto da enferma. Talvez para que esta não se entristecesse ao pensar que a sua vista poderia inquietar a filha. Talvez de medo de uma dor mais intensa que ela não ousava afrontar. Talvez por respeito, pois não julgava que lhe fosse permitido sem impiedade constatar vestígios de algum enfraquecimento intelectual no rosto venerado. Talvez para melhor conservar, posteriormente, intacta, a imagem do verdadeiro rosto de sua mãe, radiante de espírito e bondade. Assim subiram elas, uma ao lado da outra, minha avó meio oculta em sua mantilha, minha mãe desviando o olhar.

Durante todo esse tempo, havia uma pessoa que não tirava seus olhos do que se podia adivinhar dos traços modificados de minha avó que a filha desta não ousava ver, uma pessoa que lançava sobre eles um olhar assombrado, indiscreto e de mau agouro: era Françoise. Não que não amasse sinceramente a minha avó (até ficara decepcionada e quase escandalizada pela frieza de mamãe, a quem desejaria ter visto lançar-se chorando nos braços de sua mãe), mas tinha uma certa inclinação a imaginar sempre o pior, trouxera da infância duas particularidades que pareceriam dever excluir-se, mas que, quando se ajuntam, se fortalecem: a falta de educação das pessoas do povo, que não procuram dissimular as impressões, até mesmo o doloroso espanto que nelas causa a vista de uma alteração física que seria mais delicado não parecer notar; e a rudeza insensível da campônia que arranca as asas das libélulas antes de ter ocasião de torcer o pescoço aos frangos, e que não dispõe do pudor que a faria ocultar o interesse que sente ao ver a carne que sofre.

Quando, graças aos cuidados perfeitos de Françoise, minha avó se viu acomodada na cama, percebeu que falava mais facilmente; a pequena ruptura ou obstrução de uma artéria, causada pela uremia, certamente fora bem leve. Então quis atender a mamãe, assisti-la nos instantes mais cruéis que esta já havia atravessado.

— Muito bem, minha filha — disse-lhe segurando a mão e conservando a outra adiante da boca para dar essa causa aparente à leve dificuldade que ainda tinha para pronunciar certas palavras —, é assim que tens pena da tua mãe? Pareces acreditar que uma indigestão não é desagradável!

Então, pela primeira vez os olhos de minha mãe fitaram apaixonadamente os de minha avó, não desejando ver o restante de sua face, e ela disse, começando a lista desses falsos juramentos que não podemos cumprir:

— Mamãe, logo ficarás curada; é a tua filha quem te promete.

E, encerrando o seu amor mais forte e toda a sua vontade para que a mãe sarasse, num beijo a quem os confiou e que acompanhou com o pensamento, com todo o seu ser até a beira dos lábios, foi depositá-lo humilde e piedosamente na testa adorada.

Minha avó se queixava de uma espécie de aluvião de cobertas que se formava o tempo todo sobre sua perna esquerda e que ela não conseguia erguer. Mas não percebia que era ela mesma a causa daquilo, de modo que todos os dias acusava injustamente Françoise de "forrar" mal a sua cama. Devido a um movimento convulsivo, ela repelia daquele lado todas as vagas dessas cobertas espumantes de fina lã que ali se amontoavam como as areias numa enseada depressa transformada em praia (se não construíssem um dique) pelos afluxos sucessivos da maré.

Minha mãe e eu (cuja mentira era previamente desmascarada por Françoise, perspicaz e injuriosa) nem mesmo queríamos dizer que minha avó estivesse gravemente enferma, como se isso pudesse agradar aos inimigos que aliás ela não possuía, e como se fosse mais afetuoso achar que ela não estava tão mal assim, em suma, pelo mesmo sentimento instintivo que me fizera supor que Andrée se queixava demais de Albertine para muito poder amá-la. Os mesmos fenômenos se reproduzem, dos particulares à massa, nas grandes crises. Numa guerra, aquele que não ama o seu país não fala mal dele, mas julga-o perdido, lamenta-o, vê preta a situação.

Françoise nos prestava um serviço infinito, com sua faculdade de passar sem dormir, de fazer os trabalhos mais pesados. E, se, tendo ido se deitar após várias noites passadas em claro, éramos obrigados a chamá-la um quarto de hora depois que adormecesse, ela sentia-se tão feliz de poder fazer o trabalho mais penoso como se se tratasse das coisas mais simples do mundo, que, longe de rezingar, mostrava no rosto a satisfação e a modéstia. Apenas quando chegava a hora da missa e a do desjejum, minha avó podia estar agonizante que Françoise se eclipsava a tempo de não se atrasar. Não podia nem queria ser substituída pelo seu jovem lacaio. Decerto trouxera de Combray uma idéia muito alta dos deveres de cada um para conosco; não teria tolerado que um dos nossos criados nos "faltasse". Isso a fizera uma educadora tão nobre, tão imperiosa, tão eficaz, que jamais houvera em nossa casa criados tão corrompidos que não se modificassem logo, e apurassem a sua concepção de vida a ponto de não mais tocarem num tostão e de se precipitarem — por menos serviçais que até então fossem — para me tirar das mãos e não deixar que me cansasse carregando o menor pacote. Mas também em Combray Françoise contraíra o hábito, trazido a Paris, de não poder suportar qualquer auxílio em seu trabalho. Ver que lhe prestavam ajuda parecia-lhe uma ofensa, e alguns criados ficaram semanas inteiras sem obter uma resposta dela à sua saudação matinal, chegando até a sair de férias sem que ela lhes dissesse adeus e sem adivinharem o motivo, na verdade pela única razão de que tinham querido fazer um pouco do seu trabalho, num dia em que estava adoentada. E, naquele momento em que minha avó passava tão mal, a tarefa de Françoise lhe parecia particularmente sua própria. Não desejava, ela, a titular, deixar que lhe furtassem o seu papel naqueles dias de gala. Assim, seu jovem lacaio, afastado por ela, não sabia o que fazer, e, não contente em ter, a exemplo de Victor, tirado meu papel de cartas no meu escritório, pusera-se também a carregar volumes de versos da minha bibliografia. Lia-os durante boa parte do dia, não só por admiração pelos poetas que os haviam composto, mas também para, na outra parte do dia, ornamentar de citações as cartas que escrevia aos amigos da aldeia. Certamente pensava deslumbrá-los desse modo. Mas, como não tinha muita lógica nas idéias, imaginara que aqueles poemas, encontrados em minha biblioteca, eram coisa conhecida de todos e às quais é costume a gente se referir. De forma que, escrevendo àqueles camponeses cujo pasmo prelibava, entremeava suas próprias reflexões com versos de Lamartine, como se dissesse: quem viver, verá, ou até: bom-dia.

Por causa dos tormentos de minha avó, permitiram que tomasse morfina. Infelizmente, se esta os acalmava, contribuía para aumentar a taxa de albumina. Os golpes que destinávamos ao mal que se instalara em minha avó acabavam sempre por fracassar; era ela, era o seu pobre corpo interposto que os recebia, sem que ela se queixasse mais que com um débil gemido. E as dores que lhe causávamos não eram compensadas por um bem que não lográvamos obter-lhe. O mal feroz que desejaríamos exterminar, quase não o tocáramos, só fazíamos exasperá-lo ainda mais, talvez apressando a hora em que a cativa seria devorada. Nos dias em que a taxa de albumina se mostrava muito alta, o doutor Cottard, após alguma hesitação, recusava a morfina. Nesse homem tão insignificante, tão vulgar, havia, naqueles breves instantes em que deliberava, em que os perigos de um tratamento ou outro lutavam dentro de si até que se decidisse por um deles, uma espécie de grandeza própria de um general que, vulgar no resto de sua vida, é um grande estrategista e, num momento delicado, depois de ter refletido por um instante, conclui pelo que é militarmente mais sábio e diz: "Fazer frente a Leste." Do ponto de vista clínico, por menos esperanças que tivesse em pôr um fim àquela crise de uremia, era necessário não cansar os rins. Mas, por outro lado, quando minha avó ficava sem morfina, suas dores tornavam-se insuportáveis; recomeçava perpetuamente um certo movimento que lhe era difícil fazer sem gemer. Em grande parte, o sofrimento é uma espécie de necessidade do organismo de tomar consciência de um estado novo que o inquieta, de tornar a sensibilidade adequada a esse estado. Pode-se distinguir essa origem da dor no caso de incômodos que não o são para todo mundo. Num quarto repleto de fumaça de odor penetrante, dois homens grosseiros entram e vão se dedicar sem problema a seus afazeres; um terceiro, de organização mais refinada, há de mostrar uma perturbação incessante. Suas narinas não deixarão de aspirar ansiosamente o odor que aparentemente deveria tentar não sentir e que buscará, de cada vez, fazer aderir, por um conhecimento mais preciso, ao seu olfato incomodado. Daí decorre sem dúvida que uma viva preocupação impede que nos queixemos de uma dor de dentes. Quando a minha avó sofria desse modo, o suor escorria sobre sua vasta fronte cor-de-malva, aí colando mechas brancas do cabelo; e, se ela achasse que não estávamos no quarto, soltava gritos: — Ah!, é horroroso! — Mas, se se apercebia de minha mãe, empregava logo toda a energia para apagar do rosto os traços de sofrimento ou, ao contrário, repetia as mesmas queixas, acompanhando-as de explicações que davam retrospectivamente um outro sentido às que minha mãe pudera ouvir:

— Ah, minha filha, é horrível ficar deitada com esse sol tão lindo, quando a gente gostaria de ir passear; choro de raiva contra essas prescrições de todos vocês.

Mas não conseguia evitar os olhares queixosos, o suor da testa, o sobressalto convulsivo dos membros, logo reprimido.

— Não estou passando mal, só me queixo porque estou mal acomodada na cama, sinto os cabelos em desordem, tenho náuseas, e bati contra a parede.

E minha mãe, à beira da cama, presa àquele sofrimento como se, à força de penetrar com os olhos aquela testa dolorosa, aquele corpo que escondia o mal, conseguisse enfim atingi-lo e carregá-lo, minha mãe dizia:

— Não, mãezinha, não te deixaremos sofrer assim, vamos achar alguma coisa, tem paciência por um segundo; permite que te beije sem que precises te mexer?

E, inclinada sobre a cama, as pernas dobradas, meio de joelhos, como se, de tanta humildade, tivesse mais oportunidades de satisfazer o seu próprio dom apaixonado, inclinava para a minha avó toda a sua vida em seu rosto como em um cibório que lhe estendesse, decorado em relevos de covinhas e rugas tão apaixonadas, tão desoladas e tão doces, que não se sabia se tinham sido cinzeladas pelo buril de um beijo, de um soluço ou de um sorriso. Minha avó também procurava inclinar o rosto para mamãe. Mudara de tal forma que, se tivesse forças para sair, sem dúvida só a teriam reconhecido pela pluma do chapéu. Suas feições, como nas sessões de modelagem, pareciam aplicar-se, num esforço que a desviava de tudo o mais, a conformá-la a um certo modelo que nós não conhecíamos. Esse trabalho de estatuário chegava ao fim e, se o rosto de minha avó havia diminuído, ela igualmente endurecera. As veias que a atravessavam pareciam não de mármore, mas as de uma pedra mais rugosa. Sempre inclinada para diante pela dificuldade de respirar, ao mesmo tempo que dobrada sobre si mesma pelo cansaço, sua fisionomia abatida, apequenada, atrozmente expressiva, parecia, numa primitiva escultura quase histórica, a figura rude, violácea, ruiva, desesperada de alguma selvagem guardiã de túmulo. Mas a obra não estava inteiramente acabada. A seguir era preciso quebrá-la e, depois, descê-la a esse mesmo túmulo, guardado tão penosamente e com tão dura contração.

Num desses momentos em que, segundo a expressão popular, não se sabe mais a que santo apelar, como minha avó tossisse e espirrasse muito, seguiu-se o conselho de um parente que afirmava que, com o especialista X, a gente estava livre de perigo em três dias. As pessoas da sociedade falam isto de seu médico e são acreditadas, como Françoise acreditava nos anúncios dos jornais. O especialista veio com seu estojo coberto com o catarro de todos os seus clientes, como o odre de Éolo. Minha avó negou-se redondamente a se deixar examinar. E nós, constrangidos com o clínico, que se incomodara inutilmente, concordamos com o desejo que ele exprimiu de examinar nossos respectivos narizes, que todavia não tinham coisa alguma. Ele sustentava que sim e que, fosse enxaqueca ou cólica, enjôo ou diabete, tudo não passava de uma enfermidade do nariz mal resolvida. Disse a cada um de nós: — Eis aí um pequeno corneto que bem gostaria de reexaminar. Não espere muito. Com algumas cauterizações ficará livre. — Claro que pensávamos em coisa bem diferente. No entanto, nos perguntávamos: "Mas livre de quê?" Em breve todos estávamos doentes; ele só se enganara colocando a coisa no presente. Pois, desde o dia seguinte, seu exame e seu curativo provisório fizeram efeito. Todos nós tivemos catarro. E, como encontrasse na rua meu pai sacudido de violentos acessos de tosse, sorriu à idéia de que um ignorante pudesse imaginar que o mal provinha de sua intervenção. Ele nos examinara quando já estávamos doentes.

A enfermidade de minha avó deu motivo a que diversas pessoas manifestassem um excesso ou uma insuficiência de simpatia que nos surpreenderam tanto como o tipo de acaso pelo qual umas e outras nos revelavam conexões de circunstâncias, ou mesmo de amizades, de que nunca suspeitáramos. E as demonstrações de interesse, dadas pelas pessoas que vinham incessantemente pedir notícias, revelavam-nos a gravidade de um mal que ainda não tínhamos suficientemente isolado, separado das mil impressões dolorosas sentidas junto de minha avó. Prevenidas por telegrama, suas irmãs não saíram de Combray. Tinham descoberto um artista que lhes proporcionava sessões de excelente música de câmara, e em cuja audição elas pensavam encontrar, mais do que à cabeceira da enferma, um recolhimento e uma elevação dolorosa, cuja forma não deixou de parecer insólita. A Sra. Sazerat escreveu a mamãe, mas como uma pessoa de quem nos separara o noivado bruscamente desfeito (a ruptura era o dreyfusismo). Em compensação, Bergotte veio todos os dias passar muitas horas comigo.

Sempre gostara de fixar-se numa casa durante algum tempo, e onde não precisasse fazer despesas. Mas antigamente era para ali falar sem ser interrompido, e agora para manter silêncio por muito tempo, sem que lhe pedissem a palavra. Pois estava muito doente, diziam uns que de albuminúria, como minha avó. Segundo outros, tinha um tumor. Ia enfraquecendo; era com dificuldade que subia a nossa escada, e com mais dificuldade ainda que descia. Embora apoiado ao corrimão, tropeçava muitas vezes, e creio que ficaria em casa se não temesse perder totalmente o hábito e a possibilidade de sair, ele, o "homem da barbicha" que eu conhecera alerta, não fazia tanto tempo. Já não enxergava quase nada, e até suas palavras freqüentemente se embaralhavam.

Mas ao mesmo tempo, pelo contrário, suas obras, conhecidas apenas dos literatos à época em que a Sra. Swann patrocinava seus tímidos esforços de divulgação, agora engrandecidas e fortes aos olhos de todos, tinham adquirido enorme poder de expansão no grande público. Decerto ocorre que é somente após a sua morte que um escritor se torna célebre. Mas era ainda em vida e durante o seu longo trajeto para a morte, ainda não alcançada, que ele assistia ao caminhar de suas obras em direção à Fama. Pelo menos, um autor falecido se torna ilustre sem se cansar. O esplendor do seu nome detém-se ante a pedra de seu túmulo. Na surdez do sono eterno, ele não é mais importunado pela Glória. Mas para Bergotte a antítese não estava inteiramente finda. Ele ainda existia o bastante para que o tumulto o incomodasse. Movimentava-se ainda, embora de modo penoso, enquanto suas obras, saltitantes como filhas muito amadas, mas cuja impetuosa juventude e ruidosos prazeres nos fatigam, arrastavam todos os dias admiradores novos para junto de seu leito.

As visitas que ele agora nos fazia chegavam-me com alguns anos de atraso, pois já não o admirava tanto. O que não estava em contradição com aquele aumento de sua fama. Raramente uma obra se torna inteiramente compreendida e vitoriosa sem que a de um outro escritor, obscuro ainda, não tenha começado, junto a alguns espíritos mais difíceis, a substituir por um novo culto aquele que quase acabou de impor-se. Nos livros de

Bergotte, que eu relia muitas vezes, suas frases eram tão claras a meus olhos quanto as minhas próprias idéias, os móveis do meu quarto e os carros da rua. Todas as coisas ali se viam com facilidade, se não tais como eram sempre vistas, pelo menos tais como se tinha o hábito de vê-las agora. Ora, um novo escritor havia começado a publicar obras em que as relações entre as coisas eram tão diversas das que as ligavam para mim que eu não entendia quase nada do que ele escrevia. Dizia, por exemplo: "As mangueiras de irrigação admiravam a bela manutenção das estradas" (e isso era fácil, eu deslizava ao longo dessas estradas) "que partiam a cada cinco minutos de Briand e de Claudel". Então, já não compreendia nada, pois havia esperado um nome de cidade e me davam um nome de gente. Apenas, sentia que não se tratava de uma frase mal feita, mas eu é que não era bastante forte e ágil para ir até o fim. Retomava meu impulso, ajudando-me com os pés e as mãos para chegar ao local de onde veria as novas relações entre as coisas. De cada vez, tendo chegado quase à metade da frase, voltava a cair, como mais tarde no regimento durante o exercício chamado mastro. Nem por isso deixava de ter pelo novo escritor a admiração de um garoto canhestro, e a quem dão zero em ginástica, por um outro mais habilidoso. Desde então admirei menos a Bergotte, cuja clareza me pareceu insuficiência. Houve um tempo em que a gente reconhecia bem as coisas, quando era Fromentin quem as pintava, e não as reconhecia mais quando se tratava de Renoir.

As pessoas de gosto nos dizem hoje que Renoir é um grande pintor do século XVIII. Mas, dizendo isso, esquecem o Tempo e que muito precisou decorrer, mesmo em pleno século XIX, para que Renoir fosse saudado como um grande artista. Para desse modo conseguirem ser reconhecidos, o pintor e o artista originais procedem à maneira de oculistas. O tratamento pela sua pintura, pela sua prosa, nem sempre é agradável. Quando está acabado, o clínico nos diz: "Olhe agora." E eis que o mundo (que não foi criado só uma vez, mas tantas vezes quantas apareceu um artista original) nos surge inteiramente diverso do antigo, mas perfeitamente claro. Mulheres passam pela rua, diferentes das de outrora, visto que lidamos com Renoirs, esses Renoirs onde nos recusávamos antigamente a ver mulheres. As carruagens também são Renoirs, assim como a água e o céu: temos vontade de passear pela floresta idêntica à que no primeiro dia nos parecia tudo, menos uma floresta, e como, por exemplo, uma tapeçaria de numerosos matizes, mas onde faltavam justamente os matizes próprios às florestas. Tal é o universo novo e perecível que acaba de ser criado. Há de durar até a próxima catástrofe geológica que um novo pintor ou um novo escritor originais desencadearão.

Este que para mim substituíra Bergotte me cansava, não pela incoerência, mas pela novidade, perfeitamente coerente, de relações que eu não tinha o hábito de seguir. O ponto, sempre o mesmo, em que eu me sentia cair, indicava a identidade de cada esforço que teria de fazer. Além do mais, quando, uma vez em mil, eu podia seguir o escritor até o final de sua frase, o que eu via era sempre de uma graça, de uma veracidade, de um encanto, análogos aos que encontrara antigamente na leitura de Bergotte, porém mais deliciosos. Lembrava que não fazia assim tantos anos que uma semelhante renovação do mundo, parecida à que esperava de seu sucessor, fora Bergotte quem ma trouxera. E chegava a me perguntar se haveria alguma verdade nessa distinção que fazemos sempre entre a arte, que não é mais avançada que nos tempos de Homero, e a ciência em progresso contínuo. Ao contrário, talvez a arte se assemelhasse nisso à ciência; todo novo escritor original parecia-me estar progredindo sobre aquele que o havia precedido; e quem sabe se dali a vinte anos, quando eu soubesse acompanhar sem fadiga o novo de hoje, não surgiria um outro, diante de quem o atual iria se juntar a Bergotte? Falei a este último do novo escritor. Desgostou-me dele menos ao afirmar que sua arte era empolada, fácil e vazia do que ao contar-me que o tinha visto, e que se parecia com Bloch, a ponto de provocar confusão. Esta imagem se alinhou, daí em diante, sobre as páginas escritas, e eu já não me julguei obrigado ao trabalho de compreendê-lo. Se Bergotte me falara mal dele, creio que era menos por ciúme do seu sucesso do que por ignorância de sua obra. Não lia quase nada. A maior parte do seu pensamento já passara do cérebro para os livros. Havia emagrecido como se tivesse sofrido uma operação dos mesmos. Seu instinto reprodutor já não o induzia à atividade, agora que pusera para fora quase tudo o que pensava. Levava uma vida vegetativa de convalescente, de uma parturiente; seus belos olhos permaneciam imóveis, vagamente ofuscados, como os de um homem estendido à beira-mar que, num vago devaneio, se limita a olhar cada pequenina onda. Aliás, se eu tinha menos interesse em conversar com ele do que outrora, não sentia remorsos por isso. Era Bergotte de tal modo um homem de hábitos, tanto simples como luxuosos, que uma vez que os adquiria tornavam-se-lhe indispensáveis durante algum tempo. Não sei o que o fez nos visitar da primeira vez, mas, a seguir, aparecia todos os dias pelo motivo por que tinha vindo na véspera. Chegava como se tivesse ido ao café, para que não conversassem com ele, para que pudesse — bem raramente — falar, de modo que, afinal, não seria possível encontrar um indício de que se emocionasse com o nosso desgosto ou que lhe fosse agradável encontrar-se na minha companhia, se se quisesse deduzir alguma coisa de tal assiduidade. Esta não era indiferente à minha mãe, sensível a tudo o que podia ser considerado homenagem à sua doente. E todos os dias ela me dizia: — Principalmente não te esqueças de lhe agradecer.

Tivemos — discreta atenção de mulher, como a merenda que nos serve entre duas sessões de pose a companheira de um pintor —, suplemento a título gracioso das que nos fazia o seu marido, a visita da Sra. Cottard. Vinha oferecer-nos o seu camareiro, caso preferíssemos o serviço de um homem, pois ia "enterrar-se no campo"; e, diante de nossa recusa, disse que pelo menos esperava que aquilo não fosse uma "desfeita" da nossa parte, palavra que em seu mundo significava um falso pretexto para não aceitar um convite. Assegurou-nos que o professor, que em casa jamais falava de seus clientes, estava tão triste como se se tratasse dela própria. Veremos mais tarde que, mesmo se isso fosse verdade, seria a um tempo muito pouco e demais, vindo da parte do mais infiel e agradecido dos maridos.

Oferecimentos tão úteis e infinitamente mais tocantes pela sua maneira (que era uma mistura da mais alta inteligência, do coração mais generoso e de uma rara felicidade de expressão) me foram dirigidos pelo grão-duque herdeiro de Luxemburgo. Conhecera-o em Balbec, aonde fora visitar uma de suas tias, a princesa de Luxemburgo, enquanto ele ainda era apenas conde de Nassau. Poucos meses depois, casara-se com a deslumbrante filha de uma outra princesa de Luxemburgo, excessivamente rica, pois era a filha única de um príncipe a quem pertencia um imenso negócio de farinhas. Em vista disso, o grão-duque de Luxemburgo, que não tinha filhos e adorava o sobrinho Nassau, fizera aprovar pela Câmara que este fosse declarado grão-duque herdeiro. Como em todos os casamentos desse gênero, a origem da fortuna é o obstáculo, como o é também a causa eficiente. Eu me lembrava desse conde de Nassau como de um dos mais notáveis rapazes que já encontrara, já devorado então pelo sombrio e extraordinário amor à noiva. Fiquei bastante comovido com as cartas que não deixou de me escrever durante a doença de minha avó, e mamãe, ela mesma comovida, repetia tristemente uma frase de sua mãe: Sévigné não teria dito melhor.

No sexto dia, mamãe, para ceder aos rogos de minha avó, teve de deixá-la por um momento e fingir que ia deitar-se. Para que minha avó adormecesse, eu preferiria que Françoise não saísse do quarto. Apesar das minhas súplicas, ela saiu; amava a minha avó; com sua clarividência e seu pessimismo, julgava-a perdida. Portanto, desejaria lhe proporcionar todos os cuidados possíveis. Mas acabavam de dizer que havia chegado um operário eletricista, muito antigo no seu estabelecimento, cunhado do patrão, estimado no nosso prédio, onde vinha trabalhar desde muitos anos, e especialmente estimado por Jupien. Haviam mandado chamar esse operário antes que minha avó caísse enferma. Parecia-me que podiam mandá-lo embora ou deixar que esperasse. Mas o protocolo de Françoise não o permitia, seria falta de delicadeza dela para com aquele bom homem, o estado de saúde de minha avó já não contava. Quando, ao cabo de um quarto de hora, exasperado, fui buscá-la na cozinha, encontrei-a conversando com ele no patamar da escada de serviço, cuja porta estava aberta, procedimento que tinha a vantagem de permitir, caso um de nós chegasse, que se julgasse que estavam se despedindo, porém o inconveniente de produzir terríveis correntes de ar. Então Françoise deixou o operário, não sem antes lhe gritar ainda alguns cumprimentos, que esquecera, para a sua mulher e seu cunhado. Preocupação típica de Combray, essa de não ser indelicado, que Françoise transportava até a política externa. Os simples de espírito imaginam que as amplas dimensões dos fenômenos sociais são uma excelente ocasião de penetrar mais na alma humana; ao contrário, deveriam compreender que é descendo em profundidade em um indivíduo que teriam chances de compreender esses fenômenos. Françoise repetira mil vezes ao jardineiro de Combray que a guerra é o mais insensato dos crimes e que o que importa é viver. Ora, quando rebentou a guerra russo-japonesa, sentiu-se constrangida, em face do czar, pelo fato de não termos ido à guerra para ajudar "os pobres russos", "visto sermos aliados", dizia. Não achava isso delicado quanto a Nicolau II, que sempre tivera "tão boas palavras para conosco"; era um efeito do mesmo código que a impediria de recusar um copinho de Jupien, que bem sabia iria "contrariar sua digestão", e que, tão perto da morte de minha avó, lhe dava a idéia de que, se não se desculpasse pessoalmente com esse bom eletricista que tivera tanto incômodo, cometeria a mesma descortesia de que julgava culpada a França por permanecer neutra relativamente ao Japão.

Felizmente nos vimos bem depressa desembaraçados da filha de Françoise, que tivera de se ausentar por várias semanas. Aos conselhos habituais dados em Combray à família de um enfermo: "Não vão tentar uma pequena viagem, mudança de ares, a volta do apetite, etc." — ela acrescentara a idéia quase única que forjara especialmente, e que assim repetia todas as vezes que a víamos, sem se cansar, e como que para metê-la na cabeça dos outros: — Ele deveria ter se tratado *radicalmente* desde o começo. — Não preconizava um gênero de cura em vez de outro, desde que o tratamento fosse *radical*. Quanto a Françoise, ela via que eram dados poucos remédios à minha avó. Como, segundo ela, não servem senão para arruinar o estômago, sentia-se contente com isso, porém, mais do que contente, humilhada. Tinha no sul uns primos — relativamente ricos — cuja filha, adoecendo em plena adolescência, morrera aos vinte e três anos; durante alguns anos, o pai e a mãe se arruinaram na compra de remédios, em consulta a médicos diferentes, em peregrinações de uma estância termal a outra, até que ela morreu. Ora, isso parecia a Françoise, no caso desses parentes, uma espécie de luxo, como se eles tivessem tido um castelo ou cavalos de corrida. Eles próprios, por mais aflitos que estivessem, extraíam uma certa vaidade de tantas despesas. Não possuíam mais nada, nem principalmente o bem mais precioso, a filha, mas gostavam de repetir que tinham feito por ela tanto ou mais que as pessoas mais abastadas. Os raios ultravioleta, a cuja ação fora a infeliz submetida várias vezes por dia, durante meses, deixavam-nos especialmente lisonjeados. O pai, envaidecido em sua dor por uma espécie de glória, chegava de vez em quando a falar da filha como de uma estrela da Ópera pela qual se tivesse arruinado. Françoise não era insensível a tanta encenação; a que rodeava a doença de minha avó lhe parecia meio pobre, boa para uma enferma num teatrinho provinciano.

Houve um instante em que as perturbações da uremia alcançaram os olhos de minha avó. Durante alguns dias, ela não viu absolutamente nada. Seus olhos não eram de modo algum como os de um cego, permanecendo os mesmos. E só percebi que ela não enxergava por causa da estranheza de um certo sorriso de acolhimento que ela exibia logo que abriam a porta, até que lhe pegavam a mão para dar-lhe bom-dia, sorriso que principiava cedo demais e permanecia estereotipado em seus lábios, fixo, mas sempre de frente e tentando ser visto de todos os lados, porque já não dispunha do olhar para regulá-lo, indicar-lhe o momento, a direção, adaptá-lo, fazê-lo variar de acordo com a mudança de lugar ou de expressão da pessoa que acabava de entrar, porque ficava sozinho, sem um sorriso dos olhos que desviasse um pouco dele a atenção do visitante, e que desse modo assumia, em sua falta de jeito, uma importância excessiva, dando a impressão de uma amabilidade exagerada. Depois, a vista voltou completamente; dos olhos, o mal nômade passou aos ouvidos. Durante alguns dias, minha avó ficou surda. E, como tivesse medo de ser surpreendida pela entrada súbita de alguém que não ouvira aproximar-se, a todo momento ela virava a cabeça bruscamente para a porta (embora deitada do lado da parede). Mas o movimento de seu pescoço era desajeitado, pois não é em poucos dias que nos acostumamos a essa transposição, senão de olhar os ruídos, ao menos de escutar com os olhos. Por fim as dores diminuíram, porém o embaraço da fala aumentou. Éramos obrigados a fazer minha avó repetir quase tudo o que dizia.

Agora minha avó, sentindo que já não a entendiam, renunciava a pronunciar uma só palavra e permanecia imóvel. Quando me via, experimentava uma espécie de sobressalto como às pessoas a quem de súbito falta o ar, queria falar-me, mas só articulava sons ininteligíveis. Então, dominada por sua impotência, deixava tombar a cabeça, esticava-se inteiramente na cama, a fisionomia grave, de mármore, as mãos imóveis sobre o lençol ou ocupando-se de uma ação puramente material, como a de enxugar os dedos com o lenço. Não queria pensar. Depois começou a ter uma agitação constante. Incessantemente desejava levantar-se. Mas nós a impedíamos o mais possível de fazê-lo, com receio de que ela se apercebesse de sua paralisia. Um dia em que a deixáramos sozinha por um instante, encontrei-a de pé, de camisola, tentando abrir a janela. Em Balbec, num dia em que tinham salvo, contra a sua vontade, uma viúva que se jogava ao mar, ela me dissera (talvez movida por um desses pressentimentos que por vezes lemos no mistério, aliás tão obscuro, de nossa vida orgânica, mas onde parece refletir-se o futuro) que não conhecia crueldade maior do que arrancar uma desesperada à morte que ela desejou e fazê-la regressar a seu martírio.

Apenas tivemos tempo de segurar minha avó, que manteve com mamãe uma luta quase brutal; depois, vencida, sentada à força numa poltrona, abandonou seus intentos, deixou de lastimar-se, seu rosto se tornou impassível e ela pôs-se a catar cuidadosamente os pêlos que em sua camisola deixara um cobertor que lhe havíamos jogado em cima.

Seu olhar mudou completamente, muitas vezes inquieto, queixoso, desvairado. Já não era o seu olhar de outrora, era o olhar impertinente de uma velha que está variando.

De tanto lhe perguntar se queria ser penteada, Françoise acabou por se convencer de que a pergunta vinha de minha avó. Trouxe escovas, pentes, água-de-colônia e um *peignoir.* Dizia: — Isto não pode cansar a Sra. Amédée; por mais fraca que a gente esteja, sempre pode ser penteada. — Isto é, nunca estamos demasiadamente fracos para que outra pessoa não possa, no que lhe diz respeito, pentear-nos. Mas, quando entrei no quarto, vi entre as mãos cruéis de Françoise, encantada como se estivesse a ponto de devolver a saúde à minha avó, sob a desolação de uma velha cabeleira que não tinha forças para suportar o contato do pente, uma cabeça que, incapaz de manter a posição que lhe fixavam, tombava numa vertigem contínua, em que o esgotamento das forças se alternava com a dor. Vi aproximar-se o momento em que Françoise ia acabar e não ousei apressá-lo dizendo: "Basta", com medo de que me desobedecesse. Mas, em compensação, precipitei-me quando, para que minha avó visse se estava bem penteada, Françoise, inocentemente feroz, lhe chegou um espelho. Primeiro, fiquei feliz em poder arrancá-lo a tempo de suas mãos, antes que minha avó, de quem havíamos cuidadosamente afastado qualquer espelho, tivesse inadvertidamente visto uma imagem de si própria que não podia conceber. Mas infelizmente, quando, um momento após, inclinei-me para ela, a fim de beijar aquela testa que tanto se cansara, ela me encarou com ar atônito, receoso, escandalizado: não me havia reconhecido.

Segundo o nosso médico, era um sintoma de que aumentava a congestão cerebral. Era preciso aliviá-lo. Cottard hesitava. Françoise esperou um instante que lhe aplicassem ventosas "clarificadas". Procurou-lhe os efeitos num dicionário, mas não pôde encontrá-los. Mesmo que dissesse "escarificadas" em vez de "clarificadas", nem assim teria encontrado tal adjetivo, pois não o procurava no *s* nem no *c*;[19] de fato, ela dizia "clarificadas", mas escrevia (e conseqüentemente julgava que era escrito) "esclarificadas". Cottard, o que a decepcionou, preferiu as sanguessugas, mas sem muita esperança. Quando, horas depois, entrei no quarto de minha avó, presas à sua nuca, às suas têmporas, às suas orelhas, as pequenas serpentes negras se estorciam na cabeleira ensangüentada, como as da Medusa. Mas, em seu rosto pálido e apaziguado, inteiramente imóvel, vi totalmente abertos, luminosos e calmos, seus belos olhos de outrora, talvez ainda mais carregados de inteligência do que antes da enfermidade, porque, visto que ela não podia falar, não devia mexer-se, era só a seus olhos que confiava o pensamento, o pensamento que ora ocupa em nós lugar imenso, oferecendo-nos tesouros insuspeitados, ora parece estar reduzido a nada e depois renascer como que por geração espontânea, graças a algumas gotas de sangue que são retiradas — seus olhos doces e líquidos como o óleo em que de novo ardia o fogo aceso, iluminando diante da enferma o universo reconquistado. Sua calma não era mais o sossego do desespero, mas da esperança. Compreendia que estava melhor, queria ser prudente, não se mover, e fez-me apenas o dom de um belo sorriso para que eu soubesse que se sentia melhor, e me apertou levemente a mão.

Sabia eu que desgosto causava à minha avó a vista de certos animais e, com mais forte razão, o ser tocada por eles. Sabia que era em consideração a uma utilidade superior que tolerava as sanguessugas. Assim, Françoise me exasperava ao repetir-lhe com esses risinhos que a gente tem com as crianças que desejamos fazer brincar: — Oh, esses bichinhos que estão correndo sobre a senhora! — Além do mais, aquilo era tratar sem respeito a nossa doente, como se ela tivesse voltado a ser criança. Porém minha avó, cuja fisionomia assumira a calma bravura de um estóico, nem sequer parecia ouvi-la.

[19] *Escarificadas*: em francês, *scarifiées*, letra *s*. (N. do T.)

Infelizmente, logo que foram retiradas as sanguessugas, a congestão se tornou cada vez mais grave. Surpreendeu-me que, naquele momento em que minha avó estava tão mal, Françoise desaparecesse a todo instante. É que havia encomendado um vestido de luto e não queria fazer esperar a costureira. Na vida da grande maioria das mulheres, tudo, mesmo o desgosto mais profundo, redunda numa questão de prova de roupa.

Alguns dias depois, enquanto eu dormia, minha mãe veio me chamar no meio da noite. Com a atenção carinhosa que, nas grandes ocasiões, as pessoas acabrunhadas por uma dor profunda evidenciam mesmo para com os pequenos incômodos alheios, ela me disse:

— Perdoa-me vir perturbar o teu sono.

— Não estava dormindo — respondi, acordando.

Dizia-o de boa-fé. A grande modificação que provoca em nós o despertar é menos o fato de nos introduzir na vida clara da consciência do que de nos fazer perder a lembrança da luz um tanto mais nuançada em que repousava a nossa inteligência, como no fundo opalino das águas. Os pensamentos meio velados, sobre os quais ainda há pouco deslizávamos, conduziam em nós um movimento perfeitamente suficiente para que pudéssemos designá-los com o nome de vigília. Mas o despertar então encontra uma interferência de memória. Pouco depois, denominamo-lo de sono porque não nos lembramos mais dele. E quando reluz essa brilhante estrela, que, no momento do despertar, ilumina por detrás de quem dorme o seu sono inteiro, ela o faz crer, durante alguns segundos, que não se tratava de sono e sim de vigília. Na verdade, estrela cadente que, com sua luz, transporta a existência mentirosa, mas também os aspectos do sono, e só permite ao que desperta dizer consigo: "Dormi."

Com uma voz tão doce que parecia recear me fazer mal, minha mãe me perguntou se não me cansaria muito levantar-me, e, acarinhando-me as mãos:

— Meu pobre menino, só poderás contar agora com teu papai e tua mamãe.

Entramos no quarto. Curvada em semicírculo sobre a cama, um ser diverso que não a minha avó, uma espécie de animal que se tivesse disfarçado com seus cabelos e deitado em seus lençóis, arquejava e se lamuriava, sacudindo as cobertas com suas convulsões. As pálpebras estavam fechadas, e era porque fechavam mal, antes que porque se abrissem, que deixavam ver um canto da pupila, velado, remelento, refletindo a obscuridade de uma visão orgânica e de um sofrimento interno. Toda essa agitação não se dirigia a nós, que ela não via nem conhecia. Mas, se era apenas um animal que ali se debatia, onde estava a minha avó? No entanto, a gente reconhecia o formato de seu nariz, agora desproporcionado em relação ao rosto, mas junto ao qual continuava um sinalzinho, e sua mão que afastava as cobertas com um gesto que outrora indicava que as cobertas a incomodavam e que agora não significava coisa alguma.

Mamãe me pediu que trouxesse um pouco d'água com vinagre para molhar a testa de minha avó. Era a única coisa que a refrescava, segundo mamãe, que a via tentar afastar os cabelos. Mas da porta fizeram-me sinal que voltasse. A nova de que minha avó estava nas últimas espalhara-se imediatamente pela casa. Um desses "extras" que mandam chamar nos períodos excepcionais para aliviar o trabalho dos criados, o que transforma as agonias em algo semelhante a festas, acabava de fazer entrar o duque de Guermantes, o qual, parado na ante-sala, perguntava por mim; não pude fugir-lhe.

— Acabo de saber, meu caro senhor, essas notícias macabras. Gostaria de apertar a mão de seu pai em sinal de condolências.

Desculpei-me com a dificuldade de incomodá-lo naquele momento. O Sr. de Guermantes caía como no instante em que se parte de viagem. Porém sentia de tal modo a importância da cortesia que estava nos fazendo, que isso lhe ocultava o resto e ele queria absolutamente entrar no salão. Em geral, tinha o hábito de cumprir integralmente as formalidades com que decidira honrar alguém, e pouco se importava se as malas fossem feitas ou que o esquife estivesse pronto.

— Mandaram chamar Dieulafoy? Ah, é um grave erro. E se me tivessem dito, ele teria vindo por minha causa; não me recusa nada, embora se tenha negado a ir à casa da duquesa de Chartres. Como vêem, coloco-me decididamente acima de uma princesa de sangue real. Aliás, diante da morte, somos todos iguais — acrescentou, não para me convencer de que minha avó se tornaria sua igual, mas tendo talvez percebido que uma conversação prolongada, relativamente a seu poder sobre Dieulafoy e à sua preeminência sobre a duquesa de Chartres, não seria de bom-tom. De resto, seu conselho não me espantava. Sabia que em casa dos Guermantes citava-se com freqüência o nome de Dieulafoy (apenas com um pouco mais de respeito) como o de um "fornecedor" sem rival. E a velha duquesa de Mortemart, nascida Guermantes (impossível compreender por que razão, quando se trata de uma duquesa, dizem quase sempre: "a velha duquesa de" ou, ao contrário, com um ar fino e Watteau, se ela é jovem, "a duquesinha de"), preconizava quase mecanicamente e com um piscar de olhos nos casos graves: "Dieulafoy, Dieulafoy", como se tivessem necessidade de um sorveteiro "Poiré Blanche" ou, para os biscoitos, "Rebattet, Rebattet". Mas eu ignorava que meu pai acabava de mandar chamar precisamente Dieulafoy.

Nesse momento, minha mãe, que esperava com impaciência os balões de oxigênio que deveriam tomar mais fácil a respiração de minha avó, entrou ela mesma na ante-sala, onde não imaginava encontrar o Sr. de Guermantes. Gostaria de tê-lo escondido em qualquer lugar. Porém, persuadido de que nada era mais essencial nem lisonjeiro para minha mãe, nem mais indispensável para manter sua reputação de perfeito cavalheiro, ele me pegou violentamente pelo braço e, apesar de eu me defender como contra um violamento, repetindo: "Cavalheiro, Cavalheiro, Cavalheiro", arrastou-me em direção a mamãe, dizendo-me: — Quer me fazer a grande honra de me apresentar à senhora sua *mãe*? — derrapando um pouco na palavra mãe. E de tal modo achava que a honra era somente dela, que não podia evitar um sorriso, fazendo uma cara solene. Não pude deixar de nomeá-lo, o que logo deslanchou, de sua parte, reverências e pulinhos de dança, e ele ia recomeçar o cerimonial completo da saudação. Pensava até em travar conversa, porém minha mãe, mergulhada em sua dor, disse-me que voltasse depressa e nem sequer respondeu às frases do Sr. de Guermantes, que, esperando ser recebido como visita e vendo pelo contrário que o deixavam sozinho na ante-sala, teria acabado por sair se, no mesmo instante, não tivesse visto entrar Saint-Loup, que chegara naquela manhã a Paris e acorrera em busca de novidades. — Ah, esta é muito boa! — gritou alegremente o duque segurando o sobrinho pela manga, que quase lhe arrancou, sem se preocupar com a presença de minha mãe que voltava a atravessar a ante-sala. Saint-Loup não estava aborrecido, creio, apesar de sua mágoa sincera, nem evitava estar comigo, considerando as suas disposições a meu respeito. Foi-se, arrastado pelo tio que, tendo algo de muito importante para lhe dizer, e que quase fora a Doncières com essa intenção, não cabia em si de contente por se ter poupado tamanho incômodo. — Ah, se me tivessem dito que bastaria atravessar o pátio e te encontraria aqui, teria julgado que era uma grande piada! Como diria o teu camarada Bloch, é de matar. — E, afastando-se com Robert, a quem segurava pelo ombro: — Dá no mesmo — repetia —, bem se vê que acabo de tocar em corda de enforcado ou coisa parecida; tenho uma sorte bárbara! — Não é que o duque de Guermantes fosse mal-educado, muito pelo contrário. Mas era desses homens incapazes de se pôr no lugar dos outros, desses homens semelhantes nisso à maioria dos médicos e coveiros, e que, depois de assumir uma fisionomia solene e dizer: "São momentos muito penosos", e abraçar-nos e aconselhar-nos o repouso, só consideram uma agonia ou um enterro como uma reunião mundana mais ou menos restrita, em que, com uma jovialidade por um instante recalcada, procuram com o olhar a pessoa a quem podem falar de suas ninharias, pedir que os apresentem a uma outra, ou oferecer um lugar no carro para levá-las de volta. O duque de Guermantes, felicitando-se pelos "bons ventos" que o haviam impelido para o sobrinho, ficou tão espantado com a acolhida, todavia tão natural, de minha mãe que mais tarde declarou que ela era tão desagradável quanto cortês era meu pai, que ela tinha "ausências", durante as quais não parecia sequer ouvir as coisas que lhe diziam e que, em sua opinião, não estava em seu perfeito juízo ou talvez não o tivesse de todo. Por fim consentiu, pelo que me disseram, em atribuir aquilo em parte às "circunstâncias" e declarar que minha mãe lhe parecera muito "afetada" pelo acontecimento. Mas guardava ainda nas pernas o restante das saudações e reverências para trás que o haviam impedido de executar até o fim, e aliás percebia tampouco o que era o desgosto de minha mãe que me perguntou, na véspera do enterro, se eu não procurava distraí-la.

Um cunhado de minha avó, que era religioso e a quem eu não conhecia, telegrafou da Áustria, onde estava o prior de sua ordem, e, tendo obtido autorização por favor excepcional, veio naquele dia. Acabrunhado de tristeza, lia ao pé da cama textos de rezas e meditações, sem no entanto desviar da enferma os olhos pequeninos. Num momento em que minha avó estava sem sentidos, a vista da tristeza daquele padre me fez mal, e o encarei. Pareceu surpreender-se com minha piedade e então ocorreu algo singular. Juntou as mãos sobre o rosto como um homem absorvido em dolorosa meditação, mas, compreendendo que eu ia desviar os olhos dele, verifiquei que deixara os dedos um pouco separados. E, no momento em que meu olhar o deixou, percebi que seu olho agudo se aproveitara daquele abrigo das mãos para observar se minha dor era sincera. Estava emboscado ali como na sombra de um confessionário. Percebeu que o estava observando e logo fechou hermeticamente a grade dos dedos que deixava entreaberta. Mais tarde voltei a vê-lo, e nunca se cuidou entre nós daquele instante. Ficou tacitamente combinado que eu não notara que ele me espiava. No padre, como no alienista, há sempre um tanto de juiz de instrução. Aliás, qual o amigo, por mais caro que seja, em cujo passado, em comum com o nosso, não tenha havido esses minutos em que achamos mais cômodo persuadir-nos de que ele os esqueceu?

O médico deu uma injeção de morfina e, para tornar menos penosa a respiração, pediu balões de oxigênio. Minha mãe e o doutor os seguravam nas mãos; logo que um terminava, passava-se a outro. Eu saíra um momento do quarto. Ao voltar, achei-me como que diante de um milagre. Acompanhada em surdina por um murmúrio incessante, minha avó parecia dirigir-nos um longo cântico feliz que preenchia o quarto, rápido e musical. Logo compreendi que esse cântico não era menos inconsciente, que era tão puramente mecânico feito o arquejar de ainda há pouco. Talvez refletisse em fraca medida algum bem-estar causado pela morfina. Resultava, sobretudo, como o ar já não passava da mesma maneira pelos brônquios, de uma mudança de registro da respiração. Aliviado graças ao duplo efeito do oxigênio e da morfina, o sopro de minha avó já não gemia nem se debatia, porém vivo, leve, deslizava, patinando, para o fluido delicioso. Talvez o hálito, insensível como o do vento na flauta de um caniço, se misturasse, nesse cântico, a alguns desses suspiros mais humanos que, liberados pela aproximação da morte, fazem acreditar em impressões de sofrimento ou de felicidade naqueles que já não sentem mais nada, e vinham acrescentar um acento mais melodioso, mas sem mudar de ritmo, a essa longa frase que se elevava, subia ainda, e depois recaía, para erguer-se de novo do peito aliviado em perseguição ao oxigênio. Depois, chegado assim tão alto, prolongado com tanta força, o cântico, mesclado a um murmúrio de súplicas na volúpia, parecia deter-se em certos momentos, exatamente como uma fonte esgotada.

Françoise, quando possuída de grande desgosto, experimentava a necessidade bem inútil de exprimi-lo, mas não tinha a arte tão simples. Julgando minha avó inteiramente perdida, eram as suas próprias impressões que se esforçava para nos dar a conhecer. E só sabia repetir: — Isso me dá uma coisa... — no mesmo tom com que dizia quando tomava muita sopa de couve: — Tenho um peso no estômago — o que, em ambos os casos, era mais natural do que ela parecia julgar. Tão fracamente traduzido, seu desgosto não era menos intenso, agravado pelo aborrecimento de que sua filha, retida em Combray (que a jovem parisiense denominava agora a *cambrousse* e onde se sentia transformar-se *pétrousse*),[20] não pudesse verossimilmente voltar para a cerimônia fúnebre que Françoise sentia dever ser algo magnífico. Como sabia que éramos pouco expansivos, convocara previamente Jupien para todas as tardes da semana. Sabia que ele não estaria livre à hora do enterro. Queria ao menos, na volta, contar-lhe.

Fazia várias noites que meu pai, meu avô e um de nossos primos velavam e não saíam mais da casa. Seu devotamento contínuo acabava por assumir uma máscara de indiferença, e a interminável ociosidade em torno dessa agonia fazia-os dizerem as mesmas frases que são inseparáveis de uma estada prolongada num vagão de estrada de ferro. Além do mais, esse primo (sobrinho de minha tia-avó) causava-me tanta antipatia quanta estima merecia e geralmente obtinha.

[20] *Cambrousse* e *pétrousse*: termos populares que indicam "caipira", em derivação jocosa. (N. do T.)

"Era encontrado" sempre nos momentos graves e era tão assíduo junto aos agonizantes que as famílias, pretendendo que tinha saúde frágil, apesar da aparência robusta, da voz de baixo-barítono e da barba de sapador, conjuravam-no sempre, com as perífrases em uso, a não comparecer ao enterro. Eu sabia de antemão que minha mãe, que pensava nos outros no meio da mais intensa dor, lhe diria sob uma forma bem diversa aquilo que ele costumava ouvir sempre:

— Prometa-me que não virá "amanhã". Faça isto por "ela". Pelo menos não vá até "lá". Ela lhe teria pedido que não viesse.

Não adiantava nada; ele era sempre o primeiro na "casa", razão pela qual lhe haviam dado, em outro meio, o apelido, que ignorávamos, de "nem flores nem coroas". E, antes de ir a "tudo", ele havia sempre "pensado em tudo", o que lhe valia estas palavras: "Ao senhor não se agradece."

— O quê? — perguntou com voz forte o meu avô, que ficara meio surdo e não ouvira alguma coisa que meu primo acabara de dizer a meu pai.

— Nada — respondeu o primo. — Dizia apenas que havia recebido esta manhã uma carta de Combray, onde faz um tempo horrível e aqui temos um sol muito forte.

— E, no entanto, o barômetro está muito baixo — observou meu pai.

— Onde é que você diz que faz mau tempo? — indagou meu avô.

— Em Combray.

— Ah? Isso não me espanta; toda vez que faz mau tempo aqui, faz bom tempo em Combray, e vice-versa. Meu Deus! Você fala de Combray: já pensaram em prevenir Legrandin?

— Sim, não se preocupe, já está feito — disse meu primo, cujas faces bronzeadas por uma barba muito espessa sorriram imperceptivelmente de satisfação por ter pensado naquilo.

Nesse momento, meu pai se precipitou para fora; julguei que tivesse havido uma melhora ou um agravamento. Era apenas o doutor Dieulafoy que acabava de chegar. Meu pai foi recebê-lo no salão contíguo, como a um ator que deve vir representar. Haviam mandado chamá-lo não para tratar, mas para verificar, como uma espécie de notário. O doutor Dieulafoy pode com efeito ter sido um grande médico, um admirável professor; a esses papéis diversos em que exceleu, reunia um outro em que, durante quarenta anos, não teve rival, um papel tão original como o de pregador de moral, de fanfarrão ou de pai nobre, e que era o de constatar a agonia ou a morte. Seu nome já pressagiava a dignidade com que exercia as funções, e, quando a criada anunciava: "O Sr. Dieulafoy", a gente julgava estar assistindo a uma peça de Molière.[21] Para a dignidade da atitude colaborava, sem se deixar perceber, a elasticidade de um talhe encantador. Um rosto, por si mesmo muito belo, era amortecido pela conveniência às circunstâncias dolorosas. Com sua nobre casaca preta, entrava o professor, triste, sem afetação, não apresentava uma só condolência que se pudesse julgar fingida e também não cometia a mais leve infração ao tato. Aos pés da cama de um morto, era ele e não o duque de Guermantes o grão-senhor. Depois de ter examinado minha avó sem cansá-la, e com um excesso de reserva que era uma cortesia para com o médico assistente, disse algumas palavras em voz baixa a meu pai, inclinou-se respeitosamente diante de minha mãe, a quem senti que meu pai se continha para não dizer: "O professor Dieulafoy". Mas este já voltara a cabeça, não querendo importunar, e saiu da mais bela forma do mundo, pegando simplesmente o envelope que lhe entregaram. Não dera a impressão de vê-lo e nós nos indagamos por um momento se lho entregáramos, de tal modo tivera ele a habilidade de um prestidigitador para fazê-lo desaparecer, sem nada perder por isso da sua gravidade, antes acrescida, de grande médico chamado em conferência, com sua comprida casaca de lapela de seda e a bela cabeça cheia de nobre comiseração. Sua lentidão e vivacidade mostravam que, caso cem visitas o esperassem ainda, não queria aparentar pressa. Pois era o tato, a inteligência e a bondade em pessoa. Esse homem eminente não existe mais. Outros médicos, outros professores puderam igualá-lo, talvez ultrapassá-lo. Mas o "cargo" em que sua ciência, seus dotes físicos e sua alta educação o faziam triunfar já não existe, à falta de sucessores que o tenham sabido desempenhar. Mamãe nem mesmo se apercebera do Sr. Dieulafoy; tudo o que não fosse minha avó não existia para ela. Lembro-me (e o antecipo aqui) que, no cemitério, onde a viram, como uma aparição sobrenatural, aproximar-se timidamente do túmulo e parecendo olhar uma criatura esvanecida que já estava longe, meu pai lhe tendo dito: — O velho Norpois compareceu à casa, à igreja e ao cemitério; faltou a uma sessão muito importante para ele, deverias lhe dizer uma palavra, isso o comoveria muito —, minha mãe, quando o embaixador se inclinou para ela, não pôde mais que abaixar com doçura o rosto que não havia chorado. Dois dias antes — e também para antecipar antes de retornar ao mesmo instante junto ao leito em que a doente agonizara —, enquanto velavam minha avó morta, Françoise que, sem negar em absoluto

[21] As personagens do "pregador de moral" e do "fanfarrão" são típicas do antigo teatro italiano, e surgem em peças de Molière. Além disso, o nome de Dieulafoy recorda personagens do *Doente imaginário*, do mesmo Molière. (N. do T.)

as almas do outro mundo, se assombrava ao menor ruído, dizia: — Parece-me que é ela. — Mas, em vez de terror, era uma doçura infinita o que essas palavras despertavam em minha mãe, que desejaria tanto que os mortos voltassem, para às vezes ter a mãe a seu lado.

Voltando agora àquelas horas de agonia:

— Sabe o que é que as irmãs dela nos telegrafaram? — perguntou meu avô a meu primo.

— Sim, Beethoven, disseram-me; é de se pôr num quadro, e isso não me espanta.

— Minha pobre mulher que as amava tanto — disse meu avô enxugando uma lágrima. — Não devemos lhes querer mal. São doidas varridas, eu sempre disse. Que está acontecendo, não dão mais oxigênio?

Minha mãe disse:

— Mas então mamãe vai recomeçar a respirar mal.

O médico respondeu:

— Oh não, o efeito do oxigênio vai durar ainda um bom tempo; vamos recomeçar daqui a pouco.

Parecia-me que não se teria dito isso no caso de uma agonizante e que, se esse bom efeito deveria durar, é que tinham algum poder em sua vida. O silvo do oxigênio cessou durante alguns momentos. Mas a queixa feliz da respiração continuava a jorrar sempre, leve, atormentada, incompleta, recomeçando sem cessar. Por instantes, parecia que tudo estava acabado, o sopro se extinguia, seja por essas mesmas mudanças de oitavas que há na respiração de uma pessoa que dorme, seja por uma intermitência natural, um efeito da anestesia, o progresso da asfixia, alguma fraqueza do coração. O médico voltou a tomar o pulso de minha avó, mas, como se um afluente viesse trazer seu tributo à corrente ressequida, já um novo canto se harmonizava à frase interrompida. E esta continuava em outro diapasão com o mesmo impulso inesgotável. Quem sabe se, mesmo que minha avó disso não tivesse consciência, tantos estados ternos e venturosos não escapavam dela agora como esses gases mais leves contidos durante longo tempo? Dir-se-ia que tudo o que ela tinha para nos contar se expandia, que era a nós que se dirigia com aquela prolixidade, aquela pressa, aquela efusão. Ao pé da cama, convulsa por todos os haustos daquela agonia, não chorando mais, mas às vezes inundada em lágrimas, minha mãe apresentava a desolação sem pensamento de uma folhagem que a chuva açoita e o vento revolve. Mandaram-me enxugar os olhos antes de ir beijar a minha avó.

— Mas eu julgava que ela não via mais — observou meu pai.

— Nunca se sabe — replicou o doutor.

Quando meus lábios a tocaram, as mãos de minha avó se agitaram, ela foi toda percorrida por um longo tremor, seja por reflexo, seja porque certas afeições tenham a sua hiperestesia que reconhece, através do véu da inconsciência, aquilo que elas quase não necessitam de sentidos para amar. De súbito, minha avó se ergueu a meio, fez um esforço violento, como alguém que defende sua vida. Françoise não pôde resistir àquela cena e rompeu em soluços. Lembrando-me do que dissera o médico, tentei fazê-la sair do quarto. Nesse momento, minha avó abriu os olhos. Precipitei-me para Françoise a fim de lhe ocultar as lágrimas, enquanto meus pais falavam à doente. O rumor do oxigênio silenciara, o médico se afastou da cama. Minha avó estava morta.

Horas depois, Françoise pôde pela última vez, e sem maltratá-los, pentear aqueles lindos cabelos que mal principiavam a embranquecer e até então haviam parecido mais jovens que ela. Mas agora, pelo contrário, eram os únicos a impor a coroa da velhice sobre o rosto tornado jovem e de onde haviam desaparecido as rugas, as contrações, os empastamentos, as tensões e as dobras que há tanto tempo lhe vinham aumentando o sofrimento. Como antigamente, quando seus pais lhe haviam escolhido um esposo, ela apresentava feições finamente traçadas pela pureza e pela submissão, as faces brilhantes de uma casta esperança, de um sonho de ventura, e até de uma alegria inocente que os anos lhe tinham destruído aos poucos. A vida, ao se retirar, acabava de carregar as desilusões da existência. Um sorriso parecia pousado sobre os lábios de minha avó. Sobre aquele leito fúnebre, a morte, como o escultor da Idade Média, deitara-a sob a aparência de uma mocinha.

CAPÍTULO SEGUNDO

Visita de Albertine. — Perspectiva de casamento rico para alguns amigos de Saint-Loup. — O espírito dos Guermantes diante da princesa de Parma. — Estranha visita ao Sr. de Charlus. — Cada vez compreendo menos o seu caráter. — Os sapatos vermelhos da duquesa.

Conquanto fosse apenas um domingo de outono, eu acabava de renascer, a existência estava intacta à minha frente, pois de manhã, após uma série de dias temperados, houve um nevoeiro frio que só se dissipara por volta do meio-dia. Ora, uma mudança de tempo é suficiente para recriar o mundo e nós mesmos. Antigamente, quando o vento soprava na minha lareira, eu escutava suas pancadas contra o alçapão de tal modo emocionado como se, iguais às famosas pancadas de arco com que principia a *Sinfonia em dó menor*, fossem os irresistíveis apelos de um destino misterioso. Toda mudança visível da natureza nos oferece uma transformação idêntica, adaptando à nova forma de ser das coisas os nossos desejos harmonizados. Desde o despertar, a bruma fizera de mim, em vez da criatura centrífuga que a gente é nos dias bonitos, um homem voltado para si mesmo, que deseja um cantinho ao lado da lareira e um leito compartilhado, Adão friorento à procura de uma Eva sedentária naquele mundo diferente.

Entre a cor cinza e suave de um campo matinal e o gosto de uma taça de chocolate, eu introduzia toda a originalidade da vida física, intelectual e moral que havia levado cerca de um ano antes a Doncières, e que, brasonada com a forma oblonga de uma colina escalvada — presente sempre, mesmo quando estava invisível —, formava em mim uma série de prazeres totalmente distintos de todos os outros, indizíveis aos amigos naquele sentido que as impressões ricamente entretecidas umas nas outras que os orquestravam, bem mais os caracterizavam para mim, e à minha revelia, do que os fatos que eu teria podido contar. Sob esse ponto de vista, o mundo novo em que o nevoeiro daquela manhã me havia mergulhado era um mundo já conhecido de mim (o que só o tomava mais verdadeiro) e esquecido fazia algum tempo (o que lhe devolvia todo o seu frescor). E pude contemplar alguns dos quadros de bruma que minha memória adquirira, notadamente diversos "Manhã em Doncières", seja no primeiro dia no quartel, seja numa outra ocasião, num castelo vizinho aonde Saint-Loup me levara para passar vinte e quatro horas: da janela, cujas cortinas eu erguera de madrugada antes de voltar a deitar-me, no primeiro um cavaleiro, no segundo (no estreito limite de um charco e de um bosque, de que todo o resto estava mergulhado na uniforme doçura líquida da bruma) um cocheiro no ato de brunir uma correia, tinham me aparecido como essas personagens singulares, mal distintas para o olho obrigado a adaptar-se ao vago misterioso das penumbras que emergem de um afresco apagado.

Era de minha cama que eu olhava hoje essas lembranças, pois voltara a deitar-me para esperar o momento em que, aproveitando a ausência de meus pais, que tinham ido passar alguns dias em Combray, contava ir naquela mesma noite ouvir uma pequena peça que se representava em casa da Sra. de Villeparisis. Se eles estivessem de volta, talvez eu não ousasse fazê-lo; minha mãe, nos escrúpulos de seu respeito pela recordação de minha avó, queria que as demonstrações de pesar que lhe eram feitas o fossem livre e sinceramente; não teria me proibido aquela saída, mas a desaprovaria. De Combray, ao contrário, consultada, só teria me respondido com um triste: "Faze o que quiseres. Já és bastante grande para saberes o que deves fazer", mas censurando-se por me haver deixado sozinho em Paris, e, julgando o meu desgosto pelo seu, teria desejado para ele as distrações que recusava a si mesma e que se convencia que minha avó, preocupada sobretudo com a minha saúde e o meu equilíbrio nervoso, me teria aconselhado.

Desde a manhã, haviam acendido o novo calorífero a água. Seu ruído desagradável que dava de vez em quando uma espécie de soluço não tinha qualquer relação com minhas lembranças de Doncières. Mas o seu encontro prolongado com estas dentro de mim, naquela tarde, ia fazê-lo contrair com elas uma afinidade tal que, a cada vez que (um tanto) desabituado dele ouvisse de novo o aquecimento central, ele me faria recordá-las.

Em casa só havia Françoise. A claridade acinzentada, caindo como uma chuva fina, tecia sem parar filetes transparentes em que os passeantes dominicais pareciam argentar-se. Eu havia jogado a meus pés o *Fígaro,* que todos os dias mandava comprar conscienciosamente desde que lhe enviara um artigo que não fora publicado; apesar da ausência de sol, a intensidade da luz indicava que ainda estávamos no meio da tarde. As cortinas de tule da janela, vaporosas e friáveis como o não seriam num dia bonito, tinham aquela mesma mescla de doçura e fragilidade das asas das libélulas e dos vidros de Veneza. Pesava-me tanto mais estar sozinho naquele domingo porque mandara de manhã uma carta à Srta. de Stermaria. Robert de Saint-Loup, que sua mãe conseguira fazer romper com a amante após dolorosas tentativas abortadas, e que desde essa época fora enviado a Marrocos para esquecer aquela a quem já não amava fazia algum tempo, escrevera-me um bilhete, recebido na véspera, em que me anunciara sua próxima chegada à França para uma licença bem curta. Como só estaria de passagem em Paris (onde a família sem dúvida temia que reatasse com Rachel), avisava-me, para mostrar que havia pensado em mim, que encontrara em Tânger a Srta., ou melhor, a Sra. de Stermaria, pois ela se divorciara após três meses de casamento. E Robert, lembrando-se do que lhe havia dito em Balbec, pedira de minha parte um encontro com a jovem senhora. Ela jantaria de bom grado comigo, respondera-lhe, num dos dias em que, antes de regressar à Bretanha, passaria em Paris. Robert dizia-me que me apressasse em escrever à Sra. de Stermaria, pois ela certamente já chegara. A carta de Saint-Loup não me deixara espantado, embora eu não tivesse notícias dele desde a ocasião da doença de minha avó, quando me acusara de perfídia e traição. Então eu percebera muito bem o que se passara. Rachel, que gostava de provocar o seu ciúme — tinha também motivos acessórios para me querer mal —, convencera o amante que eu havia feito tentativas sorrateiras para ter relações com ela durante a ausência de Robert. É provável que ele continuasse a crer que aquilo era verdade, mas deixara de se interessar por ela, de modo que, verdade ou não, era-lhe totalmente indiferente e só a nossa amizade subsistia. Quando, uma vez em que voltei a vê-lo, quis tentar falar-lhe de suas censuras, ele se limitou a um sorriso bom e carinhoso com o qual dava a impressão de desculpar-se, e depois mudou de assunto. Não que não devesse, mais tarde, rever Rachel às vezes em Paris. É raro que as criaturas que desempenharam um papel importante em nossa vida saiam dela de repente de modo definitivo. Voltam a pousar nela por instantes (a ponto de que alguns crêem num recomeço do amor) antes de deixá-la para sempre. A ruptura de Saint-Loup com Rachel rapidamente se lhe tornara menos dolorosa graças ao prazer tranqüilizante que lhe davam os incessantes pedidos de dinheiro de sua amiga. O ciúme, que prolonga o amor, não pode conter muito mais coisas que as outras formas de imaginação. Se a gente leva, quando em viagem, três ou quatro imagens que aliás se perderão pelo caminho (os lírios e as anêmonas de Ponte Vecchio, a igreja persa nas brumas, etc.), a mala já está bem cheia. Quando abandonamos uma amante, bem que gostaríamos, até que a tenhamos esquecido um pouco, que ela não se tornasse propriedade de três ou quatro protetores possíveis e que a gente imagina, isto é, de quem nos sentimos enciumados: os que não imaginamos não são coisa nenhuma. Ora, os freqüentes pedidos de dinheiro de uma amante abandonada não nos dariam uma idéia perfeita da sua vida mais do que os gráficos de temperatura elevada o dariam de sua doença. Mas, mesmo assim, estes últimos seriam um sinal de que ela está doente, e os primeiros fornecem uma presunção, por certo bastante vaga, de que a abandonada ou abandonadora não deve ter encontrado grande coisa em matéria de protetores abastados. Assim, cada pedido é acolhido com a alegria que uma acalmia produz nas dores do ciumento, e seguido imediatamente da remessa de dinheiro, pois desejamos que não lhe falte nada, menos amantes (um dos três amantes que imaginamos), durante o tempo que a gente levar para se recobrar um pouco e poder saber, sem desfalecimento, o nome do sucessor. Às vezes Rachel voltou, já tarde da noite, para pedir ao antigo amante licença para dormir a seu lado até a manhã. Era uma grande doçura para Robert, pois ele se dava conta do quanto tinham vivido intimamente juntos, apesar de tudo, só de ver que, mesmo ocupando sozinho a maior parte da cama, não a incomodava em nada para dormir. Compreendia que ela estava, junto de seu corpo, mais a cômodo que em qualquer outra parte, que ela se encontrava a seu lado — mesmo que fosse num hotel — como num quarto conhecido há muito, onde a gente tem nossos hábitos e onde dorme melhor. Sentia que seus ombros, suas pernas, todo ele, eram para ela, ainda quando se mexia demais devido à insônia ou por ter trabalho a fazer, dessas coisas tão perfeitamente usuais que não podem embaraçar e cuja percepção aumenta mais a sensação de repouso.

Voltando para trás, tanto mais me havia perturbado a carta que Robert me escrevera de Marrocos porque percebia, nas entrelinhas, aquilo que ele não ousara dizer mais explicitamente. "Podes muito bem convidá-la para um gabinete reservado" — dizia-me. "É uma jovem encantadora, de temperamento agradável, vocês se entenderão perfeitamente e desde já estou certo de que hás de passar uma bela noite." Como meus pais voltavam no fim da semana, sábado ou domingo, e depois eu seria forçado a jantar todas as noites em casa, escrevera logo à Sra. de Stermaria para lhe propor o dia que ela desejasse, até sexta-feira. Responderam-me que receberia uma carta cerca das oito horas, naquele mesmo dia. Eu atingiria bem depressa essa hora se tivesse tido uma visita durante a tarde que me separava dela. Quando as horas se envolvem nas conversas, já não podemos mais medi-las, nem sequer vê-las, elas se desvanecem e, de súbito, muito longe do ponto em que nos havia fugido, é que reaparece diante da nossa atenção o tempo ágil e escamoteado. Mas, se estamos sós, a preocupação, trazendo para diante de nós o momento ainda distante e aguardado sem cessar, com a freqüência e a uniformidade de um tique-taque, divide, ou antes, multiplica as horas por todos os minutos que, entre amigos, não teríamos contado. E confrontada, pela recorrência incessante do meu desejo, com o prazer ardente que eu desfrutaria em apenas alguns dias, ai de mim, com a Sra. de Stermaria, aquela tarde, que eu iria acabar sozinho, parecia-me bem vazia e melancólica.

Por momentos, eu ouvia o barulho do elevador que subia, mas que era seguido de um segundo barulho, não o que eu esperava, o da parada no meu andar, mas um outro bem diferente do que fazia para continuar o seu caminho rápido para os andares superiores e que, por significar tantas vezes a deserção do meu quando eu esperava uma visita, ficou sendo para mim, mais tarde, e até quando já não desejava mais nenhum, um barulho doloroso por si mesmo, em que ressoava como que uma sentença de abandono. Cansado, resignado, ocupado ainda por várias horas em sua tarefa imemorial, o dia cinzento fiava a sua passamanaria de nácar, e eu me entristecia ao pensar que ia ficar sozinho com ele, que não me conhecia mais que uma operária que, instalada junto à janela para ver mais claro, fazendo o seu trabalho, não se ocupa de modo algum com a pessoa presente na sala. De repente, sem que tivesse ouvido soar a campainha, Françoise veio abrir a porta e introduziu Albertine, que entrou risonha, silenciosa, repleta, contendo na plenitude de seu corpo, preparados para que continuasse a vivê-los, vindos em minha direção, os dias passados naquela Balbec aonde eu jamais regressara. Por certo, de cada vez que revemos uma pessoa com quem nossas relações — por mais insignificantes que sejam — já mudaram, dá-se como que uma confrontação de duas épocas. Para tanto, não há necessidade que uma antiga amante venha visitar-nos como amiga, basta a visita a Paris de alguém que conhecemos no dia-a-dia de um certo gênero de vida, e que essa vida tenha cessado, mesmo que tenha sido apenas há uma semana. Em cada traço risonho, interrogativo e constrangido da fisionomia de Albertine, eu podia soletrar estas perguntas: "E a Sra. de Villeparisis? E o professor de dança? E o confeiteiro?" Quando ela se sentou, suas costas pareciam dizer-me: "Droga, não há falésias aqui, permite que eu me sente mesmo assim perto de você, como teria feito em Balbec?" Parecia uma feiticeira que me apresentasse um espelho do tempo. Nisso era semelhante a todas as pessoas que revemos raramente, mas que outrora viveram com mais intimidade conosco. Mas, quanto a Albertine, havia mais do que isso. Certamente, mesmo em Balbec, nos nossos encontros diários, eu sempre me surpreendia ao avistá-la, de tão cotidiana que ela era. Mas agora mal se podia reconhecê-la. Despidas do vapor róseo que as banhava, suas feições haviam brotado como de uma estátua. Tinha um outro rosto, ou melhor, por fim apresentava um rosto; seu corpo se desenvolvera. Já não restava quase nada da bainha em que estivera envolvida e em cuja superfície mal se desenhava, em Balbec, a forma futura.

Desta vez Albertine voltava a Paris mais cedo que de costume. De ordinário só chegava na primavera, de modo que eu, já perturbado há algumas semanas pelas tempestades sobre as primeiras flores, não separava, no prazer que sentia, a volta de Albertine e a da boa estação. Bastava que me dissessem que ela se achava em Paris e que passara em minha casa para que a revisse como uma rosa à beira-mar. Não sei bem se era o desejo de Balbec ou o desejo por ela que então se apoderava de mim, e talvez mesmo o desejo por ela fosse uma forma indolente, preguiçosa e incompleta de possuir Balbec, como se possuir materialmente uma coisa, fixar residência numa cidade, equivalesse a possuí-la espiritualmente. E de resto, mesmo materialmente, quando já não era embalada pela minha imaginação diante do horizonte marinho, mas imóvel junto a mim, ela seguidamente me parecia uma rosa bem pobre, diante da qual gostaria muito de fechar os olhos para não ver certo defeito das pétalas e para acreditar que respirava na praia.

Posso dizê-lo aqui, muito embora não soubesse então o que só devia ocorrer mais adiante. Decerto é mais razoável sacrificar a vida às mulheres que aos selos do correio, às velhas caixas de rapé, e até aos quadros e às estátuas. Apenas, o exemplo das outras coleções nos deveria advertir que trocássemos, que não tivéssemos somente uma mulher, porém várias. Essas misturas encantadoras que uma jovem faz com uma praia, com a cabeleira trançada de uma estátua de igreja, com uma estampa, com tudo aquilo pelo qual se ama em uma delas um quadro encantador a cada vez que ela aparece, tais misturas não são muito estáveis. Vivei completamente com uma mulher e não vereis mais coisa alguma do que vos fez amá-la; certamente se os dois elementos se desunem, o ciúme pode juntá-los de novo. Se, depois de um longo tempo de vida em comum, eu devesse acabar por ver em Albertine apenas uma mulher ordinária, alguma intriga dela com uma criatura a quem tivesse amado em Balbec seria talvez o bastante para que nela se incorporasse e amalgamasse a praia e o rebentar das ondas. Unicamente, tais misturas secundárias já não deslumbram nossos olhos; é ao nosso coração que elas são sensíveis e funestas. Não se pode achar desejável o renovar do milagre sob uma forma tão perigosa. Mas estou antecipando os anos. E aqui devo apenas lamentar não ter permanecido bastante sábio para ter simplesmente minha coleção de mulheres, como se tem binóculos antigos, nunca suficientemente numerosos por trás da vitrine, onde sempre um lugar vazio espera um binóculo novo e mais raro.

Contrariamente à ordem habitual de suas férias, naquele ano ela vinha diretamente de Balbec e ainda ficara lá bem menos tempo que de costume. Fazia muito tempo que não a via. E, como não conhecesse nem de nome as pessoas que ela freqüentava em Paris, nada sabia dela nos períodos que permanecia sem me procurar. Tais períodos eram com freqüência bem longos. Depois, um belo dia, Albertine surgia bruscamente, e suas róseas aparições e silenciosas visitas informavam-me bem pouco sobre o que pudesse ter feito no intervalo, que ficava mergulhado nessa obscuridade de sua vida que meus olhos pouco se preocupavam em romper.

Entretanto, dessa vez alguns indícios pareciam mostrar que deveriam ter ocorrido coisas novas nessa vida. Mas talvez se devesse simplesmente deduzir deles que se muda muito depressa na idade que tinha Albertine. Por exemplo, sua inteligência mostrava-se melhorada, e, quando voltei a lhe falar do dia em que pusera tanto empenho em impor sua idéia de fazer com que Sófocles escrevesse: "Meu caro Racine", ela foi a primeira a rir abertamente. — Andrée é quem tinha razão, eu era estúpida — disse ela —; seria necessário que Sófocles escrevesse: "Senhor". — Respondi que o "senhor" e o "caro senhor" de Andrée não eram menos engraçados que o "meu caro Racine" dela e o "meu caro amigo" de Gisèle, mas que, no fundo, só os professores eram estúpidos ao mandarem endereçar por Sófocles uma carta a Racine. Aí, Albertine não me acompanhou. Não via o que aquilo apresentava de estúpido; sua inteligência se entreabrira, mas não se desenvolvera. Havia novidades mais atraentes nela; eu sentia, na mesma mocinha bonita que acabava de sentar-se junto à minha cama, algo diverso e, nas linhas que no olhar e nas feições do rosto expressam a vontade habitual, uma mudança de aspecto, uma semiconversão como se tivessem sido destruídas aquelas resistências contra as quais eu me chocara em Balbec, numa noite já longínqua em que formávamos um par simétrico porém inverso daquele da tarde atual, visto que então era ela que estava deitada e eu ao lado da cama. Querendo e não ousando assegurar-me se agora ela se deixaria beijar, de cada vez que ela se erguia para ir embora eu lhe pedia para ficar ainda. Isso não era fácil de conseguir, pois, embora ela não tivesse o que fazer (não fosse isso teria pulado fora), era uma pessoa pontual e aliás pouco amável comigo, não parecendo achar mais nenhum prazer na minha companhia. No entanto, de cada vez, após ter consultado o relógio de pulso, ela voltava a sentar-se a meu pedido, de modo que passara várias horas comigo e sem que eu lhe tivesse pedido nada; as frases que lhe dizia ligavam-se às que lhe dissera nas horas precedentes, e não se relacionavam em nada com o que eu pensava, com o que desejava, permaneciam-lhe indefinidamente paralelas. Não há nada como o desejo para impedir as coisas que dizemos de terem alguma semelhança com o que nos vai pelo pensamento. O tempo urge, e no entanto parece que queremos ganhar tempo falando sobre assuntos totalmente estranhos ao que nos preocupa. Conversamos, quando a frase que desejaríamos pronunciar já seria acompanhada de um gesto, supondo mesmo que — para nos darmos o prazer do imediato e matar a curiosidade que experimentamos relativamente às reações que trouxer — sem dizer palavra, sem pedir qualquer licença, não teríamos feito tal gesto. Certo, eu não amava Albertine de forma alguma: filha da bruma lá de fora, ela podia apenas contentar o desejo da imaginação que o tempo novo despertara em mim e que era intermediário entre os desejos que podem satisfazer, por um lado, as artes culinárias e as da escultura monumental, pois fazia-me sonhar ao mesmo tempo em mesclar à minha carne uma matéria diferente e cálida, e de ligar por algum ponto, a meu corpo estendido, um corpo divergente, como o corpo de Eva mal se ligava pelos pés aos quadris de Adão, a cujo corpo estava quase perpendicular naqueles baixos-relevos romanos da catedral de Balbec que representam de modo tão nobre e pacífico, ainda quase como um friso antigo, a criação da mulher; Deus ali está por toda parte seguido, como por dois ministros, de dois anjinhos nos quais se reconhecem — como essas criaturas aladas e turbilhonantes do verão que o inverno surpreendeu e poupou — os Amores de Herculanum ainda vivos em pleno século XIII, e arrastando o seu último vôo, cansados mas sem faltar à graça que se pode esperar deles, sobre toda a fachada do pórtico.

Ora, esse prazer que, satisfazendo o meu desejo, me teria livrado daquele devaneio, e que eu buscaria de boa vontade em qualquer outra mulher bonita, se me tivessem perguntado em que — no decurso daquela conversa interminável em que eu calava a Albertine a única coisa em que pensava — se baseava a minha hipótese otimista acerca das possíveis complacências, teria talvez respondido que tal hipótese era devida (enquanto os traços esquecidos da voz de Albertine redesenhavam-me o contorno de sua personalidade) ao aparecimento de certas palavras que não faziam parte de seu vocabulário, ao menos na acepção que ela lhes dava agora. Como me dissesse que Elstir era bobo e eu protestasse, replicou sorrindo:

— Você não me compreende; quero dizer que foi bobo nestas circunstâncias, mas sei perfeitamente que é uma pessoa bem distinta.

Da mesma forma, para dizer do golfe de Fontainebleau que ele era elegante, declarou:

— Trata-se de uma seleção de fato.

A propósito de um duelo que eu tivera, disse-me a respeito de minhas testemunhas: — São testemunhas de elite — e, olhando meu rosto, confessou que gostaria de me ver "usando bigodes". Chegou até, e minhas chances me pareceram então bem grandes, a dizer, termo que eu teria jurado que ela ignorava no ano anterior, que, desde que tinha visto Gisèle, passara-se um certo "lapso de tempo". Não é que Albertine não possuísse, quando eu estivera em Balbec, um lote bem sortido dessas expressões que revelam de imediato que a gente saiu de uma família abastada, e que de ano em ano uma me abandona à filha, como lhe dá, à medida que esta cresce, suas próprias jóias, nas ocasiões importantes. Sentiram que Albertine deixara de ser uma menininha quando um dia, para agradecer um presente que uma estranha lhe dera, havia respondido: "Estou confusa." A Sra. Bontemps não pudera evitar olhar para o marido, que dissera:

— Diabo, ela já tem quatorze anos.

A nubilidade mais acentuada se assinalara quando Albertine, falando de uma jovem de maus modos, dissera: "Nem se pode ver se ela é bonita, pois tem uma *mão de rouge* na cara." Enfim, embora ainda fosse mocinha, já assumia maneiras de mulher do seu meio e de sua classe ao dizer, se alguém fazia caretas: "Não posso vê-lo porque tenho vontade de fazer o mesmo", ou, se se divertiam com imitações: "O mais engraçado, quando você arremeda, é que fica parecido com ela." Tudo isso é extraído do tesouro social. Mas justamente o meio de Albertine não me parecia poder fornecer-lhe "distinto", no sentido em que meu pai falava de determinado colega que ainda não conhecia e de quem lhe gabavam a grande inteligência: "Parece que é alguém muito distinto." Mesmo para o golfe, "seleção" me pareceu tão incompatível com a família Simonet como o seria, acompanhado do adjetivo "natural", com um texto vários séculos anterior aos trabalhos de Darwin. "Lapso de tempo" pareceu-me ainda de melhor agouro. Por fim, surgiu-me a evidência de perturbações que eu não conhecia, mas próprias para autorizar-me todas as esperanças, quando Albertine me disse, com a satisfação de uma pessoa cuja opinião não é indiferente:

— *A meu ver*, é o que poderia acontecer de melhor... Estimo que seja a melhor solução, a solução elegante.

Aquilo era tão novo, tão visivelmente se tratava de um aluvião a deixar supor tão caprichosos desvios através de atalhos outrora desconhecidos dela, que, desde a expressão "A meu ver", puxei Albertine e, no "Estimo", sentei-a na minha cama.

Ocorre, sem dúvida, que as mulheres pouco instruídas, que se casam com um homem altamente letrado, recebem tais expressões junto com seu dote. E, pouco depois da metamorfose que se segue à noite de núpcias, quando fazem suas visitas e se mostram reservadas com as antigas amigas, nota-se com espanto que se tornaram mulheres se, decretando que uma pessoa é inteligente, põem dois *ll* na palavra "inteligente". Mas isso é justamente o sinal de uma mudança, e me parecia que entre o vocabulário de Albertine que eu havia conhecido — aquele em que as maiores ousadias eram dizer de uma pessoa esquisita: "É um tipo", ou, se lhe propunham um jogo: "Não tenho dinheiro a perder", ou ainda, se determinada amiga lhe fazia uma censura que ela achasse injusta: "Ah, na verdade, acho-te magnífica!", frases ditadas nesses casos por uma espécie de tradição burguesa quase tão antiga como o próprio *Magnificat* e que uma moça um tanto encolerizada e certa de seus direitos emprega, como se diz, "muito naturalmente", ou seja, porque as aprendeu de sua mãe, como a dizer as orações e a cumprimentar. Todas essas frases, a Sra. Bontemps as aprendera ao mesmo tempo que o ódio aos judeus e a estima pelos negros, em que se é sempre conveniente e distinto, mesmo sem que a Sra. Bontemps lhos houvesse formalmente ensinado, mas como se modela no gorjeio dos pintassilgos pais o dos pintassilgos recém-nascidos, de modo que eles próprios se tornam verdadeiros pintassilgos. Apesar de tudo, "seleção" me pareceu alógeno, e "Estimo", animador. Albertine já não era a mesma, portanto não agiria, não reagiria talvez da mesma forma.

Não somente não sentia mais amor por ela, como já não tinha a temer, como em Balbec, quebrar nela uma amizade por mim que não existia mais. Não havia dúvida alguma de que há tempos eu lhe era muito indiferente. Percebia que, para ela, eu já não fazia absolutamente parte do "pequeno grupo" a que antigamente tanto buscara, e ao qual depois ficara tão feliz por ter sido agregado. Além disso, como ela já nem sequer tinha, como em Balbec, um ar de franqueza e de bondade, não tive muitos escrúpulos. Entretanto, creio que o que me decidiu foi uma última descoberta filológica. Como continuasse a acrescentar novos elos à cadeia externa de frases sob a qual ocultava meu desejo íntimo, ia falando, tendo agora Albertine à beira da cama, de uma das meninas do pequeno grupo, mais miúda que as outras, mas que ainda assim achava bonita: — Sim — respondeu Albertine —, ela parece uma pequena musmê. — Evidentemente, quando conhecera Albertine, a palavra "musmê" era-lhe ignorada. Era verossímil que, se as coisas tivessem seguido seu curso normal, ela jamais a houvesse aprendido e eu, de minha parte, não teria visto nenhum inconveniente nisso, pois não há vocábulo mais horrendo. Ao ouvi-lo, sente-se a mesma dor de dentes de como se tivéssemos posto um pedaço muito grande de gelo na boca. Mas em Albertine, bonita como ela era, até "musmê" não podia me desagradar. Em compensação, pareceu-me que revelava, se não uma iniciação externa, pelo menos uma evolução interna. Infelizmente, chegara a hora em que deveria dizer-lhe adeus se quisesse que ela voltasse a tempo para o seu jantar e também para que me levantasse logo para o meu. Era Françoise quem o preparava, não gostava que ele esperasse e já devia achar contrário a um dos artigos de seu código que Albertine, na ausência de meus pais, me tivesse feito uma visita tão prolongada e que iria atrasar tudo. Mas, diante de "musmê", essas razões caíram, e me apressei a dizer:

— Sabe que absolutamente não sou coceguento? Você poderia me fazer cócegas durante uma hora que eu não sentiria nada.

— Verdade?

— Juro.

Claro que ela compreendeu que se tratava da expressão desajeitada de um desejo, pois, como alguém que nos oferta encomenda que não ousamos solicitar, mas que nossas palavras deram a entender que nos poderia ser útil:

— Quer que eu tente? — disse ela com a humildade da mulher.

— Se quiser, mas então seria mais cômodo que você se estendesse completamente na cama.

— Assim?

— Não, venha mais fundo.

— Mas não sou pesada demais?

Quando terminava a frase, a porta se abriu e Françoise entrou trazendo uma lâmpada. Albertine só teve tempo de se sentar de novo na cadeira. Talvez Françoise tivesse escolhido aquele instante para nos confundir, tendo estado a escutar à porta ou até a olhar pelo buraco da fechadura. Mas eu não precisava fazer tal suposição; Françoise poderia desdenhar certificar-se com os olhos daquilo que seu instinto já lhe deveria ter farejado bastante, pois, à força de viver comigo e meus pais, o receio, a prudência, a atenção e a astúcia tinham acabado por lhe dar, a nosso respeito, essa espécie de conhecimento instintivo e quase divinatório que o marinheiro possui do mar, o caçador da caça e, da doença, se não o médico, pelo menos muitas vezes o doente. Tudo o que ela assim chegava a saber poderia assombrar com tanta razão como o estágio avançado de certos conhecimentos entre os antigos, tendo em vista os meios quase nulos de informação que eles possuíam (os seus não eram muito numerosos: algumas frases, mal formando a vigésima parte de nossa conversa no jantar, recolhidas de passagem pelo mordomo e transmitidas inexatamente à copa). Ainda seus próprios erros eram devidos, como os dos antigos, como as fábulas em que Platão acreditava, antes a uma falsa concepção do mundo e às idéias preconcebidas do que à insuficiência de recursos materiais. Assim é que, nos nossos dias, as maiores descobertas sobre os costumes dos insetos ainda puderam ser feitas por um sábio que não dispunha de nenhum laboratório, de nenhum aparelho. Mas, se os constrangimentos resultantes de sua condição de doméstica não a tinham impedido de adquirir uma ciência indispensável à arte que era a sua finalidade — e que consistia em nos confundir, comunicando-nos os resultados —, o constrangimento fizera mais: aqui, o obstáculo não se contentara em não paralisar o impulso, havia-o ajudado com todas as forças. Sem dúvida, Françoise não desdenhava nenhum auxiliar, por exemplo a dicção e a atitude. Como era que (se nunca acreditava no que lhe dizíamos e que desejávamos que ela acreditasse) admitia, sem qualquer sombra de dúvida, o que toda pessoa de sua condição lhe contasse de mais absurdo e que pudesse ao mesmo tempo chocar nossas idéias, de tal forma que sua maneira de ouvir as nossas asserções testemunhava-lhe a incredulidade, e o tom com que contava (pois o discurso indireto lhe permitia dirigir-nos os piores insultos impunemente) a história de uma cozinheira que lhe dissera ter ameaçado os patrões e deles obtivera mil favores, chamando-os diante de todo mundo de "lixo", mostrava que, para ela, aquilo eram palavras do Evangelho. Françoise até acrescentava: — Se eu fosse patroa, me sentiria envergonhada. — Por mais que déssemos de ombros, apesar da pouca simpatia inicial pela senhora do quarto andar, como se tivéssemos ouvido uma fábula inverossímil, diante desse relato de tão mau exemplo, a narradora, ao fazê-lo, sabia adotar o tom cortante e peremptório da mais indiscutível e exasperante afirmação.

Mas sobretudo, assim como os escritores alcançam muitas vezes um poder de concentração de que os teria dispensado o regime de liberdade política ou de anarquia literária, quando se acham atados de pés e mãos pela tirania de um monarca ou de uma poética, pela severidade das regras da prosódia ou de uma religião de Estado, da mesma forma Françoise, não podendo nos responder de um modo explícito, falava como Tirésias e teria escrito como Tácito. Sabia fazer com que tudo o que não podia exprimir diretamente coubesse numa frase que não podíamos incriminar sem nos acusarmos, até menos que numa só frase, num silêncio, na maneira como colocava um objeto.

Assim, quando me ocorria deixar na mesa, por descuido, no meio de outras, uma determinada carta que não era necessário que ela visse, porque, por exemplo, ali se falava dela com uma malevolência que fazia supor outra igualmente grande tanto no destinatário como no remetente, de noite, se eu chegava inquieto e ia direto para o quarto, sobre minhas cartas arrumadas em ordem e numa pilha perfeita, o documento comprometedor era o primeiro a saltar-me aos olhos, como não podia deixar de ter saltado aos olhos de Françoise, colocado por ela acima de todos, quase à parte, numa evidência que era uma linguagem, tinha a sua eloqüência e, desde a porta, sobressaltava-me como um grito. Ela excelia em regular essas encenações destinadas a instruir tão bem o espectador, na sua ausência, que este ficava sabendo que ela já sabia de tudo quando depois fizesse a sua entrada. Para fazer falar desse modo um objeto inanimado, possuía ela a arte a um tempo genial e paciente de Irving e de Frédérick Lemaître. Naquele momento, sustendo acima de mim e de Albertine a lâmpada acesa que não deixava na sombra nenhuma das depressões ainda visíveis que o corpo da moça cavara no cobertor, Françoise dava a impressão de ser *A Justiça iluminando o Crime.* O rosto de Albertine não saía perdendo com essa iluminação. Esta lhe revelava nas faces o mesmo verniz ensolarado que me encantara em Balbec. Esse rosto de Albertine, cujo conjunto, por fora, possuía às vezes uma espécie de palidez lívida, mostrava pelo contrário, à medida que a lâmpada as iluminava, superfícies tão brilhante e uniformemente coloridas, tão resistentes e lisas, que seria possível compará-las às firmes carnações de certas flores. No entanto, surpreso com a entrada imprevista de Françoise, exclamei:

— Como, já a lâmpada? Meu Deus, como é intensa essa luz!

Claro que meu objetivo era, com a segunda dessas frases, dissimular a perturbação e, com a primeira, desculpar o meu atraso. Françoise respondeu com uma ambigüidade cruel:

— É pra *mim* apagar?

— Para *eu* apagar? — murmurou Albertine ao meu ouvido, deixando-me encantado com a vivacidade familiar com que, tomando-me ao mesmo tempo por mestre e por cúmplice, insinuou essa afirmação psicológica no tom interrogativo de uma questão gramatical.

Quando Françoise deixou o quarto e Albertine se assentou de novo na minha cama:

— Sabe de que tenho medo — disse-lhe—; é que, se continuarmos desse jeito, não poderei evitar beijá-la.

— Seria uma bela duma desgraça.

Não obedeci de imediato a esse convite. Outro tê-lo-ia mesmo achado supérfluo, pois Albertine tinha uma pronúncia tão sensual e tão doce que, só de falar, parecia beijar a gente. Uma palavra dela era um favor, e sua conversa cobria a gente de beijos. Entretanto, era-me bem agradável aquele convite. Sê-lo-ia também mesmo se viesse de outra moça da mesma idade; mas que agora Albertine fosse tão fácil para mim, causava-me aquilo, mais que prazer, uma confrontação de imagens impregnadas de beleza. Lembrava-me de Albertine, primeiro diante da praia, quase pintada sobre o fundo do mar, não tendo para mim uma existência mais real do que essas visões de teatro, em que não se sabe se vemos a atriz que deve aparecer, uma figurante que a substitui nesse momento, ou uma simples projeção. Depois, a mulher verdadeira se destacara do feixe luminoso, viera até mim, mas simplesmente para que eu pudesse verificar que, no mundo real, não tinha de modo algum essa facilidade amorosa que lhe supunham no quadro mágico. Soubera eu que não era possível tocá-la, beijá-la, que se podia apenas conversar com ela, que para mim ela não era uma mulher, como não eram uvas os cachos de jade, decoração incomestível das mesas de antigamente. E eis que, no terceiro plano, ela me aparecia real, como no segundo conhecimento que dela tivera, mas fácil como no primeiro; fácil, e tanto mais deliciosa por haver eu acreditado por tanto tempo que não o era. Meu acréscimo de conhecimento da vida (a vida menos unida, menos simples do que julgara a princípio) ia redundar provisoriamente no agnosticismo. O que se pode afirmar, visto que o que se considera provável antes se mostrou a seguir como falso, surgindo de novo em terceiro lugar como verdade? (E infelizmente eu não estava terminando minhas descobertas acerca de Albertine.) Em todo caso, mesmo se não existisse a atração romanesca desse conhecimento de uma riqueza bem maior de planos desvelados um após outro pela vida (atração inversa à que sentia Saint-Loup, durante os jantares em Rivebelle, em redescobrir, entre as máscaras que a existência superpusera numa fisionomia tranqüila, as feições que ele tivera outrora sob seus lábios), saber que beijar as faces de Albertine era uma coisa possível tornava-se para mim um prazer talvez maior ainda que o de beijá-las. Que diferença entre possuir uma mulher sobre a qual só o nosso corpo se gruda, porque não passa de um pedaço de carne, e possuir a moça que víamos na praia com as amigas em certos dias, sem mesmo saber por que tais dias, em vez de outros, o que nos fazia tremer com receio de não revê-la! A vida, complacentemente, nos revelara o romance todo daquela moça, emprestara-nos, para vê-la, um instrumento ótico, depois outro, e acrescentara ao desejo carnal o acompanhamento, que o centuplica e diferencia, desses desejos mais espirituais e menos saciáveis que não saem de seu torpor e o deixam ir sozinho quando não pretende mais que a busca de um pedaço de carne, mas que, para a posse de toda uma região de lembranças de que se sentiam nostalgicamente exilados, erguem-se tempestuosos a seu lado, aumentam-no, sem poder segui-lo até a consumação, até a assimilação, impossível sob a forma de uma realidade material em que é desejada, mas esperam esse desejo a meio caminho e, no momento da lembrança, do regresso, fazem-lhe escolta novamente; em vez das faces da primeira que viesse, por mais frescas que fossem, porém anônimas, sem segredo, sem prestígio, beijar aquelas com que há tanto tempo sonhara seria conhecer o gosto, o sabor de uma cor contemplada com muita freqüência. Viu-se uma mulher, simples imagem no cenário da vida, como Albertine, de perfil diante do mar, e depois, essa imagem, pôde-se destacá-la, colocá-la junto a si, e ver-lhe aos poucos o volume e as cores, como se se tivesse feito passá-la por detrás dos vidros de um estereoscópio. É por isso que as mulheres um pouco difíceis, que não possuímos de imediato, e que não sabemos logo se algum dia as possuiremos, são as únicas interessantes. Pois conhecê-las, abordá-las, conquistá-las, é fazer variar de forma, de grandeza, de relevo, a imagem humana; é uma lição de relativismo na apreciação de um corpo, de uma mulher, que é lindo contemplar de novo quando ela retomou sua finura de silhueta no cenário da vida. As mulheres conhecidas antes nos bordéis não interessam porque permanecem invariáveis.

Por outro lado, Albertine mantinha, reunidas a seu redor, todas as impressões de uma série marítima que me era especialmente cara. Parece-me que poderia, nas duas faces da moça, beijar toda a praia de Balbec.

— Se na verdade me permite que a beije, preferiria deixar isto para mais tarde e escolher bem o momento. Apenas seria necessário que você então não se esquecesse da permissão. Preciso de um "vale para um beijo".

— Preciso assiná-lo?

— Mas, se eu o cobrasse logo, ainda assim teria outro mais tarde?

— Você me diverte com seus "vales"; vou lhe passar um de vez em quando.

— Diga-me outra coisa; você sabe, em Balbec, quando ainda não a conhecia, muitas vezes você tinha um olhar duro, astucioso; pode me dizer em que pensava naqueles instantes?

— Ah, não tenho a menor lembrança.

— Olhe, para ajudá-la: um dia a sua amiga Gisèle saltou de pés juntos sobre a cadeira em que estava sentado um velho senhor. Tente lembrar-se do que estava pensando nesse momento.

— Gisèle era com quem menos andávamos; ela pertencia ao pequeno grupo, se quiser, mas não inteiramente. Devo ter pensado que ela era vulgar e bem mal-educada.

—Ah! É tudo?

Bem que eu gostaria, antes de beijá-la, poder invadi-la do mistério que ela possuía para mim na praia antes que a conhecesse, reencontrar nela a região em que vivera antes; pelo menos, no seu lugar, se não a conhecesse, podia insinuar todas as recordações de nossa vida em Balbec, o rumor das ondas rebentando sob a minha janela, os gritos das crianças. Porém, deixando meu olhar deslizar sobre o belo globo róseo de suas faces, cujas superfícies, docemente encurvadas, vinham morrer aos pés das primeiras pregas de seus lindos cabelos negros, que corriam em cadeias movimentadas, erguiam seus contrafortes escarpados e modelavam as ondulações de seus vales, disse comigo: "Enfim, não tendo conseguido em Balbec, vou saber o gosto da rosa desconhecida que são as faces de Albertine. E, já que os círculos por que podemos fazer atravessar as coisas e os seres, no transcurso da nossa existência, não são muito numerosos, talvez eu possa considerar a minha como de certo modo cumprida quando, tendo feito sair de seu quadro longínquo o rosto florido que havia escolhido entre todos, o tiver trazido para este novo plano onde por fim o conhecerei através dos lábios." Dizia-me isto porque achava que havia um conhecimento pelos lábios; dizia-me que ia conhecer o gosto dessa rosa carnal porque não havia imaginado que o homem, criatura evidentemente menos rudimentar que o ouriço-do-mar ou mesmo a baleia, é no entanto desprovido ainda de um certo número de órgãos essenciais e, principalmente, não possui nenhum que sirva para o beijo. Supre esse órgão ausente por meio dos lábios, pelos quais chega talvez a um resultado um pouco mais satisfatório do que se estivesse reduzido a acariciar a bem-amada com uma defesa de cornos. Porém os lábios, feitos para trazer ao paladar o sabor das coisas que os tentam, devem contentar-se, sem compreender seu erro e sem confessar sua decepção, em vagar na superfície e se chocar diante da cerca da face impenetrável e desejada. Aliás, nesse momento, ao próprio contato da carne, os lábios, mesmo na hipótese de que se tornassem mais hábeis e mais bem-dotados, sem dúvida não poderiam degustar com maior intensidade o sabor que a natureza atualmente os impede de alcançar, pois, nessa zona desolada em que não conseguem encontrar seu alimento, acham-se eles sozinhos, já que o olhar e, depois, o olfato os abandonaram há muito. Primeiro, à medida que minha boca principiou a se aproximar das faces que meus olhares lhe tinham proposto que beijasse, estes, desviando-se, viram faces novas; o pescoço, examinado de mais perto e como que à lupa, mostrou nos sulcos da pele uma robustez que modificou o caráter do rosto.

As últimas aplicações da fotografia — que deitam aos pés de uma catedral todas as casas que nos tinham parecido muitas vezes, de perto, quase tão altas como as torres, fazem manobrar sucessivamente, como um regimento, por fileiras, em ordem dispersa, em massas cerradas, os mesmos monumentos, aproximam uma da outra as duas colunas da Piazzetta há pouco tão distantes, afastam a próxima Santa Maria della Salute e, num fundo pálido e degradado, conseguem fazer caber um horizonte imenso sob o arco de uma ponte, no vão de uma janela, entre as folhas de uma árvore situada no primeiro plano e de tom mais vigoroso, dão sucessivamente por moldura, a uma mesma igreja, as arcadas de todas as outras —, não vejo senão isto que possa, assim como o beijo, fazer surgir, daquilo que julgamos algo de aspecto definido, as cem outras coisas que ela também é, visto cada uma estar em relação a uma perspectiva não menos legítima. Em suma, assim como em Balbec, Albertine muitas vezes me parecera diferente, agora, como se, ao acelerar prodigiosamente a rapidez das mudanças de coloração que nos oferece uma pessoa em nossos diversos encontros com ela, eu quisesse fazê-las caber todas em poucos segundos para recriar experimentalmente o fenômeno que diversifica a individualidade de uma criatura e extrair umas das outras, como de um estojo, todas as possibilidades que ela encerra, naquele curto trajeto de meus lábios às suas faces foram dez Albertines que vi; essa única moça, como uma deusa de várias cabeças, quando eu tentava aproximar-me da que vira por último, dava lugar a uma outra. Pelo menos, aquela cabeça, enquanto eu não a tocara, eu a estava enxergando, e um leve perfume vinha dela até mim. Mas infelizmente — pois para o beijo, as nossas narinas são tão mal colocadas como nossos lábios, e mal feitas —, de repente meus olhos deixaram de ver, e por sua vez o nariz, esmagando-se, não percebeu mais qualquer aroma; e, sem conhecer mais, por isso, o gosto do rosa desejado, compreendi, por esses indícios detestáveis, que estava afinal beijando as faces de Albertine.

Seria porque representávamos (configurada pela revolução de um sólido) a cena inversa da de Balbec, porque eu estava deitado e ela erguida, capaz de esquivar-se a um ataque brutal e de manejar prazer a seu gosto, que ela me deixou agora tomar com tanta facilidade o que havia recusado antes com um ar tão severo? (Sem dúvida, desse ar de antigamente, a expressão de volúpia que seu rosto assumia hoje à aproximação de meus lábios só diferia por um desvio infinitesimal de linhas, mas no qual pode caber toda a distância que há entre o gesto de um homem que liquida com um ferido e o de um que o socorre, entre um retrato sublime e um horroroso.) Sem saber que tinha de fazer as honras e mostrar-me grato pela sua mudança de atitude a algum benfeitor involuntário que, nos últimos meses, em Paris ou em Balbec, trabalhara por mim, pensei que o modo como estávamos colocados fosse o motivo principal daquela mudança. No entanto, foi outro motivo o que me forneceu Albertine; exatamente este: — Ah, é que naquela ocasião, em Balbec, eu não o conhecia; podia julgar que você tivesse más intenções. — Essa explicação me deixou perplexo. Sem dúvida, Albertine falara sinceramente. Uma mulher tem tamanha dificuldade em reconhecer nos movimentos de seus membros, nas sensações experimentadas pelo seu corpo, durante uma conversa íntima com um camarada, a falta desconhecida em que receava que um estranho premeditasse fazê-la cair!

Em todo caso, fossem quais fossem as modificações ocorridas desde algum tempo em sua vida e que talvez explicassem que cedesse tão facilmente, ao meu desejo momentâneo e puramente físico, aquilo que em Balbec recusara horrorizada ao meu amor, uma outra bem mais espantosa se produziu em Albertine, naquela mesma tarde, logo que suas carícias me trouxeram a satisfação que ela bem deve ter notado e que eu temia viesse a causar-lhe o pequeno movimento de repulsa e pudor ofendido que Gilberte havia tido em caso semelhante, por detrás do bosque de loureiros, nos Champs-Élysées.

Ocorreu exatamente o contrário. No momento em que a deitara na minha cama e começara a acariciá-la, Albertine já tomara um aspecto que não lhe conhecia, de boa vontade dócil, de simplicidade quase pueril. Apagando nela todas as preocupações, todas as presunções habituais, o momento que precede o prazer, semelhante nisso ao que se segue à morte, restituíra-lhe aos traços rejuvenescidos como que a inocência dos primeiros anos. E, sem dúvida, toda criatura cujo talento é subitamente posto em jogo torna-se modesta, aplicada e encantadora; sobretudo se, pelo talento, sabe nos dar um grande prazer, ela própria se sente feliz com isso, quer dá-lo o mais completo possível. Mas, nessa nova expressão do rosto de Albertine, havia, mais que desinteresse, consciência e generosidade profissionais, uma espécie de devotamento convencional e repentino; e era mais além da própria infância, era à juventude de sua raça que ela havia regressado. Bem diversa de mim, que desejara unicamente um apaziguamento físico enfim obtido, Albertine parecia achar que teria havido de sua parte certa grosseria em julgar que esse prazer material não fosse acompanhado de um sentimento moral e rematasse alguma coisa. Ela, tão apressada há pouco, agora, sem dúvida por achar que os beijos importam em amor e que o amor está acima de qualquer outro dever, dizia, quando lhe recordava o seu jantar:

— Mas, ora, isto não quer dizer nada, tenho tempo de sobra.

Parecia constrangida em erguer-se imediatamente, depois de tudo o que acabara de fazer, constrangida pelo decoro, como Françoise quando julgara, sem ter sede, dever aceitar com satisfação decente o copo de vinho que Jupien lhe oferecera, não se atrevendo a sair logo depois de ter bebido o último gole, mesmo que a chamasse algum dever imperioso. Albertine — e esta era talvez, com uma outra que mais tarde se verá, uma das razões que, sem eu saber, me haviam feito desejá-la — era uma dessas encarnações da camponesinha francesa cujo modelo está em pedra em Saint-André-des-Champs. De Françoise, que no entanto deveria tornar-se em breve sua inimiga mortal, reconheci nela a cortesia para com o hóspede e o estranho, a decência, o respeito pela cama.

Françoise, que, após a morte da minha tia, julgava poder falar apenas num tom compungido, teria achado chocante, nos meses que precederam o casamento da filha, que esta, passeando com o noivo, não lhe desse o braço. Albertine, imobilizada junto a mim, dizia-me:

— Você tem lindos cabelos, olhos muito bonitos; você é gentil.

Como lhe dissesse, ao observar-lhe que já era tarde: — Não acredita em mim? — ela me respondeu, o que talvez fosse verdade, mas somente desde dois minutos e durante algumas horas:

— Sempre acredito em você.

Falou-me de mim, da minha família, do meu ambiente social. Disse: — Oh, sei que seus pais conhecem pessoas importantes. Você é amigo de Robert Forestier e Suzanne Delage. — No primeiro minuto, esses nomes não me disseram absolutamente nada. Mas de súbito me lembrei que de fato brincara com Robert Forestier nos Champs-Élysées, e que depois jamais voltara a vê-lo. Quanto a Suzanne Delage, era a sobrinha-neta da Sra. Blandais, e eu deveria uma vez ter ido a uma aula de dança em casa de seus pais, onde chegaria mesmo a ter um papel numa comédia de salão. Mas o medo de rir feito um louco e de botar sangue pelo nariz me impediram de comparecer, de modo que nunca mais voltara a vê-la. Quando muito, julgara ter compreendido outrora que a governanta de pluma dos Swann tinha estado em casa de seus pais, mas talvez se tratasse apenas de uma irmã dessa governanta, ou de uma amiga. Garanti a Albertine que Robert Forestier e Suzanne Delage tinham pouco a ver com a minha vida. — É possível, mas suas mães são amigas; isto permite situar você. Várias vezes cruzo com Suzanne Delage na Avenida de Messine; ela é muito chique. — Nossas mães só se conheciam na imaginação da Sra. Bontemps que, tendo sabido que outrora eu brincara com Robert Forestier, ao qual, parece, recitava versos, concluíra daí que éramos ligados por relações de família. Ela jamais deixava, segundo me disseram, passar o nome de mamãe sem exclamar: — Ah, sim, é o ambiente dos Delages, dos Forestiers, etc. —, dando a meus pais um ponto a favor que eles não mereciam.

Aliás, as noções sociais de Albertine eram de uma total estupidez. Julgava os Simonnets com dois *nn* inferiores não apenas aos Simonets com um *n* só, mas a todas as outras pessoas possíveis. Que alguém tenha o mesmo nome que a gente, sem ser da nossa família, é um grande motivo para desdenhá-lo. Certamente, existem exceções. Pode acontecer que dois Simonnets (apresentados um ao outro numa dessas reuniões onde se tem necessidade de falar de qualquer coisa e onde, aliás, sentimo-nos cheios de disposições otimistas, por exemplo no cortejo de um enterro que vai para o cemitério), vendo que se chamam do mesmo modo, procurem, com benevolência recíproca, e sem resultado, saber se têm algum parentesco. Mas isto é só uma exceção. Muitos homens são pouco honrados, mas nós ignoramos ou não nos preocupamos com tal. Mas, se a homonímia faz com que nos remetam cartas a eles destinadas, ou vice-versa, começamos a desconfiar, muitas vezes justificadamente, do quanto eles valem. Receamos confusões, prevenimo-las com um esgar de nojo se nos falam deles. Lendo no jornal o nosso nome, que eles trazem, parece-nos que o usurparam. Os pecados dos outros membros do corpo social nos são indiferentes. Descarregamo-los mais pesadamente sobre nossos homônimos. O ódio que sentimos pelos outros Simonnets é tão mais intenso por não ser individual, mas por transmitir-se hereditariamente. Ao cabo de duas gerações, a gente se lembra apenas da careta insultante que os avós tinham para com os outros Simonnets; ignoramos a sua causa; não ficaríamos espantados ao saber que aquilo principiou com um assassinato. Até o dia freqüente em que, entre uma Simonnet e um Simonnet que absolutamente não têm qualquer parentesco, tudo isso acaba em casamento.

Não só Albertine me falou de Robert Forestier e de Suzanne Delage, mas espontaneamente, por um dever de confidência, criado pela aproximação dos corpos, ao menos no começo, durante uma primeira fase e antes que tenha engendrado uma duplicidade especial e o segredo para com o mesmo ser, Albertine me contou, sobre sua família e um tio de Andrée, uma história da qual se recusara, em Balbec, a me dizer uma só palavra, mas achava que não devia mais ter segredos comigo. Agora, mesmo que sua melhor amiga lhe tivesse dito algo contra mim, ela se sentiria no dever de contar-me. Insisti para que voltasse para casa; Albertine acabou saindo, mas tão confusa, por mim, devido à minha grosseria, que quase ria para me desculpar, como uma dama a cuja casa comparecemos de paletó, que nos aceita assim, mas sem que isso lhe seja indiferente.

— Está rindo? — disse-lhe.

— Não rio, estou sorrindo — respondeu com ternura. — Quando irei revê-lo? — acrescentou, como se não admitisse que aquilo que acabáramos de fazer, visto que de costume é o coroamento, não fosse ao menos o prelúdio de uma grande amizade, de uma amizade preexistente e que devíamos descobrir, confessar, e que só ela poderia explicar aquilo a que nos entregáramos.

— Já que me autoriza a tanto, quando puder, mandarei buscá-la.

Não tive coragem de lhe dizer que queria subordinar tudo à possibilidade de ver a Sra. de Stermaria.

— Ai de mim! Será de improviso, nunca sei por antecipação — disse-lhe. — Seria possível mandar buscá-la na tarde em que eu estiver livre?

— Em breve será bem possível, pois terei uma entrada independente da de minha tia. Mas neste momento é impraticável. Em todo caso, virei ao acaso amanhã ou depois de amanhã, à tarde. Só me receba se puder.

Chegando à porta, espantada porque eu não a havia precedido, estendeu-me o rosto, achando que não havia necessidade alguma de um grosseiro desejo físico para que agora nos beijássemos. Como as curtas relações que tínhamos tido juntos eram pouco dessas a que às vezes conduzem uma intimidade absoluta e uma escolha de coração, Albertine julgara dever improvisar e acrescentar momentaneamente, aos beijos que havíamos trocado na cama, o sentimento de que esses beijos teriam sido o emblema para um cavaleiro e sua dama, tais como os podia conceber um jogral gótico.

Quando me deixou a jovem picarda, que o imagista de Saint-André-des-Champs teria podido esculpir em seu pórtico, Françoise me trouxe uma carta que me encheu de alegria, pois era da Sra. de Stermaria, que aceitava jantar comigo na quarta-feira. Da Sra. de Stermaria, ou seja, para mim, mais que da Sra. de Stermaria real, daquela em que eu havia pensado o dia inteiro antes da chegada de Albertine. É esse o terrível engano do amor, que nos faz brincar com uma mulher não do mundo exterior, mas com uma boneca no interior do nosso cérebro, a única, aliás, que podemos ter sempre à nossa disposição, a única que possuiremos, que o arbítrio da lembrança, quase tão absoluto como o da imaginação, pode também ter feito diferente da mulher real como da Balbec real fora para mim a Balbec sonhada; criação fictícia à qual, pouco a pouco, para nosso sofrimento, forçaremos a mulher real a se assemelhar.

Albertine me atrasara tanto que a comédia acabava de terminar quando cheguei à casa da Sra. de Villeparisis; e, pouco interessado em ir de encontro à onda de convidados que se escoava comentando a grande novidade, a separação, que diziam ser já coisa liquidada, entre o duque e a duquesa de Guermantes, e esperando o momento de poder saudar a dona da casa, estava sentado numa poltrona vazia no segundo salão quando, do primeiro, onde sem dúvida estivera sentada na primeira fila, vi sair, majestosa, ampla e alta, num longo vestido de cetim amarelo, ao qual estavam aplicadas em relevo imensas papoulas negras, a duquesa. Sua vista já não me perturbava. Certo dia, pondo as mãos na minha testa (como era seu hábito quando receava me fazer mal), e dizendo-me: "Não continues com tuas saídas para encontrar a Sra. de Guermantes, és o motivo de troça da casa. Além disso, vê como a tua avó está passando mal, na verdade tens coisas mais sérias a fazer do que te postares no caminho de uma mulher que zomba de ti", de um só golpe, como um hipnotizador que nos faz regressar de um país longínquo onde imaginávamos estar, e nos reabre os olhos, ou como o médico que, apelando para nosso sentimento do dever e da realidade, cura-nos do mal imaginário que alimentávamos — minha mãe me havia despertado de um sonho longo demais. O dia seguinte fora dedicado a dar um último adeus a esse mal a que eu renunciava; tinha cantado, chorando, durante horas inteiras, o "Adeus" de Schubert:

Adeus, vozes estranhas
Te chamam para longe, celeste irmã dos Anjos.

E depois, tudo acabado. Terminei com minhas saídas matutinas, e tão facilmente, que extraí então o prognóstico, que mais tarde veremos ter sido falso, de que me habituaria com facilidade, no decurso da existência, a deixar de ver uma mulher. E, quando, logo depois, Françoise me contou que Jupien, desejoso de aumentar seus negócios, procurava uma loja no bairro, querendo eu encontrar-lhe uma (também feliz da vida, a flanar pela rua que já do meu leito ouvia gritar luminosamente como uma praia, de ver, sob a cortina de ferro erguida das leiterias, as pequenas leiteiras de alvas mangas), pude recomeçar minhas saídas. De resto, com maior liberdade; pois tinha consciência de não mais fazê-las com a finalidade de ver a Sra. de Guermantes: como uma mulher, que toma infinitas precauções quando tem um amante e que, desde o dia em que rompeu com ele, deixa suas cartas ao acaso, com o risco de revelar ao marido o segredo de uma falta com que deixou de se assustar ao mesmo tempo que cessou de cometê-la.

O que me dava pena era saber que quase todas as casas eram habitadas por gente infeliz. Aqui, a mulher chorava sem parar porque o marido a enganava. Ali, dava-se o contrário. Além, uma mãe trabalhadora, moída de pancadas por um filho bêbado, procurava ocultar seus sofrimentos aos olhos dos vizinhos. Uma metade inteira da humanidade chorava. E, quando a conheci, vi que era tão exasperante que me perguntei se o marido ou a mulher é que tinham razão, e seriam adúlteros apenas porque a genuína felicidade lhes fora recusada e se mostravam leais e gentis para com qualquer pessoa que não fosse a esposa ou o marido. Em breve, já não tinha sequer a desculpa de ser útil a Jupien para continuar minhas romarias matinais. Pois soube-se que o marceneiro do nosso pátio, cuja oficina era separada da loja de Jupien somente por um tabique delgado, ia ser despedido pelo gerente porque dava marteladas muito barulhentas. Jupien não podia esperar nada melhor, as oficinas possuíam um subsolo, onde ele poderia guardar os trabalhos de madeira, e que se comunicava com a nossa adega. Jupien colocaria ali o seu carvão, arrancaria o tabique e disporia de uma loja única e ampla. Além disso, como achasse muito elevado o aluguel que o Sr. de Guermantes cobrava, deixava que visitassem o local para que, desanimado por não encontrar locatário, o duque se resignasse a lhe fazer um abatimento, e então Françoise, tendo reparado que, mesmo após a hora das visitas, o porteiro deixava encostada a porta da loja a alugar, logo farejou um ardil do porteiro para atrair a noiva do lacaio dos Guermantes (ali estes achariam um recanto de amor) e a seguir surpreendê-los.

Fosse como fosse, embora não tendo mais de procurar uma loja para Jupien, continuei a sair antes do almoço. Muitas vezes, nessas saídas, encontrei o Sr. de Norpois. Ocorria que, conversando com um colega, ele me lançava um olhar que, depois de me examinar da cabeça aos pés, se desviava para seu interlocutor sem sequer me sorrir nem saudar, como se absolutamente não me conhecesse. Pois entre esses diplomatas importantes, olhar de uma certa maneira não tem por finalidade nos fazer saber que nos viram, e sim que não nos viram e que têm a falar assuntos sérios com o colega. Menos discreta comigo era uma mulher alta, com quem cruzara seguidamente perto de casa. Pois, embora não a conhecesse, ela se virava para mim, esperava-me inutilmente diante das vitrines, sorria-me como se fosse me beijar, fazia o gesto de se entregar. Retomava o ar glacial para comigo se encontrava algum conhecido seu. Desde há muito, nessas andanças matinais, conforme o que eu tivesse a fazer, mesmo que fosse para comprar o jornal mais insignificante, escolhia o caminho mais direto, sem lastimar se estava fora do percurso habitual dos passeios da duquesa e se, ao contrário, dele fazia parte, sem escrúpulos e sem dissimulação porque já não me parecia o caminho proibido onde eu arrancaria a uma ingrata o favor de vê-la a seu pesar. Mas eu não imaginara que a minha cura, dando-me relativamente à Sra. de Guermantes uma atitude normal, ao mesmo tempo realizaria a mesma obra no tocante a ela e tornaria possível uma amabilidade e uma amizade que já não me importavam mais. Até então os esforços do mundo inteiro reunidos para me aproximarem dela teriam sido em vão diante da má sorte que lança um amor infeliz. Fadas mais poderosas que os homens decretaram que, em tais casos, nada poderá servir até o dia em que tivermos dito sinceramente em nosso coração as palavras: "Já não amo." Ficara querendo mal a Saint-Loup por não me ter levado à casa de sua tia. Porém, tanto quanto qualquer pessoa, ele não era capaz de quebrar um encanto. Enquanto amava a Sra. de Guermantes, as provas de gentileza que recebia de outrem, os cumprimentos, tudo isso me fazia sofrer, não só porque não vinham dela, mas porque ela não saberia deles. Ora, mesmo que ela soubesse, isso não teria sido de nenhuma utilidade. Até nos detalhes de uma afeição, uma ausência, a recusa de um jantar, um rigor involuntário, inconsciente, servem mais que todos os cosméticos e as roupas mais belas. Haveria arrivistas, se se ensinasse neste sentido a arte de ser arrivista.

No momento em que ela atravessava o salão onde eu estava sentado, com o pensamento cheio da lembrança de amigos que eu não conhecia e que ela ia talvez reencontrar dali a pouco em um outro sarau, a Sra. de Guermantes me viu na poltrona, verdadeiro indiferente que tentava apenas ser amável, quando, enquanto amava, tanto e tão inutilmente havia tentado assumir um ar de indiferença; ela esquinou, veio até mim e, recobrando o sorriso da noite da Ópera e que o sentimento penoso de ser amada por alguém a quem não amava não mais podia apagar:

— Não, não se incomode; permita-me que me sente por um instante a seu lado? — disse-me, juntando graciosamente a sua saia imensa que sem isto teria ocupado toda a poltrona.

Mais alta que eu, e aumentada ainda de todo o volume de seu vestido, era eu quase roçado por seu admirável braço despido em torno ao qual uma penugem imperceptível e inumerável fazia fumear, perpetuamente, como que um vapor dourado, e pelos cachos louros dos cabelos que me enviavam o seu aroma. Não dispondo de espaço, ela não podia virar-se facilmente para mim e, obrigada a olhar para diante mais que para o meu lado, assumia uma expressão doce e sonhadora, como num retrato.

— Tem notícias de Robert? — indagou.

A Sra. de Villeparisis passou nesse momento.

— Muito bem! O senhor chega numa bela hora, pelo muito que o vemos...

E notando que eu falava com sua sobrinha, talvez imaginando que éramos mais ligados do que pensava:

— Mas não quero atrapalhar a sua conversa com Oriane — acrescentou (pois os bons ofícios da alcoviteira fazem parte dos deveres de uma dona de casa). — Não quer vir jantar quarta-feira com ela?

Era o dia em que eu devia jantar com a Sra. de Stermaria. Recusei:

— E sábado?

Voltando minha mãe no sábado ou no domingo, seria pouco gentil não ficar para jantar todas as noites com ela; portanto, recusei de novo.

— Ah, o senhor não é um homem fácil de se ter em casa.

— Por que nunca vai me visitar? — perguntou a Sra. de Guermantes quando a Sra. de Villeparisis se afastou para felicitar os artistas e enviar à diva um buquê de rosas, cujo único valor estava na mão que o oferecia, pois só custara vinte francos. (Aliás, era este o seu prêmio máximo quando só cantara uma vez. As que prestavam seu concurso em todas as matinês e vesperais recebiam rosas pintadas pela marquesa.) — É aborrecido vê-lo apenas na casa dos outros. Já que não quer jantar comigo na casa de minha tia, por que não vir jantar em minha casa?

Algumas pessoas que se haviam demorado o mais possível, sob qualquer pretexto, e que por fim saíam, vendo a duquesa sentada a conversar com um rapaz, num móvel tão estreito que nele só cabiam duas pessoas, pensaram que tinham sido mal informados, que era o duque e não a duquesa quem pedia a separação, e por minha causa; e apressaram-se a espalhar a novidade. Eu estava em melhores condições que ninguém para conhecer a falsidade daquilo. Mas surpreendia-me que, nesses períodos difíceis em que se realiza uma separação, ainda não consumada, a duquesa, em vez de se isolar, convidasse justamente alguém que conhecia tão pouco. Tive a suspeita de que o duque fora o único a não querer que ela me recebesse e que, agora que a abandonava, já não via obstáculos a que ela se cercasse de pessoas que lhe agradavam.

Dois minutos antes, eu teria ficado estupefato se me dissessem que a Sra. de Guermantes ia me pedir para visitá-la, e ainda mais que lá fosse jantar. Por mais que soubesse que o salão Guermantes não podia apresentar as particularidades que eu havia extraído desse nome, o fato de que me fora proibido nele penetrar, obrigando-me a dar-lhe o mesmo gênero de existência dos salões cuja descrição lemos num romance ou vimos num sonho, fazia-me imaginá-lo bem diferente, mesmo quando estivesse seguro de que era igual a todos os outros; entre ele e mim havia a barreira onde termina o real. Jantar em casa dos Guermantes era como empreender uma viagem desejada há muito tempo, fazer passar um desejo de minha cabeça diante dos olhos e tomar conhecimento de um sonho. Pelo menos deveria acreditar que se tratasse de um desses jantares aos quais o dono da casa convida alguém, dizendo: "Venha, não haverá absolutamente ninguém, a não ser nós", fingindo atribuir ao pária o receio, que sentem, de vê-lo misturado a seus amigos, e procurando até mesmo transformar em um invejável privilégio reservado somente aos íntimos a quarentena do excluído, não obstante selvagem e favorecido. Senti, ao contrário, que a Sra. de Guermantes desejava me fazer desfrutar do que possuía de mais agradável quando me disse, pondo, por outro lado, diante de meus olhos, como que a beleza violácea de uma chegada à casa da tia de Fabrice e o milagre de uma apresentação ao conde Mosca:

— Sexta-feira o senhor não estaria livre para uma pequena reunião? Seria ótimo. Estará presente a princesa de Parma, que é encantadora; antes de tudo, não o convidaria se não fosse para se encontrar com pessoas agradáveis.

Abandonada nos meios mundanos intermediários que se entregaram a um movimento perpétuo de ascensão, a família, ao contrário, desempenha um papel importante nos meios extremos, como a pequena burguesia e a aristocracia principesca, que não pode procurar elevar-se, visto que, acima dela, no seu ponto de vista especial, não existe nada. A amizade que me testemunhavam "a tia Villeparisis" e Robert fizera de mim, talvez, para a Sra. de Guermantes e seus amigos, que viviam sempre encerrados em si mesmos e numa mesma confraria, objeto de uma atenção da qual eu nem sequer suspeitava.

A Sra. de Guermantes possuía desses parentes um conhecimento familiar, cotidiano, comum e bem diferente daquele que imaginávamos e no qual, se somos compreendidos, longe de nossos atos serem expelidos como um grão de poeira do olho ou a gota d'água da traquéia, podem ficar gravados, ser comentados, contados ainda durante anos depois de nós mesmos os termos esquecido, no palácio em que ficamos estarrecidos por reencontrá-los como uma carta nossa em uma preciosa coleção de autógrafos.

Uns meros elegantes podem proibir o acesso à sua porta excessivamente invadida. Mas a dos Guermantes não o era. Um estranho quase nunca teria ocasião de passar diante dela. Uma vez que lhe indicassem algum, a duquesa não pensava em preocupar-se com o valor mundano que ele traria, já que era coisa que ela conferia e não podia receber. Ela só pensava em suas qualidades reais. A Sra. de Villeparisis e Saint-Loup lhe haviam dito que eu as possuía. E, sem dúvida, ela não acreditaria neles se não tivesse notado que eles jamais poderiam fazer com que eu viesse quando não o desejassem, e que eu, portanto, não dava importância à sociedade, o que para a duquesa parecia sinal de que um estranho fazia parte das "pessoas agradáveis".

Era de ver, quando falava de mulheres de que não gostava, como logo mudava de fisionomia se nomeavam, a propósito de alguma, por exemplo a cunhada. — Oh, ela é encantadora — dizia, com ar de certeza e finura. A única razão que dava, para tal, era que essa dama se recusara a ser apresentada à marquesa de Chaussegros e à princesa de Silistrie. Não acrescentava que essa dama recusara ser apresentada a ela própria, duquesa de Guermantes. Entretanto, isto ocorrera, e desde esse dia o espírito da duquesa trabalhava para saber o que podia se passar na casa dessa dama tão difícil de conhecer. Morria de vontade de ser recebida em sua casa. As pessoas mundanas têm de tal modo arraigado o hábito de serem procuradas que aquele que se lhes esquiva lhes parece uma fênix e monopoliza a sua atenção.

O verdadeiro motivo de me fazer um convite seria por acaso, no espírito da Sra. de Guermantes (desde que já não a amava), o fato de que eu não procurava seus parentes, embora por eles fosse procurado? Não sei. Em todo caso, tendo se decidido a me convidar, queria fazer-me as honras do que possuía de melhor em sua casa, e afastar aqueles de seus amigos que poderiam impedir-me de voltar, aqueles que sabia serem tediosos. Eu não soubera a que atribuir a mudança de itinerário da duquesa quando a vira desviar-se de seu caminho estelar, vir sentar-se a meu lado e convidar-me para jantar, efeito de causas ignoradas. Por falta de um sentido especial que nos informe a respeito, afiguramo-nos as pessoas que mal conhecemos — como eu à duquesa — como se pensassem em nós unicamente nos raros momentos em que nos vêem. Ora, esse olvido ideal em que julgamos que eles nos mantêm é totalmente arbitrário. De modo que, enquanto no silêncio da solidão, semelhante ao de uma noite linda, imaginamos as diferentes rainhas da sociedade a prosseguir o seu caminho no céu a uma distância infinita, não podemos evitar um sobressalto de mal-estar ou de prazer se nos cai lá de cima, como um aerólito que tivesse gravado o nosso nome, o qual julgávamos desconhecido em Vênus ou Cassiopéia, um convite para jantar ou um falatório maldoso.

Às vezes, quem sabe, quando, à imitação dos príncipes persas que, segundo o Livro de Ester, mandavam ler os registros em que estavam inscritos os nomes daqueles dentre seus súditos que lhes haviam testemunhado zelo, a Sra. de Guermantes, consultando a lista das pessoas bem-intencionadas, dissera consigo a meu respeito: "Um a quem havemos de convidar." Mas outros pensamentos a tinham distraído

(De zelos tumultuosos um príncipe cercado
É para novos assuntos sem cessar arrastado.)[22]

até o momento em que me enxergara sozinho como Mardoqueu à porta do palácio; e, tendo-lhe refrescado a memória o ver-me ali, queria, como Assuero, cumular-me com seus dons.

Entretanto, devo dizer que uma surpresa de gênero oposto ia seguir-se à que eu tivera no momento em que a Sra. de Guermantes me havia convidado. Esta primeira surpresa, como eu achara mais modesto de minha parte, e mais agradecido, não a dissimular e, ao contrário, exprimir com exagero o que tinha de alegre, a Sra. de Guermantes, que se dispunha a partir para um último sarau, acabava de me dizer, quase como uma justificação, e com receio de que eu não soubesse bem quem ela era, por causa do ar tão espantado que eu fazia por ter sido convidado para sua casa: — O senhor sabe, sou tia de Robert de Saint-Loup, que o estima muito, e afinal já nos vimos aqui. — Respondendo que sabia disso, acrescentei que

[22] Versos traduzidos de Racine: *Esther*, ato II, cena III. (N. do T.)

conhecia também o Sr. de Charlus, o qual "fora muito bom comigo em Balbec e em Paris". A Sra. de Guermantes estacou de espanto, e seus olhos pareceram se reportar, como para uma verificação, a uma página já mais antiga do livro interior. — Como! Então conhece Palamède? — Este prenome assumia na boca da Sra. de Guermantes uma grande doçura devido à simplicidade involuntária com que falava de um homem tão brilhante, mas que para ela não passava do seu cunhado, do seu primo, e com que fora criada. E, no cinzento confuso que era para mim a vida da duquesa de Guermantes, esse nome de Palamède punha como que a claridade dos dias longos de verão em que brincara com ele no jardim, em Guermantes, quando menina. Aliás, naquela porção há muito passada de suas vidas, Oriane de Guermantes e seu primo Palamède tinham sido bem diferentes do que se tornaram desde então; o Sr. de Charlus, principalmente, todo entregue a seus gostos pela arte, de tal modo os reprimira mais tarde que fiquei espantado ao saber que o imenso leque de íris amarelos e negros, que a duquesa desdobrava naquele momento, fora pintado por ele. Poderia igualmente mostrar-me uma pequena sonatina que o barão havia composto para ela outrora. Eu ignorava totalmente que o barão possuísse todos esses talentos, dos quais nunca falava. Digamos de passagem que o Sr. de Charlus não gostava que a família o chamasse de Palamède. Quanto a Mémé, ainda se poderia compreender que não gostasse. Essas estúpidas abreviaturas são um sinal da incompreensão que a aristocracia tem da própria poesia (aliás, o mesmo se dá entre os judeus, pois um sobrinho de Lady Israels, chamado Moïse, era normalmente chamado na sociedade de "Momo"), e, ao mesmo tempo, da sua preocupação em não parecer dar importância ao que é aristocrático. Ora, o Sr. de Charlus tinha, a tal respeito, mais imaginação poética e mais manifesto orgulho. Mas o motivo por que se agradava tão pouco de "Mémé" não era este, visto que se estendia também ao prenome de Palamède. A verdade é que, julgando-se e sabendo pertencer a uma família principesca, desejaria que o irmão e a cunhada o tratassem por "Charlus", como a rainha Maria Amélia ou o duque de Orléans podiam dizer de seus filhos, netos, sobrinhos e irmãos: "Joinville, Nemours, Chartres, Paris".

— Como é misterioso esse Mémé — exclamou a duquesa. — Falamos-lhe longamente do senhor, disse-nos que ficaria muito feliz em conhecê-lo, perfeitamente como se nunca o tivesse visto. Confesse que é engraçado! E às vezes — o que não é nada amável de minha parte dizer de um cunhado a quem adoro e cujo raro valor admiro — meio louco.

Fiquei chocado com esse qualificativo aplicado ao Sr. de Charlus e disse comigo que essa meia-loucura explicava talvez algumas coisas, por exemplo, que ele parecesse tão encantado com o projeto de solicitar a Bloch que batesse na própria mãe. Percebi que, não só pelas coisas que dizia, mas pelo modo como as dizia, o Sr. de Charlus era um tanto louco. Da primeira vez que se ouve um advogado ou um ator, surpreendemo-nos com o tom bem diferente de sua conversação. Mas como a gente se dá conta de que todos acham isso natural, nada dizemos aos outros, e nada a nós mesmos, contentamo-nos em apreciar o grau de talento. Quando muito, pensamos num ator do Théâtre-Français: "Por que, em vez de deixar recair o seu braço erguido, ele o fez abaixar-se por meio de pequenas sacudidelas interrompidas por pausas, durante pelo menos dez minutos?" ou num Labori: "Por que, desde que abriu a boca, emitiu ele esses sons trágicos, inesperados, para dizer as coisas mais simples?" Mas, como todo mundo admite isto *a priori,* a gente não fica chocado. Da mesma forma, refletindo no caso, dizia-se que o Sr. de Charlus falava de si com ênfase, num tom que absolutamente não era o de ordinário. Parecia que se deveria a todo instante dizer-lhe: "Mas por que o senhor grita tão alto? Por que é tão insolente?" Apenas, todos pareciam ter admitido tacitamente que era assim mesmo. E entravam na roda que o festejava enquanto ele estava perorando. Mas, evidentemente, em certos momentos, um estranho julgaria estar ouvindo um demente a berrar.

— Mas — retomou a duquesa, com a ligeira impertinência que nela se enxertava à simplicidade — está o senhor bem certo de que não se confunde, que fala mesmo do meu cunhado Palamède? Por mais que ele ame os mistérios, este me parece demais!

Respondi que estava absolutamente certo e que talvez o Sr. de Charlus tivesse ouvido mal o meu nome.

— Muito bem, vou deixá-lo — disse a duquesa como que lamentando. — Preciso ir a um segundo sarau na casa da princesa de Ligne. Não vai até lá? Não, o senhor não gosta da sociedade? Tem muita razão, é aborrecido. Se eu não fosse obrigada! Mas é minha prima, não seria gentil faltar. Lamento egoistamente, por mim, porque poderia levá-lo e até trazê-lo de volta. Então, despeço-me e felicito-me pela quarta-feira.

Que o Sr. de Charlus tivesse enrubescido por minha causa diante do Sr. de Argencourt, ainda passa. Mas, para a própria cunhada, que fazia uma idéia tão alta dele, que negasse conhecer-me — fato tão natural, pois eu conhecia a um tempo a sua tia e o seu sobrinho —, era algo que eu absolutamente não podia compreender.

Terminarei isto, dizendo que, de um certo ponto de vista, havia uma verdadeira grandeza na Sra. de Guermantes, grandeza que consistia em apagar completamente tudo o que outros teriam só parcialmente esquecido. Mesmo que nunca me tivesse encontrado a espioná-la, a assediá-la, a segui-la em seu caminho naqueles passeios matinais, mesmo que nunca tivesse respondido à minha saudação cotidiana com impaciência e irritação, mesmo que não houvesse mandado Saint-Loup embora, quando ele lhe suplicara que me convidasse, não poderia ter comigo maneiras mais nobremente, naturalmente amáveis. Não só não perdia tempo em explicações retrospectivas, em meias palavras, em sorrisos ambíguos, em subentendidos, não só mostrava em sua afabilidade atual, sem retrocessos, sem reticências, algo de tão altivamente retilíneo como sua majestosa estatura, mas os agravos que pudesse ter sentido contra alguém no passado estavam tão inteiramente reduzidos a cinzas, e essas mesmas cinzas eram lançadas tão longe de sua memória ou, pelo menos, de sua maneira de ser, que, ao ver o seu rosto de cada vez que ela precisava tratar com a mais bela das simplificações, o que em tantos outros teria sido pretexto para uns restos de frieza, para recriminações, tinha-se a idéia de uma espécie de purificação.

Mas, se eu estava surpreso com a modificação que nela se operara a meu respeito, como o era ainda mais por descobrir em mim uma mudança bem maior a respeito dela! Não houvera um só instante em que eu não retomasse vida e alento se não buscasse, tramando sempre novos projetos, alguém que me fizesse ser recebido por ela e, após essa primeira ventura, não buscasse ainda outras mais para o meu coração cada vez mais exigente! A impossibilidade de encontrar algo nesse sentido é que me fizera partir para Doncières, a fim de ver Robert de Saint-Loup. E agora, era exatamente devido a uma carta sua que eu estava agitado, mas por causa da Sra. de Stermaria, e não da Sra. de Guermantes.

Acrescentemos, para acabar com esta noitada, que ali se passou um fato, desmentido alguns dias depois, o qual não deixou de me assombrar, fez-me zangar por algum tempo com Bloch e que constitui em si uma dessas curiosas contradições cuja explicação iremos encontrar em *Sodoma-I*. Pois bem, Bloch, na casa da Sra. de Villeparisis, não cessou de me elogiar o ar de amabilidade do Sr. de Charlus, o qual, quando o encontrava na rua, o olhava nos olhos como se o conhecesse, tinha vontade de conhecê-lo, sabia muito bem quem ele era. Primeiro, sorri daquilo, visto que Bloch se expressara com tamanha violência, em Balbec, a respeito do mesmo Sr. de Charlus. E pensei simplesmente que Bloch, a exemplo de seu pai quanto a Bergotte, conhecia o barão "sem conhecê-lo". E aquilo que tomava por um olhar amável era um olhar distraído. Mas enfim Bloch chegou a tantas minúcias e pareceu tão seguro de que, em duas ou três ocasiões, o barão quisera abordá-lo, que, lembrando-me de haver falado de meu colega ao Sr.

de Charlus, o qual, de volta de uma visita à casa da Sra. de Villeparisis, me fizera várias perguntas, formei a suposição de que Bloch não mentia, que o Sr. de Charlus soubera o seu nome, que ele era meu amigo, etc.. Assim, pouco depois, no teatro, pedi ao Sr. de Charlus para lhe apresentar Bloch e, com sua aquiescência, fui procurá-lo. Mas, logo que o Sr. de Charlus o viu, um espanto rapidamente reprimido se desenhou em seu rosto, onde foi substituído por um cintilante furor. Não só não estendeu a mão a Bloch, mas cada vez que este lhe dirigia a palavra respondia-lhe com o ar mais insolente, com uma voz cortante e irritada. De modo que Bloch, que, pelo que dizia, não recebera do barão senão sorrisos, julgou que eu não o tinha recomendado e sim desservido, durante a curta conversa em que, sabendo o gosto do Sr. de Charlus pelos protocolos, lhe falara do meu camarada antes de conduzi-lo até ele. Bloch nos deixou, extenuado como quem tentou montar num cavalo prestes, o tempo todo, a tomar o freio nos dentes ou a nadar contra as ondas que o repeliam sem cessar sobre as pedras, e não voltou a falar comigo durante seis meses.

Os dias que precederam meu jantar com a Sra. de Stermaria não foram deliciosos, mas insuportáveis. É que, em geral, quanto mais curto é o tempo que nos separa daquilo a que nos propusemos, mais longo nos parece, pois a ele aplicamos medidas mais breves ou simplesmente porque imaginamos medi-lo. O papado, dizem, conta por séculos, e talvez mesmo nem pense em contar, pois seu objetivo está no infinito. Estando o meu apenas à distância de três dias, eu contava por segundos, entregava-me a essas fantasias que são começos de carícias, carícias que nos enraivece não poder fazer com que as termine a própria mulher (precisamente essas carícias, à exclusão de todas as outras). E em suma, se é certo que em geral a dificuldade de atingir o objeto de um desejo contribui para aumentá-lo — a dificuldade, não a impossibilidade, pois esta última o suprime —, no entanto, para um desejo puramente físico, a certeza de que será realizado num momento próximo e determinado não é menos estimulante que a incerteza; quase tanto como a dúvida ansiosa, a ausência de dúvida torna intolerável a espera do prazer infalível porque faz dessa espera uma realização inumerável e, devido à freqüência das representações antecipadas, divide o tempo em fatias tão miúdas que provocam angústia.

O que me faltava era possuir a Sra. de Stermaria: há vários dias, com uma atividade incessante, meus desejos tinham preparado esse prazer na minha imaginação, e somente ele; um outro (o prazer com uma outra mulher) não teria motivo, visto que o prazer não passa da realização de uma vontade prévia, que não é sempre a mesma, que muda de acordo com as mil combinações da fantasia, os acasos das recordações, o estado do temperamento, a ordem da disponibilidade dos desejos, dos quais os últimos saciados descansam até que tenha sido um tanto esquecida a decepção de seu cumprimento; eu já deixara a grande estrada dos desejos genéricos e caminhava pela trilha de um desejo mais particular; seria preciso, para desejar outro encontro, voltar de muito longe para retomar a grande estrada e seguir por outro atalho. Possuir a Sra. de Stermaria na ilha do Bois de Boulogne, para onde a convidara para jantar, tal era o prazer que eu fantasiava a todo instante. Prazer que teria sido destruído caso eu jantasse nessa ilha sem a Sra. de Stermaria; mas talvez também bastante diminuído se jantasse, embora com ela, em outro local. De resto, as atitudes conforme as quais se imagina um prazer são anteriores à mulher, ao tipo de mulheres que lhe convêm. São essas atitudes que o governam, e até mesmo o lugar; e, devido a isso, fazem retornar alternativamente, ao nosso pensamento caprichoso, tal mulher, tal lugar, tal quarto, que em outras semanas teríamos desdenhado. Filhas da atitude, tais mulheres não se dão bem sem a cama grande, onde encontramos paz a seu lado, e outras, para serem acariciadas com intenção mais secreta, necessitam de folhas ao vento, de águas na noite, são leves e fugidias como umas e outras.

Decerto, já bem antes de ter recebido a carta de Saint-Loup e quando ainda não se tratava da Sra. de Stermaria, a ilha do Bois me havia parecido apropriada para o prazer, pois me acontecera ter estado ali a fim de degustar a tristeza de não ter nenhum prazer para abrigar naquelas paragens. É pelas margens do lago que conduzem a essa ilha e ao longo das quais, nas últimas semanas de verão, costumam passear as parisienses que ainda não se despediram, que, não sabendo mais onde encontrá-la e nem mesmo se já deixou Paris, perambulamos na esperança de ver passar a moça por quem nos apaixonamos no último baile do ano e que não poderemos mais encontrar em nenhuma recepção antes da primavera seguinte. Sentindo-se nas vésperas ou talvez no dia seguinte à partida do ente querido, a gente segue, à beira da água trêmula, essas belas alamedas onde uma primeira folha rubra já desponta como uma última rosa, escruta esse horizonte em que, por um artifício inverso ao desses panoramas sob cuja rotunda os personagens de cera do primeiro plano dão à tela pintada do fundo a aparência ilusória da profundidade e do volume, nossos olhos passam sem transição do parque cultivado às alturas naturais do Meudon e do monte Valérien, não sabendo onde pôr um limite, e colocam a verdadeira campina na obra de jardinagem, cujo encanto artificial projetam muito além dela; da mesma forma, esses pássaros raros criados em liberdade num jardim botânico e que todos os dias, ao sabor de seus passeios alados, vão pousar até nos bosques limítrofes uma nota exótica. Entre a última festa do ano e o exílio do inverno, percorremos ansiosamente esse reino romanesco de encontros incertos e de melancolias amorosas, e não ficaríamos mais surpresos que ele estivesse situado fora do universo geográfico do que, em Versalhes, no alto do terraço, observatório em torno ao qual as nuvens se acumulam contra o céu azul no estilo de Van der Meulen, depois de assim nos termos elevado para fora da natureza, soubéssemos que ali onde esta recomeça, na extremidade do grande canal, as aldeias que não podemos distinguir, no horizonte ofuscante como o mar, se chamam Fleurus ou Nimègue.

E, passado o último carro, quando sentimos com pesar que ela já não virá, vamos jantar na ilha; acima dos choupos trêmulos que recordam incessantemente os mistérios do entardecer mais do que a eles respondem, uma nuvem rósea põe uma última cor de vida no céu apaziguado. Algumas gotas de chuva caem sem rumor na água antiga, mas que, na sua divina infância, continua sendo da cor do tempo e que a todo instante esquece as imagens das nuvens e das flores. E, depois de os gerânios terem lutado inutilmente contra o crepúsculo ensombrecido, intensificando a iluminação de suas cores, uma bruma vem envolver a ilha, que adormece; passeamos na escuridão úmida ao longo das águas, onde no máximo a passagem silenciosa de um cisne nos espanta, como num leito noturno os olhos crescidos e abertos um instante e o sorriso de uma criança que não imaginávamos acordada. Então tanto mais gostaríamos de ter conosco a amada quanto mais sós nos sentimos e mais distantes nos podemos julgar estar.

Mas a essa ilha, onde mesmo no verão era freqüente o nevoeiro, como me sentiria feliz em levar a Sra. de Stermaria, agora que havia chegado a estação chuvosa, que chegara o fim do outono! Se o tempo que fazia desde domingo não deixaria acinzentadas e marítimas as regiões em que vivia a minha fantasia — como outras estações as tornavam embalsamadas, luminosas, italianas —, a esperança de possuir a Sra. de Stermaria dentro de poucos dias teria bastado para fazer erguer-se, vinte vezes por hora, uma cortina de bruma em minha imaginação monotonamente nostálgica. Em todo caso, o nevoeiro que desde a véspera se erguera sobre a própria Paris não só me fazia pensar incessantemente na terra natal da jovem senhora que eu acabava de convidar, mas, como era provável que, bem mais espesso ainda do que na cidade, devesse à tardinha invadir o Bois, sobretudo à beira do lago, eu pensava que, para mim, a ilha dos Cisnes representaria um pouco da ilha da Bretanha, cuja atmosfera marítima e brumosa havia sempre envolvido a meus olhos, como uma vestimenta, a pálida silhueta da Sra. de Stermaria. Certamente, quando somos jovens, na idade que eu tinha em meus passeios para os lados de Méséglise, nosso desejo e nossa crença atribuem ao vestido de uma mulher uma particularidade individual, uma irredutível essência. Perseguimos a realidade. Porém, à força de deixá-la escapar, acabamos por verificar que, através de todas essas tentativas baldadas onde nos defrontamos com o Nada, subsiste algo de sólido, que é o que procurávamos. Começamos a conhecer o que amamos; tentamos obtê-lo, ainda que à custa de um artifício. Então, na falta da crença desaparecida, a roupa significa o suprimento dessa crença por meio de uma ilusão voluntária. Eu sabia que, a meia hora de casa, não ia encontrar a Bretanha. Mas, ao passear abraçado à Sra. de Stermaria pelas trevas da ilha, à beira d'água, procederia como outros que, não podendo penetrar num convento, pelo menos, antes de possuir uma mulher, vestem-na de freira.

Podia até mesmo esperar ouvir, com a jovem senhora, algum ruído de vagas, pois, à véspera do jantar, desencadeou-se uma tempestade. Eu começava a fazer a barba para ir à ilha e garantir o reservado (embora àquela época do ano a ilha estivesse vazia e o restaurante deserto), além de encomendar o cardápio para o jantar do dia seguinte, quando Françoise me anunciou Albertine. Fi-la entrar logo, indiferente a que ela me visse enfeado por um queixo preto, a mesma mulher para que, em Balbec, nunca me achava bastante bonito e que outrora me custara tanta agitação e sofrimento quanto agora a Sra. de Stermaria. Fazia questão que esta tivesse a melhor impressão possível da noite seguinte. Assim, pedi a Albertine que me acompanhasse imediatamente à ilha para ajudar-me a programar o cardápio. Aquela a quem se dá tudo é tão rapidamente substituída por uma outra que se fica espantado de dar o que se tem de novo, a cada hora, sem esperança de futuro. À minha proposta, o rosto sorridente e rosado de Albertine, sob um gorro liso que descia até muito baixo, até os olhos, pareceu hesitar. Ela devia ter outros projetos; em todo caso, sacrificou-os a mim facilmente, para minha grande satisfação, pois eu dava muito mais importância a ter comigo uma jovem que sabia cuidar da casa e poderia muito melhor do que eu encomendar o jantar.

É certo que ela representara algo bem diverso para mim em Balbec. Mas nossa intimidade, mesmo quando não a julguemos então muito estreita, com uma mulher por quem somos apaixonados, cria entre ela e nós, apesar das carências que nos fazem sofrer, elos sociais que sobrevivem ao nosso amor e até a recordação desse amor. Então, naquela que já não é para nós mais que um meio e um caminho para outras, ficamos tão surpresos e divertidos ao compreender, por nossa memória, o quanto o seu nome significou de original para o outro ser que fomos outrora, como se, depois de ter indicado a um cocheiro um endereço, bulevar dos Capucines ou rua do Bac, pensando somente na pessoa que vamos encontrar ali, percebêssemos que esses nomes foram antigamente o das monjas capuchinhas cujo convento ali se encontrava e o da barca que atravessava o Sena.

Certamente os meus desejos de Balbec haviam tão bem amadurecido o corpo de Albertine, acumulando nele sabores tão vivos e doces que, durante a nossa caminhada até o Bois, enquanto o vento como um jardineiro zeloso sacudia as árvores, fazia cair os frutos e varria as folhas secas, dizia eu comigo que, se houvesse algum risco de que Saint-Loup estivesse enganado, ou que eu tivesse compreendido mal a sua carta e que meu jantar com a Sra. de Stermaria não levasse a nada, teria marcado encontro com Albertine naquela mesma noite, bem mais tarde, a fim de, durante uma hora puramente voluptuosa, tendo em meus braços o corpo de que a minha curiosidade havia outrora calculado e sopesado todos os encantos, encantos que agora superabundavam, esquecer as emoções e as tristezas desse começo de amor pela Sra. de Stermaria. E decerto, se pudesse supor que esta não me concederia nenhum favor nessa primeira noite, acharia muito decepcionante o tempo que passaria com ela. Sabia muito bem, por experiência própria, como os dois estágios, que se sucedem em nós nesses começos de amor por uma mulher que desejamos sem conhecê-la, amando nela, antes que a ela própria, quase desconhecida ainda, a vida particular em que se banha, como esses dois estágios estranhamente se refletem no domínio dos fatos; ou seja, não mais em nós mesmos, mas em nossos encontros com ela. Hesitamos, sem jamais ter falado com ela, tentados que estávamos pela poesia que representa para nós. Será ela ou uma outra? E eis que os sonhos se fixam a seu redor, não fazendo senão um todo com ela. O primeiro encontro, que em breve ocorrerá, deveria refletir esse amor nascente. De jeito nenhum. Como se fosse necessário que a vida material também tivesse o seu primeiro estágio, amando-a já, nós lhe falamos do jeito mais insignificante: "Pedi-lhe que viesse jantar nesta ilha porque pensei que o cenário lhe agradaria. Aliás, não tenho nada de especial para lhe dizer. Mas receio que esteja muito úmido aqui e que sinta muito frio." — "Não, não." — "Está dizendo isso por amabilidade. Concedo que lute por mais um quarto de hora contra o frio, para não atormentá-la, mas, dentro de quinze minutos, levá-la-ei daqui à força: não quero que apanhe um resfriado." E, sem lhe ter dito coisa alguma, levamo-la de volta, sem lembrar nada dela; quando muito, uma certa maneira de olhar, mas só pensando em tornar a vê-la. Ora, da segunda vez, sem nem mesmo encontrar mais o olhar, lembrança única, mas apesar disso só pensando em revê-la, o primeiro estágio já está ultrapassado. Nada ocorreu no intervalo. Entretanto, em vez de falar do conforto do restaurante, dizemos, sem que isso surpreenda a pessoa nova, que achamos feia, mas a quem desejaríamos que falasse de nós em todos os momentos de sua vida: "Temos muito que fazer para vencer todos os obstáculos acumulados entre nossos corações. Julga que conseguiremos? Acredita que possamos ter razão contra os nossos inimigos e esperar um futuro feliz?" Mas essas conversas opostas, a princípio insignificantes e depois fazendo alusão ao amor, entre nós não ocorreriam, eu podia crer na carta de Saint-Loup. A Sra. de Stermaria se entregaria desde a primeira noite, e eu não teria portanto necessidade de convocar Albertine, como último caso, para o fim da noite. Era inútil, Robert nunca exagerava, e sua carta era bem clara!

Albertine falava pouco, pois sentia que eu estava preocupado. Demos alguns passos, sob a grota esverdeada, quase submarina, de uma espessa mata, sobre cuja cúpula ouvíamos zunir o vento e salpicar a chuva. Eu esmagava contra a terra as folhas secas que afundavam no solo como conchas e empurrava com a bengala castanhas picantes como ouriços.

Nos galhos, as últimas folhas convulsas só seguiam o vento no comprimento de seu pedúnculo; porém, às vezes, rompendo-se este, elas caíam por terra e alcançavam o vento correndo. Eu pensava, com alegria, o quanto, se esse tempo continuasse, estaria a ilha mais distante ainda e, de qualquer modo, inteiramente deserta. Subimos de novo para o carro e, como a borrasca se acalmara, Albertine me pediu que seguíssemos até Saint-Cloud. Assim como as folhas secas embaixo, no alto as nuvens seguiam o vento. E crepúsculos migratórios, cuja superposição rósea, azul e verde era vista através de uma espécie de seção cônica praticada no céu, já estavam preparados com destino a climas mais amenos. Para ver de mais perto uma deusa de mármore que se erguia em seu pedestal e, sozinha num grande bosque que lhe parecia ser dedicado, enchia-o do terror mitológico, meio animal, meio sagrado, de seus impulsos furiosos, Albertine subiu num montículo, enquanto eu a esperava no caminho. Ela mesma, vista assim de baixo, não mais gorda e roliça como no outro dia na minha cama, onde os sulcos do seu pescoço surgiam à lupa dos meus olhos mais próximos, mas cinzelada e fina, parecia uma pequena estátua sobre a qual os minutos felizes de Balbec tinham passado a sua pátina. Quando voltei a estar sozinho em casa, lembrando-me que fizera uma excursão à tardinha com Albertine, que jantaria dois dias depois em casa da Sra. de Guermantes e que precisava responder a uma carta de Gilberte, três mulheres que eu havia amado, disse comigo mesmo que a nossa vida social é, como um ateliê de artista, repleta de esboços abandonados onde, por um momento, julgáramos poder fixar nossa carência de um grande amor, mas não imaginava que algumas vezes, se o esboço não é muito antigo, pode acontecer que o retomemos e façamos dele uma obra completamente diversa, e talvez até mais importante do que aquela que a princípio havíamos projetado.

No dia seguinte fez um tempo bom, mas frio: sentia-se o inverno (e, de fato, a estação se antecipara tanto que seria um milagre se encontrássemos no Bois, já devastado, algumas cúpulas de ouro verde). Ao despertar, vi, como da janela da caserna de Doncières, a bruma fosca, densa e branca, que pendia alegremente ao sol, consistente e doce como açúcar em fio. Depois o sol se escondeu e a bruma se tornou ainda mais espessa à tarde. E logo escureceu e fui fazer a minha toalete, pois ainda era muito cedo para sair; decidi mandar um carro à Sra. de Stermaria. Não tive coragem de ir nele, para não forçá-la a fazer o trajeto comigo, mas pelo cocheiro mandei-lhe um bilhete no qual perguntava se permitia que eu fosse buscá-la. Enquanto esperava, estendi-me na cama, fechei os olhos por um momento e depois voltei a abri-los. Acima das cortinas só havia uma delgada faixa de luz que ia escurecendo. Reconhecia essa hora inútil, profundo vestíbulo do prazer, e cujo vazio sombrio e delicioso já aprendera a conhecer em Balbec; quando estava sozinho no quarto como agora, e todos os demais jantavam, eu via sem tristeza o dia morrer acima das cortinas, sabendo que em breve, após uma noite tão curta como as do pólo, ele haveria de ressuscitar mais brilhante na fulguração de Rivebelle. Saltei da cama abaixo, passei a gravata preta, dei uma escovadela nos cabelos, últimos gestos de um aprontamento tardio, executados em Balbec, pensando não em mim mas nas mulheres que veria em Rivebelle, enquanto lhes sorria de antemão no espelho oblíquo do quarto, e que, por causa disso, ficaram sendo os signos precursores de um divertimento mesclado de luzes e música. Como signos mágicos, eles o evocavam, mais ainda, realizavam-no já; graças a eles, eu possuía de sua verdade uma noção tão segura, uma fruição tão completa de seu encanto frívolo e embriagador, quanto as que tivera em Combray no mês de julho, quando ouvia as marteladas do encaixotador e, no frescor do meu quarto escuro, gozava do calor e do sol.

Portanto, já não era bem a Sra. de Stermaria que eu teria desejado ver. Forçado agora a passar a noite com ela, preferiria, como esta era a minha última noite antes do regresso de meus pais, ficar livre e cuidar de ver de novo mulheres de Rivebelle. Tornei a lavar as mãos, pela última vez, e no passeio que o prazer me fazia dar por todo o apartamento, enxuguei-as na sala de jantar às escuras. Ela me pareceu aberta para a antecâmara iluminada, mas o que eu havia tomado pela fresta iluminada da porta, que ao contrário estava fechada, era apenas o reflexo branco da minha toalha num espelho colocado ao longo da parede, esperando que o pusessem no lugar quando da volta de mamãe. Pensei em todas as miragens que assim descobrira em nosso apartamento e que não eram apenas óticas, pois nos primeiros dias julgara que a vizinha possuía um cachorro, por causa de um uivo prolongado, quase humano, que emitia um certo cano de cozinha de cada vez que abriam a torneira. E a porta que abria para o patamar só se fechava muito lentamente, com as correntes de ar da escada, executando os cortes de frases voluptuosas e gemedoras que se superpõem ao Coro dos Peregrinos, perto do final da abertura de *Tännhauser.* Aliás, como acabasse de recolocar a toalha no seu lugar, tive ocasião de ouvir uma nova audição desse fascinante trecho sinfônico, pois, tendo soado um toque de campainha, corri para abrir a porta da antecâmara ao cocheiro que me trazia a resposta. Pensei que seria: "Essa dama está lá embaixo", ou "Essa dama está esperando". Mas ele tinha uma carta na mão. Vacilei um instante em tomar conhecimento do que a Sra. de Stermaria havia escrito, o que, enquanto tomava da pena, poderia ser outra, mas que agora era, destacado dela, um destino que sozinho prosseguia em sua rota e ao qual ela já não podia mudar. Pedi ao cocheiro que voltasse a descer e esperasse um momento, embora ele resmungasse contra a névoa. Quando ele saiu, abri o envelope. No cartão: "Viscondessa Alix de Stermaria". Minha convidada escrevera: "Estou desolada, um contratempo me impede de jantar esta noite com o senhor na ilha do Bois. Esperava esse encontro como a uma festa. Escreverei mais demoradamente de Stermaria. Peço desculpas. Saudações." Fiquei imóvel, aturdido pelo choque. A meus pés jaziam o cartão e o envelope, como a bucha de uma arma de fogo depois de disparado o tiro. Amassei-os. Analisei aquela frase. "Ela me diz que não pode jantar comigo na ilha do Bois. Poderia concluir-se que ela jantaria comigo em outro local. Não serei indiscreto a ponto de ir buscá-la, mas enfim isto se poderia entender deste modo." E essa ilha do Bois, como há quatro dias o meu pensamento ali se achava previamente instalado na companhia da Sra. de Stermaria, era difícil fazê-lo voltar de lá. Involuntariamente, o meu desejo retomava a direção que vinha seguindo há tantas horas e, apesar daquele recado, por demais recente para prevalecer contra ele, instintivamente eu ainda me preparava para sair, como um aluno, reprovado num exame, gostaria de responder a uma questão a mais. Acabei decidindo ir dizer a Françoise que descesse para pagar o cocheiro. Atravessei o corredor, não a encontrei, passei pela sala de jantar; de repente, meus passos deixaram de ressoar no assoalho como tinham feito até então e emudeceram num silêncio que, mesmo antes que eu reconhecesse sua causa, deu-me uma sensação de sufocamento e de clausura. Eram os tapetes que, para a volta de meus pais tinham começado a pregar, tapetes que são tão belos nas manhãs felizes, quando, em meio à sua desordem, o sol nos espera como um amigo que tenha chegado para nos levar a almoçar no campo, e pousa sobre eles o olhar da floresta, mas que agora, ao contrário, eram o primeiro arranjo da prisão invernal, de onde, obrigado como estaria a viver e a fazer as minhas refeições em família, não poderia mais sair livremente.

— O senhor precisa tomar cuidado para não cair, eles ainda não estão pregados — gritou Françoise. — Eu devia ter acendido a luz. Já estamos no fim de *sectembro*, os dias bonitos estão acabados.

Em breve, o inverno; no canto da janela, como sobre um vidro de Gallé, um filão de neve endurecida; e, mesmo nos Champs-Élysées, em vez das jovens que a gente espera, apenas os pardais sozinhos.

O que aumentava o meu desespero de não ver a Sra. de Stermaria era que sua resposta me fazia supor que, ao passo que eu, hora após hora, desde domingo, não vivia senão para aquele jantar, ela com certeza não pensara nele uma vez sequer. Mais tarde, soube de um absurdo casamento por amor que ela consumara com um rapaz a quem já devia estar se encontrando naquele momento e que, sem dúvida, a fizera esquecer o meu convite. Pois, se disso se tivesse lembrado, é claro que não teria esperado o carro, que aliás, conforme a combinação, não devia lhe mandar, para avisar-me que não estava livre. Meus sonhos sobre uma jovem virgem feudal numa ilha brumosa tinham aberto o caminho a um amor ainda inexistente. Agora, a minha decepção, minha cólera, meu desejo desesperado de recuperar aquela que acabava de se recusar podiam, pondo de lado a minha sensibilidade, fixar o amor possível que até então minha fantasia apenas pudera oferecer-me, porém de maneira mais frouxa.

Quantos em nossas recordações, quantos mais em nosso esquecimento, não existem esses rostos de moças e mulheres, todos diferentes, e aos quais só acrescentamos um encanto e um desejo ardente de revê-los porque, no momento supremo, se haviam furtado! No caso da Sra. de Stermaria, era bem mais e me bastava agora, para amá-la, voltar a vê-la para que fossem renovadas essas impressões tão vivas, porém muito curtas, e que a memória, sem isso, não teria forças para sustentar na ausência dela. As circunstâncias decidiram de outra maneira: não mais voltei a vê-la. Não foi ela a quem amei, mas poderia ter sido. E uma das coisas que me tornaram extremamente cruel o amor que eu ia ter em breve foi, ao lembrar-me dessa noite, dizer a mim mesmo que, se circunstâncias muito simples se houvessem modificado, esse amor poderia dirigir-se a outra pessoa, à Sra. de Stermaria; aplicado àquela que o inspirou muito pouco depois, não era por conseguinte — como eu teria tanta vontade, tanta necessidade de crer — absolutamente necessário e predestinado.

Françoise me deixara sozinho na sala de jantar, dizendo-me que eu estava errado em ficar ali antes que ela tivesse acendido o fogo. Ia preparar o jantar, pois antes mesmo da chegada de meus pais e desde aquela noite, começava a minha reclusão. Avistei um enorme rolo de tapetes, que haviam posto num canto do bufê, e, ocultando ali a minha cabeça, engolindo a poeira deles e as minhas lágrimas, semelhante aos judeus que cobriam a cabeça de cinzas durante o luto, comecei a soluçar. Tremia, não só porque a peça estava fria, mas porque uma extraordinária queda de temperatura (contra cujo perigo e, diga-se a verdade, contra o seu leve deleite não se procura reagir) é provocada por certas lágrimas que nossos olhos choram, gota a gota, como uma chuva fina, penetrante, glacial, e que parecem nunca mais terminar. De súbito, ouvi uma voz:

— Pode-se entrar? Françoise me disse que devias estar na sala de jantar. Vim ver se não queres ir jantar comigo em algum lugar, se isto não te faz mal, pois há um nevoeiro que se pode cortar com a faca.

Era Robert de Saint-Loup, que eu julgava estar ainda no Marrocos ou em pleno mar, e que havia chegado pela manhã.

Já disse (e precisamente fora, em Balbec, Robert de Saint-Loup quem me ajudara, a seu pesar, a tomar consciência disso) o que penso da amizade, a saber: que vale tão pouco, que me custa compreender que homens de certo talento, como Nietzsche, por exemplo, tenham tido a ingenuidade de lhe atribuir um certo valor intelectual e, em conseqüência, recusar-se às amizades a que não estivesse ligada a estima intelectual. Sim, espantou-me sempre ver que um homem que levava a sinceridade consigo mesmo a ponto de se afastar, por escrúpulo de consciência, da música de Wagner, imaginasse que a verdade pode cumprir-se nesse modo de expressão, confuso e inadequado por natureza, que são em geral as ações e, em particular, as amizades, e que possa haver um sentido qualquer no fato de alguém deixar o trabalho para ir visitar um amigo e juntos chorarem ao saber da falsa notícia do incêndio do Louvre. Em Balbec, eu chegara a considerar o prazer de jogar com as moças menos funesto à vida espiritual, à qual pelo menos ele permanece alheio, do que a amizade, cujo esforço inteiro consiste em nos fazer sacrificar a única parte real e incomunicável de nós próprios (a não ser por meio da arte) a um eu superficial que não encontra, como o outro, alegria em si mesmo e sim o enternecimento confuso de se sentir sustentado por estacas externas, hospitalizado numa individualidade estranha, onde, feliz com a proteção que lhe é dada, faz reluzir seu bem-estar aprobativo e se maravilha com qualidades a que chamaria defeitos e buscaria corrigir em si mesmo. Além do mais, os difamadores da amizade podem, sem ilusões e não sem remorsos, ser os melhores amigos do mundo, da mesma forma que um artista que traz dentro de si uma obra-prima e que sente que seu dever seria o de viver para trabalhar, apesar disso, para não parecer ou arriscar-se a ser egoísta, dá sua vida por uma causa inútil, e a concede com bravura tanto maior quanto mais desinteressadas fossem as razões pelas quais preferiria não concedê-la. Mas, seja qual for minha opinião acerca da amizade, até para só falar do prazer que ela me proporcionava, de qualidade tão medíocre que me parecia algo intermediário entre o cansaço e o tédio, não há beberagem tão funesta que não possa, em determinados momentos, tornar-se preciosa e reconfortante, dando-nos a excitação necessária, o calor que não conseguíamos encontrar em nós mesmos.

Decerto, eu estava longe de querer pedir a Saint-Loup, como desejava uma hora antes, que me levasse para rever as mulheres de Rivebelle; o rastro que deixara em mim o desacerto com a Sra. de Stermaria não queria ser apagado tão depressa, mas, no instante em que não mais sentia no coração nenhum motivo de felicidade, Saint-Loup, ao entrar, representou como que a chegada da bondade, da alegria, da vida, que estavam fora de mim sem dúvida, mas se me ofertavam e só pediam para ser minhas. O próprio Saint-Loup não compreendeu meu grito de gratidão e minhas lágrimas de enternecimento. Por outro lado, o que existe de mais paradoxalmente afetuoso que um desses amigos — diplomata, explorador, aviador, ou militar — como era Saint-Loup, e que, partindo no dia seguinte para o campo e dali para Deus sabe onde, parece que criam para si mesmos, na reunião noturna que nos dedicam, uma impressão de que nos espantamos que possa, de tão rara e breve que é, ser-lhes tão doce, e, visto que tanto lhes agrada, de não vê-los prolongá-la ainda mais ou renová-la mais seguidamente? Uma refeição conosco, coisa tão natural, dá a esses viajantes o mesmo prazer estranho e delicioso que os nossos bulevares a um asiático. Partimos juntos para jantar e, descendo a escada, lembrei-me de Doncières, onde todas as noites eu ia encontrar Robert no restaurante, e das saletas de jantar esquecidas. Recordei-me de uma na qual jamais voltara a pensar e que não era no hotel em que Saint-Loup jantava, mas em outro, bem mais modesto, intermediário entre hospedaria e pensão familiar, e onde a gente era servido pela dona do estabelecimento e uma das criadas. A neve me fizera parar ali. Além disso, Robert naquela noite não deveria jantar no hotel, e eu não quisera ir mais longe. Levaram-me os pratos para cima, a uma saleta toda revestida de madeira. A lâmpada se apagou durante o jantar, e a criada me acendeu duas velas. Eu, fingindo que não via muito bem ao estender-lhe meu prato, enquanto ela servia batatas, agarrei-lhe o antebraço como para guiá-la. Vendo que não o retirava, acariciei-o e depois, sem dizer uma só palavra, puxei-a toda para mim, soprei a vela e disse-lhe que me bolinasse se quisesse algum dinheiro. Nos dias seguintes, o prazer físico me pareceu exigir, para ser desfrutado, não somente aquela criada, mas a sala de jantar de madeira, tão isolada. Entretanto, foi para aquela em que jantavam Robert e seus amigos que voltei todas as noites, por hábito, por amizade, até minha partida de Doncières. E, todavia, mesmo nesse hotel em que ele se hospedava com os amigos, eu já não pensava há muito tempo. Não aproveitamos quase nada da nossa vida, deixamos inacabadas nos crepúsculos de verão ou nas noites prematuras de inverno as horas em que no entanto nos havia parecido estar encerrado um pouco de prazer ou de paz. Mas essas horas não estão absolutamente perdidas. Quando, por sua vez, soam novos momentos de prazer, que transcorreriam do mesmo modo, tão frágeis e lineares, tais horas vêm lhes trazer o embasamento, a consistência de uma orquestração opulenta. Assim, estendem-se até uma dessas felicidades típicas, que só encontramos de vez em quando, mas que continuam a existir; no presente exemplo, era o abandono de tudo o mais para ir jantar num ambiente confortável que, graças às lembranças, encerra num cenário natural promessas de viagem, com um amigo que vai agitar nossa vida dormente com toda a sua energia, toda a sua afeição, comunica-nos um prazer emocionado, bem diverso daquele que poderíamos dever ao nosso próprio esforço ou a distrações mundanas; vamos ser apenas dele, fazer-lhe juras de amizade que, nascidas nos limites dessa hora, ficando nelas encerradas, talvez não sejam cumpridas no dia seguinte, mas que eu podia fazer sem escrúpulo a Saint-Loup, visto que, com uma coragem em que havia muito de sabedoria e o pressentimento de que a amizade não pode aprofundar-se, no dia seguinte teria partido novamente.

Se, ao descer as escadas, revivia as noites de Doncières, bruscamente, quando chegamos à rua, a noite quase completa, onde o nevoeiro parecia ter apagado os lampiões que, muito débeis, só se distinguiam de muito perto, me reconduziu a não sei que chegada, à noite, a Combray, quando a cidade só se mostrava iluminada de longe em longe, e em que a gente tateava numa escuridão úmida, morna e sagrada de presépio, mal estrelada aqui e ali por uma luzinha que não brilhava mais que um círio. Entre aquele ano de Combray, aliás incerto, e as noites de Rivebelle revisitadas há pouco por sobre as cortinas, quantas diferenças! Ao percebê-las, eu experimentava um entusiasmo que poderia ter sido fecundo se estivesse sozinho e teria evitado, desse modo, o rodeio de tantos anos inúteis pelos quais ainda haveria de passar antes que se declarasse a vocação invisível de que esta obra é a história. Se tal ocorresse naquela noite, esse carro teria tido o mérito de se tornar mais memorável para mim que o do doutor Percepied, em cujo assento eu compusera aquela pequena descrição — encontrada exatamente há pouco tempo, modificada e inutilmente enviada para o *Figaro* — dos campanários de Martinville. Será que é porque não revivemos os nossos anos em sua seqüência contínua, dia a dia, mas sim na lembrança fixada no frescor ou na insolação de uma manhã ou de uma tarde, recebendo a sombra de um tal ponto isolado, fechado, imóvel, parado e perdido, longe de todo o resto, e que assim as mudanças graduadas, não só no exterior mas também nos nossos sonhos e no nosso caráter em evolução, mudanças que nos conduziram insensivelmente pela vida, de um tempo a um outro bem diverso, achando-se suprimidas, se revivemos uma outra lembrança resgatada de um ano diferente, encontramos entre eles, graças a lacunas, a imensas muralhas de esquecimento, algo como o abismo de uma diferença de altitude, como a incompatibilidade de duas qualidades incomparáveis da atmosfera respirada e de colorações envolventes? Mas, entre as lembranças que acabava de ter, sucessivamente, de Combray, de Doncières e de Rivebelle, sentia naquele instante bem mais que uma distância de tempo, a distância que haveria entre universos diferentes, onde a matéria não seria a mesma. Se, numa obra, quisesse imitar aquela em que surgissem brunidas minhas mais insignificantes recordações de Rivebelle, ser-me-ia necessário traçar veios cor-de-rosa, tornar em definitivo translúcida, compacta, refrescante e sonora a substância até então análoga à argila escura e tosca de Combray. Porém Robert, tendo acabado de dar suas explicações ao cocheiro, veio reunir-se a mim no carro. Fugiram as idéias que me haviam aparecido. São deusas que se dignam às vezes a se tornar visíveis a um mortal solitário, na volta de um caminho, e até em seu quarto quando está dormindo, enquanto elas, de pé no vão da porta, lhe trazem a sua anunciação. Mas, logo que se juntam duas pessoas, elas desaparecem, os homens em sociedade não as percebem nunca. E eu me encontrei lançado à amizade.

Bem que Robert, ao chegar, me advertira que o nevoeiro era muito intenso, mas, enquanto conversávamos, a névoa não deixou de espessar-se. Já não era a bruma leve que eu desejara ver elevar-se da ilha e nos envolver, à Sra. de Stermaria e a mim. A dois passos, os lampiões se apagavam e era então a noite, tão profunda como em pleno campo, numa floresta, ou melhor, em alguma suave ilha da Bretanha para a qual eu tivesse querido ir; senti-me perdido como nas costas de um mar setentrional onde arriscamos vinte vezes a vida antes de alcançar um albergue solitário; deixando de ser uma miragem que se procura, o nevoeiro se transformava num desses perigos contra os quais se luta, de modo que tivemos, para achar nosso caminho e atingir um porto abrigado, as dificuldades, a inquietação e por fim a alegria proporcionada pela segurança — tão insensível ao que não está ameaçado de perdê-la — ao viajante perplexo e extraviado. Só uma coisa quase comprometeu o meu prazer durante nossa aventurosa caminhada, devido ao assombro irritado em que me lançou por um momento. — Sabes, contei a Bloch — disse Saint-Loup — que não gostavas dele tanto assim, que lhe achavas certas vulgaridades. Eis como eu sou, gosto das situações resolvidas — concluiu com um ar satisfeito e com um tom que não admitia réplica. Eu estava estupefato. Não apenas depositava a confiança mais absoluta em Saint-Loup, na lealdade de sua amizade, e ele a traíra pelo que dissera a Bloch, mas também me parecia que, além disso, deviam impedir de fazê-lo não só seus defeitos como suas qualidades, aquela extraordinária dose de educação que podia levar a polidez até uma certa falta de franqueza. Seria seu ar triunfante aquele que assumimos para dissimular algum embaraço, confessando uma coisa que sabemos que não deveríamos ter feito? Traduziria o seu inconsciente? Uma estupidez que elevava à condição de virtude um defeito que não lhe conhecia? Um acesso de mau humor passageiro contra mim que o levasse a abandonar-me, ou o registro de um acesso de mau humor passageiro contra Bloch, a quem quisera dizer algo desagradável, mesmo me comprometendo? Aliás, seu rosto estava estigmatizado, enquanto me dizia essas palavras vulgares, por uma horrível sinuosidade que apenas lhe vira uma ou duas vezes na vida, e que, seguindo primeiro aproximadamente a parte central do rosto, tão logo chegada aos lábios torcia-os, dando-lhes uma hedionda expressão de baixeza, quase de bestialidade, bem passageira e certamente ancestral. Devia haver nesses momentos, que sem dúvida só se repetiam uma vez a cada dois anos, um eclipse parcial de seu próprio eu pela passagem, sobre ele, da personalidade de um antepassado que ali se refletia. Tanto quanto o ar de satisfação de Robert, suas palavras "gosto das situações resolvidas" se prestavam à mesma dúvida e poderiam incorrer na mesma censura. Queria dizer-lhe que, se a gente gosta de situações resolvidas, é preciso ter esses acessos de franqueza no que diz respeito a si próprio, e não alardear virtude muito fácil à custa dos outros. Mas o carro já havia parado à porta do restaurante, cuja ampla fachada envidraçada e fulgurante era a única a vencer a escuridão. O próprio nevoeiro, devido à confortável claridade do interior, parecia, já da calçada, indicar a entrada com a alegria desses criados que refletem as disposições do patrão; irisava-se dos mais delicados matizes e mostrava a entrada como a coluna luminosa que guiou os hebreus. Aliás, havia muitos destes entre os fregueses. Pois era nesse restaurante que Bloch e seus amigos vinham encontrar-se há muita tempo, ébrios de um jejum tão esfaimante como o jejum ritual — que pelo menos só ocorre uma vez por ano —, jejum de café e de curiosidade política. Visto que toda excitação mental confere um valor predominante, uma qualidade superior aos hábitos que a ela se relacionam, não há gosto um pouco vivo que não reúna em torno de si uma sociedade a que unifica, e onde a consideração dos outros membros é o que, principalmente, cada um procura na vida. Aqui, conquanto seja uma aldeia do interior, podereis encontrar apaixonados pela música; o melhor do seu tempo, o mais luzidio de seu dinheiro, vão parar nas sessões de música de câmara, nas reuniões em que se fala de música, no café onde se encontram entre amadores e onde se acotovelam com os músicos da orquestra. Outros, apaixonados pela aviação, esforçam-se por ser bem recebidos pelo velho garçom do bar envidraçado do alto do aeródromo; ao abrigo do vento, como na jaula de vidro de um farol, poderão seguir, na companhia de um aviador que não voa no momento, as evoluções de um piloto que executa *loopings,* ao passo que um outro, invisível no instante anterior, vem aterrissar bruscamente, abater-se com o grande rumor de asas do pássaro Roca.[23] O pequeno grupo que se reunia para tentar perpetuar e aprofundar as emoções fugidias do processo Zola, da mesma forma dava grande importância a esse café. Mas era mal visto pelos jovens nobres, que formavam a outra parte da freguesia e tinham adotado uma segunda sala do café, separada da outra somente por um leve parapeito decorado de vegetação. Consideravam Dreyfus e seus partidários como traidores, embora, vinte e cinco anos depois, quando as idéias já tinham tido tempo de se classificar, e o dreyfusismo de assumir uma certa elegância na História, os filhos, bolchevizantes e valsistas, desses mesmos aristocratas jovens devessem declarar aos "intelectuais" que os interrogavam, que certamente, se tivessem vivido naquele tempo, seriam partidários de Dreyfus, sem mais saber ao certo o que fora o Caso do que o que foram a condessa Edmond de Pourtalès ou a marquesa de Galliffet, ambas esplendores já extintos no dia em que haviam nascido. Pois, na noite desse nevoeiro, os nobres do café que mais tarde deveriam ser os pais desses jovens intelectuais retrospectivamente dreyfusistas ainda eram solteiros. Certo, um casamento rico era visado pelas famílias de todos, mas ainda não se realizara no caso de nenhum deles. Ainda virtual, contentava-se esse rico matrimônio, desejado ao mesmo tempo para vários (havia diversos "partidos ricos" em vista, mas enfim o número de grandes dotes era muito menor que o de aspirantes), em acender uma certa rivalidade entre esses rapazes.

Para infelicidade minha, como Saint-Loup tivesse ficado alguns minutos com o cocheiro, a fim de lhe recomendar que voltasse para bus-

[23] *Pássaro Roca*: enorme ave fantástica, citada em dois episódios das aventuras de Simbad, o Marujo, nas *Mil e Uma Noites*. Sua lenda pode estar ligada à ave fóssil gigante *epiórnis*, de Madagascar, que não voava, media cerca de 3 metros de altura e se extinguiu talvez no século XVII. (N. do T.)

car-nos após o jantar, tive de entrar sozinho. Ora, para começar, uma vez na porta giratória, a que não estava acostumado, achei que não conseguiria mais sair. (Diga-se de passagem, para os amadores de um vocabulário mais preciso, que essa porta-tambor, apesar de sua aparência pacífica, chama-se porta-revólver, do inglês *revolving-door.)* Naquela tarde, o dono do café, que não se atrevia a molhar-se indo lá fora, nem deixar seus fregueses, permanecia contudo perto da entrada para ter o prazer de ouvir as queixas joviais dos que chegavam, iluminados pela satisfação de pessoas que tinham custado a chegar e passado pelo medo de perder-se. Entretanto, a risonha cordialidade de sua acolhida se dissipou ante um desconhecido que não sabia se livrar das giratórias de vidro. Essa prova flagrante de ignorância fê-lo franzir os sobrolhos, como a um examinador que não tem vontade de pronunciar o *dignus est intrare.* Para cúmulo do azar, fui sentar-me na sala reservada à aristocracia, de onde ele veio me retirar rudemente, indicando, com uma grosseria a que logo se adaptaram todos os garçons, um lugar na outra sala. A sala não me agradou, tanto mais que a banqueta em que me encontrava já estava repleta de gente e que eu tinha à minha frente a porta reservada aos judeus que, não sendo giratória, ao abrir-se e fechar a todo instante me enviava um frio terrível. Mas o dono da casa recusou outro lugar, dizendo: — Não, senhor, não posso incomodar todo mundo por sua causa. — Aliás, esqueceu em breve o comensal tardio e incomodativo que eu era, pois mostrava-se submisso a cada recém-chegado, que, antes de pedir sua caneca de cerveja, sua asa de frango frio, ou o seu *grog* (pois há muito já passara a hora do jantar), devia, como nos antigos romances, pagar sua cota falando de sua aventura no momento em que penetrava naquele asilo de calor e segurança, onde o contraste com aquilo de que havíamos escapado fazia reinar a jovialidade e a camaradagem que se divertem ante o fogo de um bivaque.

Um contava que o seu carro, julgando ter chegado à ponte da Concórdia, fizera três vezes a volta em torno aos Inválidos; outro que o seu, tentando descer a avenida dos Champs-Élysées, entrara num matagal do Rond-Point, de onde levou três quartos de hora para sair. Depois, seguiam-se lamentações acerca do nevoeiro, frio, do silêncio de morte nas ruas, lamentações ditas e ouvidas com ar excepcionalmente alegre, o que explicava a doce atmosfera da sala onde, à exceção do lugar que eu ocupava, fazia calor, por causa da luz muito viva que obrigava a piscar os olhos já desabituados a enxergar, e pelo rumor da conversa que devolvia a atividade os ouvidos.

Os que chegavam mal conseguiam manter silêncio. A singularidade das peripécias, que julgavam únicas, lhes queimava a língua e eles procuravam com os olhos alguém com quem pudessem entabular conversação. O próprio dono do estabelecimento perdia o senso das distâncias: — O senhor príncipe de Foix perdeu-se três vezes, vindo da porta de Saint-Martin — não receava dizer rindo, não sem designar, como numa apresentação, o célebre aristocrata a um advogado judeu, o qual, ainda outro dia, fora separado dele por uma barreira bem mais difícil de transpor do que a sebe ornada de verduras. — Três vezes! Vejam só — disse o advogado, tocando no seu chapéu. O príncipe não gostou da frase de aproximação. Fazia parte de um grupo aristocrático para o qual o exercício da impertinência, mesmo a respeito da nobreza quando esta não era da primeira classe, parecia ser a ocupação única. Não responder a uma saudação; se o homem cortês reincidisse, soltar uma risadinha trocista, ou erguer a cabeça para trás com ar furioso; fingir não reconhecer um homem idoso que lhes houvesse prestado um serviço; reservar o punho da mão e as saudações aos duques e aos amigos muito íntimos dos duques que estes lhes apresentassem: tal era a atitude desses jovens e em particular do príncipe de Foix. Essa atitude era favorecida pela desordem da primeira juventude (quando, até na burguesia, parecemos ingratos e nos mostramos grosseiros porque, tendo esquecido durante meses de escrever a um benfeitor que acaba de perder a esposa, passamos a não cumprimentá-lo, para simplificar as coisas), mas era inspirada principalmente por um superagudo esnobismo de casta. É verdade que, a exemplo de certas afecções nervosas cujas manifestações se atenuam na idade madura, tal esnobismo em geral devia deixar de se traduzir de um modo tão hostil entre os que tinham sido jovens tão insuportáveis. Uma vez passada a juventude, é raro que permaneçamos confinados à insolência. Havíamos achado que só ela existia, e de súbito descobrimos, por mais príncipe que sejamos, que há também a música, a literatura, e até mesmo a deputação. A ordem dos valores humanos encontra-se mudada, e entramos em conversação com pessoas que outrora fulminávamos com o olhar. Boa oportunidade a desses jovens que tiveram paciência para esperar e cujo caráter é bastante bem formado — se assim se pode dizer — para que sintam prazer em receber, por volta dos quarenta, as boas graças e a acolhida que lhes foram secamente recusadas aos vinte!

A propósito do príncipe de Foix convém dizer, visto que a ocasião é propícia, que ele pertencia a um grupo de doze a quinze jovens e a um grupo ainda mais restrito de quatro. O grupo de doze a quinze possuía a característica, a que, suponho, escapava o príncipe, de que os jovens apresentavam, cada um, um duplo aspecto. Crivados de dívidas, pareciam uns pobres-diabos aos olhos dos fornecedores, apesar de toda a satisfação que estes mostravam ao lhes dizer: "Senhor conde, Senhor marquês, Senhor duque..."

Esperavam livrar-se dos problemas por meio do famoso "casamento rico", também chamado "saco graúdo", e, como os dotes polpudos que cobiçavam não passavam de quatro ou cinco, vários dirigiam surdamente suas baterias para a mesma noiva. O segredo ficava tão bem guardado que, quando um deles ia ao café e dizia: — Meus excelentes camaradas, eu sou muito amigo de vocês para não lhes anunciar o meu noivado com a Srta. de Ambresac —, ressoavam diversas exclamações, pois muitos deles, julgando tudo já acertado para eles mesmos com a própria senhorita, não tinham o sangue-frio necessário para sufocar, no primeiro instante, seu grito de raiva e de estupefação: — Então, agrada-te casar, Bibi? — não podia evitar de exclamar o príncipe de Châtellerault, que deixava cair o garfo, de espanto e desespero, pois acreditava que o mesmo noivado da Srta. de Ambresac ia em breve ser tornado público, mas com ele, Châtellerault. E, no entanto, Deus sabe tudo o que seu pai habilmente contara aos Ambresac contra a mãe de Bibi. — Então, agrada-te casar? — não pode deixar de indagar de novo a Bibi, que, mais bem preparado, pois que tivera o tempo todo para escolher sua atitude desde que era "quase oficial", respondia sorrindo: — Estou contente não por me casar, de que não tinha aliás nenhuma vontade, mas por esposar Daisy d'Ambresac, que me parece deliciosa. — Durante essa resposta, o Sr. de Châtellerault conseguira recobrar-se e pensava que era preciso, o mais rápido possível, voltar suas baterias na direção da Srta. de la Canourgue ou de Miss Foster, os grandes partidos nº 2 e nº 3, pedir paciência aos credores que esperavam o casamento d'Ambresac e, por fim, explicar às pessoas a quem dissera que a Srta. de Ambresac era encantadora que esse casamento era bom para Bibi, mas que ele teria brigado com toda a sua família se a tivesse desposado. A Sra. de Soléon, segundo diria, chegara ao ponto de afirmar que não iria recebê-los.

Mas, se aos olhos dos fornecedores, donos de restaurantes, etc., eles pareciam pessoas de poucas posses, em compensação, seres duplos, quando se encontravam na sociedade, não eram mais julgados conforme a deterioração de sua fortuna e os tristes expedientes de que lançavam mão para tentar repará-la. Voltavam a ser o Senhor príncipe, o Senhor duque de Tal, e só eram avaliados de acordo com seus brasões. Um duque quase bilionário e que parecia reunir tudo em si ficava abaixo deles, porque, como chefes de linhagem, eles eram antigamente príncipes soberanos de uma pequena região onde tinham o direito de cunhar moeda, etc.. Muitas vezes, nesse café, um baixava os olhos quando um outro entrava, de forma a não forçar o recém-chegado a saudá-lo. É que ele havia, em sua perseguição imaginativa da riqueza, convidado um banqueiro para jantar. De cada vez que um homem da sociedade entra, nessas condições, em relações com um banqueiro, este lhe faz perder uns cem mil francos, o que não impede o homem mundano de recomeçar com outro. Continua-se a queimar círios e a consultar médicos.

Mas o príncipe de Foix, ele próprio rico, pertencia não só a esse grupo elegante de uns quinze rapazes, mas a um grupo mais fechado e inseparável, de apenas quatro membros, de que fazia parte Saint-Loup. Nunca se convidava um deles sem os outros, chamavam-nos os quatro gigolôs, eram vistos sempre juntos em passeio, nos castelos, onde lhes davam quartos que se comunicavam entre si, de modo que — tanto mais que eram todos muito bonitos — corriam rumores sobre sua intimidade. Pude desmenti-los da maneira mais formal no que dizia respeito a Saint-Loup. Mas o curioso é que, se mais tarde se soube que esses rumores eram verdadeiros no tocante aos quatro, em compensação, cada um deles o tinha ignorado totalmente quanto aos outros três; e, no entanto, cada um deles cuidara de bem informar-se acerca dos outros, seja para matar um desejo, ou melhor, um sentimento de rancor, ou impedir um casamento, ou levar vantagem sobre o amigo desmascarado. Um quinto (pois nos grupos de quatro geralmente têm-se mais que quatro) se juntara aos quatro platônicos, e este era mais platônico do que os outros. Porém, escrúpulos religiosos o contiveram até muito depois que o grupo dos quatro se desunisse, e ele, já casado, pai de família, implorava a Lourdes que o próximo filho fosse menino ou menina e, nos intervalos, lançava-se sobre os militares.

Apesar dos modos do príncipe, o fato é que a frase dita em sua presença não lhe fora dirigida diretamente, o que fez menos forte a sua cólera do que o teria a não ser assim. Além do mais, aquela reunião noturna tinha algo de excepcional. Afinal, o advogado não tinha mais condições de travar conhecimento com o príncipe de Foix do que o cocheiro que havia conduzido esse nobre senhor. Assim, este último julgou poder responder, com ar arrogante e como que à parte, àquele interlocutor que, graças ao nevoeiro, era como um companheiro de viagem encontrado n'alguma praia situada nos confins do mundo, batida pelos ventos ou envolta nas brumas: — Perder o caminho não é nada; o pior é não encontrá-lo. — A justeza desse pensamento assombrou o dono da casa, pois já o ouvira ser expresso diversas vezes naquela tarde.

Com efeito, ele tinha o hábito de comparar sempre aquilo que ouvia ou lia a um determinado texto já conhecido, e sentia despertar a sua admiração caso não visse diferença. Tal estado de espírito não é desprezível, pois, aplicado às conversações políticas, à leitura dos jornais, forma a opinião pública e, desse modo, torna possíveis os maiores acontecimentos. Muitos donos de café alemães, admirando apenas seu freguês ou seu jornal, quando diziam que a França, a Inglaterra e a Rússia "buscavam" a Alemanha, tornaram possível, por ocasião do incidente de Agadir, uma guerra que aliás não rebentou. Os historiadores, se não erraram em desistir de explicar os atos dos povos pela vontade dos reis, devem substituí-la pela psicologia do indivíduo, do indivíduo medíocre.

Em política, o dono do café onde eu acabara de chegar só aplicava, fazia algum tempo, sua mentalidade de professor de recitação a um certo número de trechos sobre o Caso Dreyfus. Se não achava os termos conhecidos nas frases de um freguês ou nas colunas de um jornal, declarava enfadonho o artigo, ou insincero o freguês. O príncipe de Foix, ao contrário, maravilhava-o a ponto de mal deixar seu interlocutor acabar a frase. — Bem dito, meu príncipe, muito bem dito (o que, em suma, queria dizer, "recitado sem erro"), é isso, é isso — exclamava, expandindo-se, como se diz nas *Mil e Uma Noites,* "até os limites da satisfação". Mas o príncipe já desaparecera na salinha. Depois, como a vida continua mesmo após os mais singulares acontecimentos, os que saíam do mar de nevoeiro encomendavam, uns a sua bebida, outros o seu jantar; e, entre estes, os rapazes do Jockey que, devido ao caráter anormal do dia, não hesitaram em se instalar em duas mesas na sala grande, e assim se acharam bem perto de mim. Desse modo, o cataclisma estabelecera, mesmo da salinha à sala grande, entre todas essas pessoas estimuladas pelo conforto do restaurante, depois de longamente errarem no oceano de bruma, uma familiaridade da qual eu era o único excluído e que devia assemelhar-se à que reinava na Arca de Noé. De repente, vi o dono do café dobrar-se em curvaturas, os *maîtres d'hôtel* acorrerem todos, o que chamou a atenção dos fregueses. — "Depressa, chamem Cyprien, uma mesa para o Senhor marquês de Saint-Loup — gritava o dono do café, para quem Robert não era apenas um grão-senhor que gozava de verdadeiro prestígio, mesmo aos olhos do príncipe de Foix, mas um freguês que levava a vida à larga e gastava muito dinheiro naquele restaurante. Os fregueses da sala grande olhavam com curiosidade, os da salinha chamavam sem parar o amigo que acabava de enxugar os pés. Mas, no momento em que Saint-Loup ia entrar na salinha, avistou-me na grande: — Meu Deus! — exclamou — o que fazes aí, e com essa porta aberta à tua frente? — disse, não sem lançar um olhar furioso ao patrão, que correu para fechá-la desculpando-se com os garçons: — Sempre lhes digo que a mantenham fechada.

Eu fora obrigado a afastar a minha mesa e outras que estavam diante da minha, para ir ao encontro de Robert. — Por que saiu do lugar? Gostas mais de jantar aí do que na salinha? Mas, meu caro, vais ficar enregelado. O senhor vai me fazer o favor de condenar essa porta — disse ao dono do estabelecimento. — Neste mesmo instante, senhor marquês, os fregueses que chegarem a partir de agora hão de passar pela saleta, eis tudo. — E, para melhor mostrar seu zelo, encarregou dessa operação um *maître d'hôtel* e vários garçons, fazendo em voz alta ameaças terríveis caso ela não fosse levada a bom termo. Deu-me excessivas demonstrações de respeito para que eu esquecesse que elas não tinham começado desde a minha chegada, mas unicamente após a entrada de Saint-Loup e, para que eu não acreditasse todavia que eram devidas exclusivamente à amizade que me demonstrava seu rico e aristocrático freguês, endereçava-me às escondidas pequenos sorrisos onde parecia declarar-se uma simpatia bem pessoal.

Por trás de mim, a frase de um freguês me fez virar a cabeça por um segundo. Acabara de ouvir, em vez das palavras: "Asa de frango, muito bem, um pouco de champanha, mas bem seco", estas outras: "Eu preferiria a glicerina. Sim, quente, muito bem." Tive curiosidade de ver quem era o asceta que se infligia um tal cardápio. Voltei vivamente a cabeça para Saint-Loup a fim de não ser reconhecido pelo estranho *gourmet.* Era simplesmente um médico meu conhecido, a quem um cliente, aproveitando-se do nevoeiro para encurralá-lo naquele café, fazia uma consulta. Como os banqueiros, os médicos dizem "eu".

Entretanto, eu olhava para Robert e pensava numa coisa. Havia nesse café, e conhecera eu na vida, muitos estrangeiros, intelectuais, artistas de todo tipo, resignados ao riso que provocavam a sua capa pretensiosa, suas gravatas à 1830 e, bem mais ainda, seus movimentos desajeitados, chegando mesmo a provocar esse riso para mostrar que não se preocupavam com essas coisas, e que eram pessoas de real valor intelectual e moral e de profunda sensibilidade. Desagradavam — os judeus principalmente, os judeus não assimilados bem entendido, não era o caso dos outros — às pessoas que não podem suportar uma aparência estranha, adoidada (como Bloch a Albertine). Geralmente, logo se reconhecia que, se tinham contra si os cabelos muito compridos, o nariz e os olhos grandes demais, os gestos bruscos e teatrais, seria pueril julgá-los por isso, pois tinham muito talento e coração e, sob esse aspecto, eram pessoas de quem se poderia gostar profundamente. Quanto aos judeus em particular, eram poucos aqueles cujos pais não fossem de uma generosidade de coração, de uma largueza de espírito, de uma sinceridade que, em comparação, a mãe de Saint-Loup e o duque de Guermantes fariam reles figura moral devido à sua secura, à sua religiosidade superficial, que bradava apenas contra os escândalos, e sua apologia familiar de um cristianismo que findava infalivelmente (pelas vias imprevistas da inteligência estimada com exclusividade) num colossal casamento por dinheiro. Mas, enfim, no caso de Saint-Loup, fosse qual fosse o modo como os defeitos dos pais se combinassem numa criação nova de qualidades, reinava a mais atraente abertura de espírito e de coração. E então — é preciso dizê-lo para a glória imortal da França, quando tais qualidades se encontram num francês puro, seja da aristocracia ou do povo, elas florescem — seria muito dizer que se desvanecem, pois a medida e a restrição nelas persistem — com uma graça que o estrangeiro, por mais estimável que seja, não nos apresenta. É claro que os outros também possuem qualidades intelectuais e morais, e, se é obrigatório atravessar primeiro o que desagrada, o que choca e o que faz sorrir, não são menos preciosas. Mas de qualquer modo é uma bela coisa, talvez exclusivamente francesa, que o que é belo a critério da eqüidade, o que vale segundo o espírito e o coração, seja primeiro um encanto para os olhos, colorido com graça, cinzelado com justeza, realize igualmente na sua matéria e em sua forma a perfeição interior. Eu olhava para Saint-Loup e dizia comigo que era uma bela coisa quando não há desgraça física para servir de vestíbulo às graças interiores, e que as asas do nariz são delicadas e de um desenho perfeito como as asas das borboletinhas que pousam nas flores das campinas, nos arredores de Combray; e que o verdadeiro *opus francigenum,* cujo segredo não se perdeu desde o século XIII e que não pereceria com as nossas igrejas, não são tanto os anjos de pedra de Saint-André-des-Champs como os pequenos franceses, nobres, burgueses ou campesinos, de rosto esculpido com aquela delicadeza e sinceridade, que permaneceram tão tradicionais como no pórtico famoso, mas ainda criadoras.

Depois de ter se afastado por um instante para vigiar ele próprio o fechamento da porta e a encomenda do jantar (insistiu muito para que pedíssemos carne de vaca, pois as de galinha sem dúvida não estavam muito boas), o dono do estabelecimento voltou para nos dizer que o Senhor príncipe de Foix gostaria que o Senhor marquês lhe permitisse vir jantar numa mesa perto. — Mas elas estão todas ocupadas — respondeu Robert, vendo as mesas que bloqueavam a minha. — Quanto a isso, não quer dizer nada — retrucou o patrão —; se for agradável ao senhor marquês, ser-me-ia bem fácil pedir a essas pessoas que mudassem de lugar. São coisas que é possível fazer pelo Senhor marquês! — Mas quem decide és tu — disse-me Saint-Loup —; Foix é um bom rapaz, não sei se te aborrecerá. É menos idiota que muitos. — Respondi a Robert que certamente ele me agradaria, mas que, como na ocasião estava jantando com ele e sentia-me muito feliz por isso, gostaria que estivéssemos a sós. — Ah, o Senhor príncipe tem uma capa muito bonita — disse o patrão enquanto nós deliberávamos. — Sim, conheço-a — respondeu Saint-Loup. Eu queria contar a Robert que o Sr. de Charlus fingira para a cunhada que não me conhecia e lhe perguntar qual poderia ser o motivo dessa dissimulação, mas fui impedido pela chegada do Sr. de Foix. Tendo vindo para saber se o seu pedido fora aceito, percebemos que estava parado a dois passos de nós. Robert nos apresentou, mas não escondeu ao amigo que, tendo de conversar comigo, preferia que nos deixasse em paz. O príncipe se afastou, acrescentando à saudação de despedidas que me fez um sorriso que designava Saint-Loup e parecia desculpar-se, com a decisão deste, por uma apresentação breve que desejaria mais longa. Mas nesse momento Robert, parecendo tocado por uma idéia súbita, afastou-se com seu camarada, depois de me haver dito: — Fica sentado e começa a jantar, que já volto — e desapareceu na salinha. Aborreci-me ao ouvir os jovens chiques, a quem não conhecia, contarem as histórias mais ridículas e maledicentes sobre o jovem grão-duque herdeiro de Luxemburgo (ex-conde de Nassau), que me conhecera em Balbec e dera provas bastante delicadas de simpatia durante a doença de minha avó. Um pretendia que ele dissera à duquesa de Guermantes: — Exijo que todos se levantem quando minha mulher passar — e que a duquesa teria respondido (o que não apenas era desprovido de espírito, mas de exatidão, visto que a avó da jovem princesa fora sempre a mulher mais honesta do mundo): — Se é preciso que a gente se levante quando passar a tua mulher, isso era diferente no caso da avó dela, pois com ela os homens se deitavam. — Depois contaram que, tendo ido visitar naquele ano, em Balbec, sua tia a princesa de Luxemburgo, e tendo parado no Grande Hotel, queixara-se ao gerente (meu amigo) de que não tinham hasteado a flâmula de Luxemburgo por sobre o molhe. Ora, essa flâmula era menos conhecida e de menos emprego que as bandeiras da Inglaterra ou da Itália, e foram necessários vários dias para conseguirem uma, para vivo descontentamento do jovem grão-duque. Não acreditei numa só palavra dessa história, mas prometi a mim mesmo, quando fosse a Balbec, interrogar o gerente do hotel de modo a ter certeza de que era pura invenção.

À espera de Saint-Loup, pedi ao dono do restaurante que me trouxessem pão. — Imediatamente, senhor barão — disse ele, solícito. — Não sou barão — respondi com ar de tristeza em vez de rir. — Oh, perdão, senhor conde! — Não tive tempo de fazer ouvir um segundo protesto, depois do qual certamente me tornaria "Senhor marquês", pois tão depressa como anunciara, Saint-Loup reapareceu na entrada, tendo à mão a grande capa de vicunha do príncipe, pelo que compreendi que ele a havia pedido para me manter abrigado. Fez-me de longe um sinal para que eu não me movesse, avançou; seria preciso avançar mais a minha mesa ou que eu me mudasse de lugar para que ele pudesse sentar-se. Logo que entrou na sala grande, Saint-Loup subiu rapidamente para as banquetas de veludo vermelho que faziam a volta ao longo da parede e onde, além de mim, estavam sentados apenas três ou quatro rapazes do Jockey, conhecidos dele, que não tinham encontrado lugar na salinha. Entre as mesas, estavam estendidos fios elétricos a uma certa altura; sem se embaraçar com eles, Saint-Loup saltou-se com destreza, como um cavalo de corrida por sobre um obstáculo; confuso porque ele se desempenhava assim unicamente por minha causa e com o objetivo de evitar-me um movimento bem simples, eu estava ao mesmo tempo maravilhado com a segurança com que meu amigo cumpria aquele exercício de acrobacia; e não era o único; pois, ainda que o tivessem mediocremente apreciado caso partisse de um freguês menos aristocrático e menos generoso, o dono e os garçons se mostravam fascinados como conhecedores na pesagem; um garçom, como que paralisado, ficara imóvel com um prato que os convivas ao lado esperavam; e, quando Saint-Loup, tendo que passar por trás de seus amigos, grimpou sobre o rebordo do encosto, onde avançou equilibrando-se, romperam discretos aplausos no fundo da sala. Enfim, tendo chegado onde eu estava, estacou de súbito com a precisão de um chefe diante da tribuna de um soberano e, inclinando-se, estendeu-me com ar de cortesia e submissão a capa de vicunha, que logo após, estando sentado a meu lado, sem que eu tivesse de fazer um só movimento, arrumou sobre minhas espáduas, como um xale quente e leve.

— Olha, antes que me esqueça — disse Robert —, meu tio Charlus tem algo para te dizer. Prometi que te levaria à casa dele amanhã à noite.

— Ia justamente falar nele. Mas amanhã à noite vou jantar na casa da tua tia Guermantes.

— Sim, há uma tremenda comilança amanhã na casa de Oriane. Não estou convidado. Mas meu tio Palamède gostaria que lá não fosses. Não podes te desconvidar? Em todo caso, vai à casa do tio Palamède depois. Creio que ele faz questão de te ver. Vejamos, podes muito bem estar lá às onze horas. Onze horas, não te esqueças, encarrego-me de avisá-lo. Ele é muito suscetível. Se não fores, vai embirrar contigo. Sempre terminam cedo na casa de Oriane. Aliás, preciso falar com Oriane por causa do meu posto em Marrocos, de onde gostaria de me transferir. Ela é tão gentil para essas coisas e consegue tudo com o general de Saint-Josep, de quem depende isso. Mas não lhe fale neste assunto. Já me dirigi à princesa de Parma; as coisas correrão por si mesmas. Ah, o Marrocos é muito interessante. Teria muito o que te falar sobre ele. Há pessoas muito finas por lá. Sente-se a igualdade da inteligência.

— Não achas que os alemães podem ir à guerra por causa disso?

— Não; aquilo os aborrece, e no fundo é muito justo. Mas o imperador é pacífico. Os alemães estão sempre nos fazendo acreditar que desejam a guerra para nos forçar a ceder. Confira o pôquer. O príncipe de Mônaco, agente de Guilherme II, vem dizer-nos confidencialmente que a Alemanha se lançará sobre nós se não cedermos. Então cedemos. Mas, se não cedêssemos, não haveria nenhum tipo de guerra. Basta pensares que coisa cósmica seria uma guerra hoje. Seria mais catastrófica do que o *Dilúvio* e o *Crepúsculo dos Deuses.* Apenas, duraria menos tempo.

Falou-me da amizade, da predileção, da nostalgia (muito embora, como todos os viajantes do seu tipo, fosse partir outra vez no dia seguinte, por alguns meses, que devia passar no campo, e devesse voltar só durante quarenta e oito horas a Paris, antes de voltar a Marrocos, ou a outra parte); mas as palavras que assim lançou no calor do coração que eu tinha naquela noite acendiam neste um suave devaneio. Nossas raras conversações íntimas, e sobretudo esta, desde então fizeram época na minha memória. Para ele, como para mim, esta foi a noite da amizade. No entanto, a que eu sentia naquele momento (e, devido a isso, não sem algum remorso) não era de modo nenhum, como temia, a que lhe agradaria inspirar. Ainda repleto do prazer que tinha tido ao vê-lo avançar em ligeiro galope e atingir graciosamente a meta, sentia que esse prazer decorria de que cada um dos movimentos desenrolados ao longo da parede, sobre a banqueta, tinha o seu significado, sua causa, na natureza individual talvez do próprio Saint-Loup, porém mais ainda naquela que, por nascimento e educação, havia herdado de sua raça.

Uma certeza de gosto na ordem, não do belo, mas das maneiras, e que em presença de uma nova circunstância fazia com que o homem elegante apreendesse logo — como no caso de um músico a quem pedem que toque um trecho musical que desconhece — o sentimento, o movimento que a circunstância reclama, e a ela adaptar o mecanismo, a técnica que melhor lhe convém, permitindo depois a esse gosto agir sem o freio de nenhuma outra consideração, que teria paralisado a tantos jovens burgueses, não só pelo receio de parecerem ridículos aos olhos dos outros, faltando às conveniências, como de serem julgados solícitos em excesso aos de seus amigos, e que em Robert era substituído por um desdém que certamente ele jamais experimentara no coração, mas que recebera por herança em seu corpo, submetendo os modos de seus ancestrais a uma familiaridade que eles achavam não poder senão encantar e lisonjear aquele a quem ela se dirigia; enfim, uma nobre liberalidade que, não levando em conta tantas vantagens materiais (os gastos em profusão naquele restaurante tinham acabado por fazer dele, aqui como em outros locais, o freguês mais em moda e o grande favorito, situação que acentuava a solicitude para com ele, não só dos empregados da casa mas também de toda a juventude mais brilhante), fazia-o espezinhá-las, como aquelas banquetas de púrpura efetiva e simbolicamente pisoteadas, semelhantes a um caminho suntuoso que só agradava ao meu amigo na medida em que lhe permitia vir até mim com mais graça e rapidez; tais eram as qualidades, todas essenciais à aristocracia, que, por trás daquele corpo, não opaco e obscuro como teria sido o meu, mas límpido e significativo, transpareciam como, através de uma obra de arte, a força industriosa e eficiente que a criou, e tomavam os movimentos daquela corrida ligeira que Robert desenvolvera ao longo da parede, tão inteligíveis e cativantes como os dos cavaleiros esculpidos num friso. "Ah — teria pensado Robert —, vale a pena que eu tenha passado a juventude a desprezar meu nascimento, a enaltecer unicamente a justiça e o espírito, a escolher, fora dos amigos que me eram impostos, companheiros canhestros e mal vestidos, se possuíam eloqüência, para que o único ser que aparecesse em mim, de que guardem preciosa lembrança, seja não aquele que a minha vontade, esforçando-se e merecendo, moldou à minha semelhança, mas um ser que não é obra minha, que nem mesmo sou eu, que sempre desprezei e busquei vencer? Vale a pena que eu tenha amado meu amigo preferido como amei, para que o maior prazer que ele ache em mim seja o de descobrir algo de muito mais geral que eu próprio, um prazer que não é absolutamente, como ele diz e não pode sinceramente crê-lo, um prazer de amizade, mas um prazer intelectual e desinteressado, uma espécie de prazer de arte?" Eis o que hoje temo que Saint-Loup haja pensado algumas vezes. Ele se enganou neste caso. Se não tivesse amado, como o fez, alguma coisa mais elevada que a elasticidade inata de seu corpo, se não estivesse, desde tanto tempo, isolado do orgulho nobiliárquico, haveria mais aplicação e pesadume na sua própria agilidade, uma vulgaridade importante em suas maneiras. Como à Sra. de Villeparisis fora preciso muita seriedade para que ela conferisse à sua conversação e suas memórias o sentimento da frivolidade, que é intelectual, assim também, para que o corpo de Saint-Loup fosse habitado por tanta aristocracia, seria preciso que esta houvesse desertado de seu pensamento, levantado para os mais altos fins e, reabsorvida em seu corpo, nele se fixasse em linhas nobres e inconscientes. Por isso a sua distinção de espírito não era destacada de uma distinção física, que não seria completa se faltasse a primeira. Um artista não tem necessidade de exprimir diretamente seu pensamento em sua obra para que esta lhe reflita a qualidade; pode-se dizer até que o louvor mais alto de Deus está na negação do ateu, que acha a criação perfeita o bastante para prescindir de um criador. E bem sabia eu, também, que não era somente uma obra de arte o que admirava nesse jovem cavaleiro, desenrolando ao longo da parede o friso de sua corrida; o jovem príncipe (descendente de

Catherine de Foix, rainha de Navarra e neta de Carlos VII), que ele acabava de deixar em meu benefício, a situação de nascimento e de fortuna que ele inclinava diante de mim, os ancestrais desdenhosos e desenvoltos que sobreviviam na segurança, na agilidade e na polidez com as quais acabava de dispor em torno a meu corpo friorento a capa de vicunha, tudo isso não seria como amigo mais antigo do que eu em sua vida, pelos quais eu julgaria devêssemos estar sempre separados, e que, ao contrário, ele os sacrificava a mim devido a uma escolha que só se pode fazer nas alturas da inteligência, com aquela liberdade soberana de que os movimentos de Robert eram a imagem e na qual se realiza a amizade perfeita?

Do que a familiaridade de um Guermantes — em lugar da distinção que tinha em Robert, porque nele o desdém hereditário não passava de roupagem, transformada em graça inconsciente, de uma verdadeira humildade moral — houvesse revelado de soberba vulgar, eu pudera conscientizá-lo, não no Sr. de Charlus, em quem os defeitos de caráter que até então não compreendia bem se haviam superposto aos hábitos aristocráticos, mas no duque de Guermantes. No entanto, também este, no conjunto vulgar que tanto desagradara à minha avó, quando o conhecera antigamente na casa da Sra. de Villeparisis, oferecia partes de grandeza antiga e que me foram sensíveis quando fui jantar em sua casa, no dia seguinte à noitada que passei com Saint-Loup.

Não me haviam aparecido, nem nele nem na duquesa, quando os vira pela primeira vez em casa de sua tia, assim como também não vira no primeiro dia as diferenças que separavam a Berma de suas companheiras, ainda que nesta as particularidades fossem infinitamente mais captáveis do que nas pessoas da sociedade, visto que se tornam mais marcantes à medida que os objetos são mais reais, mais concebíveis pela inteligência. Mas enfim, por mais leves que sejam as nuanças sociais (e ao ponto que, quando um pintor verídico feito Sainte-Beuve quer assinalar sucessivamente as nuanças existentes entre os salões da Sra. Geoffrin, da Sra. Récamier e da Sra. de Boigne, eles surgem todos tão semelhantes que a principal verdade que, contra a vontade do autor, ressalta de seus estudos, é a nulidade da vida de salão), entretanto, em virtude do mesmo motivo que em relação à Berma, quando os Guermantes se me tornaram indiferentes, e a gotinha de sua originalidade não mais foi vaporizada pela minha imaginação, pude recolhê-la, por imponderável que fosse.

Não tendo a duquesa me falado do marido, na recepção em casa de sua tia, eu me indagava se, com os rumores de divórcio que corriam, ele compareceria ao jantar. Mas logo me inteirei completamente, pois, entre os lacaios que se mantinham de pé na antecâmara e que (visto que até então deviam considerar-me um pouco feito os filhos do ebanista, isto é, talvez com mais simpatia do que a seu patrão, mas como incapaz de ser recebido em casa dele) deviam especular sobre as causas dessa revolução, vi deslizar o Sr. de Guermantes, que vigiava a minha chegada para me receber à porta e me tirar ele próprio o meu sobretudo.

— A Sra. de Guermantes vai ficar satisfeitíssima — disse-me num tom habilmente persuasivo. — Permita-me que o livre de seus trastes (achava a um tempo bonachão e cômico falar a linguagem do povo). Minha mulher temia um pouco uma deserção de sua parte, embora o senhor nos tivesse reservado o dia. Desde hoje de manhã dizíamos um ao outro: "Verá como ele não vem." Devo dizer que a Sra. de Guermantes estava mais certa do que eu. Não é fácil contar com o senhor, e eu estava convencido de que nos faltaria com a palavra.

E o duque era tão mau marido, tão brutal até, conforme diziam, que a gente lhe era grato, como se é grato aos malvados por sua doçura, por essas palavras "Senhora de Guermantes", com as quais dava a impressão de estender sobre a duquesa uma asa protetora para que formasse um todo só com ele. Entrementes, tomando-me familiarmente pela mão, assumiu o dever de me guiar e introduzir nos salões. Essa ou aquela expressão corrente pode agradar na boca de um camponês, caso mostre a sobrevivência de uma tradição local, o vestígio de um acontecimento histórico, talvez ignorados daquele que lhes faz alusão; da mesma forma, aquela cortesia do Sr. de Guermantes, e que ele iria me testemunhar durante toda a reunião, encantou-me como um resto de hábitos várias vezes seculares, hábitos em especial do século XVII. As pessoas dos tempos antigos nos parecem infinitamente longe de nós. Não nos animamos a supor-lhes intenções profundas além do que expressam formalmente; ficamos espantados quando encontramos um sentimento mais ou menos idêntico ao que experimentamos em um herói de Homero ou numa engenhosa e fingida tática de Aníbal durante a batalha de Canas, quando ele deixou seu flanco ser invadido para envolver o adversário de surpresa; dir-se-ia que nos representamos o poeta épico e o general tão afastados de nós como um animal visto no jardim zoológico. O mesmo se dá com certos personagens da corte de Luís XIV, quando encontramos sinais de cortesia nas cartas escritas por eles a algum homem de categoria inferior e que não lhes pode ser útil em nada; tais cartas nos deixam surpresos, pois nos revelam de súbito, entre os grãos-senhores, todo um universo de crenças que eles jamais exprimiam diretamente, mas que os governavam, e em especial a crença de que é preciso, por delicadeza, fingir certos sentimentos e exercer com o maior escrúpulo determinadas funções de amabilidade.

Este afastamento imaginário do passado é talvez um dos motivos que permitem compreender que até mesmo grandes escritores tenham achado uma beleza genial nas obras de medíocres mistificadores como Ossian. Sentimo-nos tão espantados de que bardos longínquos possam ter idéias modernas, que nos maravilhamos se, no que julgamos ser um velho canto gaélico, encontramos uma idéia que só teríamos considerado engenhosa num contemporâneo. Um tradutor talentoso não tem mais que acrescentar, a um autor antigo que ele reconstitui com maior ou menor fidelidade, exceto que, assinados por um nome contemporâneo e publicados à parte, pareceriam apenas agradáveis: e logo atribui uma comovedora grandeza ao seu poeta que, desse modo, dedilha o teclado de vários séculos. Esse tradutor só seria capaz de escrever um livro medíocre, se tal livro fosse publicado como um original seu. Dado como sendo tradução, parece uma obra-prima. O passado não só não é fugaz como também permanece parado. Só meses após o começo de uma guerra é que as leis votadas sem pressa podem agir eficazmente sobre ela; é apenas uns quinze anos depois de um crime, que permanecia obscuro, que um magistrado pode ainda encontrar elementos que servirão para esclarecê-lo; depois de séculos e séculos, o sábio que estuda, numa região longínqua, a toponímia e os costumes dos habitantes poderá ainda colher entre eles uma determinada lenda, anterior ao cristianismo e já incompreendida, se não mesmo esquecida, nos tempos de Heródoto e que, no apelativo dado a uma rocha, num rito religioso, permanece no meio do presente como uma emanação mais densa, estável e imemorial. Também havia uma emanação da vida da corte, bem menos antiga, se não nas maneiras freqüentemente vulgares do Sr. de Guermantes, pelo menos no espírito que as dirigia. Eu deveria apreciá-la ainda, como um aroma antigo, quando o encontrei um pouco mais tarde no salão. Pois não fora até lá de imediato.

Deixando o vestíbulo, eu dissera ao Sr. de Guermantes que desejava muito ver os seus Elstirs. — Estou às suas ordens. Então, o Sr. Elstir é um de seus amigos? Estou muito penalizado, pois conheço-o um pouco, é um homem amável, o que os nossos pais chamavam um bom homem; eu poderia ter-lhe pedido que me fizesse a fineza de vir e convidá-lo para jantar. Ele certamente ficaria muito lisonjeado por passar a noite em sua companhia. — Muito pouco *ancien régime,* quando assim se esforçava por sê-lo, o duque voltava a sê-lo em seguida, sem querer. Tendo indagado se desejava que me mostrasse esses quadros, conduziu-me afastando-se graciosamente diante de cada porta, desculpando-se quando, para me mostrar o caminho, era obrigado a passar adiante, pequena encenação que, desde os tempos em que Saint-Simon narra que um antepassado dos Guermantes lhe fez as honras do palácio com os mesmos escrúpulos no cumprimento dos deveres frívolos do gentil-homem — devia, antes de chegar até nós, ter sido representada por muitos outros Guermantes para muitas outras visitas. E, como eu dissera ao duque preferir ficar a sós diante dos quadros por um momento, ele se afastou discretamente dizendo que o encontrasse mais tarde no salão.

Uma vez sozinho com os quadros de Elstir, esqueci completamente a hora do jantar; de novo, como em Balbec, tinha diante de mim os fragmentos daquele mundo de cores desconhecidas que era apenas a projeção da maneira particular de ver desse grande pintor e que suas palavras não traduziam de modo algum. As partes das paredes cobertas de pinturas suas, todas homogêneas umas às outras, eram como imagens luminosas de uma lanterna mágica, a qual, no caso presente, seria a cabeça do artista e cuja estranheza não se poderia suspeitar se apenas se conhecesse o homem, ou seja, enquanto somente se visse a lanterna cobrindo a lâmpada, antes mesmo que algum vidro colorido lhe tivesse sido posto. Entre esses quadros, alguns dos que pareceriam extremamente ridículos às pessoas da sociedade eram os que me interessavam mais que os outros, naquilo que recriavam essas ilusões de ótica que nos provam não identificaríamos os objetos se não fizéssemos intervir o raciocínio. Quantas vezes, de carro, não descobrimos uma longa rua clara que principia a poucos metros de nós, quando à nossa frente está apenas um trecho de muro fortemente iluminado que nos dá a miragem da profundidade! Portanto, não é lógico, não por artifício de simbolismo, mas por um retorno sincero à própria raiz da impressão, representar uma coisa por essa outra que, no fulgor de uma primeira ilusão, tomamos por ela? As superfícies e os volumes são na realidade independentes dos nomes de objetos que a nossa memória lhes impõe quando os reconhecemos. Elstir procurava extrair o que sabia daquilo que acabava de sentir; seu esforço muitas vezes se dera no sentido de dissolver esse agregado de raciocínios a que denominamos visão.

As pessoas que detestavam esses "horrores" espantavam-se de que Elstir admirasse Chardin, Perronneau, tantos pintores que elas, pessoas da sociedade, apreciavam. Não percebiam que Elstir refizera por conta própria, diante do real (com a indicação particular de seu gosto por certas pesquisas), o mesmo esforço de um Chardin ou de um Perronneau, e que, conseqüentemente, quando deixava de trabalhar para si mesmo, admirava neles as tentativas do mesmo gênero, espécies de fragmentos antecipados de obras suas. Mas as pessoas da sociedade não acrescentavam pelo pensamento, à obra de Elstir, essa perspectiva do Tempo que lhes permitiria gostar ou, pelo menos, olhar sem constrangimento a pintura de Chardin. Entretanto, os mais velhos poderiam dizer consigo que no decurso de sua vida tinham visto, à medida que os anos os afastavam dela, a distância intransponível entre o que julgavam uma obra-prima de Ingres e o que julgavam dever permanecer para sempre um horror (por exemplo, a *Olímpia* de Manet) diminuir até que as duas telas parecessem gêmeas. Mas lição alguma se aproveita porque não sabemos descer ao geral e imaginamos sempre estar em face de uma experiência que não tem precedentes no passado.

Fiquei comovido ao reencontrar em dois quadros (estes mais realistas e de um estilo anterior) um mesmo senhor, uma vez de fraque no seu salão, outra vez de cartola e casaca numa festa popular à beira d'água, onde evidentemente não tinha o que fazer, e que provava que para Elstir ele não era apenas um modelo habitual, mas um amigo, talvez um protetor, que ele gostava, como outrora Carpaccio com certos senhores notáveis — e perfeitamente parecidos — de Veneza, de representar em seus quadros, do mesmo modo que Beethoven sentia prazer em inscrever, no alto de uma obra preferida, o nome querido do arquiduque Rodolfo. Essa festa à beira d'água apresentava algo de fascinante. O rio, o vestido das mulheres, as velas dos barcos, os inumeráveis reflexos de umas e outras achavam-se próximos àquele quadrado de pintura que Elstir recortara de uma tarde maravilhosa. O que deslumbrava no vestido de uma mulher, que deixara por um instante de dançar devido ao calor e à sufocação, era também cambiante, e da mesma maneira, no pano de uma vela parada, na água do pequeno porto, no pontão de madeira, nas folhagens e no céu. Assim, num dos quadros que eu vira em Balbec, o hospital, tão belo sob o céu de lápis-lazúli como a própria catedral, parecia, mais ousado que o Elstir teórico, que o Elstir homem de gosto e apaixonado pela Idade Média, declamar: "Não existe gótico, não existe obra-prima, o hospital sem estilo vale o glorioso portal"; da mesma forma, eu ouvia: "A dama um tanto vulgar, que um diletante a passeio evitaria contemplar, e excluiria do quadro poético que a natureza compõe diante dele, essa dama também é bela; seu vestido recebe a mesma luz que a vela do barco, e não há coisas mais ou menos preciosas, o vestido comum e a vela em si mesma bonita são dois espelhos do mesmo reflexo. Todo o valor está nos olhos do pintor." Ora, este soubera, imortalmente, parar o movimento das horas naquele instante luminoso em que a dama sentira calor e cessara de dançar, em que a árvore estava cingida de um círculo de sombra, em que as velas pareciam deslizar sobre um verniz dourado. Mas, justamente porque o instante pesava sobre nós com tanta força, essa tela tão fixa dava a impressão mais fugaz, sentia-se que a dama ia logo virar-se, os barcos desaparecerem, a sombra mudar de lugar, a noite cair, que o prazer acaba, que a vida passa, e que os instantes, mostrados ao mesmo tempo por tantas luzes que lhes são vizinhas, já não se encontram. Eu reconhecia ainda um aspecto, é verdade que bem diverso, do que é o Instante, em algumas das aquarelas de assuntos mitológicos, datando dos começos de Elstir e que também ornavam aquele salão. As pessoas mundanas "avançadas" chegavam "até" essa maneira, porém não iam adiante. Decerto não se tratava do que Elstir fizera de melhor, mas a sinceridade com que o assunto era enfocado já lhe retirava a frieza. Assim é que, por exemplo, as Musas estavam representadas como o seriam criaturas pertencentes a uma espécie fóssil mas que não teria sido raro, nos tempos mitológicos, ver passar à tardinha, em grupos de duas ou três, ao longo de alguma trilha montanhosa. Por vezes um poeta, de uma raça que também tivesse uma individualidade particular para um zoólogo (caracterizada por uma certa insexualidade), passeava com uma Musa, como, na natureza, criaturas de espécies diversas, porém amigas, e que andam em companhia. Numa dessas aquarelas, via-se um poeta, cansado por uma longa caminhada na montanha, que um centauro, que encontrou, penalizado com sua fadiga, toma sobre seu lombo e o transporta. Em outras mais, a imensa paisagem (em que a cena mítica e os heróis fabulosos ocupam um lugar minúsculo e estão como que perdidos) é retratada, dos píncaros ao mar, com uma exatidão que indica, mais que a hora, até o minuto, devido ao grau preciso do declínio do sol e à fidelidade fugitiva das sombras. Desse modo o artista apresenta, subitaneizando-a, uma espécie de realidade histórica vivida ao símbolo da fábula, pinta-a e a relata no pretérito perfeito.

Enquanto eu contemplava as pinturas de Elstir, haviam soado os toques de campainha dos convidados que chegavam, ininterruptos, toques que me haviam docemente embalado. Mas o silêncio que lhes sucedeu, e que já durava há muito tempo, acabou — é verdade que menos rapidamente — por me despertar do devaneio, como o silêncio que sucede à música de Lindoro arranca Bártolo de seu sono. Receei que se esquecessem de mim, que estivessem à mesa, e fui depressa para o salão. À porta do gabinete dos Elstirs encontrei um criado que esperava, velho ou empoado, não sei, com ar de um ministro espanhol, mas tributando-me o mesmo respeito que teria deposto aos pés de um rei. Pelo seu aspecto, senti que teria me esperado ainda uma hora, e pensei apavorado no atraso que devia ter causado ao jantar, ainda mais que prometera estar às onze horas na casa do Sr. de Charlus.

O ministro espanhol (não sem que eu tornasse a encontrar no caminho o lacaio perseguido pelo porteiro, que, radiante de felicidade quando lhe pedi notícias da noiva, disse que justamente o dia seguinte era o da folga de ambos e que poderia passar o dia inteiro com ela, e enalteceu a bondade da duquesa) conduziu-me ao salão, onde eu temia encontrar o Sr. de Guermantes de mau humor. Ao contrário, ele me acolheu com uma alegria evidentemente em parte fictícia e ditada pela polidez, mas por outro lado sincera, inspirada pelo seu estômago, em que tamanho atraso havia atiçado a fome, pela consciência de uma impaciência igual em todos os convidados, os quais enchiam completamente o salão. De fato, soube mais tarde que tinham me esperado cerca de três quartos de hora. O duque de Guermantes, sem dúvida, pensou que prolongar o suplício geral por dois minutos não o agravaria, e que a polidez, tendo-o feito adiar por tanto tempo o momento de se pôr à mesa, tal polidez seria mais completa se, não mandando servir imediatamente, conseguisse me convencer de que eu não estava atrasado e que não tinham esperado por mim. Assim, perguntou-me, como se tivéssemos ainda uma hora até o jantar, o que achara eu dos Elstirs. Mas, ao mesmo tempo, e sem deixar perceber os espasmos de seu estômago, para não perder mais um segundo, de combinação com a duquesa, procedia às apresentações. Só então percebi que se produzira a meu redor, eu que até aquele dia — exceto o estágio no salão da Sra. Swann — fora habituado em casa da minha mãe, em Combray e em Paris, às maneiras, ora protetoras ora na defensiva, de burgueses rabugentos que me tratavam como criança, uma mudança de cenário comparável à que introduz Parsifal de súbito no meio das donzelas-flores. As que me rodeavam, inteiramente decotadas (sua carnadura aparecia dos dois lados de um ramo sinuoso de mimosa ou sob as largas pétalas de uma rosa), só me cumprimentavam deslizando sobre mim longos olhares acariciantes como se apenas a timidez as impedisse de beijar-me. Nem por isso muitas deixavam de ser bastante honestas, do ponto de vista dos costumes; muitas, não todas, pois as mais virtuosas não sentiam pelas levianas aquela repulsa que minha mãe experimentaria. Os caprichos do comportamento, negados por santas amigas apesar da evidência, pareciam, no mundo dos Guermantes, ter muito menos importância que as relações que se tinham sabido conservar. Fingia-se ignorar que o corpo de uma dona de casa era manuseado por quem quisesse, contanto que seu "salão" permanecesse intacto. Como o duque ligava muito pouco aos convidados (com quem e de quem há muito já não tinha o que aprender), porém muito a mim, cujo tipo de superioridade, sendo-lhe desconhecido, causava-lhe até certo ponto o mesmo tipo de respeito que os ministros burgueses aos grão-senhores da corte de Luís XIV, ele evidentemente considerava que o fato de não conhecer seus convidados não tinha qualquer importância, se não para eles, ao menos para mim, e, enquanto eu me preocupava, por sua causa, com o efeito que teria sobre eles, o duque se preocupava apenas com o que eles me causariam.

Primeiramente, aliás, ocorreu uma dupla confusão. De fato, no momento mesmo em que eu entrara no salão, o Sr. de Guermantes, sem sequer me dar tempo de cumprimentar a duquesa, me conduzira, como para fazer uma surpresa, àquela pessoa a quem parecia dizer: "Eis o seu amigo; veja como eu o trago seguro pelo cangote", a uma dama de muito baixa estatura. Ora, bem antes que, impelido pelo duque, eu chegasse diante dela, essa dama não cessara de me dirigir, com seus grandes e doces olhos negros, os mil sorrisos de compreensão que endereçamos a uma velha conhecida que talvez não nos reconheça. Como era justamente o meu caso e eu não conseguisse me lembrar de quem se tratava, desviei a cabeça, sempre andando, de modo a não ter de responder até que a apresentação me livrasse do embaraço. Enquanto isso, a dama continuou a manter em equilíbrio instável o seu sorriso destinado a mim. Dava a impressão de querer se livrar rapidamente dele e que eu finalmente dissesse: "Ah, minha senhora, como vai ficar contente mamãe por nos termos encontrado!" Sentia-me tão impaciente por saber-lhe o nome quanto ela de ver que por fim a saudava com pleno conhecimento de causa, e que seu sorriso, indefinidamente prolongado como um sol sustenido, podia enfim cessar. Mas o Sr. de Guermantes deu-se tão mal, pelo menos na minha opinião, que me pareceu ter nomeado somente a mim, de modo que eu ignorava sempre quem era a pseudodesconhecida, a qual não teve presença de espírito para identificar-se, de tão claros lhe parecessem os motivos de nossa intimidade, obscuros para mim. Com efeito, tão logo me juntei a ela, não me estendeu a mão, mas segurou familiarmente a minha e me falou no mesmo tom de como se eu estivesse tão a par feito ela das boas recordações a que se reportava mentalmente. Disse-me o quanto Albert, que compreendi ser seu filho, iria lamentar não ter podido vir. Procurei entre meus antigos colegas aquele que se chamasse Albert, só encontrei Bloch, mas aquela senhora não podia ser Madame Bloch, que já falecera há muitos anos. Esforcei-me em vão para adivinhar esse passado comum a nós dois, ao qual ela se referia em pensamento. Porém não o percebia melhor, através do azeviche translúcido das grandes e doces pupilas que só deixavam passar o sorriso, do que se distingue uma paisagem situada por detrás de um vidro negro, embora inflamado pelo sol. Ela me perguntou se meu pai não se cansava demais, se eu não queria ir um dia ao teatro com Albert, se estava menos doente, e como as minhas respostas, titubeando eu na escuridão mental em que me achava, só se tomaram distintas para dizer que não me sentia bem naquela noite, ela própria tratou de empurrar uma cadeira para mim, com mil atenções a que jamais se acostumaram os outros amigos de meus pais. Enfim, a chave do enigma me foi dada pelo duque: — Ela o acha encantador — murmurou-me ao ouvido, o qual se sentiu ferido como se essas palavras não lhe fossem estranhas. Eram as que a Sra. de Villeparisis nos dissera, à minha avó e a mim, quando tínhamos conhecido a princesa de Luxemburgo. Então compreendi tudo: a dama presente nada tinha em comum com a Sra. de Luxemburgo, mas pela linguagem de quem ma servia descobri a espécie de gente. Era uma Alteza. De maneira alguma conhecia a mim e à minha família, porém, saída da mais nobre raça e possuindo a maior fortuna do mundo (pois, filha do príncipe de Parma, desposara um primo igualmente principesco), desejava, em sua gratidão ao Criador, testemunhar ao próximo, por mais pobre ou humilde que fosse, que não o desprezava. Para falar a verdade, os sorrisos poderiam ter-me feito adivinhá-lo, eu vira a princesa de Luxemburgo comprar pãezinhos de centeio na praia para dá-los à minha avó como se esta fosse um animal do Jardim da Aclimação. Mas ela era apenas a segunda princesa de sangue real a quem me apresentavam, e era desculpável de minha parte não ter distinguido os traços gerais da amabilidade dos grandes. Aliás, não tinham eles mesmos se dado ao trabalho de me advertir que não levasse muito em conta essa amabilidade, visto que a duquesa de Guermantes, que me fizera tantos acenos na Ópera, parecera estar furiosa por tê-la saudado na rua, como as pessoas que, tendo alguma vez dado um *louis* a alguém, pensam que com isso estão quites para sempre. Quanto ao Sr. de Charlus, seus altos e baixos eram ainda mais contrastantes. Enfim, como veremos, conheci altezas e majestades de outra espécie, rainhas que fazem de rainha, e falam não segundo os hábitos de suas congêneres, e sim como as rainhas das peças de Sardou.

Se o Sr. de Guermantes tivera tanta pressa em apresentar-me é que é intolerável o fato de haver, numa reunião, alguém desconhecido de uma Alteza real, coisa que não pode se prolongar por um segundo. Fora essa mesma pressa que Saint-Loup tivera em se fazer apresentado à minha avó. Ademais, por um resto herdado da vida das cortes que se denomina polidez mundana e que não é superficial, mas em que, por uma ação de fora para dentro, é a superfície que se torna essencial e profunda, o duque e a duquesa de Guermantes consideravam como um dever mais essencial que o da caridade, da castidade, da piedade e da justiça, tantas vezes negligenciados pelo menos por um deles, o dever mais inflexível de não falar à princesa de Parma senão na terceira pessoa.

Na falta de ainda não ter ido a Parma (o que desejava desde longínquas férias de Páscoa), conhecer a princesa, que eu sabia possuir o mais belo palácio daquela cidade única, onde aliás tudo devia ser homogêneo, isolado como estava do resto do mundo, entre os muros polidos, na atmosfera, sufocante como uma tarde de verão sem vento na praça de uma cidadezinha italiana, do seu nome compacto e por demais doce, isso deveria ter substituído de súbito aquilo que eu procurava imaginar pelo que existia de verdade em Parma, numa espécie de chegada fragmentária e sem que me movesse; era, na álgebra da viagem à cidade de Giorgione, como uma primeira equação dessa incógnita. Mas se eu, há muitos anos — como um perfumista a um bloco cerrado de matéria graxa —, fizera esse nome de princesa de Parma absorver o perfume de milhares de violetas, em compensação, desde que vi a princesa, que até então estaria convencido tratar-se pelo menos da Sanseverina, uma segunda operação principiou, operação que, a falar a verdade, só terminou alguns meses mais tarde, e que consistiu, com o auxílio de novas compressões químicas, em expelir todo óleo essencial de violetas e todo perfume stendhaliano do nome da princesa e a incorporar nele, em seu lugar, a imagem de uma mulherzinha morena, ocupada em obras de caridade, de uma gentileza de tal modo humilde que se compreendia logo de que orgulho altaneiro essa gentileza se originava. Aliás semelhante, com poucas diferenças, às outras grandes damas, ela era tampouco stendhaliana como, por exemplo, em Paris, no bairro da Europa, a rua de Parma, que se assemelha muito menos ao nome de Parma que todas as ruas que a circundam e faz pensar menos na Chartreuse onde Fabrice morre do que na sala dos passos perdidos da estação de Saint-Lazare.

Sua gentileza decorria de duas causas. Uma, de caráter geral, era a educação que essa filha de soberanos havia recebido. Sua mãe (não só aliada a todas as famílias reais da Europa, mas ainda — em contraste com a casa ducal de Parma — mais rica que qualquer princesa reinante) lhe inculcara, desde a mais tenra idade, os preceitos orgulhosamente humildes de um esnobismo evangélico; e agora, cada traço do rosto da filha, a curva de seus ombros, os movimentos de seus braços pareciam repetir: "Lembra-te que, se Deus te fez nascer sobre os degraus de um trono, não deves te aproveitar da tua situação para desprezar aqueles a quem a divina Providência quis (que ela seja louvada!) que tu fosses superior pelo nascimento e pela fortuna. Pelo contrário, sê bondosa para com os pequenos. Teus avós eram príncipes de Clèves e de Juliers desde 647; Deus, na Sua bondade, quis que possuísses quase todas as ações do canal de Suez e três vezes tantas da Royal Dutch quantas possui Edmond de Rothschild; tua filiação em linha direta está estabelecida pelos genealogistas desde o ano 63 da era cristã; tens como cunhadas duas imperatrizes. Assim, ao falares, não tenhas nunca o ar de te lembrares de tão grandes privilégios, não que sejam precários (pois nada se pode mudar à antiguidade da raça e sempre se terá necessidade de petróleo), mas é inútil espalhar que és mais bem-nascida que ninguém e que teus investimentos são de primeira ordem, visto que todos sabem disso. Sê prestativa aos infelizes. Fornece, a todos aqueles a quem a bondade celestial te fez a graça de pôr abaixo de ti, o que puderes doar sem prejuízo de tua posição, ou seja, recursos em dinheiro, até mesmo cuidados de enfermeira; mas nunca, bem entendido, convites às tuas recepções, o que não lhes faria bem algum, mas, diminuindo o teu prestígio, tiraria à tua ação benfazeja toda a sua eficácia."

Assim, mesmo nos momentos em que não podia fazer o bem, a princesa procurava mostrar, ou melhor, fazer crer por todos os sinais exteriores da linguagem muda, que não se julgava superior às pessoas do meio em que se encontrava. Tinha com cada um essa encantadora polidez que têm para com os inferiores as pessoas bem-educadas, e a todo momento, para se mostrar útil, movia sua cadeira para me dar mais espaço, segurava minhas luvas, oferecia-me todos esses serviços, indignos das orgulhosas burguesas, e que de boa vontade prestam as soberanas ou, instintivamente e por hábito profissional, os antigos criados.

O outro motivo de gentileza que me mostrou a princesa de Parma era mais particular, porém de modo algum ditado por uma misteriosa simpatia por mim. Mas essa nova razão, não tive oportunidade de aprofundá-la naquele momento. De fato, o duque, parecendo ter pressa de acabar as apresentações, arrastara-me para outra das donzelas-flores. Ouvindo o seu nome, disse-lhe que havia passado diante de seu castelo, não longe de Balbec. — Oh! Como teria ficado feliz em mostrá-lo ao senhor — disse ela quase em voz baixa como para se mostrar mais modesta, mas num tom sentido, cheio de pena pela ocasião perdida de um prazer especial; e acrescentou com um olhar insinuante: — Espero que nem tudo esteja perdido. E devo dizer que o que lhe teria interessado mais seria o castelo de minha tia Brancas; foi construído por Mansard; é a pérola da província. — Não era somente ela quem teria ficado contente de mostrar seu castelo, mas sua tia Brancas, que não ficaria menos encantada em me fazer as honras do seu, pelo que me assegurou essa dama com palavras nada comprometedoras, que, evidentemente, pensava que, sobretudo num tempo em que a terra tende a passar às mãos dos financistas que não sabem viver, o importante é que os grandes mantenham as altas tradições da hospitalidade senhorial. Era também porque ela buscava, como todas as pessoas do seu meio, dizer as coisas que podiam dar o máximo prazer ao interlocutor, dar-lhe a mais alta idéia de si mesmo, fazê-lo acreditar que lisonjeava as pessoas a quem escrevia, que honrava seus anfitriões, que todos estavam ansiosos para conhecê-lo. A falar a verdade, existe até mesmo na burguesia, às vezes, esse costume de querer dar aos outros uma idéia agradável de si mesmos. Encontra-se nela essa disposição benevolente, a título de qualidade individual que compensa um defeito, não, infelizmente, entre os amigos mais certos, mas pelo menos entre as companheiras mais agradáveis. Em todo caso, floresce completamente isolada. Numa parte importante da aristocracia, ao contrário, esse traço de caráter deixou de ser individual; cultivado pela educação, mantido pela idéia de uma grandeza própria que não pode recear ser humilhada, que não conhece rivais, sabe que por meio da amenidade ela pode fazer as pessoas felizes e se compraz em fazê-las. Isso tornou-se o caráter genérico de uma classe. E até aqueles cujos defeitos pessoais muito opostos os impedem de conservá-lo no coração trazem consigo o seu sinal inconsciente no seu vocabulário ou em sua gesticulação.

— É uma mulher muito bondosa — disse-me o Sr. de Guermantes a respeito da princesa de Parma — e que sabe ser uma "grande dama" como pessoa.

Enquanto eu era apresentado às mulheres, havia um senhor que dava numerosos sinais de agitação: era o conde Hannibal de Bréauté-Consalvi. Tendo chegado tarde, não tivera tempo de se informar acerca dos convivas e, quando entrei no salão, vendo em mim um convidado que não fazia parte da sociedade da duquesa e, portanto, deveria possuir títulos bastante extraordinários para nela penetrar, instalou seu monóculo na curva arcada dos supercílios, pensando que isso o ajudaria muito a distinguir que espécie de homem eu era. Sabia que a Sra. de Guermantes possuía, apanágio precioso das mulheres verdadeiramente superiores, aquilo a que se chama um "salão", ou seja, acrescentava por vezes às pessoas de seu mundo alguma notabilidade que acabava de revelar a descoberta de um remédio ou a produção de uma obra-prima. O *faubourg* Saint-Germain permanecia ainda sob a impressão de ter sabido que, na recepção oferecida ao rei e à rainha da Inglaterra, a duquesa não temera convidar o Sr. Detaille. As mulheres de espírito do *faubourg* mal se consolavam por não terem sido convidadas, de tanto que estavam interessadas em se aproximar desse gênio estranho. A Sra. de Courvoisier afirmava que também estivera presente o Sr. Ribot, mas tratava-se de uma invenção, destinada a fazer acreditar que Oriane procurava tornar seu marido embaixador. Enfim, para cúmulo do escândalo, o Sr. de Guermantes, com uma galanteria digna do marechal de Saxe, se apresentara no salão da Comédie Française e rogara à Srta. Reichenberg que fosse recitar versos diante do rei, o que acontecera e constituíra um fato sem precedentes nos anais das reuniões mundanas. À lembrança de tantos imprevistos (que aliás aprovava plenamente, sendo ele mesmo um ornamento e, assim como a duquesa de Guermantes, porém do sexo masculino, uma consagração para um salão), o Sr. de Bréauté se perguntara quem poderia eu ser, sentia um terreno bem vasto aberto às suas investigações. Por um momento, o nome do Sr. Widor passou pelo seu espírito; porém julgou que eu era muito jovem para ser um organista, e o Sr. Widor bem pouco notável para ser "recebido". Mais verossimilmente, pareceu-lhe ver em mim apenas o novo adido da legação da Suécia, de quem já lhe tinham falado; e preparava-se para me pedir notícias do rei Oscar por quem fora por várias vezes muito bem recebido; mas, quando o duque, para me apresentar, disse meu nome ao Sr. de Bréauté, este, vendo que esse nome lhe era absolutamente desconhecido, já não duvidou desde então que, encontrando-me ali, eu fosse alguma celebridade. Decididamente, Oriane não fazia asneiras e conhecia a arte de atrair os homens em evidência, à percentagem de um para cem bem entendido, sem o que teria depreciado o seu salão. O Sr. de Bréauté começou, portanto, a lamber os beiços e a fungar com as gulosas narinas, com o apetite despertado não só pelo bom jantar que estava certo de comer, mas pelo caráter da reunião, que a minha presença não podia deixar de tornar interessante e que lhe forneceria um assunto de conversação picante durante o almoço do dia seguinte em casa do duque de Chartres. Ainda não estava bastante certo de saber se eu era o homem de cujo soro contra o câncer acabavam de fazer experiências ou o autor cujo próximo anteato se ensaiava no Théâtre-Français, mas, grande intelectual, grande entusiasta de "narrativas de viagens", não cessava de multiplicar diante de mim as reverências, os sinais de inteligência, os sorrisos filtrados pelo seu monóculo; seja baseado na idéia falsa de que um homem de valor o estimaria mais se ele conseguisse lhe gravar no espírito a ilusão de que para ele, conde de Bréauté-Consalvi, os privilégios do pensamento não eram menos dignos de respeito que os do berço; seja simplesmente por precisão e dificuldade de expressar sua satisfação, na ignorância da língua em que deveria falar-me, em suma, como se se achasse em presença de um dos "naturais" de uma terra desconhecida, onde tivesse abordado a sua jangada e com os quais, por esperança de lucro, enquanto observasse curiosamente os seus costumes e sem interromper as demonstrações de amizade e nem de soltar grandes gritos de boa vontade como eles, trataria de trocar ovos de avestruz e especiarias por miçangas. Depois de corresponder da melhor maneira à sua alegria, apertei a mão do duque de Châtellerault, que já havia encontrado na casa da Sra. de Villeparisis, da qual dissera-me ele tratar-se de uma espertalhona. Ele era bem Guermantes, por causa dos cabelos louros, o perfil arqueado, os pontos em que se altera a pele do rosto, tudo o que já se vê nos retratos dessa família que nos deixaram os séculos XVI e XVII. Mas, como eu já não amasse a duquesa, sua reencarnação em um rapaz não me servia de atrativo. Lia o gancho que fazia o nariz do duque de Châtellerault como a assinatura de um pintor que eu tivesse estudado há muito, mas que já não me interessava de modo algum. Depois, também saudei o príncipe de Foix e, para infelicidade de minhas falanges, que ficaram doloridas, deixei-as serem estreitadas no torno que era o aperto de mãos à alemã, acompanhado de um sorriso irônico ou bonachão, do príncipe de Faffenheim, o amigo do Sr. de Norpois, e a quem, com a mania dos apelidos própria àquele ambiente, chamavam tão universalmente de Príncipe Von, que ele mesmo assinava "Príncipe Von" ou, quando escrevia aos íntimos, "Von". A rigor, essa abreviatura ainda se entendia, por causa da extensão de um nome composto. Porém, menos se poderiam perceber os motivos que faziam substituir Elisabeth ora por Lili ora por Bebeth, como em outra sociedade pululavam os Kikim. Entretanto, explica-se que homens bastante frívolos e ociosos tenham adotado "Quiou", para não perderem tempo dizendo "Montesquiou". Mas percebe-se menos o que ganhavam apelidando um de seus primos Dinand, em vez de Ferdinand. Aliás, não seria preciso acreditar que, para dar apelidos, os Guermantes invariavelmente procedessem à repetição de uma sílaba. Assim, duas irmãs, a condessa de Montpeyroux e a viscondessa de Vélude, ambas de extrema corpulência, nunca se ouviam chamar, sem de modo algum se importarem e sem que ninguém pensasse sequer em sorrir, de tão antigo era o hábito, senão por "Pequena" e "Pequenina". A Sra. de Guermantes, que adorava a Sra. de Montpeyroux, caso esta ficasse gravemente enferma, perguntaria em lágrimas à sua irmã: "É certo que a Pequena está muito mal?" A Sra. de l'Éclin, que usava cabelos em bandós que lhe cobriam totalmente as orelhas, era chamada sempre de "ventre faminto".[24] Às vezes contentavam-se em acrescentar um *a* ao nome ou sobrenome do marido para designar a esposa. Tendo o homem mais avaro, mais sórdido, mais desumano do *faubourg* o prenome de Raphael, a sua encantadora, a sua flor, saindo também do rochedo, sempre se assinava Raphaela; mas estas são simples amostras de regras inumeráveis, algumas das quais sempre poderemos explicar quando se apresentar a ocasião.

A seguir, pedi ao duque a apresentação ao príncipe de Agrigento. — Como, o senhor não conhece este excelente Gri-gri? — exclamou o Sr. de Guermantes, e disse o meu nome ao Sr. d'Agrigento. O nome deste último, tantas vezes citado por Françoise, me aparecera sempre como uma vi-

[24] No original, há um trocadilho com o provérbio francês *"Ventre affamé n'a pas d'oreilles"* (Ventre esfomeado não tem orelhas), correspondendo ao nosso "Ventre em jejum não ouve a nenhum". (N. do T.)

draça transparente, sob a qual eu via, batidos pelos raios oblíquos de um sol dourado, às margens do mar violáceo, os cubos rosados de uma cidade antiga da qual eu não duvidava que o príncipe — de passagem em Paris por um breve milagre — não fosse ele próprio, tão luminosamente siciliano e gloriosamente patinado, o soberano efetivo. Ai de mim, o besouro vulgar que me apresentaram, e que fez umas piruetas para me cumprimentar com uma desenvoltura pesadona que acreditava ser elegante, era tão independente de seu nome como de uma obra de arte que tivesse possuído, sem trazer sobre si nenhum reflexo dela, sem tê-la jamais talvez sequer olhado. O príncipe de Agrigento era tão inteiramente destituído do que quer que fosse de principesco e que pudesse fazer pensar em Agrigento, que era de se supor que seu nome, completamente distinto dele, ligado por coisa nenhuma à sua pessoa, tivesse tido o poder de atrair a si tudo o que pudesse haver de vaga poesia naquele homem como em qualquer outro, e de encerrá-la, após essa operação, nas sílabas encantadas. Se a operação havia ocorrido, em todo caso fora bem feita, pois não restava um átomo sequer de encanto a extrair desse parente dos Guermantes. De modo que ele era, ao mesmo tempo, o único homem do mundo a ser príncipe de Agrigento e talvez o único homem do mundo que o fosse menos. Além disso, muito feliz em sê-lo, mas como um banqueiro se sente feliz por possuir numerosas ações de uma mina, sem se preocupar se essa mina responde pelos belos nomes de mina Ivanhoé e mina Primerose, ou se se chama apenas mina Premier. Entretanto, ao passo que terminavam as apresentações, tão demoradas de se referir, mas que, principiadas desde a minha entrada no salão, tinham durado apenas alguns minutos, e que a Sra. de Guermantes, com um tom quase suplicante, me dizia: — Estou certa de que Basin o deixa cansado, levando-o assim de uma para outra; queremos que conheça nossos amigos, porém, acima de tudo, desejamos que não se canse para que venha visitar-nos com freqüência — o duque, com um movimento bastante canhestro e timorato, fez sinal para que servissem o jantar (o que gostaria de ter feito uma hora antes, gasta por mim na contemplação dos Elstirs).

É preciso acrescentar que faltava um dos convidados, o Sr. de Grouchy, cuja esposa, nascida Guermantes, viera sozinha, pois o marido devia chegar diretamente da caça em que passara o dia inteiro. Este Sr. de Grouchy, descendente daquele Grouchy do Primeiro Império de quem se disse falsamente que sua ausência no começo de Waterloo fora a causa principal da derrota de Napoleão, era de excelente família, no entanto insuficiente aos olhos de certos obstinados pela nobreza. Assim, o príncipe de Guermantes, que anos depois deveria ser menos difícil para consigo mesmo, tinha o costume de dizer às sobrinhas: — Que desgraça para essa pobre Sra.

de Guermantes (a viscondessa de Guermantes, mãe da Sra. de Grouchy), que jamais pôde casar as filhas! — Mas meu tio, a mais velha se casou com o Sr. de Grouchy. — Eu não chamo aquilo de marido! Enfim, dizem que o tio François pediu a mão da caçula; assim, não ficarão todas solteiras.

Logo que se deu a ordem de servir à mesa, num vasto estalido giratório, múltiplo e simultâneo, as portas do salão de refeições se abriram de par em par; um mordomo, que parecia um mestre de cerimônias, inclinou-se diante da princesa de Parma e anunciou a notícia: "Madame está servida", num tom que se assemelhava àquele em que teria dito: "Madame agoniza", mas que não lançou qualquer tristeza na assembléia, pois foi com um ar contente e como no verão, em Robinson, que os casais avançaram, um após o outro, na direção da sala de jantar, separando-se ao alcançarem seu posto, onde os lacaios lhes acomodavam as cadeiras às costas; a última, Sra. de Guermantes, caminhou na minha direção para que a conduzisse à mesa e sem que eu experimentasse a menor sombra da timidez que seria de recear, pois, como caçadora a quem uma grande habilidade muscular tornou fácil a graça, sem dúvida, vendo que eu me colocara do lado errado, girou a meu redor com tanta precisão que encontrei seu braço sobre o meu e, naturalmente, enquadrei-me num ritmo de movimentos ajustados e nobres. Obedeci-lhes com tanto mais facilidade quanto os Guermantes não davam a isso mais importância que, à ciência, um verdadeiro sábio, em cuja casa nos sentimos menos intimidados que na de um ignorante; abriram-se outras portas, por onde entrou a sopa fumegante, como se o jantar ocorresse num teatro de marionetes habilmente montado e onde a chegada tardia do jovem convidado pusesse, a um sinal do dono, todas as engrenagens em ação.

Tímido, e não majestosamente soberano, fora aquele sinal do duque, ao qual correspondera o desencadeamento daquela vasta, engenhosa, obediente e opulenta relojoaria mecânica e humana. A indecisão do gesto não prejudicou, a meu ver, o efeito do espetáculo que lhe era subordinado. Pois eu sentia que o que o fizera hesitante e embaraçado fora o temor de me deixar ver que só esperavam por mim para jantar e que me haviam esperado por muito tempo, assim como a Sra. de Guermantes temia que me cansassem depois de eu ter olhado tantos quadros e não me deixassem tomar fôlego, apresentando-me a jato contínuo. De modo que era a falta de grandeza no gesto que revelava a grandeza verdadeira, assim como aquela indiferença do duque no respeitante ao seu próprio luxo e às suas atenções para com um convidado, insignificante em si mesmo, mas a quem desejava honrar. Não é que o Sr. de Guermantes não fosse, sob certos aspectos, bastante comum e não tivesse mesmo ridicularias de homem excessivamente rico, e o orgulho de um arrivista que ele não era. Porém, assim como um funcionário ou um padre vêem seu talento medíocre multiplicado ao infinito (como uma onda por todo o mar que se comprime atrás dela) por aquelas forças em que se apóiam, a Administração francesa e a Igreja católica, assim o Sr. de Guermantes era levado por essa outra força, a mais genuína polidez aristocrática. Tal polidez exclui muitas pessoas. A Sra. de Guermantes não teria recebido a Sra. de Cambremer ou o Sr. de Forcheville. Mas, no momento em que alguém, como era o meu caso, parecesse capaz de ser agregado ao meio Guermantes, essa polidez descerrava tesouros de simplicidade hospitaleira mais magníficos ainda, se possível, do que esses velhos salões, esses móveis maravilhosos que aí se conservavam.

Quando queria aprazer a alguém, o Sr. de Guermantes tinha assim, para fazer dele nesse dia o personagem principal, uma arte que sabia aproveitar as circunstâncias e o local. Sem dúvida, em Guermantes, suas "distinções" e suas "graças" tomariam outra forma. Mandaria atrelar o carro para levar-me a passear sozinho com ele antes do jantar. Tais como eram, a gente se sentia sensibilizado por suas maneiras, como nos sentimos, ao ler as Memórias do tempo, pelas de Luís XIV, quando responde bondosamente, com ar risonho e uma meia reverência, a algum solicitante. Nos dois casos, é preciso ainda compreender que semelhante polidez não vai além do que a palavra significa.

Luís XIV (a que, no entanto, os fanáticos da nobreza de seu tempo censuram sua pouca preocupação com a etiqueta, embora, diz Saint-Simon, ele tenha sido apenas um rei muito pequeno para o seu posto em comparação com Filipe de Valois, Carlos V, etc.) manda redigir as mais minuciosas instruções para que os príncipes da casa real e os embaixadores saibam a que soberanos devem abrir passagem. Em certos casos, diante da impossibilidade de chegar a um acordo, prefere-se convir que o filho de Luís XIV, Monsenhor, só receberá determinado soberano estrangeiro fora, ao ar livre, para que não se diga que, entrando no castelo, um precedeu o outro; e o Eleitor palatino, ao receber o duque de Chevreuse para jantar, finge estar doente para não ceder a mão, e janta com ele, mas deitado, o que contorna a dificuldade. O Senhor Duque, evitando as ocasiões de ser preposto ao serviço de Monsieur, faz com que este, a conselho do rei, seu irmão, que aliás gosta muito dele, arranje um pretexto para mandar subir o primo aos seus aposentos e obrigá-lo a apresentar-lhe a camisa. Mas, quando se trata de um sentimento profundo, de coisas do coração, o dever, tão inflexível ao se cuidar de polidez, muda completamente. Algumas horas após a morte desse irmão, uma das pessoas que lhe foram mais queridas, quando Monsieur, segundo a expressão do duque de Montfort, está "ainda muito quente", Luís XIV canta árias de óperas, espanta-se de que a duquesa de Bourgogne, que mal consegue dissimular sua dor, tenha um ar tão melancólico, e, querendo que a alegria recomece logo, para que os cortesãos se decidam a voltar ao jogo, ordena ao duque de Bourgogne que inicie uma partida de *brelan*.[25] Ora, não só nas ações mundanas e comedidas, mas na linguagem mais involuntária, nas preocupações, no emprego do tempo do Sr. de Guermantes, encontrava-se o mesmo contraste: os Guermantes não sentiam mais desgostos que os outros mortais, pode-se até dizer que sua verdadeira sensibilidade era menor; em compensação, seu nome era visto todos os dias nas notas sociais do *Gaulois* por causa do prodigioso número de enterros em que julgariam culpável não se inscrever. Como o viajante encontra, quase idênticas, as casas cobertas de terra, os terraços que Xenofonte e São Paulo poderiam ter conhecido, do mesmo modo nas maneiras do Sr. de Guermantes, homem comovente de amabilidade e revoltante de dureza, escravo das menores obrigações e indiferente aos mais sagrados pactos, eu encontrava ainda intacto, após decorridos mais de dois séculos, esse desvio próprio à vida da corte sob Luís XIV e que transporta os escrúpulos de consciência do domínio das afeições e da moralidade para as questões de pura forma.

A outra razão da amabilidade que me demonstrou a princesa de Parma era mais particular. É que estava previamente convencida de que tudo o que via na casa da duquesa de Guermantes, coisas e pessoas, era de qualidade superior a tudo o que possuía em sua casa. Na casa de todas as outras pessoas, ela agia, na verdade, como se assim fosse; frente ao prato mais simples, às flores mais comuns, ela não se contentava em se extasiar, pedia licença para já no dia seguinte mandar buscar a receita ou examinar a espécie pelo seu cozinheiro ou jardineiro-chefe, personagens de gordos salários, que tinham seu carro particular e sobretudo pretensões profissionais, e que se sentiam muito humilhados por virem variedade de cravos que não era nem pela metade mais linda, nem tão matizada, e nem tão grande quanto às dimensões das flores, como as que eles tinham obtido há muito tempo na casa da princesa. Mas, se, da parte desta, na casa de todos, esse espanto diante das menores coisas era fictício e destinado a mostrar que ela não extraía da superioridade de sua classe e de suas riquezas um orgulho proibido pelos seus antigos preceptores, dissimulado por sua mãe e insuportável aos olhos de Deus, em compensação era com toda a sinceridade que olhava o salão da duquesa de Guermantes como um lugar privile-

[25] *Brelan*: jogo de cartas, variante do pôquer. (N. do T.)

giado onde só podia passar de surpresas a delícias. Aliás, de um modo geral, mas que seria bem insuficiente para explicar esse estado de espírito, os Guermantes eram muito diversos do resto da sociedade aristocrática; eram mais preciosos e mais raros. À primeira vista, me haviam dado uma impressão contrária; achara-os vulgares, parecidos com todos os homens e todas as mulheres, mas porque, previamente, eu vira neles, como em Balbec, em Florença, em Parma, somente os nomes. É claro que, neste salão, todas as mulheres que imaginara como estatuetas de Saxe afinal se assemelhavam mais à grande maioria das mulheres. Porém, assim como em Balbec ou Florença, os Guermantes, depois de terem desapontado a imaginação porque se pareciam mais a seus semelhantes do que a seu nome, podiam a seguir, embora em grau menor, oferecer à inteligência certas particularidades que os distinguiam. Até o seu físico, a cor de um rosado especial de sua carnação, que às vezes ia até o violáceo, um certo louro quase luminoso dos cabelos delicados, mesmo entre os homens, condensados em tufos dourados e macios, metade de líquens parietários e metade de pelagem felina (fulgor luminoso a que correspondia um certo brilho de inteligência, pois, se diziam a pele e os cabelos dos Guermantes, dizia-se também o espírito dos Guermantes, como o espírito dos Mortemart — uma certa qualidade social mais refinada desde antes de Luís XIV — e tanto mais reconhecida por todos quanto eles mesmos a promulgavam), tudo isso fazia com que, na própria matéria, por mais preciosa que fosse, da sociedade aristocrática onde os encontravam envolvidos aqui e ali, os Guermantes permanecessem reconhecíveis, fáceis de discernir e de seguir, como os fios que entremeiam com seu louro o jaspe e o ônix, ou, melhor ainda, como a ágil ondulação dessa cabeleira de claridade cujas crinas despenteadas correm como raios flexíveis nos flancos da ágata musgosa.

Os Guermantes — pelo menos os dignos desse nome — não eram apenas de uma qualidade de carnação, de cabelo, de olhar transparente e refinado, mas possuíam uma maneira de andar, uma postura, uma forma de saudar, de olhar antes de apertar a mão, pelas quais eram tão diferentes em tudo isso de qualquer homem mundano como este de um camponês em mangas de camisa. E apesar de sua amabilidade, as pessoas diziam consigo: "Não têm eles verdadeiramente direito, conquanto o dissimulem, quando nos vêem andar, saudar, sair, todas essas coisas que, cumpridas por eles, se tornariam tão graciosas como o vôo das andorinhas ou a inclinação da rosa, de pensar: 'Eles são de uma raça diferente da nossa, e nós somos os príncipes da Terra'?" Mais tarde, compreendi que os Guermantes me julgavam de fato pertencente a outra raça, mas que excitava a sua inveja, porque eu possuía méritos que ignorava e que eles professavam considerar os únicos importantes. Ainda mais tarde, senti que essa profissão de fé só era meio sincera e que, neles, o desdém ou o espanto coexistiam com a admiração e a inveja. A flexibilidade física essencial aos Guermantes era dupla; graças a uma, sempre em ação, a todo momento, e se, por exemplo, um Guermantes macho ia saudar uma dama, obtinha uma silhueta de si mesmo feita do equilíbrio instável de movimentos assimétricos e nervosamente compensados, uma perna arrastando um pouco, seja de propósito, seja porque, tendo sido muitas vezes fraturada na caça, imprimia ao torso, para alcançar a outra perna, um desvio a que a subida de uma espádua fazia contrapeso, enquanto o monóculo se instalava no olho, levantando uma sobrancelha no mesmo instante em que o topete dos cabelos se abaixava para a saudação; a outra flexibilidade, como a forma da onda, do vento ou da estria guardada para sempre pela concha ou pelo barco, estilizara-se, por assim dizer, em uma espécie de mobilidade fixa, encurvando o nariz agudo que, sob os olhos azuis à flor da pele, acima dos lábios muito delgados, de onde saía, nas mulheres, uma voz rouca, lembrava a origem fabulosa, apontada no século XVI pela boa vontade dos genealogistas parasitas e helenizantes dessa raça, antiga sem dúvida, mas não até o ponto que pretendia quando lhes davam por origem a fecundação mitológica de uma ninfa por um pássaro divino.

Os Guermantes não eram menos especiais do ponto de vista intelectual que do ponto de vista físico. Salvo o príncipe Gilbert (o marido, de idéias antiquadas, de "Marie Gilbert" e que fazia sua mulher sentar-se à esquerda quando passeavam de carro, porque ela era de sangue menos bom, embora real, do que ele; mas ele era uma exceção e, ausente, era objeto de zombarias na família e de anedotas sempre novas), os Guermantes, mesmo vivendo na pura nata da aristocracia, afetavam não fazer caso algum da nobreza. As teorias da duquesa de Guermantes, que, a falar a verdade, à força de ser Guermantes, se tornava em certa medida alguma coisa de diverso e mais agradável, de tal modo punham a inteligência acima de tudo e eram em política tão socialistas que a gente se indagava onde, no seu palácio, se escondia o gênio encarregado de assegurar a manutenção da vida aristocrática, e que, sempre invisível, mas evidentemente oculto ora na antecâmara, ora no salão, ora no gabinete de toalete, lembrava aos criados dessa mulher que não acreditava em títulos que a tratassem por Senhora Duquesa, a essa pessoa que só gostava da leitura e não tinha qualquer respeito humano, que fosse jantar em casa de sua cunhada quando dessem as oito horas e que se decotasse para isso.

O mesmo gênio da família apresentava à Sra. de Guermantes a situação das duquesas, pelo menos das primeiras dentre elas e, como ela, multimilionárias, o sacrifício a aborrecidos chás, a jantares na cidade, reuniões, de horas em que ela teria podido ler coisas interessantes, como necessidades desagradáveis análogas à chuva, e que a Sra. de Guermantes aceitava exercendo sobre elas a sua verve frondosa, mas sem ir ao ponto de procurar os motivos de sua aceitação. Este curioso efeito do acaso, de que o mordomo da Sra. de Guermantes sempre dissesse "Senhora Duquesa" a essa mulher que só acreditava na inteligência, contudo não parecia chocá-la. Nunca pensara em pedir-lhe que dissesse "senhora" simplesmente. Levando a boa vontade até seus extremos limites, poder-se-ia acreditar que, distraída, ela ouvisse apenas "Senhora" e que o apêndice verbal que lhe era acrescentado passava despercebido. Unicamente, se ela se fingia de surda, não era muda. Ora, de cada vez que precisava dar um recado ao marido, dizia ao mordomo: "Lembre ao Senhor Duque..."

Aliás, o gênio da família tinha outras ocupações; por exemplo, fazer falar de moral. Certamente, havia Guermantes mais especialmente inteligentes, Guermantes mais especialmente moralistas, e de hábito não eram os mesmos. Mas os primeiros — mesmo um Guermantes que cometera falsificações e trapaceava no jogo, e era o mais delicioso de todos, aberto a todas as idéias novas e justas — tratavam ainda melhor da moral que os segundos, e da mesma forma que a Sra. de Villeparisis, nos momentos em que o gênio da família se exprimia pela boca da velha dama. Em momentos idênticos, via-se de repente os Guermantes assumirem um tema quase tão antiquado, tão bonachão e, devido ao seu maior encanto, mais comovente, quanto o da marquesa, para dizer de uma criada: — Sente-se que no fundo ela é boa, não é vulgar; deve ser filha de gente direita, certamente sempre se conservou no bom caminho. — Nesses momentos, o gênio da família se transformava em entonação. Mas às vezes era também um jeito, expressão fisionômica, a mesma na duquesa e no seu avô, o marechal, uma espécie de inapreensível convulsão (semelhante à da Serpente, gênio cartaginês da família Barca), e que várias vezes me fizera bater o coração, em seus passeios matinais, quando, antes de ter reconhecido a duquesa de Guermantes, sentia-me encarado por ela do fundo de uma pequena loja de laticínios. Esse gênio interviera numa circunstância que estava longe de ser indiferente não só aos Guermantes, mas aos Courvoisiers, parte adversa da família e, embora de tão bom sangue como os Guermantes, o exato oposto deles (era até por sua avó Courvoisier que os Guermantes explicavam o preconceito do príncipe de Guermantes de sempre falar em nascimento e nobreza, como se tratasse da única coisa a ter importância). Não só os Courvoisiers não reservavam à inteligência o mesmo nível que os Guermantes, mas dela não tinham a mesma idéia. Para um Guermantes (mesmo que imbecil), ser inteligente era ter a língua ferina, ser capaz de dizer coisas maldosas, ganhar a vaza; era também poder discutir com a gente tanto sobre pintura como sobre arquitetura, sobre música, falar inglês. Os Courvoisiers faziam da inteligência uma idéia menos favorável e, por pouco que alguém não pertencesse ao seu mundo, ser inteligente não estava longe de significar "ter provavelmente assassinado pai e mãe". Para eles, a inteligência era a espécie de "pé-de-cabra" graças à qual as pessoas que não se conheciam nem de Eva nem de Adão forçavam as portas dos salões mais respeitados, e, na casa dos Courvoisiers, sabia-se que sempre acabava saindo caro receber semelhante "gentinha". Às mais insignificantes asserções das pessoas inteligentes que não eram da alta sociedade, os Courvoisiers opunham uma desconfiança sistemática. Tendo alguém dito certa vez: "Mas Swann é mais jovem que Palamède. — Pelo menos ele o diz, e, se o diz, esteja certo de que tem interesse nisso" — respondera a Sra. de Gallardon. Além disso, como se comentasse a respeito de duas estrangeiras muito elegantes que os Guermantes recebiam, que haviam feito passar em primeiro lugar uma delas por ser a mais velha: "Mas será mesmo a mais velha?" indagara a Sra. de Gallardon, não, positivamente, como se esse tipo de pessoas não tivesse idade, mas como se, verossimilmente desprovidas de estado civil e religioso, de seguras tradições, elas fossem mais ou menos jovens como as gatinhas de uma mesma ninhada, entre as quais somente um veterinário poderá decidir-se. Num sentido, melhor que os Guermantes, os Courvoisiers mantinham aliás a integridade da nobreza, graças, a um tempo, à estreiteza de seu espírito e à maldade de seu coração. Assim como os Guermantes (para quem, acima das famílias reais e de algumas outras como os Lignes, os La Tremoïlles, etc., todo o resto se confundia num vago rebotalho) eram insolentes para com as pessoas de raça antiga que moravam nos arredores de Guermantes, precisamente porque não davam atenção a esses méritos de segunda categoria de que se ocupavam grandemente os Courvoisiers, a falta desses méritos pouco lhes importava. Certas mulheres que não desfrutavam de posição muito elevada em sua província, mas, esplendidamente casadas, ricas, bonitas, queridas pelas duquesas, eram para Paris, onde se está pouco a par de "pai e mãe", um excelente e elegante artigo de importação. E podia ocorrer, conquanto raramente, que tais mulheres fossem, através da princesa de Parma ou em virtude de seu encanto pessoal, recebidas em casa de certas Guermantes. Mas a seu respeito jamais se desarmava a indignação dos Courvoisiers. Encontrar entre as cinco e as seis, na casa de sua prima, pessoas com cujos pais os seus pais não gostavam de conviver no Perche tornava-se para eles um motivo de raiva crescente e um tema de inesgotáveis invectivas. Assim que, por exemplo, a encantadora condessa G*** entrava na casa dos Guermantes, o rosto da Sra. de Villebon tomava precisamente a expressão que assumiria caso tivesse de recitar o verso:

E se restar apenas um, este serei eu,[26]

verso que aliás desconhecia. Esta Courvoisier, quase todas as segundas, comera bombas de creme a poucos passos da condessa G***, mas sem resultado. E a Sra. de Villebon confessava em segredo que não podia conceber como sua prima Guermantes recebia uma mulher que nem sequer pertencia à segunda sociedade em Châteaudun. — De fato, não vale a pena que minha prima seja tão difícil em sua relação; isso já é zombar da sociedade — concluía a Sra. de Villebon com diversa expressão no rosto, esta sorridente e maliciosa no desespero, e à qual um jogo de adivinhação antes aplicaria outro verso, que a condessa naturalmente também não conhecia:

Graças aos deuses! Minha desgraça é superior à minha esperança[27]

De resto, antecipemo-nos aos acontecimentos dizendo que a "perseverança", rima da "esperança" no verso seguinte, da Sra. de Villebon em esnobar a Sra. G*** não foi de todo inútil. Aos olhos da Sra. G***, ela dotou a Sra. de Villebon de um prestígio tal, aliás puramente imaginário, que, quando a filha da Sra. G***, que era a mais bela e mais rica dos bailes da época, chegou à idade de se casar, espantaram-se ao vê-la recusar todos os duques. É que sua mãe, lembrando-se das afrontas semanais que suportara na rua de Grenelle em recordação de Châteaudun, só desejava um marido para a filha: um rapaz da família Villebon.

Em apenas um ponto os Guermantes e os Courvoisiers se encontravam: era a arte, aliás infinitamente variada, de marcar as distâncias. As maneiras dos Guermantes não eram inteiramente uniformes em todos. Mas, por exemplo, todos os Guermantes, dentre os que o eram de verdade, quando vos apresentavam a eles, procediam com uma espécie de cerimônia, mais ou menos como se o fato de vos estenderem a mão fosse tão considerável como se se cuidasse de vos sagrar cavaleiro. No momento em que um Guermantes, mesmo que tivesse apenas vinte anos, mas já caminhando nas

[26] No original: *"Et s'il n'en reste qu'un, je serai celui-là"*, último verso do poema *Ultima verba*, de Victor Hugo. (N. do T.)

[27] Verso de Racine em *Andrômaca*: ato V, cena V. (N. do T.)

pegadas dos mais velhos, ouvia vosso nome pronunciado pelo apresentador, deixava cair sobre vós, como se de modo algum se decidisse a cumprimentar-vos, um olhar em geral azul, sempre da frieza de uma lâmina, que parecia pronto a mergulhar nos mais fundos recessos do vosso coração. Aliás, era o que os Guermantes julgavam estar fazendo na verdade, visto que todos se achavam uns psicólogos de primeira ordem. Com esse exame, pensavam aumentar ainda mais a amabilidade da saudação que se seguiria e que não vos seria dada a não ser com pleno conhecimento de causa. Tudo isto se passava a uma distância de vós que, por pequena que fosse, se se tratasse de combate de esgrima, parecia enorme para um aperto de mão e gelava, neste como no primeiro caso, de modo que, quando o Guermantes, depois de uma rápida invasão aos últimos esconderijos de vossa alma e de vossa honorabilidade, vos julgara digno de vos encontrardes com ele daí em diante, sua mão, dirigida para vós na extremidade de um braço estendido em todo o seu comprimento, dava a impressão de vos apresentar um florete para um combate singular, e essa mão estava enfim tão longe do Guermantes nesse momento que, quando ele então inclinava a cabeça, era difícil distinguir se estava saudando a vós ou à sua própria mão. Certos Guermantes, não tendo o senso da medida, ou sendo incapazes de não se repetirem sem cessar, exageravam ao recomeçar tal cerimônia cada vez que vos encontrassem. Já que não mais precisavam proceder ao prévio exame psicológico para o qual o "gênio da família" lhes delegara seus poderes e de cujos resultados deviam se lembrar, a insistência do olhar perfurante que precedia o aperto de mão só podia explicar-se pelo automatismo que esse olhar adquirira ou então por algum dom de fascínio que os Guermantes julgavam possuir. Os Courvoisiers, cujo físico era diferente, tinham tentado em vão assimilar tal saudação perscrutadora e se restringiram à rigidez altiva ou à rápida negligência. Em compensação, era aos Courvoisiers que algumas raríssimas Guermantes pareciam ter tomado de empréstimo a saudação das damas. Com efeito, no momento em que alguém vos apresentasse a uma dessas Guermantes, ela vos fazia um grande cumprimento no qual aproximava de vós, mais ou menos num ângulo de quarenta e cinco graus, a cabeça e o busto, ficando imóvel a parte inferior do corpo (muito alta até a cintura, que servia de eixo). Porém, mal desse modo projetara em vossa direção a parte superior de sua pessoa, logo a lançava para trás além da vertical, com uma brusca retirada aproximadamente igual de comprimento. A inversão consecutiva neutralizava o que vos parece ter sido concedido, o terreno que julgastes haver ganho nem mesmo ficava adquirido, como em matéria de duelo, e as posições primitivas eram guardadas. Essa mesma anulação da amabilidade pela retomada das distâncias (que, de origem, era Courvoisier e destinada a mostrar que as antecipações feitas no primeiro movimento não passavam de um disfarce instantâneo) se manifestava de modo bem claro, tanto nas Courvoisiers como nas Guermantes, nas cartas que delas se recebiam, ao menos durante os primeiros tempos de sua convivência. O "corpo" da carta podia conter frases que não se escreveriam, parece, senão a um amigo, mas era em vão que pensaríeis poder gabar-vos de ser o amigo da dama, pois a carta começava por: "Senhor" e terminava por: "Creia, Senhor, nos meus melhores sentimentos." E logo, entre esse frio começo e o fim glacial que mudava o sentido de tudo o mais, poderiam suceder-se (se se tratasse de uma carta em resposta a uma outra vossa de condolências) as mais tocantes pinturas do desgosto que a Guermantes tivera ao perder a irmã, da intimidade que existira entre elas, das belezas da região onde ela passava as férias, dos consolos que encontrava no encanto dos netinhos, mas tudo isso não passava de uma carta como as que se encontram nas coleções e cujo caráter íntimo, no entanto, não implicava maior intimidade entre vós e a missivista do que se se tratasse de Plínio o Jovem ou da Sra. de Simiane.

É verdade que certas Guermantes vos escreviam, das primeiras vezes, "meu caro amigo", "meu amigo": não eram sempre as mais simples dentre elas, mas antes aquelas que, vivendo apenas no meio de reis e, por outro lado, sendo "levianas", tinham a certeza de que, no seu orgulho, tudo que provinha delas causava prazer e, em sua corrupção, possuíam o hábito de não regatear nenhuma das satisfações que pudessem oferecer. Aliás, como bastava que tivessem uma trisavó comum nos tempos de Luís XIII para que um jovem Guermantes dissesse, falando da marquesa de Guermantes, "a tia Adam", tão numerosos eram os Guermantes que, mesmo para esses simples rituais, o do cumprimento de apresentação, por exemplo, havia muitas variantes. Cada subgrupo um tanto refinado possuía a sua, que era transmitida de pais a filhos como uma receita de vulnerário ou uma forma própria de preparar doces. Era assim que se via o punho da mão de Saint-Loup se destacar, como que a contragosto, no momento em que ouvia o vosso nome, sem participação do olhar, sem acréscimo da saudação. Todo desgraçado plebeu que por um motivo especial — o que de resto ocorria bem raramente — era apresentado a alguém do subgrupo Saint-Loup, quebrava a cabeça diante daquele mínimo tão brusco de saudação, que voluntariamente revestia as aparências da inconsciência, para saber o que o (ou a) Guermantes poderia ter contra ele. E ficava bastante espantado ao saber que esta ou aquele julgava oportuno escrever muito especialmente ao apresentador, para lhe dizer o quanto lhe agradara a pessoa apresentada e que ele ou ela esperava voltar a vê-lo. Tão particularizados como os gestos mecânicos de Saint-Loup eram os saltos de dança complicados e rápidos (julgados ridículos pelo Sr. de Charlus) do marquês de Fierbois e os passos graves e medidos do príncipe de Guermantes. Mas é impossível descrever aqui a riqueza dessa coreografia dos Guermantes por causa da extensão mesma do corpo de baile.

Para voltar à antipatia que animava os Courvoisiers contra a duquesa de Guermantes, poderiam os primeiros ter tido o consolo de lastimá-la quando solteira, pois então possuía pouco dinheiro. Infelizmente, uma espécie de emanação fuliginosa e *sui generis* ocultava, furtava aos olhos todo o tempo, a riqueza dos Courvoisiers que, por maior que fosse, permanecia obscura. Uma Courvoisier extremamente rica em vão desposava um grande partido; ocorria sempre que o jovem casal não possuía domicílio próprio em Paris, onde "parava" em casa dos sogros, e no resto do ano vivia na província em meio a uma sociedade sem mistura, mas também sem brilho. Enquanto Saint-Loup, que só possuía dívidas, deslumbrava Doncières com suas parelhas de cavalos, um Courvoisier muito rico nunca ali tomava senão o trem. Inversamente, e aliás muitos anos antes, a Srta. de Guermantes (Oriane), que não possuía grande coisa, fazia mais falar de suas toaletes do que todas as Courvoisiers juntas das suas. Até mesmo o escândalo de suas frases era uma espécie de propaganda do seu modo de se vestir e de se pentear. Ela ousara dizer ao grão-duque da Rússia: — Vejamos, Monsenhor, parece que deseja mandar assassinar Tolstoi? — num jantar ao qual não tinham convidado os Courvoisiers, aliás pouco informados sobre Tolstoi. E não o eram muito mais acerca dos autores gregos, a julgar pela duquesa de Gallardon, sogra da princesa de Gallardon (então ainda solteira), que, não tendo sido honrada uma só vez, nos últimos cinco anos, por uma visita de Oriane, respondera a alguém que lhe havia perguntado pelos motivos de sua ausência: — Parece que ela recita Aristóteles (ela queria dizer Aristófanes) na sociedade. Não tolero isto em minha casa!

Pode-se imaginar o quanto aquela "tirada" da Srta. de Guermantes sobre Tolstoi, se indignava os Courvoisiers, deixava maravilhados os Guermantes, e, desse modo, todos os que lhes estavam ligados, não só perto como de longe. A condessa viúva de Argencourt, nascida Seineport, que recebia um pouco a todo o mundo porque era uma literata, embora seu filho fosse um tremendo esnobe, contava a frase diante dos letrados dizendo: — Oriane de Guermantes, que é fina como o coral, maliciosa como o macaco, dotada para tudo, que faz aquarelas dignas de um grande pintor e versos como os fazem muito poucos poetas e, bem sabem, como família é o que existe de mais elevado; sua avó era Srta. de Montpensier, e ela é a décima oitava Oriane de Guermantes sem uma aliança desigual, é o sangue mais puro e mais antigo da França. — Assim, os falsos homens de letras, os semi-intelectuais que a Sra. de Argencourt recebia, imaginando Oriane de Guermantes, que jamais teriam oportunidade de conhecer pessoalmente, como algo de mais maravilhoso e mais extraordinário que a princesa Badrulbudur, não só sentiam-se prontos para morrer por ela ao saber que uma pessoa tão nobre glorificava Tolstoi acima de tudo, mas sentiam também que no seu espírito recobrava novas forças o seu próprio amor por Tolstoi e seu desejo de resistência ao czarismo. Essas idéias liberais podiam ter se debilitado neles, poderiam eles ter duvidado de seu prestígio, não ousando mais confessá-las, quando subitamente da própria Srta. de Guermantes, ou seja, de uma jovem tão indiscutivelmente preciosa e autorizada, de cabelos caídos sobre a testa (o que uma Courvoisier jamais teria consentido em usar), lhes vinha um tal auxílio. Desse modo, certo número de boas ou más realidades ganham muito em receber a adesão de pessoas que têm autoridade sobre nós. Por exemplo, entre os Courvoisiers, os ritos de amabilidade na rua compunham-se de um certo cumprimento, um bocado feio e pouco amável em si mesmo, mas de que se sabia ser a maneira distinta de cumprimentar, de forma que todo mundo, eliminando o sorriso e a boa acolhida, se esforçava por imitar essa ginástica fria. Mas os Guermantes, em geral, e particularmente Oriane, conhecendo melhor que ninguém esses ritos, não hesitavam, ao avistar-nos de um carro, em nos fazer uma saudação gentil com a mão e, num salão, deixando os Courvoisiers fazerem suas saudações rígidas e emprestadas, esboçavam encantadoras reverências, estendendo-nos a mão como a um camarada, sorrindo com seus olhos azuis, de modo que, de repente, graças aos Guermantes, entrava na substância da distinção, até aí um tanto vazia e seca, tudo o que naturalmente nos agradaria, e que nos empenháramos em anular, a boa acolhida, a expansão de uma amabilidade verdadeira, a espontaneidade. Da mesma forma, porém devido a uma reabilitação dessa vez pouco justificada, é que as pessoas que mais entranhado têm o gosto da música medíocre e das melodias, por banais que sejam, que têm algo de acariciante e fácil, chegam, graças à cultura sinfônica, a mortificar esse gosto em si mesmas. Mas, uma vez chegadas a esse ponto, quando maravilhadas com razão pelo deslumbrante colorido orquestral de Richard Strauss, vêem este músico acolher, com uma indulgência digna de Auber, os motivos mais vulgares, o que essas pessoas apreciam encontra de súbito uma justificativa numa autoridade tão alta, que as extasia e elas se encantam sem escrúpulos e com uma gratidão dobrada, ao ouvir *Salomé*, com o que lhes era proibido apreciar nos *Diamantes da Coroa*.

Autêntica ou não, a apóstrofe da Srta. de Guermantes ao grão-duque, divulgada de casa em casa, era ocasião para contar com que elegância excessiva Oriane se apresentara naquele jantar. Mas, se o luxo (o que precisamente a tornava inacessível aos Courvoisiers) não nasce da riqueza, mas da prodigalidade, esta ainda dura mais tempo, enfim, se é sustentada pela primeira, que lhe permite então exibir todo o seu brilho. Ora, em vista dos princípios alardeados não só por Oriane, mas pela Sra. de Villeparisis, a saber, que a nobreza não conta, que é ridículo preocupar-se com a estirpe, que a fortuna não traz felicidade, que só a inteligência, o coração e o talento têm importância, os Courvoisiers podiam esperar que, em virtude dessa educação que ela recebera da marquesa, Oriane se casaria com alguém que não pertencesse à alta sociedade, um artista, um condenado da justiça, um pobretão, um livre-pensador, que ela entraria definitivamente para a categoria que os Courvoisiers denominavam "os transviados". Tanto mais podiam esperá-lo, considerando que a Sra. de Villeparisis, atravessando naquele momento, do ponto de vista social, uma crise difícil (nenhuma das raras pessoas brilhantes que encontrei em sua casa voltara ainda ao seu convívio), ostentava um horror profundo à sociedade que a mantinha afastada. Mesmo quando falava de seu sobrinho, o príncipe de Guermantes, que a visitava, não eram poucas as zombarias que lhe fazia, porque ele era muito presumido com sua nobreza. Mas, no próprio instante em que se tratava de encontrar um marido para Oriane, já não tinham sido os príncipes escarnecidos pela tia e a sobrinha a ganharem a disputa; fora o misterioso "gênio da família". Tão infalivelmente, como se a Sra. de Villeparisis e Oriane nunca tivessem falado senão de títulos de renda e de genealogias, em vez de mérito literário e qualidades de coração, e como se a marquesa estivesse por alguns dias — como estaria mais tarde — morta e enterrada na igreja de Combray, onde cada membro da família não passava de um Guermantes, com uma privação de individualidade e de pronomes de que dava fé, sobre os grandes cortinados negros, o solitário G de púrpura, encimado pela coroa ducal; fora sobre o homem mais rico e mais bem-nascido, sobre o maior partido do *faubourg* Saint-Germain, o filho mais velho do duque de Guermantes, o príncipe des Laumes, que o gênio da família fizera recair a escolha da intelectual, desrespeitosa e evangélica Sra. de Villeparisis. E, durante duas horas, no dia do casamento, a Sra. de Villeparisis teve em sua casa todas as pessoas da nobreza de quem troçava, de quem troçou até com os poucos burgueses íntimos que havia convidado e com quem o príncipe des Laumes deixou cartões antes de "cortar as amarras" logo no ano seguinte. Para cúmulo do desespero dos Courvoisiers, as máximas que fazem da inteligência e do talento as únicas superioridades sociais começavam a ser declamadas na casa da princesa des Laumes logo após o casamento. E, diga-se de passagem, a esse respeito o ponto de vista defendido por Saint-Loup, quando vivia com Rachel, freqüentava os amigos de Rachel, desejaria se casar com Rachel, comportava — por mais horror que inspirasse à família — menos mentira que o das senhoritas Guermantes em geral, enaltecendo a inteligência, quase não admitindo que se pusesse em dúvida a igualdade dos homens, enquanto tudo isso levava precisamente ao mesmo resultado de que se elas houvessem professado máximas contrárias, isto é, a casar com um duque riquíssimo. Ao contrário, Saint-Loup agia de acordo com suas teorias, o que fazia dizerem que estava em mau caminho. Certamente, do ponto de vista moral, Rachel de fato era pouco satisfatória. Mas não é certo que, se uma pessoa não valesse mais, porém fosse duquesa ou possuísse muitos milhões, a Sra. de Marsantes fosse desfavorável ao casamento.

Ora, para regressar à Sra. de Laumes (logo depois duquesa de Guermantes pela morte do sogro), foi um acréscimo de pena infligido aos Courvoisiers, que as teorias da jovem princesa, ficando desse modo em sua linguagem, em nada norteassem a sua conduta; pois assim, tal filosofia (se se pode falar deste jeito) não prejudicava em coisa alguma a elegância aristocrática do salão Guermantes. Está visto que todas as pessoas que a Sra. de Guermantes não recebia imaginavam que era por não serem bastante inteligentes; e determinada americana rica, que jamais possuíra outro livro senão um pequeno exemplar antigo, jamais aberto, das poesias de Parny, colocado, por ser "da época", sobre um móvel de seu gabinete, mostrava o apreço que dava às qualidades do espírito pelos olhares famintos que lançava sobre a duquesa de Guermantes quando esta entrava na Ópera. Sem dúvida, a Sra. de Guermantes também se mostrava sincera quando elegia uma pessoa devido à sua inteligência. Quando dizia de uma mulher: parece que é "encantadora", ou de um homem, que era tudo o que há de mais inteligente, não julgava ter outros motivos para consentir em recebê-los senão esse encanto ou essa inteligência, visto que o gênio dos Guermantes não intervinha nesse último minuto: mais profundo, situado à entrada obscura da região em que os Guermantes julgavam, esse gênio vigilante impedia os Guermantes de acharem o homem inteligente ou a mulher encantadora caso estes não tivessem valor mundano, atual, ou futuro. O homem era declarado sábio, mas como um dicionário, ou, pelo contrário, vulgar, com um espírito de caixeiro-viajante; a mulher bonita possuía um gênio terrível, ou falava demais. Quanto às pessoas que não tinham posição social, que horror, eram esnobes. O Sr. de Bréauté, cujo castelo era bem vizinho de Guermantes, só freqüentava as altezas. Porém caçoava delas e sonhava em apenas viver nos museus. Assim, a Sra. de Guermantes se mostrava indignada quando chamavam o Sr. de Bréauté de esnobe. — Babal, esnobe! Mas o senhor está louco, meu pobre amigo; é exatamente o contrário, ele detesta as pessoas brilhantes, não há maneira de apresentá-lo a alguém. Nem mesmo na minha casa. Se o convido com algum conhecido novo, ele só vem resmungando.

Não é que, mesmo na prática, os Guermantes não dessem muito mais valor à inteligência que os Courvoisiers. De um modo positivo, essa diferença entre os Guermantes e os Courvoisiers já dera suficientes bons frutos. Assim, a duquesa de Guermantes, de resto envolta num mistério diante do qual sonhavam de longe tantos poetas, oferecera a recepção da qual já falamos, em que o rei da Inglaterra se sentira melhor que em qualquer outra parte, pois ela tivera a idéia, que jamais ocorreria ao espírito dos Courvoisiers, e a ousadia, que esfriaria o ânimo de todos eles, de convidar, além das personalidades que acabamos de mencionar, o músico Gaston Lemaire e o dramaturgo Grandmougin. Mas era sobretudo do ponto de vista negativo que a intelectualidade se fazia sentir. Se o coeficiente necessário de inteligência e de encanto diminuía à medida que se elevava o nível social da pessoa que desejava ser convidada à casa da duquesa de Guermantes, até aproximar-se do zero quando se tratava das principais cabeças coroadas, em compensação, quanto mais se descia abaixo desse nível régio, mais o coeficiente se elevava. Por exemplo, na casa da princesa de Parma havia uma quantidade de pessoas que a Alteza recebia porque eram conhecidos de infância, ou porque estavam ligados a determinada duquesa, ou à pessoa de certo soberano, aliás por mais feias, aborrecidas ou estúpidas que fossem tais pessoas; ora, para um Courvoisier, o motivo "apreciado pela princesa de Parma", "irmã, por parte de mãe, da duquesa d'Arpajon", "passando três meses por ano com a rainha da Espanha", teria bastado para fazê-lo convidar tais pessoas, mas a Sra. de Guermantes, que recebera cortesmente o seu cumprimento nos últimos dez anos em casa da princesa de Parma, nunca as deixara transpor o seu limiar, considerando que, no tocante aos salões, dá-se o mesmo no sentido social como no sentido material da palavra, onde são bastantes alguns móveis que a gente não acha bonitos, mas conserva para encher espaço e mostrar riqueza, para torná-lo horrível. Um tal salão se parece a uma obra onde não sabemos nos abster de frases que demonstram sabedoria, brilhantismo e facilidade. Como um livro, como uma residência, a qualidade de um "salão", pensava com acerto a Sra. de Guermantes, tem por pedra angular o sacrifício.

Muitas das amigas da princesa de Parma e com quem a duquesa de Guermantes se contentava, há muitos anos, com o mesmo cumprimento correto, ou em lhes mandar cartões, sem jamais convidá-las e nem ir às festas, queixavam-se discretamente à Alteza, a qual, nos dias em que o Sr. de Guermantes ia vê-la sozinho, tocava no assunto. Mas o astuto senhor, mau marido para a duquesa no que dizia respeito às amantes, porém comparsa a toda prova no referente ao bom funcionamento do seu salão (e do espírito de Oriane, que era a atração principal), respondia: — Mas será que minha mulher a conhece? Ah, então deveria mesmo tê-la convidado. Mas vou dizer a verdade a Vossa Alteza: no fundo, Oriane não aprecia a conversa das mulheres. Ela está cercada de uma corte de espíritos superiores; quanto a mim, não sou seu marido, não passo de seu primeiro lacaio. A não ser um número bem pequeno delas, que são muito espirituosas, as mulheres a aborrecem. Vejamos, Vossa Alteza, que possui tanta finura, não me dirá que a marquesa de Souvré tenha espírito. Sim, compreendo muito bem, a princesa recebe por uma questão de bondade. E depois, ela a conhece. Vossa Alteza diz que Oriane a viu; é possível, mas bem pouco, asseguro-lhe. E depois, vou dizer à princesa, isso ocorre um tanto por falta minha. Minha mulher anda muito cansada e tanto gosta de ser amável que, se a deixasse agir, seria um não acabar de visitas que ela faria. Ainda ontem à noite, estava febril, receava desgostar a duquesa de Bourbon se não fosse à sua casa. Tive de lhe mostrar os dentes e proibi que atrelassem o carro. Saiba a princesa que tenho desejo de nem sequer dizer a Oriane que Vossa Alteza me falou da Sra. de Souvré. Oriane estima tanto Vossa Alteza que logo iria convidar a Sra. de Souvré, seria uma visita a mais, isso nos obrigaria a travar relações com a irmã, cujo marido não conheço bem. Creio que não direi absolutamente nada a Oriane, se a princesa me permite. Com isto, evitaremos a ela muita fadiga e agitação. E lhe asseguro que a Sra. de Souvré não se verá privada. Ela vai a toda parte, aos locais mais brilhantes. Quanto a nós, nem sequer recebemos, fazemos jantarzinhos de nada, a Sra. de Souvré se aborreceria mortalmente. — A princesa de Parma, ingenuamente convencida de que o duque de Guermantes não transmitiria o seu pedido à duquesa e desolada por não ter podido obter o convite desejado pela Sra. de Souvré, sentia-se tanto mais lisonjeada por ser uma das *habituées* de um salão tão pouco acessível. Sem dúvida, tal satisfação não era isenta de aborrecimentos. Assim, cada vez que a princesa de Parma convidava a Sra. de Guermantes, tinha de quebrar a cabeça para não convidar ninguém que pudesse desagradar à duquesa e a impedisse de comparecer.

Nos dias costumeiros (depois do jantar, em que tinha sempre, desde cedo, alguns convivas, tendo conservado os hábitos antigos), o salão da princesa era aberto aos *habitués* e, de um modo geral, a toda a alta aristocracia francesa e estrangeira. A recepção consistia em que, ao sair da sala de jantar, a princesa sentava-se num canapé diante de uma grande mesa redonda, conversava com duas das mulheres mais importantes que tinham jantado, ou então passava os olhos por uma revista, jogava cartas (ou fingia jogar, conforme um costume da corte alemã), seja fazendo paciência, seja tomando como parceira, real ou suposta, um personagem em evidência. Cerca das nove horas, a porta do grande salão não deixava mais de se abrir de par em par, de voltar a fechar-se, de se abrir de novo, para dar passagem aos visitantes que haviam jantado às pressas (ou, se jantavam na cidade, surripiavam o café dizendo que iam voltar, contando, de fato, "entrar por uma porta e sair por outra") a fim de se submeterem aos horários da princesa. No entanto, esta, atenta ao jogo ou à conversação, fingia não ver as que chegavam e só no momento em que estavam a dois passos de distância é que ela se erguia graciosamente, sorrindo com bondade para as mulheres. Entretanto, estas faziam, diante da Alteza de pé, uma reverência que ia até a genuflexão, de modo a pôr seus lábios à altura da bela mão que pendia muito baixo e beijá-la. Mas nesse momento a princesa, como se de cada vez se surpreendesse com um protocolo, que no entanto conhecia perfeitamente, erguia a ajoelhada como que à força com uma graça e uma doçura sem iguais, e beijava-a nas faces. Graça e doçura que tinham como condição, se dirá, a humildade com que a recém-chegada dobra o joelho. Certamente; e parece que numa sociedade igualitária a polidez desapareceria não, como se crê, por defeito de educação, mas porque, em uns, desapareceria a deferência devida ao prestígio que deve ser imaginário para ser eficaz, e, sobretudo, nos outros, a amabilidade, que se prodigaliza e se refina quando se sente que possui, para quem a recebe, um valor infinito que, num mundo baseado na igualdade, cairia subitamente a zero, como tudo aquilo que só tem valor fiduciário. Porém esse desaparecimento da polidez numa sociedade nova não é seguro, e às vezes estamos dispostos a crer que as condições atuais de um estado de coisas sejam as únicas possíveis. Excelentes espíritos acreditaram que uma república não poderia ter diplomacia e alianças, e que a classe camponesa não suportaria a separação da Igreja do Estado. Afinal, a polidez em uma sociedade igualitária não seria um milagre superior ao sucesso das estradas de ferro e à utilização militar do aeroplano. Depois, se de fato a polidez desaparecesse, nada prova que isso seria uma desgraça. Enfim, uma sociedade não seria secretamente hierarquizada, à medida que fosse verdadeiramente mais democrática? É bem possível. O poder político dos papas aumentou muito desde que eles deixaram de possuir Estados e exércitos; as catedrais gozavam de um prestígio bem menor aos olhos de um devoto do século XVII do que de um ateu do século XX, e, se a princesa de Parma fosse soberana de um Estado, sem dúvida eu tanto teria vontade de falar a seu respeito como a respeito de um presidente da república, ou seja, não falaria nada.

Uma vez erguida a impetrante e beijada pela princesa, esta voltava a sentar-se, retomaria o seu jogo de paciência, não sem ter, se a recém-chegada era pessoa de importância, conversado um instante com ela, fazendo-a sentar-se numa poltrona.

Quando o salão se enchia demais, a dama de honor encarregada do serviço de ordem abria espaço, guiando os *habitués* para um imenso *hall* que dava para um salão repleto de quadros, de curiosidades relativas à casa dos Bourbons. Os convivas habituais da princesa então faziam de bom grado o papel de cicerones e diziam coisas interessantes, que os jovens não tinham paciência de ouvir, mais atentos em olhar as Altezas vivas (e, caso possível, fazerem-se apresentar a elas pela dama e as senhoritas de honor) do que em considerar as relíquias de soberanas mortas. Excessivamente ocupados em conhecimentos que poderiam fazer e convites que talvez arrumassem, não sabiam absolutamente nada, mesmo após muitos anos, a respeito do que havia naquele precioso museu dos arquivos da monarquia, e lembravam-se apenas, confusamente, de que era ornamentado de cactos e de palmeiras gigantes que faziam esse centro de elegâncias parecer-se ao Palmarium do Jardim da Aclimação.

Sem dúvida para mortificar-se, a duquesa de Guermantes vinha às vezes fazer naquelas noites uma visita de digestão à princesa, que a conservava o tempo todo a seu lado, sempre gracejando com o duque. Mas quando a duquesa vinha jantar, a princesa evitava ter os seus *habitués* e fechava a porta ao levantar da mesa, com receio de que visitantes pouco escolhidos desagradassem à exigente duquesa. Nessas noites, se alguns fiéis não prevenidos se apresentassem à porta da Alteza, o porteiro dizia: — Sua Alteza Real não recebe esta noite —, e eles iam embora. Aliás, muitos amigos da princesa sabiam previamente que nessa data não seriam convidados. Era uma série particular, uma série fechada a tantos daqueles que desejariam estar incluídos nela. Os excluídos podiam, quase com certeza, revelar os efeitos, e diziam entre si num tom de despeito: — Você sabe muito bem que Oriane de Guermantes nunca se desloca sem seu estado-maior. — Com a ajuda deste, a princesa de Parma procurava cercar a duquesa como que de uma muralha protetora contra as pessoas cujo êxito junto a ela seria mais duvidoso. Porém a vários dos amigos preferidos da duquesa, a vários membros desse brilhante "estado-maior", a princesa de Parma se sentia constrangida ao fazer amabilidades, visto que a tinham muito pouco para com ela. Certo, a princesa admitia que era possível se divertirem muito mais na companhia da Sra. de Guermantes do que na sua própria. Bem se via obrigada a constatar que todos se ajuntavam nos "dias" da duquesa que ela mesma lá encontrava com freqüência três ou quatro Altezas que se contentavam em deixar o cartão em sua casa. E, por mais que decorasse as frases de Oriane, imitasse os seus vestidos, servisse em seus chás as mesmas tortas com recheio de morango, havia ocasiões em que ela ficava sozinha o dia inteiro com uma dama de honor e um conselheiro de uma legação estrangeira. Assim, quando (como fora o caso de Swann antigamente) alguém não terminava nunca o dia sem ter ido passar duas horas na casa da duquesa e fazia uma visita a cada dois anos à princesa de Parma, esta não sentia muita vontade, mesmo para agradar a Oriane, de fazer a esse Swann qualquer um convite para jantar. Em suma, convidar a duquesa era para a princesa de Parma uma ocasião de perplexidades, de tanto que ela se inquietava pelo medo de que Oriane achasse tudo ruim. Mas em compensação, e pelo mesmo motivo, quando a princesa de Parma ia jantar na casa da Sra. de Guermantes, estava antecipadamente certa de que tudo correria bem, seria delicioso, e só tinha um receio: era o de não saber compreender, reter, agradar, de não saber assimilar as idéias e as pessoas. Sob tal aspecto, a minha presença excitava a sua atenção e sua cupidez, tanto quanto o teria feito uma nova maneira de decorar a mesa com guirlandas de frutos, incerta sobre se era uma ou outra, a decoração da mesa ou a minha presença, que era mais particularmente um desses encantamentos, segredo do sucesso das recepções de Oriane; e, na dúvida, bem decidida a tentar ter a ambos em seu próximo jantar. Aliás, o que justificava plenamente a curiosidade arrebatada que a princesa de Parma trazia à casa da duquesa era esse elemento único, perigoso, excitante, em que a princesa mergulhava com uma espécie de temor, de pasmo e de delícia (como, à beira-mar, num desses "rolos de ondas" de que os banhistas mostram o perigo, simplesmente porque nenhum deles sabe nadar), de onde saía retemperada, feliz, rejuvenescida, e que se denominava o espírito dos Guermantes. O espírito dos Guermantes — entidade tão inexistente quanto a quadratura do círculo, segundo a duquesa, que se julgava a única Guermantes a possuí-lo — era uma reputação como as *rillettes*[28] de Tours ou os biscoitos de Reims. Sem dúvida (como uma característica individual não emprega para se propagar os mesmos meios da cor dos cabelos ou da pele) certos íntimos da duquesa, e que não eram do seu sangue, possuíam esse espírito, o qual, em compensação, não pudera penetrar em certos Guermantes por demais refratários a qualquer tipo de espírito. Os detentores do espírito dos

[28] *Rillettes*: conservas de carne de porco frita na banha. (N. do T.)

Guermantes, não aparentados à duquesa, tinham em geral como traço próprio o terem sido homens brilhantes, dotados para uma carreira à qual, fossem as artes, a diplomacia, a eloqüência parlamentar, o exército, haviam preferido a vida de salão. Essa preferência talvez pudesse ser explicada por uma certa falta de originalidade ou de iniciativa, ou de força de vontade, ou de saúde, ou de oportunidade, ou pelo esnobismo.

No caso de alguns deles (aliás, é preciso reconhecer que se tratava de uma exceção), se o salão Guermantes fora o obstáculo de sua carreira, era contra a sua vontade. Assim, um médico, um pintor e um diplomata de grande futuro não tinham obtido êxito em suas carreiras, para as quais entretanto eram mais esplendidamente dotados que muitos, porque sua intimidade em casa dos Guermantes fazia com que os dois primeiros passassem por gente da sociedade, e o terceiro por um reacionário, o que impedira aos três de serem reconhecidos por seus pares. A antiga toga e o capelo rubro que revestem e cobrem ainda os colégios eleitorais das faculdades não é, ou pelo menos não era, não há muito tempo ainda, mais que a sobrevivência puramente exterior de um passado de idéias acanhadas, de um sectarismo fechado. Sob o capelo de borla de ouro, como os sumos sacerdotes sob o barrete cômico dos judeus, os "professores" estavam ainda, nos anos que precederam o Caso Dreyfus, encerrados em idéias rigorosamente farisaicas. Du Boulbon era no fundo um artista, mas salvara-se porque não gostava da sociedade. Cottard freqüentava os Verdurin, mas a Sra. Verdurin era uma cliente, e depois, ele era protegido por sua vulgaridade; enfim, na sua casa só se recebia a Faculdade, nos ágapes sobre os quais flutuava um odor de ácido fênico. Porém nos corpos fortemente constituídos, onde aliás o rigor dos preconceitos não passa do resgate da mais bela integridade, das idéias morais mais elevadas, que enfraquecem nos meios mais tolerantes e mais livres e rapidamente dissolutos, um professor, na sua toga de cetim escarlate forrada de arminho como a de um Doge (isto é, um duque) de Veneza encerrado no palácio ducal, era tão virtuoso, tão ligado a nobres princípios, mas tão impiedoso para com todo elemento estranho, como esse outro duque, excelente mas terrível, que era o Sr. de Saint-Simon. Estranho era o médico mundano, que possuía outras maneiras, outras relações. Para bem fazer as coisas, o infeliz de quem aqui falamos, a fim de não ser acusado pelos colegas de desprezá-los (que idéias de pessoa mundana!) se lhes ocultava a duquesa de Guermantes, contava desarmá-los oferecendo jantares mistos, em que o elemento médico se afogava no elemento mundano. Não sabia que desse modo assinava a sua perda, ou melhor, que dela era informado quando o conselho dos Dez (um pouco mais elevado em número) precisava prover uma cátedra, e que era sempre o nome de um médico mais normal, ainda que mais medíocre, que saía da urna fatal, e que o veto ressoava na antiga faculdade, tão solene, tão terrível, tão ridículo, como o "juro" com que morreu Molière. O mesmo se dava igualmente com o pintor, rotulado para sempre de mundano, quando mundanos, que praticavam a arte, haviam conseguido ser rotulados de artistas; o mesmo quanto ao diplomata com muitas ligações reacionárias.

Mas esse caso era o mais raro. O tipo de homens distintos que formavam o fundo do salão Guermantes era o de pessoas que haviam renunciado voluntariamente (ou que julgavam tê-lo feito, pelo menos) ao resto, a tudo aquilo que fosse incompatível com o espírito dos Guermantes, a polidez dos Guermantes, com esse encanto indefinível, odioso a todo "corpo", por menos centralizado que fosse.

E as pessoas que sabiam que outrora um desses *habitués* do salão da duquesa obtivera a medalha de ouro do Salon, que um outro, secretário da Conferência dos Advogados, tivera começos brilhantes na Câmara, que um terceiro servira habilmente à França como encarregado de negócios, poderiam considerar como frustradas as pessoas que não tinham feito mais coisa alguma nos últimos vinte anos. Mas esses "bem informados" eram pouco numerosos, e os próprios interessados teriam sido os últimos a recordá-lo, achando de nenhum valor esses títulos antigos, em virtude mesmo do espírito de Guermantes: pois não fazia este acusar de maçante, de bedel, ou até, ao contrário, de caixeiro, a esses ministros eminentes, um deles um tanto solene, o outro amador de trocadilhos, a que os jornais entoavam louvores, mas ao lado de quem a Sra. de Guermantes bocejava e dava mostras de impaciência se a imprudência de uma dona de casa lhe dera um ou outro por vizinho? Já que ser um estadista de primeira ordem não era de modo algum uma recomendação para a duquesa, aqueles seus amigos que haviam pedido demissão da "carreira" ou do exército, que não se tinham reapresentado à câmara, julgavam, vindo almoçar e conversar todos os dias com sua grande amiga, e encontrando-a na casa de Altezas, aliás pouco apreciadas por eles, pelo menos era o que diziam, ter escolhido a melhor parte, ainda que seu aspecto melancólico, mesmo em meio ao ambiente alegre, contradissesse um tanto o fundamento de semelhante juízo.

É preciso reconhecer ainda que a delicadeza da vida social, a finura das conversações na casa dos Guermantes tinham, ainda que de modo tênue, algo de real. Nenhum título oficial valia naquele meio o encanto de certos preferidos da Sra. de Guermantes, que os mais poderosos ministros não teriam podido atrair à casa deles. Se, neste salão, tantas ambições intelectuais e até mesmo nobres esforços tinham sido enterrados para sempre, pelo menos de suas cinzas havia brotado a mais rara floração de mundanismo. É claro que os homens de espírito, como Swann, por exemplo, se julgavam superiores aos homens de valor, a quem desdenhavam; mas é que a duquesa colocava acima de tudo não a inteligência, e sim — forma superior, segundo ela, mais rara, mais requintada, da inteligência, elevada a uma variedade verbal de talento — o espírito. E antigamente, na casa dos Verdurin, quando Swann julgava Brichot e Elstir, um como pedante, o outro como um grosseirão, apesar de todo o saber de um e de todo o gênio do outro, era a infiltração do espírito de Guermantes que o fizera classificá-los desse modo. Jamais ousara apresentar nem um nem outro à duquesa, sentindo de antemão com que aspecto ela teria acolhido as tiradas de Brichot e as graçolas de Elstir, visto que o espírito de Guermantes enquadrava as frases pretensiosas e prolongadas do gênero sério ou humorístico na mais intolerável imbecilidade.

Quanto aos Guermantes conforme a carne, conforme o sangue, se o espírito de Guermantes não se havia apossado deles de modo tão completo — como ocorre, por exemplo, nos cenáculos literários onde todo mundo tem uma mesma forma de pronunciar, de enunciar e, conseqüentemente, de pensar —, certamente não é porque a originalidade seja mais profunda nos ambientes mundanos e neles oponha obstáculos à imitação. Mas a imitação tem como condições não só a ausência de uma originalidade irredutível, mas ainda uma finura relativa de ouvido, que permite discernir primeiro o que se imita logo após. Ora, havia alguns Guermantes aos quais este senso musical faltava tão inteiramente como aos Courvoisiers.

Para tomar como exemplo o exercício a que se denomina, numa outra acepção da palavra imitação, "fazer imitações" (o que se dizia na casa dos Guermantes, "fazer caricatura"), por mais que a Sra. de Guermantes as fizesse admiravelmente, os Courvoisiers eram tão incapazes de se darem conta disso como se, em vez de homens e mulheres, fossem um bando de coelhos, pois nunca tinham sabido observar o defeito ou o acento que a duquesa cuidava de arremedar. Quando ela "imitava" o duque de Limoges, os Courvoisiers protestavam: — Oh, não! Ele não fala absolutamente desse jeito. Jantei com ele ainda ontem na casa de Bebeth, ele me falou a noite inteira, não falava assim —, ao passo que os Guermantes um tanto cultivados exclamavam: — Meu Deus, como Oriane é divertida! O mais forte é que enquanto o imita se parece com ele! Julgo ouvi-lo. Oriane, um pouco mais de Limoges! — Ora, esses Guermantes (mesmo sem chegar aos que eram verdadeiramente notáveis, os quais, quando a duquesa imitava o duque de Limoges, diziam com admiração: "Ah, pode-se dizer que você *o tem*", ou "que tu o tens"), por mais que fossem faltos de espírito, segundo a Sra. de Guermantes (no que ela estava certa), à força de ouvir e de contar da duquesa, tinham chegado a imitar mais ou menos a sua maneira de se expressar, de julgar, aquilo a que Swann teria chamado, bem como a própria duquesa, sua maneira de "redigir", até o ponto de apresentar em sua conversação alguma coisa que para os Courvoisiers parecia incrivelmente idêntica ao espírito de Oriane e era considerada por eles como o espírito de Guermantes. Como esses Guermantes eram, para ela, não só parentes mas admiradores, Oriane (que mantinha bem afastado o resto da família e vingava-se agora com seus desdéns de todas as maldades que esta lhe fizera quando ela era solteira) ia visitá-los às vezes, e geralmente em companhia do duque, quando saía com ele no verão. Tais visitas eram um acontecimento. A princesa d'Épinay, que recebia em seu grande salão do andar térreo, sentia o coração bater-lhe mais vivamente ao avistar de longe, como os primeiros clarões de um incêndio inofensivo ou os "reconhecimentos" de uma invasão inesperada, atravessando lentamente e inclinando uma sombrinha, de onde jorrava um aroma de verão. — Olha, Oriane — dizia ela como um "alerta" que procurava advertir seus visitantes com prudência, e para que tivessem tempo de sair em ordem, que evacuassem os salões sem pânico. Metade dos presentes não ousava ficar, erguia-se. — Não? Por quê? Fiquem sentados, estou encantada em tê-los mais um pouquinho — dizia a princesa com uma voz fingida, mas com aspecto desembaraçado e à vontade (para bancar a grande dama). — Vocês poderiam ter que se falar. — Verdade que têm pressa? Pois bem, irei à casa de vocês — respondia a dona da casa àquelas que não desgostava ver partir. O duque e a duquesa saudavam muito cortesmente pessoas que viam ali há muitos anos sem por isso conhecê-las mais, e que mal os cumprimentavam, por discrição. Logo que saíam, o duque amavelmente pedia informações a respeito delas, para dar a impressão de se interessar pela qualidade intrínseca das pessoas que ele não recebia devido à maldade do destino ou por causa do estado de nervos de Oriane, para quem fazia mal freqüentar mulheres: — Quem era aquela senhora baixinha de chapéu cor-de-rosa? — Mas, meu primo, você a viu muitas vezes; é a viscondessa de Tours, nascida Lamarzelle. — Pois sabe que é bonita? Tem um ar inteligente; se não fosse um pequeno defeito no lábio superior, com certeza seria deslumbrante. Se existe um visconde de Tours, não deve aborrecer-se. Oriane, sabe em quem me fizeram pensar as suas sobrancelhas e o implante de seus cabelos? Em sua prima, Hedwige de Ligne. — A duquesa de Guermantes, que se aborrecia quando falavam da beleza de uma mulher que não ela, deixava cair a conversa. Não contara com o gosto do marido em fazer ver que estava perfeitamente a par das pessoas a quem não recebia, pelo que julgava mostrar-se mais "sério" que a esposa. — Mas — dizia de repente com força — você pronunciou o nome de Lamarzelle. Lembro-me de que, quando estava na Câmara, foi pronunciado um discurso absolutamente notável... — Era o tio da moça que você acabou de ver. — Ah, que talento! Não, minha pequena — dizia o duque à viscondessa de Égremont, que a Sra. de Guermantes não podia suportar, mas que, não se arredando da casa da princesa d'Épinay, onde se abaixava voluntariamente ao papel de criada (disposta a bater na sua, ao voltar para casa), ficava, confusa, desamparada, mas ficava quando o par ducal se achava ali, retirava os abrigos, tratava de fazer-se útil e por discrição se oferecia para passar à sala ao lado — não faça chá para nós, conversemos tranqüilamente, somos pessoas simples, sem cerimônias. Aliás — acrescentou, voltando-se para a Sra. d'Épinay (deixando a Égremont corada, humilde, ambiciosa e solícita) —, só podemos lhe dar um quarto de hora. — Esse quarto de hora era inteiramente ocupado com uma espécie de exposição das frases que a duquesa pronunciara durante a semana e que ela mesma certamente não havia citado, mas que, muito habilmente, o duque, tendo o ar de censurá-la a propósito de incidentes que as tinham provocado, levava-a a dizê-las de novo como que involuntariamente.

A princesa d'Épinay, que estimava a prima e sabia que ela possuía um fraco pelos cumprimentos, extasiava-se com seu chapéu, sua sombrinha, seu espírito. — Fale-lhe de sua toalete o quanto quiser — dizia o duque no tom emburrado que adotara e que temperava com um sorriso malicioso para que não levassem a sério o seu descontentamento —, mas em nome do céu, não de seu espírito, pois eu passaria muito bem sem uma mulher tão inteligente. Provavelmente, vocês fazem alusão ao mau trocadilho que ela faz a respeito de meu irmão Palamède — acrescentou, sabendo muito bem que a princesa e o resto da família ignoravam ainda esse trocadilho, e encantado em valorizar sua mulher. — Primeiro, acho indigno de uma pessoa que diz às vezes, reconheço-o, coisas muito bonitas, fazer maus trocadilhos, mas sobretudo sobre meu irmão que é muito suscetível e, se isto tem como resultado ficar de mal com ele, vejam se na verdade valeria a pena!

— Mas nós não sabemos! Um trocadilho de Oriane? Deve ser delicioso. Oh, conte-o.

— Não, não — replicava o duque, ainda amuado embora sorridente —, estou feliz que vocês ainda não o conhecem. Falando sério, gosto muito do meu irmão.

— Escute, Basin — dizia a duquesa, a quem chegara o momento de replicar ao marido —, não sei por que você diz que isto pode aborrecer Palamède; sabe muito bem que é exatamente o contrário. Ele é suficientemente inteligente para se melindrar com esse gracejo estúpido que não tem nada de indelicado. Você está fazendo todos crerem que se trata de uma maldade que eu tenha dito; mas simplesmente respondi algo que não tem graça, e você é que lhe dá importância com a sua indignação. Não o compreendo.

— Você nos deixa terrivelmente intrigados. De que se trata?

— Oh, evidentemente nada de grave! — exclamava o Sr. de Guermantes. — Talvez tenham ouvido dizer que meu irmão queria dar Brézé, o castelo de sua mulher, à sua irmã Marsantes.

— Sim, mas disseram-nos que ela não o desejava, que não gostava da região em que ele se localizava, pois o clima não lhe convinha.

— Pois bem; justamente alguém dizia tudo isso à minha mulher e que, se meu irmão dava esse castelo à nossa irmã, não seria para lhe causar prazer e sim para amofiná-la. É que é tão trocista,[29] o Charlus, dizia essa pessoa. Ora, vocês sabem que Brézé é régio, pode valer vários milhões, é uma antiga terra do rei, e existe lá uma floresta, das mais belas da França. Há muitas pessoas que apreciariam lhes fizessem troças desse tipo. Assim, ao ouvir o termo de "*taquin*" aplicado a Charlus porque estava dando um castelo tão lindo, Oriane não pôde evitar de exclamar, involuntariamente, devo confessá-lo, ela não pôs maldade, pois aquilo veio rápido como um relâmpago: "*Taquin... taquin...* então é Taquin o Soberbo!" Vocês compreendem — acrescentava, retomando seu aspecto emburrado e não sem ter lançado um olhar ao redor para avaliar o efeito produzido pelo espírito da mulher, pois o duque era bastante cético quanto ao conhecimento que a Sra. d'Épinay teria de história antiga —, vocês compreendem, é por causa de Tarquínio o Soberbo, o rei de Roma; é estúpido, é um mau trocadilho, indigno de Oriane. E depois, eu que sou mais circunspecto que minha mulher, se possuo menos espírito, pelo menos penso nas conseqüências; se desgraçadamente repetirem isto ao meu irmão, seria uma coisa terrível! Tanto mais — acrescentou — que, como Palamède é mesmo muito altivo e também melindroso, muito dado aos mexericos, até fora da questão do castelo, é preciso reconhecer que Taquin o Soberbo lhe cai muito bem. O que salva os ditos de Madame é que, mesmo quando ela quer se rebaixar a trocadilhos vulgares, permanece espirituosa, apesar de tudo, e pinta muito bem as pessoas.

Assim, graças uma vez a Taquin o Soberbo, outra vez a uma outra frase, essas visitas do duque e da duquesa aos membros da família renova-

[29] Aqui existe um trocadilho, intraduzível em português, entre o verbo *taquiner* (amofinar, chatear) e o adjetivo *taquin* (trocista, zombador) e que se reflete, mais adiante, na deturpação do nome do último rei de Roma, Tarquínio o Soberbo (século VI a.C.). (N. do T.)

vam a provisão de histórias, e a emoção que elas causavam durava por muito tempo após a partida da mulher de espírito e de seu empresário. Primeiro, regalavam-se com os privilegiados que tinham estado na festa (as pessoas que ali haviam ficado) com as frases que Oriane dissera. — Não conheciam Taquin o Soberbo? — perguntava a princesa d'Épinay. — Sim — respondia corando a marquesa de Baveno —, a princesa de Sarsina-La Rochefoucauld já me falou nisso, mas não exatamente nos mesmos termos. Mas isto deve ter sido bem mais interessante de ouvir contar desse jeito diante de minha prima — acrescentava, como teria dito: ouvi-lo contar acompanhado pelo autor. — Nós falávamos da última da Oriane, que estava aqui há pouco — diziam a uma visita que ficaria desolada por não ter vindo uma hora antes.

— Como? Oriane estava aqui?

— Claro que sim; se você tivesse chegado um pouco mais cedo... — respondia a princesa d'Épinay, sem censura, mas dando a entender tudo aquilo que a desastrada perdera. Era por sua própria culpa que não assistira à criação do mundo ou à última representação de Madame Carvalho. — Que é que diz da última de Oriane? Confesso apreciei muito o "Taquin o Soberbo" — e a frase ainda era comida fria no almoço do dia seguinte, entre os íntimos que eram convidados para isso, e reaparecia com diversos molhos durante a semana. Além disso, a princesa, fazendo naquela semana a sua visita anual à princesa de Parma, aproveitou para perguntar à Alteza se ela conhecia o trocadilho, e contou-lhe. — Ah, Taquin o Soberbo — dizia a princesa de Parma, os olhos esbugalhados por uma admiração *a priori*, mas que implorava um suplemento de explicações a que não se recusava a princesa d'Épinay. — Confesso que Taquin o Soberbo me agrada infinitamente como redação — concluía a princesa. Na realidade, o termo "redação" não convinha em absoluto a esse trocadilho, mas a princesa d'Épinay, que tinha a pretensão de haver assimilado o espírito dos Guermantes, tomara a Oriane as expressões "redigido, redação", usando-as sem muito discernimento. Ora, a princesa de Parma, que não gostava muito da princesa d'Épinay, a quem considerava feia, sabia ser avara, e julgava maldosa, à fé dos Courvoisiers, reconheceu o vocábulo "redação", que ouvira ser pronunciado pela Sra. de Guermantes e que ela não saberia aplicar por si mesma. Teve, de fato, a impressão de que era a "redação" que fazia o encanto de Taquin o Soberbo e, sem esquecer de todo a sua antipatia pela dama feia e avarenta, não pôde evitar um tal sentimento de admiração por uma mulher que possuía a esse ponto o espírito dos Guermantes, que desejou convidar a princesa d'Épinay para a Ópera. Susteve-a a idéia de que talvez fosse conveniente consultar primeiro a Sra. de Guermantes. Quanto à Sra. d'Épinay que, bem diferente dos Courvoisiers, fazia muitos obséquios a Oriane e a estimava, mas sentia-se enciumada pelas relações dela e agastada com os gracejos que a duquesa lhe diria diante de todos acerca de sua avareza, contou, ao chegar a casa, como a princesa de Parma custara a compreender Taquin o Soberbo e quanto era preciso que Oriane fosse esnobe para ter entre seus íntimos semelhante perua. — Jamais teria podido freqüentar a princesa de Parma, se o quisesse — disse ela aos amigos que tinha ao jantar — porque o Sr. d'Épinay não mo permitiria nunca devido à sua imoralidade — aludindo a certas libertinagens puramente imaginárias da Sra. de Parma. — Porém, mesmo se eu tivesse um marido menos severo, confesso que o não poderia. Não sei como Oriane faz para vê-la constantemente. Quanto a mim, vou até lá uma vez ao ano e me custa muito chegar ao fim da visita. — Quanto aos Courvoisiers que se encontravam na casa de Victurnienne no momento da visita da Sra. de Guermantes, a chegada da duquesa em geral punha-os em fuga por causa da exasperação que lhes causavam os "salamaleques exagerados" que faziam para Oriane. Apenas um permaneceu no dia do *"Taquin o Soberbo"*. Não compreendeu bem o gracejo, mas ainda assim pela metade, pois era pessoa instruída. E os Courvoisiers foram repetindo que Oriane chamara o tio Palamède de "Tarquínio o Soberbo", o que, segundo elas, pintava-o muito bem. — Mas por que inventar tantas histórias com Oriane? — acrescentavam. — Não fariam mais por uma rainha. Em suma, quem é Oriane? Não digo que os Guermantes não sejam de velha cepa, mas os Courvoisiers não lhes cedem a palma em nada, nem como ilustração, nem como antigüidade, nem como alianças. É preciso não esquecer que, no Camp du Drap d'or, como o rei da Inglaterra perguntasse a Francisco I qual era o mais nobre dos senhores ali presentes: "Sire, respondeu o rei da França, é o Courvoisier." — Aliás, mesmo que todos os Courvoisiers tivessem ficado, as frases de Oriane os teriam deixado tanto mais insensíveis quanto os incidentes que em geral os faziam surgir seriam considerados por eles de um ponto de vista inteiramente diverso. Se, por exemplo, faltassem cadeiras numa recepção dada por uma Courvoisier, ou se ela se enganava de nome ao falar a uma visitante que não reconhecera, ou se um de seus criados lhe dirigia uma frase ridícula, a Courvoisier, extremamente aborrecida, vermelha, trêmula de agitação, deplorava semelhante contratempo. E, quando recebia um visitante e Oriane devia comparecer, ela dizia num tom ansiosa e imperiosamente interrogativo: — O senhor a conhece? — temendo, se o visitante não a conhecesse, que sua presença causasse má impressão em Oriane. Mas a Sra. de Guermantes, pelo contrário, extraía de tais incidentes a oportunidade de historietas que faziam os Guermantes rirem às lágrimas, de modo que se era obrigado a invejá-la por sua falta de cadeiras, por ter cometido ou deixar que o criado cometesse uma gafe, por ter recebido em sua casa uma pessoa que ninguém conhecia, como se é obrigado a felicitar-se que os grandes escritores tenham sido mantidos à parte pelos homens e traído pelas mulheres quando suas humilhações e sofrimentos foram, se não o acicate do seu gênio, pelo menos a substância de sua obra.

Os Courvoisiers já não eram capazes de se alçar ao espírito de inovação que a duquesa de Guermantes introduzia na vida mundana e que, adapatando-a conforme um instinto seguro às necessidades do momento, fazia dela uma coisa artística, no ponto em que a aplicação puramente razoável de regras rígidas também teria dado maus resultados, como quem, desejando obter êxito no amor ou na política, reproduzisse ao pé da letra, em sua própria vida, as façanhas de Bussy d'Amboise.[30] Se os Courvoisier davam um jantar íntimo ou um jantar para um príncipe, o acréscimo de um homem de espírito, de um amigo de seus filhos, lhes pareceria uma anomalia capaz de produzir o pior efeito. Uma Courvoisier, cujo pai fora ministro do Imperador, tendo que dar uma reunião matinal em honra da princesa Mathilde, deduziu, por espírito de geometria, que só podia convidar bonapartistas. Ora, ela quase não os conhecia. Todas as mulheres elegantes de suas relações, todos os homens agradáveis, foram impiedosamente banidos, porque, por serem legitimistas por opinião ou ligações, poderiam, segundo a lógica dos Courvoisiers, desagradar à Alteza Imperial. Esta, que recebia em sua casa a flor do *faubourg* Saint-Germain, ficou muito espantada quando encontrou na casa da Sra. de Courvoisier somente uma célebre papa-jantares, viúva de um antigo prefeito do Império, a viúva do diretor dos Correios e algumas pessoas conhecidas por sua fidelidade a Napoleão III, e pela estupidez e aborrecimento que causavam. Nem assim a princesa Mathilde deixou de espalhar o generoso e suave esplendor de sua graça soberana sobre aqueles monstrengos calamitosos que a duquesa de Guermantes evitou convidar quando chegou sua vez de receber a princesa, e que substituiu, sem arrazoados *a priori* sobre o bonapartismo, pelo mais precioso ramalhete de todas as beldades, de todos os valores, de todas as celebridades, que uma espécie de faro, de tato e de perícia lhe fazia sentir que seriam agradáveis à sobrinha do Imperador, mesmo quando fossem da própria família do rei. Não faltou ali nem sequer o duque d'Aumale e quando, ao se retirar, a princesa, erguendo a Sra. de Guermantes, que lhe fazia uma

[30] Bussy d'Amboise (1549-1579) foi governador do Aujou e deixou fama de mulherengo e conquistador. (N. do T.)

reverência e queria lhe beijar a mão, beijou-a em ambas as faces, foi do fundo do coração que pôde assegurar à duquesa que nunca havia passado um dia melhor nem assistido a melhor festa. A princesa de Parma era Courvoisier pela incapacidade de inovar em matéria social, mas, diversamente dos Courvoisiers, a surpresa que lhe causava permanentemente a duquesa de Guermantes engendrava não como neles a antipatia, e sim a admiração maravilhada. Tal admiração era ainda acrescida devido à cultura infinitamente inferior da princesa. A própria Sra. de Guermantes estava, sob esse aspecto, muito menos avançada do que supunha. Mas bastava que o fosse mais que a Sra. de Parma para impressionar a esta. E, como cada geração de críticos se limita a tomar o caminho oposto das verdades admitidas pelos seus predecessores, bastava à duquesa dizer que Flaubert, esse inimigo dos burgueses, era antes de tudo um burguês, ou que havia muito da música italiana na obra de Wagner, para proporcionar à princesa, sempre à custa de um novo esgotamento, como a alguém que nada em meio à tempestade, horizontes que lhe pareciam inauditos e permaneciam confusos para ela. Estupefação, aliás, diante dos paradoxos proferidos não só a respeito de obras artísticas, mas até sobre pessoas de seu conhecimento, e também a cerca de atos mundanos. Sem dúvida, a incapacidade de a Sra. de Parma separar o verdadeiro espírito (o que a fazia crer no alto valor intelectual de algumas e, sobretudo, de certas Guermantes sobre as quais, a seguir, ficava confusa ao ouvir a duquesa lhe dizer sorrindo que não passavam de simples tolas) era uma das causas da admiração que a princesa experimentava sempre ao ouvir a Sra. de Guermantes julgar as pessoas. Mas havia uma outra e que eu, que conhecia àquela época mais livros que pessoas e melhor a literatura do que a sociedade, me expliquei pensando que a duquesa, vivendo dessa vida mundana, cujo ócio e esterilidade estão, para uma atividade social verdadeira, como, na arte, a crítica está para a criação, estendia às pessoas de seu ambiente a instabilidade de pontos de vista, a sede malsã do raciocinador que, para saciar o seu espírito demasiadamente seco, vai buscar qualquer paradoxo ainda um tanto fresco e não se constrangerá de sustentar a opinião refrigerante de que a mais bela *Ifigênia* é a de Piccinni e não a de Gluck e, se for preciso, que a verdadeira *Fedra* é a de Pradon.

Quando uma mulher inteligente, instruída e espirituosa se casara com um tímido pobre-diabo, que era visto raras vezes e nunca se ouvia, a Sra. de Guermantes um belo dia inventava uma volúpia espirituosa não só descrevendo a mulher, mas "descobrindo" o marido. Quanto ao casal Cambremer, por exemplo, se tivesse vivido naquele ambiente, a duquesa decretaria que a Sra. de Cambremer era estúpida e, em compensação, que a pessoa interessante, desconhecida, deliciosa, votada ao silêncio por uma mulher tagarela, mas tendo mil vezes mais valor que a esposa, era o marquês, e a duquesa teria experimentado, ao declarar isso, o mesmo gênero de refrigério do crítico que, depois de sessenta anos que se vem admirando o *Hernani*, confessa preferir-lhe *O Leão Amoroso*.[31] Por causa da mesma necessidade doentia de novidades arbitrárias se, desde a mocidade era lamentada uma mulher modelo, uma verdadeira santa, por se haver casado com um patife, um belo dia a Sra. de Guermantes afirmava que esse patife era um homem leviano, porém de grande coração, que a dureza implacável da mulher levara a verdadeiras inconseqüências. Eu sabia que não era apenas entre as obras, na longa série dos séculos, mas até no seio de uma mesma obra, que a crítica se compraz em mergulhar de novo nas sombras o que há muito tempo era radioso, e a fazer sair da sombra o que parecia votado à definitiva obscuridade. Não só vira Bellini, Winterhalter, os arquitetos jesuítas e um ebanista da Restauração virem ocupar o lugar de gênios de quem se dizia já estarem cansados, simplesmente porque os ociosos intelectuais já se haviam cansado deles, como estão sempre cansados e estão sempre mandando os neurastênicos; como também vira preferirem, em Sainte-Beuve, sucessivamente o crítico e o poeta, Musset renegado quanto aos versos, à exceção de umas pecinhas bem insignificantes, e exaltado como contista. Sem dúvida, erram certos ensaístas em colocar, acima das cenas mais célebres do *Cid* e de *Polieucto*, certa tirada do *Mentiroso*, que dá, como um mapa antigo, informações sobre a Paris da época, mas sua predileção, justificada se não por motivos de beleza, ao menos por um interesse documental, é ainda por demais racional para a crítica alucinada. Ela troca todo o Molière por um verso de *O Estouvado* e, mesmo achando tedioso o *Tristão* de Wagner, nele salva uma "bela nota de trompa" no momento em que passam os caçadores. Essa depravação ajudou-me a compreender aquela da qual fazia prova a Sra. de Guermantes quando decidia que um homem de sua sociedade, reconhecido por ter um grande coração, porém tolo, era um monstro de egoísmo, mais esperto do que se imaginava; que outro, conhecido por sua generosidade, podia simbolizar a avareza; que uma boa mãe não se incomodava com seus filhos, e que uma mulher que julgava cheia de vícios possuía os mais nobres sentimentos. Como que estragadas pela nulidade da vida mundana, a inteligência e a sensibilidade da Sra. de Guermantes eram instáveis demais para que, nela, a re-

[31] *Hernani* e *O Leão Amoroso* (*Le Lion amoureux*) são peças: a primeira é de Victor Hugo, e a segunda, de François Ponsard. (N. do T.)

pulsa não se sucedesse bem rápido ao entusiasmo (com o risco de novamente sentir-se atraída pelo gênero de espírito que sucessivamente buscara e desprezara) e, para que o encanto que achara em um homem generoso não mudasse, se ele a freqüentasse bastante, buscava demais em si mesma direções que era incapaz de lhe dar, numa irritação que julgava produzida pelo seu admirador e que o era unicamente pela impotência em que se está de encontrar um prazer quando se se contenta em procurá-lo. As variações de julgamento da duquesa não poupavam ninguém, exceto o marido. Somente ele não a havia amado nunca; nele, ela sentira sempre um caráter de ferro, indiferente aos caprichos que ela sentia, desdenhoso de sua beleza, violento, de uma vontade que jamais se dobrava e sob cuja única lei os nervos sabem achar sossego. Por outro lado, o Sr. de Guermantes, perseguindo um mesmo tipo de beleza feminina, mas encontrando-o em amantes freqüentemente renovadas, não tinha, tão logo as deixava, e para troçar delas, senão uma só companheira duradoura, idêntica, que o irritava muitas vezes por sua tagarelice, mas que ele sabia que toda a sociedade a considerava a mais bela, mais virtuosa, mais inteligente e mais instruída da aristocracia, uma mulher que ele, Sr. de Guermantes, era muito feliz em ter encontrado, que encobria todas as suas desordens, recebia como ninguém e mantinha o salão deles como o primeiro salão do *faubourg* Saint-Germain. Esta opinião alheia, ele próprio a partilhava; muitas vezes de mau humor contra a mulher, sentia orgulho dela. Se, tão avarento quanto ostentador, recusava-lhe a menor quantia para obras de caridade, para os criados, fazia questão de que ela tivesse os mais magníficos vestidos e as mais belas parelhas na carruagem. Enfim, buscava ressaltar o valor do espírito de sua mulher. Ora, a cada vez a Sra. de Guermantes acabava de inventar, relativamente aos méritos e aos defeitos, bruscamente invertidos por ela, de um de seus amigos, um novo e saboroso paradoxo, ardia por ensaiá-lo diante de pessoas que soubessem degustá-lo, fazê-los saborear sua originalidade psicológica, e para brilhar sua lapidar malevolência. Sem dúvida essas novas opiniões em geral não continham mais verdade que as antigas, e muitas vezes menos; mas justo o que possuíam de arbitrário e inesperado lhes conferia algo de intelectual que as fazia tão emocionantes de comunicar. Apenas, o paciente sobre quem acabava de se exercer a psicologia da duquesa era geralmente um íntimo, de quem aqueles a quem ela desejava transmitir sua descoberta ignoravam totalmente que não estivesse no auge do favor; e também a reputação que possuía a Sra. de Guermantes de amiga incomparável, sentimental, suave e devotada, tornava difícil principiar o ataque; ela podia, quando muito, intervir em seguida, como que constrangida e forçada, dando a réplica para apaziguar, para contradizer em aparência, para apoiar de fato um comparsa que decidira provocá-la; era exatamente o papel em que excelia o Sr. de Guermantes.

Quanto às ações mundanas, era ainda um outro prazer, arbitrariamente teatral, que a Sra. de Guermantes experimentava em emitir, sobre elas, juízos imprevistos que fustigavam de surpresas incessantes e deliciosas a princesa de Parma. Porém, esse prazer da duquesa foi menos com a ajuda da crítica literária do que segundo a vida política e a crônica parlamentar que tentei compreender qual poderia ser. Os editos sucessivos e contraditórios, pelos quais a Sra. de Guermantes invertia sem cessar a ordem dos valores no caso das pessoas de seu meio, não lhe bastavam mais para distraí-la, e ela procurava também, na maneira como dirigia a própria conduta social, de que dava conta em suas menores decisões, desfrutar dessas emoções artificiais, obedecer a esses deveres fictícios que estimulam a sensibilidade das assembléias e se impõem ao espírito dos políticos. Sabe-se que, quando um ministro explica à Câmara que julgou fazer bem seguindo uma linha de conduta que, de fato, parece bem simples ao homem de bom senso que, no dia seguinte, lê no seu jornal o resumo da sessão, tal leitor de bom senso, no entanto, se sente subitamente impressionado e começa a duvidar de ter tido razão ao aprovar o ministro, vendo que o discurso deste foi ouvido em meio a uma viva agitação e pontuado de expressões de censura, como: "É muito grave", pronunciadas por um deputado cujo nome e títulos são tão longos e seguidos de movimentos tão acentuados que, em toda a interrupção, a expressão "é muito grave!" ocupa menos lugar do que um hemistíquio num alexandrino. Por exemplo, outrora, quando o Sr. de Guermantes, príncipe des Laumes, tinha assento na Câmara, lia-se às vezes nos jornais de Paris, conquanto fosse principalmente destinado à circunscrição de Méséglise e a fim de mostrar aos leitores que não tinham votado num mandatário inativo e mudo:

"Senhor de Guermantes-Bouillon, príncipe des Laumes: 'Isto é grave!' (*Muito bem! Muito bem! No centro e em alguns bancos à direita, vivas exclamações à extrema esquerda.*)"

O leitor de bom senso guarda ainda um vislumbre de fidelidade ao sábio ministro, mas seu coração é sacudido por novas palpitações às primeiras palavras do novo orador, que responde ao ministro:

"O espanto, o estupor, não é dizer demais (*viva sensação na parte direita do semicírculo*), que me causam as palavras deste que ainda é, suponho, membro do governo..." (*Tempestade de aplausos; alguns deputados dirigem-se apressadamente para o banco dos ministros; o Sr. subsecretário de Estado de Correios e Telégrafos faz, do seu posto, um sinal afirmativo com a cabeça.*)

Essa "tempestade de aplausos" desfaz as últimas resistências do leitor de bom senso; ele acha insultante para a Câmara, monstruosa, uma forma de proceder que em si mesma é insignificante; se necessário, algum fato normal; por exemplo: querer que os ricos paguem mais que os pobres, esclarecer uma iniqüidade, preferir a paz à guerra; ele o achará escandaloso e nele verá uma ofensa a certos princípios em que, na verdade, ainda não havia pensado, princípios que não estão inscritos no coração do homem, mas que emocionam intensamente devido às aclamações que desencadeiam e às maiorias maciças que congregam.

É preciso, além disso, reconhecer que semelhante sutileza dos políticos, que serviu para me explicar o meio Guermantes e, mais tarde, outros meios, não passa da perversão de uma certa finura de interpretação muitas vezes designada pela locução "ler nas entrelinhas". Se, nas assembléias, há o absurdo pela perversão dessa finura, há estupidez por falta dessa finura no público que leva tudo "ao pé da letra", que não suspeita de uma demissão quando um alto dignitário é dispensado de suas funções "a seu pedido" e que diz consigo: "Não foi exonerado porque ele mesmo pediu demissão"; não imagina uma derrota, quando os russos, com um movimento estratégico, recuam diante dos japoneses para posições mais fortes e previamente preparadas; não enxerga uma recusa quando, tendo uma província pedido independência ao imperador da Alemanha, este lhe concede a autonomia religiosa. É possível, aliás, para retornar a estas sessões da Câmara, que, quando se abrem, os próprios deputados se assemelham ao homem de bom senso que lerá o seu resumo. Sabendo que operários em greve enviaram seus delegados ao ministro, talvez se indaguem ingenuamente: "Ah, bem, que se terão dito? Esperemos que tudo se acomode", no momento em que o ministro sobe à tribuna, em meio ao profundo silêncio que já estimula emoções artificiais. As primeiras palavras do ministro: "Não tenho necessidade de dizer à Câmara que possuo um alto senso dos deveres do governo para não receber essa delegação, de que a autoridade do meu cargo não precisava tomar conhecimento" são um lance teatral, pois era a única hipótese que o bom-senso dos deputados não havia formado. Mas justamente porque se trata de um lance teatral, é acolhido por tais aplausos que só ao cabo de alguns minutos é que o ministro pode se fazer ouvir, esse ministro que receberá, ao voltar à sua cadeira, as felicitações dos colegas. Há tanta emoção como no dia em que ele se esqueceu de convidar para uma grande festa oficial o presidente do conselho municipal, que lhe fazia oposição, e declarou-se que numa e noutra circunstância ele agira como homem de Estado.

O Sr. de Guermantes, nessa época de sua vida, para grande escândalo dos Courvoisiers, fizera muitas vezes parte dos colegas que vinham felicitar o ministro. Mais tarde, ouvi contar que, mesmo num período em que desempenhou um importante papel na Câmara, e que se pensava para ele num ministério ou numa embaixada, ele era, quando um amigo vinha lhe pedir um favor, infinitamente mais simples, bancava politicamente muito menos o grande personagem do que qualquer outro que não fosse o duque de Guermantes. Pois, se ele afirmava que a nobreza não valia muito, que considerava seus colegas como seus iguais, não pensava uma só palavra do que dizia. Buscava, fingia estimar, mas desprezava as situações políticas e, como continuava a ser para si mesmo o Sr. de Guermantes, elas não colocavam em torno a sua pessoa esse estilo empolado dos grandes empregos que faz inacessíveis os outros. Desse modo, seu orgulho protegia, contra qualquer golpe, não só as suas maneiras de uma familiaridade ostensiva, mas também o que nele pudesse haver de simplicidade autêntica.

Para regressar às suas decisões artificiais e emocionantes, como a dos políticos, a Sra. de Guermantes não menos desconcertava os Guermantes, os Courvoisiers, todo o *faubourg* e, mais que ninguém, a princesa de Parma, devido aos decretos inesperados, sob os quais sentiam-se princípios que tanto mais impressionavam quanto menos se estava prevenido para eles. Se o novo ministro da Grécia dava um baile à fantasia, cada qual escolhia uma, e perguntava-se qual seria a da duquesa. Uma pensava que ela gostaria de ir fantasiada de duquesa de Borgonha, uma outra dava como provável a fantasia de princesa de Deryabar, uma terceira a de Psiquê. Enfim, tendo uma Courvoisier perguntado: — De que vais te fantasiar, Oriane? — provocava a única resposta em que não teriam pensado: — De coisa nenhuma! — e que dava muito trabalho às línguas, como reveladora da opinião de Oriane sobre a verdadeira posição mundana do novo ministro da Grécia e sobre a conduta a adotar a seu respeito, isto é, a opinião que se deveria ter previsto, a saber que uma duquesa "não tinha" que ir ao baile à fantasia desse novo ministro. — Não vejo que haja necessidade de ir à casa do ministro da Grécia, a quem não conheço; não sou grega, e por que iria? Nada tenho a fazer lá — dizia a duquesa.

— Mas todo mundo vai, parece que será um encanto! — exclamava a Sra. de Gallardon.

— Mas também é um encanto ficar ao pé da lareira — replicava a Sra. de Guermantes.

Os Courvoisiers não se refaziam do assombro, mas os Guermantes, sem imitar, aprovavam: — Naturalmente, nem todo mundo está, como Oriane, em situação de romper com todos os costumes. Porém, de um lado não se pode dizer que ela esteja errada em querer nos mostrar que exageramos ao nos fazermos tão submissos diante desses estrangeiros que nem sempre se sabe de onde vêm.

Naturalmente, conhecendo os comentários que uma ou outra atitude não deixavam de provocar, a Sra. de Guermantes sentia tanto prazer em comparecer a uma festa em que não contavam com ela, como em ficar em casa ou ir com o marido ao teatro, numa noite de festa a que "todo mundo" comparecia, ou então, quando pensavam que ela eclipsaria os mais belos diamantes com um diadema histórico, surgir sem uma única jóia e com um vestido diverso daquele que julgavam erroneamente ser de rigor. Embora fosse antidreyfusista (sem deixar de crer na inocência de Dreyfus, assim como passava a vida na sociedade acreditando apenas nas idéias), causara sensação imensa, numa recepção em casa da princesa de Ligne, primeiro permanecendo sentada quando todas as damas se ergueram à entrada do general Mercier, e a seguir, levantando-se e chamando ostensivamente seus criados quando um orador nacionalista principiara uma conferência, mostrando assim que não achava que as reuniões mundanas fossem feitas para se falar de política; todas as cabeças se haviam voltado para ela, num concerto da Sexta-feira Santa, em que, apesar de voltaireana, não permanecera, pois achara indecente que pusessem o Cristo em cena. Sabe-se o que é, mesmo para as maiores mundanas, o momento do ano em que começam as festas; a ponto de que a marquesa de Amoncourt, que, por necessidade de falar, mania psicológica, e também por falta de sensibilidade, acabava muitas vezes por dizer asneiras, pudera responder a alguém que tinha vindo dar-lhe os pêsames pela morte do pai, o Sr. de Montmorency: — É talvez ainda mais triste que nos ocorra semelhante desgosto no momento em que temos no espelho centenas de convites. — Ora bem, nesse momento do ano, quando convidavam para jantar a duquesa de Guermantes, apressando-se com receio de que já estivesse comprometida, ela o recusava pela única razão a que um mundano jamais ocorreria: ia partir em excursão para visitar os fiordes da Noruega, que a interessavam. As pessoas da sociedade ficavam estupefatas com aquilo e, sem se preocuparem em imitar a duquesa, sentiam no entanto, com o seu ato, a espécie de alívio que se tem em Kant quando, após a mais rigorosa demonstração do determinismo, descobre-se que acima do mundo da necessidade existe o da liberdade. Toda invenção em que jamais se pensou excita o espírito, mesmo das pessoas que não sabem aproveitá-la. A da navegação a vapor era de pouca importância comparada com o seu uso à época sedentária da *season*. A idéia de que se podia voluntariamente renunciar a cem jantares ou almoços na cidade, a duzentos "chás", a trezentas recepções noturnas, às mais brilhantes segundas da Ópera e às terças do "Français", para ir visitar os fiordes da Noruega, não pareceu aos Courvoisiers mais explicável que as *Vinte mil léguas submarinas*, mas comunicou-lhes a mesma sensação de independência e charme. Assim, não havia dia em que não se ouvisse dizer não só "Você conhece a última frase de Oriane?", mas também "Você sabe a última de Oriane?" E da "última de Oriane?", como da última "frase" de Oriane, repetia-se: "É bem de Oriane", "É bem da Oriane", "É puro Oriane". A última de Oriane era, por exemplo, que, tendo que responder em nome de uma sociedade patriótica ao cardeal X, bispo de Mâcon (a quem de hábito o Sr. de Guermantes, quando falava dele, chamava de "Senhor de Mascon", pois o duque achava aquilo "França antiga"), como todos procurassem imaginar de que jeito seria a carta e achassem bom o começo — "Eminência" ou "Monsenhor" — mas embaraçavam-se diante do resto, a carta de Oriane, para espanto de todos, principiava por "Senhor cardeal", devido a um velho costume acadêmico, ou por "Meu primo", expressão usual entre os príncipes da Igreja, os Guermantes e os soberanos que pediam a Deus que os tivessem a uns e outros "sob Sua santa e digna guarda". Para que se falasse de uma "última de Oriane", bastava que, num espetáculo a que comparecia Paris inteira, e onde se representava uma peça muito simpática, como procurassem a Sra. de Guermantes no camarote da princesa de Parma, da princesa de Guermantes e de tantas outras que a tinham convidado, encontravam-na sozinha, de preto, com um chapeuzinho minúsculo, numa poltrona a que chegara quando do erguer do pano. — Ouve-se melhor, no caso de uma peça que valha a pena — explicava, para escândalo dos Courvoisiers e deslumbramento dos Guermantes e da princesa de Parma, que descobriam subitamente que o "gênero" de ouvir o começo de uma peça era mais novo, demonstrava mais originalidade e inteligência (o que não era de espantar da parte de Oriane) do que chegar para o último ato após um grande jantar e uma aparição em um sarau. Tais eram os diferentes gêneros de espanto para os quais a princesa de Parma sabia que poderia preparar-se se propunha uma pergunta literária ou mundana à Sra. de Guermantes, e que faziam que, durante esses jantares na casa da duquesa, a Alteza não se aventurasse sobre o menor assunto a não ser com a prudência inquieta e maravilhosa da banhista que emerge entre duas vagas.

Dentre os elementos que, ausentes dos outros dois ou três salões mais ou menos equivalentes que estavam à frente do *faubourg* Saint-Germain, diferenciavam destes o salão da duquesa de Guermantes, como Leibnitz admite que cada mônada, refletindo todo o universo, acrescenta-lhe algo particular, um dos menos simpáticos era habitualmente fornecido por uma ou duas mulheres muito belas que ali só se achavam por sua beleza, pelo uso dela fizera o Sr. de Guermantes, e cuja presença revelava logo, como em outros salões, certos quadros inesperados, que, neste, o marido era um ardente apreciador das graças femininas. Todas se pareciam um pouco, pois o duque possuía o gosto das mulheres altas, a um tempo desenvoltas e majestosas, de um gênero intermediário entre a *Vênus de Milo* e a *Vitória de Samotrácia*, freqüentemente louras, raramente morenas, às vezes ruivas, como a mais recente, a que participava desse jantar, essa viscondessa d'Arpajon, que ele haveria amado tanto que a forçou por muito tempo a lhe enviar até dez telegramas por dia (o que irritava um pouco a duquesa), correspondendo-se com ela através de pombos-correio quando estava em Guermantes, e sem a qual fora, durante muito tempo, tão incapaz de passar, que, num inverno em que tivera de ficar em Parma, voltava todas as semanas a Paris, fazendo dois dias de viagem para vê-la.

De ordinário, essas belas figurantes tinham sido suas amantes, mas já não o eram (como a Sra. d'Arpajon) ou estavam a ponto de deixar de sê-lo. Todavia, talvez o prestígio que sobre elas exercia a duquesa e a esperança de serem recebidas em seu salão, embora elas próprias pertencessem a meios bastante aristocráticos mas de segundo plano, tinham-nas decidido, mais até que a beleza e a generosidade do duque, a ceder aos desejos deste. Além do mais, a duquesa não opusera uma resistência absoluta a que elas penetrassem em sua casa; sabia que em mais de uma encontrara uma aliada, graças à qual obtivera mil coisas que desejava e que o Sr. de Guermantes recusava implacavelmente à mulher quando não estava apaixonado por outra. Assim, o que explicava que só fossem recebidas em casa da duquesa quando sua ligação já estava muito avançada decorria antes de que o duque, cada vez que embarcava num grande amor, julgava-o um simples capricho, em troca do qual achava que era demais um convite para o salão de sua esposa. Mas dava-se que o oferecia por muito menos, por um primeiro beijo, porque apareciam resistências com as quais não contara, ou, ao contrário, por não ter havido resistência. No amor, muitas vezes a gratidão, o desejo de agradar fazem as pessoas concederem além do que a expectativa e o interesse haviam prometido. Mas então a realização dessa oferta era obstada por outras circunstâncias. Primeiro, todas as mulheres que haviam correspondido ao amor do Sr. de Guermantes, e às vezes até quando ainda não lhe tinham cedido, haviam sido sucessivamente seqüestradas por ele, que não lhes permitia mais ver a ninguém; ele passava junto delas quase todo o seu tempo, ocupava-se da educação de seus filhos, aos quais às vezes, a julgar mais tarde por semelhanças gritantes, chegava a dar um irmão ou uma irmã. Depois se, no princípio da ligação, a apresentação à Sra. de Guermantes, de modo algum imaginada pelo duque, desempenhara um papel no espírito da amante, a própria ligação transformara os pontos de vista desta; o duque não era mais, para ela, apenas o marido da mais elegante mulher de Paris, mas um homem amado pela nova amante, um homem que freqüentemente lhe proporcionara os meios e o gosto de mais luxo e que invertera a ordem anterior de importância das questões de esnobismo e de interesse; enfim, por vezes, um ciúme de todos os tipos animava as amantes do duque contra a Sra. de Guermantes. Mas este era o caso mais raro; aliás, quando por fim chegava o dia da apresentação (num momento em que a amante já era, em geral, bem indiferente ao duque, cujos atos, como os de todo mundo, eram o mais das vezes comandados pelos atos anteriores, cujo móvel primeiro já não existia), ocorria seguidamente que era a Sra. de Guermantes quem procurava receber a amante, em que esperava e tinha tanta necessidade de encontrar, contra seu terrível marido, uma preciosa aliada. Não que, salvo em raros momentos, em casa, onde, quando a duquesa falava demais, ele deixava escapar algumas palavras e sobretudo silêncios fulminantes, o Sr. de Guermantes faltasse, quanto à esposa, com o que se chama "as formalidades". As pessoas que os não conheciam podiam enganar-se. Às vezes, no outono, entre as corridas de Deauville, as águas, a partida para Guermantes e as caçadas, nas poucas semanas que passavam em Paris, como a duquesa apreciava o café-concerto, o duque lá ia com ela passar uma noite. O público reparava logo, numa dessas frias descobertas onde só cabem duas pessoas, aquele Hércules de *smoking* (pois na França dá-se a tudo que seja mais ou menos britânico o nome que já não se usa na Inglaterra), de monóculo no olho, tendo na mão, gorda porém bonita, em cujo dedo anular brilhava um anel de safira, um enorme charuto de que de vez em quando tirava uma baforada, os olhos normalmente voltados para o palco, mas, quando os deixava cair sobre a platéia, onde aliás não conhecia absolutamente ninguém, abrandava os olhares com um ar de doçura, de reserva, de polidez e consideração. Quando uma copla lhe parecia engraçada, não muito indecente, o duque se voltava risonho para a mulher, partilhava com ela, com um sinal de inteligência, de bondade, a alegria inocente que lhe proporcionava a nova canção. E os espectadores podiam crer que não havia melhor marido que ele, nem ninguém mais invejável do que a duquesa — aquela mulher que estava fora de todos os interesses do duque nesta vida, aquela mulher que ele não amava, a quem jamais deixara de trair; quando a duquesa se sentia cansada, via-se o Sr. de Guermantes levantar-se, colocar-lhe ele próprio a capa, arrumando-lhe os colares para que não se enganchassem no forro, e abrir-lhe caminho até a saída, com os cuidados solícitos e respeitosos que ela recebia com a frieza da mundana que não vê naquilo senão um *savoir-vivre*, e às vezes até com a amargura um tanto irônica da esposa desabusada que não tem mais qualquer ilusão a perder. Mas, apesar dessas exterioridades, outra porção dessa polidez que tem feito subirem os deveres das profundezas à superfície, em uma época já antiga, mas que ainda permanece quanto aos sobreviventes, a vida da duquesa era difícil. O Sr. de Guermantes só se tornava generoso e humano para uma nova amante, a qual tomava, como acontecia com freqüência, o partido da duquesa; esta via tornarem-se de novo possíveis, para ela, generosidades para com os inferiores, caridades para os pobres, e até para ela própria, mais tarde, um novo e magnífico automóvel. Mas da irritação que, de hábito, vinha bem depressa para a Sra. de Guermantes quanto às pessoas que lhe eram muito submissas, não se excetuavam as amantes do duque. Em breve a duquesa se aborrecia delas. Ora, naquele momento as relações do duque com a Sra. d'Arpajon chegavam ao fim. Uma outra amante despontava.

Sem dúvida, o amor que o Sr. de Guermantes tivera sucessivamente por todas elas recomeçava um dia a se fazer sentir: primeiro, esse amor, ao morrer, legava-as, como belos mármores — mármores lindos para o duque, que assim se fazia parcialmente artista, porque as havia amado e agora era sensível às linhas que não teria apreciado sem o amor — que justapunham, no salão da duquesa, suas formas durante longo tempo inimigas, devoradas pelos ciúmes e as querelas, e por fim reconciliadas na paz da amizade; depois, essa mesma amizade era um efeito do amor, que fizera com que o duque de Guermantes reparasse, em suas amantes, virtudes que existem em todo ser humano, mas que só à volúpia são perceptíveis, por mais que a ex-amante, que se torna "uma excelente camarada" que faria qualquer coisa por nós, seja um clichê, como o médico ou o pai que não são um médico ou um pai, e sim um amigo. Mas, durante um primeiro período, a mulher que o Sr. de Guermantes começava a abandonar se queixava, fazia cenas, mostrava-se exigente, parecia indiscreta, intrigante. O duque principiava a embirrar com ela. Então a Sra. de Guermantes tinha ocasião de pôr em evidência os defeitos verdadeiros ou supostos de uma pessoa que a irritava. Conhecida pela bondade, a Sra. de Guermantes recebia os telefonemas, as confidências, as lágrimas da abandonada, e não se queixava. Ria daquilo com seu marido, e depois com alguns íntimos. E, julgando, por essa piedade que mostrava à infortunada, ter o direito de escarnecê-la em sua própria presença, por qualquer coisa que dissesse, contanto que isso pudesse entrar no quadro do caráter ridículo que o duque e a duquesa lhe haviam forjado recentemente, a Sra. de Guermantes não se vexava de trocar olhares de irônica inteligência com o marido.

Entretanto, sentando-se à mesa, a princesa de Parma se lembrou que desejava convidar a Sra. d'Heudicourt para a Ópera e, querendo saber se isso não desagradaria à Sra. de Guermantes, procurou sondá-la. Nesse momento entrou o Sr. de Grouchy, cujo trem, devido a um descarrilamento, tivera um atraso de uma hora. Desculpou-se como pôde. Sua mulher, se fosse uma Courvoisier, teria morrido de vergonha. Mas não era à toa que a Sra. de Grouchy era uma Guermantes. Como o seu marido se desculpasse pelo atraso:

— Vejo — disse ela tomando a palavra — que, até para as pequenas coisas, estar atrasado é uma tradição em sua família.

— Sente-se, Grouchy, e não fique embaraçado — disse o duque. — Sempre caminhando com o meu tempo, sou forçado a reconhecer que a batalha de Waterloo teve algo de bom, pois permitiu a restauração dos Bourbons e, melhor ainda, de um jeito que os fez impopulares. Mas vejo que o senhor é um verdadeiro Nimrod!

— De fato, consegui algumas boas peças. Vou me permitir enviar amanhã à duquesa uma dúzia de faisões.

Um pensamento pareceu passar pelos olhos azuis da Sra. de Guermantes. Ela insistiu para que o Sr. de Grouchy não se incomodasse em mandar os faisões. E, fazendo um sinal para o lacaio noivo, com quem eu conversara ao deixar a sala dos Elstirs:

— Poullein — disse ela —; você irá buscar os faisões do senhor conde e os trará imediatamente, pois, não é mesmo, Grouchy, o senhor permite que eu faça algumas gentilezas? Nós dois, Basin e eu, não comeremos doze faisões.

— Mas depois de amanhã haverá tempo — observou o Sr. de Grouchy.

— Não, prefiro amanhã — insistiu a duquesa.

Poullein empalidecera; seu encontro com a noiva havia falhado. Aquilo bastava para a distração da duquesa, que fazia questão de que tudo mantivesse um aspecto humano.

— Sei que é o seu dia de folga — disse ela a Poullein —; não tem mais que trocar com Georges, que sairá amanhã e ficará trabalhando depois de amanhã.

Mas depois de amanhã a noiva de Poullein não estaria livre. Pouco lhe importava ter folga. Logo que Poullein saiu da sala, todos cumprimentaram a duquesa por sua bondade com os criados.

— Mas eu só faço com eles o que gostaria que fizessem comigo.

— Exatamente! Eles podem dizer que tem um bom lugar na sua casa.

— Não é tanto assim. Mas acho que me estimam. Este é um pouco irritante porque está apaixonado; julga dever tomar uns ares melancólicos.

Nesse momento, Poullein voltou.

— De fato — disse o Sr. de Grouchy —, ele não parece risonho. Com essa gente é preciso ser bom, mas não bom demais.

— Reconheço que não sou terrível; durante o dia inteiro ele não terá mais a fazer que ir buscar os seus faisões, ficar aqui sem fazer nada e comer a sua porção.

— Muita gente gostaria de estar em seu lugar — disse o Sr. de Grouchy —, pois a inveja é cega.

— Oriane — disse a princesa de Parma —, tive outro dia a visita de sua prima d'Heudicourt; evidentemente, é uma mulher de inteligência superior. É uma Guermantes, e isso diz tudo, mas falam que é maldizente...

O duque lançou à mulher um longo olhar de intencional espanto. A Sra. de Guermantes se pôs a rir. A princesa acabou percebendo.

— Mas... quer dizer que não são... da minha opinião?... — indagou ela, inquieta.

— Mas Vossa Alteza é boa demais para se importar com as caras de Basin. Vamos, Basin, não dê impressão de estar insinuando coisas más sobre nossos parentes.

— Ele a considera muito má? — perguntou vivamente a princesa.

— Absolutamente — replicou a duquesa. — Não sei quem disse a Vossa Alteza que ela era maldizente. Pelo contrário, é uma criatura excelente, jamais diz mal de ninguém, nem faz mal a quem quer que seja.

— Ah! — disse a Sra. de Parma, aliviada. — Nem eu tampouco notara coisa alguma. Mas, como sei que muitas vezes é difícil não ter um pouco de malícia quando se possui bastante espírito...

— Ah, isto, por exemplo, ela possui ainda menos.

— Menos espírito? — indagou a princesa, pasma.

— Olhe, Oriane — interrompeu o duque em tom queixoso e lançando a seu redor, à direita e à esquerda, olhares divertidos —, você está ouvindo que a princesa lhe diz que se trata de uma mulher superior.

— E não é?

— Pelo menos é superiormente gorda.

— Não o escute, Alteza, ele não está sendo sincero. Ela é estúpida, como *un oie*[32] — disse com voz forte e rouca a Sra. de Guermantes, que

[32] *Un oie*: literalmente "um ganso", como se diz na província. Normalmente, seria *une oie* ("uma gansa"), pois *ganso* é *jars*. (N. do T.)

bem mais "França antiga" ainda que o duque quando não cuidava disso, procurava muitas vezes sê-lo, porém de uma forma oposta ao gênero "punhos de renda" e deliqüescente do marido e, na realidade, bem mais fina, por uma espécie de pronúncia quase camponesa que possuía um áspero e delicioso sabor de terra. — Mas é a melhor mulher do mundo. E depois, nem sei mesmo se, em tal grau, pode-se chamar a isso de estupidez. Acho que jamais conheci criatura semelhante; é caso para um médico, aquilo tem algo de patológico, é uma espécie de "inocente", de cretina, de "retardada", como nos melodramas ou como na *Arlesiana*. Sempre me pergunto, quando ela está aqui, se não chegou o momento em que sua inteligência vai despertar, o que sempre dá um pouco de medo. — A princesa se maravilhava dessas expressões, sempre se mostrando estupefata com o veredicto. — Ela me falou, bem como a Sra. d'Épinay, na sua frase acerca de Taquin o Soberbo. É deliciosa — concluiu.

O Sr. de Guermantes explicou-me a frase. Tive vontade de lhe dizer que seu irmão, que pretendia não me conhecer, esperava-me naquela mesma noite às onze horas. Mas eu não tinha perguntado a Robert se poderia falar desse encontro e, como o Sr. de Charlus quase me houvesse fixado tal encontro, em contradição com o que dissera à duquesa, achei mais delicado calar-me.

— Taquin o Soberbo não é nada mau — disse o Sr. de Guermantes —, mas a Sra. d'Heudicourt provavelmente não lhe contou uma frase bem mais bonita que Oriane disse outro dia, em resposta a um convite para almoçar.

— Oh, não! Diga-a.

— Ora, Basin, cale-se; primeiro, é uma frase estúpida e vai me fazer ser julgada pela princesa como inferior à tola da minha prima. E depois, não sei por que digo minha prima. É uma prima de Basin. Ainda assim, é um pouco parenta minha.

— Oh! — exclamou a princesa de Parma à idéia de que poderia achar estúpida a Sra. de Guermantes, e protestando desesperadamente que nada podia fazer com que a duquesa decaísse do posto que ocupava em sua admiração.

— E depois, já lhe retiramos as qualidades do espírito; como esta expressão tende a negar-lhe certos dons do coração, parece-me inoportuna.

— Negar! Inoportuna! Como ela se exprime bem! — disse o duque com uma ironia fingida e para que admirassem a duquesa.

— Ora, Basin, não zombe de sua mulher.

— É preciso dizer a Vossa Alteza Real — replicou o duque — que a prima de Oriane é superior, bondosa, gorda, tudo o que quiserem, mas não precisamente, como direi... pródiga.

— Sim, eu sei; ela é bem avarenta — interrompeu a princesa.

— Eu não me permitiria esta expressão, mas a senhora achou a palavra exata. Isto se traduz na casa bem arrumada e particularmente na cozinha, que é excelente, mas medida.

— Isto chega mesmo a dar lugar a cenas bem cômicas — interrompeu o Sr. de Bréauté. — Assim, meu caro Basin, fui passar um dia em Heudicourt, onde você e Oriane eram esperados. Haviam feito suntuosos preparativos quando, de tarde, um lacaio trouxe um despacho de vocês dizendo que não vinham mais.

— Isto não me espanta — disse a duquesa, que não só era difícil de apanhar, como queria que todos o soubessem.

— Sua prima leu o telegrama, ficou desolada e, logo após, sem me perturbar e dizendo não ser necessário fazer tantas despesas inúteis relativamente a um senhor sem importância como eu, chamou o lacaio: "Diga ao cozinheiro-chefe para retirar o frango", gritou-lhe. E de noite, ouvi que perguntava ao mordomo: "E então? E os restos do boi de ontem? Não vai servi-los?"

— De resto, é preciso reconhecer que o passadio ali é perfeito — disse o duque, julgando mostrar-se *ancien régime* ao empregar esse termo. — Não conheço casa onde melhor se coma.

— Nem menos — acrescentou a duquesa.

— É muito saudável, e o bastante para o que se chama um plebeu vulgar feito eu — continuou o duque —; a gente fica com fome.

— Ah, como dieta é de fato mais higiênico do que opulento. Aliás, não é tão bom assim — volveu a duquesa, que não gostava muito que dessem o título de melhor mesa de Paris a outra que não a sua. — Acontece com minha prima o mesmo que se dá com os autores constipados que põem uma peça em um ato, ou um soneto, a cada quinze anos. É o que se chama de pequenas obras-primas, ninharias que são jóias, numa palavra, a coisa de que mais tenho horror. Na casa de Zénaïde, a cozinha não é ruim, mas poderiam achá-la mais a contento se ela não fosse tão parcimoniosa. Há umas coisas que o cozinheiro-chefe produz bem, mas há outras coisas em que ele falha. Já tive ali, como em toda parte, jantares horríveis; mas me fizeram menos mal do que em outro lugar, porque o estômago, no fundo, é mais sensível à quantidade que à qualidade.

— Enfim, para acabar — concluiu o duque —, Zénaïde insistia para que Oriane fosse almoçar, e, como a minha mulher não gosta muito de sair de casa, resistia, e procurava saber se, sob o pretexto de uma refeição íntima, não a embarcavam deslealmente numa grande festança e em vão tentava averiguar quais eram os convidados que haveria para esse almoço.

"— Vem, vem — insistia Zénaïde, gabando as coisas boas que haveria para o almoço. — Hás de comer um purê de castanhas, digo só isto, e haverá sete pequenas *bouchées a la reine*. — Sete *bouchées* — gritou Oriane. — Então é que seremos no mínimo oito!"

Ao cabo de alguns instantes, a princesa, tendo entendido, deixou rebentar o seu riso como o rolar de uma trovoada. — Ah, então seremos no mínimo oito, é sensacional! Como está bem redigido! — disse ela, tendo, num supremo esforço, encontrado a expressão de que se servira a Sra. d'Épinay e que desta vez se aplicava melhor.

— Oriane, é muito bonito o que diz a princesa; ela diz que está "bem redigido".

— Mas, meu amigo, não está me dizendo nada de novo; eu sei que a princesa é muito espirituosa — respondeu a Sra. de Guermantes, que apreciava facilmente uma expressão quando, a um tempo, era pronunciada por uma Alteza e elogiava o seu próprio espírito. — Estou muito orgulhosa de que Vossa Alteza aprecie minhas modestas redações. Todavia, não me lembro de ter dito semelhante coisa. E, se o disse, era para elogiar a minha prima, pois, se tinha sete *bouchées*, as bocas, se ouso expressar-me assim, deviam ultrapassar uma dúzia...

Durante todo esse tempo, a condessa d'Arpajon que, antes do jantar, me dissera que sua tia ficaria muito feliz em me mostrar o seu castelo da Normandia, dizia-me, por sobre a cabeça do príncipe de Agrigento, que desejaria receber-me, sobretudo, na Côte-d'Or, pois lá, em Pont-le-Duc, ela se achava em casa.

— Os arquivos do castelo lhe interessariam. Há correspondências excessivamente curiosas entre todas as pessoas mais notáveis dos séculos XVII, XVIII e XIX. Ali passo horas maravilhosas, vivo no passado — garantiu a condessa, que o Sr. de Guermantes me prevenira ser fortíssima em literatura.

— Ela possui todos os manuscritos do Sr. de Bornier — retornou a princesa, falando da Sra. d'Heudicourt, pois desejava fazer valer as boas razões que podia ter para se ligar a ela.

— Ela deve ter sonhado, julgo que nem sequer o conhecia — disse a duquesa.

— O que é principalmente interessante é que tais correspondências são de pessoas de diversos países — continuou a condessa d'Arpajon que, aliada às principais casas ducais e até soberanas da Europa, sentia-se feliz por lembrá-lo.

— Mas sim, Oriane — disse o Sr. de Guermantes, não sem intenção. — Você se lembra muito bem daquele jantar em que teve o Sr. de Bornier como vizinho.

— Mas Basin — interrompeu a duquesa —, se quiser me dizer que conheci o Sr. de Bornier, naturalmente; ele até veio várias vezes para me visitar, mas nunca me decidi a convidá-lo porque, de cada vez, teria sido obrigada a desinfetar a casa com formol. Quanto a esse jantar, até me recordo muito bem; não foi de jeito nenhum na casa de Zénaïde, que nunca viu Bornier em toda a sua vida, e que deve achar, se alguém lhe fala da *Filha de Roland*, que se trata de uma princesa Bonaparte que diziam ser noiva do filho do rei da Grécia; não, foi na embaixada da Áustria. O encantador Hoyos pensara agradar-me, colocando numa cadeira ao lado da minha esse acadêmico empesteado. Achei que era vizinha de um esquadrão de gendarmes. Fui obrigada a tapar o nariz como pude durante todo o jantar, e só tive coragem de respirar no *gruyère*!

O Sr. de Guermantes, que atingira seu fim secreto, examinou com o rabo do olho, no rosto dos convivas, a impressão causada pela frase da duquesa.

— Aliás, acho um encanto particular nas correspondências — continuou, apesar da interposição da cara do príncipe de Agrigento, a dama forte em literatura que possuía tão curiosas cartas em seu castelo.

— Já repararam que muitas vezes as cartas de um escritor são superiores ao resto de sua obra? Como se chama então esse autor que escreveu *Salambô*?

Eu teria preferido não responder, para não prolongar a conversa, mas senti que desgostaria o príncipe de Agrigento, que parecia saber perfeitamente de quem era *Salambô* e me deixar, por pura cortesia, o prazer de declinar o seu nome, mas estava num embaraço cruel.

— Flaubert — acabei por dizer, mas o sinal de assentimento feito pela cabeça do príncipe abafou o som de minha resposta, de modo que minha interlocutora não soube exatamente se eu dissera Paul Bert ou Fulbert, nomes que não a deixaram inteiramente satisfeita.

— Em todo caso — redargüiu ela —, como sua correspondência é curiosa e superior a seus livros! Ela o explica, aliás, pois vê-se, por tudo o que se diz ali sobre o trabalho que dá fazer um livro, que não se tratava de um verdadeiro escritor, um homem dotado.

— Já que falam de correspondências, acho admirável a de Gambetta — disse a duquesa de Guermantes, para mostrar que não temia interessar-se por um proletário e um radical. O Sr. de Bréauté compreendeu todo o espírito dessa audácia, olhou ao redor com um olhar a um tempo "tocado", enternecido, após o que enxugou o monóculo.

— Deus, é terrivelmente enfadonho *A Filha de Roland* — disse o Sr. de Guermantes, com a satisfação que lhe dava o sentimento de sua superioridade sobre uma obra com que tanto se aborrecera, talvez também pelo *suave mari magno* que experimentamos, no meio de um bom jantar, em nos lembrarmos de tão terríveis serões. — Mas apresentava alguns bons versos, um sentimento patriótico.

Insinuei que não sentia qualquer admiração pelo Sr. de Bornier.

— Ah, o senhor tem algo a censurar-lhe — indagou com curiosidade o duque, que sempre achava, quando falavam mal de um homem, que isto se devia a um sentimento pessoal, e, quando bem de uma mulher, que indicava o princípio de um romancezinho.

— Vejo que o senhor tem algo contra ele. Que foi que ele lhe fez? Conte-nos! Mas sim, deve haver algum ressentimento entre os senhores, visto que o está difamando. *A Filha de Roland* é uma peça comprida, mas muito penetrante.

— "Penetrante" é bem adequado para um autor tão odorífero — interrompeu ironicamente a Sra. de Guermantes. — Se este pobre rapaz alguma vez se encontrou com ele, é compreensível que esteja com ele pelo nariz!

— Aliás, devo confessar a Vossa Alteza — retornou o duque, dirigindo-se à princesa de Parma — que, *A Filha de Roland* à parte, em literatura e até em música, sou terrivelmente antiquado, e não há rouxinol por mais velho que não me agrade. Talvez não acredite, mas de noite, se minha mulher se senta ao piano, acontece-me pedir-lhe que toque uma velha ária de Auber, de Boieldieu, e até de Beethoven. É disto que eu gosto. Quanto a Wagner, faz-me dormir imediatamente.

— Você está errado — retrucou a Sra. de Guermantes —; apesar da extensão insuportável, Wagner é dotado de gênio. *Lohengrin* é uma obra-prima. Mesmo no *Tristão* existe aqui e ali uma página curiosa. E o Coro das fiandeiras do *Navio Fantasma* é pura maravilha.

— Não é, Babal — disse o Sr. de Guermantes, dirigindo-se ao Sr. de Bréauté —, nós preferimos:

Os encontros de nobre companhia
Dão-se todos no encanto desta casa.

É delicioso. E *Fra Diavolo*, e *A Flauta Mágica*, e *O Chalé*, e *As Bodas de Fígaro*, e *Os Diamantes da Coroa*, isso é que é música! Em literatura, é a mesma coisa. Assim, adoro Balzac, *O Baile de Sceaux, Os Moicanos de Paris*.[33]

[33] Engano do duque: *Os Moicanos de Paris* é um romance de Alexandre Dumas Pai. (N. do T.)

— Ah, meu caro, se você entra em luta por Balzac não vai terminar tão cedo. Guarde isso para um dia em que Mémé estiver presente. Este é melhor ainda, sabe-o de cor.

Irritado com a interrupção da mulher, o duque manteve-a por instante sob o fogo de um silêncio ameaçador. Entretanto, a Sra. d'Arpajon trocara com a princesa de Parma, sobre a poesia trágica e a poesia em geral, frases que não me chegaram distintamente, quando ouvi esta, pronunciada pela Sra. d'Arpajon: — Oh, tudo o que Vossa Alteza quiser, concordo que ele nos faz ver feio o mundo porque não sabe distinguir entre o que é feio e o que é belo, ou melhor, porque sua vaidade insuportável lhe faz acreditar que tudo o que diz é belo; reconheço com Vossa Alteza que, na peça em questão, há coisas ridículas, ininteligíveis, faltas de gosto, que ela é difícil de compreender, que, para ler, dá tanto trabalho como se estivesse escrita em russo ou em chinês, pois evidentemente trata-se de tudo menos de francês; mas, quando a gente se dá a esse trabalho, como fica recompensada, há tanta imaginação! — Desse pequeno discurso eu não ouvira o começo. Acabei por entender não só que o poeta incapaz de distinguir o belo do feio era Victor Hugo, mas ainda que a poesia que dava tanto trabalho para compreender como se fosse russo ou chinês era:

Quando a criança aparece, o círculo familiar
Aplaude em grandes gritos...

peça do primeiro período do poeta, e que está ainda mais próximo da Sra. Deshoulières que do Victor Hugo da *Legenda dos Séculos*. Longe de achar ridícula a Sra. d'Arpajon, eu a vi (a primeira daquela mesa tão real, tão qualquer, onde eu me sentara com tanta decepção), eu a vi com os olhos do espírito, sob aquela touca de rendas, de onde se escapam os anéis redondos de longos caracóis, usados pela Sra. de Rémusat, a Sra. de Broglie, a Sra. de Saint-Aulaire, todas essas mulheres tão distintas que, em suas cartas encantadoras, citam, com tanta sabedoria e pertinência, Sófocles, Schiller e a *Imitação*, mas a quem as primeiras poesias dos românticos causavam esse horror e esse cansaço, para minha avó inseparáveis dos últimos versos de Stéphane Mallarmé.

— A Sra. d'Arpajon gosta muito de poesia — disse à Sra. de Guermantes a princesa de Parma, impressionada com o tom ardente com que o discurso fora pronunciado.

— Não, ela não entende absolutamente nada de poesia — respondeu em voz baixa a Sra. de Guermantes, que aproveitou que a Sra. d'Arpajon, respondendo a uma objeção do general de Beautreillis, estava por demais ocupada com as próprias palavras para ouvir as que a duquesa sussurrava. — Ela se tornou literária desde que foi abandonada. Devo dizer a Vossa Alteza que eu é que suporto o peso de tudo isso, porque é junto de mim que ela vem gemer de cada vez que Basin não vai vê-la, isto é, quase todos os dias. Não é absolutamente culpa minha se ela o entedia, e não posso forçá-lo a ir à casa dela, embora preferisse que ele lhe fosse um pouco mais fiel, pois assim a veria um pouco menos. Mas ela o aborrece, o que não é extraordinário. Não é má pessoa, mas é entediante a um ponto que a senhora não pode imaginar. Todos os dias, ela me dá tanta dor de cabeça que sou obrigada a tomar de cada vez uma pílula de piramido. E tudo isso porque aprouve a Basin, durante um ano, me enganar com ela. E, com tudo isso, ter um lacaio que está apaixonado por uma mocinha à toa e que se mostra de cara amarrada se não peço a essa jovem que deixe um momento a sua rendosa calçada para vir tomar chá comigo! Oh, a vida é um tédio —, concluiu langorosamente a duquesa. A Sra. d'Arpajon aborrecia o Sr. de Guermantes, principalmente porque ele se tornara, desde pouco, o amante de uma outra, que eu fiquei sabendo ser a marquesa de Surgis-le-Duc.

Era justamente o lacaio privado de seu dia de folga quem estava servindo à mesa. E pensei que, triste ainda, ele o fazia muito perturbado, pois reparei que, passando os pratos ao Sr. de Châtellerault, se desempenhava tão desajeitadamente da tarefa que o cotovelo do duque esbarrou diversas vezes no cotovelo do criado. O jovem duque de modo algum se zangou com o lacaio enrubescido; pelo contrário, olhou-o risonho com seu olhar azul-celeste. O bom humor não me pareceu, da parte do conviva, ser prova de bondade. Mas a insistência de seu riso me fez acreditar que, estando a par da decepção do criado, talvez, ao contrário, experimentasse uma alegria maldosa.

— Mas, minha cara você sabe que não é uma descoberta que está fazendo ao nos falar de Victor Hugo — continuou a duquesa, dirigindo-se desta vez à Sra. d'Arpajon, a quem acabava de ver virar a cabeça com ar inquieto. — Não espera lançar este estreante. Todos sabem que ele tem talento. O que é detestável é o Victor Hugo do fim, *A Legenda dos Séculos*, não sei mais os títulos. Mas *As Folhas de Outono, Os Cantos do Crepúsculo* são muitas vezes de um poeta, de um verdadeiro poeta. Até nas *Contemplações* — acrescentou a duquesa, a quem os interlocutores não ousaram contradizer, e não sem razão —, ainda há coisas bonitas. Mas confesso que acho melhor não me aventurar depois do *Crepúsculo*! E depois, nas belas poesias de Victor Hugo, e elas existem, encontra-se muitas vezes uma idéia, e mesmo uma idéia profunda.

E com um sentimento de justiça, fazendo sair a triste idéia de todas as forças de sua entonação, colocando-a além da voz e fixando à sua frente um olhar atraente e sonhador, a duquesa disse lentamente:

— Olhem:

A mágoa é um fruto. Deus não a faz crescer.
Sobre o galho ainda frágil para carregá-la.

ou então, ainda:

Os mortos bem pouco duram...
Ai de mim, tombam em pó no túmulo, menos depressa
[que em nosso coração!

E, ao passo que um sorriso desencantado franzia com graciosa sinuosidade a sua boca dolorosa, a duquesa fixou na Sra. d'Arpajon o olhar pensativo de seus olhos claros e encantadores. Eu começava a conhecê-los, bem como a sua voz, tão asperamente saborosa, tão pesadamente arrastada. Nesses olhos e nessa voz, eu encontrava muito da natureza de Combray. Certo, na afetação com que essa voz fazia aparecer por instantes uma rudeza de solo, havia muitas coisas: a origem toda provinciana de um ramo da família de Guermantes, que permanecera mais tempo localizado, mais atrevido, mais selvagem, mais provocante; e depois, o hábito de pessoas verdadeiramente distintas e de pessoas de espírito que sabem que a distinção não está em falar com os cantos da boca, e também de nobres que confraternizaram mais de boa vontade com seus camponeses do que com os burgueses; particularidades todas que a posição de rainha da Sra. de Guermantes lhe permitira exibir mais facilmente, desfraldar as velas. Parece que essa mesma voz existia em suas irmãs, que ela detestava e que, menos inteligentes e quase burguesmente casadas, se se pode empregar este advérbio quando se trata de nobres obscuros, enfurnados em sua província ou em Paris, num *faubourg* Saint-Germain sem brilho, também possuíam essa voz, mas tinham-na refreado, corrigido, adocicado tanto quanto podiam, assim como é bem raro que um dentre nós tenha o topete de sua originalidade e não se aplique em assemelhar-se aos modelos mais elogiados. Mas Oriane era de tal modo mais inteligente, de tal modo mais rica, e sobretudo de tal modo mais na moda do que suas irmãs, tivera, como princesa des Laumes, tanta influência junto ao príncipe de Gales, que havia compreendido que essa voz discordante era um atrativo, e fizera dessa voz, na ordem da sociedade, com a audácia da originalidade e do êxito, aquilo que, na ordem do teatro, uma Réjane, uma Jeanne Granier (de resto, sem comparação, naturalmente, entre o valor e o talento destas duas artistas) fizeram da sua algo de admirável e distintivo que talvez as irmãs de Réjane e de Granier, que ninguém jamais conheceu, tentaram disfarçar como um defeito.

A tantos motivos para ampliar sua originalidade local, os escritores preferidos da Sra. de Guermantes — Mérimée, Meilhac e Halévy — tinham vindo ajuntar, com o respeito ao "natural", um desejo de prosaísmo pelo qual ela atingia a poesia, e um espírito puramente de sociedade que ressuscitava paisagens diante de mim. Além disso, a duquesa, acrescentando a essas influências um interesse artístico, era bem capaz de ter escolhido, para maior parte das palavras, a pronúncia que lhe parecia a mais *Île-de-France*, a mais da Champagne, visto que, se não totalmente na medida de sua cunhada Marsantes, ela quase que só empregava o puro vocabulário de que poderia ter se servido um velho escritor francês. E, quando se estava cansado da compósita e variada linguagem moderna, era, mesmo sabendo que ela exprimia menos coisas, um grande repouso ouvir a conversa da Sra. de Guermantes — quase o mesmo repouso, quando se estava a sós com ela e ela ainda restringia e aclarava o seu fluxo, do que o que se experimenta ao ouvir uma velha canção. Então, olhando e ouvindo a Sra. de Guermantes, eu via, prisioneiro da permanente e tranqüila tarde de seus olhos, um céu da *Île-de-France* ou da Champagne estender-se, azulado, oblíquo, com o mesmo ângulo de inclinação que possuía em Saint-Loup.

Assim, por essas diversas formações, a Sra. de Guermantes exprimia a um tempo a mais antiga França aristocrática, e depois, muito mais tarde, o modo como a duquesa de Broglie poderia ter desfrutado e censurado Victor Hugo sob a monarquia de Julho, enfim, um vivo gosto pela literatura produzida por Mérimée e Meilhac. A primeira dessas formações me agradava mais que a segunda, me auxiliava mais a reparar a decepção da viagem e da chegada a esse *faubourg* Saint-Germain, tão diferente daquilo que eu havia pensado; mais preferia ainda a segunda à terceira. Pois, ao passo que a Sra. de Guermantes era Guermantes quase que sem querer, seu pailleronismo,[34] seu gosto por Alexandre Dumas Filho eram refletidos e intencionais. Como esse gosto era o oposto ao meu, ela fornecia literatura ao meu espírito quando me falava do *faubourg* Saint-Germain, e nunca me parecia tão estupidamente *faubourg* Saint-Germain quando me falava de literatura.

[34] *Pailleronismo*: substantivo derivado do nome de Édouard Pailleron, autor dramático francês (1834-1899), membro da Academia Francesa. (N. do T.)

Comovida pelos últimos versos, a Sra. d'Arpajon exclamou:

Estas relíquias do coração também possuem seu pó!

— Senhor, precisa escrever-me isto no meu leque — disse ela ao Sr. de Guermantes.

— Pobre mulher, ela me dá pena — disse a princesa de Parma à Sra. de Guermantes.

— Não; que Vossa Alteza não se enterneça, pois ela não o merece.

— Mas... perdão por lhe dizer isto... contudo, ela o ama de verdade!

— Mas de modo algum; ela é incapaz disso; julga que o ama como julga neste instante que cita Victor Hugo, quando está dizendo um verso de Musset. Olhem — acrescentou a duquesa com um tom melancólico —, ninguém mais que eu se sentiria tocado por um sentimento verdadeiro. Porém vou lhes dar um exemplo. Ontem, ela fez uma cena terrível para Basin; Vossa Alteza talvez creia que fosse porque ele ama outras mulheres, porque ele já não a ama; de modo algum, era porque ele não quer apresentar seus filhos ao Jockey! Vossa Alteza acha que isso seja atitude de pessoa enamorada? Não! Digo mais — acrescentou a Sra. de Guermantes, incisiva: — é uma pessoa de rara insensibilidade.

Entretanto, foi com os olhos brilhantes de satisfação que o Sr. de Guermantes ouvira sua mulher falar de Victor Hugo "à queima-roupa" e citar-lhe aqueles poucos versos. Por muito que a duquesa o irritasse, ele se sentia orgulhoso dela em momentos como aquele. — Oriane é verdadeiramente extraordinária. Pode falar sobre tudo, leu tudo. Ela não podia adivinhar que a conversa recairia esta noite sobre Victor Hugo. Sobre qualquer assunto que a interroguem, ela está pronta, pode enfrentar os mais sábios. Este rapaz deve estar subjugado.

— Mas mudemos de assunto — acrescentou a Sra. de Guermantes — porque ele é muito suscetível. Você deve me achar muito fora de moda — continuou, dirigindo-se a mim: — sei que hoje em dia é considerado fraqueza amar as idéias em poesia, a poesia em que existe um pensamento.

— Fora de moda? — disse a princesa de Parma com a leve surpresa que lhe causava essa vaga novidade inesperada, embora soubesse que a conversa da duquesa de Guermantes lhe reservava sempre aqueles choques sucessivos e deliciosos, aquele espanto sufocante, aquela saudável fadiga, após os quais pensava instintivamente na necessidade de tomar um escalda-pés num reservado e caminhar depressa para "fazer a reação".

— De minha parte não, Oriane — disse a Sra. de Brissac —; não censuro Victor Hugo por ter idéias, muito pelo contrário; mas por ir buscá-las no que é monstruoso. No fundo, foi ele quem nos habituou ao feio em literatura. Já existe muita feiúra na vida. Por que, pelo menos, não esquecê-la enquanto estamos lendo? Um espetáculo penoso de que nos desviaríamos na vida, eis o que atrai Victor Hugo.

— Mesmo assim, Victor Hugo não é tão realista quanto Zola? — perguntou a princesa de Parma.

O nome de Zola não fez mover um só músculo ao rosto do Sr. de Beautreillis. O antidreyfusismo do general era profundo demais para que ele buscasse exprimi-lo. E seu silêncio benevolente, quando tais assuntos eram abordados, tocava os profanos com a mesma delicadeza que mostram um padre ao evitar falar-nos de nossos deveres religiosos, um financista ao não se empenhar em recomendar-nos os negócios que dirige, um hércules, ao se mostrar afável e não nos dar socos.

— Sei que o senhor é parente do almirante Jurien de La Gravière — disse-me com ar entendido a Sra. de Varambon, dama de honra da princesa de Parma, mulher excelente porém tacanha, indicada à princesa de Parma antigamente pela mãe do duque. Ela ainda não me dirigira a palavra e jamais pude, depois, apesar das admoestações da princesa e de meus próprios protestos, lhe tirar da cabeça a idéia de que eu tinha alguma coisa a ver com o almirante acadêmico, que me era totalmente desconhecido. A obstinação da dama de honra da princesa de Parma em ver em mim um sobrinho do almirante Jurien de La Gravière tinha em si mesma algo de vulgarmente risível. Mas o erro cometido por ela não passava do tipo excessivo e ressequido de tantos erros mais leves, mais nuançados, involuntários ou intencionais, que acompanham o nosso nome na "ficha" que a sociedade estabelece a nosso respeito. Lembre-se de que um amigo dos Guermantes, tendo vivamente manifestado seu desejo de me conhecer, deu-me como motivo o fato de que eu conhecia muito bem a sua prima, Sra. de Chaussegros, "ela é encantadora e gosta muito do senhor". Tive o escrúpulo, totalmente vão, de insistir em que ele estava equivocado, que eu não conhecia a Sra. de Chaussegros. "Então é a sua irmã que o senhor conhece, dá no mesmo. Ela o encontrou na Escócia." Eu jamais fora à Escócia e, por honestidade, inutilmente informei disso o meu interlocutor. Fora a própria Sra. de Chaussegros quem dissera que me conhecia, e, sem dúvida, acreditava-o de boa-fé, devido a uma primeira confusão, pois ela jamais deixou de me estender a mão ao se encontrar comigo. E, como, em suma, o meio que eu freqüentava era exatamente o mesmo do da Sra. de Chaussegros, minha humildade não fazia sentido. Que eu fosse íntimo dos Chaussegros era literalmente um erro, mas, do ponto de vista social, tinha equivalência à minha posição, se se pode falar de posição no caso de um homem tão jovem como eu. O amigo dos Guermantes, ainda que só dissesse falsidades a meu respeito, não me rebaixou nem me valorizou (do ponto de vista mundano) na idéia que continuou a fazer de mim. E, afinal de contas, para aqueles que não estão representando uma comédia, o tédio de viver sempre a mesma personagem é dissipado num instante, como se subíssemos ao palco, quando uma pessoa faz de nós uma idéia falsa, julga que temos relação com uma senhora que não conhecemos e somos notados por tê-la conhecido no decurso de uma viagem encantadora que jamais fizemos. Erros multiplicativos e amáveis quando não têm a inflexível rigidez do que cometia, e continuou a cometer vida afora, apesar de minhas negativas, a imbecil dama de honor da Sra. de Parma, presa para sempre na crença de que eu era parente do aborrecido almirante Jurien de La Gravière. — Ela não é muito forte — disse-me o duque —; e depois, não precisa de muitas libações; creio-a ligeiramente sob a influência de Baco. — Na verdade, a Sra. de Varambon só bebera água, mas o duque apreciava usar suas locuções favoritas.

— Mas Zola não é um realista, Alteza! É um poeta! — afirmou a duquesa de Guermantes, inspirando-se em estudos críticos que havia lido naqueles últimos anos e adaptando-os ao seu temperamento pessoal. Agradavelmente sacudida até aqui, no curso do banho de espírito, um banho para si mesma, e que tomava nessa noite, julgando que lhe fosse particularmente salutar, deixando-se levar pelos paradoxos que, um após outro, iam jorrando — diante deste, mais tremendo que os outros, a princesa de Parma saltou, com receio de ser derrubada. E foi com voz entrecortada, como se estivesse sem fôlego, que exclamou:

— Zola, um poeta!

— Sim — respondeu rindo a duquesa, encantada com aquele efeito de sufocação. — Que Vossa Alteza veja bem como ele engrandece tudo o que toca. Poderá me dizer que ele toca apenas naquilo que... traz felicidade! Porém faz disso algo de imenso! Ele possui o estrume épico! É o Homero da lixeira! Não tem suficientes maiúsculas para escrever a palavra de Cambronne![35]

Apesar do extremo cansaço que principiava a sentir, a princesa estava deslumbrada; nunca se sentira melhor. Não trocaria por uma temporada em Schönbrunn, que no entanto era a única coisa que lisonjeava, aqueles jantares divinos da Sra. de Guermantes, tonificantes devido a tanto sal.

— Ele o escreve com um grande C! — exclamou a Sra. d'Arpajon.

[35] Sobre a "palavra de Cambronne", ver a nota 5, p. 269, de *No Caminho de Swann*. (N. do T.)

— Ou melhor, com um grande M, acho eu, minha pequena — respondeu a Sra. de Guermantes, não sem ter trocado com o marido um olhar alegre que queria dizer: "Ela é idiota demais!" — Olhe justamente — disse-me a Sra. de Guermantes fixando em mim um olhar risonho e suave e porque, como perfeita dona de casa, pretendia, acerca do artista que especialmente me interessava, deixar luzir seu conhecimento e, caso necessário, dar-me ocasião de mostrar o meu —; olhe — disse-me ela, agitando levemente o seu leque de plumas, tanta consciência possuía naquele instante de que exercia plenamente os deveres da hospitalidade; e, para não falar a nenhum, fazendo sinal para que voltassem a me dar aspargos com molho *mousseline* —, olhe, creio que Zola escreveu justamente um estudo sobre Elstir, esse pintor de quem o senhor foi olhar alguns quadros agora há pouco, os únicos, aliás, que aprecio dele — acrescentou. Na realidade, ela detestava a pintura de Elstir, mas julgava de qualidade única tudo o que se achava em sua casa. Perguntei ao Sr. de Guermantes se sabia o nome do senhor que figurava de cartola no quadro popular, e que eu reconhecera como sendo o mesmo de que os Guermantes possuíam, bem ao lado, o retrato de traje a rigor, datando mais ou menos do mesmo período em que a personalidade de Elstir ainda não se libertara de todo e se inspirava um pouco em Manet. — Meu Deus — respondeu-me ele —, sei que é um homem que não é desconhecido nem um imbecil em sua especialidade, mas confundo-me com os nomes. Tenho-o na ponta da língua, senhor... senhor... enfim, pouco importa, não sei mais. Swann poderia lhe dizer isso, foi ele quem fez com que a Sra. de Guermantes comprasse esses troços, ela que é sempre muito amável, que tem sempre receio de contrariar se recusa alguma coisa; cá entre nós, acho que ele nos impingiu umas drogas. O que posso afirmar é que aquele cavalheiro é, para Elstir, uma espécie de Mecenas que o lançou, e seguidamente o tem livrado de apuros encomendando-lhe quadros. Por gratidão (se chama a isso de gratidão, depende dos gostos), ele o pintou naquele quadro, onde, com seu jeito endomingado, faz um efeito bem divertido. Pode ser um figurão muito importante, mas evidentemente ignora em que circunstâncias se põe uma cartola. Com a sua, no meio de todas aquelas moças de cabelos soltos, dá impressão de um pequeno notário de província na farra. Mas, diga-me, parece que o senhor está inteiramente apaixonado por esses quadros. Se eu tivesse sabido disso antes, teria me informado para lhe responder. Além do mais, não faz sentido quebrar a cabeça para examinar a pintura do Sr. Elstir como se se tratasse de *A Fonte*, de Ingres, ou de *Os Filhos de Eduardo*, de Paul Delaroche. O que se pode apreciar naquilo é que é finamente observado, agradável, parisiense, e depois passa-se adiante. Não há necessidade de ser um erudito para olhar aquilo; sei muito bem que são simples esboços, mas não creio que sejam bastante trabalhados. Swann teve o topete de querer que comprássemos um *Molho de Aspargos*. Chegaram a ficar aqui por alguns dias. Não havia outra coisa no quadro, um molho de aspargos precisamente iguais aos que o senhor está comendo. Mas eu recusei-me a engolir os aspargos do Sr. Elstir. Pedia trezentos francos por eles. Trezentos francos por um molho de aspargos! Um luís, eis o que valem, mesmo quando novos. Achei demais. Quando ele acrescenta a essas coisas um certo número de personagens, fica tudo com um ar meio canalha, pessimista, que me desagrada. Espanta-me ver um espírito fino, um cérebro dotado como é o seu caso, gostar dessas coisas.

— Mas não sei por que diz isso, Basin — comentou a duquesa, que não gostava que depreciassem o que seus salões continham. — Longe estou de admitir tudo sem distinção nos quadros de Elstir. Há o que pegar e o que deixar. Mas nem sempre é desprovido de talento. E é precioso confessar que estes que comprei são de rara beleza.

— Oriane, nesse gênero, prefiro mil vezes o pequeno estudo do Sr. Vibert que vimos na Exposição dos Aquarelistas. Não é nada, se quiser, caberia na palma da mão, mas possui espírito até a ponta dos dedos: esse missionário descarnado, sujo, diante daquele padre afeminado que faz pular seu cãozinho, é todo um poemeto de finura e até de profundidade.

— Creio que o senhor conhece o Sr. Elstir — disse-me a duquesa. — O homem é agradável.

— É inteligente — disse o duque —; a gente se espanta, ao conversar com ele, de que sua pintura seja tão vulgar.

— É mais do que inteligente, é até bastante espirituoso — afirmou a duquesa com o ar entendido e degustador de alguém que conhece o assunto.

— Ele não tinha principiado um retrato seu, Oriane? — perguntou a princesa de Parma.

— Sim, em vermelho-lagosta — respondeu a Sra. de Guermantes —, mas não é isso que fará passar seu nome à posteridade. É um horror, Basin queria destruí-lo.

Esta frase, a Sra. de Guermantes pronunciava-a seguidamente. Outras vezes, porém, sua apreciação era diversa: — Não gosto da sua pintura, mas ele fez antigamente um belo retrato meu. — Um destes juízos endereçava-se de costume às pessoas que falavam à duquesa sobre o seu retrato, o outro aos que não lhe falavam dele e aos quais ela desejava informar sobre sua existência. O primeiro era-lhe inspirado pela coqueteria; o segundo, pela vaidade.

— Fazer um horror com um retrato seu! Mas então não é um retrato, é uma mentira: eu, que mal sei segurar um pincel, tenho a impressão de que, se a pintasse, apenas representando o que vejo, faria uma obra-prima — disse ingenuamente a princesa de Parma.

— Ele me vê provavelmente como eu própria me vejo, isto é, destituída de atrativos — disse a Sra. de Guermantes com o olhar a um tempo melancólico, modesto e carinhoso, que lhe pareceu o mais apropriado para mostrá-la bem diferente do que a pintara Elstir.

— Esse retrato não deve desagradar à Sra. de Gallardon — disse o duque.

— Porque ela não entende nada de pintura? — indagou a princesa de Parma, que sabia que a Sra. de Guermantes desprezava infinitamente a sua prima. — Mas é uma boa mulher, não? — O duque assumiu um ar de profundo espanto.

— Ora, Basin, não vê que a princesa está zombando de você? (A princesa nem pensava nisso.) Ela sabe tão bem quanto você que a Gallardonette é um *veneno* antigo — continuou a Sra. de Guermantes, cujo vocabulário, habitualmente limitado a todas essas velhas expressões, era saboroso como esses pratos que se podem descobrir nos livros deliciosos de Pampille, mas na realidade tornados tão raros, em que as geléias, a manteiga, os sumos e as almôndegas são autênticos, não comportam nenhuma mistura, e onde até se manda buscar o sal dos pântanos salinos da Bretanha: pelo acento, pela escolha dos vocábulos, sentia-se que o fundamento das conversações da duquesa provinha diretamente de Guermantes. Desse modo, a duquesa diferia essencialmente de seu sobrinho Saint-Loup, que absorvera tantas idéias e expressões novas; é difícil, quando se é perturbado pelas idéias de Kant e pela nostalgia de Baudelaire, escreve o francês elegante de Henrique IV, de modo que a pureza mesma da linguagem da duquesa era um sinal de limitação e que, nela, a inteligência e a sensibilidade permaneciam fechadas a todas as coisas novas. Mesmo sob tal aspecto, o espírito da Sra. de Guermantes me agradava, justamente pelo que excluía (e que precisamente compunha a matéria de meu próprio pensamento) e por tudo o que, devido a isso mesmo, pudera conservar, com esse atraente vigor dos corpos flexíveis que nenhuma reflexão exaustiva, nenhum cuidado moral ou perturbação nervosa poderiam alterar. Seu espírito, de formação tão anterior ao meu, era para mim o equivalente do que me oferecera o andar das moças do pequeno grupo à beira-mar. A Sra. de Guermantes me ofertava, domados e submissos pela amabilidade, pelo respeito aos valores espirituais, a energia e o encanto de uma cruel menina da aristocracia dos arredores de Combray, que, desde a infância, montava a cavalo, descadeirava os gatos, arrancava os olhos dos coelhos, e, tanto como ela, permanecera uma flor de virtude, teria podido, já que possuía as mesmas elegâncias não muitos anos atrás, ser a mais notável amante do príncipe de Sagan. Unicamente, era incapaz de compreender o que eu havia procurado nela — o encanto do nome de Guermantes — e o pouquinho que eu encontrava, um resto provinciano de Guermantes. Nossas relações se fundavam num mal-entendido que não podia deixar de se manifestar desde que minhas homenagens, em lugar de se dirigirem à mulher relativamente superior que ela julgava ser, se encaminhassem para qualquer outra mulher igualmente medíocre e de quem se evolasse o mesmo encanto involuntário. Mal-entendido tão natural e que existirá sempre entre um rapaz sonhador e uma mulher da sociedade, e que o perturba profundamente enquanto ele ainda não reconhecer a natureza de suas faculdades de imaginação e não tiver sua parte nas inevitáveis decepções que deve experimentar com as criaturas, tal como no teatro, em viagem, ou mesmo no amor.

Tendo o Sr. de Guermantes declarado (continuando com os aspargos de Elstir e os que acabavam de ser servidos após o *poulet financière*) que os aspargos verdes crescidos ao ar livre, e que, como tão espirituosamente diz o autor refinado que se assina E. de Clermont-Tonnerre, "não possuem a rigidez impressionante de seus irmãos", deveriam ser comidos com ovos, comentou o Sr. de Bréauté: — o que agrada a uns e desgosta a outros, e vice-versa. Na província de Cantão, na China, não nos podem oferecer algo mais refinado que ovos de hortulana completamente podres. — O Sr. de Bréauté, autor de um estudo sobre os mórmons, publicado na *Revue des Deux Mondes*, só freqüentava os meios aristocráticos, e entre estes somente os que tinham uma certa fama de inteligência. De modo que, pela sua presença pelo menos assídua, na casa de uma mulher, a gente reconhecia se esta possuía um salão. Pretendia detestar a sociedade e afirmava separadamente a cada duquesa que era devido a seu espírito e à sua beleza que ele a procurava. Todas se convenciam disso. Sempre que, com a morte na alma, se resignava a ir a um sarau de gala na casa da princesa de Parma, convocava-as a todas para lhe darem ânimo e, assim, só aparecia no meio de um círculo íntimo. Para que sua reputação de intelectual sobrevivesse à sua mundanidade, ele, aplicando certas máximas do espírito de Guermantes, partia com damas elegantes para longas viagens científicas, à época dos bailes; e, quando uma pessoa esnobe, por conseguinte ainda sem situação, começava a ir a toda parte, o Sr. de Bréauté punha uma obstinação feroz em não querer conhecê-la, nem se deixar apresentar. Seu ódio aos esnobes decorria de seu esnobismo, mas aos ingênuos, ou seja, a todo mundo, fazia crer que ele estava isento dessa acusação.

— Babal sempre sabe tudo! — exclamou a duquesa de Guermantes. — Acho encantadora uma terra em que a gente quer estar segura de que o fornecedor nos venda ovos bem podres, ovos do ano do cometa. Imagino-me daqui mergulhando neles um pãozinho com manteiga. Devo dizer que isto acontece na casa da tia Madeleine (Sra. de Villeparisis), onde servem coisas apodrecidas, até mesmo ovos (e, como a Sra. d'Arpajon protestasse): ora, Phili, você sabe disso tão bem quanto eu. O pintinho já está no ovo. Nem sei como têm juízo para se manterem quietinhos ali. Não é uma omelete, é um galinheiro, mas, pelo menos, não vem indicado no cardápio. Você fez bem em não ir jantar lá, anteontem. Havia um rodovalho em ácido fênico! Não parecia um serviço de mesa, mas um serviço de contagiosos. Verdadeiramente, Norpois leva a fidelidade até o heroísmo: ele repetiu!

— Creio que o vi na casa dela no dia em que ela fez aquela réplica ao tal Sr. Bloch (o Sr. de Guermantes, talvez para dar feição mais estrangeira a um nome judeu, não pronunciava o *ch* de Bloch feito um *K*, e sim como na palavra alemã *hoch*), que dissera, já não sei de que *pueta* (poeta), que era sublime. Por mais que Châtellerault fustigasse as canelas do Sr. Bloch, este não entendia e achava que as joelhadas do meu sobrinho se destinavam a uma moça que estava sentada junto dele (aqui o Sr. de Guermantes enrubesceu de leve). Não percebia que irritava a nossa tia com seus "sublimes", dados a torto e a direito. Em breve, a tia Madeleine, que não tem papas na língua, retrucou: — Ei, senhor, o que guardará então para o Sr. de Bossuet? — (O Sr. de Guermantes julgava que, diante de um nome célebre, o uso de senhor e de uma partícula eram essencialmente *Ancien Régime*). — Era da gente pagar para ver.

— E o que respondeu o Sr. Bloch? — perguntou distraidamente a Sra. de Guermantes, que, por falta de originalidade naquele instante, julgou dever copiar a pronúncia germânica do marido.

— Ah, asseguro-lhes que o Sr. Bloch não esperou pela resposta. E corre ainda.

— Ah, sim, lembro-me muito bem de o ter visto naquele dia — disse-me a Sra. de Guermantes acentuando as palavras, como se de sua parte essa lembrança tivesse algo que devesse me lisonjear bastante. — É sempre muito interessante na casa da minha tia. No último sarau, onde justamente o encontrei, desejava lhe perguntar se aquele velho senhor que passou perto de nós não seria François Coppée. O senhor deve saber todos os nomes — disse ela com sincera inveja quanto às minhas relações poéticas e também por amabilidade para comigo, a fim de ostentar aos olhos dos convidados um rapaz tão versado em literatura. Assegurei à duquesa não ter visto nenhuma figura célebre no sarau da Sra. de Villeparisis. — Como!

— disse-me arrebatadamente a Sra. de Guermantes, confessando assim que seu respeito pelos literatos e seu desdém pelas coisas mundanas eram mais superficiais do que dizia e talvez mais do que imaginava: — Como! Não havia grandes escritores! O senhor me surpreende, pois no entanto lá estavam alguns tipos impossíveis!

Eu me lembrava muito bem daquela noite, por causa de um incidente de todo insignificante. A Sra. de Villeparisis apresentara Bloch à Sra. Alphonse de Rothschild, mas meu camarada não entendera o nome e, julgando que se tratava de uma velha inglesa meio doida, só respondera por monossílabos às frases prolixas da velha Beldade, quando a Sra. de Villeparisis, apresentando-a a outro qualquer, pronunciara, desta vez distintamente: "a baronesa Alphonse de Rothschild". Tinham entrado então nas artérias de Bloch, subitamente e de um só golpe, tantas idéias de milhões e de prestígio, as quais deveriam ter sido prudentemente subdivididas, que ele sentira como que um choque no coração, um arrebatamento no cérebro e pusera-se a exclamar na presença da velha e amável senhora: "Se eu tivesse sabido!" — exclamação cuja estupidez o impedira de dormir durante oito dias. Essa frase de Bloch era de pouco interesse, mas eu a recordava como prova de que às vezes na vida, sob o impacto de uma emoção excepcional, a gente diz o que pensa.

— Creio que a Sra. de Villeparisis não é absolutamente... moral — disse a princesa de Parma, sabendo que não se ia à casa da tia da duquesa e, pelo que esta acabava de dizer, vendo que era possível falar livremente. Mas tendo a Sra. de Guermantes um ar de desaprovação, ela emendou: — Mas a esse ponto, a inteligência faz perdoar tudo.

— Vocês fazem da minha tia a idéia que se faz geralmente — replicou a duquesa —; e que, em suma, é bem falsa. É justamente o que me dizia Mémé ainda ontem. — Ela enrubesceu, uma lembrança ignorada de mim lhe embaciou o olhar. Formei a suposição de que o Sr. de Charlus lhe pedira para me desconvidar, como já mandara Robert pedir-me que não comparecesse à casa dela. Tive a impressão de que o rubor — aliás incompreensível para mim — que tivera o duque ao falar há pouco do irmão não podia ser atribuído à mesma causa. — Pobre tia! Ela conservará a reputação de uma pessoa do *Ancien Régime*, de espírito fascinante e de libertinagem desenfreada; não há inteligência mais burguesa, mais séria, mais terna; ela há de passar por uma protetora das artes, o que significa ter sido a amante de um grande pintor, mas ele jamais pôde fazê-la compreender o que era um quadro; e, quanto à sua vida, bem longe de ser uma pessoa depravada, ela era realmente feita para o casamento, de tal modo nascera conjugal que, não tendo podido conservar um esposo, que aliás era um canalha, nunca teve uma ligação que não levasse tão a sério como se fosse uma união legítima, com as mesmas suscetibilidades, as mesmas cóleras, a mesma fidelidade. Reparem que estas são às vezes as mais sinceras; em suma, há mais amantes que maridos inconsoláveis.

— Entretanto, Oriane, repare justamente no seu cunhado Palamède, de que está falando; ele não tem amante que possa sonhar ser chorada, como o foi a pobre Sra. de Charlus.

— Ah! — respondeu a duquesa — que Vossa Alteza me permita não ser inteiramente de sua opinião. Nem todos gostam de ser chorados da mesma forma, cada qual tem suas preferências.

— Enfim, ele lhe votou um verdadeiro culto após a sua morte. É verdade que algumas vezes fazemos pelos mortos o que não faríamos pelos vivos.

— Primeiro — respondeu a Sra. de Guermantes, com um acento sonhador que contrastava com sua intenção zombeteira — a gente vai a seu enterro, o que nunca se faz pelos vivos! — O Sr. de Guermantes encarou o Sr. de Bréauté com ar malicioso, como para provocá-lo a rir do espírito da duquesa. — Mas, enfim, confesso francamente — continuou a Sra. de Guermantes — que a forma como eu desejaria ser panteada por um homem a quem amasse não é a de meu cunhado.

O rosto do duque se ensombreceu. Não gostava que a mulher emitisse juízos a torto e a direito, sobretudo acerca do Sr. de Charlus. — Você é difícil. A mágoa dele sensibilizou todo mundo — disse ele em tom malhumorado. Mas a duquesa possuía, em relação ao marido, esta espécie de ousadia dos domadores ou dos que convivem com um doido e não receiam molestá-lo:

— Muito bem! Que é que você quer, é edificante, não digo que não, ele vai todos os dias ao cemitério lhe contar quantas pessoas teve no jantar, lamenta-a enormemente, mas como a uma prima, a uma avó, a uma irmã. Não é luto de marido. É verdade que se tratava de dois santos, o que torna o luto um pouco especial. — O Sr. de Guermantes, irritado com o falatório da mulher, fixava nela as pupilas carregadas, com terrível imobilidade. — Não é para falar mal do pobre Mémé, que, entre parênteses, não estava livre esta noite — prosseguiu a duquesa —; reconheço que é bom como pessoa, é delicioso, tem uma delicadeza, um coração de mulher, o Mémé!

— O que você diz é absurdo — interrompeu vivamente o Sr. de Guermantes. — Mémé não tem nada de afeminado, ninguém é mais viril que ele.

— Mas não digo que ele seja afeminado de jeito nenhum. Compreenda pelo menos o que estou dizendo — retrucou a duquesa. — Ah, esse aí, quando acha que querem mexer com seu irmão... — acrescentou ela voltando-se para a princesa de Parma.

— É muito gentil, é delicioso de ouvir. Não há nada tão belo como dois irmãos que se estimam — disse a princesa de Parma, como o teria feito muita gente do povo, pois pode-se pertencer pelo sangue a uma família principesca e, pelo espírito, a uma família bem popular.

— Já que falávamos da sua família, Oriane — disse a princesa —, vi ontem o seu sobrinho Saint-Loup; creio que desejava lhe pedir um favor. — O duque de Guermantes franziu o cenho jupiteriano. Quando não gostava de prestar um favor, não queria que a mulher se encarregasse dele, sabendo que isso daria no mesmo e que as pessoas a quem a duquesa se visse obrigada a pedi-lo o inscreveriam no débito comum do casal, tanto como se fosse solicitado apenas pelo marido.

— Por que não me pediu pessoalmente? — Indagou a duquesa. — Ele ficou duas horas aqui, ontem, e Deus sabe como pôde ser aborrecido. Não seria mais estúpido que qualquer outro se tivesse tido, como tantas pessoas da sociedade, a inteligência de saber continuar estúpido. Apenas, esse toque de sabedoria é que é terrível. Ele quer ter uma inteligência aberta... aberta a todas as coisas que não compreende. Ele lhe fala de Marrocos, é horrível.

— Ele não quer voltar para lá por causa de Rachel — disse o príncipe de Foix.

— Mas já que romperam — interrompeu o Sr. de Bréauté.

— Tanto não romperam que eu a encontrei há dois dias na *garçonnière* de Robert; asseguro-lhe que não davam a impressão de pessoas brigadas — respondeu o príncipe de Foix, que apreciava espalhar todos os rumores que pudessem fazer gorar um casamento para Robert e que, aliás, podia ter sido enganado pelos reatamentos intermitentes de uma ligação efetivamente encerrada.

— Essa Rachel me falou do senhor; vejo-a de quando em vez, passando de manhã pelos Champs-Élysées, é uma espécie de *évaporée* como dizem os senhores, o que os senhores chamam uma *dégrafée*, uma espécie de "Dama das camélias", no sentido figurado, é claro. — Esse discurso me era dirigido pelo príncipe Von, que fazia questão de mostrar-se a par da literatura francesa e das finuras parisienses.

— Justamente, é a propósito de Marrocos... — exclamou a princesa, apanhando a deixa precipitadamente.

— Que pode querer ele para o Marrocos? — perguntou severamente o Sr. de Guermantes —; Oriane não consegue absolutamente nada nesse sentido. E ele bem o sabe.

— Ele crê que inventou a estratégia — prosseguiu a Sra. de Guermantes —; e depois, emprega palavras impossíveis para as menores coisas, o que não impede que faça borrões em suas cartas. Outro dia, disse que havia comido batatas *sublimes* e que achara para alugar um camarote *sublime*.

— Ele fala latim — encareceu o duque.

— Como, latim? — perguntou a princesa.

— Palavra de honra! Que Vossa Alteza pergunte a Oriane se eu exagero.

— Como não, Alteza; outro dia ele disse uma frase, de um só fôlego: "Não conheço mais tocante exemplo de *sic transit gloria mundi*"; disse a frase a Vossa Alteza porque, depois de vinte perguntas e apelando para *lingüistas*, chegamos a reconstituí-la, mas Robert lançou-a sem tomar fôlego, mas se podia verificar que havia latim aí, ele dava a impressão de um personagem do *Doente imaginário*! E tudo isso se relacionava à morte da imperatriz da Áustria!

— Pobre mulher! — exclamou a princesa. — Era uma criatura deliciosa!

— Sim — concordou a duquesa —; um tanto louca, um tanto insensata, mas era uma boa mulher, uma louca gentil e muito amável; apenas nunca entendi por que jamais comprara uma dentadura que se mantivesse firme; a sua se despregava sempre antes do fim das frases, e ela era obrigada a interrompê-las para não a engolir.

— Essa Rachel me falou do senhor; disse-me que o pequeno Saint-Loup o adorava, chegava a preferi-lo a ela — disse-me o príncipe Von, comendo sempre como um ogro, o rosto vermelho, e cujo riso perpétuo descobria todos os dentes.

— Mas então, ela deve ter ciúme de mim e me detestar — respondi.

— De forma alguma. Ela me falou muito bem do senhor. A amante do príncipe de Foix talvez se sentisse enciumada se ele o preferisse a ela. Não compreende? Volte comigo, que eu lhe explicarei tudo.

— Não posso; vou à casa do Sr. de Charlus às onze horas.

— Veja só; ontem ele me convidou para jantar esta noite, mas que não aparecesse depois das dez e quarenta e cinco. Mas, se o senhor tem de ir à casa dele, ao menos venha comigo até o Théâtre-Français, e o senhor estará na periferia — disse o príncipe, que sem dúvida achava que aquilo queria dizer "nas proximidades", ou talvez "no centro".

Porém seus olhos dilatados em seu belo rosto rechonchudo e vermelho me deram medo, e recuei dizendo que um amigo devia vir me buscar. Tal resposta não me parecia ofensiva. Entretanto, o príncipe pensava de modo diverso, pois nunca mais me dirigiu a palavra.

— É preciso justamente que eu vá ver a rainha de Nápoles, que desgosto ela não deve sentir! — disse (ou pelo menos me pareceu ter dito) a princesa de Parma. Pois estas palavras só me vieram indistintamente através das outras, mais próximas, que me dirigira no entanto em voz baixa, o príncipe Von, que sem dúvida receava, caso falasse em tom mais alto, ser ouvido pelo Sr. de Foix.

— Ah, não — respondeu a duquesa —; creio que ela não tem desgosto nenhum.

— Nenhum? Você está sempre nos extremos, Oriane — disse o Sr. de Guermantes, retomando seu papel de falésia que, opondo-se às vagas, obriga-as a lançarem mais alto o seu rolo de espumas.

— Basin sabe ainda melhor que eu que estou dizendo a verdade — replicou a duquesa —, mas julga-se forçado a assumir ares de severidade devido à sua presença; tem medo que eu a escandalize.

— Oh, não, por favor! — exclamou a princesa de Parma, temendo que por causa dela alterassem em alguma coisa aquelas deliciosas quartas-feiras da duquesa de Guermantes, aquele fruto proibido que a própria rainha da Suécia ainda não tivera o direito de comer.

— Pois foi justamente ao próprio Basin que ela respondeu, como ele dizia, com um ar banalmente triste: "Mas a rainha está de luto; por quem? É um desgosto para Vossa Majestade?" — "Não, não é luto fechado, é um luto aliviado, muito aliviado; é pela minha irmã." — A verdade é que ela está encantada, seja como for; Basin sabe disso perfeitamente, ela nos convidou para uma festa no mesmo dia e deu-me duas pérolas. Gostaria que ela perdesse uma irmã diariamente! Ela não chora a morte da irmã, ri às gargalhadas. Provavelmente diz consigo, como Robert, que *sic transit* nem sei o quê mais — acrescentou por modéstia, pois sabia-o muito bem.

Aliás, a Sra. de Guermantes só estava fazendo espírito, e do mais falso, pois a rainha de Nápoles, como a duquesa d'Alençon, também morta de modo trágico, era dotada de um coração generoso e havia chorado sinceramente os seus. A Sra. de Guermantes conhecia bastante as nobres irmãs bávaras, suas primas, para ignorá-lo.

— Ele gostaria de não regressar a Marrocos — disse a princesa de Parma, apanhando de novo esse nome de Robert que a Sra. de Guermantes lhe estendia muito involuntariamente como uma vara. — Creio que conhece o general de Monserfeuil.

— Muito pouco — respondeu a duquesa, que no entanto era íntima desse oficial. A princesa explicou o que Robert desejava.

— Meu Deus, se eu o visse... Pode acontecer que o encontre — respondeu, para não dar a impressão de recusar, a duquesa, cujas relações com o general de Monserfeuil pareciam rapidamente espaçar-se quando se tratava de lhe pedir algo. No entanto, essa incerteza não bastou ao duque, que, interrompendo a mulher, disse:

— Sabe muito bem que não o verá, Oriane e, além disso, já lhe pediu duas coisas a que ele não entendeu. Minha esposa tem mania de ser amável — continuou, cada vez mais furioso, para forçar a princesa a retirar seu pedido, sem que isso pusesse em dúvida a amabilidade da duquesa e para que a Sra. de Parma atribuísse a coisa ao próprio caráter de Robert, basicamente caprichoso. — Robert poderia obter o que quisesse com Monserfeuil. Apenas, como ele não sabe o que quer, manda pedi-lo por nosso intermédio, porque sabe não há melhor modo de fazer fracassar a coisa. Oriane pediu coisas demais a Monserfeuil. Um pedido dela agora é motivo para que ele recuse.

— Bem, nessas condições é melhor que a duquesa não faça nada — disse a Sra. de Parma.

— Naturalmente — concluiu o duque.

— Esse pobre general foi outra vez derrotado nas eleições — disse a princesa de Parma, para mudar de assunto.

— Oh, não é nada grave, é apenas a sétima vez — disse o duque, que, tendo sido ele próprio obrigado a renunciar à política, apreciava bastante o fracasso eleitoral dos outros. — Ele se consolou fazendo um novo filho na mulher.

— Como! A pobre Sra. de Monserfeuil está grávida outra vez? — espantou-se a princesa.

— Perfeitamente — respondeu a duquesa —; é o único *arrondissement* em que o pobre general jamais fracassou.[36]

Daí em diante eu jamais deveria deixar de ser convidado, mesmo com apenas algumas pessoas, para aquelas refeições cujos convivas eu imaginara outrora como os Apóstolos da Santa Ceia. De fato, eles se reuniam ali, como os primeiros cristãos, não para partilhar apenas um alimento material, aliás delicioso, mas para uma espécie de Ceia social; de modo que em poucos jantares assimilei o conhecimento de todos os amigos de meus anfitriões, amigos aos quais me apresentavam com um matiz tão acentuado de benevolência (como alguém a quem tivessem preferido paternalmente o tempo inteiro) que não houve um dentre eles que não acreditasse incorrer em falta para com o duque e a duquesa se desse um baile sem me

---

[36] Trocadilho em francês com os dois significados de *arrondissement*: "arredondamento" e "distrito". (N. do T.)

fazer figurar numa lista de convidados e, ao mesmo tempo, enquanto bebia um dos *yquems* das adegas dos Guermantes, eu saboreava as hortulanas preparadas conforme as diferentes receitas que o duque elaborava e prudentemente modificava. Entretanto, para quem já se sentara mais de uma vez à mesa mística, não era necessária a manducação dessas últimas. Velhos amigos do Sr. e da Sra. de Guermantes vinham visitá-los depois do jantar, "como palitos", como diria a Sra. Swann, sem serem esperados, e no inverno tomavam uma taça de chá de tília sob as luzes do grande salão; no verão, um copo de laranjada no escuro da extremidade do jardim retangular. Nunca se conhecera dos Guermantes, naquelas noites de após-jantar no jardim, mais que a laranjada. Ela possuía algo de ritual. Acrescentar-lhes outros refrescos pareceria desvirtuar a tradição, assim com uma grande reunião mundana no *faubourg* Saint-Germain já não é uma reunião mundana se há uma comédia ou música. É necessário convir que se veio simplesmente — mesmo que houvesse quinhentas pessoas — fazer uma visita à princesa de Guermantes, por exemplo. Admiraram a minha influência porque pude fazer que acrescentassem à laranjada uma garrafa de suco de cereja cozida, de pêra cozida. Por causa disso, criei inimizade ao príncipe de Agrigento que, semelhante a todas as pessoas destituídas de imaginação, mas não de avareza, se maravilhavam do que a gente bebe e pedem licença para tomar um pouco. De modo que, de cada vez, o Sr. d'Agrigento, diminuindo a minha ração, estragava o meu prazer. Pois aquele suco de frutas nunca é servido em quantidade bastante para matar a sede. Nada cansa menos que essa transposição em sabor, das cores de uma fruta, que, cozida, parece retroceder à estação das flores. Empurpurado como um pomar na primavera, ou então incolor e fresco feito o zéfiro sob as árvores frutíferas, o suco se deixa respirar e contemplar gota a gota, e o Sr. d'Agrigento impedia-me regularmente de me saciar. Apesar dessas compotas, a laranjada tradicional subsistiu como o chá de tília. Sob tais espécies modestas, a comunhão social nem por isso deixava de se realizar. Sem dúvida, nisso os amigos do Sr. e da Sra. de Guermantes ainda assim haviam permanecido, como eu os imaginara a princípio, mais diferentes do que me poderia levar a crer o seu aspecto decepcionante. Muitos velhos vinham receber, na casa da duquesa, ao mesmo tempo que a invariável bebida, um acolhimento freqüentemente bem pouco amável. Ora não podia isto dever-se ao esnobismo, pertencendo eles próprios a um nível social a que nenhuma outra pessoa era superior; nem ao amor ao luxo: eles talvez o apreciassem, mas em meios sociais inferiores poderiam conhecer um luxo esplêndido, pois nessas mesmas noites a esposa encantadora de um riquíssimo financista teria feito de tudo para tê-los em deslumbrantes caçadas, que ela daria durante dois dias em honra do rei da Espanha. Não obstante haviam recusado e tinham vindo a todo o custo ver se a Sra. de Guermantes estava em casa. Nem sequer estavam certos de ali encontrarem opiniões inteiramente conformes às suas, ou sentimentos especialmente calorosos; a Sra. de Guermantes por vezes lançava sobre o Caso Dreyfus, sobre a República, sobre as leis anti-religiosas, ou até, a meia voz, sobre eles próprios, sobre suas moléstias, sobre a natureza aborrecida de suas conversas, reflexões que eles deviam fingir não notar. Claro está que, se conservavam ali os seus hábitos, era por educação requintada do *gourmet* mundano, por nítido conhecimento da perfeita qualidade da iguaria social, de gosto familiar, tranqüilizador e sápido, sem mistura, não adulterado, da qual conheciam tão bem a origem e a história como aquela que a servia, permanecendo mais nobres nisso do que eles mesmos pensavam. Ora, entre esses visitantes, aos quais fui apresentado após o jantar, o acaso fez que estivesse aquele general de Monserfeuil de quem falara a princesa de Parma, e que a Sra. de Guermantes, de cujo salão ele era um dos *habitués*, não sabia que deveria comparecer aquela noite. Ele se inclinou diante de mim, ao ouvir meu nome, como se eu fosse presidente do Conselho Superior de Guerra. Eu achara que fora por alguma incapacidade orgânica de ser prestativa e em que o duque, como que por espírito, se não por amor, era o cúmplice de sua mulher, que a duquesa quase recusara recomendar seu sobrinho ao Sr. de Monserfeuil. E via nisso uma indiferença tanto mais culposa, pois julgara compreender, por algumas palavras que a princesa de Parma deixara escapar, que o posto de Robert era perigoso e convinha transferi-lo. Mas o que me revoltou foi a verdadeira maldade da Sra. de Guermantes quando, tendo a princesa de Parma se oferecido timidamente para falar ela mesma e por conta própria ao general, a duquesa fez o possível para dissuadir Sua Alteza.

— Mas Senhora — exclamou —, Monserfeuil não tem qualquer tipo de crédito nem de poder junto ao novo governo. Seria uma estocada n'água.

— Creio que ele poderia nos ouvir — murmurou a princesa, sugerindo à duquesa que falasse mais baixo.

— Não tema Vossa Alteza coisa alguma, ele é surdo feito uma porta — disse a duquesa sem baixar a voz, e o general a ouviu perfeitamente bem.

— É que acho que o Sr. de Saint-Loup não está em local muito seguro — disse a princesa.

— Que quer — respondeu a duquesa —; está no caso de todo mundo, com a diferença que foi ele mesmo quem pediu para se transferir para lá. E, depois, não, não é perigoso; se o fosse, Vossa Alteza poderia estar certa de que eu mesma cuidaria do caso. Teria falado no assunto a Saint-

Joseph durante o jantar. Ele é muito mais influente, e de uma tenacidade! Olhe, já foi embora. Aliás, seria menos delicado do que com este, que tem justamente três de seus filhos em Marrocos e não quis pedir a transferência deles; poderia objetar isto. Já que Vossa Alteza faz questão, falarei a Saint-Joseph... quando o encontrar, ou a Beautreillis. Mas, se não os encontrar, não lastime tanto Robert. Explicaram-nos outro dia onde ele estava. Creio que não poderá estar em nenhuma parte melhor do que lá.

— Que linda flor, nunca vi nada semelhante; ninguém como você, Oriane, para possuir tais maravilhas! — disse a princesa de Parma que, receando que o general de Monserfeuil tivesse ouvido a duquesa, buscava mudar de assunto. Reconheci uma planta da espécie das que Elstir pintara diante de mim.

— Encantada de que lhe agrade; elas são deslumbrantes, repare na sua golinha de veludo cor-de-malva; apenas, como pode ocorrer com pessoas muito bonitas e bem vestidas, têm um nome horrendo e cheiram mal. Contudo, gosto muito delas. Mas o que não deixa de ser um tanto triste é que elas vão morrer.

— Mas elas estão num vaso, não são flores cortadas — observou a princesa.

— Não — respondeu rindo a duquesa —, mas dá no mesmo, pois trata-se de damas. É uma espécie de planta em que as damas e os cavalheiros não se encontram no mesmo pé. Estou como uma pessoa que possui uma cadela. Precisaria de um marido para minhas flores. Sem isso, não terei filhotes.

— É curioso. Mas então na natureza...

— Sim, há certos insetos que se encarregam de efetuar o casamento, como no caso de reis, por procuração, sem que o noivo e a noiva jamais se tenham visto. Assim, juro-lhe que recomendo a meu criado que ponha minha planta na janela o mais que puder, ora do lado do pátio, ora do lado do jardim, na esperança de que venha o inseto indispensável. Porém isto exigiria um tremendo acaso. Pense que seria necessário que ele tivesse ido visitar justamente uma pessoa da mesma espécie e do sexo oposto, e que lhe ocorra a idéia de vir deixar cartões em casa. Não veio até hoje e acho que minha planta sempre é digna de ser premiada por sua virtude; mas confesso que um pouco de libertinagem me agradaria mais. Olhe, é como esta árvore linda que está no pátio; morrerá sem filhos, pois é uma espécie muito rara em nossas regiões. No caso dela, é o vento que se encarrega de operar a união, mas o muro é um pouco alto demais.

— De fato — disse o Sr. de Bréauté —; deveria mandar abaixá-lo de alguns centímetros apenas; seria o bastante. São operações que é necessário saber fazer. O aroma da baunilha que havia no excelente gelado que nos serviu há pouco, duquesa, provém de uma planta que tem o mesmo nome. Produz flores tanto masculinas como femininas, mas uma espécie de parede dura, colocada entre elas, impede qualquer comunicação. Assim, nunca se obtiveram frutos até o dia em que um jovem negro nativo da ilha de Reunião e chamado Albius (o que, entre parênteses, é bastante engraçado para um negro, pois *Albius* quer dizer branco) teve a idéia de pôr os órgãos separados em contato com a ajuda de um estilete.

— Babal, você é divino, você sabe tudo! — exclamou a duquesa.

— Mas você mesma, Oriane, me ensinou coisas de que eu nem sequer suspeitava — disse a princesa.

— Direi a Vossa Alteza que foi Swann quem sempre me falou muito sobre botânica. Às vezes, quando nos entediava ir a um chá ou a uma reunião matinal, partíamos para o campo e ele me mostrava casamentos extraordinários de flores, o que é muito mais divertido que os casamentos de pessoas, e aliás ocorrem sem *lunch* nem sacristia. Nunca tínhamos tempo de ir muito longe. Agora, que já existe o automóvel, seria um encanto. Infelizmente, nesse intervalo ele próprio fez um casamento ainda mais espantoso e que torna tudo difícil. Ah! senhora, a vida é uma coisa horrível, a gente passa o tempo fazendo coisas que nos aborrecem, e, quando, por acaso, se conhece alguém em cuja companhia poderia ir ver coisas interessantes, ele acaba fazendo o casamento como o de Swann. Colocada entre a renúncia aos passeios botânicos e a obrigação de freqüentar uma pessoa indecorosa, escolhi a primeira destas calamidades. Aliás, no fundo não haveria necessidade de ir tão longe. Parece que, no meu recanto de jardim, passam-se de dia mais coisas inconvenientes que à noite... no Bois de Boulogne! Apenas, isto não é notado porque entre flores é feito com muita simplicidade; vê-se apenas uma chuvinha alaranjada, ou então uma mosca, muito poeirenta, que vem secar as patas ou tomar uma ducha antes de entrar numa flor. E tudo está acabado!

— A cômoda em que a planta está colocada também é esplêndida; é estilo Império, creio — disse a princesa que, não sendo familiarizada com os trabalhos de Darwin e de seus sucessores, compreendia mal o sentido dos gracejos da duquesa.

— Lindo, não? Estou encantada de que Vossa Alteza tenha gostado — respondeu a duquesa. — É uma peça magnífica. Direi que sempre adorei o estilo Império, mesmo no tempo em que não estava na moda. Lembro-me de que em Guermantes me fiz amaldiçoar pela minha sogra porque mandara descer do sótão os esplêndidos móveis do Império que Basin havia herdado dos Montesquiou e com ele mobiliara a ala inteira que ocupava.

O Sr. de Guermantes sorriu. Devia lembrar-se, no entanto, de que as coisas se tinham passado de maneira muito diferente. Mas como os gracejos da princesa des Laumes acerca do mau gosto de sua sogra eram tradicionais durante o curto espaço de tempo em que o príncipe estivera enamorado da mulher, ao seu amor por esta sobrevivera um certo desdém pela inferioridade de espírito daquela, desdém a que, aliás, se mesclava muita afeição e respeito.

— Os Iénas têm a mesma poltrona com incrustações de Wedgewood; é linda, mas prefiro a minha — disse a duquesa, com o mesmo ar de imparcialidade de quem não possuísse nenhum desses dois móveis —; de resto, reconheço que eles têm coisas maravilhosas que não possuo.

A princesa de Parma se manteve em silêncio.

— Mas é verdade; Vossa Alteza não conhece a coleção deles. Oh, devia pelo menos uma vez visitá-los comigo. É uma das coisas mais magníficas de Paris, feito um museu que fosse vivo.

E, como essa proposição era uma das audácias mais "Guermantes" de duquesa, porque os Iéna, para a princesa de Parma, não passavam de simples usurpadores, visto que o filho deles, como o seu, usava o título de duque de Guastalla, a Sra. de Guermantes, lançando-a assim, não se conteve (de tanto que o amor pela própria originalidade prevalecia nela sobre sua deferência para com a princesa de Parma) em deitar sobre os demais convivas uns olhares divertidos e risonhos. Estes também se esforçavam por sorrir, a um tempo assustados, assombrados e, principalmente, encantados ao pensar que eram testemunhas da "última" de Oriane e poderiam contá-la "bem quentinha". Só estavam meio estupefatos, pois sabiam que a duquesa possuía a arte de não levar em consideração nenhum dos preconceitos Courvoisier em favor do êxito de uma vida mais picante e agradável. Pois não tinha ela, nos últimos anos, juntado a princesa Mathilde ao duque de Aumale, que escrevera ao próprio irmão da princesa a famosa carta: "Em minha família, todos os homens são bravos e todas as mulheres são castas"? Ora, visto que os príncipes continuam príncipes mesmo quando parecem querer esquecer que o são, o duque de Aumale e a princesa Mathilde tanto se agradaram um do outro, na casa da Sra. de Guermantes, que a seguir se visitaram com essa faculdade de esquecer o passado que Luís XVIII demonstrou quando escolheu para ministro a Fouché, que havia votado pela morte de seu irmão. A Sra. de Guermantes nutria o mesmo projeto de reconciliação entre a princesa Murat e a rainha de Nápoles. Enquanto isso, a princesa de Parma parecia tão embaraçada como o teriam podido ficar os herdeiros da coroa dos Países-Baixos e da Bélgica, respectivamente o príncipe de Orange e o duque de Brabante, se lhes quisessem apresentar o

Sr. de Mailly-Nesle, príncipe de Orange, e o Sr. de Charlus, duque de Brabante. Antes porém, a duquesa, a quem Swann e o Sr. de Charlus (embora este último estivesse resolvido a ignorar os Iénas) tinham, com muito esforço, acabado por fazê-la apreciar o estilo Império, exclamou:

— Alteza, sinceramente, não posso dizer até que ponto achará lindo aquilo! Confesso que o estilo Império me impressionou sempre. Mas, na casa dos Iénas, é uma verdadeira alucinação. Essa espécie de... como direi... de refluxo da expedição ao Egito e depois, também, o remontar até nós da Antigüidade, tudo isso que invade as nossas casas, as Esfinges que vêm sem colocar aos pés das poltronas, as serpentes que se enrolam nos candelabros, uma Musa enorme que nos estende um pequeno facho para esquentar o aquecedor ou que está tranqüilamente postada por cima da nossa lareira e se debruça sobre nossa pêndula, e depois todas as lâmpadas de Pompéia; e depois todas as camas em forma de barco, que parecem ter sido achadas no Nilo e de onde a gente espera ver sair Moisés, aquelas quadrigas de antigamente, que galopam ao longo das mesinhas-de-cabeceira...

— A gente não fica bem sentada nos móveis Império — arriscou dizer a princesa.

— Não — respondeu a Sra. de Guermantes, mas acrescentou, insistindo com um sorriso: — gosto de ficar mal sentada nesses assentos de mogno recobertos de veludo grená ou de seda verde. Aprecio esse desconforto de guerreiros que só compreendem a cadeira curul e que, no meio do grande salão, cruzavam os feixes e empilhavam os lauréis. Asseguro-lhe que, na casa dos Iénas, não se pensa um só instante na maneira como se está sentado, quando se vê à sua frente uma grande velhaca de Vitória pintada a fresco na parede. Meu marido vai me achar muito má realista, mas sou muito mal pensante, como bem sabe; asseguro-lhe que, na casa dessa gente, acaba-se por gostar de todos aqueles N, de todas essas abelhas. Meu Deus, como sob os reis, desde muito tempo, não estamos bem estragados quanto à glória, aqueles guerreiros que traziam tantas coroas que punham até nos braços das poltronas, acho que tudo isso tem um certo chique! Vossa Alteza deveria...

— Meu Deus, se julga assim — disse a princesa. — Mas parece-me que não será fácil.

— Mas Vossa Alteza verá que tudo há de se resolver a contento. São muito boas pessoas, nada imbecis. Levamos lá a Sra. de Chevreuse — acrescentou a duquesa, conhecendo a força do exemplo — e ela ficou encantada. O filho é até bastante agradável... O que vou dizer não é muito conveniente — ajuntou —, mas ele tem um quarto e, sobretudo, uma cama onde a gente gostaria de dormir... sem ele! Menos conveniente ainda é que fui visitá-lo um dia em que estava doente e acamado. A seu lado, sobre o rebordo da cama, havia esculpida uma longa sereia reclinada, deslumbrante, com uma cauda de nácar, e que segurava na mão uma espécie de lótus. Asseguro-lhe — continuou a Sra. de Guermantes, falando mais devagar para ressaltar melhor as palavras, que parecia modelar com o trejeito de seus lindos lábios a forma afuselada de suas longas mãos expressivas, enquanto cravava na princesa um olhar doce, fixo e profundo — que com as palmas e a coroa de ouro que estava ao lado era emocionante, bem ao jeito do arranjo de *O Rapaz e a Morte*, de Gustave Moreau. (Certamente Vossa Alteza conhece esta obra-prima.)

A princesa de Parma, que ignorava até o nome do pintor, sacudiu violentamente a cabeça e sorriu com ardor, a fim de manifestar sua admiração por esse quadro. Mas a intensidade de sua mímica não chegou para substituir aquele brilho que fica ausente de nossos olhos enquanto não sabemos de que desejam nos falar.

— É um lindo rapaz, não é mesmo? — indagou.

— Não, pois parece um tapir. Os olhos são um pouco feito os de uma rainha Hortênsia para abajur. Mas, provavelmente, ele pensou que seria meio ridículo para um homem desenvolver essa parecença, e isto se perde nas faces brunidas que lhe dão um aspecto bastante mameluco. Sente-se que o esfregador deve passar lá todas as manhãs. Swann — acrescentou, retornando ao leito do jovem duque — ficou impressionado com a semelhança daquela Sereia com *A Morte*, de Gustave Moreau. Por outro lado — continuou num tom mais rápido e no entanto sério, a fim de fazer rir mais — não precisamos nos assustar, pois tratava-se de um simples resfriado, e o rapaz passa bem que é uma beleza.

— Não dizem que ele é esnobe? — perguntou o Sr. de Bréauté com ar maldoso, alerta e esperando na resposta a mesma precisão como se houvesse dito: "Disseram-me que só tem quatro dedos na mão direita, é verdade?"

— Me...u Deus, n... não — respondeu a Sra. de Guermantes com um sorriso de suave indulgência. — Talvez um pouquinho esnobe na aparência, porque é extremamente jovem, mas ficaria espantada se ele o fosse na realidade, pois é inteligente — acrescentou, como se na sua opinião houvesse uma incompatibilidade absoluta entre esnobismo e inteligência. — Ele é fino, e o vi engraçado — disse ela ainda, rindo com um ar *gourmet* e entendido, como se julgar alguém engraçado exigisse uma certa expressão gaiata, ou como se as piadas do duque de Guastalla lhe voltassem ao espírito naquele instante. — Afinal, como ele não é recebido, tal esnobismo não poderia manifestar-se — continuou ela, sem imaginar que, desse modo, não animava muito a princesa de Parma.

— Eu me pergunto o que dirá o príncipe de Guermantes, que a chama de Sra. Iéna, se souber que fui à casa dela.

— Mas como! — exclamou a duquesa com extraordinária vivacidade — a senhora sabe que fomos nós que cedemos a Gilbert (hoje ela se arrependia amargamente disso) uma sala inteira de jogo, em estilo Império, que nos provinha de Quiou-Quiou e que é um esplendor! Não havia lugar aqui para acomodá-la; e no entanto acho que ficaria melhor do que na casa dele. É belíssima, metade etrusca, metade egípcia...

— Egípcia? — perguntou a princesa, a quem etrusca dizia bem pouco.

— Meu Deus, um pouco de ambas, era o que Swann nos dizia; explicou-me apenas, a senhora sabe, sou uma pobre ignorante. E depois, no fundo, Alteza, é preciso levar em conta que o Egito do estilo Império nada tem a ver com o verdadeiro Egito, nem seus romanos com os romanos, nem sua Etrúria...

— Verdade? — comentou a princesa.

— Não, é como o que se chamava um costume Luís XV sob o Segundo Império, na juventude de Anna de Mouchy ou da mãe do caro Brigode. Agora há pouco Basin lhe falava de Beethoven. Outro dia, tocaram-nos algo dele, muito bonito aliás, um pouco frio, onde há um tema russo. É comovente pensar que ele acreditava ser russo aquilo. Do mesmo modo, os pintores chineses julgaram copiar Bellini. Ademais, até no mesmo país, toda vez que alguém observa as coisas de um modo um tanto novo, quatro quartos das pessoas não vêem nada do que lhes mostra. É preciso pelo menos quarenta anos para que cheguem a perceber.

— Quarenta anos! — exclamou a princesa, espantada.

— Sim — continuou a duquesa, acrescentando cada vez mais às palavras (que eram quase palavras minhas, pois eu justamente emitira diante dela uma idéia análoga), graças à sua pronúncia, o equivalente do que, para os caracteres impressos, se denomina "itálico" —, é como uma espécie de primeiro indivíduo isolado de uma espécie que ainda não existe e que há de pulular, um indivíduo dotado de um tipo de sentido que a humanidade em seu tempo não possui. Quase não posso me citar, pois eu, pelo contrário, sempre gostei desde o princípio de todas as manifestações interessantes, por mais novas que fossem. Mas enfim, outro dia fui com a grã-duquesa ao Louvre e passamos diante da *Olympia* de Manet. Agora, ninguém se espanta mais. Aquilo parece uma coisa de Ingres! E no entanto Deus sabe como tive de quebrar lanças por esse quadro, que não me agrada de todo, mas certamente é de alguém. Seu lugar talvez não seja exatamente no Louvre.

— A grã-duquesa vai bem? — perguntou a princesa de Parma, a quem a tia do czar era infinitamente mais familiar que o modelo de Manet.

— Sim, falamos de Vossa Alteza. No fundo — continuou a duquesa, aferrada à sua idéia — a verdade é que, como diz meu cunhado Palamède, tem-se entre nós e cada pessoa o muro de uma língua estranha. De resto, reconheço que com ninguém mais isto é tão exato como com Gilbert. Se lhe agrada ir aos Iénas, Vossa Alteza possui bastante espírito para que possa fazer seus atos dependerem do que pode vir a pensar aquele homem, uma boa criatura inocente, mas que enfim tem idéias do outro mundo. Sinto-me mais próxima, mais consangüínea de meu cocheiro, de meus cavalos, do que desse homem que se refere o tempo todo ao que teriam pensado na época de Filipe o Audaz ou de Luís o Gordo. Imagine que, quando ele passeia pelo campo com ar bonachão, afasta os camponeses com a bengala, dizendo: "Vamos, rústicos!" Quando ele me fala, sinto-me intimamente tão espantada como se ouvisse que me dirigiam a palavra os "jazentes" dos antigos túmulos góticos. Por mais que seja meu primo, essa pedra mortuária viva me dá medo e só penso em deixá-lo em sua Idade Média. Fora isso, reconheço que jamais assassinou alguém.

— Acabo justamente de jantar com ele na casa da Sra. de Villeparisis — disse o general, mas sem sorrir nem aderir aos gracejos da duquesa.

— O Sr. de Norpois estava presente? — indagou o príncipe Von, que pensava sempre na Academia de Ciências Morais.

— Sim — disse o general. — Chegou mesmo a falar no seu imperador.

— Parece que o imperador Guilherme é muito inteligente, mas não aprecia a pintura de Elstir. Aliás, não estou dizendo isto contra ele — observou a duquesa —; compartilho o seu modo de ver. Embora Elstir tenha pintado um belo retrato meu. Ah, não o conhecem? Não se parece comigo, mas é curioso. Ele é interessante durante as poses. Transformou-me numa espécie de velhinha. O quadro imita *As Regentes do Hospital*, de Frans Hals. Penso que o senhor conhece estas sublimidades, para tomar emprestada uma expressão tão cara ao meu sobrinho — disse ela virando-se para mim e agitando de leve o seu leque de plumas negras. Bem empertigada na cadeira, erguia nobremente a cabeça para trás, pois, embora sendo sempre uma grande dama, representava um pouquinho de grande dama. Disse-lhe que antigamente fora a Amsterdam e a Haia, mas que, como o meu tempo era escasso, e para não misturar tudo, deixara Haarlem de lado.

— Ah, a Haia, que museu! — exclamou o Sr. de Guermantes. Eu lhe disse que ele havia sem dúvida admirado a *Vista de Delft*, de Vermeer. Porém o duque era menos instruído que orgulhoso. Assim, contentou-se em me responder com um ar de auto-suficiência, como de cada vez que lhe falavam de uma obra, de um museu ou mesmo de um Salão que não recordava: — Se é para se ver, eu vi!

— Como! O senhor viajou para a Holanda e não foi a Haarlem? — exclamou a duquesa. — Mas ainda que só dispusesse de um quarto de hora, é algo extraordinário para se ter visto, os Hals. Diria mais: alguém que só pudesse vê-los do alto de um segundo andar, num bonde à disparada, se estivessem expostos de fora, deveria arregalar os olhos. — Esta frase me chocou pelo desconhecimento que revelava da maneira como se formam em nós as impressões artísticas, e porque parecia implicar que nosso olho, no caso, é um simples aparelho registrador que pega instantâneos.

O Sr. de Guermantes, feliz porque ela falava com tanta competência de assuntos que me interessavam, observava o célebre porte distinto da esposa, escutava o que ela dizia de Frans Hals e pensava: "Ela domina qualquer assunto. Meu jovem convidado pode se dizer que tem diante de si uma grande dama de outrora em toda a acepção do termo, e como não existe uma segunda hoje." — Assim eu os via a ambos isolados desse nome de Guermantes, no qual, antigamente, imaginava-os levando uma vida inconcebível, agora semelhantes aos outros homens e às outras mulheres, apenas um tanto defasados em relação a seus contemporâneos, mas desigualmente, como tantos casais do *faubourg* Saint-Germain, em que a mulher teve a arte de parar na idade de outro, e o homem, a má sorte de descer à ingrata idade do passado, uma permanecendo ainda Luís XV quando o marido é pomposamente Luís Filipe. Que a Sra. de Guermantes fosse igual às outras mulheres, isto para mim fora a princípio uma decepção; agora, por reação, e com a ajuda de tantos bons vinhos, era um deslumbramento. Um Dom João da Áustria, uma Isabela d'Este, por nós situados no mundo dos nomes, comunicam-se tão escassamente com a grande história como o lado de Méséglise com o lado de Guermantes. Isabela d'Este foi sem dúvida, na realidade, uma princesa bem insignificante, parecida àquelas que, sob Luís XIV, não obtinham nenhuma posição especial na corte. Mas, parecendo-nos de uma essência única e portanto incomparável, não podemos concebê-la de uma grandeza inferior à dele; de modo que uma ceia com Luís XIV nos pareceria oferecer apenas algum interesse, ao passo que em Isabela d'Este encontraríamos, vista com nossos próprios olhos por um acaso sobrenatural, uma heroína de romance. Ora, depois de haver percebido, ao estudar Isabela d'Este, transplantando-a pacientemente desse mundo feérico para o da história, que sua vida e seu pensamento nada continham dessa estranheza misteriosa que nos sugeria o seu nome, uma vez consumada essa decepção, ficamos infinitamente gratos a essa princesa por ter tido, da pintura de Mantegna, conhecimentos quase iguais aos do Sr. Lafenestre, até então desprezados por todos e postos, como teria dito Françoise, "mais abaixo da terra". Depois de haver transposto as alturas inacessíveis do nome de Guermantes, ao descer a vertente interna da vida da duquesa, experimentava, ao encontrar ali os nomes, em outros pontos familiares, de Victor Hugo, de Frans Hals e, infelizmente, de Vilbert, o mesmo espanto que um viajante, depois de levar em conta, para apreender a singularidade dos costumes em um vale agreste da América Central ou do norte da África, o afastamento geográfico e a estranheza das denominações da flora, experimenta ao descobrir, uma vez atravessada uma cortina de aloés gigantescos ou de mancenilheiras, habitantes que (às vezes até diante das ruínas de um teatro romano e de uma coluna dedicada a Vênus) estão lendo a *Mérope* ou a *Alzira*.[37] E tão longe, tão à parte, tão acima das burguesas instruídas que eu conhecera, a cultura similar pela qual a Sra. de Guermantes se esforçara, sem interesse, sem motivo de ambição, em descer ao nível das que ela não conheceria jamais, tinha o caráter meritório, quase tocante à força de ser inutilizável, de uma erudição em matéria de antigüidades fenícias num político ou num médico.

— Poderia mostrar-lhe um muito bonito — disse-me amavelmente a Sra. de Guermantes, falando-me de Hals —, o mais belo, segundo algumas pessoas, e que herdei de um primo alemão. Infelizmente, encontra-se "enfeudado", no castelo; não conhece esta expressão? Eu tampouco — acrescentou, com esse seu gosto de fazer gracejos (com o que se julgava tão moderna) sobre os costumes antigos, mas aos quais se achava inconsciente e ferozmente aferrada. — Estou satisfeita de que tenha visto os meus Elstirs, mas confesso que ficaria ainda mais se tivesse podido lhe fazer as honras do meu Hals, desse quadro "enfeudado".

— Conheço-o — disse o príncipe Von —; é o grão-duque de Hesse.

— Justamente. Seu irmão se casara com minha irmã — disse o Sr. de Guermantes —; aliás, sua mãe era prima-irmã da mãe de Oriane.

— Mas, no que se refere ao Sr. Elstir — acrescentou o príncipe, — eu me permitirei dizer que, sem opinar sobre suas obras, que não conheço, o ódio com que o persegue o imperador não me parece que deva ser debitado contra ele. O imperador é de uma inteligência admirável.

37 *Mérope* e *Alzira*: tragédias de Voltaire. (N. do T.)

— Sim, jantei duas vezes com ele; uma vez na casa de minha tia Sagan, outra na casa de minha tia Radziwill, e devo dizer que o julguei curioso. Não o achei simples. Mas ele tem algo de divertido, de "adquirido" — disse a duquesa, sublinhando a expressão — como um cravo verde, ou seja, uma coisa que me espanta e não me agrada infinitamente, uma coisa que é espantoso possa ter sido obtida, mas que acho ficaria igualmente bem se não fosse feita. Espero que o senhor não se sinta chocado.

— O imperador é de uma inteligência inaudita — prosseguiu o príncipe Von —; ama apaixonadamente as artes; sobre as obras de arte possui um gosto de algum modo infalível, jamais se engana. Se uma coisa é bonita, ele a reconhece de imediato e cria-lhe ódio; se detesta algo, não há dúvida alguma, é que é excelente. — Todos sorriram.

— O senhor me tranqüiliza — disse a duquesa.

— Eu compararia de bom grado o imperador — prosseguiu o príncipe que, não sabendo pronunciar a palavra "arqueólogo" (ou seja, como se estivesse escrito *arkeólogo*), não perdia nunca oportunidade de servir-se dela — a um velho arqueólogo (e o príncipe disse "arxeólogo") que temos em Berlim. Diante dos antigos monumentos assírios, o velho *arxeólogo* chora. Mas se se trata de uma falsificação moderna, se não é uma peça verdadeiramente antiga, ele não chora. Então, quando se quer saber se uma peça *arxeológica* é verdadeiramente antiga, levamo-la ao velho *arxeólogo*. Se ele chora, a gente compra a peça para o museu. Se seus olhos permanecem secos, enviamo-la de volta ao negociante e o processamos por falsário. Muito bem, de cada vez que janto em Potsdam, todas as peças de que o imperador afirma: "Príncipe, é preciso que vejais, está cheio de genialidade", tomo nota daquilo para evitar ir vê-las, e, quando ouço-o explodir contra uma exposição, corro até lá logo que me seja possível.

— O Sr. de Norpois não é favorável a uma aproximação anglo-francesa? — perguntou o Sr. de Guermantes.

— De que lhes serviria? — indagou, a um tempo irritado e finório, o príncipe Von, que não podia suportar os ingleses. — Eles são imbecis. Sei muito bem que não é como militares que eles os ajudariam. Mas ainda assim, pode-se julgá-los pela estupidez de seus generais. Um de meus amigos conversou recentemente com Botha, vocês sabem, o chefe dos boêres. Ele lhe dizia: "É espantoso um exército como esse. Aliás, gosto dos ingleses, mas enfim leve em conta que eu, que não passo de um camponês, venci-os em todas as batalhas. E na última, quando eu caía sob um número de inimigos vinte vezes superior, enquanto me rendia porque não havia outro jeito, ainda tive meios de fazer dois mil prisioneiros! E isso que eu não passava de um chefe de camponeses, mas, se aqueles imbecis tivessem de medir forças como um verdadeiro exército europeu, é de se tremer por eles só em pensar no que poderia acontecer!" Além do mais, basta ver que o rei deles, que os senhores conhecem tão bem quanto eu, passa por ser um grande homem na Inglaterra.

Eu mal escutava essas histórias, do tipo das que o Sr. de Norpois contava a meu pai; não forneciam alimento algum às fantasias que eu amava. E, além disso, mesmo que possuíssem a substância de que eram desprovidas, seria preciso que fossem de qualidade muito excitante para que minha vida interior pudesse despertar durante essas horas mundanas em que eu habitava a minha epiderme, meus cabelos bem penteados, meu peitilho de camisa, isto é, em que eu nada podia experimentar do que era para mim o prazer na vida.

— Ah, não sou de sua opinião — disse a Sra. de Guermantes, que julgava que o príncipe alemão carecia de tato —; acho o rei Eduardo encantador, tão simples, e bem mais fino que se acredita. E a rainha é, mesmo ainda agora, o que conheço de mais belo em todo o mundo.

— Mas, *Senhorra* duquesa — disse o príncipe irritado, sem perceber que estava desagradando —; todavia, se o príncipe de Gales fosse um simples particular, não haveria um único círculo que o não tivesse eliminado e ninguém teria consentido em lhe apertar a mão. A rainha é arrebatadora, excessivamente doce e limitada. Mas enfim, existe algo de chocante nesse casal régio que é literalmente sustentado por seus súditos, que faz com que os grandes financistas judeus paguem todas as contas que eles deveriam pagar e em troca nomeia-os baronetes do reino. É como o príncipe da Bulgária...

— É o nosso primo — disse a duquesa. — Ele tem espírito.

— É meu também — disse o príncipe. — Mas nem por isso vamos achar que é uma excelente pessoa. Não, é de nós que é necessário que os senhores se aproximem, é o maior desejo do imperador, mas ele quer que isto venha do coração; ele disse: o que desejo é um aperto de mão, e não um cumprimento de chapéu! Assim vós seríeis invencíveis. Seria isto mais prático do que a aproximação anglo-francesa que prega o Sr. de Norpois.

— O senhor o conhece, bem sei — disse-me a duquesa de Guermantes para não me deixar de fora na conversação. Lembrando-me que o Sr. de Norpois dissera que eu dava a impressão de querer beijar-lhe a mão, pensando que ele sem dúvida contara esse episódio à Sra. de Guermantes e, em todo caso, só poderia lhe ter falado a meu respeito de modo malévolo, visto que, apesar de sua amizade por meu pai, não hesitara em tornar-me tão ridículo, não fiz o que teria feito um homem mundano. Este dito para dar a impressão de ser a causa voluntária das maledicências do embaixador, que não passariam de represálias mentirosas e interessadas. Pelo contrário, disse eu, que, para meu grande pesar, achava que o Sr. de Norpois não gostava de mim. — Está muito enganado — replicou a Sra. de Guermantes. — Ele gosta muito do senhor. Pode perguntar a Basin; se tenho fama de ser amável demais, com ele não se dá o mesmo. Ele lhe dirá que nunca ouvimos Norpois falar de alguém com tanta amabilidade como do senhor. E, ultimamente, quis fazer com que lhe dessem um posto esplêndido no Ministério. Como soube que o senhor andava doente e não poderia aceitá-lo, teve a delicadeza de nem sequer falar de sua boa intenção ao senhor seu pai, a quem tributa uma afeição infinita. — O Sr. de Norpois era justamente a última pessoa de quem eu esperaria um bom emprego. A verdade é que, sendo trocista e até mesmo bastante mal-intencionado, aqueles que se haviam deixado levar, como eu, por suas aparências de São Luís, fazendo justiça debaixo de um carvalho, pelos tons de voz facilmente compassivos que saíam de sua boca um pouco harmoniosos demais, acreditavam numa verdadeira perfídia ao saberem de alguma maledicência a seu respeito, vinda de um homem que dera a impressão de pôr o coração em suas palavras. Tais maledicências eram por demais freqüentes nele. Isto, porém, não o impedia de angariar simpatias, de enaltecer aqueles de quem gostava e de ter prazer em se mostrar serviçal para com eles.

— Aliás, não me espanta que ele o estime — disse a Sra. de Guermantes. — Ele é inteligente. E compreendo muito bem — acrescentou para os outros, e fazendo alusão a um projeto de casamento que eu ignorava — que minha tia, que já não o diverte muito como velha amante, lhe pareça inútil como nova esposa. Tanto mais que acho que, mesmo amante, ela já não o é há bastante tempo. Ela só tem relações, se assim posso me exprimir, com o bom Deus. É mais beata do que possam imaginar, e Booz-Norpois pode dizer como nos versos de Victor Hugo:

Há muito tempo que aquela com quem dormi, Senhor,
Trocou meu leito pelo vosso![38]

Na verdade, minha pobre tia é como esses artistas de vanguarda, que atacam a vida toda a Academia e, nos seus últimos anos, fundam sua academiazinha; ou então como os padres que deixam a batina e criam para seu próprio uso uma religião pessoal. Então, valeria mais conservar o hábi-

[38] Versos do poema "Booz adormecido", do livro *A Legenda dos Séculos*, e inspirado no *Livro de Rute*, da Bíblia. (N. do T.)

to ou não coabitar. E quem sabe — acrescentou a duquesa com ar sonhador —; talvez seja em previsão da viuvez. Nada mais triste que o luto que não se pode suportar.

— Ah, se a Sra. de Villeparisis se tornasse Sra. de Norpois, creio que nosso primo Gilbert teria um ataque — disse o general de Saint-Joseph.

— O príncipe de Guermantes é encantador, mas, de fato, permanece muito preso às questões de nascimento e de etiqueta — disse a princesa de Parma. — Fui passar dois dias em sua casa no campo, enquanto infelizmente a princesa estava enferma. Estava acompanhada de Pequena (era um apelido que se dava à Sr. d'Hunolstein porque era imensa). O príncipe veio esperar-me embaixo da escadaria, ofereceu-me o braço e fez que não via Pequena. Subimos ao primeiro andar até a entrada dos salões e então ali, afastando-se para me deixar passar, disse: "Ah, bom-dia, senhora d'Hunolstein (ele nunca a chama de outro modo depois da separação dela), fingindo só então se aperceber de Pequena, a fim de mostrar que não era obrigado a recebê-la embaixo.

— Isto absolutamente não me espanta. Não preciso lhe dizer — observou o duque, que se julgava extremamente moderno, depreciador, mais que qualquer outro, do nascimento, e até republicano — que não possuo muitas idéias em comum com meu primo. Vossa Alteza pode imaginar que nos entendemos mais ou menos sobre todas as coisas como o dia com a noite. Mas devo dizer que, se minha tia esposasse Norpois, uma vez pelo menos eu seria da opinião de Gilbert. Ser a filha de Florimond de Guise e fazer um tal casamento seria, como se diz, de fazer rir as galinhas, que querem que lhes diga? — Estas últimas palavras, que o duque pronunciava geralmente no meio de uma frase, eram ali totalmente inúteis. Tinha ele, porém, uma necessidade permanente de dizê-las, necessidade que o obrigava rejeitá-las para o fim de um período caso não achassem lugar em outra parte. Era para ele, entre outras coisas, uma questão de métrica. — Notem — acrescentou — que os Norpois são honrados gentis-homens, de boa casa e de boa cepa.

— Escute, Basin, não vale a pena zombar de Gilbert para falar como ele — disse a Sra. de Guermantes, para quem a "bondade" de uma origem, não menos que a de um vinho, consistia exatamente, como para o príncipe e para o duque, em sua antigüidade. Porém, menos franca do que o primo e mais delicada que o marido, fazia questão de não desmentir, conversando, o espírito de Guermantes e desprezava a estirpe em suas palavras, com risco de honrá-la por seus atos.

— Mas os senhores não são até um pouco primos? — perguntou o general de Saint-Joseph. — Parece-me que Norpois desposara uma La Rochefoucauld.

— De modo algum dessa forma. Ela pertencia ao ramo dos duques de La Rochefoucauld, e minha avó descende dos duques de Doudeauville. É a própria avó de Édouard Coco, o homem mais sensato da família — respondeu o duque, o qual possuía, acerca da sensatez, idéias um tanto superficiais — e os dois ramos estão separados desde Luís XIV; de modo que o parentesco seria um tanto afastado.

— Ora, isto é interessante; eu não o sabia — disse o general.

— Além disso — prosseguiu o Sr. de Guermantes —, a sua mãe era, creio, irmã do duque de Montmorency e desposara primeiro o La Tour d'Auvergne. Mas, como esses Montmorencys mal são Montmorencys, e esses La Tour d'Auvergnes não são absolutamente La Tour d'Auvergnes, não vejo como lhe dê uma alta posição. Diz ele, o que seria mais importante, que descende de Saintrailles, e como nós descendemos deste em linha direta...

Havia em Combray uma rua de Saintrailles na qual eu jamais voltara a pensar. Ela levava da rua de La Bretonnerie à rua de l'Oiseau. E, como Saintrailles, companheiro de Joana d'Arc, fizera, ao desposar uma Guermantes, entrar para a sua família o condado de Combray, suas armas esquartelavam as de Guermantes na parte inferior de um vitral de Santo Hilário. Vi novamente degraus de escura argila arenosa enquanto uma modulação transportava esse nome de Guermantes ao tom esquecido em que o ouvira outrora, tão diferente daquele com que significava os amáveis anfitriões em cuja casa eu jantava esta noite. Se o nome de duquesa de Guermantes era para mim um nome coletivo, não era só na História, pela adição de todas as mulheres que o haviam usado, mas também ao longo de minha curta juventude que já vira, nesta única duquesa de Guermantes, tantas mulheres diferentes se superporem, cada qual desaparecendo quando a seguinte assumia maior consistência. As palavras não mudam tanto de sentido, durante séculos, como para nós nomes no intervalo de alguns anos. Nossa memória e nosso coração não são bastante grandes para poderem ser fiéis. Não temos bastante espaço, no nosso pensamento atual, para nele guardar os mortos ao lado dos vivos. Somos obrigados a edificar sobre o que precedeu e que só encontramos ao acaso de uma escavação, do tipo daquela que o nome de Saintrailles acabava de realizar. Achei inútil explicar tudo isso, e até, um pouco antes, mentira implicitamente ao não responder quando o Sr. de Guermantes indagara: "Não conhece a nossa aldeola?" Talvez ele até soubesse que eu a conhecia, mas foi só por uma questão de boa educação que não insistiu. A Sra. de Guermantes me arrancou de meu devaneio.

— Quanto a mim, acho tudo isso muito tedioso. Escute, as coisas não são sempre assim tediosas na minha casa. Espero que o senhor volte logo a jantar conosco, para uma compensação, dessa vez sem genealogias — disse a meia voz a duquesa, incapaz de compreender o gênero de encanto que eu podia encontrar em sua casa e de ter a humildade de só me agradar apenas como um herbário cheio de plantas fora de moda.

O que a Sra. de Guermantes julgava decepcionar a minha expectativa era, pelo contrário, aquilo que afinal — pois o duque e o general não deixaram mais de conversar sobre genealogias — salvava a minha noite de uma decepção completa. Como não a experimentara até então? Cada um dos convivas do jantar, enfarpelando-se do nome misterioso sob o qual eu o conhecera e sonhara a distância, de um corpo e de uma inteligência semelhantes ou inferiores aos de todas as pessoas que eu conhecia, dera-me a impressão da insípida vulgaridade que pode conferir a entrada no porto danês de Elsinor a todo leitor apaixonado do *Hamlet*. Sem dúvida, essas regiões geográficas e esse passado antigo, que punham matas e campanários góticos em seu nome, tinham em certa medida formado seu rosto, seu espírito e seus preconceitos, mas ali não subsistiam a não ser como a causa no efeito, ou seja, talvez possíveis de distinguir pela inteligência, mas de modo algum sensíveis à imaginação.

E esses preconceitos de outros devolveram de súbito aos amigos do Sr. e da Sra. de Guermantes a sua perdida poesia. É claro que as noções possuídas pelos nobres e que fazem deles os letrados, os etimologistas da língua, não das palavras mas dos nomes (e isso ainda apenas relativamente à metade ignorante da burguesia, pois se, igual em mediocridade, um devoto será mais capaz de nos responder sobre a liturgia do que um livre-pensador, em compensação um arqueólogo anticlerical poderá muitas vezes fazer reparos a seu cura sobre tudo o que se refira até mesmo à igreja deste), tais noções se quisermos fiar na verdade, isto é, no espírito, não tinham sequer para esses grãos-senhores o encanto que teriam tido para um burguês. Eles sabiam talvez menos que eu que a duquesa de Guise era princesa de Clèves, de Orlèans e de Porcien, etc., mas haviam conhecido, antes mesmo de todos esses nomes, a fisionomia da duquesa de Guise que desde então esse nome refletia. Eu havia começado pela fada, embora ela devesse perecer logo; eles, pela mulher.

Nas famílias burguesas vê-se por vezes nascerem ciúmes se a irmã caçula se casa antes da primogênita. Assim, o mundo aristocrático, sobretudo o dos Courvoisiers, mas também o dos Guermantes, reduzia sua grandeza nobiliárquica a simples superioridades domésticas, em virtude de uma infantilidade que eu havia conhecido antes (era para mim o seu único encanto) nos livros. Tallemant des Réaux não dá impressão de falar dos Rohan, quando conta com evidente satisfação que o Sr. de Guéménée gritava a seu irmão: "Podes entrar aqui, não é o Louvre!" e dizia do cavalheiro de Rohan (porque este era filho natural do duque de Clermont): "Ele pelo menos é príncipe!"? A única coisa que me deu pena naquela conversa foi ver que os absurdos históricos referentes ao encantador grão-duque herdeiro de Luxemburgo encontravam crédito naquele salão, tanto como junto aos companheiros de Saint-Loup. Decididamente, tratava-se de uma epidemia que talvez não durasse mais que dois anos, mas que se estendia a todos. Repetiam-se as mesmas narrativas falsas, acrescentavam-lhes outras. Compreendi que a própria princesa de Luxemburgo, tendo o ar de defender o seu sobrinho, fornecia armas para que o atacassem. — O senhor faz mal em defendê-lo — disse-me o Sr. de Guermantes, como o fizera Saint-Loup. — Olhe, deixemos de lado até a opinião de nossos parentes, que é unânime, fale dele a seus criados, que no fundo são as pessoas que melhor nos conhecem. A Sra. de Luxemburgo dera seu criadinho negro ao sobrinho. O negrinho voltou chorando: "Grão-duque bateu *ni mim*, mim não canalha, grão-duque mau. Impressionante!" E posso falar dele com conhecimento de causa, é primo de Oriane.

Aliás, não posso dizer quantas vezes ouvi naquela noite as palavras "primo" e "prima". De uma parte, o Sr. de Guermantes, quase a cada nome que pronunciavam, exclamava: "Mas é um primo de Oriane!" com a mesma satisfação de um homem que, perdido numa floresta, lê na ponta de duas setas, dispostas em sentido contrário sobre uma placa indicativa e seguidas de uma cifra bem pequena de quilômetros: "Belvedere Casimir-Périer" e "Croix du Grand-Veneur", e compreende assim que está no caminho certo. Por outro lado, estas palavras "primo" e "prima" eram empregadas com intenção bem diversa (que aqui fazia exceção) pela embaixatriz da Turquia, a qual chegara após o jantar. Devorada pela ambição mundana e dotada de uma verdadeira inteligência assimilativa, aprendia com a mesma facilidade a história da retirada dos Dez Mil ou a perversão sexual entre os pássaros. Teria sido impossível apanhá-la em erro sobre os mais recentes trabalhos alemães, quer tratassem de economia política, de vesanias, de diversas formas de onanismo, ou da filosofia de Epicuro. De resto, era uma mulher perigosa de ouvir, pois permanentemente, sem erro, apontava-nos como mulheres ultralevianas a irrepreensíveis modelos de virtude, punha-nos de sobreaviso a respeito de um senhor animado das mais puras intenções e contava histórias que parecem sair de um livro, não por serem sérias, mas devido à sua inverossimilhança.

Por essa época, ela era pouco recebida. Freqüentava por algumas semanas mulheres de extremo brilho, como a duquesa de Guermantes, mas em geral era forçada a limitar-se, quanto às famílias mais nobres, a ramos obscuros que os Guermantes já não freqüentavam. Esperava ter um aspecto inteiramente mundano ao citar os maiores nomes de pessoas pouco recebidas na sociedade e que eram amigos seus. E logo o Sr. de Guermantes, julgando tratar-se de pessoas que jantavam amiúde em sua casa, fremia alegremente por encontrar-se em terreno conhecido e soltava um brado de reunião: "Mas é um primo de Oriane! Conheço-o como a palma da mão. Ele mora na rua Vaneau. Sua mãe era a Srta. d'Uzès."

A embaixatriz via-se forçada a confessar que seu exemplo era tirado de animais menores. Cuidava de relacionar seus amigos aos do Sr. de Guermantes, apanhando-o de soslaio: — Sei perfeitamente a quem pretende se referir. Não, não são esses, são primos. — Mas esta frase de refluxo lançada pela pobre embaixatriz expirava bem depressa. Pois o Sr. de Guermantes, desapontado, respondia: — Ah, então não percebo a quem deseja referir-se. — A embaixatriz não replicava nada, pois, se jamais conhecia senão os primos daqueles a quem deveria conhecer, freqüentemente ocorria que esses primos não eram sequer parentes. Depois, da parte do Sr. de Guermantes, era um novo jorrar de "Mas é uma prima de Oriane", palavras que pareciam ter para o Sr. de Guermantes, em cada uma de suas frases, a mesma utilidade de que certos epítetos cômodos possuem para os poetas latinos, pois lhe fornecem um dáctilo ou um espondeu para seus hexâmetros. Pelo menos, a explosão de "Mas é uma prima de Oriane" me pareceu bem natural quando aplicada à princesa de Guermantes, a qual era de fato parenta bem próxima da duquesa. A embaixatriz dava a impressão de não gostar dessa princesa, pois me disse bem baixinho: — Ela é estúpida. Mas não, ela não é bonita. Trata-se de uma reputação usurpada. Aliás — acrescentou com um ar a um tempo refletido, repulsivo e decidido —, ela me parece bastante antipática. — Porém, muitas vezes o parentesco de primos estendia-se muito mais longe; a Sra. de Guermantes sentia-se na obrigação de tratar de "minha tia" as pessoas com quem não lhe encontrariam um ancestral comum sem remontar pelo menos até Luís XV, da mesma forma que, de cada vez que a infelicidade dos tempos fazia que uma multimilionária desposasse algum príncipe, cujo trisavô se casara, como o da Sra. de Guermantes, com uma filha de Louvois, uma das alegrias da americana consistia em poder, logo na primeira visita ao palácio de Guermantes, onde aliás ela era mais ou menos mal recebida e mais ou menos bem esmiuçada, dizer "minha tia" à Sra. de Guermantes, que a deixava fazê-lo com um sorriso maternal. Mas pouco me importava o que fosse o "nascimento" para o Sr. de Guermantes e o Sr. de Beauserfeuil; nas conversas deles a esse respeito, eu buscava apenas um prazer poético. Sem que eles mesmos o conhecessem, proporcionavam-me todavia esse prazer, como o teriam feito lavradores ou marinheiros falando do plantio ou das marés, realidades muito pouco destacadas deles próprios para que pudessem desfrutar a beleza que eu pessoalmente me encarregava de extrair delas.

Por vezes, mais que a uma raça, era um fato particular, uma data, que um nome recordava. Ouvindo o Sr. de Guermantes lembrar que a mãe do Sr. de Bréauté era uma Choiseul e sua avó uma Lucinge, julguei ver, sob a camisa banal de simples botões de pérola, sangrarem em dois globos de cristal estas nobres relíquias: o coração da Sra. de Praslin e o do duque de Berri; outras relíquias eram mais voluptuosas, os longos e finos cabelos da Sra. de Tallien ou da Sra. de Sabran.

Algumas vezes o que eu via não era uma simples relíquia. Mais instruído que a esposa sobre o que haviam sido os seus ancestrais, ao Sr. de Guermantes ocorria achar-se de posse de recordações que davam à sua conversa um belo ar de antiga residência desprovida de verdadeiras obras-primas, porém repleta de quadros legítimos, medíocres e majestosos, cujo conjunto impressiona. Tendo o príncipe de Agrigento indagado por que o príncipe Von dissera, falando do duque de Aumale, "meu tio", o Sr. de Guermantes respondeu: — Porque o irmão de sua mãe, o duque de Wurtemberg, havia desposado uma filha de Luís Filipe. — Então contemplei todo um relicário, semelhante aos pintados por Carpaccio ou Memling, desde o primeiro compartimento, em que a princesa, nas festas das núpcias de seu irmão, o duque de Orléans, aparecia vestida com um simples trajo de jardim para testemunhar seu mau humor por ter visto serem repelidos os seus embaixadores que tinham ido pedir para ela a mão do príncipe de Siracusa, até o último, em que ela acaba de dar à luz um menino, o duque de Wurtemberg (o próprio tio do príncipe com quem eu acabava de jantar), naquele castelo de Fantasia, um desses lugares tão aristocráticos como certas famílias. Eles também, como duram mais de uma geração, vêem ligar-se ao seu meio mais de uma personalidade histórica; especialmente naquele vivem, lado a lado, as recordações da margravina de Bayreuth, daquela outra princesa um tanto fantástica (a irmã do duque de Orléans), a quem, dizia-se, o nome do castelo do esposo agradava, do rei da Baviera e, por fim, do príncipe Von, de quem precisamente era o endereço, para o qual acabava de pedir ao duque de Guermantes que lhe escrevesse, pois o havia herdado e só o alugava, durante as representações de Wagner, ao príncipe de Polignac, outro "fantasista" delicioso. Quando o Sr. de Guermantes, para explicar como era parente da Sra. d'Arpajon, se obrigava a remontar, tão longe e simplesmente, pelas cadeias e as mãos juntas de três ou cinco avós, a Marie-Louise ou a Colbert, ainda era a mesma coisa: em todos esses casos, um grande evento histórico só aparecia, de passagem, disfarçado, restringido, no nome de uma propriedade, nos prenomes de uma mulher escolhidos por ser ela neta de Luís Filipe e de Maria-Amélia, considerados não mais como rei e rainha da França, mas apenas na medida em que, sendo avós, deixaram uma herança. (Por outros motivos, vê-se num dicionário da obra de Balzac, onde os personagens mais ilustres só figuram conforme suas ligações com a *Comédia Humana*, Napoleão ocupar um espaço bem menor que o de Rastignac, e ocupá-lo exclusivamente por haver falado às senhoritas de Cinq-Cygne.) Desse modo a aristocracia, em uma construção pesada, aberta em raras janelas, deixando entrar pouca luz, mostrando a mesma falta de ousadia, mas igualmente a mesma força maciça e cega da arquitetura romana, encerra em si toda a História, rodeia-a de muralhas, torna-a carrancuda.

Assim os espaços de minha memória se cobriam aos poucos de nomes que, ordenando-se, compondo-se uns em relação aos outros, estabelecendo entre eles ligações cada vez mais numerosas, imitavam essas obras de arte acabadas, onde não existe um só toque isolado, onde cada parte recebe sucessivamente da outra a sua razão de ser como ela lhes impõe a sua.

Já que o nome do Sr. de Luxemburgo voltara à baila, a embaixatriz da Turquia contou que o avô da jovem senhora (o que possuía aquela imensa fortuna proveniente das farinhas e das massas), tendo convidado o Sr. de Luxemburgo para almoçar, este recusara o convite mandando escrever no envelope: "Sr. de ***, moleiro", ao que o avô respondera: "Sinto muito que não possa vir, caro amigo, tanto mais que eu poderia desfrutar de sua intimidade, pois estávamos em família e não haveria ao jantar senão o moleiro, seu filho e o senhor." Tal história era não somente odiosa para mim, que sabia da impossibilidade moral que meu caro Sr. de Nassau escrevesse ao avô de sua esposa (do qual, aliás, sabia que seria herdeiro) qualificando-o de "moleiro", mas a estupidez desse relato era evidente mesmo desde as primeiras palavras, pois o apelativo de moleiro era claramente colocado para indicar o título da fábula de La Fontaine.[39] Porém existe no *faubourg* Saint-Germain uma parvoíce tal, quando a malevolência a agrava, que todos acharam que a história era autêntica e que o avô, a quem, sem receio, afirmaram logo tratar-se de pessoa notável, mostrara mais espírito que o marido de sua neta. O duque de Châtellerault quis aproveitar essa história para contar a que eu ouvira no café: "Todo mundo se deitava", mas, logo às primeiras palavras, e quando falou da pretensão do Sr. de Luxemburgo de que, diante

[39] A aludida fábula é *O Moleiro, o Filho e o Burro*. (N. do T.)

de sua mulher, o Sr. de Guermantes se levantasse, a duquesa o fez parar e protestou: — Não, ele é muito ridículo, mas de forma alguma a esse ponto. — Intimamente, eu estava persuadido de que todas as histórias relativas ao Sr. de Luxemburgo eram igualmente falsas e que, de cada vez que me encontrasse em presença de um dos atores ou testemunhas, ouviria o mesmo desmentido. Contudo, perguntava a mim mesmo se o desmentido da Sra. de Guermantes se devia à preocupação com a verdade ou ao amor-próprio. Em todo caso, este último cedeu ante a malevolência, pois ela acrescentou, rindo: — De resto, também tive a minha pequena afronta, pois ele me convidou para o chá, desejando me fazer conhecer a grã-duquesa de Luxemburgo; é assim que ele tem o bom gosto de chamar sua esposa, ao escrever à tia. Apresentei-lhe minhas escusas e acrescentei: "Quanto à 'grã-duquesa de Luxemburgo', entre aspas, diga-lhe que, se quiser visitar-me, estarei em casa depois das cinco todas as quintas-feiras." Sofri mesmo uma segunda afronta. Estando em Luxemburgo, telefonei-lhe para que viesse falar comigo no aparelho. Sua Alteza ia almoçar, acabava de almoçar, duas horas se passaram sem resultado e então empreguei outro meio: "Tenha a bondade de dizer ao conde de Nassau que venha me falar?" Ferido no fundo da alma, ele acorreu imediatamente. — Todos riram do relato da duquesa e de outros análogos, isto é, estou convencido disso, de mentiras, pois jamais conheci homem tão inteligente, melhor, mais fino, falemos claro, mais requintado do que esse Luxemburgo-Nassau. Adiante veremos que a razão estava comigo. Devo reconhecer que, no meio de todas essas perfídias, a Sra. de Guermantes teve no entanto uma frase amável.

— Ele nem sempre foi assim — disse ela. — Antes de perder a razão, de ser, como nos livros, o homem que se julga transformado em rei, ele não era imbecil e até, nos primeiros tempos de noivado, referia-se a este de modo bastante simpático, com uma felicidade inesperada: "É um verdadeiro conto de fadas, será necessário que eu faça minha entrada em Luxemburgo numa carruagem de *féerie*", dizia ele a seu tio d'Ornessan, que lhe respondeu, pois como sabem o Luxemburgo não é muito grande: "Uma carruagem de *féerie*? Temo que não consigas entrar. Aconselho-te antes um carrinho puxado por cabras." Não só isto não aborreceu Nassau, como foi ele próprio o primeiro a nos contar o caso, rindo.

— Ornessan tem bastante espírito e a quem puxar: sua mãe é uma Montjeu. Passa bem mal, o pobre Ornessan.

Este nome teve a virtude de interromper as maldades sem graça que se desenrolariam ao infinito. De fato, o Sr. de Guermantes explicou que a bisavó do Sr. de d'Ornessan era a irmã de Marie de Castille Montjeu, mulher de Timoléon de Lorraine e, em conseqüência, tia de Oriane. De forma que a conversação retornou às genealogias, ao passo que a imbecil embaixatriz da Turquia me segredava ao ouvido: — O senhor parece estar em muito boas relações com o duque de Guermantes, tenha cuidado. — E, como eu lhe pedisse explicações: — Quero dizer, o senhor me compreenderá com meia palavra, que é um homem a quem se poderia confiar sem perigo a sua filha, mas não o seu filho. — Ora, pelo contrário, se algum homem amou apaixonada e exclusivamente as mulheres, esse foi com certeza o duque de Guermantes. Porém o erro, a antífrase ingenuamente acreditada eram para a embaixatriz como um meio vital fora do qual não podia movimentar-se. — Seu irmão Mémé, que aliás para mim, por outros motivos (ele não a saudava), é profundamente antipático, sente um verdadeiro desgosto pelos costumes do duque. Da mesma forma a sua tia Villeparisis. Ah! Eu a adoro. Eis uma santa mulher, o verdadeiro tipo das grandes damas de outrora. Não é apenas a própria virtude, mas a reserva. Ela ainda diz: "Senhor" ao embaixador Norpois, a quem vê todos os dias e que, entre parênteses, deixou uma excelente lembrança na Turquia.

Eu nem mesmo respondia à embaixatriz, a fim de ouvir as genealogias. Nem todas eram importantes. Ocorria até que, no correr da conversa, uma das alianças inesperadas de que soube por meio do Sr. de Guermantes, era uma aliança desigual, porém não sem charme, pois, unindo, sob a monarquia de Julho, o duque de Guermantes e o duque de Fezensac às duas deslumbrantes filhas de um ilustre navegador, dava assim às duas duquesas o picante imprevisto de uma graça exoticamente burguesa, *luisfilipemente* indiana. Ou então, sob Luís XIV, um Norpois se casara com a filha do duque de Mortemart, cujo título ilustre ressaltava, no longínquo dessa época, o nome de Norpois, que eu achava baço e podia julgar recente, nele cinzelando fundamente a beleza de uma medalha. E, aliás, nesses casos não era somente o nome menos conhecido que se beneficiava da aproximação: o outro, tornado banal à força de brilhar, me impressionava mais sob aquele novo aspecto mais obscuro, como, dentre os quadros de uma colorista fulgurante, o mais incisivo é por vezes um retrato todo em negro. A nova mobilidade de que pareciam dotados todos aqueles nomes, vindo colocar-se ao lado de outros de que os pensaria tão distanciados, não decorria unicamente da minha ignorância; essas contradanças que executavam no meu espírito, não a tinham eles realizado menos facilmente naquelas épocas em que um título, estando sempre aderido a uma terra, seguia-a de uma família para outra, de modo que, por exemplo, na bela construção feudal que é o título de duque de Nemours ou de duque de Chevreuse, eu podia descobrir sucessivamente abrigados, como na morada hospitaleira de um bernardo-eremita, um Guise, um príncipe da Savóia, um Orléans, um

Luynes. Algumas vezes, vários permaneciam em competição na disputa de uma mesma concha: para o principado de Orange, a família real dos Países-Baixos e os Srs. De Mailly-Nesle; para o ducado de Brabante, o barão de Charlus e a família real da Bélgica; outros tantos para os títulos de príncipe de Nápoles, de duque de Parma, de duque de Reggio. Às vezes, dava-se o contrário: a concha estava há tanto tempo desabitada pelos proprietários mortos desde muito, que eu nunca me dera conta de que determinado nome de castelo pudesse ter sido, numa época enfim bem pouco recuada, um nome de família. Assim, como o Sr. de Guermantes respondesse a uma pergunta do Sr. de Monserfeuil: — Não, minha prima era uma realista furiosa, era filha do marquês de Féterne, que teve um certo destaque na guerra dos Chouans —, eu, ao ver esse nome de Féterne, que para mim, desde a temporada em Balbec, era um nome de castelo, transformar-se naquilo em que jamais sonhara, um nome de família, senti o mesmo espanto que numa *féerie*, em que os torreões e uma escadaria se animam, tornando-se pessoas. Nesta acepção, pode-se dizer que a História, mesmo simplesmente genealógica, dá vida às velhas pedras. Na sociedade parisiense houve homens que ali desempenharam um papel tão considerável, que foram mais requisitados por sua elegância ou por seu espírito, sendo igualmente de nascimento ilustre, como o duque de Guermantes ou o duque de La Trémoïlle. Caíram hoje no esquecimento, porque, como não tiveram descendentes, seu nome já não é mais ouvido, ressoa como nome ignorado; quando muito, um nome de coisa, sob a qual não imaginamos descobrir o nome de homens, sobrevive em algum castelo, em alguma aldeia distante. Num dia não muito longínquo, o viajante que, nos confins da Borgonha, parar na aldeiazinha de Charlus para visitar sua igreja, se não for muito estudioso ou estiver demais apressado para examinar as pedras tumulares, há de ignorar que aquele nome de Charlus foi o de um homem que se igualava aos maiores. Esta reflexão lembrou-me que precisava ir embora e que, enquanto escutava o Sr. de Guermantes falar de genealogia, aproximava-se a hora em que eu tinha um encontro com o seu irmão. Quem sabe, continuei a pensar, se um dia até Guermantes não parecerá outra coisa senão um nome de lugar, salvo para os arqueólogos por acaso detidos em Combray, e que, diante do vitral de Gilberto o Mau, terão a paciência de ouvir os discursos do sucessor de Théodore ou de ler o guia do cura. Mas, enquanto um grande nome não está extinto, mantém em plena luz aqueles que o usaram; e sem dúvida, por um lado, o interesse que oferecia a meus olhos a ilustração dessas famílias era que, partindo de hoje, se pode segui-las, remontando degrau por degrau, até muito além do século XIV e encontrar as Memórias e as correspondências de todos os ascendentes do Sr. de Charlus, do príncipe de Agrigento e da princesa de Parma, num passado em que a noite impenetrável cobriria as origens de uma família burguesa, e onde distinguimos, sob a projeção luminosa e retrospectiva de um nome, a origem e a persistência de certas características nervosas, de certos vícios, de desordens de tais ou quais Guermantes. Quase patologicamente idênticos aos de hoje, de século em século eles excitam o interesse alarmado de seus correspondentes, sejam eles anteriores à princesa Palatina e à Sra. de Motteville, ou posteriores ao príncipe de Ligne.

Aliás, minha curiosidade histórica era frágil em comparação com o prazer estético. Os nomes citados tinham como efeito desencarnar os convidados da duquesa, que, por mais que se chamassem príncipe de Agrigento ou de Cystria, sua máscara de carne e de inteligência comum os transforma em homens quaisquer, de modo que, afinal, eu fora dar comigo no capacho do vestíbulo, não no limiar, como pensara, mas no termo do mundo encantado dos nomes. O próprio príncipe de Agrigento, logo que ouvi que sua mãe era uma Damas, neta do duque de Módena, foi liberado, como de um companheiro químico instável, do rosto e das palavras que o impediam de ser reconhecido, indo formar, com Damas e Módena, que não passavam de títulos, uma combinação infinitamente mais sedutora. Todo nome deslocado pela atração de um outro, com o qual não supunha tivesse qualquer afinidade, deixava o lugar imóvel que ocupava em meu cérebro, onde o hábito o havia deslustrado e, indo juntar-se aos Mortemarts, aos Stuarts ou aos Bourbons, desenhava com eles ramos do mais gracioso efeito e de um colorido cambiante. O próprio nome de Guermantes recebia, de todos os belos nomes extintos e com tanto maior ardor reacendidos, a que eu apenas acabava de saber que estava ligado, uma determinação bem nova, puramente poética. No máximo, na extremidade de cada bojo de estirpe altaneira, podia eu vê-la desabrochar-se em alguma figura de rei sábio ou de princesa ilustre, como o pai de Henrique IV ou a duquesa de Longueville. Mas, como essas faces, diferentes nisto da dos convivas, não estavam, para mim, empastadas de nenhum resíduo de experiência material e de mediocridade mundana, permaneciam, em seu belo desenho e seus reflexos mutáveis, homogêneas a esses nomes, que, a intervalos regulares, cada qual de cor diversa, se destacavam da árvore genealógica de Guermantes e não toldavam de nenhuma matéria estranha e opaca os brotos translúcidos, alternantes e multicores, que, assim como nos antigos vitrais de Jessé os antepassados de Jesus, floresciam de ambos os lados da árvore de vidro.

Em várias ocasiões eu já quisera retirar-me e, acima de qualquer outro motivo, devido à insignificância que minha presença impunha àquela reunião, contudo uma daquelas que eu imaginara tão bonitas durante tanto tempo, e que sem dúvida o teria sido se não tivesse uma testemunha importuna. Ao menos a minha partida ia permitir que os convidados, uma vez que o profano já não se achasse presente, se constituíssem por fim em comitê secreto. Iriam poder celebrar os mistérios para cuja comemoração se haviam reunido, pois evidentemente não era para falar de Frans Hals ou da avareza, e para falar à moda da burguesia. Só diziam ninharias, sem dúvida, porque me achava ali, e eu sentia remorsos, ao ver todas essas lindas mulheres separadas, por impedi-las, com minha presença, de levar, no mais precioso de seus salões, a vida misteriosa do *faubourg* Saint-Germain. Mas essa partida, que a todo instante eu queria efetuar, o Sr. e a Sra. de Guermantes, levando o sacrifício a ponto de reter-me, adiavam-na. Mais curioso ainda, diversas damas que tinham vindo apressadas, encantadas, cheias de adornos, consteladas de pedrarias, para, por minha culpa, assistir apenas uma festa que não diferia essencialmente das que se davam fora do *faubourg* Saint-Germain, assim como em Balbec não nos sentimos numa cidade que se diferencie da que nossos olhos estão acostumados a ver — várias dessas damas se retiraram, não decepcionadas, como deveriam ter ficado, mas agradecendo efusivamente à Sra. de Guermantes pelo serão delicioso que tinham passado, como se nos outros dias, aqueles em que eu não comparecera, as coisas não se houvessem passado de outro modo.

Seria de fato por causa de jantares como aquele que todas essas pessoas se preparavam e recusavam deixar que os burgueses penetrassem nos seus salões tão fechados? Por jantares como esse? Iguais se eu estivesse ausente? Suspeitei disso por um momento, mas era absurdo demais. O simples bom senso me permitia afastar essa hipótese. E depois, se a houvesse acolhido, que restaria do nome de Guermantes, já tão degradado desde Combray?

Além disso, aquelas mulheres-flores eram, num grau estranho, fáceis de ser contentadas por outra pessoa, ou desejosas de a contentar, pois mais de uma, à qual eu não dirigira durante toda a noite mais que duas ou três frases cuja estupidez me fizera enrubescer, fez questão de vir me dizer, antes de deixar o salão, e fixando em mim seus belos olhos acariciantes, endireitando a grinalda de orquídeas que contornava seu peito, que prazer intenso tivera em conhecer-me, e me falar — alusão velada a um convite para jantar — de seu desejo de "arranjar alguma coisa", depois que tivesse "marcado o dia" com a Sra. de Guermantes. Nenhuma dessas damas-flores partiu antes da princesa de Parma. A presença desta — não se deve sair antes de uma Alteza — era uma das duas razões, por mim não adivinhadas, pelas quais a duquesa insistira tanto para que eu ficasse. Quando a Sra. de Parma se ergueu, foi como uma liberação. Todas as senhoras, tendo feito uma genuflexão diante da princesa, que as soergueu, receberam dela num beijo, e como uma bênção que tivessem pedido de joelhos, a permissão de pedir sua capa e chamar os criados. De modo que ocorreu, diante da porta, uma recitação gritada de grandes nomes da História da França. A princesa de Parma tinha proibido à Sra. de Guermantes que descesse para acompanhá-la até o vestíbulo, de medo que ela se resfriasse, e o duque acrescentara: — Vamos, Oriane, já que Sua Alteza o permite, lembre-se do que lhe disse o médico.

— Creio que a princesa de Parma ficou *muito contente* de jantar com o senhor. — Eu conhecia a fórmula. O duque atravessara todo o salão para vir pronunciá-la diante de mim, com ar obsequioso e compenetrado, como se me entregasse um diploma ou oferecesse salgadinhos. E percebi, no prazer que ele parecia experimentar naquele momento e que lhe dava ao rosto, por um instante, uma expressão tão doce, que o gênero de cuidados que aquilo representava para ele era dos que haveria de cumprir até o extremo final da vida, como essas funções honoríficas e cômodas que, mesmo idoso, a gente ainda conserva.

No momento em que eu ia partir, a dama de honor da princesa voltou ao salão por ter se esquecido de levar os cravos maravilhosos, vindos de Guermantes, que a duquesa dera à Sra. de Parma. A dama de honor estava muito vermelha, sentia-se que ela fora repreendida, pois a princesa, tão boa com todos, não podia sofrear sua impaciência diante da tolice da sua aia. Assim, esta corria com pressa levando os cravos, mas, para conservar seu aspecto desenvolto e rebelde, falou ao passar por mim: — A princesa acha que estou atrasada; queria que fôssemos embora e ainda assim ter os cravos. Diabo! Não sou um passarinho, não posso estar em vários lugares ao mesmo tempo.

Ai de mim! A razão de não se erguer antes de uma Alteza não era a única. Não pude partir imediatamente porque havia uma outra: era que aquele famoso luxo, desconhecido dos Courvoisiers, que os Guermantes, opulentos ou meio arruinados, distinguiam-se em fazer com que os amigos desfrutassem, não era apenas um luxo material, como eu o experimentara freqüentes vezes com Robert de Saint-Loup, mas igualmente um luxo de palavras encantadoras, de atos gentis, toda uma elegância verbal alimentada por uma verdadeira riqueza interior. Mas, como esta, na ociosidade mundana, permanece desaproveitada, derramava-se às vezes, buscava um derivativo numa espécie de efusão fugidia, tanto mais ansiosa, e que teria podido, da parte da Sra. de Guermantes, fazer acreditar em afeição. Aliás, ela a sentia no momento em que a deixava transbordar, pois achava então, na companhia do amigo ou amiga com quem se encontrava, uma espécie de embriaguez, de modo algum sensual, análoga à que a música empresta a certas pessoas; acontecia-lhe desprender uma flor do corpete, ou um medalhão, e dá-lo a alguém com quem desejaria prolongar o convívio; sentindo, no entanto, melancolicamente, que tal prolongamento não levaria a mais que vazias conversações e onde nada iria além do prazer nervoso e da emoção passageira, semelhantes aos primeiros ardores da primavera pela impressão que deixam de lassitude e tristeza. Quanto ao amigo, não deveria deixar-se enganar demais pelas promessas, das mais embriagadoras que já ouvira, proferidas por aquelas mulheres que, por sentirem com tanta intensidade a doçura de um instante, fazem deste, com uma delicadeza e uma nobreza ignoradas das criaturas normais, uma obra-prima comovente de graça e de bondade, e nada mais têm a dar de si próprias quando um outro instante chegar. Seu afeto não sobrevive à exaltação que o dita; e a finura de espírito que então as levara a adivinhar todas as coisas que desejaríamos ouvir e a no-las dizer lhes permitirá afinal, alguns dias mais tarde, perceber nossos ridículos e divertir-se à custa deles com um outro de seus visitantes, com o qual estarão desfrutando um desses "momentos musicais" que são tão breves.

No vestíbulo, onde pedi a um lacaio os meus *snow-boots*, que trouxera por precaução devido à neve e de que haviam caído alguns flocos logo desfeitos em lama, não me apercebendo de que era pouco elegante, senti, pelo sorriso desdenhoso de todos, uma vergonha que alcançou seu grau mais elevado quando vi que a Sra. de Parma ainda não se fora e me via calçando minhas galochas americanas. A princesa veio até mim. — Oh, que bela idéia! — exclamou —; como é prático! Eis um homem inteligente. Senhora, é preciso que compremos isto — disse ela à sua dama de honor, ao passo que a ironia dos lacaios se transmudava em respeito, e os convidados se mostravam solícitos a meu redor, a fim de saber onde eu pudera encontrar aquelas maravilhas. — Graças a isto, o senhor nada tem a temer, mesmo que volte a nevar e o senhor tiver de ir para longe; não há mais estações — disse a princesa.

— Oh, sob este aspecto, Vossa Alteza Real pode ficar tranqüila — interrompeu a dama de honor com ar astuto —; não vai nevar mais.

— Que sabe sobre isto, Senhora? — perguntou com azedume a excelente princesa de Parma, a quem a patetice da dama de honor só conseguia irritar.

— Posso afirmá-lo a Vossa Alteza Real: não pode mais nevar de novo, é materialmente impossível.

— E por quê?

— Não pode mais nevar, fizeram o bastante para isso: jogaram sal!

A ingênua senhora não percebeu a cólera da princesa nem o divertimento das demais pessoas, pois, em vez de se calar, disse-me com um sorriso ameno, sem levar em conta minhas negativas quanto ao almirante Jurien de La Gravière: — Aliás, que importa? O senhor deve ter sangue frio. Sangue bom não nega.

E, tendo acompanhado a princesa de Parma, o Sr. de Guermantes me disse, pegando o meu sobretudo: — Vou ajudá-lo a entrar em sua casaca. — Já nem sorria ao empregar esta expressão, pois as que são mais comuns, por isso mesmo, devido à afetação de simplicidade dos Guermantes, tornavam-se mais aristocráticas.

Uma exaltação, que só levava à melancolia, pois era artificial, foi também o que senti, embora bem diversamente da Sra. de Guermantes, quando enfim saí de sua casa, no carro que ia transportar-me ao palacete do Sr. de Charlus. Podemos nos entregar, à nossa escolha, a uma ou outra das duas forças: uma se ergue de nós mesmos, emana de nossas impressões profundas; a outra nos vem de fora. A primeira traz naturalmente consigo uma alegria, a que provém da vida das criaturas. A outra corrente, a que busca introduzir em nós o movimento com que se agitam as pessoas exteriores, não é acompanhada de prazer; porém podemos acrescentar-lhe um, por repercussão, numa embriaguez tão artificial que se muda rapidamente em tédio e tristeza; daí a fisionomia melancólica de tantos mundanos e, neles, tantos estados nervosos que podem chegar até o suicídio. Ora, no carro que me levava ao Sr. de Charlus, eu me sentia atormentado por esta segunda espécie de exaltação, bem diferente da que nos é dada por uma impressão pessoal, como a que tivera em outros carros: uma vez em Combray, na carriola do Dr. Percepied, de onde avistara desenharem-se contra o poente os campanários de Martinville; um dia, em Balbec, na caleça da Sra. de Villeparisis, procurando desemaranhar a lembrança que me oferecia uma aléia de árvores. Porém, nesta terceira viatura, o que eu tinha diante dos olhos do espírito eram aquelas conversas que me haviam parecido tão tediosas no jantar da Sra. de Guermantes, por exemplo, as narrativas do príncipe Von sobre o imperador da Alemanha, sobre o general Botha e o exército inglês. Acabava de fazê-las passar pelo estereoscópio interior, através do qual desde que já não somos nós mesmos, desde que, dotados de uma alma mundana, só queremos receber nossa vida por meio dos outros, realçamos o que nos disseram e fizeram. Como um homem ébrio, cheio de disposições de ternura para com o garçom do café que o serviu, eu me admirava de minha ventura, é verdade que não sentida por mim no próprio instante, de ter jantado com alguém que conhecia tão bem a Guilherme II e sobre quem havia contado anedotas — palavra! — bastante espirituosas.

E recordando-me, com o sotaque alemão do príncipe, da história do general Botha, eu ria bem alto, como se esse riso, semelhante a certos aplausos que aumentam a admiração interior, fosse necessário àquela narrativa para lhe corroborar a comicidade. Por trás dos vidros de aumento, até mesmo os juízos da Sra. de Guermantes que me haviam parecido idiotas (por exemplo, sobre os quadros de Frans Hals, de que seria preciso vê-los de um bonde) ganhavam uma vida e uma profundeza extraordinárias. E devo dizer que, se tal exaltação decaía logo, não era absolutamente insensata. Assim como podemos, um belo dia, nos sentir felizes em conhecer a pessoa que desdenhávamos em extremo, porque se acha ligada a uma moça a quem amamos, a quem elas podem nos apresentar, oferecendo-nos desse modo utilidade e satisfação, coisas de que a julgaríamos para sempre destituída, não há conversas, nem mesmo relações, de que não se possa estar certo de que não se tirará alguma coisa um dia. O que me dissera a Sra. de Guermantes a respeito dos quadros que seria interessante ver, mesmo de um bonde, era falso, mas continha uma parte de verdade que me foi preciosa depois.

Da mesma forma, os versos de Victor Hugo que ela me havia citado eram, é preciso confessá-lo, de uma época anterior àquela em que ele se tornou mais que um homem novo, onde fez aparecer na evolução uma espécie literária ainda desconhecida, dotada de órgãos mais complexos. Naqueles primeiros poemas, Victor Hugo pensa ainda, em vez de se contentar, como a Natureza, em fazer pensar. "Pensamentos", ele os expressava então sob a forma mais direta, quase no sentido em que o duque empregava a palavra quando, em Guermantes, achando enfadonho e antiquado que os convivas de suas festas de gala fizessem seguir a sua assinatura, no álbum do castelo, de uma reflexão filosófico-poética, advertia os recém-chegados com um tom suplicante: — O seu nome, meu caro, mas nada de pensamentos! — Ora, eram estes "pensamentos" de Victor Hugo (quase tão ausentes da *Legenda dos séculos* como as "árias" e as "melodias" da segunda maneira de Wagner) que a Sra. de Guermantes apreciava no primeiro Victor Hugo. Mas não totalmente sem motivo. Tais pensamentos eram tocantes e já em torno deles, sem que a forma tivesse ainda a profundidade a que só deveria atingir bem mais tarde, o fluxo de palavras numerosas e de rimas opulentamente articuladas fazia-os inassimiláveis àqueles versos que se podem descobrir num Corneille, por exemplo, e onde um romantismo intermitente, contido, e que tanto mais nos emociona, todavia não penetrou até as fontes físicas da vida, nem modificou o organismo inconsciente e generalizável em que se acolhe a idéia. Assim, procedera eu mal em confinar-me até então às últimas coletâneas de Victor Hugo. Certo, das primeiras era apenas uma parte ínfima que adornava a conversa da Sra. de Guermantes. Mas justamente, citando desse modo um verso isolado, decuplica-se o seu valor atrativo. Os que entraram ou tornaram a entrar em minha memória, no decurso daquele jantar, magnetizavam por sua vez, chamavam a si com tal força as peças em que habitualmente se achavam encravados, que minhas mãos, eletrizadas, não puderam resistir mais de quarenta e oito horas à força que as conduzia ao volume em que estavam encadernados *As Orientais* e *Os Cantos do Crepúsculo*. Amaldiçoei o lacaio de Françoise por ter doado à sua terra natal o meu exemplar das *Folhas de outono*, e o mandei comprar outro sem perder um só instante. Reli esses volumes do princípio ao fim, e não encontrei a paz senão quando percebi de súbito, esperando-me na luz em que ela os havia banhado, os versos que me citara a Sra. de Guermantes. Por todos esses motivos, as conversas com a duquesa se pareciam a esses conhecimentos adquiridos na biblioteca de um castelo, antiquada, incompleta, incapaz de formar uma inteligência, desprovida de quase tudo de que gostamos, oferecendo-nos entretanto, às vezes, alguma informação curiosa, até mesmo a citação de uma bela página que não conhecíamos, e cujo conhecimento mais tarde nos sentimos felizes ao lembrar que o devemos a uma magnífica casa senhorial. Então, por haver encontrado o prefácio de Balzac à *Cartuxa de Parma* ou cartas inéditas de Joubert, somos tentados a exagerar o valor da vida que ali passamos e cuja frivolidade estéril esquecemos por esse ganho de uma noite.

Sob esse ponto de vista, se a alta sociedade não pudera no primeiro momento corresponder ao que minha imaginação esperava, e, por conseguinte, devia chocar-se a princípio pelo que tinha em comum com todas as sociedades, em vez de impressionar-se pelo que possuísse de diferente, revelou-se, no entanto, aos poucos, muito diversa. Os grãos-senhores são quase as únicas pessoas de quem se pode aprender tanto como dos camponeses; sua conversação adorna-se de tudo o que concerne à terra, às residências tais como eram habitadas antigamente, aos costumes de outrora, a tudo aquilo que o mundo do dinheiro profundamente desconhece. Supondo que o aristocrata mais moderado em suas aspirações tenha acabado por atingir a época em que vive, sua mãe, seus tios, suas tias-avós o põem em contato, quando ele se recorda de sua infância, com o que poderia ser uma vida quase ignorada atualmente. Na câmara mortuária de um falecido de hoje, a Sra. de Guermantes não teria feito assinalar, mas assinalaria de pronto, todas as infrações feitas aos usos. Sentia-se chocada ao ver, num enterro, mulheres misturadas aos homens, quando há uma cerimônia particular que deve ser celebrada pelas mulheres. No caso do manto, cujo emprego Bloch teria sem dúvida pensado que se limitava aos enterros, por causa dos cordões do manto de que se fala nas relações de exéquias, o Sr. de Guermantes podia lembrar-se do tempo em que, ainda criança, vira-o ser utilizado no casamento do Sr. de Mailly-Nesle. Enquanto Saint-Loup vendera sua preciosa "Árvore genealógica", retratos antigos dos Bouillon e cartas de Luís XIII para comprar quadros de Carrière e móveis *modern style*, o Sr. e a Sra. de Guermantes, movidos por um sentimento em que o amor ardente pela arte talvez desempenhasse um papel menor e os tornava a eles próprios mais medíocres, tinham conservado seus maravilhosos móveis de Boulle, que aliás ofereciam um conjunto atraente para um artista. Da mesma forma um literato ficaria encantado com sua conversação, que para ele seria — pois um faminto não precisa de outro faminto — um dicionário vivo de todas essas expressões que a cada dia mais se tornam esquecidas: *des cravates à la Saint-Joseph, des enfants voués au bleu*, etc., e que só se encontram entre os que se fazem amáveis e benévolos conservadores do passado. O prazer que um escritor sente entre eles, muito mais do que entre outros escritores, esse prazer não é sem perigo, pois ele se arrisca a acreditar que as coisas do passado possuem um atrativo por si mesmas e que deve passá-las tais como são para a sua obra, natimorta nesse caso, exalando um tédio do qual ele se consola, dizendo a si próprio: "É lindo porque é verdadeiro; é assim que se diz." Tais conversações aristocráticas, aliás, tinham na casa da Sra. de Guermantes o encanto de serem mantidas em excelente francês. Por isso, tornavam legítima, da parte da duquesa, a sua hilaridade diante de termos como "vático", "cósmico", "pítico", "supereminente" que Saint-Loup empregava — bem como diante de seus móveis da casa Bing.

Apesar de tudo, bem diversas nisto daquilo que eu pudera sentir diante dos espinheiros-alvares ou degustando uma *madeleine*, as histórias que ouvira na casa da duquesa eram-me estranhas. Tendo penetrado um instante em mim, que só fisicamente era possuído por elas, ter-se-ia dito que (de natureza social e não individual) estavam impacientes por sair. Eu me agitava no carro, como uma pitonisa. Esperava um novo jantar em que pudesse tornar-me uma espécie de príncipe X, de Sra. de Guermantes, e recontá-las. Enquanto esperava, elas faziam trepidar meus lábios, que as balbuciavam, e em vão tentava recobrar meu espírito vertiginosamente arrastado por uma força centrífuga. Foi assim, com a febril impaciência de não carregar por mais tempo o seu peso, solitário num carro, onde aliás compensava a falta de conversação falando em voz bem alta, que toquei a campainha da porta do Sr. de Charlus, e foi em longos monólogos comigo mesmo, onde repetia-me tudo o que iria lhe contar e já não pensava mais no que podia ele ter a me dizer, que passei o tempo todo que permaneci num salão aonde me conduzira um lacaio, e que, de qualquer modo, estava agitado demais para observar. Sentia uma tal necessidade de que o Sr. Charlus escutasse os relatos que eu ardia por lhe contar, que fiquei cruelmente decepcionado ao pensar que o dono da casa talvez dormisse e que me seria necessário voltar a cozer no meu quarto minha embriaguez de palavras. Com efeito, acabava de verificar que fazia vinte e cinco minutos que ali estava, que talvez me houvessem esquecido naquele salão, do qual, não obstante a longa espera, podia pelo menos dizer que era imenso, verdoengo, com alguns retratos. A necessidade de falar não impede apenas de escutar, mas de ver; e, nesse caso, a ausência de toda descrição do meio exterior já é uma descrição de um estado interno. Ia sair do salão para tentar chamar alguém e, se não encontrasse pessoa alguma, refazer o caminho até as antecâmaras e mandar que me abrissem a porta, quando, no momento mesmo em que acabara de me erguer e dar alguns passos no chão de mosaico, surgiu um lacaio com ar preocupado: — O Sr. barão teve encontros até agora — disse-me. — Ainda há várias pessoas que o aguardam. Vou fazer todo o possível para que receba o senhor. Já mandei telefonar duas vezes ao secretário.

— Não, não se incomode, tinha um encontro com o Sr. barão, mas já é muito tarde e, desde que está ocupado esta noite, voltarei outro dia.

— Oh! não se vá senhor — exclamou o criado. — O senhor barão poderia ficar descontente. Vou tentar de novo.

Lembrei-me do que ouvira contar acerca dos criados do Sr. de Charlus e de seu devotamento ao patrão. Não se podia dizer dele exatamente como o príncipe de Conti, que procurava agradar tanto ao criado como ao ministro, mas de tal modo soubera fazer das menores coisas que pedia uma espécie de favor que, à noite, reunidos os criados a seu redor a uma respeitosa distância, depois de havê-los percorrido com o olhar, dizia: "Coignet, o castiçal!" ou: "Ducret, a camisa!", e era com resmungos de inveja que os outros se retiravam, enciumados daquele que acabava de ser distinguido pelo patrão. Até dois deles, que se detestavam, cuidavam cada qual de retirar o favor ao outro, indo sob o pretexto mais absurdo, dar recados ao barão, se este subira mais cedo, na esperança de ser incumbido aquela noite de levar o castiçal ou a camisa de dormir. Se o barão dirigia diretamente a palavra a um deles sobre qualquer coisa que não se relacionasse com o serviço, mais ainda, se, durante o inverno, no jardim, sabendo que um dos cocheiros estava gripado, lhe dizia ao cabo de dez minutos: "Cubra-se!", os outros ficavam quinze dias sem falar ao doente, por ciúme, devido à graça que lhe fora concedida.

Ainda esperei dez minutos e, depois de me pedirem que não demorasse muito porque o Sr. barão, cansado, precisara mandar embora diversas pessoas importantes, que haviam marcado encontro há longo tempo, introduziram-me à sua presença. Tal encenação em torno ao Sr. de Charlus me parecia ter muito menos grandeza que a simplicidade de seu irmão Guermantes, mas a porta já estava aberta, e eu acabava de ver o barão, de chambre chinês, colo desnudo, estendido num canapé. Impressionou-me no mesmo instante a vista de uma cartola *huit-reflets* sobre uma cadeira, com uma peliça, como se o barão tivesse acabado de chegar. O lacaio se retirou. Julguei que o Sr. de Charlus viesse ao meu encontro. Sem fazer um só movimento, fixou em mim o olhar implacável. Aproximei-me dele, saudei-o, ele não me estendeu a mão, não me correspondeu, nem me disse que pegasse uma cadeira. Ao fim de um momento perguntei-lhe, como se faria a um médico mal-educado, se era necessário que eu ficasse de pé. Falei sem má intenção, mas o ar de cólera fria do Sr. de Charlus pareceu agravar-se mais ainda. Eu ignorava, aliás, que na sua casa de campo, no castelo de Charlus, ele tinha o hábito de, após o jantar — de tanto que gostava de se fazer de rei —, instalar-se numa poltrona no *fumoir*, deixando os convidados de pé a seu redor. Pedia o fogo a um, a outro oferecia um charuto e, após alguns instantes, dizia: — Mas d'Argencourt, sente-se, pegue uma cadeira meu caro, etc. —, tendo feito questão de prolongar o tempo deles em pé apenas para lhes mostrar que era dele que emanava a permissão de se sentarem. — Sente-se na poltrona Luís XIV — respondeu-me com ar imperioso e mais para me obrigar a afastar-me dele que como um convite para que me sentasse. Peguei uma poltrona que não se achava distante. — Ah, eis o que o senhor chama uma poltrona Luís XIV! Vejo que é um rapaz instruído — exclamou com escárnio. Eu estava de tal modo estupefato que não me mexi, nem para ir embora, como deveria, nem para mudar de assento, como ele desejava. — Senhor — disse-me ele, pesando todas as palavras e fazendo preceder as mais impertinentes de um duplo par de consoantes —, a entrevista que condescendi em lhe dar, a instâncias de uma pessoa que deseja não ser nomeada, há de marcar coisa melhor; talvez forçasse um pouco o sentido dos vocábulos, o que não se deve fazer, mesmo que ignore o seu valor, e pelo simples respeito por si mesmo, ao lhe dizer que sentira simpatia pelo senhor. Entretanto, creio que "benevolência", no seu sentido mais eficazmente protetor, não excederia nem o que eu sentia nem o que me propunha a manifestar. Desde meu regresso a Paris, eu lhe fizera saber, mesmo em Balbec, que o senhor podia contar comigo. — Eu, que me lembrava com que despropósito o Sr. de Charlus se separara de mim em Balbec, esbocei um gesto de recusa. — Como? — gritou ele encolerizado (e na verdade o seu rosto convulso e branco diferia tanto de sua fisionomia ordinária como o mar, quando, numa manhã de tempestade, percebemos, em vez da sorridente superfície habitual, mil serpentes de baba e de espuma) — O senhor afirma que não recebeu minha mensagem (quase uma declaração) para ter de se lembrar de mim? Que havia como decoração em torno ao livro que lhe fiz chegar às mãos?

— Uns entrelaçamentos historiados muito bonitos — disse-lhe.

— Ah! — respondeu ele com ar de desprezo — os jovens franceses conhecem pouco as obras-primas de nosso país. Que se diria de um jovem berlinense que não conhecesse *A Valquíria*? Aliás, é preciso que o senhor tenha mesmo olhos de não ver, pois me disse que havia passado duas horas diante dessa obra-prima. Vejo que não é maior conhecedor de flores que de estilos; não proteste quanto aos estilos — gritou ele num tom de raiva extremamente agudo —, o senhor nem sequer sabe sobre o que está sentado, oferece ao seu traseiro um banquinho de estilo Diretório por uma *bergère* Luís XIV. Qualquer dia há de tomar os joelhos da Sra. de Villeparisis por um lavabo e nem se sabe o que fará neles. Da mesma forma, o senhor nem mesmo reconheceu na encadernação do livro de Bergotte o dintel de miosótis da igreja de Balbec. Existiria um modo mais límpido de lhe dizer: "Não se esqueça de mim"?

Eu encarava o Sr. de Charlus. Certamente, sua cabeça magnífica, e que repugnava, levava contudo vantagem sobre a de todos os seus; dir-se-ia um Apolo envelhecido; porém uma escuma olivácea, hepática, parecia estar a ponto de escorrer de sua boca ruim. Quanto à inteligência, não se podia negar que a sua, por um vasto ângulo de compasso, abarcava muitas coisas que estariam para sempre desconhecidas do duque de Guermantes. Mas, por mais que algumas belas palavras colorissem todos os seus ódios, sentia-se que, ainda que em seu discurso houvesse ora orgulho ofendido, ora um amor decepcionado, ou um rancor, sadismo, impertinência, uma idéia fixa, aquele homem era capaz de assassinar e de provar, à força de lógica e de hábeis palavras, que tivera razão em fazê-lo e nem por isso era menos superior em cem côvados ao seu irmão, à sua cunhada, etc., etc..

— Assim como em *As Lanças* de Velásquez — continuou ele —, o vencedor avança na direção do mais humilde, como deve fazê-lo todo indivíduo nobre, visto que eu era tudo e o senhor não era nada, fui eu que dei os primeiros passos na sua direção. O senhor respondeu bobamente ao que não me cabia denominar grandeza. Mas não me deixei desanimar. Nossa religião prega a paciência. A que tive para com o senhor me será creditada, espero, como igualmente o ter apenas sorrido daquilo que poderia ser tachado de impertinência, se estivesse a seu alcance ser impertinente com alguém que o ultrapassa de tantos côvados; mas enfim, senhor, já não se trata mais disso. Submeti-o à prova que o único homem eminente do nosso mundo chama, com espírito, prova da excessiva amabilidade e que declara de direito ser a mais terrível de todas, a única em condições de separar o joio do trigo. Eu lhe censuraria somente o tê-la suportado sem êxito, pois os que triunfam dela são muito raros. Mas pelo menos, e essa é a conclusão que pretendo tirar das últimas palavras que havemos de trocar aqui na Terra, julgo estar ao abrigo de seus intentos caluniadores.

Até então, não havia imaginado que a cólera do Sr. de Charlus pudesse ter sido causada por alguma frase desabonadora que lhe houvesse repetido. Interroguei minha memória; não falara dele a ninguém. Algum malvado a construíra com todas as letras. Garanti ao Sr. de Charlus que absolutamente não dissera coisa alguma a seu respeito. — Não creio ter podido aborrecê-lo ao dizer à Sra. de Guermantes que era ligado ao senhor. — Ele sorriu com desdém, fez altear-se a voz aos mais extremos registros, e de lá ferindo com doçura a nota mais aguda e insolente:

— Oh, senhor — falou com extrema lentidão e em tom natural, e como que se encantando, de passagem, com as estranhezas dessa gama descendente —, acho que o senhor prejudica a si mesmo ao se acusar de ter dito que possuímos "ligações". Não espero uma grande exatidão verbal de alguém que facilmente tomaria um móvel de Chippendale por uma cadeira rococó, mas enfim não penso — acrescentou com afagos vocais cada vez mais maliciosos e que faziam flutuar em seus lábios até mesmo um sorriso encantador —, não penso que o senhor tenha dito, nem julgado, que éramos ligados! Quanto ao fato de se ter gabado de ter sido apresentado a mim, de ter conversado comigo, de me conhecer um pouco, de ter obtido, quase sem solicitação, a possibilidade de um dia ser meu protegido, acho pelo contrário muito natural e inteligente que o tenha feito. A enorme diferença de idade que existe entre nós permite-me reconhecer, sem ridículo, que essa apresentação, essas conversas, esse vago princípio de relações sejam para o senhor, não me cabe dizer uma honra, mas enfim, pelo menos uma vantagem, e que julgo foi tolice de sua parte não o tê-la divulgado, mas sim não ter sabido conservá-la. Acrescentarei até — disse ele, passando bruscamente, e por um instante, da cólera altaneira a uma doçura de tal modo repassada de tristeza que pensei fosse começar a chorar — que, quando deixou sem resposta a proposição que lhe havia feito em Paris, isto me pareceu de tal forma inaudito da parte do senhor, pessoa que se me afigurava de boa educação e de boa família burguesa (apenas neste adjetivo a sua voz teve um pequeno assobio de impaciência), que tive a ingenuidade de acreditar em todas as historietas que não ocorrem nunca, nas cartas extraviadas, nos erros de endereço. Reconhecia ser de minha parte uma grande ingenuidade, porém São Boaventura preferia crer que um boi pudesse voar a que um religioso mentisse. Enfim, tudo isso acabou, a coisa não o satisfez, não se fala mais no assunto. Unicamente, parece-me que o senhor poderia ter-me escrito (e havia mesmo um tom de choro em sua voz), nem que fosse apenas em consideração à minha idade. Eu imaginara, em relação ao senhor, coisas infinitamente sedutoras, que evitara lhe contar. O senhor preferiu recusar sem saber, é problema seu. Mas, como lhe digo, sempre se pode escrever. Eu, em seu lugar, e mesmo no meu, o teria feito. Por causa disso, prefiro o meu lugar ao seu, e digo por causa disso porque acredito que todos os lugares são iguais, e sinto mais simpatia por um operário inteligente do que por muitos duques. Mas posso dizer que prefiro o meu lugar porque na minha vida inteira, que já principia a ser bastante longa, sei que jamais fiz o que o senhor fez. (Sua cabeça estava virada para a sombra, eu não podia ver se de seus olhos escorriam lágrimas, como a sua voz dava a entender.) Dizia-lhe que dei cem passos em sua direção o que teve por efeito que o senhor desse duzentos para trás. Agora é a minha vez de me afastar e nós não nos conheceremos mais. Não guardei o seu nome, e sim o seu caso, para que, nos dias em que for tentado a crer que os homens têm coração, cortesia ou simplesmente a inteligência de não deixar escapar uma oportunidade sem igual, eu me lembre que isto será situá-los muito alto. Não, que o senhor tenha dito que me conhecia quando isso era verdadeiro — pois agora vai deixar de sê-lo — só posso achar que seja natural e o tenho por homenagem, ou seja, por agradável. Infelizmente, noutro local e em circunstâncias diversas, o senhor teve palavras bem diferentes.

— Senhor, juro-lhe que não disse nada que pudesse ofendê-lo.

— E quem disse que me senti ofendido? — gritou ele com fúria, erguendo-se violentamente no canapé onde até então permanecera imóvel, enquanto, ao passo que se crispavam as lívidas serpentes escumosas de seu rosto, sua voz tornava-se alternadamente aguda e grave como uma borrasca desencadeada e ensurdecedora. (A força com que de hábito falava, e que fazia os desconhecidos se virarem na rua, estava centuplicada como o é de um *forte* se, ao invés de ser tocado ao piano, é executado pela orquestra e cada vez mais se transforma em *fortissimo*. O Sr. de Charlus uivava.) — Pensa que está em condições de me ofender? Por acaso não sabe com quem está falando? Julga que a saliva envenenada de quinhentos sujeitinhos seus amigos, empilhados uns sobre os outros, conseguiria babar sequer sobre meus augustos artelhos?

Desde um momento, ao desejo de convencer o Sr. Charlus de que jamais dissera nem ouvira dizer mal dele, havia sucedido uma raiva louca, provocada pelas palavras que lhe ditava apenas, segundo achava, o seu imenso orgulho. Talvez fossem elas, aliás, ao menos em parte, o efeito desse orgulho. Quase tudo o mais provinha de um sentimento que eu ainda ignorava e ao qual, portanto, não tinha culpa de não atribuir seu respectivo papel. Poderia ao menos, à falta do sentimento desconhecido, mesclar ao orgulho, se me lembrasse das palavras da Sra. de Guermantes, um tanto de loucura. Mas naquele momento, a idéia de loucura nem sequer me ocorreu ao espírito. Segundo achava, não havia nele mais que orgulho, e em mim apenas furor. Este furor (no momento em que o Sr. de Charlus deixou de uivar para falar de seus augustos artelhos, com uma majestade acompanhada de um esgar, uma expressão de vômito pelo nojo que lhe causavam seus obscuros blasfemadores), este furor não se conteve mais. Com um movimento impulsivo, eu quis quebrar alguma coisa, e, como um resto de discernimento me fazia respeitar um homem tão mais velho que eu, e também, devido à sua dignidade artística, as porcelanas alemãs colocadas a seu redor, precipitei-me para a cartola nova do barão, atirei-a ao assoalho, pisoteei-a, encarnicei-me em rebentá-la totalmente, arranquei-lhe o forro, rasguei-lhe a aba, sem escutar as vociferações do Sr. de Charlus que continuavam, e, atravessando a peça para ir embora, abri a porta. Para meu grande espanto, a cada lado desta, se mantinham dois lacaios que se afastaram devagar para dar a impressão de que ali se achavam unicamente de passagem, a serviço. (Mais tarde soube seus nomes, um se chamava Burnier e o outro Charmel.) Não me enganei um só instante com a explicação que seu andar despreocupado parecia me propor. Era inverossímil; três outras me pareceram menos: uma, que o barão recebia, por vezes, hóspedes contra quem poderia necessitar de auxílio (mas por quê?), julgando necessário ter um posto de socorro por perto; a outra, que, atraídos pela curiosidade, tinham-se posto à escuta, não imaginando que eu saísse tão depressa; a terceira, que toda a cena que me fizera o Sr. de Charlus fora preparada e representada, e ele próprio lhes pedira que escutassem, por amor ao espetáculo, junto a um *nunc erudimini*[40] de que todos tirariam proveito.

Minha cólera não acalmara a do barão; mas a minha saída do quarto pareceu causar-lhe viva dor. Chamou-me, mandou me chamar e, afinal, esquecendo que um momento antes, ao falar de "seus augustos artelhos", acreditara me fazer o testemunho de sua própria deificação, correu a toda pressa, alcançou-me no vestíbulo e barrou-me a porta. — Vamos — disse —, não se faça de criança, volte por um minuto; quem muito ama, bem castiga, e, se o castiguei muito, foi porque o amo de fato. — Minha cólera já

[40] "Agora, instruí-vos." Palavras latinas da Vulgata. (*Salmos*, 2:10) (N. do T.)

passara, deixei seguir o verbo "castigar" e acompanhei o barão que, chamando um lacaio, mandou, sem nenhum amor-próprio, que levasse os pedaços da cartola destruída e a substituíssem por outra.

— Se quiser me dizer, senhor, quem me caluniou perfidamente — disse eu ao Sr. de Charlus —, ficarei para sabê-lo e confundir o impostor.

— Quem? Não o sabe? Não guarda lembrança do que fala? Pensa que as pessoas que me prestam o serviço de me advertir dessas coisas não começam por me pedir segredo? E julga que vou faltar ao que prometi?

— Senhor, é impossível dizer-me? — perguntei, buscando uma última vez em minha cabeça (onde não encontrava ninguém) a pessoa a quem pudera ter falado do Sr. de Charlus.

— O senhor não me ouviu falar que prometi manter segredo a quem me informou? — disse-me com voz estridente. — Vejo que, ao gosto pelas conversas abjetas, o senhor junta o das insistências vãs. Deveria ter pelo menos a inteligência de aproveitar esta última entrevista, e falar para dizer algo que não seja exatamente nada.

— Senhor — respondi afastando-me —, insulta-me; estou desarmado, visto que tem várias vezes a minha idade, a partida não é igual; por outro lado, não posso convencê-lo, jurei-lhe que não disse nada.

— Então estou mentindo! — exclamou ele num tom terrível, e dando um tamanho salto que se achou de pé a dois passos de mim.

— Enganaram-no.

Então, com voz suave, afetuosa, melancólica, como naquelas sinfonias que executam sem interrupção entre os diversos trechos, e onde um gracioso *scherzo* amável, idílico, sucede aos trovões do primeiro trecho: — É bem possível — disse. — Em princípio, uma frase repetida raramente é verdadeira. Sua é a culpa, se não tendo aproveitado as ocasiões de me visitar que eu lhe havia oferecido, o senhor não pode fornecer-me, com essas palavras francas e diárias que criam a confiança, o preservativo único e soberano contra uma palavra que o apresentasse como um traidor. Em todo caso, verdadeira ou falsa, a frase realizou sua obra. Já não posso me livrar da impressão que ela me causou. Não posso nem dizer que aquele que ama bastante castiga muito, pois castiguei-o muito, mas já não o estimo. — Dizendo tais palavras, ele me forçara a sentar de novo e tocara a campainha. Um novo lacaio entrou. — Traga bebidas, e diga que mandem preparar o cupê. — Observei que não tinha sede, que era bem tarde e que aliás possuía um carro. — Provavelmente, pegaram-no e o mandaram de volta — disse ele —; não se preocupe. Mandei preparar para que o levem... Se receia que seja muito tarde... poderia lhe dar um quarto aqui... — Disse que minha mãe estaria inquieta. — Ah, sim, verdadeira ou falsa, a frase realizou a sua obra. Minha simpatia um tanto prematura florescera cedo demais; e, como aquelas macieiras de que o senhor falava poeticamente em Balbec, não pôde resistir à primeira geada. — Se a simpatia do Sr. de Charlus não fora destruída, no entanto ele não poderia agir de outra maneira, visto que, sempre dizendo que estávamos brigados, fazia-me ficar, beber, convidava-me para dormir na casa e ia mandar-me levar à minha. Dava a impressão até de que receava o instante de me deixar e achar-se a sós, esse tipo de temor um tanto ansioso que sua cunhada e prima Guermantes me parecera sentir, uma hora atrás quando quis forçar-me a permanecer ainda um pouco com uma espécie de igual queda passageira por mim, do mesmo esforço para prolongar um minuto.

— Infelizmente — prosseguiu ele —, não possuo o dom de fazer reflorir o que uma vez foi destruído. Minha simpatia pelo senhor está bem morta. Nada pode ressuscitá-la. Creio não ser indigno de me confessar que o lamento. Sempre me sinto um pouco feito o Booz de Victor Hugo: *Sou viúvo, sou só e sobre mim a noite desce.*

Voltei a atravessar com ele o grande salão verdoengo. Disse-lhe, bem ao acaso, o quanto o achava bonito. — Não é mesmo? — respondeu. — É necessário amar alguma coisa. O madeiramento é de Bagard. E o bonito mesmo, veja o senhor, é que foi feito para combinar com as cadeiras de Beauvais e os consolos. Repare, estes repetem o mesmo tema decorativo do madeiramento. Só existiam dois lugares onde ocorria o mesmo: o Louvre e a casa do Sr. d'Hinnisdal. Mas naturalmente, quando decidi vir morar nesta rua, encontrou-se um velho palácio Chimay que ninguém nunca tinha visto, pois aqui estava somente para *mim*. Em suma, está muito bem. Poderia talvez ser melhor, mas enfim não está mal. Há coisas bonitas, não? O retrato de meus tios, o rei da Polônia e o rei da Inglaterra, por Mignard. Mas o que estou lhe dizendo? O senhor o sabe tão bem quanto eu, pois esteve esperando neste salão. Não? Ah, é que o levaram para o salão azul — disse ele com um ar seja de impertinência devido à minha falta de curiosidade, seja de superioridade pessoal e por não ter indagado onde me haviam feito esperar. — Olhe, neste gabinete há todos os chapéus usados por Madame Élisabeth, pela princesa de Lamballe e pela Rainha. Isto não lhe interessa, dir-se-ia que o senhor nem está vendo. Talvez esteja sofrendo de uma afecção do nervo óptico. Se gosta mais desse tipo de beleza, eis um arco-íris de Turner que principia a brilhar entre esses dois Rembrandts, como sinal de nossa reconciliação. Ouça: Beethoven se junta a ele. — E, de fato, distinguiam-se os primeiros acordes da terceira parte da *Sinfonia Pastoral*, "A alegria após a tempestade", executados por músicos longe de nós, sem dúvida no andar de cima. Perguntei ingenuamente por que acaso tocavam aquilo e quem eram os músicos. — Bem, não se sabe. Não se sabe nunca. São músicos invisíveis. Lindo, não? — disse-me num tom levemente impertinente e que, entretanto, lembrava um pouco a influência e o acento de Swann. — Mas o senhor importa-se com isso como um peixe com uma maçã. Deseja voltar para casa, arriscando-se a faltar com o respeito a Beethoven e a mim. Ergue contra si mesmo o julgamento e a condenação — acrescentou num tom afetuoso e triste, ao chegar o momento da minha partida. — Desculpar-me-á por não acompanhá-lo como as boas maneiras me obrigariam a fazer — disse-me. — Desejoso de não mais revê-lo, pouco me importa passar cinco minutos mais com o senhor. Todavia, estou cansado e tenho muito que fazer. — No entanto, reparando que o tempo estava bom: — Muito bem! Sim, vou subir ao carro. Está fazendo um luar magnífico, que irei contemplar no Bois depois de o ter deixado em casa. Como! O senhor não sabe se barbear, mesmo numa noite em que janta na cidade ainda mostra alguns pêlos — comentou, segurando-me o queixo entre dois dedos, por assim dizer magnetizados, que, depois de resistirem por um momento, subiram até as minhas orelhas como os dedos de um cabeleireiro. — Ah, seria agradável olhar este "luar azul" no Bois com alguém como o senhor — falou-me com uma súbita doçura como que involuntária; e, depois, com ar triste: — Pois ainda assim o senhor é gentil, poderia sê-lo mais que ninguém — acrescentou, tocando-me paternalmente o ombro. — Outrora, devo dizer que o achava bem insignificante. — Eu deveria pensar que ele me considerava como tal, ainda hoje. Bastava lembrar-me da raiva com que me falara há meia hora apenas. Apesar disso, tinha a impressão de que ele estava sendo sincero naquele momento, que seu bom coração triunfava do que eu supunha ser um estado quase delirante de suscetibilidade e orgulho. O carro estava à nossa frente, e ele ainda encompridava a conversa. — Vamos — disse de repente —; suba. Em cinco minutos iremos até sua casa. E lhe darei uma boa-noite que cortará rente e para sempre as nossas relações. Já que devemos nos separar de uma vez por todas, é preferível que o façamos como na música, num acorde perfeito. — Apesar dessas afirmações solenes de que não nos veríamos nunca mais, eu teria jurado que o Sr. de Charlus, desgostoso por não ter sabido controlar-se há pouco, temendo me haver magoado, não se aborreceria se me revisse mais uma vez. Não me enganava, pois, ao cabo de um momento: — Ora, ora! Pois não é que ia me esquecendo do principal? — disse ele. — Em memória da senhora sua avó, mandei encadernar para o senhor uma curiosa edição da Sra. de Sévigné. Eis o que vai impedir este nosso encontro de ser o último. É preciso que a gente se console, dizendo que raramente se liquidam num dia os assuntos complicados. Veja quanto tempo durou o Congresso de Viena.

— Mas eu poderia mandar buscá-lo sem o incomodar — respondi atenciosamente.

— Queira calar-se, bobinho — retrucou encolerizado —; e não tenha o ar grotesco de considerar como coisa de pouca monta a honra de ser provavelmente (não digo certamente, pois será talvez um lacaio que lhe entregará os volumes) recebido por mim. — Recobrou-se: — Não quero deixá-lo com tais palavras. Nada de dissonância; antes o silêncio eterno do acorde dominante! — Era por causa dos próprios nervos que parecia temer o regresso imediatamente após as ásperas palavras de briga. — Não quer vir até o Bois — me disse, num tom antes afirmativo que interrogativo, e, segundo me pareceu, não porque não quisesse me convidar, mas por recear que seu amor-próprio sofresse uma recusa. — Muito bem, então — disse, alongando o assunto — é o momento em que, segundo Whistler, os burgueses voltam para casa (talvez quisesse ferir meu amor-próprio) e é quando convém começar a olhar. Mas o senhor nem sabe mesmo quem é Whistler. — Mudei de assunto e lhe perguntei se a princesa de Iéna era uma pessoa inteligente. O Sr. de Charlus parou e, assumindo o tom mais depreciativo que lhe conheci:

— Ah, senhor, faz alusão aqui a uma ordem de nomenclatura com a qual nada tenho a ver. Talvez haja uma aristocracia entre os taitianos, mas confesso que não a conheço. O nome que acaba de pronunciar é estranho; entretanto, ressoou aos meus ouvidos faz alguns dias. Perguntavam-me se condescenderia em que me fosse apresentado o jovem duque de Guastalla. O pedido me espantou, pois o duque de Guastalla não tem necessidade de ser apresentado a mim, pela simples razão de que é meu primo e me conhece desde sempre; é filho da princesa de Parma e, como parente jovem bem-educado, nunca deixa de vir me cumprimentar no dia de Ano-Novo. Mas, dadas as informações, não se tratava do meu parente e sim de um filho da pessoa que lhe interessa. Como não existe princesa com esse nome, supus que se tratasse de uma mendiga que dormisse debaixo da ponte de Iéna e que assumira pitorescamente o título de princesa de Iéna, como se costuma dizer a Pantera dos Batignolles ou o Rei do Aço. Mas não, tratava-se de uma pessoa rica, cujos móveis muito bonitos, que eu admirara numa exposição, têm sobre o nome do proprietário a vantagem de não serem falsos. Quanto ao pretenso duque de Guastalla, devia ser corretor de câmbio do meu secretário, o dinheiro consegue tantas coisas. Mas não; o imperador, parece, divertiu-se em dar a tais pessoas um título precisamente indisponível. Talvez seja uma demonstração de poder, ou de ignorância, ou de malícia; acho principalmente que é uma partida que ele pregou dessa forma aos usurpadores sem querer. Mas enfim, não posso lhe dar esclarecimentos sobre tudo isso, minha competência se limita ao *faubourg* Saint-Germain onde entre todos os Courvoisiers e os Gallardons o senhor encontrará, se conseguir alguém que o apresente a eles, velhas megeras extraídas expressamente de Balzac e que hão de diverti-lo. Naturalmente, tudo isto nada tem a ver com o prestígio da princesa de Guermantes, mas, sem mim e meu Sésamo, a morada desta é inacessível.

— Senhor, o palácio da princesa de Guermantes é verdadeiramente muito bonito.

— Oh, não é muito bonito. É o que há de mais bonito; depois da princesa, é claro.

— A princesa de Guermantes é superior à duquesa de Guermantes?

— Ah, não tem comparação. (É de notar que, quando as pessoas da sociedade têm um pouco de imaginação, coroam ou destronam, ao sabor de suas simpatias ou brigas, aqueles cuja posição parecia ser a mais sólida e a mais bem estabelecida.) A duquesa de Guermantes (não a chamando de Oriane, talvez quisesse colocar mais distância entre ela e mim) é deliciosa, muito superior ao que o senhor possa imaginar. Mas enfim é imensurável como a sua prima. Esta é exatamente o que as pessoas dos Mercados imaginam que era a princesa de Metternich. Mas a Metternich julgava ter lançado Wagner porque conhecia Victor Maurel. A princesa de Guermantes, ou melhor, sua mãe, conheceu o verdadeiro. O que é um prestígio, sem falar da incrível beleza dessa mulher. E nada como os jardins de Ester!

— Não se pode visitá-los?

— Não, é preciso ser convidado, mas não convidam ninguém a menos que eu intervenha. — Porém, logo retirando, após haver lançado, a isca dessa oferta, estendeu-me a mão, pois acabávamos de chegar à minha casa. — Meu papel está findo, senhor; apenas acrescento estas poucas palavras. Um dia, um outro talvez lhe ofereça a sua simpatia como eu o fiz. Que o exemplo de hoje lhe sirva de ensino. Não o negligencie. Uma simpatia é preciosa sempre. O que não se pode fazer sozinho na vida, pois há coisas que não se pode pedir, nem querer, nem aprender por si mesmo, vários o conseguem, e sem necessidade de serem treze como no romance de Balzac, nem quatro, como em *Os três Mosqueteiros*. Adeus.

Devia estar cansado e ter desistido de ir ver o luar, pois me pediu para dizer ao cocheiro que voltasse para casa. E logo fez um movimento rápido como se quisesse mudar de idéia. Mas eu já transmitira a ordem e, para não me atrasar mais, fui tocar a campainha da porta, sem mais pensar no que tinha de fazer ao Sr. de Charlus, relativamente ao imperador da Alemanha, ao general Botha, narrativas há pouco tão obsedantes, mas que a sua acolhida inesperada e fulminante tinha feito voar para bem longe de mim.

Entrando em casa, vi sobre minha escrivaninha uma carta que o jovem lacaio de Françoise escrevera a um de seus amigos e que havia esquecido. Desde que minha mãe estava ausente, ele não recuava diante de nenhuma sem-cerimônia; mas culpado fui eu por ter lido a carta sem envelope, inteiramente aberta e que, para minha única desculpa, parecia oferecer-se a mim.

Caro amigo e primo:

Espero que a saúde vá sempre bem e que seja o mesmo para toda a pequena família, particularmente para meu jovem afilhado Joseph, que eu ainda não tive o prazer de conhecer mas que prefiro a todos como sendo meu afilhado, essa relíquia do coração tem também o seu pó, sobre seus restos sagrados não erguemos as mãos. Aliás caro amigo e primo quem te diz que amanhã tu e tua cara mulher minha prima Marie, não serão ambos precipitados até o fundo do mar como o marinheiro atado ao auto do grande mastro, pois esta vida né mais que um vale obscuro. Caro amigo é preciso te dizer que minha principal ocupação do teu espanto tenho certeza, é agora a poesia que amo com delícias, pois é preciso passar o tempo. Assim caro amigo não fique muito surpreso se não respondi ainda à tua última carta, na falta do perdão deixa que venha o olvido. Como tu sabes, a mãe da Senhora morreu em sofrimentos inexprimíveis que a deixaram muito cansada pois ela teve a visita de três médicos até. No dia de seu enterro fez um lindo dia pois todas as amizades do Senhor vieram em multidão assim como vários ministros. Levaram mais de duas horas para ir ao cemitério o que fará a todos abrirem grandes olhos em sua aldeia onde certamente não se fará outro tanto pela tia Michu. Assim minha vida não será mais que um longo soluço. Divirto-me enormemente com a motocicleta que ultimamente aprendi. Que diriam vocês amigos se eu chegasse assim a toda pressa aos Écorres. Mas aqui não me calarei mais pois sinto que a embriaguez da desgraça arrebata a razão. Freqüento a duquesa de Guermantes, pessoas que tu nem nunca ouviu seus nomes em nossas terras ignorantes. Assim é com prazer que mandarei livros de Racine, de Victor-Hugo, de Páginas escolhidas de Chenedollé, de Alfred de Musset, pois desejaria curar a terra que me deu a luz da ignorância que leva fatalmente até o crime. Não vejo mais nada para te dizer e te envio como o pelicano cansado de uma longa viagem minhas boas saudações assim como tua mulher a meu afilhado e a tua irmã Rose. Possam não dizer dela: E rosa ela só viveu o que vivem as rosas, como disse Victor Hugo, o soneto de Arvers, Alfred de Musset todos esses grandes gênios que por causa disso fizeram morrer nas chamas da fogueira como Joana d'Arc. Em breve a tua próxima missiva recebe meus beijos como os de um irmão Périgot (Joseph).

Somos atraídos por qualquer vida que nos apresente algo de desconhecido, por uma última ilusão a destruir. Apesar disso, as misteriosas palavras, graças às quais o Sr. de Charlus me levara a imaginar a princesa de Guermantes como uma criatura extraordinária e diferente daquilo que eu conhecia, não bastam para explicar a estupefação em que fiquei, em breve seguida pelo temor de ser vítima de uma brincadeira de mau gosto, maquinada por alguém que quisesse me levar à porta de uma residência aonde eu iria sem ser convidado, quando, cerca de dois meses depois do jantar na casa da duquesa, e enquanto ela se achava em Cannes, tendo aberto um envelope cuja aparência não me advertia de nada de extraordinário, li estas palavras impressas num cartão: "A princesa de Guermantes, nascida duquesa de Baviera, estará em sua residência no dia ***." Sem dúvida, ser convidado para a casa da princesa de Guermantes talvez não fosse, do ponto de vista mundano, algo de mais difícil que jantar na casa da duquesa, e meus frágeis conhecimentos de heráldica me haviam ensinado que o título de príncipe não está acima do de duque. Depois, dizia comigo que a inteligência da mulher da alta sociedade não pode ser de uma essência tão heterogênea à de suas congêneres como o pretendia o Sr. de Charlus, e de uma essência tão heterogênea à de uma outra mulher. Porém minha imaginação, semelhante a Elstir quando reproduzia um efeito de perspectiva sem levar em conta noções de física que no entanto poderia possuir, pintava-me não o que eu sabia, mas o que ela via; o que ela via, isto é, o que lhe mostrava o nome. Ora, mesmo quando eu não conhecia a duquesa, o nome de Guermantes precedido do título de princesa, como uma nota ou uma cor ou uma quantidade profundamente modificada por valores contíguos, pelo "signo" matemático ou estético que as afeta, sempre me evocara algo bem diverso. Com esse título, o encontramos sobretudo nas Memórias do tempo de Luís XIII e de Luís XIV, da corte da Inglaterra, da rainha da Escócia, da duquesa de Aumale; e eu imaginava o palácio da princesa de Guermantes como mais ou menos freqüentado pela duquesa de Longueville e pelo grande Condé, cuja presença tornava bem pouco verossímil que eu penetrasse ali alguma vez.

Muitas coisas que o Sr. de Charlus me dissera tinham dado uma vigorosa chicotada na minha imaginação e, fazendo-a esquecer o quanto a realidade a desapontara na casa da duquesa de Guermantes (tanto no caso dos nomes das pessoas como no dos nomes de lugares), haviam-na esporeado na direção da prima de Oriane. Aliás, o Sr. de Charlus só me enganou por algum tempo quanto ao valor e à variedade imaginária das pessoas da alta sociedade, porque ele próprio se enganava. E isso talvez porque não fazia nada, não escrevia, não pintava, nem mesmo lia de uma forma séria e aprofundada. Mas, superior às pessoas da alta sociedade em vários graus, se era deles e de seu espetáculo que extraía a matéria de sua conversação, não era por isso compreendido deles. Falando como artista, podia quando muito fazer emanar o encanto falacioso das pessoas da alta roda. Mas fazer emanar tão só para os artistas, em relação aos quais poderia representar o papel de rena entre os esquimós; este precioso animal arranca para eles, sobre as rochas desertas, musgos e líquens que eles não saberiam descobrir nem utilizar, mas que, uma vez digeridos pelas renas, tornam-se para os habitantes do extremo setentrional um alimento assimilável.

Ao que eu acrescentarei que aqueles quadros que o Sr. de Charlus fazia da alta sociedade eram animados de muita vida pela mistura de seus ódios ferozes e de suas devotas simpatias. Os ódios dirigidos sobretudo contra as pessoas jovens, a adoração excitada principalmente por certas mulheres.

Se, entre estas, a princesa de Guermantes era colocada pelo Sr. de Charlus no trono mais elevado, suas misteriosas palavras sobre "o inacessível palácio de Aladim", que sua prima habitava, não bastavam para explicar a minha estupefação.

Apesar do que se refere aos diversos pontos de vista subjetivos nas ampliações artificiais de que falarei, não é menos verdadeiro que existe alguma realidade objetiva em todas essas criaturas e, por conseguinte, uma diferença entre elas.

Aliás, como poderia ser de outro modo? A humanidade que freqüentamos e que se assemelha um pouco aos nossos sonhos é, no entanto, a mesma que, nas Memórias, nas cartas de pessoas notáveis, vemos descrita e temos desejado conhecer. O velho mais insignificante com quem jantamos é o mesmo de quem, num livro sobre a guerra de 70, lemos emocionados a orgulhosa carta ao príncipe Frederico Carlos. Aborrecemo-nos ao jantar porque a imaginação está ausente e nos distraímos com um livro, pois aí ela nos faz companhia. Mas é das mesmas pessoas que se trata. Gostaríamos de ter conhecido Madame Pompadour, que tão bem protegeu as artes, e tanto nos aborreceríamos a seu lado como junto das modernas Egérias, a cuja casa não podemos nos decidir a voltar, de tão medíocres que são elas. Nem por isso é menos verdadeiro que essas diferenças permanecem. As pessoas nunca são inteiramente idênticas umas às outras, o seu modo de comportar-se a nosso respeito, mesmo em nível igual de amizade, trai diferenças que afinal servem de compensação. Quando conheci a Sra. de Montmorency, ela gostava de me dizer coisas desagradáveis, mas, se eu precisava de um favor, ela utilizava, para obtê-lo com eficiência, todo o crédito que possuía, sem poupar coisa alguma. Ao passo que uma outra, como a Sra. de Guermantes, jamais desejou desagradar-me, só me dizia coisas que me dessem prazer, cumulava-se de todas as gentilezas que formavam o rico modo de vida moral dos Guermantes; mas se eu lhe pedisse uma ninharia além de tudo isso, não teria dado um passo para consegui-lo, como nesses castelos onde a gente tem à nossa disposição um automóvel, um lacaio, mas onde é impossível obter um copo de cidra não previsto no arranjo das festas. Qual era para mim a verdadeira amiga: a Sra. de Montmorency, tão feliz em melindrar-me e sempre disposta a me servir, ou a Sra. de Guermantes, sofrendo com o menor desagrado que me causassem e incapaz do menor esforço para me ser útil? Por outro lado, dizia-se que a duquesa de Guermantes só falava de frivolidades, e sua prima, com o mais medíocre espírito, de coisas sempre interessantes. As formas de espírito são tão variadas, tão opostas, não só na literatura mas na sociedade, que não são só Baudelaire e Mérimée que têm o direito de se desprezar mutuamente. Tais particularidades formam em todas as pessoas um sistema de olhares, de discursos, de ações, tão coerente, tão despótico, que quando estamos em sua presença parece-nos superior ao resto. Na Sra. de Guermantes, suas palavras, deduzidas como um teorema de seu gênero de espírito, me pareciam as únicas que se poderiam dizer. E, no fundo, eu era de sua opinião quando ela me dizia que a Sra. de Montmorency era estúpida e possuía o espírito aberto a todas as coisas que não compreendia, ou quando, tendo sabido de uma maldade sua, a duquesa me dizia: — É isto a que o senhor chama de uma boa mulher; é o que eu chamo de monstro. — Porém essa tirania da realidade que está diante de nós, essa evidência da luz da lâmpada que faz empalidecer a aurora já distante como uma simples lembrança desapareciam quando eu estava longe da Sra. de Guermantes, e uma dama diversa me dizia, pondo-se ao mesmo nível que eu, e considerando a duquesa muito acima de nós: — No fundo, Oriane não se interessa por nada, nem por ninguém — e até (o que na presença da Sra. de Guermantes teria parecido impossível de acreditar, tanto que ela mesma proclamava o contrário): — Oriane é esnobe. — Matemática alguma nos permitindo converter a Sra. d'Arpajon e a Sra. de Montpensier em quantidades homogêneas, era-me impossível responder, caso me perguntassem qual delas se me afigurava superior à outra.

Ora, dentre os traços peculiares ao salão da princesa de Guermantes, o mais habitualmente citado era um exclusivismo em parte devido ao nascimento real da princesa, e sobretudo o rigorismo quase fóssil dos preconceitos aristocráticos do príncipe, preconceitos que aliás o duque e a duquesa não deixavam de ridicularizar na minha presença e que, naturalmente, devia me fazer considerar como mais inverossímil ainda que me convidasse aquele homem para quem só contavam as Altezas e os duques e que em todo jantar fazia uma cena porque não tivera na mesa o lugar a que teria tido direito sob Luís XIV, lugar que, graças à sua extrema erudição em matéria de história e genealogia, era o único a conhecer. Por causa disso, muitas pessoas da sociedade decidiam em favor do duque e da duquesa as diferenças que os separavam de seus primos. — O duque e a duquesa são muito mais modernos, muito mais inteligentes, não se ocupam apenas, como os outros, com o número de quartéis do escudo, o salão deles está trezentos anos mais adiantado que o do seu primo — eram frases costumeiras cuja lembrança me fazia agora estremecer ao olhar o cartão de convite, ao qual essas frases davam muito mais probabilidades de ter sido enviado por um mistificador.

Se o duque e a duquesa ainda não houvessem partido para Cannes, eu teria podido procurar saber por eles se o convite recebido era verdadeiro. Essa dúvida em que me encontrava não se deve nem mesmo, como por um momento me lisonjeara em acreditar, ao sentimento que um homem mundano não experimentaria e que em conseqüência um escritor, embora pertencendo além disso à categoria das pessoas da sociedade, deveria reproduzir a fim de ser bem "objetivo" e pintar diversamente cada classe. De fato, encontrei ultimamente, num encantador volume de Memórias, o registro de incertezas análogas àquelas pelas quais me fazia passar o cartão de convite da princesa. "Georges e eu (ou Hely e eu, não tenho o livro à mão para verificar) ardíamos tanto de vontade de sermos admitidos no salão da Sra. Delessert que, tendo dela recebido um convite, julgamos prudente, cada um por seu lado, assegurarmo-nos que não éramos vítimas de uma brincadeira." Ora, o narrador não é outro senão o conde d'Haussonville (o que se casou com a filha do duque de Broglie), e o outro rapaz que, "por seu lado", vai se certificar se não é objeto de uma mistificação é, conforme se chame Georges ou Hely, um dos dois inseparáveis amigos do Sr. d'Haussonville, o Sr. d'Harcourt ou o príncipe de Chalais.

No dia em que deveria ter lugar o sarau na casa da princesa de Guermantes, fiquei sabendo que o duque e a duquesa estavam de volta a Paris desde a véspera. O baile da princesa não os teria feito regressar, porém um de seus primos se achava muito enfermo e, além do mais, o duque fazia muita questão de ir a uma festa que se daria naquela noite e onde ele próprio devia comparecer fantasiado de Luís XI e sua mulher de Isabel da Baviera. E resolvi ir visitá-los de manhã. Mas, tendo eles saído muito cedo, ainda não haviam regressado; primeiro fiquei espreitando a chegada do carro de um pequeno cômodo que julgava ser um bom posto de vigia. Na realidade, escolhera muito mal o meu observatório, de onde pouco enxergava do nosso pátio, mas vi diversos outros, o que, sem utilidade para mim, divertiu-me por alguns instantes. Não é somente em Veneza que dispomos desses pontos de vista sobre várias casas ao mesmo tempo que têm tentado os pintores, mas igualmente em Paris. Não me refiro a Veneza por acaso. É em seus bairros pobres que fazem pensar certos bairros pobres de Paris, de manhã, com suas altas chaminés dilatadas, às quais o sol dá os róseos mais vivos, os mais claros vermelhos; é todo um jardim que floresce acima das casas, e floresce em matizes tão variados que se diria, plantado sobre a cidade, o jardim de um amador de tulipas de Delft ou de Haarlem. Além disso, a extrema proximidade das casas, de janelas opostas, dando para um mesmo pátio, faz ali, de cada quadrado de janela, a moldura onde uma cozinheira sonha olhando para o chão, ou mais adiante, uma moça se deixa pentear por uma velha com cara, mal distinta na sombra, de bruxa; assim cada pátio formava para o vizinho da casa, suprimindo o ruído pela sua distância, deixando ver os gestos silenciosos por detrás do retângulo envidraçado das janelas, uma exposição de cem quadros holandeses justapostos. É claro que do palácio de Guermantes não se possuía o mesmo gênero de vistas, mas sim igualmente curiosas, principalmente do estranho ponto trigonométrico em que me havia colocado e onde o olhar não era interrompido por nada, por serem muito íngremes e relativamente vagos os terrenos que precediam as alturas distantes que formavam o palácio da princesa de Silistrie e da marquesa de Plassac, primas muito nobres do Sr. de Guermantes, e a quem eu não conhecia. Até esse palácio (que era do pai delas, Sr. de Bréquigny) não havia senão corpos de edifícios pouco elevados, orientados das mais diversas formas, e que, sem deter a vista, prolongavam a distância com seus planos oblíquos. O torreão de telhas rubras da cocheira onde o marquês de Frécourt guardava seus carros bem que terminava numa agulha mais alta, mas tão delgada que não escondia coisa alguma, e fazia pensar nessas lindas construções antigas da Suíça que despontam, isoladas, do sopé de uma montanha. Todos esses pontos, vagos e divergentes, em que os olhos repousam, faziam parecer mais distante do que se estivesse separado de nós por várias ruas ou numerosos contrafortes o palácio da Sra. de Plassac, na realidade bem vizinho, mas quimericamente afastado como uma paisagem alpestre. Quando suas largas janelas quadradas, fulgurantes do sol como lâminas de cristal de rocha, eram abertas para limpeza, ao seguir nos diferentes andares os lacaios, impossíveis de distinguir muito bem, mas que batiam tapetes ou passavam os espanadores, sentia-se o mesmo prazer que em examinar, numa paisagem de Turner ou de Elstir, um viajante em diligência, ou um guia, em diferentes graus de altitude do São Gotardo. Mas, do "ponto de vista" em que me colocara, arriscava-me a não ver voltar o Sr. e a Sra. de Guermantes, de modo que, à tarde, quando fiquei livre para retomar a minha espreita, simplesmente me coloquei na escada, de onde não me podia passar despercebida a abertura da porta principal, e foi ali que me postei, embora não mais surgissem, tão fulgurantes com seus lacaios tornados minúsculos pelo afastamento e empenhados na limpeza, as belezas alpestres dos palácios de Bréquigny e Tresmes. Ora, semelhante espera na escada deveria ter para mim conseqüências tão consideráveis e revelar-me uma paisagem não mais turneriana porém moral, tão importante que é preferível retardar a narrativa por alguns momentos, fazendo-a ser precedida primeiro pela da visita que fiz aos Guermantes logo que soube que tinham regressado. Foi o duque somente quem me recebeu na biblioteca. No momento em que entrei, saía um homenzinho de cabelos completamente brancos, ar pobre, com uma gravatinha preta como as que usavam o tabelião de Combray e vários amigos de meu avô, porém de aspecto ainda mais tímido, e que, fazendo-me grandes cumprimentos, não quis descer enquanto eu não passasse. O duque gritou-lhe da biblioteca alguma coisa que não entendi, e o outro respondeu com novos cumprimentos dirigidos à parede, pois o duque não podia vê-lo, mas mesmo assim repetidos sem cessar, como esses inúteis sorrisos de pessoas que conversam com a gente por telefone; tinha uma voz de falsete e voltou a cumprimentar-me com a humildade de um homem de negócios. E bem podia tratar-se de um negociante de Combray, de tal modo era do tipo provinciano, antiquado e afável da gente humilde, dos velhos modestos daquelas bandas.

— O senhor verá Oriane dentro em breve — disse o duque, quando entrei. — Como Swann deve chegar daqui a pouco, trazendo-lhe as provas de seu estudo sobre as moedas da Ordem de Malta e, o que é pior, uma fotografia imensa onde mandou reproduzir as duas faces dessas moedas, Oriane preferiu vestir-se primeiro, para poder ficar com ele até o momento de ir jantar. Já estamos atulhados de coisas, a ponto de não saber onde colocá-las, e me pergunto onde vamos pôr essa fotografia. Mas eu tenho uma mulher muito gentil, que gosta muito de ser agradável. Achou que seria amável pedir a Swann para olhar, uns ao lado dos outros, todos esses grandes senhores da Ordem, cujas medalhas ele encontrou em Rodes. Pois eu lhe dizia Malta, e é Rodes, mas é a mesma Ordem de São João de Jerusalém. No fundo, ela só se interessa por isso porque Swann se ocupa do assunto. Nossa família está muito mesclada a toda essa história; mesmo hoje em dia, meu irmão, que o senhor conhece, é um dos mais altos dignitários da Ordem de Malta. Mas, por mais que eu tivesse falado de tudo isso a Oriane, ela não teria me dado ouvidos. Em compensação, bastou que as pesquisas de Swann sobre os Templários (pois é incrível o empenho das pessoas de uma religião em estudar a dos outros) o tenha conduzido à história dos Cavaleiros de Rodes, herdeiros dos Templários, para que logo Oriane quisesse ver as cabeças desses cavaleiros. Eles eram bem insignificantes em comparação com os Lusignan, reis de Chipre, de que descendemos em linha direta. Mas até agora Swann não se ocupou deles, e assim Oriane não quer saber nada sobre os Lusignan. — Não pude falar imediatamente ao duque sobre o motivo da minha visita. Com efeito, algumas parentas ou amigas, como a Sra. de Silistrie e a duquesa de Montrose, tinham vindo fazer uma visita à duquesa que freqüentemente recebia antes do jantar, e, não a encontrando, ficaram por um instante com o duque. A primeira dessas damas (a princesa de Silistrie), trajada com simplicidade, seca porém de aspecto amável, segurava uma bengala na mão. A princípio, receei que estivesse machucada ou fosse doente. Pelo contrário, mostrava-se bem ágil. Falou com tristeza ao duque sobre um primo-irmão dele — não do lado dos Guermantes, porém mais brilhante ainda, se possível —, cujo estado de saúde, muito abalado desde algum tempo, agravara-se de repente. Mas era visível que o duque, mesmo compadecendo-se da sorte de seu primo e repetindo: — Pobre Mamá! É um bom rapaz —, formava um diagnóstico favorável. De fato, o jantar ao qual devia comparecer o duque divertia-o, o grande sarau na casa da princesa de Guermantes não o aborrecia, mas principalmente devia ele ir, à uma da manhã, com sua mulher, a uma ceia de gala e um baile à fantasia, para o qual estavam prontas uma fantasia de Luís XI para ele e uma de Isabel da Baviera para a duquesa. E o duque pretendia não ser perturbado nesses múltiplos divertimentos pelo sofrimento do bom Amanien d'Osmond. Duas outras damas portadoras de bengala, a Sra. de Plassac e a Sra. de Tresmes, ambas filhas do conde de Bréquigny, chegaram em seguida para uma visita a Basin e declararam que o estado do primo Mamá já era sem esperanças. Depois de dar de ombros, e para mudar de assunto, o duque lhes perguntou se elas iam à noite à casa de Marie-Gilbert. Responderam que não, devido ao estado de Amanien, que se achava nas últimas, e até haviam desistido do jantar aonde ia o duque, e do qual enumeraram os convivas, o irmão do rei Teodósio, a infanta Maria-Conceição, etc.. Como o marquês d'Osmond era parente delas num grau menos próximo que de Basin, sua "defecção" pareceu ao duque uma espécie de censura indireta de seu comportamento, e ele se mostrou pouco amável. Assim, embora tivessem descido das alturas do palácio de Bréquigny para ver a duquesa (ou melhor, para lhe anunciar o caráter alarmante da doença de seu primo, incompatível para os parentes com reuniões mundanas), não permaneceram por muito tempo, e, munidas de seu bastão de alpinista, Walpurge e Dorothée (tais eram os prenomes das duas irmãs) retomaram o caminho escarpado de sua cumeeira. Nunca me ocorreu indagar aos Guermantes a que correspondiam aquelas bengalas, tão comuns em certo setor do *faubourg* Saint-Germain. Talvez, considerando toda a paróquia como seu domínio e não gostando de tomar fiacres, davam longas caminhadas, para as quais alguma fratura antiga, devida ao uso imoderado da caça e as quedas de cavalo que muitas vezes comportam, ou simplesmente aos reumatismos provenientes da umidade da margem esquerda do Sena e dos velhos castelos, tornavam a bengala necessária. Talvez não houvessem partido em expedição tão distante pelo bairro; e, tendo apenas descido ao seu pomar (pouco afastado do da duquesa) para a colheita das frutas necessárias às compotas, vinham, antes de voltar para casa, dar boa-noite à Sra. de Guermantes, a cuja casa não chegavam contudo ao ponto de levar uma podadeira ou um regador. O duque pareceu comovido pelo fato de eu o ter visitado no próprio dia de seu regresso. Mas seu rosto se anuviou quando falei que viera para pedir à sua esposa que se informasse se a sua prima me havia de fato convidado. Eu acabava de tocar num desses tipos de serviços que o Sr. e a Sra. de Guermantes detestavam prestar. O duque me disse que era demasiado tarde, que, se a princesa não me enviara convite, ele daria a impressão de estar pedindo um, que seus primos já lhe haviam recusado outro, certa ocasião, e ele não mais queria, nem de perto nem de longe, parecer estar se metendo nas listas deles, "de se imiscuir", enfim, que não sabia sequer se ele e sua esposa, que jantavam na cidade, voltariam imediatamente para casa, que nesse caso a melhor desculpa de não terem ido à recepção da princesa seria ocultar-lhe seu regresso a Paris, que, certamente a não ser isso, ao contrário se apressariam em comunicá-lo, enviando uma palavra ou dando um telefonema a meu respeito, seguramente demasiado tarde, pois em qualquer hipótese as listas da princesa já estariam fechadas. — O senhor não está de mal com ela — disse-me com ar de suspeita; os Guermantes receavam sempre não estarem a par das últimas desavenças e que as pessoas procurassem reconciliar-se às suas costas. Enfim, como o duque possuía o hábito de tomar a si todas as decisões que podiam parecer pouco amáveis: — Olhe, meu menino — disse-me de súbito, como se a idéia lhe viesse bruscamente ao espírito —, tenho até vontade de não dizer a Oriane que me falou neste caso. O senhor sabe como ela é gentil. Além do mais, ela gosta imensamente do senhor e desejaria mandar um recado à prima, apesar de tudo o que lhe dissesse, e, se estiver cansado depois do jantar, não mais teria desculpa, seria obrigado a comparecer à recepção. Não, decididamente não lhe direi nada. Aliás, o senhor irá vê-la daqui a pouco. Nem uma palavra sobre o assunto, peço-lhe. Se o senhor resolver ir à casa de meus primos, não preciso lhe externar que alegria teremos em passar a noite em sua companhia. — Os motivos de humanidade são sagrados para que aquele, diante de quem os invocam, não se incline perante eles, creia-o sinceros ou não; não quis nem por um momento pesar na balança o meu convite e o possível cansaço da Sra. de Guermantes e prometi ao duque não falar à esposa acerca do objetivo de minha visita, exatamente como se estivesse iludido pela pequena comédia representada pelo Sr. de Guermantes. Perguntei-lhe se achava que eu teria ocasião de ver, na casa da princesa, a Sra. de Stermaria.

— Não — disse-me ele com ar de conhecedor —; conheço o nome que o senhor diz por vê-lo nos anuários dos clubes, não é absolutamente o tipo de gente que freqüente a casa de Gilbert. Lá o senhor só verá pessoas excessivamente distintas e muito enfadonhas, duquesas que usam títulos que se julgariam extintos e que vieram à luz devido às circunstâncias, todos os embaixadores, muitos Coburgos, Altezas estrangeiras, mas não espere nem a sombra de um Stermaria; Gilbert ficaria doente só de ouvir a sua hipótese. Olhe, o senhor aprecia a pintura, é preciso que lhe mostre um quadro soberbo que comprei do meu primo, em parte em troca dos Elstir de que decididamente não gostávamos. Foi-me vendido como sendo um Philippe de Champagne, mas acho que é ainda superior. Quer saber a minha opinião? Creio que é um Velásquez e da melhor época — disse-me o duque fitando-me nos olhos, ou para conhecer a minha impressão, ou para aumentá-la. Entrou um lacaio.

— A senhora duquesa manda perguntar ao senhor duque se o senhor duque deseja receber o Sr. Swann, pois a senhora duquesa ainda não está pronta.

— Mande entrar o Sr. Swann — disse o duque depois de ter consultado o relógio de pulso e visto que ele próprio ainda dispunha de alguns minutos antes de ir se preparar. — Naturalmente minha mulher, que lhe disse que viesse, ainda não se aprontou. É inútil falar diante de Swann do sarau de Marie-Gilbert — disse o duque. — Não sei se ele está convidado. Gilbert o estima bastante, por julgá-lo neto natural do duque de Berri; é uma história comprida. (Se não fosse isso, imagine! Meu primo que tem um ataque sempre que vê um judeu a cem metros.) Mas enfim, isto agora se agrava com o Caso Dreyfus; Swann deveria compreender, mais do que ninguém, que precisava cortar todos os laços com essas pessoas; mas, pelo contrário, anda dizendo coisas desagradáveis.

O duque chamou de novo o lacaio para saber se o criado que ele enviara à casa do primo Osmond já estava de volta. Com efeito, o plano do duque era o seguinte: como achasse, e com razão, que o primo estava agonizante, fazia questão de pedir notícias suas antes da morte, ou seja, antes do luto forçado. Uma vez protegido pela certeza oficial de que Amanien ainda vivia, sairia rápido para o seu jantar, para a recepção do príncipe, para o baile onde estaria fantasiado de Luís XI e onde iria ter o mais picante encontro com uma amante nova, e não mandaria mais pedir notícias antes do dia seguinte, quando os prazeres houvessem terminado. Então poriam luto, caso o primo tivesse morrido durante a noite. — Não, senhor duque, ele ainda não chegou. — Diabo! Aqui só fazem as coisas à última hora! — exclamou o duque, ante a idéia de que Amanien pudera ter tido tempo de "rebentar" antes da saída dos vespertinos e assim lhe fazer gorar o baile à fantasia. Mandou comprar *Le Temps*, onde não havia nada.

Fazia muito tempo que eu não via Swann, e me indaguei por um instante se ele outrora não raspava o bigode, ou não tinha os cabelos cortados à escovinha, pois achava-o bem mudado; mas era apenas que ele de fato se achava muito "mudado", pois estava bem doente, e a doença produz modificações tão profundas no rosto como usar barba ou variar a repartição do cabelo. (A doença de Swann era a mesma que lhe arrebatara a mãe e que a acometera exatamente na idade em que ele estava. Nossas existências são de fato, pela hereditariedade, tão cheias de cifras cabalísticas, de maus-olhados, como se na verdade existissem feiticeiras. E assim como há uma certa duração da vida para a humanidade em geral, também existe uma para as famílias em particular; isto é, nas famílias, para os membros que se parecem.) Swann estava trajado com uma elegância que, como a de sua mulher, associava o que ele era ao que havia sido. Ajustado numa sobrecasaca cinzento-pérola, que acentuava a sua alta estatura, esbelto de luvas brancas riscadas de negro, usava uma cartola gris de forma dilatada que Delion só fabricava para ele, para o príncipe de Sagan, para o Sr. de Charlus, para o marquês de Módena, para o Sr. Charles Haas e para o conde Louis de Turenne. Surpreendeu-me o encantador sorriso e o afetuoso aperto de mão com que ele respondeu ao meu cumprimento, pois julgava que, depois de tanto tempo, ele não me reconheceria de imediato; falei-lhe do meu espanto; ele o acolheu às gargalhadas, meio indignado, e com uma nova pressão da mão, como se supor que não me reconhecer fosse duvidar da sua sanidade mental ou da sinceridade de seu afeto. E, no entanto, era o que ocorria; soube mais tarde que só me identificou alguns minutos depois, ouvindo chamarem o meu nome. Porém mudança alguma na sua fisionomia, nas suas palavras, nas coisas que me disse traiu a descoberta que uma palavra do Sr. de Guermantes lhe fez ver, tal a sua mestria e segurança no jogo da vida mundana. Aliás, punha nessa vida aquela espontaneidade de maneiras e a iniciativa pessoal, mesmo em matéria de indumentária, que caracterizavam o gênero dos Guermantes. Assim é que a saudação que me fizera o velho *clubman* sem me reconhecer não fora o cumprimento frio e empertigado do mundano puramente formalista, mas uma saudação cheia de uma amabilidade real, de graça verdadeira, como por exemplo a da duquesa de Guermantes (que chegava a ser a primeira a sorrir antes mesmo que a gente a houvesse cumprimentado, caso nos reconhecesse), por oposição aos cumprimentos mais mecânicos, habituais às damas do *faubourg* Saint-Germain. Foi assim ainda que o seu chapéu, que conforme um hábito que tendia desaparecer ele colocara a seu lado no chão, era forrado de couro verde, o que em geral não se fazia, mas isso porque — dizia ele — sujava menos, mas na realidade por ser muito elegante.

— Olhe, Charles, você, que é um grande conhecedor, venha ver uma coisa; depois disso, meus meninos, vou pedir licença para deixá-los um instante enquanto ponho uma casaca; aliás, acho que Oriane não deve demorar. — E mostrou o seu "Velásquez" a Swann. — Mas parece-me que conheço isto — disse Swann, com a careta das pessoas enfermas para quem falar já é uma fadiga.

— Sim — disse o duque, carrancudo pela demora do conhecedor em expressar sua admiração. — Provavelmente o viu na casa de Gilbert.

— Ah, de fato, lembro-me.

— Que é que você pensa que seja?

— Muito bem; se estava na casa de Gilbert, é provavelmente um de seus ancestrais — disse Swann num misto de ironia e deferência para com a grandeza que teria achado descortês e ridículo ignorar, mas da qual, por bom gosto, não queria falar senão "brincando".

— Certamente que sim — observou rudemente o duque. — É Boson (nem sei mais que número) de Guermantes. Mas isso pouco me importa. Você sabe que não sou tão feudal como o meu primo. Ouvi pronunciar o nome de Rigaud, de Mignard e até de Velásquez! — disse ele pregando em Swann um olhar de inquisidor e de carrasco, para tentar ao mesmo tempo ler o seu pensamento e influenciar sua resposta. — Enfim — concluiu (pois, ao ser levado a provocar artificialmente uma opinião que desejava, tinha a faculdade, ao fim de alguns instantes, de acreditar que fora emitida espontaneamente) — vejamos, nada de lisonjas. Julga que isto seja de uma das sumidades que acabei de nomear?

— Nnnnão — disse Swann.

— Mas então, afinal eu não conheço nada, não me cabe decidir de quem é esse borrão. Mas você, um diletante, um mestre na matéria, a quem o atribuiu?

Swann hesitou por um momento diante da tela que visivelmente achava horrenda: — À malevolência! — respondeu rindo ao duque, o qual não pôde evitar um gesto de raiva. Quando se acalmou: — Vocês são muito amáveis. Esperem Oriane por um instante; vou pôr a minha casaca e já volto. Mandarei dizer à minha patroa que os dois a estão esperando.

Conversei um instante com Swann sobre o Caso Dreyfus e perguntei-lhe como era possível que todos os Guermantes fossem antidreyfusistas. — Primeiro, porque no fundo toda essa gente é anti-semita — respondeu Swann, que no entanto sabia muito bem, por experiência própria, que alguns não o eram, mas que, como todas as pessoas que esposam uma opinião apaixonada, preferia, para explicar que certas pessoas dela não compartilhassem, supor-lhe uma razão preconcebida, um preconceito contra o qual nada havia de fazer, em vez de razões que se pudessem discutir. Aliás, tendo chegado à cláusula prematura de seus dias, como um animal fatigado e a que provocam, ele execrava essas perseguições e retornava ao reduto religioso de seus pais.

— Quanto ao príncipe de Guermantes, isto é verdade — declarei. — Já me haviam dito que ele era anti-semita.

— Oh, esse nem se fala! De tal modo que, quando oficial e tendo uma terrível dor de dentes, preferiu continuar sofrendo a consultar o único dentista da região, que era judeu; e mais tarde deixou incendiar-se uma ala de seu castelo, que havia pegado fogo porque teria sido necessário mandar pedir as bombas emprestadas ao castelo vizinho, que é dos Rothschild.

— Por acaso o senhor irá esta noite à sua casa?

— Sim — respondeu —, embora esteja muito cansado. Mas ele me enviou um telegrama para me avisar que tinha algo a me dizer. Sinto que estarei por demais adoentado por esses dias para ir até lá ou para recebê-lo, o que me deixará muito agitado. Prefiro desembaraçar-me logo de tudo isso.

— Mas o duque de Guermantes não é anti-semita.

— Claro que sim, pois é antidreyfusista — respondeu Swann, sem se aperceber que fazia uma declaração de princípios. — Isto não impede que me sinta desgostoso por ter decepcionado esse homem (que digo!, esse duque) não admirando o seu pretenso Mignard, ou coisa que o valha.

— Mas enfim — prossegui, voltando ao Caso Dreyfus —, a duquesa é inteligente.

— Sim, é encantadora. Aliás, na minha opinião, era-o ainda mais quando se chamava apenas princesa des Laumes. Seu espírito adquiriu algo de mais anguloso, tudo isso era mais tenro na grande dama juvenil. Mas enfim, mais ou menos jovens, homens ou mulheres — que quer o senhor? —, todos eles pertencem a uma outra raça, não se tem impunemente mil anos de feudalismo no sangue. Naturalmente, eles crêem que isto não pesa nada em suas opiniões.

— Mas Robert de Saint-Loup, no entanto, é dreyfusista.

— Ah, tanto melhor, ainda mais que o senhor sabe que sua mãe é contra. Tinham-me dito que ele o era, mas não estava certo disso. Isto me dá uma grande satisfação. Não me espanta, pois ele é muito inteligente. É uma grande coisa isto!

O dreyfusismo tornara Swann de uma ingenuidade extraordinária e atribuíra ao seu modo de ver um impulso e um desvio mais notáveis ainda do que outrora o fizera o seu casamento com Odette; essa nova desclassificação melhor se chamaria reclassificação e só podia ser honrosa para ele, visto que o fazia voltar ao caminho pelo qual tinham vindo os seus e de onde o haviam desviado as suas relações aristocráticas. Mas Swann, precisamente no momento mesmo em que, tão lúcido, era-lhe dado, graças aos dons herdados de sua ascendência, enxergar uma verdade ainda oculta às pessoas da alta sociedade, mostrava-se todavia de uma cômica cegueira. Submetia todas as suas admirações e desprezos a um critério novo: o dreyfusismo. Que o antidreyfusismo da Sra. Bontemps o fizesse considerá-la idiota não era menos espantoso que o fato de que, quando se casara, a havia achado inteligente. Também não era muito grave que a nova onda atingisse nele os juízos políticos e o fizesse perder a lembrança de haver tratado de mercenário, de espião da Inglaterra (era um absurdo do meio Guermantes) a Clemenceau, a quem agora declarava ter considerado sempre uma consciência, um homem de ferro, como Cornély. — Não, eu nunca lhe disse coisa diversa. O senhor está confundindo. — Mas, ultrapassando os julgamentos políticos, a onda invertia em Swann os juízos literários e até a forma de exprimi-los. Barrès perdera todo talento, e mesmo suas obras da juventude eram fraquinhas, mal podiam ser relidas. — Tente, não conseguirá ir até o fim. Que diferença de Clemenceau! Pessoalmente, não sou anticlerical, mas como, a seu lado, se nota que Barrès não tem ossos! Grande sujeito o velho Clemenceau. Como conhece a sua língua! — Além do mais, os antidreyfusistas não teriam direito de criticar estas loucuras. Explicavam que se era dreyfusista porque se era de origem judaica. Se um católico praticante, como Saniette, manifestava-se a favor da revisão, devia-se isto a que ele era dominado pela Sra. Verdurin, que agia como feroz radical. Ela era sobretudo contra os "padrecos". Saniette era mais imbecil do que mau e não sabia o dano que a Patroa lhe causava. Se objetavam que Brichot também era amigo da Sra. Verdurin e pertencia à "Pátria Francesa", é que ele era mais inteligente.

— O senhor o vê de quando em vez? — perguntei a Swann, referindo-me a Saint-Loup.

— Não, nunca. Escreveu-me outro dia para que pedisse ao duque de Mouchy e a alguns outros que votassem a seu favor no Jockey, onde aliás entrou sem dificuldade alguma.

— Apesar do Caso Dreyfus?

— Não levantaram essa questão. De resto, direi que depois de tudo isso, não ponho mais os pés naquele lugar.

Voltou o Sr. de Guermantes e em breve surgiu sua mulher, já pronta, alta e magnífica em um vestido de cetim vermelho cuja saia era bordada de lantejoulas. Ostentava nos cabelos uma grande pluma de avestruz, tingida de púrpura, e trazia nos ombros uma *écharpe* de tule do mesmo tom vermelho. — Como fica bem forrar o chapéu de verde — disse a duquesa, a quem nada escapava. — Aliás, em você, Charles, tudo é bonito, tanto o que você usa como o que fala, tanto o que lê como o que faz. — Contudo Swann, sem parecer ouvi-la, contemplava a duquesa como o teria feito diante de uma tela de mestre e, a seguir, buscou o seu olhar, fazendo com a boca o trejeito que quer dizer: "Puxa!" A Sra. de Guermantes desatou a rir. — Minha toalete lhe agrada, fico feliz com isso. Mas devo dizer que não me agrada muito — continuou, com ar aborrecido. — Meu Deus, como é tedioso a gente se vestir e ter de sair quando gostaria de ficar em casa!

— Que rubis esplêndidos!

— Ah, meu caro Charles, pelo menos vê-se que conhece o assunto. Não é como aquele idiota do Monserfeuil que me perguntava se eram verdadeiros. Devo confessar que jamais vi outros tão lindos. É um presente da grã-duquesa. Para o meu gosto são um pouquinho grandes, um tanto cálice de *bordeaux* cheio até às bordas, mas resolvi pô-los porque veremos esta noite a grã-duquesa na casa de Marie-Gilbert — acrescentou a Sra. de Guermantes, sem desconfiar que semelhante afirmação destruía as do duque.

— O que há na casa da princesa? — perguntou Swann.

— Quase nada — apressou-se a dizer o duque, a quem a pergunta de Swann fizera crer que ele não fora convidado.

— Mas como, Basin? Pois foi convocada toda a nobreza e seu bando. Será uma tremenda carnificina. O que vai ser bonito — acrescentou a duquesa, olhando para Swann com ar delicado — são aqueles maravilhosos jardins, se a tempestade que está se aprontando não desabar. Você os conhece. Já estive lá, há coisa de um mês, na ocasião em que os lilases estavam em flor; não se pode ter uma idéia de como aquilo conseguia ser bonito. E depois o chafariz; enfim, é verdadeiramente Versalhes em Paris.

— Que espécie de mulher é a princesa? — perguntei.

— Mas o senhor já sabe, pois a viu aqui; sabe que é linda como o sol, é também um pouco tola, muito gentil, apesar de toda a sua altivez germânica, de grande coração e cheia de gafes.

Swann era bastante fino para não perceber que a Sra. de Guermantes procurava naquele momento "fazer espírito Guermantes", e sem muito esforço, pois não fazia mais que tornar a servir, sob uma forma menos perfeita, antigas frases suas. Não obstante, para provar à duquesa que compreendia a sua intenção de ser engraçada, e como se ela o fosse realmente, sorriu com ar meio forçado, causando-me, por esse tipo especial de insinceridade, o mesmo constrangimento que eu sentira outrora ao ouvir meus pais falarem com o Sr. Vinteuil sobre a corrupção em certos meios (ao passo que sabiam perfeitamente que a maior delas era a que reinava em Montjouvain) ou Legrandin nuançar a conversação para uns bobos, escolher epítetos delicados que ele sabia muito bem não poderem ser compreendidos por um público rico ou elegante, porém iletrado.

— Mas Oriane, o que é que você está dizendo? Marie tola? Ela leu tudo, é musical como um violino.

— Mas meu pobre Basin, você é uma criança que acaba de nascer. Como se não se pudesse ser tudo isso e um pouco tola! Tola, de fato, é exagerado. Não, ela é nebulosa, é Hesse-Darmstadt, Santo Império e uma lesma. Só a sua pronúncia já me enerva. Reconheço, aliás, que é uma encantadora maluquinha. Para começar, só essa idéia de descer do seu trono alemão para se casar bem burguesmente com um simples particular. É certo que ela o escolheu! Ah, mas é verdade — disse ela voltando-se para mim —, o senhor não conhece Gilbert! Vou lhe dar uma idéia dele: faz algum tempo, ficou de cama porque deixei um cartão de visitas na casa da Sra. Carnot... Mas não, meu caro Charles — disse a duquesa para mudar de assunto, vendo que a história do seu cartão de visitas à Sra. Carnot parecia enfurecer o Sr. de Guermantes —, você sabe que não mandou a fotografia dos nossos cavaleiros de Rodes, de que gosto por sua causa, e que estava com tanta vontade de conhecer.

Entretanto, o duque não cessara de encarar fixamente a mulher:

— Oriane, precisaria pelo menos contar a verdade e não engolir metade dela. É preciso dizer — retificou, dirigindo-se a Swann — que a embaixatriz da Inglaterra naquela ocasião, uma boa mulher, mas que vivia um pouco no mundo da lua e era useira e vezeira nesse tipo de inconveniência, tivera a idéia bem extravagante de convidar-nos junto com o presidente e sua esposa. Ficamos, até Oriane, bastante surpresos, tanto mais que a embaixatriz conhecia as mesmas pessoas que nós para não nos convidar justamente para uma reunião tão estranha. Havia um ministro que roubara, mas enfim passo uma esponja sobre isso, nós não tínhamos sido avisados, caímos na armadilha; mas é preciso reconhecer, aliás, que toda essa gente era muito polida. Só que aquilo já era demais. A Sra. de Guermantes, que nem sempre me dá a honra de me consultar, julgou dever deixar seu cartão no Élysée. Gilbert talvez tenha ido um pouco longe, ao ver nisso uma espécie de mancha sobre o nosso nome. Mas não convém esquecer que, política à parte, o Sr. Carnot, que de resto ocupava muito convenientemente o seu posto, era neto de um membro do tribunal revolucionário que mandou matar num só dia onze dos nossos.

— Pois então, Basin, por que é que você ia jantar todas as semanas em Chantilly? O duque de Aumale não era menos neto de um membro do tribunal revolucionário, com a diferença de que Carnot era um homem correto e Philippe-Égalité um tremendo canalha.

— Desculpe-me interrompê-los para dizer que mandei a fotografia — disse Swann. — Não compreendo como não tenha sido entregue.

— Isso me deixa só meio espantada — observou a duquesa. — Meus criados dizem-me apenas o que julgam necessário. Provavelmente não apreciam a Ordem de São João. — E tocou a campainha.

— Você sabe, Oriane, que, quando eu ia jantar em Chantilly, era sem entusiasmo.

— Sem entusiasmo, mas com camisola de dormir para o caso de o príncipe convidá-lo para passar a noite, o que aliás raramente fazia como perfeito grosseirão que era, feito todos os Orléans... Sabe com quem jantaremos na casa da Sra. de Saint-Euverte? — perguntou a Sra. de Guermantes ao marido.

— Fora os convidados que você já sabe, estará, convidado à última hora, o irmão do rei Teodósio.

A essa notícia, os traços da duquesa respiraram satisfação, e suas palavras, tédio: — Ah, meu Deus; mais príncipes.

— Mas este é gentil e inteligente — disse Swann.

— Mas, mesmo assim, não completamente — respondeu a duquesa, dando a impressão de escolher as palavras para conferir mais novidade a seu pensamento. — Já repararam que, entre os príncipes, os mais gentis não o são inteiramente? Claro que sim, asseguro-lhes! É preciso que tenham sempre uma opinião sobre tudo. Então, como não possuem nenhuma, passam a primeira parte de suas vidas perguntando as nossas, e a segunda a nos tornar a servi-las. É absolutamente necessário que digam que isto foi bem representado, que aquilo não foi representado tão bem. Não há qualquer diferença. Vejam, este jovem Teodósio Caçula (não me recordo de seu nome) me perguntou como se chamava um motivo de orquestra. Respondi — disse a duquesa, de olhos brilhantes e desatando a rir com os lindos lábios vermelhos — que se chamava um "motivo de orquestra". Pois bem; no fundo ele não ficou satisfeito. Ah, meu querido Charles — prosseguiu a Sra. de Guermantes com ar lânguido —, como pode ser aborrecido jantar fora! Há noites em que seria preferível morrer! É verdade que morrer talvez também seja tão tedioso, pois não se sabe de que se trata.

Surgiu um lacaio. Era o jovem noivo que tivera desavenças com o porteiro até que a duquesa, na sua bondade, estabelecera uma paz aparente entre ambos.

— Deverei ir esta noite pedir notícias do Sr. marquês d'Osmond? — indagou ele.

— De jeito nenhum, nada disso antes de amanhã de manhã! Nem quero que você permaneça na sua casa esta noite. O lacaio do marquês, que você conhece, não teria mais que vir lhe dar as notícias e dizer que fosse nos procurar. Saia, vá para onde quiser, caia na esbórnia, durma fora, não quero saber de você antes de amanhã cedo.

Uma alegria imensa transbordou do rosto do lacaio. Enfim ia poder passar longas horas com sua prometida, a quem quase não via mais desde que, após uma nova cena com o porteiro, a duquesa gentilmente lhe explicara que era melhor não sair para evitar novos conflitos. À idéia de que por fim teria uma noite livre, o lacaio nadava em felicidade. A duquesa o percebeu e compreendeu. Sentiu um aperto no coração e uma alegria em todos os membros à vista daquela felicidade que sentiam sem o seu consentimento, escondendo-se dela, e que a irritava e enciumava. — Não, Basin, pelo contrário, que ele permaneça aqui, que não se mexa da casa.

— Mas Oriane, isto é um absurdo; todos os seus criados estão aqui; e, além disso, você terá à meia-noite a camareira e o roupeiro para o baile à fantasia. Ele não vai servir para coisa nenhuma, e, como só ele é amigo do lacaio de Mamá, prefiro mil vezes mandá-lo para longe daqui.

— Escute, Basin deixe-me; terei justamente de lhe mandar dizer algo esta noite, não sei bem a que horas. Não saia daqui um só minuto — disse ela ao lacaio desesperado.

Se sempre havia discussões e se os criados ficavam pouco na casa da duquesa, a pessoa a quem se devia atribuir essa guerra contínua era bastante inarredável, mas não se tratava do porteiro. Sem dúvida para os trabalhos mais rudes, para os martírios mais cansativos a infligir, para as brigas que terminavam em pancadaria, a duquesa lhe confiava os pesados instrumentos; além do mais, ele desempenhava seu papel sem imaginar que lho haviam confiado. Como os criados, admirava a bondade da duquesa; e os lacaios pouco esclarecidos vinham, depois de ser despedidos, visitar muitas vezes Françoise, afirmando que a casa do duque teria sido o melhor lugar de Paris se não fosse a portaria. A duquesa manobrava a portaria como se manobrou por muito tempo o clericalismo, a franco-maçonaria, o perigo judeu, etc.. Um lacaio entrou.

— Por que não mandaram subir o pacote que o Sr. Swann trouxe? Mas a propósito (você sabe que Mamá está muito doente, Charles), Jules, quem foi buscar notícias do Sr. marquês d'Osmond já voltou?

— Acabou de chegar, senhor duque. Espera-se que o senhor marquês faleça de um momento para o outro.

— Ah, ele está vivo! — exclamou o duque com um suspiro de alívio. — Espera-se, espera-se! Grande agoureiro é você! Enquanto há vida há esperança — disse-nos o duque com ar satisfeito. — Pintavam-no como já morto e enterrado. Dentro de oito dias estará mais galhardo que eu.

— Os médicos é que disseram que ele não passaria desta noite. Um deles queria voltar durante a madrugada. O chefe disse que era inútil. O senhor marquês já deveria estar morto. Só sobreviveu graças a lavagens de óleo canforado.

— Cale-se, pedaço de asno — gritou o duque no auge da cólera. — Quem lhe está perguntando tudo isso? Você não compreendeu nada do que lhe disseram.

— Não foi a mim, foi a Jules.

— Vai calar ou não? — bramiu o duque; e, voltando-se para Swann: — Que felicidade que esteja vivo! Vai readquirir as forças pouco a pouco. Está vivo depois de semelhante crise. Já é uma coisa excelente. Não se pode pedir tudo ao mesmo tempo. Uma pequena lavagem a óleo canforado não deve ser desagradável — disse o duque esfregando as mãos. — Ele está vivo, que mais querem? Depois de ter passado pelo que passou, já é muito bom. É mesmo de dar inveja uma compleição destas. Ah, os doentes! Tem-se por eles uns cuidados que não têm para conosco. Hoje de manhã, o diabo do cozinheiro me fez uma perna de carneiro assada, com molho bearnês, reconheço que foi caprichado, mas justamente por isso comi tanto que ainda me pesa no estômago. O que não impede que venham pedir notícias minhas, como as vão pedir ao meu caro Amanien. Pedem até demais. Isto cansa. É preciso deixá-lo respirar. Matam-no, indo saber a todo instante notícias suas.

— Muito bem! — disse a duquesa ao lacaio que se retirava. — Eu havia dito que me subissem a fotografia envelopada que o Sr. Swann me mandou.

— Senhora duquesa, é tão grande que não sei se passaria pela porta. Deixamo-la no vestíbulo. A senhora duquesa quer que a traga?

— Bem, neste caso não; deveriam ter-me dito; mas, se é tão grande, eu a verei daqui a pouco ao descer.

— Também esqueci de dizer à senhora que a senhora condessa Molé deixara hoje de manhã um cartão de visitas para a senhora duquesa.

— Como, hoje de manhã? — exclamou a duquesa com ar descontente e achando que uma senhora tão jovem não podia se permitir deixar cartões de visita pela manhã.

— Cerca das dez horas, senhora duquesa.

— Mostre-me os cartões.

— Em todo caso, Oriane, quando você diz que Marie teve uma idéia esquisita em se casar com Gilbert — prosseguiu o duque, voltando à sua primeira conversa —, é você mesma quem tem um modo singular de escrever a história. Se alguém foi idiota nesse casamento, foi Gilbert, por ter desposado justamente uma parenta tão próxima do rei dos belgas, que usurpou o nome de Brabant, que nos pertence. Numa palavra, somos do mesmo sangue dos Hesse, e do ramo mais antigo. É sempre cabotino falar de si mesmo — disse ele dirigindo-se a mim. — Mas, afinal, quando estivemos não só no Darmstadt, mas até no Cassel e em todo o Hesse eleitoral, todos os landgraves sempre fizeram notar amavelmente que nos cediam o passo e o primeiro lugar, visto sermos nós do ramo mais antigo.

— Mas afinal, Basin, não me venha contar que aquela pessoa que era major em todos os regimentos de seu país, que noivou com o rei da Suécia...

— Oh, Oriane, esta é forte demais! Dir-se-ia que você não sabe que o avô do rei da Suécia cultivava a terra em Pau, quando fazia novecentos anos que já pertencíamos à mais alta estirpe da Europa.

— Isto não impede que quando se dizia na rua: "Vejam, eis o rei da Suécia", todo mundo corresse para vê-lo até a Praça da Concórdia, e, se disserem: "Eis o Sr. de Guermantes", ninguém saiba quem seja.

— Eis já uma razão!

— Aliás, não posso compreender como, desde o momento em que o título de duque de Brabant passou para a família real da Bélgica, você possa ter pretensões a ele.

O lacaio voltou com o cartão de visitas da condessa Molé, ou antes, com o que ela deixara como cartão. Alegando não ter nenhum consigo, tirara do bolso uma carta que havia recebido e, guardado o conteúdo, dobrara o canto do envelope que trazia o nome: "A condessa Molé". Como o envelope era muito grande, de acordo com o formato do papel para cartas que estava em moda naquele ano, esse "cartão", manuscrito, tinha quase o dobro do tamanho de um cartão de visitas comum.

— É o que se chama a simplicidade da Sra. Molé — disse a duquesa com ironia. — Quer nos fazer acreditar que não tinha cartão de visita e mostrar a sua originalidade. Mas nós conhecemos tudo isso (não é mesmo, meu caro Charles?), somos nós próprios bastante velhos e originais para aprender com o espírito de uma damazinha que estreou há quatro anos. Ela é encantadora, mas ainda assim não me parece possuir lastro suficiente para imaginar que possa espantar a alta sociedade com coisa tão trivial como deixar um envelope feito fosse um cartão de visitas, e deixá-lo às dez da manhã. A rata velha da sua mãe lhe mostrará que sabe tanto quanto ela sobre esse capítulo.

Swann não pôde se abster de sorrir pensando que a duquesa, que aliás era um tanto ciumenta do sucesso da Sra. Molé, julgaria bem dentro do "espírito dos Guermantes" alguma resposta impertinente a propósito da visitante.

— Quanto ao título de duque de Brabant, já lhe disse cem vezes, Oriane... — continuou o duque, a quem a duquesa cortou a palavra sem ouvir.

— Mas meu caro Charles, incomodo-me com a sua fotografia.

— Ah! *extinctor draconis latrator Anubis*[41] — disse Swann.

— Sim, é tão bonito o que você me disse sobre isso em comparação com o São Jorge de Veneza. Mas não entendo por que Anúbis.

— Como é aquele que é antepassado de Babal? — indagou o Sr. de Guermantes.

— Você queria ver a sua *baballe* — disse a Sra. de Guermantes em tom seco, para mostrar que ela própria desprezava esse trocadilho. — Eu queria vê-los a todos — acrescentou.

— Escute, Charles, desçamos para esperar que o carro fique pronto — disse o duque —; você nos fará sua visita no vestíbulo, pois minha mulher não nos deixará em paz enquanto não tiver visto a sua fotografia. Para falar a verdade, estou menos impaciente — acrescentou com ar de satisfação. — Sou um homem calmo, mas ela é bem capaz de nos fazer morrer.

[41] Do latim: "Matador do dragão, ladrador Anúbis." Anúbis era o deus dos mortos, entre os egípcios, representado com corpo de homem e cabeça de chacal. (N. do T.)

— Sou inteiramente de sua opinião, Basin — disse a duquesa —; vamos para o vestíbulo e pelo menos ficamos sabendo por que é que viemos do seu gabinete, ao passo que jamais saberemos por que viemos dos condes de Brabant.

— Já lhe repeti cem vezes de que modo o título entrou na casa de Hesse — disse o duque (enquanto íamos ver a fotografia e eu pensava naquelas que Swann me trazia em Combray) —; pelo casamento de um Brabant, em 1241, com a filha do último landgrave da Turíngia e de Hesse, de forma que foi antes o título de príncipe de Hesse que entrou na casa de Brabant do que o de duque de Brabant na casa de Hesse. De resto, você se lembra que o nosso grito de guerra era o dos duques de Brabant: "Limburgo a quem o conquistou", até que trocamos as armas dos Brabants pelas dos Guermantes, no que aliás creio que fizemos mal, e o exemplo dos Gramonts não contribuiu para me fazer mudar de opinião.

— Mas — respondeu a Sra. de Guermantes — como foi o rei dos belgas que o conquistou... Além disso, o herdeiro da Bélgica chama-se duque de Brabant.

— Mas, minha filha, o que você diz não tem pé nem cabeça e peca pela base. Sabe tão bem quanto eu que existem títulos de pretensão que subsistem perfeitamente se o território é ocupado por um usurpador. Por exemplo, o rei da Espanha se intitula precisamente duque de Brabant, invocando desse modo uma possessão menos antiga que a nossa, porém mais antiga que a do rei dos belgas. Ele também se diz duque de Borgonha, rei das Índias Ocidentais e Orientais, e duque de Milão. Ora, ele não possui mais a Borgonha, as Índias ou o Brabant do que eu próprio possuo este último, como igualmente o não possui o príncipe de Hesse. Da mesma forma, o rei da Espanha nem por isso deixa de proclamar-se rei de Jerusalém, o mesmo fazendo o imperador da Áustria, e nem um nem outro possuem Jerusalém.

Parou por um instante, no constrangimento de que o nome de Jerusalém pudesse deixar Swann embaraçado, devido aos "casos em andamento", mas prosseguiu tanto mais rápido:

— O que você está dizendo, pode dizer de tudo. Fomos duque de Aumale, ducado que passou tão regularmente para a casa da França como Joinville e Chevreuse para a casa de Alberto. Não erguemos mais reivindicações sobre esses títulos do que sobre o de marquês de Noirmoutiers, que foi nosso e se tornou bem regularmente apanágio da casa de La Trémoïlle, mas, pelo fato de que certas cessões sejam válidas, não se conclui que todas o sejam. Por exemplo — disse ele voltando-se para mim —, o filho da minha cunhada ostenta o título de príncipe de Agrigento, que nos vem de

Joana a Louca, como aos de La Trémoïlle o de príncipe de Tarento. Ora, Napoleão deu esse título de Tarento a um soldado, que aliás podia ser um excelente veterano, mas nisso o imperador dispôs do que ainda menos lhe pertencia do que Napoleão III ao fazer um duque de Montmorency, pois Périgord tinha ao menos por mãe uma Montmorency, ao passo que o Tarento de Napoleão I só possuía de Tarento a vontade do imperador de que ele o fosse. Isto não impediu Chaix d'Est-Ange, fazendo alusão ao nosso tio Condé, de perguntar ao procurador imperial se ele fora pegar o título de duque de Montmorency nos fossos de Vincennes.[42]

— Escute, Basin, não peço nada melhor que segui-lo aos fossos de Vincennes e até a Tarento. E a propósito, meu caro Charles, é justamente o que eu queria lhe dizer enquanto me falava do seu São Jorge de Veneza. É que eu e Basin temos a intenção de passar a primavera próxima na Itália e na Sicília. Se viesse conosco, veja como seria diferente! Não falo apenas da alegria de vê-lo, mas imagine, com tudo o que me contou muitas vezes sobre os vestígios da conquista normanda e os vestígios da antigüidade, imagine o que seria uma viagem como essa, feita em sua companhia! Quer dizer que até Basin — que digo! — até Gilbert tirariam proveito dela, pois sinto que mesmo as pretensões à coroa de Nápoles e todas essas maquinações me interessariam, caso fossem explicadas por você nas velhas igrejas romanas ou em pequenas aldeias empoleiradas como nos quadros dos primitivos. Mas vamos olhar a sua fotografia. Desfaça o embrulho — disse a duquesa a um lacaio.

— Mas, Oriane, esta noite não! Você poderá vê-la amanhã — implorou o duque, que já me fizera sinais de terror ao ver o tamanho da fotografia.

— Mas agrada-me ver isto na companhia de Charles — retorquiu a duquesa com um sorriso a um tempo fingidamente sensual e finamente psicológico, pois, em seu desejo de ser amável para com Swann, falava do prazer que sentiria em contemplar essa fotografia como do prazer que um enfermo teria em chupar uma laranja, ou como se, ao mesmo tempo, combinasse uma escapada com amigos ou informasse a um biógrafo sobre os gostos lisonjeiros para ela.

— Pois bem, ele virá visitá-la expressamente para isso — declarou o duque, a quem a mulher teve de ceder. — Vocês vão passar três horas

[42] Alusão ao assassinato, após julgamento sumário sem defesa nem testemunhas, do duque de Enghien, da família Bourbon-Condé, acusado de complô contra Napoleão, em 1804. Fuzilado, teve seu cadáver atirado nos fossos de Vincennes. (N. do T.)

juntos diante da fotografia, se lhes agrada — disse ele ironicamente. — Mas onde vai pôr um troço desse tamanho?

— Mas no meu quarto; quero tê-lo diante dos olhos.

— Ah, como quiser; se ficar no seu quarto, terei chances de não vê-lo nunca mais — disse o duque, sem pensar na revelação que fazia tão estouvadamente sobre a natureza negativa de suas relações conjugais.

— Pois bem, você vai desembrulhar isto com todo o cuidado — ordenou a Sra. de Guermantes ao criado (ela multiplicava as recomendações para ser amável com Swann). — Não estrague também o envelope!

— Precisaremos respeitar até o envelope! — disse-me baixinho o duque, erguendo as mãos para o céu. — Mas Swann — acrescentou —, eu, que não passo de um pobre marido bem prosaico, o que me admira nisso tudo é que você tenha podido achar um envelope dessas dimensões. Onde desencavou isso?

— É a casa de fotogravuras que freqüentemente faz esse tipo de remessas. Mas o dono é um grosseirão, pois vejo que sobrescritou "Duquesa de Guermantes", sem "Senhora".

— Perdôo-lhe — disse distraidamente a duquesa, que, parecendo subitamente invadida por uma idéia que a alegrava, reprimiu um leve sorriso, mas voltando logo a Swann: — E então, não diz se vai conosco à Itália?

— Senhora, acho que não será possível.

— Então a Sra. de Montmorency tem mais sorte. O senhor esteve com ela em Veneza e Vicenza. Ela me disse que, na sua companhia, viam-se coisas que a gente jamais veria sozinha, de que ninguém nunca havia falado, que o senhor lhe mostrou coisas espantosas e, mesmo nas coisas conhecidas, disse que pôde compreender detalhes diante dos quais, sem o senhor, teria passado vinte vezes sem nunca notá-los. Decididamente, foi mais beneficiada que nós... Tome o imenso envelope de fotografias do Sr. Swann — disse ela ao criado — e vá pô-lo, dobrado num canto, de minha parte, às dez e meia da noite, na casa da Sra. condessa de Molé.

Swann deu uma gargalhada.

— Mesmo assim gostaria de saber — disse-lhe a Sra. de Guermantes — como, com dez meses de antecipação, o senhor pode saber que será impossível.

— Minha cara duquesa, eu lhe direi, se faz muita questão; mas, antes de tudo, pode ver como estou doente.

— Sim, meu caro Charles, acho que está com uma cara nada boa, não estou contente com sua cor; mas não lhe peço isso para daqui a oito dias, peço-lhe para daqui a dez meses. Em dez meses a gente tem tempo de se curar, você sabe.

Nesse momento, um lacaio veio anunciar que o carro já estava preparado. — Vamos, Oriane, a cavalo — disse o duque, que já batia os pés de impaciência há alguns instantes, como se ele próprio fosse um dos cavalos que esperavam.

— Pois bem, numa palavra, qual o motivo que o impedirá de ir à Itália? — indagou a duquesa, levantando-se para se despedir de nós.

— Mas, minha cara amiga, é que já estarei morto há vários meses. Segundo os médicos que consultei, no fim do ano o mal de que sofro e que, aliás, pode me levar de repente, em todo caso não me deixará mais de três ou quatro meses de vida. E isto ainda é um grande *maximum* — respondeu Swann sorrindo, enquanto um lacaio abria a porta envidraçada do vestíbulo para deixar passar a duquesa.

— Que é que está me dizendo? — exclamou a duquesa, detendo-se por um segundo em seu caminho para o carro, e erguendo os belos olhos azuis e melancólicos, mas cheios de incerteza. Colocada pela primeira vez na vida entre dois deveres tão diversos como subir para o carro a fim de ir jantar fora, e manifestar piedade por um homem que vai morrer, ela não via nada no código das conveniências que indicasse a jurisprudência a seguir e, não sabendo a que dar a primazia, julgou dever fazer cara de não acreditar que a segunda alternativa ocorresse, de modo a obedecer à primeira, que naquele momento exigia menos esforço; e pensou que a melhor maneira de resolver o conflito era negá-lo: — Está gracejando? — perguntou a Swann.

— Seria um gracejo de gosto encantador — respondeu ironicamente Swann. — Não sei por que lhe digo isto, até hoje não lhe havia falado na minha doença. Mas, como me perguntou e que agora posso morrer de um dia para o outro... Mas sobretudo não desejo que se atrase, vai jantar fora — acrescentou ele, porque sabia que, para os outros, seus próprios compromissos mundanos têm prioridade sobre a morte de um amigo, e que ele se punha no lugar deles graças à sua polidez. Porém a da duquesa permitia a esta perceber também, confusamente, que o jantar ao qual compareceria devia contar menos para Swann que a sua própria morte. Assim, continuando o seu caminho na direção do carro, deu de ombros dizendo: — Não se preocupe com esse jantar. Não tem nenhuma importância. — Mas estas palavras puseram de mau humor o duque, que gritou: — Vamos, Oriane, não fique aí tagarelando e trocando as suas lamentações com Swann, você sabe muito bem que a Sra. de Saint-Euverte faz questão de que a gente esteja na mesa às oito em ponto. É necessário saber o que você quer; já faz cinco minutos que os cavalos estão esperando. Peço-lhe perdão, Charles — disse ele voltando-se para Swann —, mas já são dez para as oito. Oriane está sempre atrasada; vamos levar mais de cinco minutos para chegar à casa da velha Saint-Euverte.

A Sra. de Guermantes avançou decididamente na direção do carro e deu um último adeus a Swann: — O senhor sabe, voltaremos a falar disso; não creio numa só palavra do que me diz, mas precisamos ter uma conversa a respeito juntos. Deixaram-no impressionado; venha almoçar o dia que quiser (para a Sra. de Guermantes, tudo se resolvia sempre em almoços), o senhor me dirá o dia e a hora — e, erguendo a saia vermelha, pousou o pé no estribo. Ia entrar no carro quando, vendo aquele pé, o duque exclamou com voz terrível: — Oriane, que é que você vai fazer, infeliz! Está de sapatos pretos! Com um vestido vermelho! Suba para o quarto depressa e ponha sapatos vermelhos, ou então — dirigiu-se ao lacaio — avise imediatamente a camareira da Sra. duquesa para mandar descer os sapatos vermelhos.

— Mas, meu amigo — respondeu docemente a duquesa, constrangida por ver que Swann, que saía comigo mas quisera deixar passar o carro a nossa frente, ouvira tudo —, visto que estamos atrasados...

— Não, não; temos todo o tempo. Faltam apenas dez para as oito, não gastaremos dez minutos para ir ao parque Monceau. E depois, afinal, o que é que deseja? Mesmo que fossem oito e meia eles esperariam; mas você não pode ir com um vestido vermelho e sapatos pretos. Além disso, não seremos os últimos, ande, há os Sassenage, você sabe que eles nunca chegam antes de vinte para as nove.

A duquesa tornou a subir para o quarto.

— Os pobres maridos, hem — disse o Sr. de Guermantes —; zomba-se muito deles, mas ainda têm algo de bom. Não fosse eu, Oriane ia jantar de sapatos pretos.

— Não fica feio — observou Swann —; eu já havia reparado nos sapatos pretos e absolutamente não me chocaram.

— Não digo que não — respondeu o duque —; mas é mais elegante que sejam da mesma cor do vestido. E depois, fique tranqüilo, logo ao chegar, ela teria notado, e eu é que seria obrigado a vir buscá-los. Teria jantado às nove horas. Adeus, meus meninos — disse ele afastando-nos suavemente —, vão tratando de ir antes que Oriane desça. Não é que ela não goste de ver os dois. Ao contrário, gosta muito de vê-los. Se ainda os encontra aqui, vai voltar a tagarelar, já está bem cansada, chegará morta ao jantar. E depois, confesso francamente que estou morrendo de fome. Almocei muito mal esta manhã ao descer do trem. É verdade que havia um tal molho bearnês, mas, apesar disso, não me incomodaria nada, de jeito nenhum, em sentar-me de novo à mesa. Cinco para as oito! Ah, as mulheres!

Ela vai fazer mal ao estômago de nós dois, pois é bem menos forte do que pensam.

O duque absolutamente não se vexava de falar das indisposições da mulher e de suas próprias a um agonizante, já que os primeiros o interessavam mais, parecendo-lhe, assim, mais importantes. Desse modo, foi apenas por boa educação e galhardia que, depois de nos ter gentilmente despedido, gritou da porta com voz estentórea a Swann, que já se achava no pátio:

— E além disso, não se deixe impressionar pelas asneiras dos médicos, que diabo! São uns burros! Você está firme como o Pont-Neuf. Acaba enterrando a todos nós!

SODOMA E GOMORRA

marcel proust

EM BUSCA DO TEMPO PERDIDO

EDIOURO

PREFÁCIO | por Fernando Py

Sodoma e Gomorra

O tema principal de *Sodoma e Gomorra* é a inversão sexual, tema que, por outro lado, aparece, veladamente ou não, em todo o desenrolar de *Em Busca do Tempo Perdido.* Mas podemos ver, igualmente, um tema secundário, e não menos apaixonante, que é o do ciúme do homem pela mulher amada, em que Proust retoma alguns aspectos que já havia analisado anteriormente em "Um amor de Swann", segunda parte de No *Caminho de Swann.* Porém, é neste *Sodoma e Gomorra* que avulta a análise do homossexualismo.

Logo no começo, o Narrador tem a revelação da homossexualidade masculina, o que o faz perceber, a uma luz inteiramente nova, certos fatos e episódios que não compreendia ou a que dera interpretação errônea. Alertado agora, aos poucos vai verificando que o homossexualismo é mais generalizado do que imaginara, inclusive o homossexualismo feminino.

Desvenda-se, então, para ele, um mundo de equívocos e mal-entendidos, um universo de vícios e prazeres nefandos, aos quais, com horror, atribui os nomes das duas cidades bíblicas, pecaminosas, que teriam sido destruídas pelo fogo dos céus: Sodoma seria o reduto dos homossexuais masculinos; Gomorra, o refúgio das homossexuais femininas. Em meio a tamanha depravação, o Narrador vai perdendo sua esperança e fé no ser humano, ainda mais quando, em seu segundo "momento" de Balbec, é que principia a dar-se conta efetivamente da morte de sua querida avó, que o acompanhara da primeira vez.

Fiel à estrutura simétrica de sua obra, Marcel Proust concentrou aqui os dois pólos da inversão sexual e oferece-nos um romance que mergulha em cheio e fundo na análise desse comportamento. *Sodoma e Gomorra* constitui, ao mesmo tempo, o ponto central de todo o ciclo e aquele a partir do qual esse mesmo ciclo assume o caráter de análise impiedosa, afastando-se muito do lirismo dos dois primeiros volumes e da mundanidade polida, episódica, de O *Caminho de Guermantes.*

PRIMEIRA PARTE

Primeira aparição dos homens-fêmeas, descendentes daqueles habitantes de Sodoma que foram poupados pelo fogo do céu.

Da mulher será Gomorra
e do homem será Sodoma.
Alfred de Vigny

Sabemos que, muito antes de ir aquele dia (o dia em que ocorrera o sarau da princesa de Guermantes) fazer ao duque e à duquesa a visita que acabo de contar, eu havia espreitado o regresso deles e feito, durante o meu cerco, uma descoberta que dizia respeito especialmente ao Sr. de Charlus, porém tão importante em si mesma que até agora adiei a sua narrativa, até o momento de poder lhe dar a extensão e o lugar que pretendia. Como deixei dito, abandonara o maravilhoso posto de observação, tão confortavelmente instalado nos altos da casa, de onde se abrangem as vertentes acidentadas que conduzem ao palácio de Bréquigny, e que são alegremente ornadas à italiana pelos róseos telhados da cocheira do marquês de Frécourt. Ao pensar que o duque e a duquesa estavam a ponto de chegar, julgara mais prático postar-me no alto da escada. Lamentava um pouco a perda da altitude. Mas àquela hora, logo depois do almoço, não tinha muito o que perder, pois não veria, como de manhã, os minúsculos personagens de quadros, em que se tornavam a distância os criados do palácio de Bréquigny e de Tresmes, realizarem a lenta ascensão da costa abrupta, de espanador à mão, entre as largas camadas transparentes de mica a se destacarem tão agradavelmente sobre os contrafortes vermelhos. Na falta da contemplação do geólogo, tinha pelo menos a do botânico e distinguia pelos postigos da escada o pequeno arbusto da duquesa e a planta preciosa, expostos no pátio com a mesma insistência com que se exibem as pessoas casadouras, e perguntava-me se o inseto improvável viria, por um providencial acaso, visitar o pistilo oferecido e abandonado. Como a curiosidade aos poucos me animasse, desci à janela do andar térreo, também aberta, e cujos postigos só estavam meio fechados. Ouvia distintamente Jupien, que se preparava para sair e não podia me descobrir por trás de minha cortina, onde fiquei imóvel até o momento em que recuei bruscamente para o lado com medo de ser visto pelo Sr. de Charlus, o qual, dirigindo-se à casa da Sra. de Villeparisis, atravessava o pátio vagarosamente, barrigudo, envelhecido pela luz do dia e de cabelos grisalhos. Fora necessária uma indisposição da Sra. de Villeparisis (conseqüência da enfermidade do marquês de Fierbois, com quem o barão se achava mortalmente rompido) para que o Sr. de Charlus fizesse uma visita àquela hora, quem sabe pela primeira vez em sua vida. Pois, com aquela singularidade dos Guermantes, que, em vez de se conformarem com a vida mundana, modificavam-na segundo seus hábitos pessoais (não mundanos, julgavam, e dignos, portanto, que se humilhasse diante deles essa coisa sem valor, o mundanismo — desse modo é que a Sra. de Marsantes não tinha dias marcados, e recebia as amigas todas as manhãs das dez ao meio-dia), o barão, reservando esse tempo para a leitura, a busca de antiguidades, etc., nunca fazia uma visita senão entre as quatro e as seis da tarde. Às seis, ia ao Jockey ou passeava pelo Bois. Ao cabo de um instante, fiz um novo movimento de recuo para não ser visto por Jupien; em breve estaria em sua hora de ir para o escritório, de onde só voltava para o jantar, e isso mesmo nem sempre, desde que sua sobrinha se achava fora, há uma semana, com suas aprendizes, na casa de uma freguesa para terminar um vestido. Depois, percebendo que ninguém podia me ver, resolvi não me mexer de novo com receio de perder, caso devesse realizar-se o milagre, a chegada, quase impossível de aguardar (através de tantos obstáculos de distância, de riscos e de perigos), do inseto, enviado de tão longe, como embaixador, à virgem que há bastante tempo prolongava a sua espera. Sabia eu que tal espera não era mais passiva que na flor macho, cujos estames se haviam virado espontaneamente para que o inseto pudesse mais facilmente recebê-la; do mesmo modo, a flor fêmea, que ali se achava, curvaria com faceirice os seus "estilos" e, para ser mais bem penetrada por ele, andaria imperceptivelmente a metade do caminho como uma adolescente hipócrita, mas fogosa. As próprias leis do mundo vegetal são governadas por leis cada vez mais altas. Se a visita de um inseto, isto é, a entrega da semente de uma outra flor, é habitualmente necessária para fecundar uma flor, é porque a autofecundação, a fecundação da flor por ela mesma, como os casamentos repetidos dentro de uma mesma família, levaria à degenerescência e à esterilidade, ao passo que o cruzamento operado pelos insetos confere às gerações seguintes da mesma espécie um vigor desconhecido de seus ancestrais. Entretanto, tal progresso pode ser excessivo e a espécie chegar a se desenvolver desmesuradamente; então, assim como uma antitoxina protege contra a doença, como a tireóide regula nossa gordura, como a derrota vem punir o orgulho, e o cansaço o prazer, e como o sono, por sua vez, repousa do cansaço, assim um ato excepcional de autofecundação vem, no momento próprio, dar a sua volta de torno, a sua freada, para restituir à norma a flor que dela se desviara exageradamente. Minhas reflexões tinham seguido uma vertente que descreverei mais tarde, e eu já deduzira da aparente astúcia das flores uma conseqüência sobre toda uma parte inconsciente da obra literária, quando vi o Sr. de Charlus que tornava a sair da casa da marquesa. Haviam se passado apenas uns poucos minutos desde a sua entrada. Talvez tivesse sabido pela velha parenta, ou por um criado, da grande melhora, ou antes, da cura completa daquilo que não passara de uma indisposição da Sra. de Villeparisis. Neste momento, em que ele não se julgava observado por ninguém, de pálpebras baixas contra o sol, o Sr. de Charlus relaxara em sua fisionomia aquela tensão, amortecera aquela vitalidade fictícia, que nele mantinham a animação de conversa e a força de vontade. Pálido como um mármore, tinha um nariz imponente, e seus finos traços já não recebiam de um olhar voluntarioso um sentido diferente que alterasse a beleza de seu modelo; sendo apenas um Guermantes, parecia já esculpido, ele, Palamède XV, na capela de Combray. No entanto, esses traços gerais de toda uma família assumiam, no rosto do Sr. de Charlus, uma finura mais espiritualizada, sobretudo mais suave. Por ele, eu lastimava que adulterasse normalmente com tantas violências, esquisitices desagradáveis, mexericos, durezas, suscetibilidades e arrogâncias, que ocultasse sob uma brutalidade postiça a amenidade, a bondade que, no momento em que saía da casa da Sra. de Villeparisis, eu via estampar-se tão ingenuamente em seu rosto. Piscando contra o sol, parecia sorrir quase; visto assim em repouso e como que ao natural, achei em seu rosto algo de tão afetuoso, de tão desarmado, que não pude deixar de pensar como o Sr. de Charlus se zangaria caso soubesse estar sendo observado; pois, no que me fazia pensar esse homem tão inflamado, que tanto gabava a sua virilidade, a quem todo mundo parecia odiosamente efeminado, no que ele de imediato me fazia pensar de tal modo possuía os traços, a expressão e o sorriso, era numa mulher!

Ia mover-me de novo para que ele não pudesse me perceber; não tive tempo nem necessidade disso. O que vi! Frente a frente, naquele pátio onde seguramente nunca se haviam encontrado (o Sr. de Charlus só vinha ao palácio Guermantes à tarde, às horas em que Jupien estava no escritório), o barão, tendo subitamente aberto bem os olhos meio cerrados, observava com atenção extraordinária o antigo alfaiate à porta da loja, ao passo que este, repentinamente pregado em seu lugar diante do Sr. de Charlus, enraizado como uma planta, contemplava com ar maravilhado a corpulência do barão, que envelhecia. Coisa mais espantosa ainda, como mudasse a atitude do Sr. de Charlus, a de Jupien pôs-se logo em harmonia com ela, como se seguisse as leis de uma arte secreta. O barão, que agora buscava dissimular a impressão que sentira, mas que, apesar da indiferença afetada, parecia não se afastar senão contra a vontade, ia e vinha, olhava para o vago da maneira como pensava realçar a beleza de suas pupilas, assumia um aspecto presunçoso, negligente e ridículo. Ora, Jupien, perdendo logo o ar humilde e bondoso que sempre lhe conhecera, tinha (em perfeita simetria com o barão) erguido a cabeça de novo, dera a seu talhe um porte vantajoso, pousara o punho nas ancas com uma impertinência grotesca, fazia ressaltar o traseiro, assumia poses com a coqueteria que poderia ter a orquídea para com o besouro providencialmente surgido. Eu não sabia que ele pudesse parecer tão antipático. Mas ignorava também que fosse capaz de representar de improviso a sua parte naquela espécie de cena de dois mudos, que (embora se encontrasse pela primeira vez em presença do Sr. de Charlus) dava a impressão de ter sido longamente ensaiada — não se chega espontaneamente a essa perfeição a não ser quando achamos um compatriota no estrangeiro, com quem então o entendimento se faz por si mesmo, visto que o intérprete é idêntico e sem que nenhum dos dois jamais se tenha encontrado.

Aliás, aquela cena positivamente não era nada cômica; estava prenhe de uma singularidade ou, se preferem, de uma naturalidade cuja beleza aumentava a cada instante. O Sr. de Charlus, por mais que aparentasse um ar desligado, baixava distraidamente as pálpebras, erguia-as de vez em quando e, então, lançava a Jupien um olhar atento. Mas (sem dúvida por pensar que semelhante cena não poderia prolongar-se indefinidamente naquele local, seja por motivos que se compreenderão mais tarde, seja, afinal, por aquele sentimento da brevidade de todas as coisas que faz com que se deseje que cada tiro acerte no alvo, e que torna tão emocionante o espetáculo de todo amor), cada vez que o Sr. de Charlus encarava Jupien, fazia com que seu olhar fosse acompanhado de uma palavra, o que o tornava infinitamente dessemelhante dos olhares em geral dirigidos a uma pessoa que se conhece ou não se conhece; olhava Jupien com a fixidez particular de alguém que vai nos dizer: "Perdoe a minha indiscrição, mas o senhor tem um longo fio branco nas costas", ou então: "Não creio estar enganado, o senhor também deve ser de Zurique; parece-me já tê-lo encontrado muitas vezes na loja do antiquário." Assim, a cada dois minutos a mesma questão parecia intensamente se colocar a Jupien na olhadela do Sr. de Charlus, como essas frases interrogativas de Beethoven, repetidas indefinidamente a intervalos iguais, e destinadas — com um luxo exagerado de preparativos — a conduzir um novo motivo, uma mudança de tom, uma "reentrada". Mas precisamente, a beleza dos olhares do Sr. de Charlus e de Jupien, pelo contrário, provinha do fato de que, ao menos provisoriamente, tais olhares não pareciam ter por finalidade levar a alguma coisa. Essa beleza, era a primeira vez que eu via o barão e Jupien manifestá-la. Nos olhos de um e de outro, o que acabara de erguer-se era o céu, não o de Zurique, mas de alguma cidade oriental cujo nome eu ainda não adivinhara. Qualquer que fosse a interrupção que pudesse deter o Sr. de Charlus e o alfaiate, o seu acordo parecia concluído, e aqueles inúteis olhares não eram mais que prelúdios rituais, semelhantes às festas celebradas antes de um matrimônio já combinado. Mais próximos da natureza ainda — e a multiplicidade dessas comparações é por si só tanto mais natural que um mesmo homem, ao ser examinado durante alguns minutos, parece sucessivamente um homem, um homem-pássaro ou um homem-inseto, etc. —, dir-se-ia dois pássaros, o macho e a fêmea, o macho procurando avançar, a fêmea — Jupien — já não respondendo com qualquer sinal a essa manobra, mas encarando o seu novo amigo sem espanto, com uma fixidez alheada, sem dúvida considerada mais perturbadora e a única útil, uma vez que o macho dera os primeiros passos, e contentando-se em alisar as plumas. Enfim, a indiferença de Jupien já pareceu não lhe bastar; daquela certeza de ter conquistado, a se fazer perseguir e desejar, não havia mais que um passo, e Jupien, resolvendo partir para o trabalho, saiu pela porta principal. Entretanto, só depois de ter voltado duas ou três vezes a cabeça é que escapuliu para a rua, aonde o barão, receando perder a sua pista (assobiando com ar fanfarrão, não sem gritar um "até logo" ao porteiro, que, meio bêbado e ocupado em atender a visitantes num quartinho atrás da cozinha, nem sequer o ouviu), correu vivamente para alcançá-lo. No mesmo instante em que o Sr. de Charlus atravessava a porta zumbindo como um grande besouro, um outro, este verdadeiro, entrava no pátio. Quem sabe não era este o esperado há tanto tempo pela orquídea, e que vinha trazer-lhe o pólen tão raro sem o qual ela continuaria virgem? Porém, fui desviado no seguir as evoluções do inseto, pois, após alguns instantes, prendendo mais a minha atenção, Jupien (talvez para apanhar um pacote que levou mais tarde, e que esquecera na emoção que lhe causara o aparecimento do Sr. de Charlus, talvez apenas por um motivo mais natural), Jupien voltou, seguido pelo barão. Este, disposto a apressar as coisas, pediu fogo ao alfaiate, mas observou logo: — Peço-lhe fogo, mas vejo que esqueci meus charutos. — As leis da hospitalidade prevaleceram sobre as regras da coqueteria. — Entre, vai ter tudo o que quiser — disse o alfaiate, em cuja fisionomia o desdém cedeu lugar ao contentamento. A porta da loja voltou a fechar-se atrás deles e não pude ouvir mais nada. Perdera de vista o besouro, não sabia se ele era o inseto necessário à orquídea, mas já não duvidava, quanto a um inseto bem raro e a uma flor cativa, da milagrosa possibilidade da conjunção, quando o Sr. de Charlus (simples comparação no tocante aos acasos providenciais, sejam quais forem, e sem a menor pretensão científica de relacionar certas leis da botânica com aquilo que às vezes se chama impropriamente a homossexualidade), que, há muito tempo, só vinha a esta casa às horas em que Jupien estava ausente, pela casualidade de uma indisposição da Sra. de Villeparisis, encontrara o alfaiate e, com ele, a boa fortuna reservada aos homens do gênero do barão por uma dessas criaturas que até podem ser, como se verá, infinitamente mais jovens que Jupien, e mais belas, o homem predestinado para que aqueles tenham a sua parte de volúpia neste mundo: o homem que só ama os velhos.

Aliás, o que acabo de dizer aqui é o que só haveria de compreender alguns minutos mais tarde, de tal modo aderem à realidade essas propriedades de ser invisível, até que uma circunstância a tenha despojado delas. Em todo caso, no momento sentia-me bastante aborrecido por não mais ouvir a conversa do velho coleteiro com o barão. Percebi então a loja para alugar, separada da de Jupien apenas por um tabique bastante delgado. Para chegar até ela, bastava subir ao nosso apartamento, ir à cozinha, descer a escada de serviço até os porões, segui-los internamente em toda a extensão do pátio e, chegado à altura do subsolo, em que há poucos meses o marceneiro ainda serrava a sua madeira, e onde Jupien tencionava pôr o seu carvão, subir os poucos degraus que davam acesso ao interior da loja. Assim, todo o caminho se faria às escondidas, eu não seria visto por ninguém. Era o meio mais prudente. Não foi o que adotei, mas, indo ao longo das paredes, contornei o pátio ao ar livre, procurando não ser visto. Se não o fui, penso que o devo mais ao acaso que à cautela. Quanto ao fato de me haver arriscado a semelhante imprudência, quando o caminho pelos porões era tão seguro, vejo três razões possíveis, caso haja alguma. Primeiro, a impaciência. Depois, talvez, uma recordação obscura do episódio de Montjouvain, escondido diante da janela da Srta. Vinteuil. De fato, as coisas desse gênero, a que assisti, tiveram sempre, no cenário, o caráter mais imprudente e menos verossímil, como se tais revelações só devessem constituir a recompensa de um ato cheio de riscos, embora em parte clandestino. Por fim, mal ouso confessar a terceira razão, devido a seu caráter de infantilidade, que foi, segundo creio, inconscientemente determinante. Desde que, para seguir — e ver desmentidos — os princípios militares de Saint-Loup, eu acompanhara em minúcias a guerra dos Boers, fora levado a reler antigas histórias de explorações, de viagens. Tais histórias me haviam apaixonado, e aplicava-as à vida corrente para criar mais ânimo. Quando as crises me forçavam a ficar vários dias e várias noites seguidas não apenas sem dormir, mas sem me deitar, sem comer nem beber, no instante em que o sofrimento e a exaustão chegavam a tal ponto que eu achava nunca mais me livraria deles, então eu pensava num determinado viajante atirado à praia, intoxicado por ervas daninhas, tremendo de febre em suas roupas empapadas pela água do mar, e que, no entanto, sentia-se melhor ao fim de dois dias e retomava o caminho ao acaso, em busca de quaisquer habitantes que talvez fossem antropófagos. Seu exemplo me fortificava, dava-me esperança, e eu sentia vergonha de ter desanimado por um momento. Lembrando os bôeres que, tendo pela frente exércitos ingleses, não temiam se expor no instante em que era necessário atravessar regiões de campo raso antes de encontrar um cerrado, eu pensava: "Tinha graça que eu fosse mais pusilânime, quando o teatro das operações é simplesmente o nosso próprio pátio, e quando eu, que me bati em duelo tantas vezes sem nenhum medo, devido ao Caso Dreyfus, o único ferro que tenha a temer é o do olhar dos vizinhos, que têm mais que fazer que olhar para o pátio."

Mas, quando entrei na loja, evitando ao máximo fazer estalar o soalho, dando-me conta de que o mais leve rumor da loja de Jupien era ouvido no aposento em que eu estava, pensei o quanto Jupien e o Sr. de Charlus tinham sido imprudentes e como o acaso lhes fora providencial.

Não ousava mexer-me. O palafreneiro dos Guermantes, aproveitando sem dúvida a ausência deles, transportara para a sala em que me encontrava uma escada de mão, guardada até então na estrebaria. E, se eu subisse nela, poderia abrir os postigos e ouvir como se estivesse na própria loja de Jupien. Mas receei fazer barulho. Além do mais, era inútil. Nem tive mesmo de lamentar só haver chegado ao meu aposento ao fim de alguns minutos. Pois, conforme o que ouvi nos primeiros instantes no de Jupien, e que não passaram de sons inarticulados, suponho que foram ditas poucas palavras. É verdade que aqueles sons eram tão violentos que, se não tivessem sido sempre repetidos uma oitava mais alta por um gemido paralelo, eu poderia julgar que uma pessoa degolava outra junto de mim, e que, a seguir, o assassino e sua vítima ressuscitada tomavam um banho para apagar os sinais do crime. Mais tarde concluí que existe uma coisa tão ruidosa como a dor: é o prazer, sobretudo quando a ele se ajuntam — na falta do receio de ter filhos, o que não podia ser o caso atual, apesar do exemplo inconvincente da *Legenda Áurea* — preocupações imediatas de propriedade. Por fim, ao cabo de meia hora, aproximadamente (durante a qual eu subira a escada com pés de gato, para espreitar pelo postigo, que não abri), iniciou-se uma conversação. Jupien recusava, decidido, o dinheiro que o Sr. de Charlus queria lhe oferecer.

Depois, o barão deu um passo para fora da loja. — Por que você usa o queixo rapado desse modo? — disse Jupien ao Sr. de Charlus em tom carinhoso. — É tão bonito uma bela barba! — Puf! É detestável — respondeu o barão. — Entretanto, demorava-se ainda no limiar da porta e pedia a Jupien informações sobre o bairro. Não sabe nada acerca do vendedor de castanhas da esquina? Não, não o da esquerda, este é um horror, mas o do lado par, um rapagão bem moreno. E o farmacêutico de frente tem um ciclista muito gentil que leva os seus medicamentos. — Essas perguntas certamente aborreceram a Jupien, pois, erguendo-se com o despeito de uma grande amante traída, respondeu: — Vejo que tem um coração volúvel. — Proferida em tom doloroso, glacial e amaneirado, esta censura foi claramente sensível ao Sr. de Charlus, que, para desfazer a má impressão que sua curiosidade produzira, dirigiu a Jupien, baixinho demais para que eu distinguisse bem as palavras, uma rogativa que, sem dúvida, exigiria que eles prolongassem a sua permanência na loja e que sensibilizou o alfaiate o bastante para dissipar-lhe a mágoa, pois ele ficou olhando o rosto do barão, gordo e congestionado sob os seus cabelos grisalhos, com o ar inundado de felicidade de alguém cujo amor-próprio acaba de ser profundamente lisonjeado e, decidindo conceder ao Sr. de Charlus o que este lhe pedia, Jupien, depois de algumas observações faltas de distinção, como: — Puxa, que bunda! — disse ao barão com ar risonho, emocionado, superior e grato: — Bem, vamos lá, seu garotão!

— Se insisto na questão do condutor de bonde — prosseguiu o Sr. de Charlus com tenacidade —, é que, fora tudo o mais, poderia ter um certo interesse para a volta. Acontece-me, realmente, como ao califa que percorria Bagdá disfarçado em simples mercador, condescender em seguir alguma criaturinha cuja silhueta me agrade. — Fiz aqui a mesma observação que tinha feito sobre Bergotte. Se alguma vez ele tivesse de responder perante um tribunal, empregaria não frases próprias para convencer os juízes, mas essas frases bergotescas que seu temperamento literário especial lhe sugeriria naturalmente e lhe daria prazer em empregá-las. Semelhantemente, o Sr. de Charlus, falando ao alfaiate, servia-se da mesma linguagem que empregaria com as pessoas mundanas do seu meio, até exagerando os seus tiques, ou porque a timidez contra a qual se esforçava por lutar o impelisse a um orgulho excessivo, ou porque, impedindo-o de se dominar (pois sentimo-nos mais inibidos diante de alguém que não pertence ao nosso meio), ela o forçava a revelar, a desnudar sua natureza, que, de fato, era orgulhosa e um tanto louca, como dizia a Sra. de Guermantes. — Para não perder seu rastro — continuou ele — entro como um professorzinho, como um jovem e belo médico, no mesmo bonde da criaturinha, de quem só falamos no feminino para seguir a regra (como se diz, falando de um príncipe: Vossa Alteza está bem-disposta?). Se ela muda de bonde, faço, talvez como os micróbios da peste, a coisa incrível chamada "baldeação", tomo um número que, ainda que o entreguem a mim, nem sempre é o número 1! Assim, mudo até três ou quatro vezes de "carro". Por vezes arribo às onze horas da noite na gare de Orléans, é preciso voltar! Se se tratasse apenas da gare de Orléans! Mas uma vez, por exemplo, não tendo podido entabular conversa antes, fui mesmo até Orléans, num desses vagões horríveis em que se tem por vista inteira, em meio a triângulos de trabalhos manuais ditos "de malha", a fotografia das principais obras-primas de arquitetura da rede ferroviária. Só restava um lugar vago, e eu tinha à minha frente, como monumento histórico, uma "vista" da catedral de Orléans, que é a mais feia da França, e tão cansativa de olhar, assim a contragosto, como se me tivessem obrigado a olhar as suas torres na bolinha de vidro de uma dessas canetas óticas que produzem oftalmias. Desci nos Aubrais ao mesmo tempo que a minha criaturinha, que, ai de mim, tinha toda a família à espera na plataforma (quando supunha tivesse todos os defeitos, menos o de possuir uma família)! Só tive como consolo, enquanto esperava o trem que me levaria de volta a Paris, a casa de Diane de Poitiers. Por mais que ela tivesse enfeitiçado a um de meus régios antepassados, eu teria preferido uma beleza mais viva. Por isso, para remediar o aborrecimento desses regressos solitários, é que eu gostaria muito de conhecer algum servente dos vagões-leito, um motorista de ônibus. Aliás, não fique chocado — concluiu o barão —, tudo isto é uma questão de gênero. No respeitante aos jovens da alta sociedade, por exemplo, não desejo nenhuma posse física, mas não fico tranqüilo enquanto não lhes toco, não quero dizer materialmente, enquanto não lhes toco a corda sensível. Uma vez que, em lugar de deixar minhas cartas sem resposta, um rapaz não cessa mais de me escrever, e está à minha disposição moral, fico sossegado, ou pelo menos ficaria se logo não me dominasse a preocupação por um outro. Muito curioso, não é mesmo? A propósito de jovens da alta sociedade, não conhece algum dentre os que vêm aqui? — Não, meu boneco. Ah, sim, um moreno, bem alto, de monóculo, que ri sempre e vive se voltando. — Não percebo quem você quer dizer. — Jupien completou o retrato, o Sr. de Charlus não conseguia descobrir de quem se tratava, pois ignorava que o antigo coleteiro era uma dessas pessoas, mais numerosas do que se julga, que não lembram a cor dos cabelos das pessoas a quem conhecem pouco. Mas para mim, que sabia dessa fraqueza de Jupien, que trocava moreno por louro, o retrato me pareceu relacionar-se precisamente com o duque de Châtellerault. — Voltando aos jovens que não são do povo — continuou o barão —, no momento a minha cabeça está virada por um estranho rapaz, um jovem burguês inteligente, que se mostra a meu respeito de uma descortesia incrível. Não faz a menor idéia da prodigiosa personagem que sou e do vibrião microscópico que ele representa. Afinal, que importa! Esse burrinho pode zurrar o quanto quiser diante de minhas augustas vestes de bispo. — Bispo! — exclamou Jupien, que nada compreendera das últimas frases que o Sr. de Charlus acabava de pronunciar, mas a quem a palavra "bispo" deixara estupefato. — Mas isto não vai bem com a religião — disse ele. — Tenho três papas na família — respondeu o Sr. de Charlus — e o direito a me vestir de púrpura, devido a um título cardinalício, já que a sobrinha do meu tio-avô cardeal trouxe a meu avô o título de duque, que lhe foi substituído. Vejo que as metáforas o deixam surdo e que a história da França lhe é indiferente. De resto — acrescentou, talvez menos à maneira de conclusão do que como uma advertência —, essa atração que exercem sobre mim os rapazes que me fogem, naturalmente de medo, pois apenas o respeito lhes cerra a boca para gritarem que me amam, exige, da parte deles, uma posição social eminente. Contudo, a sua fingida indiferença pode produzir, apesar disso, um efeito diretamente contrário. Tolamente prolongada, ela me causa nojo. Para dar um exemplo numa classe que lhe será mais familiar: quando fizeram reparos em meu palácio, a fim de que não se sentissem enciumadas todas as duquesas que disputavam a honra de poder dizer que me haviam hospedado, fui passar alguns dias "de hotel", como se costuma dizer. Um dos camareiros era meu conhecido; mostrei-lhe um curioso *boy* que fechava as portinholas e se mantinha refratário às minhas propostas. Por fim, exasperado, para lhe provar que minhas intenções eram puras, mandei oferecer-lhe uma quantia ridiculamente elevada, unicamente para que ele subisse e me falasse por cinco minutos no meu quarto. Esperei-o inutilmente. Tomei-lhe então uma tal repugnância que saí pela porta de serviço só para não enxergar de novo a cara daquele safado. Soube depois que ele nunca lera nenhuma de minhas cartas, que tinham sido interceptadas, a primeira pelo camareiro do meu andar, que era invejoso; a segunda, pelo porteiro do dia, que era virtuoso; a terceira, pelo porteiro da noite, que amava o jovem *boy* e dormia com ele à hora em que Diana se levantava. Nem por isso deixou de persistir a minha repugnância; e, se me houvessem trazido o *boy* como um simples despojo de caça numa salva de prata, eu o repeliria num vômito. Porém, o mal é que temos falado de coisas sérias e agora está tudo acabado entre nós, quanto ao que eu esperava. Mas você poderia me prestar muitos serviços, intervir; mesmo que não, só esta idéia já me devolve um certo ânimo, e sinto que nada acabou.

Desde o começo desta cena, para os meus olhos arregalados, operara-se uma revolução no Sr. de Charlus, tão completa, tão imediata, como se ele tivesse sido tocado por uma varinha mágica. Até então, pois que não compreendera, não tinha visto. O vício (fala-se deste modo por comodidade de linguagem), o vício de cada um o acompanha à maneira daquele gênio, que era invisível para os homens enquanto ignoravam a sua presença. A bondade, a artimanha, o nome, as relações mundanas não se deixam descobrir, e cada qual as traz escondidas. O próprio Ulisses a princípio não reconheceu Atenéia. Mas os deuses são imediatamente perceptíveis aos deuses, o semelhante o é bem depressa a seu semelhante, e assim o fora ainda o Sr. de Charlus a Jupien. Até aqui eu me encontrara em presença do Sr. de Charlus da mesma forma que um homem distraído, que, diante de uma mulher grávida em cujo talhe pesadão não reparou, enquanto ela lhe repete sorrindo: — Sim, estou meio cansada agora — teima em lhe perguntar, indiscreto: — Mas o que sente a senhora? — Até que quando alguém lhe diz: — Está grávida — e aí, de súbito, percebe o ventre e não verá mais que este. É a razão que abre os olhos; um engano dissipado nos confere um sentido a mais.

As pessoas que não gostam de reportar-se, como exemplos dessa lei, aos senhores de Charlus de seu conhecimento, de quem por muito tempo não tinham desconfiado até o instante em que, sobre a lisa superfície do indivíduo semelhante aos outros, tenham chegado a aparecer, traçados com uma tinta até então invisível, os caracteres que compõem a palavra cara aos antigos gregos, não têm, para se convencerem de que o mundo que os rodeia lhes aparece primeiramente nu, desprovido de mil ornatos que ele oferece a outros mais cientes, senão que relembrar quantas vezes na vida lhes aconteceu estarem a ponto de cometer uma gafe. Nada, no rosto privado de caracteres desse ou daquele homem, podia lhes fazer supor que ele era exatamente o irmão ou o noivo, ou o amante de uma mulher de quem iam exclamar: — É uma anta! — Mas então, por sorte, uma palavra que lhes sussurra um vizinho faz parar em seus lábios o termo fatal. Logo aparecem, como um *Mane Thecel Fares,* estas palavras: ele é o noivo, ou ele é o irmão, ou ele é o amante da mulher que não convém que se chame diante dele: — É uma anta. — E só essa nova noção arrastará consigo todo um reagrupamento, a retirada ou o avanço da fração das noções, dali em diante completadas, que se possuíam acerca do resto da família. Ao Sr. de Charlus era baldado que se acoplasse um outro ser, que o diferenciasse dos demais homens, como no centauro o cavalo; era baldado que este ser fizesse um só corpo com o barão; eu nunca o havia percebido. Agora o abstrato se materializara, e o ser enfim compreendido perdera logo o poder de continuar invisível, e a transmutação do Sr. de Charlus numa pessoa nova era tão completa que não só os contrastes do seu rosto, de sua voz, mas, retrospectivamente, também os próprios altos e baixos de suas relações comigo, tudo o que até então havia parecido incoerente ao meu espírito tornava-se inteligível, mostrava-se evidente, como uma frase, que não oferece qualquer sentido enquanto permanece decomposta em letras arrumadas ao acaso, exprime, se os caracteres se acham recolocados na ordem correta, um pensamento que já não poderá ser esquecido.

Além do mais, eu compreendia agora por que, ainda há pouco, quando o vira sair da casa da Sra. de Villeparisis, pudera achar que o Sr. de Charlus tinha um jeito de mulher: pois era uma! Pertencia à raça daquelas criaturas, menos contraditórias que parecem, cujo ideal é viril, justamente porque seu temperamento é feminino, e que na vida são semelhantes aos outros homens, porém apenas na aparência; aí onde cada um traz consigo, nesses olhos com os quais vê todas as coisas no universo, uma silhueta gravada na pupila não é para eles a de uma ninfa, mas de um efebo! Raça sobre a qual pesa uma maldição e que tem de viver na mentira e no perjúrio, pois que se tem por punível e vergonhoso, por inconfessável, o seu desejo, o que é para cada criatura a doçura máxima de viver; que deve renegar seu Deus, visto que, mesmo cristãos, quando comparecem como acusados à barra do tribunal, é-lhes necessário, diante do Cristo e em seu nome, defenderem-se como de uma calúnia daquilo que é a sua própria vida; filhos sem mãe, à qual são obrigados a mentir mesmo à hora de lhe fechar os olhos; amigos sem amizades, apesar de todas as que inspira o seu encanto reconhecido com freqüência e das que seu coração, em geral bondoso, sentiria; porém, podem chamar-se amizades essas relações que só vegetam a favor de uma mentira e de onde os faria rejeitar com desgosto o primeiro impulso de confiança e de sinceridade que se sentissem tentados a ter, a menos que se dirijam a um espírito imparcial, e até mesmo simpático, mas que então, perturbado a respeito deles por uma psicologia convencional, fará derivar do vício confessado o mesmo afeto que lhe é mais estranho, assim como alguns juízes pressupõem e desculpam mais facilmente o assassínio entre os invertidos e a traição entre os judeus por razões extraídas do pecado original e da fatalidade da raça? Enfim — pelo menos conforme a primeira teoria que à conta deles eu esboçava então, teoria que a seguir veremos modificar-se, e na qual isto os irritaria mais que tudo caso essa contradição não se ocultasse a seus olhos pela própria ilusão que os fazia ver e viver — amantes a quem está quase fechada a possibilidade desse amor, cuja esperança lhes dá forças para suportar tantos riscos e solidões, visto que justamente estão apaixonados por um homem que não teria nada de mulher, um homem que não seria invertido e que, por conseguinte, não pode amá-los; de modo que o seu desejo permaneceria insaciável para sempre se o dinheiro não lhes entregasse verdadeiros homens e se a imaginação não acabasse por fazê-los tomar por homens de verdade os invertidos a quem se prostituem. Sem honra, senão precária; sem liberdade, senão provisória, até a descoberta do crime; sem posição que não seja instável, como para o poeta, festejado na véspera em todos os salões, aplaudido em todos os teatros de Londres e, no dia seguinte, expulso de todos os quartos, sem poder achar um travesseiro onde repousar a cabeça, dando voltas à pedra de amolar como Sansão, e como ele repetindo:

Os dois sexos morrerão cada qual por seu lado;[1]

excluídos até, salvo nos dias de grande infelicidade, em que a maioria se reúne ao redor de sua vítima, como os judeus ao redor de Dreyfus — de toda simpatia, e às vezes da sociedade, de seus semelhantes, aos quais dão o desgosto de ver que são, pintados num espelho que, não os adulando mais, acusa todas as taras que não tinham desejado notar em si mesmos e que os faz compreenderem que aquilo a que denominam amor (e a que, brincando com a palavra, haviam anexado, por sentido social, tudo quanto a poesia, a pintura, a música, a cavalaria, o ascetismo tinham podido acrescentar ao amor) decorre não de um ideal de beleza que tenham escolhido, mas de uma enfermidade incurável; como ainda os judeus (salvo uns poucos que só desejam conviver com os de sua raça, e têm sempre nos lábios as palavras rituais e os gracejos consagrados), fugindo uns dos outros, buscando os que lhes são mais contrários, que não querem saber deles, perdoando as suas zombarias, embriagando-se com suas complacências; mas ainda assim unidos a seus semelhantes pelo ostracismo que os fere, o opróbrio em que caíram, tendo acabado por adquirir, graças a uma perseguição idêntica à de Israel, os caracteres físicos e morais de uma raça, às vezes bela, freqüentemente horrível, encontrando — apesar de todas as troças com que o mais mesclado, mais assimilado à raça adversa, é relativamente, em aparência, o menos invertido, cobre aquele que simplesmente continuou a sê-lo — um descanso no convívio de seus semelhantes, e até um apoio na existência, até que, negando sempre formarem uma raça (cujo nome é a maior injúria), os que conseguem ocultar que a ela pertencem, desmascaram-nos de boa vontade, não tanto para lhes causar dano, coisa que não detestam, quanto para se desculparem, e indo buscar, como um médico pesquisa o apendicite, a inversão até na História, tendo prazer em

[1] Verso do poema "A cólera de Sansão", de Alfred de Vigny (1797-1863). (N. do T.)

lembrar que Sócrates era um deles, como os israelitas dizem que Jesus era judeu, sem pensar que não havia anormais quando o homossexualismo era a regra, nem anticristãos antes de Jesus Cristo, que só o opróbrio determina o crime, pois só deixou de subsistir para aqueles que eram refratários a toda pregação, a todo exemplo, a todo castigo, em virtude de uma disposição inata e de tal modo especial que repugna mais aos outros homens (ainda que possa vir acompanhada de altas qualidades morais) do que certos vícios que se contradizem, como o roubo, a crueldade, a má-fé, mais bem compreendidos e, portanto, mais desculpados pelo comum dos homens; formando uma franco-maçonaria bem mais extensa, mais eficaz e menos suspeita que a das lojas, pois repousa numa identidade de gostos, de carências, de hábitos, de perigos, de aprendizagem, de saber, de tráfico, de glossários, e na qual os próprios membros que aspiram a não ser conhecidos logo se reconhecem por traços naturais ou de convenção, involuntários ou intencionais, que assinalam ao mendigo um de seus semelhantes no grão-senhor que lhe fecha a porta de seu carro; ao pai, no noivo da filha; ao que desejara curar-se, confessar-se, defender-se, no médico, no padre, no advogado a quem recorreu; todos forçados a proteger o seu segredo, mas tendo a sua parte no segredo dos outros, de que o restante da humanidade não suspeita e que faz com que os mais inverossímeis romances de aventuras lhes pareçam verdadeiros; pois, nessa vida romanesca, anacrônica, o embaixador é amigo do preso; o príncipe, com uma certa liberdade de modos que lhe confere a educação aristocrática e que um pequeno-burguês medroso não teria, ao sair da casa da duquesa, vai se entender com o apache; parte reprovada da coletividade humana, porém parte importante, que se suspeita onde não está, ostensiva, insolente, impune onde não é adivinhada; contando com adeptos por toda a parte, no povo, no exército, no templo, na penitenciária, no trono; vivendo enfim, ao menos um grande número, na intimidade cariciosa e arriscada dos homens da outra raça, provocando-os, brincando com eles ao falar do seu vício como se não fora seu, jogo que se torna fácil pela cegueira ou pela falsidade dos outros, jogo que pode se prolongar durante anos até o dia do escândalo, em que esses domadores são devorados; até então obrigados a ocultar a sua vida, a desviar os olhos de onde gostariam de fixá-los, a fixá-los de onde gostariam de desviá-los, de mudar o gênero de muitos adjetivos em seu vocabulário, leve freio social em comparação com o freio interior que seu vício, ou o que se denomina impropriamente desse modo, lhes impõe não mais em relação aos outros mas a si mesmos, e de maneira que a eles próprios não pareça um vício. Porém alguns, mais práticos, mais apressados, que não têm tempo de pechinchar e de renunciar à simplificação da vida e a esse ganho de tempo que pode resultar da cooperação, formaram duas sociedades, das quais a segunda é composta exclusivamente de criaturas semelhantes a eles.

Isto é chocante naqueles que são pobres e vêm da província, sem relações de amizade, sem outra coisa a não ser a ambição de um dia se transformarem num médico ou advogado célebre, cujo espírito ainda está vazio de opiniões, cujo corpo é destituído de maneiras e que eles esperam ornar bem depressa, assim como comprariam móveis, para seu quartinho do *Quartier latin,* de acordo com o que notassem e copiassem dos que já "venceram" na profissão útil e séria em que sonham se encaixar e tornar-se ilustres; nestes, seu gosto especial, herdado sem que soubessem, como a inclinação para o desenho, para a música, à cegueira, é talvez a única originalidade viva, despótica, e que em certas noites força-os a não comparecerem a determinada reunião, proveitosa à sua carreira, com pessoas das quais, para o resto, adotam os modos de falar, de pensar, de se vestir, de se pentear. Em seu bairro, onde sem isto só convivem com colegas, mestres ou algum conterrâneo já triunfante e que os protege, logo descobriram outros rapazes de quem o mesmo gosto especial os aproxima, como numa aldeia se ligam o professor secundário e o tabelião, ambos amantes da música de câmara e do marfim da Idade Média; aplicando ao objeto de sua distração o mesmo instinto utilitário, o mesmo espírito profissional que os norteia em sua carreira, reencontram-nos em sessões onde não se admite nenhum profano, desses que congregam amadores de antigas caixas de rapé, de estampas japonesas, de flores raras, e onde, devido ao prazer de se instruir, da utilidade das trocas e do temor das competições, reinam a um tempo, como numa Bolsa de Selos, a estreita harmonia dos especialistas e as ferozes rivalidades dos colecionadores. Aliás, ninguém no café onde eles têm sua mesa sabe que reunião é aquela, se se trata de uma sociedade de pesca, se é de secretários de redação, ou de filhos do Indra, de tal modo sua compostura é correta, o seu aspecto reservado e frio, e a tal ponto que não ousam olhar senão às escondidas para os rapazes da moda, os jovens "leões" que, a poucos metros de distância, fazem estardalhaço de suas amantes, e entre os quais os que os admiram sem ousar erguer a vista saberão, vinte anos depois, quando uns estiverem às vésperas de entrar para uma academia, e outros forem sisudos homens de clube, que o mais sedutor, agora um corpulento e grisalho Charlus, era de fato igual a eles, mas em outra parte, em outro mundo, sob outros símbolos externos, com sinais estranhos, cuja diferença os induziu a erro. Porém, os grupamentos são mais ou menos avançados; e, como a União das Esquerdas difere da Federação Socialista e determinada sociedade de música de Mendelssohn da Schola Cantorum, certas noites, em outra mesa, há extremistas que deixam aparecer um bracelete sob o punho da camisa, às vezes um colar pela abertura do colarinho, forçam, com seus olhares insistentes, seus cacarejos, suas carícias entre si, um grupo de colegiais a fugir rapidamente, e são servidos, com uma polidez em que se incuba a indignação, por um garçom que, como nas noites em que serve a dreyfusistas, ficaria satisfeito em ir chamar a polícia se não lhe fosse conveniente guardar as gorjetas.

É a semelhantes organizações profissionais que o espírito opõe o gosto dos solitários, e sem demasiado artifício de uma parte, já que nisto só faz imitar os próprios solitários que julgam que nada difere mais do vício organizado do que aquilo que lhes parece um amor incompreendido; todavia com algum artifício, pois essas diferentes classes correspondem, tanto como a tipos psicológicos diversos, a momentos sucessivos de uma evolução patológica ou apenas social. E, com efeito, é bem raro que, um dia ou outro, não seja em tais organizações que os solitários acabem por fundir-se, às vezes por simples lassidão, por comodidade (como os que foram mais avessos a tais coisas acabem por mandar instalar, receber os Iéna, ou por comprar na casa Potin). Ali, eles são em geral muito mal recebidos, pois, em sua vida relativamente pura, a falta de experiência, a saturação pelos devaneios a que estão reduzidos marcaram mais fortemente neles aquelas características especiais de afeminamento que os profissionais buscaram apagar. E é preciso confessar que, em alguns desses recém-chegados, a mulher não só está internamente unida ao homem, mas também hediondamente visível, agitados como estão em um espasmo de histérico, por um riso agudo que lhes convulsiona os joelhos e as mãos, e não se parecem ao comum dos homens mais do que esses macacos de olhos melancólicos e olheiras fundas, de pés preensíveis, que vestem fraque e usam gravata preta. De modo que esses novos recrutas são julgados, por aqueles que no entanto são menos castos, de convivência comprometedora, sendo difícil a sua admissão; entretanto, são aceitos, beneficiando-se então dessas facilidades, pelas quais o comércio e as grandes empresas têm transformado a vida das pessoas, tornando-lhes acessíveis mercadorias até então muito caras, e até mesmo difíceis de encontrar, e que agora os submergem com a superabundância daquilo que eles sozinhos não tinham chegado a descobrir nas maiores multidões. Porém, mesmo com esses exutórios inumeráveis, a coação social é ainda pesada demais para alguns deles, recrutados sobretudo entre aqueles em que não exerce efeito o freio mental e que acham ainda mais estranho do que é o seu tipo de amor. No momento, deixemos de lado aqueles que, como o caráter excepcional de sua inclinação os faz pensar serem superiores a elas, desprezam as mulheres, fazem do homossexualismo o privilégio dos grandes gênios e das épocas gloriosas, e, quando buscam fazer compartilhar o seu gosto, é menos com os que lhes parecem predispostos a isso, como o morfinômano à morfina, do que com aqueles a quem julgam dignos, por zelo apostólico, como outros pregam o sionismo, a recusa ao serviço militar, o saint-simonismo, o vegetarianismo e a anarquia. Alguns, se são surpreendidos de manhã, deitados ainda, exibem uma admirável cabeça de mulher, de tanto que a expressão é geral e simboliza todo o sexo; até os cabelos o afirmam; soltos, sua inflexão é tão feminina, eles caem tão naturalmente em caracóis sobre o rosto, que a gente se espanta de que a jovem, a mocinha Galatéia, que mal desperta no inconsciente desse corpo de homem em que está encerrada, tenha sabido tão engenhosamente, por si mesma, sem tê-lo aprendido de ninguém, desfrutar das menores saídas de sua prisão e encontrar o que era necessário à sua vida. Evidentemente, o moço que possui essa maravilhosa cabeça não diz: "Sou uma mulher." E, mesmo se (por tantas razões possíveis) ele vive com uma mulher, pode lhe negar seja uma, jurar-lhe que nunca teve relações com homens. Que ela o contemple como acabamos de o mostrar, deitado no leito, de pijama, braços despidos, despido o pescoço sob os cabelos negros. O pijama tornou-se uma camisola de mulher, a cabeça, a de uma linda espanhola. A amante se assombra dessas confidências feitas aos seus olhares, mais verdadeiras do que o poderiam ser as palavras, e até os atos; e que os próprios atos, se é que já não o fizeram, não poderão deixar de confirmar, pois toda criatura segue em busca do seu prazer; e, se essa criatura não é excessivamente viciosa, procura-o num sexo oposto ao seu. Ora, para o invertido, o vício principia não quando trava relações (pois há demasiados motivos que podem comandá-las), mas quando ele procura o seu prazer nas mulheres. O moço a quem acabamos de descrever era tão manifestamente uma mulher, que as mulheres que o olhavam com desejo eram votadas ao mesmo desapontamento (a menos que se tratasse de um gosto especial) daquelas que, nas comédias de Shakespeare, ficam decepcionadas com uma moça disfarçada que se faz passar por um adolescente. O engano é igual, o próprio invertido o sabe, e adivinha a desilusão que a mulher há de sentir logo que tombe o disfarce, e percebe o quanto esse erro sobre o sexo é uma fonte de poesia fantasiosa. Além disso, mesmo que confesse à sua amante exigente (se ela não é gomorriana): "Eu sou uma mulher" — dentro dele, todavia, com que artimanhas, com que agilidade, com que obstinação de planta trepadora, a mulher inconsciente e visível busca o órgão masculino! Basta olhar essa cabeleira encaracolada sobre o travesseiro branco para compreender que, à noite, se este moço escapa por entre os dedos de seus pais, apesar deles, apesar de si mesmo, não será para ir procurar mulheres. Sua amante pode castigá-lo, trancá-lo;

na manhã seguinte, o homem-fêmea terá achado um modo de se relacionar com um homem, como a campânula arremessa as gavinhas onde houver um ancinho ou uma enxada. Por que motivo, admirando no rosto desse homem as delicadezas que nos tocam, uma graça, um ar natural na amabilidade como os homens não possuem, ficaríamos desolados ao saber que esse moço procura boxeadores? Trata-se de aspectos diversos de uma mesma realidade. E mesmo aquilo que nos repugna é o mais tocante, mais tocante que todas as delicadezas, pois representa um admirável esforço inconsciente da natureza: o reconhecimento do sexo por si mesmo, apesar das maroteiras do sexo, surge como a tentativa inconfessa de evadir-se para aquilo que um erro inicial da sociedade colocou longe de si. Alguns, os que tiveram sem dúvida a mais tímida infância, quase não se preocupam com o tipo material de prazer que recebem, contanto que possam relacioná-lo com um rosto masculino. Ao passo que outros, certamente por terem sentidos mais agressivos, dão a seu prazer material localizações imperiosas. Estes ofenderiam talvez, com suas confissões, o tipo mediano das pessoas. Talvez vivam menos exclusivamente sob o signo de Saturno, pois, para eles, as mulheres não estão totalmente excluídas como para os primeiros; relativamente a estes, aqueles não existiriam sem a conversação, a coqueteria, os amores intelectuais. Mas os segundos procuram aquelas que amam as mulheres, que podem conseguir-lhes algum moço, aumentar o prazer que sentem em se encontrar com eles; e bem mais, eles podem, da mesma forma, ter com elas o mesmo prazer que desfrutariam com um homem. Daí decorre que, no caso dos que amam os primeiros, o ciúme só é aguçado pelo prazer que poderiam ter com um homem e que é o único a lhes parecer uma traição, visto que não participam do amor das mulheres, não o praticaram senão por hábito e para reservar-se a possibilidade do casamento, imaginando tão parcamente o prazer que este pode proporcionar, que não podem tolerar que aquele a quem amam o desfrute; ao passo que os segundos inspiram com freqüência o ciúme devido a seus amores com mulheres. Pois, nas relações que mantêm com elas, representam, para a mulher que ama as mulheres, o papel de uma outra mulher, e a mulher lhes oferece, ao mesmo tempo, mais ou menos aquilo que eles encontram num homem, de modo que o amigo ciumento sofre por sentir aquele a quem ama unido àquela que para ele é quase um homem, ao mesmo tempo que o sente quase a lhe escapar, visto que, para essas mulheres, é algo que ele não conhece, uma espécie de mulher. Tampouco não falemos desses jovens doidivanas que, por uma espécie de infantilidade, para amofinar os amigos, melindrar os pais, se empenham em escolher roupas que parecem vestidos, pintar os lábios e sombrear os olhos; deixemo-los de lado, pois são os mesmos que voltaremos a encontrar quando tiverem sofrido cruelmente demais por sua afetação, passando toda uma vida a tentar reparar em vão, com um aspecto severo, protestante, o dano que causaram a si próprios à época em que eram arrastados pelo mesmo demônio que impele algumas moças do *faubourg* Saint-Germain a viverem de maneira escandalosa, a romper com todos os costumes, a achincalhar sua família, até o dia em que se dedicam, com perseverança e sem sucesso, a subir de novo a vertente que antes lhes parecera tão divertido descer — ou melhor, que não tinham podido evitar descer. Deixemos enfim para mais tarde aqueles que fizeram um pacto com Gomorra. Falaremos deles quando o Sr. de Charlus os conhecer. Deixemos todos esses, de uma variedade ou outra, que aparecerão por sua vez, e, para terminar esta primeira exposição, digamos só uma palavra acerca de quem tínhamos começado a falar agora há pouco, os solitários. Julgando o seu vício mais excepcional do que é, foram viver sozinhos no dia em que o descobriram, depois de o ter trazido consigo por muito tempo sem o conhecer, muito mais tempo apenas do que outros. Pois a princípio ninguém sabe que é invertido, ou poeta, ou esnobe, ou malvado. Certo colegial que aprendia versos de amor ou olhava imagens obscenas, se então se apertava contra um camarada, imaginava-se apenas a comungar com ele num mesmo desejo de mulher. Como acreditaria não ser idêntico a todos, quando reconhece a substância daquilo que sente ao ler a Sra. de Lafayette, Racine, Baudelaire, Walter Scott, ao passo que ainda é bastante incapaz de observar a si mesmo para se dar conta daquilo que acrescenta de sua lavra, e de que, se o sentimento é igual, o seu objeto é diferente, pois a quem ele deseja é Rob Roy e não Diana Vernon?[2] Para muitos, por uma prudência defensiva do instinto que precede a visão mais clara da inteligência, o espelho e as paredes de seu quarto desaparecem sob os cromos que representam atrizes; fazem versos desse tipo:

Só amo a Cloé neste mundo,
Ela é divina, ela é loura,
E de amor meu coração se inunda.

Precisaríamos, por isso, situar no começo dessas vidas um gosto que a seguir não encontraríamos neles, como aqueles caracóis louros das crianças que logo após se tornam mais castanhos? Quem sabe se as foto-

[2] Rob Roy e Diana Vernon (pai e filha), personagens do romance *Rob Roy* (1817), de Sir Walter Scott (1771-1832). (N. do T.)

grafias de mulheres não são um início de hipocrisia, e também um início de horror aos demais invertidos? Mas os solitários são precisamente aqueles a quem a hipocrisia é dolorosa. Talvez o exemplo dos judeus, de uma colônia diferente, ainda não seja suficientemente vigoroso para explicar como a educação tem pouca influência sobre eles, e com que arte acabam por voltar, não talvez a alguma coisa tão simplesmente atroz como o suicídio (a que os doidos, sejam quais forem as precauções tomadas, voltam sempre e, salvos do rio aonde se atiraram, se envenenam, compram um revólver, etc), mas a uma vida de que os homens da outra raça não só não compreendem, não imaginam e odeiam os prazeres necessários, mas ainda cujo freqüente perigo e a vergonha permanente lhes causariam horror. Talvez, para descrevê-los, é preciso pensar, senão nos animais que não se domesticam, nos leõezinhos, pretensamente domados, mas que continuam sendo leões, pelo menos nos negros, a quem exaspera a existência confortável dos brancos, e que preferem os riscos da vida selvagem e suas alegrias incompreensíveis. Quando chegar o dia em que se descobrirem incapazes, a um tempo, de mentir aos outros e de mentir a si próprios, partem para viver no campo, fugindo a seus semelhantes (que julgam ser pouco numerosos) por horror à monstruosidade ou receio da tentação, e do resto da humanidade por vergonha. Jamais alcançando a verdadeira maturidade, mergulhados na melancolia, de vez em quando, num domingo sem lua, vão dar um passeio por um caminho até chegar a uma encruzilhada, onde, sem que hajam dito uma só palavra, foi esperá-los um de seus amigos de infância que mora num castelo vizinho. E eles recomeçam os jogos de antigamente, sobre a relva, de noite, sem trocar palavra. Durante a semana se vêem na casa de um ou do outro, conversam sobre qualquer coisa, sem uma alusão ao que se passou, exatamente como se não houvessem feito nada e não devessem tornar a fazer coisa alguma, a não ser, em suas relações, um pouco de frieza, ironia, irritabilidade e rancor, por vezes ódio. Depois o vizinho parte para uma dura viagem a cavalo e, em lombo de mula, escala picos, deita-se na neve; seu amigo, que identifica o próprio vício com uma fraqueza de temperamento, e com a vida caseira e tímida, compreende que o vício não mais poderá viver em seu amigo emancipado a milhares de metros acima do nível do mar. E, de fato, o outro se casa. No entanto, o abandonado não se cura (apesar dos casos em que se verá que a inversão sexual é curável). Exige que seja ele próprio a receber de manhã, na cozinha, o creme fresco das mãos do moço leiteiro e, nas tardes em que os desejos o agitam demais, perde-se pelas ruas até ensinar o caminho a um bêbado, até ajeitar a camisa de um cego. Sem dúvida, a vida de certos invertidos parece mudar às vezes, o seu vício (como se diz) já não surge em seus hábitos; porém, nada se perde: uma jóia escondida se acha; quando a quantidade de urina de um enfermo diminui, é porque ele transpira mais, porém é necessário que sempre se produza a excreção. Um dia esse homossexual perde um primo jovem e, pela sua mágoa inconsolável, compreendemos que era para esse amor, talvez casto, e de que se empenhava mais em conservar a estima do que em obter a posse, que os desejos haviam passado por transferência, assim como num orçamento, sem que se mude nada no total, certas despesas são transferidas para outro exercício. Como se dá no caso dos doentes, em quem uma crise de urticária faz desaparecer por uns tempos as suas indisposições habituais, o amor puro a um parente jovem parece, no invertido, ter momentaneamente substituído, por metástase, certos hábitos que retomarão, um dia ou outro, o lugar do mal vicariante e curado.

Entretanto, o vizinho casado do solitário regressou; diante da beleza da jovem esposa e da ternura com que seu marido a trata, no dia em que o amigo é forçado a convidá-los para jantar, sente vergonha do passado. Já em estado interessante, ela deve voltar cedo, deixando seu marido; este, quando chega a hora de voltar, pede que o acompanhe a seu amigo, o qual a princípio não alimenta qualquer suspeita, mas que na encruzilhada, sem que troquem uma só palavra, se vê atirado à grama pelo alpinista que em breve será pai. E os encontros recomeçam até o dia em que vem instalar-se, não longe dali, um primo da jovem senhora, com quem agora vai passear sempre o marido. E este, se o abandonado o visita, buscando aproximar-se dele, furibundo, repele-o, indignado de que o outro não tenha tido o tato de pressentir o nojo que ele lhe inspira de agora em diante. Todavia, em certa ocasião apresenta-se um desconhecido enviado pelo vizinho infiel; porém, muito atarefado, o abandonado não pode recebê-lo, e só mais tarde compreende com que objetivo o estranho viera.

Então, isolado, o solitário enlanguesce. Não tem outro prazer senão ir ao balneário vizinho para pedir informações a um determinado funcionário das estradas de ferro. Mas este recebeu uma promoção e foi nomeado para a outra extremidade da França; o solitário não mais poderá ir lhe perguntar o horário dos trens, o preço das passagens de primeira classe, e, antes de voltar para sonhar em sua torre, como Griselda, demora-se na praia, como uma estranha Andrômeda que nenhum Argonauta virá libertar, como uma medusa estéril que há de morrer sobre a areia, ou então permanece preguiçosamente na plataforma, antes da partida do trem, a lançar à multidão de viajantes um olhar que parecerá indiferente, desdenhoso ou distraído aos de uma outra raça, mas que, como o clarão luminoso de que são providos alguns insetos para atrair os da mesma espécie, ou como o néctar que certas flores oferecem para atrair os insetos que hão de fecundá-las, não enganaria o amador quase inencontrável de um prazer bastante singular, bem difícil de situar, que lhe é oferecido, o confrade com quem nosso especialista poderia falar no idioma insólito; quando muito, algum maltrapilho da estação pareceria interessar-se por esse idioma, mas apenas para obter uma vantagem material, como aqueles que, no Collège de France, na sala em que o professor de sânscrito fala sem audiência, vão seguir o curso, mas unicamente para se aquecerem. Medusa! Orquídea! Quando eu só seguia o meu instinto, em Balbec, a medusa me repugnava; mas, se eu soubesse observá-la, como Michelet, do ponto de vista da história natural e da estética, veria uma deliciosa girândola azul-celeste. Acaso não são elas, com o veludo transparente de suas pétalas, como que as orquídeas cor-de-malva do mar? Como tantas criaturas dos reinos animal e vegetal, como a planta que produziria a baunilha, mas que, porque nela o órgão masculino está separado do feminino por uma membrana, permanece estéril se os beija-flores ou certas abelhas minúsculas não transportarem o pólen de uns a outros, ou se o homem não as fecundar artificialmente (e aqui a palavra "fecundação" deve ser tomada em seu sentido moral, já que, no sentido físico, a união do macho com o macho é estéril, mas não é indiferente que um indivíduo possa encontrar o único prazer que ele seja suscetível de desfrutar, e que "aqui neste mundo toda criatura" possa dar a alguém "sua música, sua flama ou seu perfume"), o Sr. de Charlus era desses homens que podem ser chamados excepcionais, pois, por mais numerosos que sejam, a satisfação de suas carências sexuais, tão fácil no caso dos outros, depende da coincidência de um número excessivo de condições e que são muito difíceis de encontrar. Para os homens como o Sr. de Charlus — e com a ressalva dos arranjos que vão aparecendo aos poucos e que já se podem pressentir, exigidos pela necessidade de prazer que se resigna a consentimentos incompletos —, o amor mútuo, afora as dificuldades tão grandes, por vezes insuperáveis, que encontra no comum das criaturas, acrescenta-lhes outras tão especiais, que aquilo que é sempre bem raro para todos torna-se, no caso deles, quase impossível, e, se ocorre um encontro verdadeiramente auspicioso para eles, ou que a natureza assim lhes faz parecer, a sua felicidade, bem mais ainda que a do amoroso normal, possui algo de extraordinário, de selecionado, de profundamente necessário. O ódio dos Capuletos e dos Montecchios não era nada diante dos estorvos de todo gênero que foram vencidos, das eliminações especiais que a natureza teve de fazer aos acasos, já bem raros, que conduzem ao amor, antes que um antigo coleteiro, que contava partir calmamente para seu escritório, vacile, deslumbrado, ante um cinqüentão que está principiando a engordar. Esse

Romeu e essa Julieta podem julgar, com todo o direito, que seu amor não é o capricho de um instante, mas uma verdadeira predestinação preparada pelas harmonias de seu temperamento, não só pelo seu temperamento próprio, mas também pelo de seus ascendentes, pela sua mais longínqua hereditariedade, a tal ponto que a criatura que a eles se ajunta lhes pertence desde antes do nascimento, e os atraiu com uma força comparável à que dirige os mundos em que passamos nossas vidas anteriores. O Sr. de Charlus distraíra-me de ver se o besouro levava à orquídea o pólen que ela aguardava há tanto tempo, e que ela só tinha oportunidade de receber graças a um acaso tão improvável que se poderia chamá-lo de uma espécie de milagre. Mas era igualmente um milagre aquele a que eu acabava de assistir, quase do mesmo gênero e não menos prodigioso. Desde que considerei o encontro desse ponto de vista, tudo me pareceu impregnado de beleza. As mais extraordinárias artimanhas que a natureza tem inventado para obrigar os insetos a assegurarem a fecundação das flores que, sem eles, não poderiam sê-lo, porque a flor macho está muito afastada da flor fêmea, ou que, se é o vento que deve assegurar o transporte do pólen, torna-o muito mais fácil de se desprender da flor macho, muito mais fácil de ser apanhado de passagem pela flor fêmea, suprimindo a secreção do néctar, que já não é útil, visto não haver insetos para atrair, e até o brilho das corolas que os atraem, e o ardil que, para que a flor seja reservada ao pólen apropriado, que somente nela pode germinar, lhe faz segregar um licor que a imuniza contra os demais pólens — não me pareciam mais maravilhosos que a existência da subvariedade dos invertidos, destinada a assegurar os prazeres ao amor invertido que envelhece: os homens que são atraídos não por todos os homens, porém — devido a um fenômeno de correspondência e de harmonia comparável aos que regulam a fecundação das flores heterostiladas trimorfas como o *Lythrum salicaria* — unicamente pelos homens muito mais velhos que eles. Desta subvariedade Jupien acabava de me fornecer um exemplo, todavia menos surpreendente que outros que todo herborizador humano, todo botânico moral, poderá observar apesar de sua raridade, e que lhes apresentará um frágil rapaz que espera os avanços de um robusto e barrigudo qüinquagenário, ficando tão indiferente aos avanços de outros jovens como ficam estéreis as flores hermafroditas de estilete curto da *Primula veris*, enquanto só são fecundadas por outras *Primula veris* também de estilete curto, ao passo que recebem alegremente o pólen das *Primula veris* de estilete comprido. Aliás, no que se referia ao Sr. de Charlus, percebi mais adiante que, para ele, havia diversos tipos de conjunções, das quais algumas, por sua multiplicidade, sua instantaneidade apenas visível, e principalmente pela falta de contato entre os dois atores, lembravam ainda mais essas flores que são fecundadas num jardim pelo pólen de uma flor vizinha que elas nunca hão de tocar. Com efeito, havia certas criaturas a quem lhe bastava fazer vir até sua casa, manter durante algumas horas sob o domínio de sua palavra, para que seu desejo, aceso em algum encontro, se satisfizesse. Por simples palavras a conjunção se realizava, tão simplesmente como pode realizar-se entre os infusórios. Às vezes, como ocorrera sem dúvida comigo na noite em que fora chamado por ele depois do jantar dos Guermantes, a saciedade viera graças a uma violenta reprimenda que o barão lançara em rosto do visitante, como certas flores, em virtude de um impulso, borrifam a distância o inseto inconscientemente cúmplice e desavisado. O Sr. de Charlus, passando de dominado a dominador, sentia-se depurado de sua inquietação e, calmo, mandava de volta o visitante que logo deixara de lhe parecer desejável. Enfim, como a própria inversão decorre de que o invertido está demasiadamente próximo da mulher para poder ter relações proveitosas com ela, enquadra-se desse modo numa lei mais importante que faz com que tantas flores hermafroditas permaneçam infecundas, ou seja, a da esterilidade da autofecundação. É verdade que os invertidos que estão em busca de um macho contentam-se muitas vezes com um invertido tão efeminado quanto eles. Mas basta-lhes não pertencerem ao sexo feminino, do qual possuem um embrião de que não podem se utilizar, o que acontece com tantas flores hermafroditas e até com determinados animais hermafroditas, como o caramujo, que não podem ser fecundados por si mesmos, mas podem sê-lo por outros hermafroditas. Vai daí que os invertidos, que gostam de se dizer originários do Antigo Oriente ou da idade de ouro da Grécia, remontariam ainda mais além àquelas eras de ensaio em que não existiam nem as flores dióicas nem os animais unissexuados, àquele hermafroditismo inicial, de que parecem conservar os vestígios alguns rudimentos de órgãos masculinos na anatomia da mulher e de órgãos femininos na anatomia do homem. Eu achava a mímica de Jupien e de Charlus, a princípio tão incompreensível para mim, tão curiosa como aqueles gestos tentadores dirigidos aos insetos, conforme Darwin, pelas flores ditas compostas, alçando os semiflósculos de seus capítulos para serem vistas de mais longe, como certa flor heterostilada que revira seus estames, recurvando-os para dar passagem aos insetos, ou que lhes oferece uma ablução, e simplesmente, também, nos perfumes do néctar ou no brilho das corolas, que naquele momento atraíam insetos no pátio. A partir daquele dia, o Sr. de Charlus devia mudar a hora de suas visitas à Sra. de Villeparisis, não que não pudesse ver Jupien em outro lugar e mais a cômodo, mas porque, tanto quanto para mim, o sol da tarde e as flores do arbusto estavam sem dúvida ligados à sua recordação. Além disso, não se contentou em recomendar os Jupien à Sra. de Villeparisis, à duquesa de Guermantes, a toda uma brilhante freguesia que foi tanto mais assídua junto à jovem bordadeira, quanto as poucas damas que haviam resistido ou apenas demorado foram, da parte do barão, objeto de terríveis represálias, ou para que servissem de exemplo, ou porque houvessem despertado o seu furor e se revoltassem contra seus projetos de dominação. O barão tornou o negócio de Jupien cada vez mais lucrativo até tomá-lo definitivamente como secretário e estabelecê-lo nas condições que mais tarde veremos. — Ah, é um homem feliz, esse Jupien! — dizia Françoise, que tinha tendência a diminuir ou a exagerar as bondades alheias, conforme visassem a ela ou aos outros. Aliás, neste caso ela não precisava exagerar e nem sentia inveja, pois gostava sinceramente de Jupien. — Ah, é um homem tão bom o barão — acrescentava —, tão distinto, tão devoto, tão correto! Se eu tivesse uma filha casadoura e pertencesse à sociedade rica, eu a daria ao barão de olhos fechados. — Mas, Françoise — dizia docemente minha mãe —, essa sua filha teria muitos maridos. Lembre-se de que já a prometeu a Jupien. — Ora essa! — respondia Françoise. — Esse é outro que faria bem feliz a uma mulher. Não importa que haja ricos e pobres, isto não quer dizer nada para a natureza. O barão e Jupien são exatamente o mesmo tipo de pessoas.

Além do mais, eu então exagerava muito, diante daquela primeira revelação, o caráter eletivo de uma conjunção tão selecionada. Decerto, cada uma das pessoas idênticas ao Sr. de Charlus é uma criatura extraordinária, visto que, se não faz concessões às possibilidades da vida, procura essencialmente o amor de um homem da outra raça, ou seja, de um homem que ama as mulheres (e que, conseqüentemente, não poderá amá-lo); contrariamente ao que eu achava no pátio, onde acabava de ver Jupien girar em torno do Sr. de Charlus como a orquídea a fazer avanços ao besouro, essas criaturas de exceção, que lastimamos, formam uma multidão, como o veremos no decorrer desta obra, por um motivo que só deverá ser revelado no fim, e eles próprios se lamentam antes por serem excessivamente numerosos do que escassos. Pois os dois anjos que foram colocados às portas de Sodoma para saber se os habitantes, segundo diz o Gênesis, haviam feito inteiramente todas aquelas coisas cujo clamor subira até o Eterno tinham sido, e só podemos nos alegrar por isso, muito mal escolhidos pelo Senhor, o qual só deveria ter confiado a tarefa a um sodomita. Àquele, as desculpas: "Pai de seis filhos, tenho duas amantes, etc." não o teria feito abaixar benevolamente a espada flamejante e suavizar as sanções. Teria respondido: "Sim, e tua mulher sofre as torturas do ciúme. Mas, ainda que essas mulheres não tenham sido escolhidas por ti em Gomorra, tu passas as noites com um tropeiro do Hebron." E imediatamente o teria feito desandar o caminho até a cidade que ia ser destruída pela chuva de fogo e de enxofre. Ao contrário, deixaram fugir todos os sodomitas envergonhados, mesmo se, ao verem um rapaz, eles virassem a cabeça como a mulher de Loth, sem serem, por isso, transformados como ela em estátuas de sal. De modo que tiveram uma descendência numerosa, na qual o gesto se fez costumeiro, semelhante ao das mulheres debochadas que, dando a impressão de olhar uma prateleira de calçados por detrás de uma vitrine, desviam a cabeça para um estudante. Esses descendentes dos sodomitas, tão numerosos que a eles se pode aplicar outro versículo do Gênesis: "se alguém puder contar toda a poeira da terra, poderá igualmente contar essa posteridade", fixaram-se em toda a terra, têm tido acesso a todas as profissões e entram com tanta facilidade nos clubes mais fechados que, quando um sodomita neles não é admitido, as bolas pretas ali são na maioria de sodomitas, mas que têm o cuidado de incriminar a sodomia, como se tivessem herdado a mentira que permitiu a seus ancestrais abandonarem a cidade maldita. É possível que regressem a ela um dia. Com certeza formam, em todos os países, uma colônia oriental, cultivada, musical, maledicente, que possui qualidades encantadoras e defeitos insuportáveis. Vê-lo-emos de modo mais aprofundado ao correr das páginas seguintes; mas quisemos prevenir o erro fatal que consistiria, tal como se encorajou um movimento sionista, em criar um movimento sodomita e reconstruir Sodoma. Ora, tão logo chegassem, os sodomitas abandonariam a cidade para não parecer pertencerem a ela, tomariam esposa, sustentariam amantes em outras cidades, onde, aliás, encontrariam todas as distrações convenientes. Só iriam a Sodoma nos dias de extrema necessidade, quando a cidade estivesse vazia, nesses tempos em que a fome faz o lobo deixar a selva, ou seja, tudo se passaria como em Londres, em Berlim, em Roma, em Petrogrado ou em Paris.

Em todo caso, naquele dia, antes de minha visita à duquesa, eu não ia tão longe em meus pensamentos, e estava desolado por ter perdido talvez, ao prestar atenção na conjunção Jupien-Charlus, a chance de ver a fecundação da flor pelo besouro.

SEGUNDA PARTE

CAPÍTULO PRIMEIRO

O Sr. de Charlus em sociedade. — Um médico. — Face característica da Sra. de Vaugoubert. — A Sra. d'Arpajon, o repuxo de Hubert Robert e a alegria do grão-duque Wladimir. — A Sra. d'Amoncourt, a Sra. de Citri, a Sra. de Saint-Euverte, etc. — Curiosa palestra entre Swann e o príncipe de Guermantes. — Albertine ao telefone. — Visitas enquanto espero minha segunda e última viagem a Balbec. — Chegada a Balbec. — Ciúme em relação a Albertine. — As intermitências do coração.

Como não tinha pressa em chegar àquele sarau dos Guermantes a que não estava certo de que fora convidado, fiquei à toa na rua; porém, o dia de verão não parecia ter mais pressa do que eu em se mover. Embora já fossem mais de nove horas, era ainda esse dia que, sobre a Praça da Concórdia, dava ao obelisco de Luxor um aspecto de *nougat* cor-de-rosa. Depois, modificou-lhe o matiz e mudou-o em matéria metálica, de modo que o obelisco tornou-se não só mais precioso, mas também pareceu adelgaçado e quase flexível. Imaginava-se que poderiam torcê-lo, que talvez já houvessem falseado ligeiramente aquela jóia. A lua estava agora no céu como um quarto de laranja delicadamente descascada, conquanto meio amassada. Porém, mais tarde devia ser feita do ouro mais resistente. Encolhida sozinha atrás dela, uma pobre estrelinha ia servir de companhia única à lua solitária, ao passo que esta, sempre a proteger a sua amiga, porém mais ousada e indo na dianteira, brandiria como uma arma irresistível, como um símbolo oriental, o seu amplo e maravilhoso crescente de ouro.

Diante do palácio da princesa de Guermantes, encontrei o duque de Châtellerault; já não me lembrava que meia hora antes ainda me perseguia o receio — que em breve iria dominar-me de novo — de comparecer sem ter sido convidado. Inquietamo-nos, e é por vezes muito depois da hora do perigo, esquecida graças à distração, que nos lembramos de nosso desassossego. Cumprimentei o jovem duque e entrei no palácio. Mas aqui, faz-se antes necessário que eu aponte uma circunstância mínima, que permitirá se compreenda um fato que se seguirá em breve.

Existia alguém que, nesta noite como nas noites precedentes, pensava muito no duque de Châtellerault, aliás sem suspeitar de quem se tratava: era o porteiro da Sra. de Guermantes, a quem por esse tempo chamavam "o ladrador". O Sr. de Châtellerault, bem longe de ser um dos íntimos da princesa — visto ser um de seus primos —, era recebido em seu salão pela primeira vez. Seus pais, brigados com ela por dez anos, tinham-se reconciliado há duas semanas e, forçados a se ausentarem de Paris, haviam encarregado o filho de representá-los. Ora, alguns dias antes, o porteiro da princesa encontrara nos Champs-Élysées um jovem a quem achara encantador, mas que não lhe fora possível identificar. Não que o jovem não se mostrasse tão amável como generoso. Todos os favores que o porteiro imaginara ter de ceder a um senhor tão moço, ele, ao contrário, os havia recebido. Mas o Sr. de Châtellerault era tão medroso quanto imprudente; e tanto mais decidido estava a guardar o incógnito por ignorar de quem se tratava; teria medo bem maior — embora sem fundamento — se o tivesse conhecido. Limitara-se a se fazer passar por um inglês, e a todas as perguntas apaixonadas do porteiro, desejoso de reencontrar uma pessoa a quem tanto devia em prazer e liberalidades, o duque se restringira a responder, ao longo da avenida Gabriel: *"I do not speak french."*

Se bem que, apesar de tudo — devido à origem materna de seu primo —, o duque de Guermantes afetasse achar um nadinha de Courvoisier no salão da princesa de Guermantes-Baviera, em geral julgava-se o espírito de iniciativa e a superioridade intelectual dessa dama conforme uma inovação que não se encontrava em nenhuma outra parte naquele meio. Após o jantar, e qualquer que fosse a importância da reunião que deveria seguir-se, os assentos, na casa da princesa de Guermantes, achavam-se dispostos de tal maneira a formar pequenos grupos que, se necessário, davam-se as costas. A princesa então evidenciava o seu sentido social indo sentar-se, como por preferência sua, em um deles. De resto, ela não temia eleger e atrair um membro de outro grupo. Se, por exemplo, ela fizera notar ao Sr. Detaille, que naturalmente concordara, como a Sra. de Villemur, cuja posição em outro grupo a fazia ser vista de costas, possuía uma bela nuca, a princesa não hesitava em erguer a voz: — Sra. de Villemur, o Sr. Detaille, como grande pintor que é, está admirando o seu pescoço. — A Sra. de Villemur sentia naquilo um convite direto à conversação; com a destreza que dá o hábito da equitação, fazia sua cadeira girar lentamente num arco de três quartos de círculo e, sem incomodar em nada os vizinhos, ficava quase de frente para a princesa. — Não conhece o Sr. Detaille? — perguntava a dona da casa, a quem não bastava a hábil e recatada conversão de sua conviva. — Não o conheço, mas conheço as suas obras — respondia a Sra.

de Villemur com o ar de respeito, insinuante e oportuno, que muitos lhe invejavam, enquanto dirigia ao famoso pintor, que a interpelação não lhe bastara para apresentá-lo de maneira formal, um cumprimento imperceptível. — Venha, Sr. Detaille — dizia a princesa; — vou apresentá-lo à Sra. de Villemur. — Esta, então, empregava tanto engenho para abrir espaço ao autor do *Sonho* como há pouco em se virar para ele. E a princesa avançou uma cadeira para si própria; de fato, só interpelara a Sra. de Villemur para ter um pretexto de largar o primeiro grupo, onde passara os dez minutos regulamentares, e conceder ao segundo igual duração de presença. Em três quartos de hora, todos os grupos tinham recebido a sua visita, que parecia ter sido guiada, de cada vez, somente pelo imprevisto e pelas predileções, mas tivera por objetivo sobretudo pôr em relevo com que naturalidade "uma grande dama sabia receber". Mas agora os convidados do sarau começavam a chegar, e a dona da casa se havia sentado não longe da porta — altiva e empertigada, em sua majestade quase régia, os olhos flamejantes de incandescência própria — entre duas Altezas sem beleza e a embaixatriz da Espanha.

Eu era o último da fila, atrás de uns convidados que tinham chegado um pouco antes de mim. À minha frente estava a princesa, cuja formosura, entre tantas outras, não é só o que me faz recordar essa festa. Mas o rosto da dona da casa era tão perfeito, cinzelado como uma tão linda medalha, que conservou para mim uma virtude comemorativa. A princesa tinha o hábito de dizer aos convidados, ao encontrá-los alguns dias antes de seus saraus: — O senhor virá, não é mesmo? — como se estivesse grandemente desejosa de conversar com eles. Mas como, pelo contrário, não tinha nada para lhes falar quando chegavam junto dela, contentava-se, sem se erguer, em interromper por um instante a sua vã conversação com as duas Altezas e a embaixatriz e agradecer, dizendo: — Foi gentil em ter vindo —, não que achasse que o convidado dera provas de gentileza ao comparecer, mas para aumentar ainda a sua; e logo, devolvendo-o à correnteza, acrescentava: — Encontrará o Sr. de Guermantes à entrada dos jardins — de modo que o convidado saía e a deixava tranqüila. Para alguns até, ela nem dizia nada, contentando-se em lhes mostrar seus admiráveis olhos de ônix, como se tivessem vindo exclusivamente para uma exposição de pedras preciosas.

A primeira pessoa a passar antes de mim era o duque de Châtellerault.

Tendo de corresponder a todos os sorrisos, a todos os apertos de mão que lhe vinham do salão, ele não reparara no porteiro. Mas, desde o primeiro instante, o porteiro o reconhecera. Aquela identidade que tanto desejara saber, num momento iria conhecê-la. Perguntando ao seu "inglês" da antevéspera qual o nome que devia anunciar, o porteiro não estava apenas comovido, julgava-se indiscreto, indelicado. Parecia-lhe que ia revelar a todos (que no entanto não desconfiariam de coisa alguma) um segredo de que era o culpado de surpreender daquele modo e expor em público. Ao ouvir a resposta do convidado: — O duque de Châtellerault —, sentiu-se perturbado por tamanho orgulho que emudeceu por um instante. O duque o encarou, reconheceu-o, viu-se perdido, ao passo que o criado, que se recobrara e conhecia perfeitamente o seu armorial para completar por si mesmo um apelativo tão modesto, gritou com a energia profissional que se aveludava com uma ternura íntima: Sua Alteza Monsenhor o duque de Châtellerault! — Mas agora era a minha vez de ser anunciado. Absorvido na contemplação da dona da casa que ainda não me vira, nem pensara nas funções — terríveis para mim, conquanto de modo diverso do que para o Sr. de Châtellerault — desse porteiro vestido de preto como um carrasco, cercado de uma tropa de lacaios das mais ridentes librés, robustos latagões prontos para agarrarem um intruso e pô-lo porta afora. O porteiro perguntou meu nome; dei-lho tão maquinalmente como o condenado à morte se deixa prender ao cepo. De imediato ele ergueu majestosamente a cabeça e, antes que eu tivesse podido implorar-lhe que me anunciasse a meia voz a fim de resguardar meu amor-próprio, caso não fosse convidado, e o da princesa de Guermantes, caso o fosse, berrou as sílabas inquietadoras com uma força capaz de abalar a abóbada do palácio.

O ilustre Huxley (aquele cujo sobrinho ocupa atualmente um lugar preponderante no universo da literatura inglesa) conta que uma de suas doentes não mais tinha coragem de freqüentar a sociedade, pois muitas vezes, na própria poltrona que lhe indicavam com um gesto cortês, ela via sentado um velho senhor. Estava bem certa de que, ou o gesto convidativo, ou a presença do velho senhor, seria uma alucinação, pois não lhe designariam daquele modo uma poltrona ocupada. E, quando Huxley, para curá-la, obrigou-a a voltar a uma festa, ela teve um momento de penosa hesitação, perguntando-se se o gesto amável que lhe faziam era a coisa real, ou se, para obedecer a uma visão inexistente, ela iria em público sentar-se nos joelhos de um senhor de carne e osso. Sua breve incerteza foi cruel. Menos talvez do que a minha. A partir do momento em que ouvira o ribombar do meu nome, como o rumor prévio de um possível cataclismo, fui obrigado a, para em todo caso defender minha boa-fé e como se não estivesse atormentado por nenhuma dúvida, avançar para a princesa com ar resoluto.

Ela me avistou quando eu estava a poucos passos de distância; e, o que não me permitiu mais duvidar de que fora vítima de uma maquinação, em vez de permanecer sentada como fazia quanto aos outros convidados, ergueu-se e veio ao meu encontro. Um segundo após, pude soltar o suspiro de alívio da doente de Huxley, quando, tendo resolvido sentar-se na poltrona, encontrou-a desocupada e compreendeu que o velho senhor é que era uma alucinação. A princesa acabava de me estender a mão, sorrindo. Ficou de pé durante alguns momentos, com o tipo de graça particular à estância de Malherbe que termina assim:

E os Anjos para honrá-los se levantam.

Ela se desculpou pelo fato de a duquesa ainda não ter chegado, como se eu devesse me aborrecer sem a presença dela. Para me fazer esse cumprimento, ela executou a meu redor, segurando-me a mão, um giro cheio de graça, em cujo turbilhão eu me sentia arrastado. Quase esperava que ela me entregasse então, como uma condutora de *cotillon*,[3] uma bengala de cabo de marfim ou um relógio-pulseira. Na verdade, não me deu nada disso e, como se em lugar de dançar o bóston tivesse antes ouvido um sacrossanto quarteto de Beethoven, cujos sublimes acentos temesse perturbar, parou nesse ponto a conversa, ou melhor, não a principiou e, ainda radiante de me ter visto entrar, limitou-se a indicar o local onde se encontrava o príncipe.

Afastei-me dela e não mais tive coragem de me aproximar, sentindo que ela não tinha absolutamente nada a me dizer e que, em sua imensa boa vontade, aquela mulher maravilhosamente alta e bela, nobre como o eram tantas grandes damas que subiram tão altivamente ao cadafalso, não poderia, sem ousar oferecer-me água de erva-cidreira, senão repetir-me o que já me havia dito duas vezes: — O senhor encontrará o príncipe no jardim. — Ora, ir ao encontro do príncipe seria sentir renascer minhas dúvidas sob forma diversa.

Em todo caso, precisava encontrar alguém que me apresentasse. Ouvia-se, dominando todas as conversações, o inesgotável falatório do Sr. de Charlus, que estava conversando com Sua Excelência o duque de Sidonia, com quem acabava de travar conhecimento. De profissão para profissão, nós nos adivinhamos, e de vício para vício também. O Sr. de Charlus e o Sr. de Sidonia tinham de imediato farejado cada um o do outro, que, quanto a ambos, era, em sociedade, o de serem monologadores, a ponto de não poderem suportar nenhuma interrupção. Tendo logo percebido que o mal era sem remédio, como diz um célebre soneto, tomaram a resolução não de se calar, mas de falar cada qual sem cuidar do que o outro dizia, o que provo-

[3] *Cotillon*, aportuguesado, cotilhão: dança de muitos pares, em passo de polca ou de valsa, entremeada de mímicas, pela qual se costumava terminar um baile. (N. do T.)

cara aquele rumor confuso, produzido nas comédias de Molière por várias personagens que falam ao mesmo tempo coisas diferentes. O barão, com sua voz estrepitosa, estava certo, aliás, de que teria a vantagem, que cobria a voz fraca do Sr. de Sidonia, sem no entanto desencorajar a este, pois, quando o Sr. de Charlus retomava fôlego por um instante, o intervalo era preenchido pelo sussurro do nobre da Espanha, que continuara imperturbavelmente o seu discurso. Bem que eu podia pedir ao Sr. de Charlus que me apresentasse ao príncipe de Guermantes, mas receava (com sobradas razões) que ele se irritasse comigo. Eu agira com ele da maneira mais ingrata, desdenhando pela segunda vez os seus oferecimentos, nem lhe dando sinal de vida desde a noite em que me reconduzira tão afetuosamente à minha casa. E no entanto não dava de modo algum, como desculpa prévia, a cena que acabara de ver, naquela mesma tarde, entre ele e Jupien. Não suspeitava nada de parecido. É verdade que pouco tempo antes, como meus pais me censurassem a preguiça e por ainda não ter escrito um bilhete ao Sr. de Charlus, eu os censurara violentamente por quererem que aceitasse propostas desonestas. Mas somente a cólera e o desejo de achar a frase que lhes podia ser mais desagradável é que me haviam ditado aquela resposta mentirosa. Na realidade, eu nada imaginara de sensual, nem sequer de sentimental, sob as ofertas do barão. Dissera aquilo a meus pais como simples besteira. Mas às vezes o futuro nos habita sem que o saibamos, e nossas palavras que crêem mentir estão descrevendo uma realidade que se aproxima.

O Sr. de Charlus decerto perdoaria minha ingratidão. Mas o que o deixaria furioso é que a minha presença esta noite na casa da princesa de Guermantes, como fazia algum tempo na casa da prima desta, parecia desprezar a solene declaração: — Não se entra nesses salões senão por meu intermédio. — Falta grave, crime porventura inexpiável, eu não seguira a ordem hierárquica. O Sr. de Charlus sabia muito bem que os raios que brandia contra aqueles que não se curvavam às suas ordens, ou a quem criara rancor, começavam a ser tidos, para muito gente, por mais ódio que ele lhes imprimisse, por raios de cartolina, e já não tinham forças de expulsar fosse quem fosse de lugar algum. Mas talvez julgasse que seu poder diminuído, grande ainda, permanecia intacto aos olhos dos novatos como eu. Assim, não julguei muito apropriado pedir-lhe um favor numa festa em que só a minha presença parecia um irônico desmentido a suas pretensões.

Naquele momento fui detido por um homem bastante vulgar, o professor E***. Ficara surpreso ao avistar-me na casa dos Guermantes. Eu não o estava menos por encontrá-lo, pois jamais tinham visto, e a seguir nunca mais viram, na casa da princesa, uma pessoa do seu tipo. Acabara de curar o príncipe, que já tomara a extrema-unção, de uma pneumonia infecciosa, e o reconhecimento especial que tivera por ele a Sra. de Guermantes era motivo para que rompessem com os costumes e o convidassem. Como não conhecia absolutamente ninguém naqueles salões e não podia perambular a sós por ali indefinidamente, como um ministro da morte, sentiu, ao me reconhecer, pela primeira vez na vida, uma infinidade de coisas para me dizer, assumir uma atitude, e esta era uma das razões por que se dirigira a mim. Havia uma outra. Dava muita importância ao fato de jamais errar um diagnóstico. Ora, a sua clientela era tão numerosa que ele nem sempre se recordava muito bem, quando só vira uma vez o enfermo, se a doença seguira exatamente o curso que ele havia previsto. Talvez não se tenha esquecido de que, no momento do ataque da minha avó, eu a levara a sua casa, naquele entardecer em que ele se cobria de tantas condecorações. Depois de tanto tempo, já não se lembrava da participação que lhe haviam mandado à época. — A senhora sua avó já está morta, não? — perguntou-me num tom de voz em que uma quase certeza acalmava uma ligeira apreensão. — Ah, com efeito! Aliás, desde o primeiro minuto em que a vi, meu prognóstico fora totalmente sombrio, lembro-me bem.

Foi assim que o professor E*** soube, ou tornou a saber, da morte da minha avó, e isso, devo dizê-lo em seu louvor, que é extensivo a todo o corpo médico, sem manifestar, sem talvez mesmo sentir, nenhuma satisfação. Os erros dos médicos são inumeráveis. Habitualmente, eles pecam por otimismo quanto ao regime, por pessimismo quanto ao desfecho. — Vinho? Em quantidade moderada não poderá lhe fazer mal; em suma, é um tônico... O prazer físico? Afinal é uma função. Permito-lhe sem abuso, o senhor compreende. O excesso é um defeito em tudo. — De súbito, que tentação para o doente o renunciar a essas duas fontes de ressurreição, a água e a castidade! Em compensação, se se tem algo no coração, se se tem albumina, etc., não se tem por muito tempo. De bom grado, perturbações graves, mas funcionais, são atribuídas a um câncer imaginário. Inútil continuar visitas que não saberiam refrear um mal inelutável. Que o enfermo, entregue a si mesmo, se imponha então um regime implacável e a seguir se cure, ou pelo menos sobreviva; o médico, saudado na avenida da Ópera, quando o acreditava há muito no cemitério do Père Lachaise, verá nesse cumprimento um gesto de maliciosa insolência. Um inocente passeio realizado diante de seu nariz e de suas barbas não provocaria mais cólera ao juiz que, dois anos antes, havia pronunciado uma sentença de morte contra o malandro, que parece não ter medo nenhum. Os médicos (não se trata de todos, é claro, e nós não omitimos, mentalmente, admiráveis exceções) em geral ficam mais descontentes, mais irritados, com a invalidação de seu diagnóstico do que satisfeitos com a sua execução. É o que, sem dúvida, explica que o professor E***, por mais que sentisse uma certa satisfação intelectual ao ver que não se enganara, só tenha me falado com tristeza da desgraça que nos atingira. Não lhe interessava abreviar a conversa, que o deixava desembaraçado, dando-lhe um motivo para ficar. Falou-me do calor excessivo que fazia, mas, embora fosse letrado e pudesse expressar-se em bom francês, disse: — Não sofre com esta hipertermia? — É que a medicina fez alguns progressos em seus conhecimentos desde Molière, porém nenhum em seu vocabulário. Meu interlocutor acrescentou: — O que é preciso fazer é evitar as sudações que causa esse tempo, sobretudo nos salões superaquecidos. O senhor poderá remediá-lo com o calor, quando voltar para casa e tiver vontade de beber (o que, evidentemente, significa bebidas quentes).

Devido à maneira como a minha avó tinha morrido, o assunto me interessava e eu lera recentemente no livro de um grande sábio que a transpiração era nociva aos rins, ao fazer passar pela pele aquilo cuja saída está em outra parte. Deplorava eu aqueles dias de canícula em que a minha avó morrera e não estava longe de incriminá-los. Não falei disso ao doutor E***, mas por si mesmo ele me disse: — A vantagem de um tempo excessivamente quente, em que a transpiração é muito abundante, é que os rins ficam tanto mais aliviados. — A medicina não é uma ciência exata.

Agarrado a mim, o professor E*** só desejava não me deixar. Mas eu acabara de avistar, fazendo grandes reverências à princesa de Guermantes para a esquerda e a direita, depois de ter recuado um passo, o marquês de Vaugoubert. Recentemente o Sr. de Norpois nos apresentara, e eu esperava encontrar nele alguém que fosse capaz de me apresentar ao dono da casa. As proporções desta obra não me permitem explicar aqui por causa de quais incidentes da juventude o Sr. de Vaugoubert era um dos únicos homens do mundo (talvez o único) que estava, como se diz em Sodoma, "em confidências" com o Sr. de Charlus. Mas, se o nosso ministro junto ao rei Teodósio possuía alguns dos defeitos do barão, era apenas como bem pálido reflexo. Era apenas sob uma forma infinitamente esmaecida, sentimental e simplória, que ele apresentava essas alternâncias de simpatia e ódio pelas quais o desejo de seduzir e logo depois o receio — igualmente imaginário — de ser, senão desprezado, ao menos descoberto, faziam passar o barão. No entanto, o Sr. de Vaugoubert apresentava essas alternâncias, tornadas ridículas por uma castidade, um "platonismo" (aos quais, como grande ambicioso que era, sacrificara desde a época do concurso todo e qualquer prazer), sobretudo por sua nulidade intelectual. Mas, ao passo que no Sr. de Charlus os elogios imoderados eram clamados num verdadeiro assomo de eloqüência e temperados com as zombarias mais finas e mordazes, e que marcam um homem para sempre, no Sr. de Vaugoubert, pelo contrário, se a simpatia era expressa com a banalidade de um homem de ínfima categoria, de um homem da alta sociedade e de um funcionário, os agravos (em geral inteiramente forjados, como no caso do barão) se exprimiam com uma malevolência sem tréguas, mas sem espírito, e que tanto mais chocava por estar habitualmente em contradição com o que o ministro dissera seis meses antes e talvez dissesse de novo tempos depois: regularidade na mudança que conferia uma poesia quase astronômica às diversas fases da vida do Sr. de Vaugoubert, embora, a não ser isso, ninguém menos que ele faria pensar num astro.

O cumprimento que me fez não tinha nada do que o teria feito o Sr. de Charlus. A esse cumprimento o Sr. de Vaugoubert, além das mil maneiras que julgava serem as da sociedade e da diplomacia, dava um ar cavalheiresco, elegante, risonho, a fim de parecer, de um lado, encantado com a existência — enquanto interiormente remoía os dissabores de uma carreira sem progressos e ameaçada por uma aposentadoria — e, de outro lado, jovem, viril e atraente, enquanto via e nem mais ousava encarar no espelho as rugas a se fixarem nos contornos de um rosto que desejaria conservar cheio de seduções. Não é que desejasse conquistas efetivas, cuja simples idéia lhe dava medo devido ao que diriam, aos escândalos, às chantagens. Tendo passado de uma devassidão quase infantil à mais absoluta continência, que datava do dia em que pensara no Quai d'Orsay e quisera fazer uma grande carreira, tinha ele o aspecto de um animal enjaulado, lançando para todas as partes olhares que exprimiam medo, cobiça e estupidez. A sua era tamanha que ele não refletia que os malandros de sua adolescência já não eram garotos e que, quando um jornaleiro lhe gritava bem no seu nariz: — *La Presse!* — mais ainda que de desejo, ele estremecia de pavor, julgando-se reconhecido e desmascarado.

Mas, na falta dos prazeres sacrificados à ingratidão do Quai d'Orsay, o Sr. de Vaugoubert — e por isso é que desejava agradar ainda — tinha súbitos impulsos do coração. Deus sabe com quantas cartas ele aborrecia o ministério, de que artimanhas pessoais lançava mão, quantos adiantamentos operava sobre o crédito da Sra. de Vaugoubert (que, devido à sua corpulência, ao berço nobre e a seu ar masculino, e sobretudo por causa da mediocridade do marido, julgavam dotada de capacidades eminentes, preenchendo as verdadeiras funções de ministro), para fazer entrar para o pessoal da legação, sem qualquer motivo legítimo, um jovem destituído de todo mérito. É verdade que alguns meses, alguns anos mais tarde, de medo que o adido insignificante parecesse, sem sombra de má intenção, ter dado mostras de frieza para com seu chefe, este, achando-se desprezado ou traído, empregava o mesmo ardor histérico em puni-lo como outrora em favorecê-lo. Removia céus e terras para ser lembrado, e o diretor dos Assuntos Políticos recebia diariamente uma carta: "Que espera para me desembaraçar desse atrevido? Faça-o trabalhar um pouco, no seu interesse. O que ele precisa é comer o pão que o diabo amassou." Por esse motivo, o posto de adido junto ao rei Teodósio era pouco agradável. Mas, quanto ao resto, graças a seu perfeito bom-senso de homem de sociedade, o Sr. de Vaugoubert era um dos melhores agentes do governo francês no estrangeiro. Quando um homem pretensamente superior, jacobino, que era sábio em todas as coisas, o substituiu mais tarde, não tardou a estourar a guerra entre a França e o país no qual reinava o rei.

Como o Sr. de Charlus, o Sr. de Vaugoubert não gostava de cumprimentar primeiro. Um e outro preferiam "responder", sempre receando o falatório que aquele a que, não fosse isso, teriam estendido a mão pudesse ter ouvido a seu respeito desde que haviam se encontrado pela última vez. Quanto a mim, o Sr. de Vaugoubert não teve de formular semelhante questão, pois eu de fato tinha ido cumprimentá-lo primeiro, nem que fosse apenas pela diferença de idade. Respondeu-me com ar maravilhado e encantado, e seus olhos continuaram a se agitar como se de cada lado houvesse alfafa proibida de pastar. Pensei que fosse conveniente solicitar-lhe a minha apresentação à Sra. de Vaugoubert, antes da apresentação ao príncipe, de que só depois contava lhe falar. A idéia de me colocar em relações com a esposa pareceu enchê-lo de alegria, tanto por si como por ela, e ele conduziu-me com passo deliberado em direção à marquesa. Chegado diante dela e designando-me com a mão e os olhos, com todos os sinais possíveis de consideração, permaneceu todavia mudo e se retirou, passados alguns segundos, com um ar buliçoso, para deixar-me a sós com sua mulher. Esta logo me estendera a mão, mas sem saber a quem se dirigia aquele gesto de amabilidade, e então compreendi que o Sr. de Vaugoubert se esquecera de meu nome, talvez nem sequer me houvesse reconhecido, e sem querer, por polidez, confessá-lo, fizera a apresentação reduzir-se a uma simples pantomima. Assim eu não me achava mais avançado; como me fazer apresentar ao dono da casa por uma mulher que não sabia o meu nome? Ademais, via-me forçado a conversar por alguns instantes com a Sra. de Vaugoubert. E isto me aborrecia sob dois aspectos. Não pretendia eternizar-me naquela festa, pois combinara com Albertine (dera-lhe um camarote para a *Fedra)* que ela viria visitar-me um pouco antes da meia-noite. Claro que de modo nenhum estava enamorado dela; fazendo-a vir naquela noite, eu obedecia a um desejo sensual apenas, embora estivéssemos naquela época tórrida do ano em que a sensualidade liberada visita mais de bom grado os órgãos do gosto, procura principalmente o frescor. Mais que do beijo de uma moça, a sensualidade precisa de uma laranjada, de um banho, e até mesmo de contemplar aquela lua descascada e suculenta que saciava a sede do céu. Entretanto, contava desembaraçar-me, ao lado de Albertine — que aliás me lembrava a frescura das ondas —, das mágoas que não deixariam de me ocasionar muitos daqueles rostos encantadores (pois a festa que a princesa dava era tanto de moças como de senhoras). Por outro lado, o rosto da imponente Sra. de Vaugoubert, bourboniano e inexpressivo, nada tinha que atraísse.

Dizia-se no Ministério, sem qualquer sombra de malícia, que em casa era o marido que vestia saias e a mulher que usava calças. Ora, havia mais verdade nisso do que se imaginava. A Sra. de Vaugoubert era um homem. Se fora sempre assim, ou se se tornara tal como a via, pouco importa; pois, num caso ou noutro, estamos diante de um dos mais emocionantes milagres da natureza, e que, principalmente o segundo, fazem o reino humano assemelhar-se ao reino das flores. Na primeira hipótese — se a futura Sra. de Vaugoubert sempre fora tão pesadamente macha —, a natureza, com um ardil benfazejo e diabólico, dá à moça o aspecto enganador de um homem. E o adolescente, que não gosta de mulheres e quer curar-se, acha com alegria este subterfúgio de descobrir uma noiva que lhe representa um estivador. No caso contrário, se a mulher não possuía antes as características masculinas, ela as adquire pouco a pouco para agradar ao marido, até inconscientemente, por esse gênero de mimetismo que faz com que certas flores adquiram a aparência dos insetos que desejam atrair. A mágoa de não ser amada, de não ser um homem, acaba fazendo-a viril. Mesmo fora do caso que nos ocupa, quem não notou de que modo os casais mais dentro da normalidade acabam por se parecer, e às vezes até a intercambiar as suas qualidades? Um antigo chanceler alemão, o príncipe de Bülow, casara-se com uma italiana. Com o tempo, no Pincio, notou-se o quanto o marido germânico adquirira a *finesse* italiana, e a princesa italiana a rudeza germânica. Para sair até um ponto excêntrico das leis que traçamos, todos conhecem um eminente diplomata francês, cuja origem só era lembrada por seu nome, um dos mais ilustres do Oriente. Ao amadurecer, ao envelhecer, revelou-se nele o oriental de que jamais haviam suspeitado, e, vendo-o, lamenta-se a ausência do fez que o completaria.

Para voltar aos costumes bastante ignorados do embaixador, cuja silhueta ancestralmente espessada acabamos de evocar, a Sra. de Vaugoubert realizava o tipo adquirido ou predestinado cuja imagem imortal é a princesa palatina, sempre em roupa de montar, e que, tendo tomado ao marido mais que a virilidade, esposando os defeitos dos homens que não gostam de mulheres, denuncia em suas cartas de comadre as relações que tiveram entre si todos os grão-senhores da corte de Luís XIV. Uma das causas que se acrescentam ainda ao ar masculino de mulheres como a Sra. de Vaugoubert é que o abandono em que são deixadas por seus maridos, a vergonha que sentem por isso fazem murchar pouco a pouco tudo o que nelas é próprio da mulher. Acabam por adquirir as qualidades e os defeitos que o marido não possui. À medida que eles são mais frívolos, mais efeminados, mais indiscretos, elas se tornam como que a efígie sem atrativo das virtudes que o esposo deveria possuir.

Traços de opróbrio, de aborrecimento, de indignação obscureciam o rosto da Sra. de Vaugoubert. Infelizmente eu sentia que ela me observava com interesse e curiosidade como um desses rapazes que agradavam ao Sr. de Vaugoubert e que ela tanto desejaria ser, agora que seu marido, envelhecendo, preferia a juventude. Olhava-me com a atenção dessas pessoas provincianas que, num catálogo de loja de novidades, copiam o *tailleur* tão adequado à linda criatura desenhada (na realidade, a mesma em todas as páginas, mas ilusoriamente multiplicada em criaturas diferentes graças à diversidade de poses e à variedade dos vestidos). A atração vegetal que impelia para mim a Sra. de Vaugoubert era tão forte que chegou ao ponto de segurar-me pelo braço para que a levasse a beber um copo de laranjada. Desvencilhei-me, porém, alegando que, visto que precisava sair em breve, ainda não fora apresentado ao dono da casa.

A distância que me separava da entrada dos jardins, onde o príncipe conversava com algumas pessoas, não era muito grande, porém me dava mais medo do que se, para transpô-la, me fosse necessário expor-me a um fogo contínuo.

Muitas mulheres, por meio de quem me parecia possível obter uma apresentação, estavam no jardim, onde, fingindo uma admiração exaltada, não sabiam bem o que fazer. As festas desse tipo são em geral antecipadas. Só têm realidade no dia seguinte, quando ocupam a atenção das pessoas que não foram convidadas. Se um verdadeiro escritor, destituído do tolo amor-próprio de tantos literatos, ao ler o artigo de um crítico que sempre lhe testemunhou a maior admiração, vê citados os nomes de autores medíocres, mas não o seu, não tem tempo de se deter no que poderia ser para ele um motivo de espanto: seus livros o reclamam. Mas uma mulher da sociedade não tem o que fazer e, vendo no *Figaro*: "Ontem o príncipe e a princesa de Guermantes deram uma grande reunião noturna, etc.", exclama: — Como! Há três dias conversei durante uma hora com Marie-Gilbert sem que ela me dissesse nada! — e quebra a cabeça para adivinhar o que poderia ter feito contra os Guermantes. É preciso esclarecer que, no que dizia respeito às festas da princesa, o espanto era às vezes tão grande entre os convidados como entre os que não tinham estado presentes. Pois os convites explodiam no momento em que menos os esperavam, e apelavam para pessoas que a Sra. de Guermantes havia esquecido durante anos. E quase todas as pessoas da alta sociedade são tão insignificantes que cada um de seus pares não toma, para avaliá-las, senão a medida de sua amabilidade: convidado, estima-as; excluído, detesta-as. Quanto a estes últimos, se, de fato, a princesa, mesmo se fossem seus amigos, não os convidava, devia-se isto muitas vezes ao temor de descontentar "Palamède", que os havia excomungado. Assim, eu podia ter certeza de que ela não falara de mim ao Sr. de Charlus, sem o que não me encontraria ali. Ele estava agora diante do jardim, ao lado do embaixador da Alemanha, reclinado na rampa da grande escadaria que levava ao palácio, de forma que os convidados, apesar das três ou quatro admiradoras que tinham se agrupado em torno do barão e quase o ocultavam, eram obrigados a vir cumprimentá-lo. Ele retribuía declinando o nome das pessoas. E sucessivamente ouvia-se: — Boa-noite, Sr. du Hazay; boa-noite, Sra. da La Tour du Pin-Verclause; boa-noite, Sra. de La Tour du Pin-Gouvernet; boa-noite, Philibert; boa-noite, minha cara embaixatriz, etc. — Isto formava um cacarejo contínuo, interrompido por recomendações benévolas ou perguntas (cujas respostas não ouvia), que o Sr. de Charlus fazia num tom adocicado, artificial, a fim de testemunhar a indiferença, e benigno: — Tomem cuidado para que a menina não sinta frio, os jardins são sempre um tanto úmidos. Boa-noite, Sra. de Brantes. Boa-noite, Sra. de Mecklembourg. E a menina veio? Com aquele encantador vestido cor-de-rosa? Boa-noite, Saint-Géran. — Certamente ele sentia orgulho nessa atitude. O Sr. de Charlus sabia que era um Guermantes que ocupava um lugar proeminente naquela festa. Mas não havia só orgulho, e essa mesma palavra festa evocava, para o homem de dotes estéticos, o sentido luxuoso, curioso, que essa reunião pode ter se é dada não na casa de pessoas da alta sociedade, mas num quadro de Carpaccio ou de Veronese. É mesmo mais provável que o príncipe alemão, que o Sr. de Charlus era, devesse antes imaginar a festa que se desenrola em *Tannhäuser,* e a si mesmo como o Margrave, tendo, à entrada da Warburg, uma boa palavra de condescendência para cada convidado, enquanto a sua passagem pelo castelo ou pelo parque é saudada pela longa frase, cem vezes repetida, da famosa "Marcha".

No entanto, precisava decidir-me. Percebia perfeitamente, sob as árvores, mulheres a quem estava mais ou menos ligado, mas elas pareciam transformadas, pois estavam na casa da princesa e não na de sua prima, e eu as via sentadas não diante de um prato de Saxe, mas sob os galhos de um castanheiro. A elegância do ambiente não contava para nada. Mesmo que fosse infinitamente menor que na casa de "Oriane", eu teria sentido perturbação igual. Desde que a eletricidade se extinga em nosso salão e devamos substituí-la por lampiões a óleo, tudo nos parece mudado. Arrancou-me da minha incerteza a Sra. de Souvré: — Boa-noite — disse ela, vindo ao meu encontro. — Faz muito tempo que não vê a duquesa de Guermantes? — Ela primava em dar a esse tipo de frase uma entonação que provava que não as dizia por simples tolice, como as pessoas que, não sabendo de que falar, abordam-nos mil vezes citando uma relação comum, freqüentemente muito vaga. Ao contrário, teve ela um sutil fio condutor do olhar, que significava: "Não creia que o não reconheci. O senhor é aquele rapaz que vi na casa da duquesa de Guermantes. Lembro-me muito bem." Infelizmente, a proteção que estendia sobre mim aquela frase de aparência estúpida e de intenção delicada era extremamente frágil e desvaneceu-se logo que pretendi usá-la. A Sra. de Souvré possuía a arte, caso se tratasse de apoiar uma solicitação junto a alguém importante, de parecer ao mesmo tempo, aos olhos do solicitante, que o estava recomendando e, aos olhos da alta personagem, que não o estava recomendando, de modo que esse gesto de duplo sentido lhe abria um crédito de reconhecimento quanto a este último, sem lhe criar nenhum débito em relação ao outro. Animado pelas boas graças desta senhora a lhe pedir que me apresentasse ao Sr. de Guermantes, ela aproveitou um instante em que os olhos do dono da casa não estavam voltados para nós, tomou-me maternalmente pelos ombros e, sorrindo à figura virada do príncipe que não podia vê-la, impeliu-me com um movimento pretensamente protetor e voluntariamente ineficaz, que me deixou imóvel quase no meu ponto de partida. Tal é a covardia das pessoas da sociedade.

Maior ainda foi a de uma dama que veio me cumprimentar, chamando-me pelo meu nome. Eu procurava achar o seu enquanto lhe falava; lembrava-me muito bem de haver jantado com ela, lembrava-me das palavras que ela dissera. Porém, minha atenção, voltada para a região interior onde existiam essas lembranças dela, não podia descobrir-lhe o nome. Entretanto, ele se achava ali. Meu pensamento se empenhara numa espécie de jogo com ele para captar-lhe os contornos, a letra pela qual ele principiava, e, por fim, iluminá-lo por completo. Era trabalho perdido. Eu sentia mais ou menos a sua massa, o seu peso, mas, quanto às suas formas, confrontando-as com o tenebroso cativo agachado na noite interior, dizia eu comigo: "Não é isto." Decerto o meu espírito teria podido criar os mais difíceis apelativos. Por desgraça, não era caso de criar e sim de reproduzir. Toda ação do espírito é facilitada se não está submetida ao real.

Ali, eu era forçado a me submeter. Por fim, de um golpe, o nome surgiu inteiro: "Senhora d'Arpajon". Estou errado em dizer que ele veio, pois julgo não me surgiu numa propulsão de si mesmo. Tampouco penso que as ligeiras e numerosas lembranças que se relacionavam com essa dama, e às quais eu não cessava de pedir que me ajudassem (por exortações do tipo desta: "Vamos, esta dama é que é amiga da Sra. de Souvré, que experimenta em relação a Victor Hugo uma admiração tão ingênua, mesclada de tanto pasmo e horror"), não creio que todas essas lembranças, revoando entre mim e seu nome, tenham servido no que quer que fosse para fazê-lo flutuar. Nesse grande "esconde-esconde" que se brinca na memória, quando se deseja encontrar um nome, não existe uma série de aproximações graduadas. Não se vê coisa alguma, e depois, de súbito, aparece o nome exato e bem diferente daquilo que julgávamos adivinhar. Não foi ele que veio até nós. Não, creio antes que, à medida que vivemos, passamos o nosso tempo a nos afastar da zona em que um nome é nítido, e era por um exercício da minha vontade e de minha atenção, que aumentava a acuidade de meu olhar interior, que de chofre eu havia perfurado a semi-obscuridade e visto com clareza. Em todo caso, se há transições entre o esquecimento e a lembrança, então essas transições são inconscientes. Pois os nomes de etapas por que passamos, antes de achar o nome verdadeiro, são falsos e em nada nos aproximam dele. Nem chegam a ser propriamente nomes, mas, muitas vezes, simples consoantes, e que não se achariam no nome reencontrado. Aliás, esse trabalho do espírito, passando do nada à realidade, é tão misterioso que é possível que, afinal, essas consoantes falsas sejam degraus prévios, desajeitadamente colocados para ajudar-nos a alcançar o nome correto. "Tudo isto, dirá o leitor, nada me informa acerca da falta de complacência dessa dama; mas, já que vos demorastes tanto tempo, deixai-me, senhor autor, fazer-vos perder mais um minuto para dizer que é lastimável que, jovem como éreis (ou como era o vosso herói caso não seja vós), já tivésseis tão pouca memória a ponto de não poder lembrar-vos do nome de uma dama que conhecíeis tão bem." De fato, é lastimável, senhor leitor. E mais triste do que pensais, quando se sente aí o anúncio da época em que os nomes e as palavras desaparecerão da zona clara do pensamento, e onde será preciso renunciar para sempre a dizer para nós mesmos os nomes daqueles a quem melhor conhecemos. É lastimável, com efeito, que desde a juventude se necessite desse trabalho para reencontrar nomes que se conhecem bem. Mas, se essa deficiência só ocorresse quanto aos nomes mal conhecidos, muito naturalmente olvidados, e de que ninguém se dá ao trabalho de tentar recordar, tal deficiência não deixaria de ter suas vantagens. "E quais são, se me fazeis o favor?" Bem, meu senhor, é que só o mal faz a gente reparar e aprender, permitindo decompor os mecanismos que, sem isso, não conheceríamos. Um homem que todas as noites tomba como uma massa no seu leito e não vive mais até o momento de acordar e se erguer, por acaso esse homem pensará alguma vez em fazer, se não grandes descobertas, ao menos pequeninas observações sobre o sono? Mal sabe ele se dorme. Um pouco de insônia não é inútil para dar valor ao sono, projetar alguma luz sobre essa noite. Uma memória sem falhas não é um excitante muito poderoso para estudar os fenômenos da memória. "Enfim, a Sra. d'Arpajon vos apresentará ao príncipe?" Não, mas calai-vos e deixai-me retomar minha narrativa.

A Sra. d'Arpajon foi mais covarde ainda que a Sra. de Souvré, mas sua covardia tinha mais desculpas. Ela sabia que sempre tivera pouco poder na sociedade. Semelhante poder fora ainda mais debilitado pela ligação que tivera com o duque de Guermantes; o abandono deste dera-lhe o golpe de misericórdia. O mau humor que lhe causou o meu pedido de apresentação ao príncipe fê-la manter um silêncio que teve a ingenuidade de acreditar ser um sinal de não ter ouvido o que eu dissera. Nem mesmo se apercebeu de que a cólera a fazia franzir as sobrancelhas. Ou talvez, ao contrário, houvesse percebido e não se preocupasse com a contradição, servindo-se dela para a aula de discrição que podia me dar sem muita grosseria, quero dizer, uma aula muda e que nem por isso era menos eloqüente.

Além do mais, a Sra. d'Arpajon estava muito contrariada; muitos olhares se haviam erguido para um balcão renascentista, em cujo ângulo, em lugar de estátuas monumentais que se colocavam tanto por essa época, debruçava-se, não menos escultural do que elas, a magnífica duquesa de Surgis-le-Duc, a que acabava de suceder à Sra. d'Arpajon no coração de Basin de Guermantes. Sob o leve tule branco que a abrigava do frescor da noite, via-se, flexível, o seu corpo sedutor de Vitória. Eu só podia recorrer ao Sr. de Charlus, que voltara para uma peça do andar térreo que dava para o jardim. Tive todo o tempo (já que ele fingia estar absorvido numa partida simulada de uíste que lhe permitia dar a impressão de não ver as pessoas) para admirar a intencional e artística simplicidade de seu fraque, o qual, por uns detalhes que só um costureiro teria percebido, tinha o aspecto de uma "Harmonia" em preto e branco de Whistler; ou melhor, preto, branco e vermelho, pois o Sr. de Charlus trazia, suspensa por uma larga fita à casaca, a cruz em esmalte branco, preto e vermelho de cavaleiro da ordem religiosa de Malta. Nesse momento, a partida do barão foi interrompida pela Sra. de Gallardon, conduzindo seu sobrinho, o visconde de Courvoisier, rapaz de belo rosto e de ar impertinente: — Meu primo — disse ela —, permita-me que lhe apresente meu sobrinho Adalbert. Adalbert, tu sabes, eis o famoso tio Palamède de quem sempre ouves falar. — Boa-noite, senhora de Gallardon — respondeu o Sr. de Charlus. E acrescentou, sem mesmo olhar para o rapaz: — Boa-noite, senhor — com ar emburrado e um tom de voz tão violentamente descortês que todo mundo ficou estupefato. Talvez o Sr. de Charlus, sabendo que a Sra. de Gallardon tinha dúvidas sobre seus costumes e não pudera certa vez resistir ao prazer de lhes fazer alusão, fizesse questão de cortar de vez tudo o que ela poderia fantasiar acerca de uma acolhida amável a seu sobrinho, ao mesmo tempo que fazia uma retumbante profissão de indiferença quanto aos jovens; talvez não tivesse achado que o dito Adalbert respondesse com aspecto suficientemente respeitoso às palavras da tia; talvez, desejoso de mais tarde fazer seus avanços a um primo tão agradável, quisesse obter as vantagens de uma agressão prévia, como os soberanos que, antes de principiar uma ação diplomática, apóiam-na com uma ação militar.

Não seria tão difícil como eu achava que o Sr. de Charlus concordasse com o meu pedido de apresentação. Por um lado, no decurso dos últimos vinte anos, esse Dom Quixote lutara contra tantos moinhos de vento (muitas vezes parentes que ele pretendia terem se comportado mal com ele), com tanta freqüência proibira alguém "como pessoa impossível de ser recebida" em casa de tais ou quais Guermantes, que estes começavam a ter medo de que os indispusesse com todas as pessoas de quem gostavam, que os privasse até a morte da convivência de alguns estreantes que lhes despertavam a curiosidade, para esposar os rancores trovejantes porém inexplicáveis de um cunhado ou primo que desejaria que por ele abandonassem mulher, irmão e filhos. Mais inteligente que os outros Guermantes, o Sr. de Charlus se apercebia de que só levavam em conta as suas proibições uma vez em duas, e, antecipando o futuro, temendo que um dia fosse dele que se privassem, começara a contemporizar, a baixar seus preços, como se diz. Além do mais, se possuía a faculdade de dar por meses ou anos uma vida idêntica a uma pessoa detestada — a esta não teria tolerado que fizessem um convite e seria antes capaz de se bater como um carregador contra uma rainha, dado que para ele não mais contava a qualidade de quem se lhe opunha —, em compensação era possuído de freqüentes explosões de cólera para que não fossem muito fragmentárias. "Imbecil! Idiota! Hão de pô-lo no seu lugar, varrê-lo para o esgoto onde, infelizmente, não será inofensivo para a higiene da cidade!" berrava, mesmo sozinho em casa, à leitura de uma carta que julgava irreverente, ou lembrando-se de uma frase que lhe haviam repetido. Mas uma nova cólera contra um segundo imbecil dissipava a outra, e, por menos que o primeiro se mostrasse diferente, a crise que ele havia ocasionado era esquecida, não tendo duração suficiente para formar uma base de ódio sobre a qual se pudesse construir. Desse modo, talvez eu tivesse — apesar de seu mau humor contra mim — obtido sucesso junto a ele, quando lhe pedi que me apresentasse ao príncipe, caso não tivesse tido a infeliz idéia de acrescentar por escrúpulo, e para que ele não pudesse me atribuir a indelicadeza de ter entrado por acaso, contando com ele para ficar na festa: — O senhor sabe que os conheço muito bem; a princesa foi muito amável comigo. — Pois bem, se o senhor os conhece, em que precisa de mim para ser apresentado? — respondeu-me em tom cortante, e, voltando-me as costas, retomou o jogo fingido com o núncio, o embaixador da Alemanha e um personagem que eu não conhecia.

Então, do fundo daqueles jardins onde outrora o duque d'Aiguillon criava animais raros, chegou-me, pelas portas escancaradas, o rumor de um aspirar que hauria tantas elegâncias e nada queria perder. O ruído se aproximou, caminhei casualmente em sua direção, tanto que a expressão "boa-noite" foi sussurrada ao meu ouvido pelo Sr. de Bréauté, não como o som ferroso e embotado de uma faca passada pelo amolador, e menos ainda como o grito do pequeno javali devastador de terras cultivadas, mas como a voz de um possível salvador. Menos potente que a Sra. de Souvré, porém menos fundamente atingido do que ela de imprestabilidade, muito mais à vontade com o príncipe do que o era a Sra. d'Arpajon, talvez alimentando ilusões quanto à minha situação no meio dos Guermantes, ou talvez a conhecendo melhor que eu, tive entretanto, nos primeiros segundos, alguma dificuldade de captar sua atenção, pois, as narinas dilatadas e frementes, ele olhava para todos os lados, assestando curiosamente o seu monóculo como se se achasse em presença de quinhentas obras-primas. Mas, tendo escutado o meu pedido, acolheu-o com satisfação, conduziu-me para junto do príncipe e me apresentou com ar guloso, cerimonioso e vulgar, como se lhe passasse, recomendando-os, um prato de sequilhos. Tanto o acolhimento do duque de Guermantes era, quando ele o queria, amável, cheio de camaradagem, cordial e familiar, quanto achei o do príncipe comedido, solene, altivo. Mal me sorriu, pronunciou gravemente: "Senhor." Muitas vezes, eu ouvira o duque zombar da arrogância do primo. Mas, desde as primeiras palavras que este me disse e que, por sua frieza e seriedade, faziam o mais inteiro contraste com a linguagem de Basin, compreendi de imediato que o homem fundamente desdenhoso era o duque, que nos falava desde a primeira visita "de igual para igual", e que, dos dois primos, o príncipe é que era verdadeiramente simples. Descobri em sua reserva um sentimento maior, não direi de igualdade, o que teria sido inconcebível nele, mas pelo menos da consideração que se pode ter para com um inferior, como acontece em todos os meios fortemente hierarquizados, no Palais por exemplo, numa faculdade, onde um procurador-geral ou um "deão", conscientes de seu alto cargo, escondem talvez muito mais simplicidade real e, quando os conhecemos melhor, mais bondade, simplicidade verdadeira, cordialidade, em sua altivez tradicional, que os outros mais modernos na afetação de uma camaradagem divertida. — Pretende seguir a carreira do senhor seu pai? — indagou ele com ar distante, porém interessado. Respondi sumariamente à sua pergunta, compreendendo que só a fizera por delicadeza, e me afastei para deixá-lo acolher os novos visitantes.

Reparei em Swann, quis falar-lhe, mas naquele momento vi que o príncipe de Guermantes, em vez de receber no mesmo sítio o cumprimento do marido de Odette, arrastara-o logo, com a força de uma bomba aspiradora, para o fundo do jardim, para, segundo algumas pessoas afirmaram, "pô-lo porta afora".

Estava de tal maneira distraído na sociedade que só dois dias depois é que soube, pelos jornais, que uma orquestra tcheca havia tocado a noite toda e que, de minuto em minuto, se haviam sucedido fogos de bengala; recuperei um pouco de atenção à idéia de ir ver o célebre repuxo de Hubert Robert.

Numa clareira reservada para belas árvores, das quais diversas eram tão antigas quanto ele, a gente o avistava de longe, afastado, esbelto, imóvel, duro, só deixando ser agitada pela brisa a queda mais leve de seu penacho pálido e fremente. O século XVIII havia depurado a elegância de suas linhas, mas, fixando o estilo do repuxo, parecia ter-lhe estancado a vida; àquela distância, tinha-se antes a impressão de arte que a sensação de água. A própria neblina úmida que se acumulava permanentemente no seu topo conservava o caráter do seu tempo, como as nuvens que no céu se juntam ao redor dos palácios de Versalhes. De perto, no entanto, percebia a gente que, sempre respeitando o desenho previamente traçado como as pedras de um palácio antigo, eram águas sempre novas que, lançando-se e querendo obedecer às ordens antigas do arquiteto, só as cumpriam exatamente parecendo violá-las, pois somente os seus mil saltos esparsos poderiam dar, à distância, a impressão de um único jato. Este, na realidade, era tão freqüentes vezes interrompido quanto à dispersão da queda, ao passo que, de longe, me havia parecido inflexível, denso, de uma continuidade sem lacunas. Um pouco mais de perto, via-se que tal continuidade, toda linear na aparência, era assegurada a todos os pontos da ascensão do jato, por toda parte em que ele deveria quebrar-se, pela entrada em linha, pela retomada lateral de um jato paralelo que subia mais alto que o primeiro e era ele próprio, a uma altura maior, mas já fatigante para ele, ultrapassado por um terceiro. De perto, gotas sem força recaíam da coluna de água, cruzando-se na passagem com suas irmãs que subiam e, às vezes, esborrifadas, colhidas num remoinho do ar perturbado por aquele esguicho sem tréguas, flutuavam antes de mergulharem no tanque. Contrariavam com suas vacilações, com sua trajetória em sentido inverso, e esfumavam com seu tênue vapor a retidão e a tensão daquele tecido, carregando acima de si uma nuvem oblonga feita de milhares de gotículas, mas aparentemente pintada de castanho dourado e imutável, que subia, infrangível, imóvel, impelida e rápida, para reunir-se às nuvens do céu. Infelizmente, um pé-de-vento bastava para arremessá-la obliquamente à terra; às vezes, até um simples jato desobediente divergia e, se não se mantivesse a uma distância respeitosa, molharia até os ossos a turba imprudente e contemplativa.

Um desses pequenos acidentes, que só aconteciam no momento em que a brisa refrescava, foi bastante desagradável. Fizeram crer à Sra. d'Arpajon que o duque de Guermantes — que na verdade ainda não chegara — estava com a Sra. de Surgis nas galerias de mármore róseo, a que se tinha acesso pela dupla série de colunas, cavada no interior, que se erguia das calçadas do tanque. Pois bem, no momento em que a Sra. d'Arpajon ia meter-se por uma das colunas, uma forte rajada de brisa morna torceu o repuxo e alagou tão inteiramente a bela dama que, caindo a água de seu decote para dentro do vestido, ficou ela tão encharcada como se lhe tivessem dado um banho. E logo, não longe dela, um grunhido compassado retumbou com força bastante para poder se fazer ouvir por todo um exército e, entretanto, periodicamente prolongado como se fosse dirigido não ao conjunto, mas sucessivamente a cada parte das tropas; era o grão-duque Wladimir que ria com todas as forças ao ver a imersão da Sra. d'Arpajon, uma das coisas mais divertidas, gostava ele de dizer depois, a que havia assistido em toda a sua vida. Como algumas pessoas compassivas mostrassem ao moscovita que uma palavra de pêsames de sua parte seria talvez merecida e daria prazer àquela dama que, apesar dos quarenta anos bem puxados, e enquanto se enxugava com sua *écharpe,* sem pedir ajuda a ninguém, se livrava contudo da água que molhava maliciosamente a calçada da fonte, o grão-duque, aliás dotado de bom coração, julgou dever concordar e, logo que os últimos dobrados militares do riso se extinguiram, ouviu-se um novo ribombar ainda mais violento que o outro. — Bravo, minha velha! — gritou ele batendo palmas como no teatro. A Sra. d'Arpajon não se sensibilizou de que lhe elogiassem a habilidade em detrimento de sua juventude. E como alguém lhe dissesse, ensurdecido pelo barulho da água, que o trovejar de Monsenhor no entanto dominava: — Creio que Sua Alteza Imperial lhe disse algo. — Não — respondeu ela —, foi à Sra. de Souvré.

Atravessei os jardins e subi a escadaria onde a ausência do príncipe, que desaparecera na companhia de Swann, engrossava ao redor do Sr. de Charlus a chusma de convidados, assim como, quando Luís XIV não se encontrava em Versalhes, havia mais pessoas com Monsieur, seu irmão. Fui detido na passagem pelo barão, enquanto atrás de mim duas damas e um rapaz se aproximavam dele para cumprimentá-lo.

— É gentil vê-lo aqui — disse-me ele estendendo a mão. — Boa-noite, senhora de La Tremoïlle, boa-noite, minha cara Herminie. — Mas sem dúvida, a lembrança daquilo que me dissera acerca de seu papel de chefe no palácio Guermantes dava-lhe o desejo de parecer sentir, em relação a quem o descontentara mas que não tinha podido impedir, uma satisfação à qual a sua impertinência de grão-senhor e sua euforia de histérico conferiram imediatamente uma forma excessiva de ironia: — É gentil — repetiu — mas principalmente muito engraçado. — E pôs-se a gargalhar, parecendo ao mesmo tempo testemunhar a sua alegria e a impotência da palavra humana em expressá-la; entretanto, algumas pessoas, sabendo o quanto era, a um tempo, de difícil acesso e dado a "tiradas" insolentes, aproximavam-se curiosas e, com uma pressa quase indecente, por pouco não se punham a correr. — Vamos, não se aborreça — disse ele, tocando-me suavemente no ombro —, sabe perfeitamente que o estimo bastante. Boa-noite, Antioche, boa-noite, Louis-René. Já foi ver o repuxo? — perguntou-me num tom mais afirmativo que indagador. — Bem bonito, não é mesmo? É maravilhoso. Poderia naturalmente ser bem melhor ainda, se se suprimissem algumas coisas, e então não haveria nada semelhante na França. Mas tal como é, já está entre os melhores. Bréauté lhe dirá que erraram em colocar lampiões, para tentar fazer esquecer que foi ele quem teve esta idéia absurda. Mas, em suma, só conseguiu enfeiá-lo muito pouco. É muito mais difícil desfigurar uma obra-prima do que criá-la. Aliás, já desconfiávamos vagamente que Bréauté fosse menos poderoso que Hubert Robert.

Retomei a fila de visitantes que entravam no palácio. — Faz muito tempo que viu minha deliciosa prima Oriane? — perguntou a princesa, que havia pouco desertara sua poltrona na entrada, e com quem eu voltava para os salões. — Ela deve vir esta noite, vimo-nos à tarde — acrescentou a dona da casa. — Ela me prometeu. Aliás, creio que o senhor jantará com nós duas na casa da rainha da Itália, na embaixada, quinta-feira. Estarão presentes todas as Altezas possíveis, será muito intimidante. — De modo algum podiam intimidar a princesa de Guermantes, cujos salões fervilhavam delas, e que dizia: — Meus Coburguinhos — como se dissesse: — Meus cãezinhos. — Assim, a Sra. de Guermantes disse: — Será muito intimidante — por simples tolice, que, entre as pessoas mundanas, ainda supera a vaidade.

Sobre sua própria genealogia, ela sabia ainda menos que um suplente de História. No que se referia às suas relações, timbrava em mostrar que conhecia os apelidos que lhes haviam dado. Tendo-me perguntado se eu jantaria na semana seguinte em casa da marquesa de La Pommelière, a quem seguidamente chamavam "la Pomme" (a Maçã), a princesa, obtendo de mim uma resposta negativa, calou por uns momentos. Depois, sem nenhum outro motivo que uma exibição intencional de erudição involuntária, de banalidade e de conformidade ao espírito geral, acrescentou: — É uma mulher muito agradável, a Pomme!

Enquanto a princesa conversava comigo, faziam precisamente a sua entrada o duque e a duquesa de Guermantes. Mas não pude ir primeiro ao encontro deles, pois fui apanhado no caminho pela embaixatriz da Turquia, a qual, apontando-me a dona da casa que eu acabava de deixar, gritou, segurando-me pelo braço: — Ah, que mulher deliciosa é a princesa! Que ser superior a todos nós! Parece-me que, se eu fosse homem — acrescentou com um pouco de baixeza e de sensualidade orientais —, consagraria a minha vida a essa criatura celestial. — Respondi que de fato ela parecia encantadora, mas que conhecia mais a sua prima, a duquesa. — Mas não há relação nenhuma — disse a embaixatriz. — Oriane é uma encantadora mulher da sociedade que tira o seu espírito de Mémé e de Babal, ao passo que Marie-Gilbert é *alguém*.

Não gosto muito que me digam assim sem rodeios o que devo pensar das pessoas que conheço. E não havia razão nenhuma para que a embaixatriz da Turquia emitisse sobre o valor da duquesa de Guermantes um juízo mais correto que o meu. Por outro lado, o que também explicava a minha irritação contra a embaixatriz é que as falhas de um simples conhecido, e até de um amigo, são para nós verdadeiros venenos, contra os quais felizmente somos "mitridatizados".[4] Mas, sem recorrer ao mínimo aparato de comparação científica e falar de anafilaxia, digamos que, no seio de nossas relações amistosas ou puramente mundanas, existe uma hostilidade momentaneamente curada, porém recorrente por acessos. Habitualmente, sofre-se pouco com tais venenos, quando se trata de pessoas "naturais". Dizendo "Babal" e "Mémé", para designar pessoas que não conhecia, a embaixatriz da Turquia suspendia os efeitos do "mitridatismo" que de ordinário a faziam tolerável para mim. Irritava-me, o que era tanto mais injusto,

[4] *Mitridatização*, ou *mitridatismo*, é a imunização relativa ou tolerância à ingestão de certas substâncias tóxicas ou venenosas, por meio de doses inicialmente pequenas, depois sucessivamente aumentadas, de determinado veneno. O nome provém de Mitrídates VI Eupátor, rei do Ponto (c. 130 – 63 a.C.). (N. do T.)

visto que ela não falava assim para que acreditassem que era íntima de "Mémé", mas por causa de uma instrução muito superficial, que a fazia nomear esses nobres segundo o que julgava ser o costume do país. Fizera o seu curso em alguns meses e não se submetera a provas. Mas, refletindo nisso, achava um outro motivo para o meu desprazer de ficar junto da embaixatriz. Não fazia muito tempo que, na casa de "Oriane", essa mesma personalidade diplomática me havia dito, com ar sério e compenetrado, que a princesa de Guermantes era-lhe francamente antipática. Achei bom não deter-me nessa reviravolta: fora causada pelo convite para a festa daquela noite. A embaixatriz estava sendo perfeitamente sincera ao dizer que a princesa de Guermantes era uma criatura sublime. Sempre pensara desse modo. Mas, não tendo sido até então convidada para a casa da princesa, julgara dever atribuir a esse gênero de não-convite a forma de uma abstenção voluntária por princípios. Agora, que fora convidada e verossimilmente o seria daí em diante, sua simpatia podia exprimir-se livremente. Não há necessidade, para explicar três quartos das opiniões que se fazem sobre as pessoas, de ir até o despeito amoroso, à exclusão do poder político. O juízo permanece incerto: um convite recusado ou recebido o determina. Além disso, a embaixatriz da Turquia, como dizia a duquesa de Guermantes, que repassara comigo a inspeção dos salões, "fazia bem". Sobretudo, era muito útil. As verdadeiras estrelas da sociedade se cansam de comparecer a ela. Quem estiver curioso por avistá-las deve em geral emigrar para um outro hemisfério, onde elas estão mais ou menos sozinhas. Mas as mulheres semelhantes à embaixatriz otomana, todas recentes na sociedade, não deixam de nela brilhar, por assim dizer, por toda parte ao mesmo tempo. São úteis para esse tipo de representações que se denominam sarau, festa mundana, e às quais antes se fariam arrastar, moribundas, do que faltariam. São as figurantes com as quais sempre se pode contar, ardorosas para nunca perder uma festa. Assim, os rapazes tolos, ignorando que se trata de falsas estrelas, vêem nelas as rainhas da elegância, ao passo que seria preciso uma aula para explicar-lhes em virtude de quais motivos a Sra. Standish, desconhecida deles e pintando almofadas, longe da sociedade, era pelo menos tão grande dama como a duquesa de Doudeauville.

Na vida cotidiana, os olhos da duquesa de Guermantes eram distraídos e um tanto melancólicos; fazia brilhá-los apenas de uma chama espiritual cada vez que tinha de cumprimentar algum amigo, exatamente como se este fosse uma frase de espírito, uma tirada encantadora, um presente para delicados, cuja degustação pusesse uma expressão de finura e de alegria no rosto do conhecedor. Mas, no caso dos grandes saraus, como tivesse demasiados cumprimentos a fazer, achava que seria fatigante, depois de cada um deles, apagar a luz de cada vez. Tal como um guloso de literatura, indo ao teatro para assistir a uma novidade de um dos mestres da cena, testemunha sua certeza de não passar uma noite aborrecida, tendo já, enquanto entrega seus pertences à zeladora, os lábios programados para um sorriso sagaz, o olhar avivado para uma aprovação maliciosa — assim era que, desde a sua chegada, a duquesa acendia a luz para toda a noite. E ao passo que ela entregava a sua capa noturna, de um magnífico vermelho de Tiepolo, a qual deixou ver uma verdadeira gargantilha de rubis que lhe tapava o pescoço, depois de ter lançado ao vestido um último e rápido olhar, minucioso e repleto de costureira, que é o de uma mulher da sociedade, Oriane assegurou-se quanto ao cintilar dos olhos não menos que de suas outras jóias. Debalde algumas "boas línguas", como o Sr. de Jouville, se precipitaram para o duque a fim de impedi-lo de entrar: — Mas então o senhor ignora que o pobre Mamá está à morte? Acabam de lhe dar a extrema-unção. — Sei, sei — respondeu o Sr. de Guermantes, afastando os aborrecidos para poder entrar. — O viático produziu um grande efeito — acrescentou, sorrindo de prazer à lembrança do baile à fantasia ao qual estava decidido a não faltar, depois do sarau do príncipe. — Não queríamos que soubessem que tínhamos voltado — disse-me a duquesa. Não imaginava que a princesa houvesse previamente desmentido essa afirmativa, ao contar-me que vira rapidamente a prima, que lhe prometera comparecer. O duque, após um longo olhar com que prostrara a esposa durante cinco minutos: — Contei a Oriane as suas dúvidas. — Agora que ela via que não tinham fundamento e que não precisava dar nenhum passo a respeito para tentar dissipá-las, declarava-as absurdas e gracejou longamente comigo. — Que idéia achar que não fora convidado! A gente é sempre convidada! E, depois, havia eu. Acha que não poderia fazê-lo ser convidado à casa de minha prima? — Devo dizer que ela, depois disso, fez seguidamente coisas bem mais difíceis por mim; não obstante, evitei tomar suas palavras no sentido de que eu fora muito reservado. Começava a conhecer o valor exato da linguagem falada ou muda da amabilidade aristocrática, amabilidade que se sente feliz em lançar um bálsamo sobre o sentimento de inferioridade daqueles com os quais se exerce, mas não a ponto de dissipá-lo, pois nesse caso não mais teria razão de ser. "Mas o senhor é nosso igual, senão melhor", pareciam dizer os Guermantes; e diziam-no da maneira mais gentil que se possa imaginar, para serem amados, admirados, mas não para serem cridos; que a gente desvelasse o caráter fictício dessa amabilidade, é o que eles denominavam ser bem-educado; considerar real a amabilidade era a má educação. Aliás, recebi pouco tempo depois uma lição que acabou de me informar, com a mais perfeita exatidão, a extensão e os limites de certas formas de amabilidade aristocrática. Era numa matinê dada pela duquesa de Montmorency para a rainha da Inglaterra; houve uma espécie de pequeno cortejo para ir ao *buffet*, e à frente caminhava a soberana, dando o braço ao duque de Guermantes. Cheguei nesse momento. Com sua mão livre, o duque me fez, a menos de quarenta metros de distância, mil acenos de chamada e de amizade e que pareciam querer dizer que podia aproximar-me sem receio, que não seria comido cru em vez dos sanduíches. Mas eu, que começava a me aperfeiçoar na linguagem das cortes, em vez de me aproximar sequer de um passo, nesses quarenta metros de distância, inclinei-me profundamente, mas sem sorrir, como o teria feito diante de alguém que mal conhecesse, e depois continuei meu caminho na direção oposta. Poderia ter escrito uma obra-prima, que os Guermantes me honrariam menos do que por essa saudação. Não só não passou despercebida aos olhos do duque, que naquele dia teve de responder a mais de quinhentas pessoas, mas também aos da duquesa, a qual, tendo encontrado minha mãe, contou-lhe o caso, evitando dizer-lhe que eu procedera mal, que deveria ter me aproximado; disse-lhe que seu marido ficara encantado com minha saudação, na qual era impossível fazer entrar mais coisas. Não cessaram de encontrar naquela saudação todas as qualidades, sem mencionar todavia a que parecera a mais preciosa, a saber, que fora discreta, e não deixaram igualmente de me fazer cumprimentos que eu compreendi serem ainda menos uma recompensa pelo passado do que uma indicação para o futuro, à maneira da que é delicadamente fornecida aos alunos pelo diretor de um estabelecimento de educação: — Não se esqueçam, meus caros meninos, que estes prêmios são menos para vocês que para seus pais, a fim de que eles os matriculem no próximo ano. — Assim é que a Sra. de Marsantes, quando alguém de um mundo diferente entrava no seu meio, elogiava diante dele as pessoas discretas "que a gente encontra quando vai procurá-las e que se fazem esquecer no resto do tempo", como se avisa de um modo indireto a um criado que cheira mal que os banhos são perfeitos para a saúde.

Enquanto eu conversava com a Sra. de Guermantes, antes mesmo que ela tivesse deixado o vestíbulo, ouvi uma voz que, no futuro, devia discernir sem erro possível. Era, no caso particular, a do Sr. de Vaugoubert conversando com o Sr. de Charlus. Um clínico não precisa que o doente em observação erga a camisa, nem de ouvir a sua respiração, a voz é suficiente. Quantas vezes mais tarde fiquei impressionado, num salão, pela entonação ou o riso de determinado homem, que no entanto copiava exatamente a linguagem de sua profissão ou as maneiras do seu ambiente, afetando uma distinção severa ou uma familiaridade vulgar, mas cuja voz falsa bastava para assinalar: "é um Charlus" ao meu ouvido treinado como o diapasão de um afinador! Naquele momento, passou todo o pessoal de uma embaixada, saudando o Sr. de Charlus. Se bem que minha descoberta acerca do gênero de doença em questão datasse apenas daquele mesmo dia (quando avistara o Sr. de Charlus e Jupien), eu não teria tido necessidade de fazer perguntas nem de auscultar para emitir um diagnóstico. Mas o Sr. de Vaugoubert, conversando com o Sr. de Charlus, pareceu incerto. Contudo, deveria saber do que se tratava, após as dúvidas da adolescência. O invertido julga-se o único de seu tipo no universo; só mais tarde imagina — outro exagero — que a única exceção é o homem normal. Porém, ambicioso e timorato, o Sr. de Vaugoubert não se entregava há muito tempo ao que para ele teria sido o prazer. A carreira diplomática tivera sobre ele o efeito de uma ordenação religiosa. Combinada com a assiduidade à Escola de Ciências Políticas, ela o votara desde os seus vinte anos à castidade do cristão. Assim como cada sentido perde força e vivacidade, atrofiando-se quando não é posto para funcionar, o Sr. de Vaugoubert, da mesma forma que o homem civilizado já não seria capaz dos exercícios de força e da acuidade do ouvido do homem das cavernas, tinha perdido a perspicácia especial que raramente se encontrava em falta no Sr. de Charlus; e, nas mesas oficiais, seja em Paris, seja no estrangeiro, o ministro plenipotenciário não chegava sequer a reconhecer aqueles que, sob o disfarce do uniforme, eram no fundo seus iguais. Alguns nomes pronunciados pelo Sr. de Charlus, indignado se os citassem por seus gostos, mas sempre se divertindo em fazer conhecer os dos outros, causaram no Sr. de Vaugoubert um espanto delicioso. Não que depois de tantos anos ele sonhasse em desfrutar de alguma oportunidade feliz. Porém, essas revelações rápidas, semelhantes àquelas que nas tragédias de Racine mostram a Atália e a Abner que Joás pertence à raça de Davi, que Ester, sentada na púrpura, tem pais judeus, mudando o aspecto da legação de X... ou de determinado serviço do Ministério das Relações Exteriores, tornavam retrospectivamente esses palácios tão misteriosos como o templo de Jerusalém ou a sala do trono de Susa. Diante daquela embaixada, cujo pessoal jovem foi inteiro apertar a mão do Sr. de Charlus, o Sr. de Vaugoubert assumiu o ar maravilhado de Elisa ao exclamar, em *Esther*:

Céus! Que numeroso enxame de inocentes beldades
Se oferta a meus olhos em multidão e sai de todos os lados!
Que amável pudor em seus rostos se espelha![5]

[5] *Esther*, de Jean Racine. Ato I, cena II. (N. do T.)

Depois, desejoso de ser mais "bem informado", lançou risonho ao Sr. de Charlus um olhar tolamente interrogativo e concupiscente: — Mas é claro! — disse o Sr. de Charlus, com o ar douto de um erudito falando a um ignaro. E logo o Sr. de Vaugoubert (o que muito irritou o Sr. de Charlus) não tirou mais os olhos daqueles jovens secretários, que o embaixador de X na França, velho reincidente, não escolhera ao acaso. O Sr. de Vaugoubert calava-se; eu via apenas os seus olhares. Mas, habituado desde a infância a atribuir, mesmo ao que é mudo, a linguagem dos clássicos, eu fazia com que os olhos do Sr. de Vaugoubert dissessem os versos com que Ester explica a Elisa que Mardoqueu, zeloso por sua religião, se empenhou em colocar a serviço da rainha somente moças que professassem o mesmo credo.

Entretanto o seu amor pela nossa nação
Povoou este palácio de filhas de Sião,
Jovens e tenras flores pela sorte agitadas,
Sob um céu estrangeiro, como eu, transplantadas.
Em local isolado de testemunhas profanas,
Ele (o excelente embaixador) empenha seu estudo
e seus cuidados em formá-las.[6]

Por fim o Sr. de Vaugoubert falou sem ser pelo olhar. — Quem sabe — disse com melancolia — se, no país em que vivo, não existe a mesma coisa? — É provável — respondeu o Sr. de Charlus —, a começar pelo rei Teodósio, conquanto eu não saiba nada de positivo a seu respeito. — Oh! Isso não! — Então não devia ser permitido que parecesse tanto. E é todo cheio de maneiras. É o gênero "mimoso", o tipo que eu mais detesto. Eu não teria coragem de me mostrar em sua companhia na rua. Além disso, o senhor deve muito bem conhecê-lo pelo que é; é conhecido como o lobo branco. — O senhor se engana completamente a seu respeito. Aliás, ele é encantador. No dia em que foi assinado o acordo com a França, o rei me beijou. Nunca fiquei tão emocionado. — Era a ocasião para o senhor lhe dizer o que desejava. — Oh, meu Deus, que horror! Se ele suspeitasse! Mas quanto a isso não tenho receio. — Palavras que ouvi, pois estava pouco afastado, e que fizeram com que recitasse mentalmente:

Até hoje o rei ignora quem sou,
E este segredo mantém presa a minha língua.[7]

---

[6] Citação modificada de *Esther,* ato I, cena I, versos 101-106. (N. do T.)

[7] Citação modificada de *Esther,* ato I, cena I, versos 90 e 92. (N. do T.)

Esse diálogo meio mudo, meio falado só durara poucos instantes, e eu apenas dera alguns passos no salão com a duquesa de Guermantes, quando uma pequena senhora morena, extremamente bonita, a deteve:

— Desejava tanto vê-la! D'Annunzio a avistou de um camarote, escreveu à princesa de T*** uma carta em que disse que jamais vira algo tão belo. Ele daria toda a sua vida por dez minutos de conversação com a senhora. Em todo caso, mesmo que não possa ou não queira, a carta está em meu poder. Seria preciso marcar-me um encontro. Há certas coisas secretas que não posso dizer aqui. Vejo que o senhor não me reconhece — acrescentou dirigindo-se a mim —; conheci-o na casa da princesa de Parma (aonde eu nunca tinha ido). O imperador da Rússia gostaria que seu pai fosse enviado a Petersburgo. Se pudesse comparecer na terça-feira, justamente Isvolski estará lá, falaria com o senhor. Tenho um presente para lhe dar, querida — acrescentou, voltando-se para a duquesa — e que não daria a nenhuma outra pessoa. Os manuscritos de três peças de Ibsen, que ele me mandou pelo seu velho enfermeiro. Guardarei um e lhe darei os outros dois.

O duque de Guermantes não estava encantado com tais ofertas. Como não tinha certeza se Ibsen ou d'Annunzio eram vivos ou mortos, já via os escritores e os dramaturgos indo visitar sua mulher e pondo-a em suas obras. As pessoas da sociedade facilmente imaginam os livros como sendo uma espécie de cubo, do qual uma das faces é retirada, de modo que o autor se apressa em "fazer entrar" lá dentro as pessoas que encontra. É claro que se trata de um procedimento desleal, e não passam de gente de pouca importância. Certo, não seria aborrecido vê-los "de passagem", pois graças a eles, se lemos um livro ou um artigo, conhecemos "o reverso das cartas", podemos "levantar as máscaras". Apesar de tudo, o mais prudente é limitarmo-nos aos autores mortos. O Sr. de Guermantes apenas achava "perfeitamente conveniente" o senhor que fazia os necrológios no *Le Gaulois*. Este, pelo menos, contentava-se em citar o nome do Sr. de Guermantes no alto das pessoas relacionadas, "notadamente" nos enterros em que o duque assinara o livro de presença. Quando preferia que seu nome não figurasse, em vez de assinar o duque enviava uma carta de pêsames à família do falecido, testemunhando-lhe os seus sentimentos. Que essa família mandasse publicar no jornal: "Entre as cartas recebidas, citemos a do duque de Guermantes, etc.", aquilo não era culpa do noticiarista, e sim do filho, irmão ou pai da morta, que o duque qualificava de arrivistas, e com que, daí em diante, estava decidido a não ter mais relações (o que denominava, não conhecendo bem o sentido das locuções, "ter contas a ajustar"). Sempre é certo que os nomes de Ibsen e d'Annunzio, e sua sobrevivência insegura, fizeram franzir as sobrancelhas do duque, que ainda não estava muito longe de nós para não ter ouvido as amabilidades diversas da Sra. Timoléon d'Amoncourt. Era uma mulher encantadora, de um espírito, como sua beleza, tão deslumbrante, que só um dos dois teria conseguido agradar. Mas, nascida fora do meio em que agora vivia, só tendo aspirado a princípio a um salão literário, amiga sucessivamente — de modo algum amante, pois era de costumes muito puros — e exclusivamente de cada grande escritor que lhe dava todos os seus manuscritos e escrevia livros para ela, e, tendo-a o acaso introduzido no *faubourg* Saint-Germain, esses privilégios literários lhe valeram naquele meio. E agora desfrutava de uma posição que a eximia de outras graças além das que a sua presença espalhava. Mas, habituada outrora à esperteza, às manobras, aos serviços, perseverava neles, embora não fossem mais necessários. Tinha sempre um segredo de Estado para revelar, um potentado a nos dar a conhecer, a aquarela de um mestre a nos oferecer. Em todas essas atrações inúteis havia um pouco de mentira, mas eles faziam de sua vida uma comédia de uma complicação cintilante e era exato que ela conseguia nomear prefeitos e generais.

Sempre caminhando a meu lado, a duquesa de Guermantes deixava a luminosidade azulada dos olhos flutuar à sua frente, porém no vago, a fim de evitar as pessoas com quem não queria entrar em contato e das quais por vezes adivinhava, de longe, o obstáculo ameaçador. Avançávamos entre uma dupla sebe de convidados, que, sabendo que jamais conheceriam "Oriane", desejavam ao menos, como curiosidade, mostrá-la à própria esposa: — Ursule, depressa, depressa, vem ver a senhora de Guermantes, que está conversando com esse rapaz. — E sentia-se que não faltava muito para que trepassem nas cadeiras para ver melhor, como na parada de 14 de julho ou no Grand Prix. Não é que a duquesa de Guermantes tivesse um salão mais aristocrático do que sua prima. O da primeira era freqüentado por pessoas que a segunda jamais quis convidar, principalmente por causa de seu marido. Jamais teria recebido a Sra. Alphonse de Rothschild, que, amiga íntima da Sra. de La Trémoïlle e da Sra. de Sagan, como a própria Oriane, freqüentava muito a casa desta última. O mesmo ocorria também com o barão Hirsch, que o príncipe de Gales levara a sua casa, mas não à casa da princesa, a quem teria desgostado com isso, e igualmente com algumas grandes notoriedades bonapartistas ou até republicanas, que interessavam à duquesa, mas que o príncipe, realista convicto, não teria desejado receber. Visto que seu anti-semitismo era também de princípios, não se dobrava diante de nenhuma elegância, por mais acreditada que fosse, e se recebia Swann, de quem era o amigo de sempre, sendo aliás o único dos Guermantes que o chamava de Swann e não de Charles, é que, sabendo que a avó de Swann, protestante casada com um judeu, tinha sido amante do duque de Berri, tentava de vez em quando acreditar na lenda que fazia do pai de Swann um filho natural do príncipe. Nessa hipótese, que todavia era falsa, Swann, filho de um católico, o qual por sua vez era filho de um Bourbon e de uma católica, nada tinha que não fosse cristão.

— Como, você não conhece estes esplendores? — perguntou a duquesa, ao falar-me do lugar em que nos achávamos. Mas, depois de ter celebrado o "palácio" da prima, apressou-se a acrescentar que preferia mil vezes "seu humilde casebre". — Aqui, é admirável para uma visita. Mas eu morreria de desgosto se me fosse necessário ficar dormindo em quartos onde aconteceram tantos fatos históricos. Isso me causaria o efeito de ter ficado após o fechamento, de ter sido esquecida, no castelo de Blois, de Fontainebleau ou até no Louvre, e de ter, como único recurso contra a tristeza, murmurar para mim mesma que estou no quarto em que Monaldeschi foi assassinado. Como camomila, é insuficiente. Veja, ali está a Sra. de Saint-Euverte. Jantamos há pouco em sua casa. Como ela dá amanhã a sua grande recepção anual, pensava que ela teria ido dormir. Mas ela não pode perder uma festa. Se esta tivesse lugar no campo, ela viria numa carroça, mas não deixaria de comparecer.

Na realidade, a Sra. de Saint-Euverte viera naquela noite, menos pelo prazer de não faltar a uma festa em casa dos outros do que para assegurar o sucesso da sua, recrutar os últimos aderentes e, de qualquer maneira, passar *in extremis* a revista das tropas que, no dia seguinte, deveriam evoluir brilhantemente no seu *garden-party*. Pois já não era de poucos anos que os convidados das festas Saint-Euverte não eram mais os mesmos de antigamente. As notabilidades femininas do meio Guermantes, tão disseminadas então, cumuladas de gentileza pela dona da casa, tinham aos poucos levado suas amigas. Ao mesmo tempo, por um trabalho paralelamente progressivo, mas em sentido inverso, a Sra. de Saint-Euverte reduzira, ano após ano, o número das pessoas desconhecidas do mundo elegante. Deixava-se de ver uma, depois outra. Durante algum tempo funcionou o sistema de "fornadas", que permitia, graças às festas sobre as quais se fazia silêncio, convidar os renegados para que se divertissem entre eles, o que dispensava de convidá-los com as pessoas do primeiro nível. De que podiam queixar-se? Não tinham (*panem et circenses*) bolinhos e um belo programa musical? Assim, de alguma forma em simetria com as duas duquesas exiladas, que outrora, quando estreara o salão Saint-Euverte, tinham-lhe sustentado, como duas cariátides, a abóbada oscilante, nos últimos anos, mescladas à alta sociedade, não se distinguiram mais que duas pessoas heterogêneas: a velha Sra. de Cambremer e a mulher de um arquiteto, de linda voz, à qual era-se freqüentemente obrigado a pedir que cantasse. Mas, não conhecendo mais ninguém na casa da Sra. de Saint-Euverte, chorando suas companheiras perdidas, sentindo que incomodavam, pareciam estar quase morrendo de frio como duas andorinhas que não emigraram a tempo. Assim, no ano seguinte não foram convidadas; a Sra. de Franquetot procurou batalhar em favor da prima que tanto apreciava a música. Mas, como não pôde obter para ela uma resposta mais explícita que estas palavras: "Mas sempre se pode entrar para ouvir a música que lhe agrade, não há nenhum crime nisto!", a Sra. de Cambremer não julgou o convite muito insistente, e desistiu.

Diante dessa transmutação, operada pela Sra. de Saint-Euverte, de um salão de leprosos em um salão de grandes damas (a última forma, de aparência ultrachique, que ele havia assumido), podia causar espanto que a pessoa que daria no dia seguinte a festa mais brilhante da temporada precisasse, na véspera, dirigir um supremo apelo às suas tropas. Mas é que a preeminência do salão Saint-Euverte só existia para aqueles cuja vida mundana consiste apenas em ler a notícia das matinês e dos saraus, no *Le Gaulois* ou no *Figaro*, sem jamais terem ido a nenhum deles. A esses mundanos, que só vêem a sociedade no jornal, a enumeração das embaixatrizes da Inglaterra, da Áustria, etc., das duquesas d'Uzès, de La Trémoïlle, etc., etc. bastava para que imaginassem de bom grado o salão Saint-Euverte como o primeiro de Paris, quando de fato era dos últimos. Não que as notícias fossem mentirosas. A maioria das personalidades citadas tinham estado presentes. Mas cada uma comparecera à custa de súplicas, finezas, serviços prestados, e tendo o sentimento de honrar infinitamente a Sra. de Saint-Euverte. Tais salões, mais evitados que procurados, e aonde só se vai de encomenda, por assim dizer, só iludem as leitoras da seção de "Mundanismo". Passam por alto uma festa verdadeiramente elegante, em que uma dona de casa, podendo ter todas as duquesas, que ardem por estar "entre os eleitos", só convida a duas ou três, e não manda pôr o nome de seus convidados no jornal. Assim essas mulheres, desconhecendo ou desdenhando o poder que assumiu a publicidade atualmente, são elegantes para a rainha da Espanha, mas desconhecidas da multidão, porque a primeira sabe, e a segunda ignora quem elas são.

A Sra. de Saint-Euverte não era dessas mulheres e, como boa apanhadora, vinha colher para o dia seguinte tudo quanto era convidado. O Sr. de Charlus não o era, havia se recusado sempre a ir à casa dela. Porém estava rompido com tanta gente que a Sra. de Saint-Euverte podia atribuir aquilo ao temperamento do barão.

Decerto, se ali houvesse apenas Oriane, a Sra. de Saint-Euverte não teria necessidade de incomodar-se, pois o convite fora feito de viva voz e, além disso, aceito com essa enganosa e encantadora boa vontade, no exercício da qual triunfam os acadêmicos de cuja casa o candidato sai emocionado e sem duvidar que possa contar com seu voto. Mas não havia somente ela. O príncipe de Agrigento compareceria? E a Sra. de Durfort? Assim, para vigiar sua colheita, a Sra. de Saint-Euverte julgara mais útil e conveniente transportar-se em pessoa; insinuante com uns, imperativa com outros, anunciava para todos, com palavras encobertas, divertimentos inimagináveis que não poderiam ver de novo, e a cada um prometia que haveria de achar em sua casa a pessoa a quem desejava, ou o personagem que precisava encontrar. E essa espécie de função de que estava investida uma vez por ano — assim como certas magistraturas da antiguidade —, de pessoa que no dia seguinte dará o mais considerável *garden-party* da temporada, conferia-lhe momentânea autoridade. Suas listas estavam feitas e terminadas, de modo que, percorrendo os salões da princesa com lentidão para derramar sucessivamente em cada ouvido: — Não se esqueça de mim amanhã —, ela desfrutava da glória efêmera de desviar os olhos, continuando a sorrir, se percebia alguma feiosa a evitar ou algum fidalgote que uma camaradagem escolar fizera ser admitido em casa de "Gilbert", e cuja presença em seu *garden-party* não somaria nada. Preferia não lhe falar para poder dizer em seguida: — Fiz meus convites de modo verbal e infelizmente não o encontrei. — Assim ela, simples Saint-Euverte, fazia com seus olhos esquadrinhadores uma triagem na composição do sarau da princesa. E, procedendo dessa forma, julgava-se uma verdadeira duquesa de Guermantes.

É preciso dizer que esta última tampouco dispunha, como se poderia acreditar, da liberdade de seus sorrisos e cumprimentos. Por um lado, sem dúvida, quando os recusava, era voluntariamente: — Mas ela me aborrece — dizia. — Será que vou ser obrigada a lhe falar do seu sarau durante uma hora inteira?

Viu-se passar uma duquesa bem morena, cuja feiúra e estupidez, assim como certos desvios de conduta, tinham exilado não da sociedade, mas de algumas intimidades elegantes. — Ah — sussurrou a Sra. de Guermantes, com o golpe de vista preciso e desabusado do conhecedor a quem se mostra uma jóia falsa —, recebe-se isto, aqui?! — Pelo simples aspecto da dama meio estragada, e cujo rosto estava coberto de sinais de pêlos negros, a Sra. de Guermantes avaliava a medíocre cotação daquele sarau. Fora educada com aquela dama, mas cessara todas as relações com ela; só respondeu ao seu cumprimento com uma inclinação de cabeça bastante seca. — Não compreendo — disse-me, como para se desculpar — que Marie-Gilbert nos convide com toda essa lama. Pode-se dizer que aqui as há de todas as paróquias. Era muito mais bem organizado na casa de

Mélanie Pourtalès. Podia ter o Santo Sínodo e o Templo do Oratório, se bem lhe aprouvesse, mas pelo menos não nos mandavam convidar nesses dias. — Mas, em grande parte, era por timidez, por medo de ter uma cena com o marido, que não queria que ela convidasse artistas, etc. ("Marie-Gilbert" protegia muitos deles, e era preciso tomar cuidado para não ser abordada por uma ilustre cantora alemã), e também por um certo receio quanto ao nacionalismo, que a duquesa, possuidora como o Sr. de Charlus do espírito dos Guermantes, desprezava do ponto de vista mundano (pois agora, para glorificar o Estado-Maior, faziam passar um general plebeu adiante de certos duques), mas ao qual, entretanto, como sabia que era considerada mal pensante, fazia amplas concessões, a ponto de recear ter de estender a mão a Swann nesse ambiente anti-semita. Sob este aspecto, logo se sentiu tranqüilizada, pois soube que o príncipe não deixara Swann entrar e tivera com ele "uma espécie de altercação". Não se animava a ter de conversar em público com o "pobre Charles", a quem preferia estimar na intimidade.

— E agora aquela outra ali? — exclamou a Sra. de Guermantes ao ver uma pequena dama de ar um tanto estranho, num vestido negro de tal modo simples que se poderia dizer tratar-se de uma desgraçada, lhe fazer, bem como o seu marido, um grande cumprimento. Não a reconheceu e, tendo dessas insolências, empertigou-se como que ofendida e olhou sem responder: — Quem é essa pessoa, Basin? — indagou com ar de espanto, ao passo que o Sr. de Guermantes, para desculpar a descortesia da mulher, cumprimentava a dama e apertava a mão do marido. — Mas é a Sra. de Chaussepierre, você foi muito descortês. — Não sei o que é Chaussepierre. — O sobrinho da velha Chanlivault. — Não conheço nada disso. Quem é a mulher, por que está me cumprimentando? — Ora, você conhece muito bem, é a filha da Sra. de Charleval, Henriette Montmorency. — Ah, mas conheci muito bem a sua mãe, ela era encantadora, muito espirituosa. Por que se casou com essas pessoas que eu não conheço? Você disse que ela se chama Sra. de Chaussepierre? — disse Oriane, escandindo esta última palavra com ar interrogativo e como se receasse enganar-se. O duque lançou-lhe um olhar duro. — Chamar-se Chaussepierre não é tão ridículo como você parece imaginar! O velho Chaussepierre era irmão da Charleval, de quem já falei, da Sra. de Sennecour e da viscondessa du Merlerault. São pessoas de elite. — Ah, chega! — exclamou a duquesa, que, como domadora, não queria dar nunca a impressão de que se intimidava com os olhares devoradores da fera. — Basin, você faz a minha alegria. Não sei aonde foi descobrir esses nomes, mas dou-lhe todos os meus cumprimentos. Se eu ignorava Chaussepierre, li Balzac, você não é o único, e li até Labiche. Aprecio Chanlivault, não odeio Charleval, mas confesso que du Merlerault é a obra-prima. Além disso, confessemos que Chaussepierre também não está mal. Você colecionou tudo isso, não é possível! O senhor que deseja escrever um livro — disse-me ela — deveria conservar Charleval e du Merlerault. Não encontrará nada melhor. — Ele vai é simplesmente arranjar um processo e irá para a cadeia; você lhe dá muitos maus conselhos, Oriane. — Espero que ele tenha à sua disposição pessoas mais jovens, se tem vontade de pedir maus conselhos, e sobretudo de segui-los. Mas se não tenciona fazer coisa pior que um livro! — Bem longe de nós, uma altiva e maravilhosa moça se destacava suavemente num vestido branco, todo diamantes e tule. A Sra. de Guermantes a observou enquanto ela falava diante de todo um grupo fascinado pela sua beleza. — A sua irmã por toda parte é a mais bonita; está encantadora esta noite — disse ela, enquanto pegava uma cadeira, ao príncipe de Chimay que passava. O coronel de Froberville (seu tio era o general do mesmo nome) veio sentar-se ao nosso lado, assim como o Sr. de Bréauté, ao passo que o Sr. de Vaugoubert, requebrando-se (por um excesso de polidez que conservava mesmo quando jogava tênis, onde à força de pedir licença às pessoas notáveis, antes de rebater a bola, fazia inevitavelmente com que o seu lado perdesse a partida), voltava para junto do Sr. de Charlus (até então quase embrulhado na saia imensa da condessa Molé, que ele fazia profissão de admirar entre todas as mulheres), e por acaso no momento em que vários membros de uma nova missão diplomática em Paris cumprimentavam o barão. À vista de um jovem secretário de ar particularmente inteligente, o Sr. de Vaugoubert fixou no Sr. de Charlus um sorriso onde visivelmente desabrochava uma só pergunta. De bom grado, talvez, o Sr. de Charlus comprometeria alguém; mas sentir-se ele próprio comprometido por esse sorriso que partia de outro e que só podia ter um sentido o exasperou. — Não sei absolutamente nada; peço-lhe que guarde sua curiosidade para si mesmo, pois ela me deixa mais que frio. Além disso, neste caso particular, o senhor comete um engano lamentável. Creio que este jovem é absolutamente o contrário. — Aqui, o Sr. de Charlus, irritado por ter sido denunciado por um tolo, não dizia a verdade. O secretário, se o barão tivesse dito a verdade, teria feito exceção naquela embaixada. De fato, ela era composta de personalidades bem diferentes, várias extremamente medíocres, de modo que, se buscassem o motivo pelo qual tinham sido escolhidas, só poderiam descobrir a inversão. E, pondo à testa dessa pequena Sodoma diplomática um embaixador que, ao contrário, apreciava as mulheres com um exagero cômico de galã de revista e que manobrava em regra o seu batalhão de travestis, pareciam ter obedecido à lei dos contrastes. Apesar do que via, não acreditava na inversão. Disto deu provas imediatas, casando sua irmã com um encarregado de negócios a quem julgava, erroneamente, um conquistador. Desde então, tornou-se um tanto incômodo e foi em breve substituído por uma Excelência nova que assegurou a homogeneidade do conjunto. Outras embaixadas procuraram rivalizar com esta, mas não puderam disputar-lhe o prêmio (como no concurso geral, onde um certo liceu o obtém sempre), e foi necessário que se passassem mais de dez anos antes que, tendo-se introduzido adidos heterogêneos naquele todo tão perfeito, uma outra pudesse enfim arrebatar-lhe a funesta palma e andar na frente.

Tranqüilizada quanto ao receio de ter de conversar com Swann, a Sra. de Guermantes sentia apenas curiosidade sobre o assunto da conversa que ele tivera com o dono da casa. — Sabe qual foi o assunto? — indagou o duque ao Sr. de Bréauté. — Ouvi dizer — respondeu este — que era a respeito de um pequeno ato que o escritor Bergotte fizera representar na casa deles. Aliás, era arrebatador. Mas parece que o ator se caracterizara de Gilbert, a quem o Sr. Bergotte quisera de fato retratar. — Vejam só, teria me divertido muito ao ver Gilbert ser representado — disse a duquesa sorrindo sonhadoramente. — Foi sobre essa pequena representação — continuou o Sr. de Bréauté, avançando sua mandíbula de roedor — que Gilbert pediu explicações a Swann, que se contentou em responder, o que todo mundo achou muito espirituoso:

"— Mas de jeito nenhum, não se assemelha em nada com o senhor; o senhor é muito mais ridículo!" — Aliás, parece — prosseguiu o Sr. de Bréauté — que aquela pecinha era deliciosa. A Sra. Molé estava presente e se divertiu bastante. — Como? A Sra. Molé vai lá? — perguntou a duquesa espantada. — Ah, certamente foi Mémé quem arrumou isso! É o que sempre acaba acontecendo com esses locais. Todo mundo, um belo dia, começa a ir lá e eu, que me excluo voluntariamente por princípio, fico sozinha a me aborrecer no meu canto. — Desde a narrativa que acabava de lhe fazer o Sr. de Bréauté, a duquesa de Guermantes (se não sobre o salão Swann, ao menos sobre a hipótese de encontrar-se com Swann dentro de um instante) já havia adotado, como se vê, um novo ponto de vista. — A explicação que o senhor nos dá — disse ao Sr. de Bréauté o coronel de Froberville — é totalmente forjada. Tenho meus motivos para dizê-lo. O príncipe, pura e simplesmente, fez um escândalo diante de Swann, dando-lhe a entender, como diziam nossos pais, que não mais se mostrasse em sua casa, considerando as opiniões que defende. E, no meu parecer, o tio Gilbert teve mil vezes razão, não só de fazer aquela cena, mas deveria ter rompido há mais de seis meses com um dreyfusista confesso.

O pobre Sr. de Vaugoubert, transformado desta vez de péssimo jogador de tênis numa verdadeira bola de tênis que arremessamos descuidados, viu-se projetado na direção da duquesa de Guermantes, a quem rendeu suas homenagens. Foi bastante mal recebido, pois Oriane vivia convencida de que todos os diplomatas — ou políticos — de seu mundo eram uns palermas.

O Sr. de Froberville forçosamente se beneficiara com a situação favorável que, desde pouco tempo, se formara a respeito dos militares na sociedade. Infelizmente, se a mulher com quem se casara era parenta muito legítima dos Guermantes, era uma parenta extremamente pobre, e, como ele próprio havia perdido a sua fortuna, eles quase não tinham relações e eram dessas pessoas que são deixadas de lado a não ser nos momentos importantes, quando lhes ocorria perderem ou casar um parente. Então, eles faziam verdadeiramente parte da comunhão da alta sociedade, como os católicos que só o são de nome e se aproximam da santa mesa apenas uma vez por ano. Sua situação material teria sido mesmo desgraçada se a Sra. de Saint-Euverte, fiel à afeição que dedicara ao falecido general de Froberville, não ajudasse o casal de todas as maneiras, fornecendo vestidos e distrações às duas meninas. Mas o coronel, que passava por bom rapaz, não era uma alma agradecida. Tinha inveja dos esplendores de uma benfeitora que não deixava de elogiá-los sem cessar e sem medida. O *garden-party* anual era para ele, sua mulher e suas filhas um prazer maravilhoso a que não faltariam por todo o ouro do mundo, mas um prazer envenenado pelo pensamento das alegrias de orgulho que dele tirava a Sra. de Saint-Euverte. O anúncio desse *garden-party* nos jornais, que a seguir, depois de uma descrição detalhada, acrescentavam de modo maquiavélico: "Voltaremos a essa bela festa", os detalhes complementares sobre as toaletes, dados durante vários dias seguidos, tudo isto fazia tão mal aos Frobervilles, que eles, bastante privados de prazeres e sabendo que podiam contar com os daquela festa, chegavam, todos os anos, a desejar que o mau tempo lhe prejudicasse o êxito, consultavam o barômetro e antegozavam, deliciados, os primórdios de uma tempestade que pudesse fazer gorar a festa.

— Não discutirei política com você, Froberville — disse o Sr. de Guermantes —; mas, no que tange a Swann, posso dizer com franqueza que sua conduta a nosso respeito foi inqualificável. Apadrinhado na sociedade antigamente por nós, e pelo duque de Chartres, dizem-me que é abertamente dreyfusista. Nunca teria acreditado nisso da parte dele, ele que é um fino *gourmet,* um espírito positivo, um colecionador, apreciador de livros antigos, membro do Jockey, um homem rodeado da consideração geral, um conhecedor de boas firmas e que nos enviava o melhor vinho do porto que se pode beber, um diletante, um pai de família. Ah, fui bem enganado. Não falo de mim; é voz corrente que sou uma velha besta, cuja opinião não conta, uma espécie de pobre-diabo, mas ao menos por Oriane ele não deveria ter feito isso, devia ter desaprovado abertamente os judeus e os sectários do condenado.

— Sim, depois da amizade que sempre lhe testemunhou a minha mulher — prosseguiu o duque, que evidentemente considerava que condenar Dreyfus por alta traição, fosse qual fosse a opinião que se tivesse intimamente quanto à sua culpabilidade, constituía uma espécie de agradecimento pelo modo como se fora recebido no *faubourg* Saint-Germain — ele deveria ter retirado sua solidariedade. Pois, perguntem a Oriane, ela sentia verdadeira amizade por ele. — A duquesa, pensando que um tom ingênuo e calmo daria um valor mais sincero e dramático às suas palavras, disse com uma voz de colegial, como se deixasse simplesmente sair a verdade de sua boca e apenas dando aos olhos uma expressão um tanto melancólica: — Mas é verdade, não tenho motivo algum para ocultar que sentia um afeto sincero por Charles! — Vejam, não a obriguei a falar. E, depois disso, ele leva a ingratidão ao ponto de ser dreyfusista!

— A propósito de dreyfusistas — disse eu —, parece que o príncipe Von o é. — Ah, o senhor faz bem em me falar dele — exclamou o Sr. de Guermantes —; já ia esquecendo que ele me pediu para vir jantar segunda-feira. Mas seja ele dreyfusista ou não, pouco me importa, visto que é estrangeiro. É-me perfeitamente indiferente. No caso de um francês, a coisa muda de figura. É verdade que Swann é judeu. Mas até o dia de hoje — desculpe-me Froberville — eu tinha tido a fraqueza de crer que um judeu pudesse ser francês, quero dizer, um judeu honrado, homem da alta sociedade. Ora, Swann era exatamente isto, em toda a extensão da palavra. Pois bem, ele me obriga a reconhecer que me enganei, visto que toma o partido de Dreyfus (que, culpado ou não, de modo algum faz parte do seu meio, e a quem jamais teria encontrado) contra uma sociedade que o havia adotado, que o tratara como a um dos seus. Não há o que negar, nós todos éramos fiadores de Swann, eu teria jurado pelo seu patriotismo como pelo meu. Ah, ele nos recompensa muito mal. Confesso que nunca esperaria isso de sua parte. Julgava-o melhor. Ele tinha espírito (em seu gênero, bem entendido). Bem sei que já cometera a insanidade de seu casamento vergonhoso. Olhem, sabem a que pessoa o casamento de Swann fez muito mal? À minha mulher. Oriane muitas vezes tem o que eu chamaria afetação de insensibilidade. Mas, no fundo, ela sente com uma intensidade extraordinária. — A Sra. de Guermantes, encantada com essa análise do seu caráter, escutava-o com ar modesto, mas não dizia uma só palavra, por escrúpulo de aquiescer com o elogio, sobretudo com receio de interrompê-lo. O Sr. de Guermantes poderia falar uma hora a esse respeito que ela teria se mexido ainda menos do que se lhe tocassem música. — Pois bem! Lembro-me que, quando ela soube do casamento de Swann, sentiu-se magoada; achou que aquilo era malfeito da parte de alguém a quem tínhamos testemunhado tanta amizade. Ela gostava muito de Swann; ficou muito desgostosa. Não é mesmo, Oriane? — A Sra. de Guermantes julgou dever responder a uma interpelação tão direta, sobre um assunto que lhe permitiria, sem que o parecesse, confirmar os louvores que sentia estar acabados. Num tom tímido e simples, e com um ar tanto mais estudado quanto desejaria parecer "sentido", ela disse com uma doçura reservada: — É verdade, Basin não se engana. — E, no entanto, ainda não era a mesma coisa. Que querem, o amor é o amor, embora, na minha opinião, deva permanecer dentro de certos limites. Eu ainda poderia desculpar um rapaz, um fedelho que se deixa embalar por utopias. Porém Swann, um homem inteligente, de uma delicadeza comprovada, um fino conhecedor de quadros, um familiar do duque de Chartres, do próprio Gilbert! — O tom que o Sr. de Guermantes empregava era aliás perfeitamente simpático, sem sombra da vulgaridade que tantas vezes demonstrava. Falava com uma tristeza levemente indignada, porém tudo nele respirava aquela doce gravidade que faz o encanto untuoso e largo de certas personagens de Rembrandt, por exemplo o burgomestre Six. Sentia-se que a questão da imoralidade da conduta de Swann no Caso Dreyfus nem mesmo se apresentava ao duque, de tão fora de dúvida que estava; sentia-se nele a aflição de um pai que vê um de seus filhos, para cuja educação fez os maiores sacrifícios, arruinar voluntariamente a magnífica situação que lhe proporcionara e desonrar um nome respeitado com desatinos que os princípios ou preconceitos da família não podem admitir. É verdade que o Sr. de Guermantes não havia manifestado outrora um espanto de tal modo profundo e doloroso ao saber que Saint-Loup era dreyfusista. Mas, primeiro, considerava o sobrinho um rapaz no mau caminho e de quem nada poderia espantar enquanto não se emendasse; ao passo que Swann era o que o Sr. de Guermantes chamava "um homem ponderado, uma pessoa que desfrutava de uma posição de primeira ordem". Depois, e principalmente, passara-se um período bastante longo, durante o qual, se, do ponto de vista histórico, os acontecimentos pareceram em parte justificar a tese dreyfusista, a oposição antidreyfusista havia redobrado de violência e, de puramente política a princípio, tornara-se social. Era agora uma questão de militarismo, de patriotismo, e as ondas de cólera erguidas na sociedade tinham tido tempo de adquirir aquela força que jamais têm no começo de uma tempestade. — Vejam — continuou o Sr. de Guermantes —, mesmo do ponto de vista de seus caros judeus, já que faz questão absoluta de apoiá-los, Swann cometeu um disparate de alcance incalculável. Prova que todos eles estão secretamente unidos e, de alguma forma, são obrigados a prestar auxílio a alguém de sua raça, mesmo se não o conhecem. É um perigo público. Evidentemente, temos sido indulgentes demais, e o deslize de Swann terá tanto mais repercussão porque ele era estimado, e até recebido, sendo de certo modo quase que o único judeu que conhecíamos. Poderá dizer-se: *Ab uno disce omnes.*[8] (A satisfação de ter descoberto na memória, no momento adequado, uma citação tão oportuna bastou para iluminar com um sorriso orgulhoso a melancolia do grão-senhor traído.)

Sentia eu grande vontade de saber o que se passara exatamente entre Swann e o príncipe, e de ver o primeiro, caso ainda não houvesse deixado a festa. — Eu lhe direi — falou-me a duquesa, a quem eu externara este meu desejo — que, quanto a mim, não faço muita questão de vê-lo, pois parece, segundo o que me disseram há pouco na casa da Sra. de Saint-Euverte, que ele desejaria, antes de morrer, que eu conhecesse a sua mulher e sua filha. Meu Deus, tenho uma pena infinita de que esteja doente, mas primeiro espero que não seja tão grave assim. Depois, afinal isso não é um motivo, porque de fato seria fácil demais. Bastava que um escritor sem talento dissesse: "Vote a meu favor na Academia, porque minha mulher vai morrer e eu quero dar-lhe esta última alegria." Não haveria mais salões se a gente fosse obrigada a conhecer todos os agonizantes. Meu cocheiro poderia alegar: "Minha filha está muito mal, faça com que eu seja recebido na casa da princesa de Parma." Adoro Charles e me dá muita pena fazer-lhe uma recusa. Assim, é por isso que prefiro evitar que ele me peça. Espero de todo o meu coração que ele não esteja para morrer, como afirma, mas, se isso de fato se verificar, não seria para mim o momento oportuno de conhecer essas duas criaturas que me privaram do mais agradável de meus amigos durante quinze anos, e que ele me deixaria por nada, uma vez que eu nem sequer poderia aproveitar-me disso para vê-lo, pois estaria morto!

Mas o Sr. de Bréauté não cessara de ruminar o desmentido que lhe fizera o coronel de Froberville. — Não duvido da exatidão de seu relato, meu caro amigo — disse ele —, mas a minha versão era de boa fonte. Foi o príncipe de La Tour d'Auvergne que me contou. — Espanta-me que um erudito como o senhor diga ainda príncipe de La Tour d'Auvergne — interrompeu o duque de Guermantes —; o senhor sabe muito bem que ele absolutamente não o é. Só existe um membro dessa família. É o duque de Bouillon, tio de Oriane. — O irmão da Sra. de Villeparisis? — perguntei, lembrando-me

[8] Do latim: "Por um só julga a todos." Palavras da *Eneida,* de Virgílio. (N. do T.)

de que esta era uma Srta. de Bouillon. — Perfeitamente. Oriane, a Sra. de Lambresac a está cumprimentando.

De fato, via-se, por instantes, formar-se e passar como uma estrela cadente um débil sorriso destinado pela duquesa de Lambresac a alguma pessoa que ela havia reconhecido. Tal sorriso, no entanto, em vez de precisar-se numa afirmação ativa, numa linguagem muda porém clara, mergulhava quase de imediato numa espécie de êxtase ideal que não distinguia nada, ao passo que a cabeça se inclinava num gesto de bênção beatífica, lembrando o que inclina para a multidão de comungantes um prelado já meio senil. A Sra. de Lambresac não o era de modo algum. Mas eu já conhecia esse tipo especial de distinção antiquada. Em Combray e em Paris, todas as amigas de minha avó tinham o hábito de cumprimentar, numa reunião mundana, com um aspecto tão seráfico feito se tivessem avistado alguém de seu conhecimento na igreja, no momento da elevação ou durante um enterro, e lhe atirassem molemente um cumprimento que terminasse em reza. Ora, uma frase do Sr. de Guermantes ia completar a comparação que eu fazia. — Mas o senhor viu o duque de Bouillon — disse-me ele. — Estava saindo da biblioteca quando o senhor ia entrando. Era um homem baixinho e de cabelos brancos. — Fora ele quem eu tomara por um pequeno-burguês de Combray, e cuja semelhança com a Sra. de Villeparisis eu descobria agora, pensando nele. A parecença das saudações evanescentes da duquesa de Lambresac com as das amigas de minha avó havia começado a me interessar, ao mostrar-me que, nos meios estreitos e fechados, sejam da pequena burguesia ou da alta nobreza, subsistem as maneiras antigas, permitindo-nos, como a um arqueólogo, recuperar o que podia ser a educação e a parte da alma que ela reflete no tempo do visconde d'Arlincourt e de Loïsa Puget. A perfeita conformidade de aparência entre um pequeno-burguês de Combray de sua idade e o duque de Bouillon lembrava-me melhor agora (o que já me impressionara tanto quando vira o avô materno de Saint-Loup, o duque de La Rochefoucauld, num daguerreótipo em que ele era exatamente igual ao meu tio-avô, tanto na roupa como no aspecto e nos modos de ser) que as diferenças sociais, e até individuais, fundem-se a distância na uniformidade de uma época. A verdade é que a semelhança dos trajes e também a reverberação, pela fisionomia, do espírito da época ocupam numa pessoa um lugar sensivelmente mais importante que o de sua casta, a qual só tem papel considerável no amor-próprio do interessado e na imaginação dos outros, de forma que não é preciso percorrer as galerias do Louvre para perceber que um grão-senhor do tempo de Luís Filipe é menos diferente de um burguês do tempo de Luís Filipe que de um grão-senhor do tempo de Luís XIV.

Neste momento, um músico bávaro de longos cabelos, que a princesa de Guermantes protegia, saudou Oriane. Esta respondeu com uma inclinação de cabeça, mas o duque, furioso por ver sua mulher cumprimentar alguém a quem ele não conhecia, que tinha modos singulares e que, tanto quanto o Sr. de Guermantes julgava saber, era de muito má reputação, virou-se para a mulher com ar terrível e interrogativo, como se dissesse: "Quem é esse ostrogodo?" A situação da pobre Sra. de Guermantes já era bastante complicada e, se o músico tivesse tido um pouco de piedade dessa esposa mártir, teria se afastado bem depressa. Mas, fosse por desejo de não permanecer debaixo da humilhação que lhe acabava de ser infligida em público, no meio dos mais velhos amigos do círculo do duque, cuja presença talvez tivesse justamente motivado um pouco a sua silenciosa inclinação, e para mostrar que era de direito, e não sem conhecê-la, que havia saudado a Sra. de Guermantes, fosse por obedecer à inspiração obscura e irresistível da gafe que o levara a aplicar a própria letra do protocolo — num momento em que devia antes restringir-se ao espírito —, o músico se aproximou ainda mais da Sra. de Guermantes e lhe disse: — Sra. duquesa, gostaria de solicitar a honra de ser apresentado ao duque. — A Sra. de Guermantes era bem infeliz. Mas enfim, por mais que fosse uma esposa traída, ainda assim era a duquesa de Guermantes e não podia parecer destituída do direito de apresentar ao marido as pessoas que conhecia. — Basin — disse ela; — permita que lhe apresente o Sr. d'Herweck. — Não lhe pergunto se irá amanhã à casa da Sra. de Saint-Euverte — disse o coronel de Froberville à Sra. de Guermantes, para dissipar a penosa impressão produzida pela solicitação intempestiva do Sr. d'Herweck. — Paris inteira vai estar lá. — Entretanto, virando-se num só movimento e como de uma só peça para o músico indiscreto, o duque de Guermantes, enfrentando-o monumental, mudo, enfurecido, como Júpiter tonante, permaneceu imóvel desse jeito por alguns segundos, os olhos flamejando de cólera e de espanto, os cabelos frisados parecendo sair de uma cratera. Depois, como no transporte de um impulso que só a polidez solicitada lhe permitia cumprir, e após ter dado a impressão, por sua atitude de desafio, de atestar a toda a assistência que não conhecia o músico bávaro, cruzando às costas as duas mãos enluvadas de branco, inclinou-se para diante e fez ao músico uma saudação tão profunda, cheia de tanta estupefação e raiva, tão brusca, tão violenta, que o artista, tremendo, recuou, inclinando-se para não receber uma cabeçada no ventre. — Mas é que justamente não estarei em Paris — respondeu a duquesa ao coronel de Froberville. Dir-lhe-ei (não deveria confessá-lo) que cheguei à minha idade sem conhecer os vitrais de Montfort-l'Amaury. É vergonhoso, mas é assim. Então, para reparar essa ignorância culpável, prometi ir vê-los amanhã. — O Sr. de Bréauté sorriu com finura. De fato, compreendera que, se a duquesa pudera ficar até a sua idade sem conhecer os vitrais de Montfort-l'Amaury, essa visita artística não assumia de súbito o caráter urgente de uma intervenção cirúrgica e teria podido sem risco, depois de ser adiada durante mais de vinte e cinco anos, sofrer um atraso de vinte e quatro horas. O projeto da duquesa era simplesmente o decreto baixado, à maneira dos Guermantes, de que o salão Saint-Euverte decididamente não era uma casa verdadeiramente distinta, mas uma casa em que a gente era convidada para depois se enfeitarem conosco na crônica social do *Gaulois*, uma casa que distinguiria com um selo de suprema elegância aquelas (ou pelos menos aquela, caso se tratasse de uma só) que ali não seriam vistas. O delicado prazer do Sr. de Bréauté, duplicado pelo prazer poético sentido pelas pessoas da alta sociedade ao verem a Sra. de Guermantes fazer coisas que sua posição menos elevada não lhes permitia imitar, mas cuja simples visão lhes provocava o sorriso do camponês ligado à sua gleba que vê homens mais livres e mais afortunados passarem acima de sua cabeça, esse prazer delicado não tinha qualquer relação com o encantamento dissimulado, porém desvairado, que logo experimentou o Sr. de Froberville.

Os esforços que o Sr. de Froberville fazia para que não ouvissem o seu riso tinham-no feito ficar vermelho como um galo e, apesar disso, foi entrecortando as palavras com soluços de hilaridade que ele exclamou em tom misericordioso: — Oh, pobre tia Saint-Euverte, ela vai ficar doente por causa disso! Não, a infeliz não vai ter a sua duquesa. Que golpe! Essa é de matar! — acrescentou, torcendo-se de riso. E na sua embriaguez não pôde deixar de socorrer-se dos pés e esfregar as mãos. Sorrindo com um olho e só nos cantos da boca ao Sr. de Froberville, de quem apreciava as amáveis intenções, mas nem por isso menos sentia um tédio mortal, a Sra. de Guermantes acabou por se decidir a abandoná-lo.

— Escute, vou ser *obrigada* a me despedir do senhor — disse-lhe a duquesa, erguendo-se com ar de resignação melancólica, e como se aquilo representasse uma desgraça para ela. Ao encanto de seus olhos azuis, sua voz docemente musical fazia pensar na queixa poética de uma fada. — Basin quer que eu vá ficar um pouco com Marie. — Na realidade, estava farta de ouvir Froberville, o qual não cessava de invejá-la por ir a Montfort-l'Amaury, quando ela sabia muito bem que era a primeira vez que ele ouvia falar naqueles vitrais, e que, por outro lado, não perderia por nada no mundo a reunião na casa da Sra. de Saint-Euverte. — Adeus, mal pude lhe falar; é assim mesmo na sociedade, a gente mal se vê, não diz as coisas que gostaria de dizer. Aliás, dá-se o mesmo em toda parte na vida. Esperemos que após a morte as coisas sejam mais bem arranjadas. Pelo menos, não haverá necessidade de estar sempre a decotar-se. E mesmo assim, quem sabe? Talvez a gente exiba os ossos e os vermes para as grandes recepções. Por que não? Olhem só a tia Rampillon; acham muita diferença entre isso e um esqueleto de vestido de baile? É verdade que ela tem todos os direitos, pois já completou no mínimo cem anos. Era já um dos monstros sagrados diante de quem eu me recusava a inclinar-me quando estreei na sociedade. Julgava-a morta há muito tempo, o que, aliás, seria a única explicação para o espetáculo que nos oferece. É impressionante e litúrgico. Puro *Campo-Santo*! — A duquesa deixara Froberville; ele se reaproximou: — Queria dizer-lhe uma última palavra. — Um tanto irritada: — O que deseja ainda? — disse-lhe ela com altivez. E ele, receando que no último instante ela desistisse de Montfort-l'Amaury: — Não tive coragem de lhe falar por causa da Sra. de Saint-Euverte, para não magoá-la, mas já que não tenciona ir até lá, posso lhe dizer que estou feliz pela senhora, pois há sarampo na casa dela! — Oh, meu Deus! — exclamou Oriane, que tinha medo de doenças. — Mas quanto a mim não quer dizer nada, pois eu já tive sarampo. Não se tem sarampo duas vezes. — São os médicos que dizem isto. Conheço pessoas que já tiveram até quatro vezes. Enfim, está avisada. — Quanto a ele, seria preciso que tivesse de fato esse sarampo fictício, e que ficasse preso ao leito para se resignar a faltar à festa Saint-Euverte, esperada há tantos meses. Teria o prazer de ali ver tantas elegâncias! O maior prazer de constatar certas coisas goradas e, principalmente, o de poder durante muito tempo vangloriar-se de ter convivido com as primeiras e, exagerando-as ou inventando-as, deplorar as segundas.

Aproveitei que a duquesa se afastara a fim de também sair dali; fui para o *fumoir*, procurando informar-me acerca de Swann. — Não creia numa só palavra do que falou Babal — disse-me a Sra. de Guermantes. — Jamais a pequena Molé teria ido se enfiar lá. Dizem isso para nos atrair. Não recebem ninguém e não são convidados a parte alguma. Ele mesmo o confessa: "Ficamos os dois sozinhos junto à lareira." Como ele diz sempre nós, não como o rei, mas em nome da mulher, não insisto. Mas estou bem informada — acrescentou a duquesa. Cruzamos por dois jovens cuja grande e dissemelhante beleza se originava de uma mesma mulher. Eram os dois filhos da Sra. de Surgis, a nova amante do duque de Guermantes. Resplandeciam das perfeições da mãe, mas cada um de perfeição diversa. Para um havia passado, ondulante num corpo viril, a régia imponência da Sra. de Surgis, e a mesma palidez ardente, arruivada e sacra afluía às faces marmóreas da mãe e desse filho; mas seu irmão havia recebido a fronte grega, o nariz perfeito, o pescoço de estátua, os olhos infinitos. Feita assim de presentes diversos que a deusa havia repartido, essa dupla beleza oferecia o prazer abstrato de pensar que sua causa estava fora deles; dir-se-ia que os principais atributos da mãe se haviam encarnado em dois corpos diferentes: que um dos jovens tinha a estatura e a tez de sua mãe, e o outro, o seu olhar, como os seres divinos que eram apenas a força e a beleza de Júpiter ou de Minerva. Cheios de respeito pelo Sr. de Guermantes, dele diziam: — É um grande amigo de nossos pais. — O mais velho, no entanto, achou que era prudente não vir cumprimentar a duquesa, de quem conhecia a inimizade por sua mãe, sem talvez compreender-lhe o motivo. E, ao passar por nós, desviou ligeiramente a cabeça. O mais novo, que sempre imitava o irmão, porque, sendo estúpido e além disso míope, não ousava ter opinião pessoal, inclinou a cabeça no mesmo ângulo e ambos deslizaram para a sala de jogos, um atrás do outro, semelhantes a duas figuras alegóricas.

No momento de chegar àquela sala, fui detido pela marquesa de Citri, ainda bonita, mas quase soltando espuma pela boca, de raiva. De nascimento bastante nobre, procurara e conseguira fazer um belo casamento ao desposar o Sr. de Citri, cuja bisavó era uma Aumale-Lorraine. Mas, logo que experimentara essa satisfação, seu temperamento negativista lhe fizera criar horror às pessoas da alta sociedade, o que não excluía absolutamente a vida mundana. Não só, numa recepção, ela zombava de todo mundo, como também semelhante zombaria continha algo de tão violento que o próprio riso não era bastante áspero e se transformava num assovio gutural: — Ah! — disse ela, apontando para a duquesa de Guermantes que acabara de me deixar e já estava um pouco distante. — O que me transtorna é que ela possa levar essa vida. — Seriam essas palavras de uma santa furibunda, que se espanta de que os gentios não cheguem por si mesmos à verdade, ou de uma anarquista sequiosa de carnificina? Em todo caso, essa apóstrofe era tão pouco justificada quanto possível. Primeiro, a "vida que levava" a Sra. de Guermantes diferia muito pouco (salvo a indignação) da da Sra. de Citri. Esta se mostrava estupefata de ver a duquesa capaz deste sacrifício mortal: assistir a uma recepção de Marie-Gilbert. É necessário dizer que, no caso em apreço, a Sra. de Citri gostava muito da princesa, que na verdade era muito bondosa, e sabia que lhe dava muita satisfação em comparecer à sua festa. Assim, para estar presente, dispensara naquela noite uma bailarina que julgava ser genial e que devia iniciá-la nos mistérios da coreografia russa. Um outro motivo que tirava todo valor à raiva concentrada da Sra. de Citri, ao ver Oriane cumprimentar este ou aquele convidado, é que a Sra. de Guermantes, embora em estado bem menos avançado, apresentava os mesmos sintomas do mal que assolava a Sra. de Citri. Viu-se, aliás, que ela carregava os seus germes de nascença. Afinal, mais inteligente que a Sra. de Citri, a duquesa teria tido mais direitos do que a outra a esse niilismo (que era somente mundano), mas é verdade que certas qualidades antes ajudam a suportar os defeitos do próximo do que contribuem para que se sofra com eles; e um homem de grande talento habitualmente prestará menos atenção às asneiras de outrem do que o faria um tolo. Já descrevemos longamente o tipo de espírito da duquesa para provar que, se nada tinha em comum com uma alta inteligência, era ao menos dotada de espírito, um espírito apto a utilizar (como um tradutor) diferentes formas de sintaxe. Ora, nada disso parecia autorizar a Sra. de Citri a desprezar qualidades tão parecidas com as dela. Ela achava todo mundo idiota, mas, em sua conversação e nas cartas, mostrava-se ainda inferior às pessoas que tratava com tanto desdém. Além disso, sentia uma tal necessidade de destruir que, após ter mais ou menos renunciado à sociedade, os prazeres que então buscou sofreram sucessivamente o seu terrível poder dissolvente. Depois de ter deixado as recepções para freqüentar sessões musicais, pôs-se a dizer: — Gostam de ouvir música? Ah, meu Deus, isso depende dos momentos. Mas como pode ser aborrecido! Ah, Beethoven, que barbeiro! — quanto a Wagner, e depois quanto a Franck, Debussy, ela nem se dava ao trabalho de dizer "que barbeiro", contentando-se em passar a mão pelo rosto como um barbeiro. Em breve, tudo se tornou aborrecido. — São tão aborrecidas as coisas bonitas! Ah, os quadros, são de a gente ficar louco! Como vocês tinham razão, é aborrecido escrever cartas! — Finalmente, foi a própria vida que ela nos declarou ser uma coisa enfadonha, sem que se soubesse com certeza de onde tirava o seu termo de comparação.

Não sei se é por causa do que a duquesa de Guermantes, no primeiro dia em que jantei em sua casa, disse acerca dessa peça, mas a sala de jogos, ou *fumoir*, com seu pavimento ilustrado, suas trípodes, suas figuras de deuses e de animais que nos olhavam, as esfinges ao comprido dos braços das cadeiras, e sobretudo a imensa mesa de mármore ou mosaico esmaltado, coberta de signos simbólicos mais ou menos imitados da arte etrusca e egípcia, aquela sala de jogos teve sobre mim o efeito de uma verdadeira câmara mágica. Ora, numa cadeira próxima da mesa refulgente e augural, o Sr. de Charlus, sem tocar em nenhuma carta, insensível ao que se passava a seu redor, incapaz de perceber que eu acabara de entrar, parecia exatamente um mágico que aplicasse todo o poder de sua vontade e de seu raciocínio em elaborar um horóscopo. Não apenas, como a uma Pítia sobre uma trípode, os olhos lhe saíam das órbitas, mas, para que nada viesse distraí-lo dos trabalhos que exigiam a cessação dos movimentos mais simples, ele (tal como um calculador que não quer fazer outra coisa enquanto não tiver resolvido o seu problema) depusera à sua frente o charuto que ainda há pouco trazia na boca, não tendo agora liberdade de espírito para fumá-lo. Vendo as duas divindades agachadas que tinha em seus braços a poltrona colocada à sua frente, poder-se-ia acreditar que o barão buscava descobrir o enigma da Esfinge, não fosse antes o enigma de um jovem e vivo Édipo, assentado precisamente naquela poltrona, onde se instalara para jogar. Ora, a figura à qual o Sr. de Charlus aplicava, e com tal contensão, todas as suas faculdades espirituais e que na verdade não era daquelas que de hábito se estudam *more geométrico*,[9] era a que lhe propunham as linhas do rosto do jovem marquês de Surgis; parecia, tão profundamente o Sr. de Charlus estava absorto diante dela, alguma palavra cifrada, alguma adivinha, algum problema da álgebra de que procurava desvendar o enigma ou achar a fórmula. Diante dele, os signos sibilinos e as figuras inscritas nessa tábua da Lei pareciam o engrimanço que ia permitir ao velho feiticeiro saber em que sentido se orientariam os destinos do jovem. De súbito, percebeu que eu o observava. Ergueu a cabeça como se saísse de um devaneio e me sorriu, enrubescendo. Neste instante, o outro filho da Sra. de Surgis reuniu-se ao que estava jogando, para olhar as suas cartas. Quando o Sr. de Charlus soube por mim que eram irmãos, seu rosto não pôde dissimular a admiração que lhe inspirava uma família criadora de obras-primas tão esplêndidas e diferentes. E o que ainda aumentaria o entusiasmo do barão seria saber que os dois filhos da Sra. de Surgis-le-Duc não eram apenas da mesma mãe, e sim do mesmo pai. Os filhos de Júpiter são dissemelhantes, mas isto decorre de que ele desposou primeiro Métis, cujo destino era dar à luz filhos com juízo, depois Têmis, e a seguir Eurínome e Latona, e por último somente Juno. Mas de um só pai a Sra. de Surgis fizera nascer dois filhos que haviam recebido as suas belezas, porém belezas diferentes.

Por fim, tive o prazer de que Swann entrasse naquela sala que era bem vasta, tanto que a princípio ele não me viu. Prazer mesclado de tristeza, uma tristeza que os demais convidados talvez não sentissem, mas que entre eles consistia naquela espécie de fascinação exercida pelas formas inesperadas e singulares de uma morte próxima, de uma morte que, como diz o povo, já se tem no rosto. E foi com uma estupefação quase mal-educada, onde entrava a curiosidade indiscreta, a crueldade, um regresso a um tempo quieto e preocupado sobre si mesmo (a um tempo mistura de *suave mari*

[9] Do latim, "conforme a geometria". (N. do T.)

magno e de *memento quia pulvis*,[10] teria dito Robert), que todos os olhos se fixaram naquele rosto cujas faces a doença cavara de tal modo, como uma lua minguante, que, a não ser de um certo ângulo, sem dúvida aquele sob o qual Swann se observava, rodavam como um cenário inconsistente ao qual uma ilusão de ótica pode somente conferir a aparência de espessura. Seja por causa da ausência dessas faces, que não mais estavam ali para diminuí-lo, seja que a arteriosclerose, que também é uma intoxicação, o avermelhasse como o teria feito a embriaguez ou o deformasse como o faria a morfina, o nariz de polichinelo de Swann, durante longo tempo incorporado a um rosto agradável, parecia agora enorme, intumescido, carmesim, antes o nariz de um velho hebreu que o de um curioso Valois. Além disso, nele talvez, naqueles últimos dias, a raça fazia reaparecer mais acentuadamente o tipo físico que a caracteriza, ao mesmo tempo que o sentimento de uma solidariedade moral com os outros judeus, solidariedade que Swann parecia haver esquecido a vida inteira, e que, enxertados uns sobre os outros, a doença mortal, o Caso Dreyfus, a propaganda anti-semita haviam despertado. Existem alguns judeus, muito finos no entanto e mundanos delicados, nos quais permanecem de reserva e nos bastidores, a fim de fazer sua entrada numa determinada hora de suas vidas, como numa peça, um grosseirão e um profeta. Swann chegara à idade do profeta. Certamente com sua figura de onde, sob a ação da doença, segmentos inteiros haviam desaparecido como num bloco de gelo que se derrete e do qual caem paredes inteiras, ele mudara muito. Mas eu não podia evitar de ficar impressionado ao ver o quanto mais mudara ele em relação a mim. Aquele homem excelente, culto, que eu estava bem longe de aborrecer-me ao encontrar, não conseguia eu compreender como pudera antigamente impregná-lo de um mistério tal que seu aparecimento nos Champs-Élysées me fazia bater o coração, a ponto de eu ter vergonha de me aproximar de sua pelerine forrada de seda, e que, à porta do apartamento em que morava uma tal criatura, eu não podia bater sem ser possuído de uma perturbação e de um tremor infinitos. Tudo isto havia desaparecido não só de sua residência, mas também de sua pessoa, e a idéia de conversar com ele podia me ser agradável ou não, mas não afetava em nada o meu sistema nervoso.

[10] Citações em latim: *suave mari magno* ("É doce, no vasto mar") vem de Lucrécio (*De natura rerum*, "Sobre a natureza das coisas"); o trecho completo é: "É doce, quando, no vasto mar, os ventos erguem as ondas, observar, da terra firme, os terríveis perigos de outrem." A outra citação pertence à liturgia católica: *Memento, homo, quia pulvis es et in pulverem reverteris* ("Lembra-te, homem, de que és pó e ao pó voltarás."). (N. do T.)

E, além disso, como havia mudado desde aquela mesma tarde — em suma, poucas horas mais cedo — em que o encontrara no gabinete do duque de Guermantes! Teria tido realmente uma cena com o príncipe e que o deixara transtornado? A suposição não era necessária. Os menores esforços exigidos a alguém que está muito enfermo depressa se tornam para ele um esgotamento excessivo. Por pouco que seja exposto, já fatigado, ao calor de um sarau, sua fisionomia se decompõe e azulesce, como se dá com uma pêra madura demais em menos de vinte e quatro horas, ou com o leite prestes a talhar. Ademais, a cabeleira de Swann apresentava falhas em alguns pontos e, como dizia a Sra. de Guermantes, precisava de um forrador, tinha o ar canforado, e mal canforado. Eu ia atravessar o *fumoir* e falar com Swann quando, infelizmente, uma mão se abateu sobre meu ombro: — Bom-dia, meu caro, estou em Paris por quarenta e oito horas. Passei na tua casa e me disseram que estavas aqui, de forma que é a ti que a minha tia deve a honra da minha presença em sua festa. — Era Saint-Loup. Disse-lhe o quanto achava bonita aquela casa. — Sim, faz o gênero do monumento histórico. Quanto a mim, acho-a aborrecida. Não fiquemos perto do tio Palamède, senão ele nos pega. Como a Sra. Molé (pois é ela quem dá corda atualmente) acaba de sair, ele se encontra inteiramente desamparado. Parece que era um verdadeiro espetáculo, ele não arredou um só instante e só a deixou quando a pôs no carro. Não lhe quero mal por isso; apenas acho engraçado que o meu conselho de família, que sempre se mostrou tão severo comigo, seja composto precisamente dos parentes que mais fizeram das suas, a começar pelo mais pândego de todos, o meu tio Charlus, que é meu suplente de tutor, que teve tantas mulheres como dom Juan e que na sua idade não entrega os pontos. Cogitou-se por um momento de me nomearem um conselho judiciário. Acho que, quando todos esses velhos peraltas se reuniam para examinar o assunto, fazendo-me vir para me passar lição de moral e dizer que eu dava desgostos à minha mãe, não deviam poder olhar uns para os outros sem rir. Examinarás a composição do conselho: parece que escolheram precisamente aqueles que mais andaram levantando saias. — Pondo de lado o Sr. de Charlus, a cujo respeito o espanto do meu amigo já não me parecia justificado, mas por outros motivos que aliás deviam modificar-se mais tarde em meu espírito, Robert não tinha razão em julgar extraordinário que lições de sensatez fossem dadas a um jovem por parentes que haviam feito loucuras, ou as faziam ainda.

Mesmo que o atavismo e as parecenças de família fossem as únicas causas em jogo, é inevitável que o tio que prega o sermão tenha mais ou menos os mesmos defeitos que o sobrinho a quem foi encarregado de repreender. O tio, aliás, não põe nisso nenhuma hipocrisia, enganado que está pela faculdade que têm os homens de acreditar, em cada nova circunstância, que se trata de "outra coisa", faculdade que lhes permite adotar erros artísticos, políticos, etc., sem se aperceberem de que são os mesmos que tomaram por verdades, dez anos antes, a propósito de uma outra escola de pintura, que condenavam, de um outro caso político, que juravam merecer o seu ódio, de que se afastaram, e que esposam sem os reconhecer sob um novo disfarce. Além disso, mesmo que as faltas do tio sejam diferentes das do sobrinho, ainda assim a hereditariedade pode não menos constituir em certa medida a lei causal, pois o efeito nem sempre se parece à causa, como a cópia ao original, e até mesmo se as faltas do tio são piores, ele pode perfeitamente achá-las menos graves.

Quando o Sr. de Charlus acabava de fazer advertências indignadas a Robert, que, aliás, naquela época, não conhecia os verdadeiros gostos do tio, e mesmo que fosse ainda naquela em que o barão afrontava os próprios gostos, poderia ele ter sido perfeitamente sincero ao considerar, do ponto de vista do homem mundano, que Robert era infinitamente mais culpável que ele. Pois Robert não chegara quase a ser banido de seu mundo, quando seu tio fora encarregado de fazê-lo recobrar a razão? Pois não faltara pouco para que fosse recusado no Jockey? Não era ele objeto de escárnio pelas loucas despesas que fazia por uma mulher da pior categoria, por suas amizades com pessoas, escritores, atores, judeus, dos quais nenhum pertencia a seu mundo, por suas opiniões que não se diferençavam das de um traidor, pela mágoa que causava a todos os seus? E em que podia se comparar essa vida escandalosa à do Sr. de Charlus, que soubera, até agora, não só conservar mas ainda engrandecer a sua posição de Guermantes, sendo na sociedade uma criatura absolutamente privilegiada, solicitada, adulada pelos grupos mais seletos, e que, casado com uma princesa de Bourbon, mulher eminente, soubera fazê-la feliz, e votara à sua memória um culto mais fervoroso, mais exato do que o que se tem de hábito entre os mundanos, e também fora tão bom marido como filho extremoso?

— Mas estás bem certo de que o Sr. de Charlus possui tantas amantes? — indaguei, não evidentemente com a diabólica intenção de revelar a Robert o segredo que havia surpreendido, mas todavia irritado por vê-lo sustentar um engano com tanta certeza e suficiência. Ele se contentou em dar de ombros, como resposta, ao que julgava ingenuidade de minha parte. — Aliás, não o censuro; acho que tem toda a razão. — E principiou a esboçar para mim uma teoria que lhe teria dado horror em Balbec (onde não se limitava a invectivar os sedutores, parecendo-lhe a morte a única pena proporcional ao crime). É que então ainda era apaixonado e ciumento. Chegou ao ponto de me fazer o elogio dos bordéis. — Só lá é que se encontra chinelo para o pé, o que chamamos no regimento o seu gabarito. — Já não mostrava por esse tipo de locais o desagrado que manifestara em Balbec quando eu fizera alusão a eles, e, ouvindo-o agora, disse-lhe que fora Bloch quem me levara a um deles; mas Robert me respondeu que esse aonde ia Bloch devia ser "extremamente vulgar, o paraíso dos pobres". — Isso depende, afinal de contas; onde é que fica? — Mostrei-me confuso, pois lembrava-me que, de fato, era lá que se entregava por um luís aquela Rachel que Robert tanto amara. — Em todo caso, vou te fazer conhecer outros bem melhores, aonde vão mulheres incríveis. — Ao ouvir-me expressar o desejo de que me levasse o mais cedo possível aos bordéis que conhecia e que de fato deviam ser bem superiores ao que me indicara Bloch, Robert lamentou com sinceridade não poder fazê-lo dessa vez, visto que regressava no dia seguinte. — Ficará para a minha próxima temporada — disse. — Verás, até há moças — acrescentou com ar misterioso. — Há uma senhorita de... creio que d'Orgeville, ainda vou te dizer com exatidão, que é filha de uma família das melhores; a mãe é mais ou menos La Croix-l'Évêque, são gente fina, e até um pouco parentes, salvo engano, da tia Oriane. Aliás, só de ver a garota sente-se que é filha de pessoas distintas (senti estender-se por um momento, sobre a voz de Robert, a sombra do gênio de Guermantes, que passou como uma nuvem, mas a grande altura e sem se deter). Parece mesmo um caso sensacional. Os pais estão sempre doentes e não podem ocupar-se dela. Que diabo! A menina procura não se aborrecer e eu conto contigo para distrair essa criança! — Ah, e quando votarás? — Não sei; se não fazes questão absoluta de duquesas (o título de duquesa é, na aristocracia, o único a designar uma posição especialmente brilhante, como, para o povo, o de princesa), há, em outro gênero, a principal camareira da Sra. Putbus.

Nesse momento, a Sra. de Surgis entrou na sala de jogos à procura dos filhos. Ao avistá-la, o Sr. de Charlus foi ao seu encontro com uma amabilidade com que a marquesa ficou tanto mais agradavelmente surpreendida por esperar uma grande frieza da parte do barão, o qual o tempo todo se arvorara em protetor de Oriane e o único da família — muitas vezes por demais complacente às exigências do duque por causa de sua herança e por ciúme quanto à duquesa — a manter impiedosamente a distância as amantes do irmão. Assim, a Sra. de Surgis compreenderia muito bem as razões da atitude que temia da parte do barão, mas de modo algum suspeitou dos motivos da acolhida inteiramente oposta que dele recebeu. Ele lhe falou com admiração do retrato que Jacquet fizera dela antigamente. Essa admiração chegou mesmo a exaltar-se a um entusiasmo que, se em parte era interessado para impedir que a marquesa se afastasse dele, para "fisgá-la", como dizia Robert dos exércitos inimigos dos quais se deseja forçar a manter engajados os efetivos em um determinado ponto, talvez fosse igualmente sincero. Pois, se todos se compraziam em admirar nos filhos o porte de rainha e os olhos da Sra. de Surgis, o barão podia experimentar um prazer inverso, mas igualmente vivo, de reencontrar esses encantos reunidos em feixe na mãe deles, como num retrato que por si mesmo não inspira desejos, mas alimenta, com a admiração estética que inspira, os desejos que revela. Estes vinham, retrospectivamente, dar um encanto voluptuoso ao próprio retrato de Jacquet e, naquele momento, o barão o teria adquirido de bom grado para nele estudar a genealogia fisiológica dos dois jovens Surgis.

— Vês que eu não exagerava — disse Robert. — Repara um pouco na solicitude do tio para com a Sra. de Surgis. E até isso me espanta. Se Oriane soubesse, ficaria furiosa. Francamente, há bastantes mulheres para que ele se lance justamente sobre essa — acrescentou; como todas as pessoas que não estão apaixonadas, imaginava que se escolhe a pessoa que se ama após mil deliberações e segundo qualidades e conveniências diversas. Aliás, completamente enganado a respeito do tio, que julgava dado às mulheres, Robert, em seu rancor, falava do Sr. de Charlus com excessiva leviandade. Não se é sempre impunemente o sobrinho de alguém. Muitas vezes é por seu intermédio que um hábito hereditário se transmite mais cedo ou mais tarde. Assim, podia-se fazer toda uma galeria de retratos que tivesse por título o da comédia alemã *Tio e sobrinho,* onde se veria o tio zelando ciumentamente, embora involuntariamente, para que o sobrinho acabasse por se parecer com ele. Acrescentarei até que essa galeria ficaria incompleta se nela não fizessem figurar os tios que não têm qualquer parentesco real, sendo apenas tios da esposa do sobrinho. Os senhores de Charlus estão, de fato, de tal modo convencidos de serem os únicos bons esposos, e mais, os únicos de quem uma mulher jamais terá ciúmes, que em geral, por afeição à sobrinha, fazem-na casar também com um Charlus. O que enreda todo o fio das semelhanças. E ao afeto pela sobrinha se junta às vezes o afeto igualmente pelo seu noivo. Tais matrimônios não são raros, e muitas vezes são os que se chamam felizes.

— De que falávamos? Ah, dessa alta, loura, a camareira da Sra. Putbus. Ela também gosta das mulheres, mas creio que isso pouco te importa; posso te dizer com franqueza, nunca vi uma criatura tão linda. — Imagino-a bastante Giorgione, não? — Loucamente Giorgione! Ah, se eu tivesse tempo de ficar em Paris, quantas coisas magníficas para fazer! E depois, passa-se a uma outra. Pois, quanto ao amor, estás vendo, é uma brincadeira, estou bem curado. — Percebi logo, com surpresa, que ele não estava menos curado da literatura, enquanto que era apenas sobre os literatos que me parecera desabusado no nosso último encontro ("É quase tudo uma canalha & Cia.", me dissera), o que se podia explicar por seu justificado rancor relativamente a certos amigos de Rachel. De fato, tinham-na convencido de que jamais teria talento se deixasse Robert, "homem de outra raça", assumir influência sobre ela, e, junto com ela, zombavam dele, diante dele, nos jantares que ele lhes oferecia. Mas, na realidade, o amor de Robert pelas letras nada tinha de profundo, não emanava de sua natureza verdadeira, não passava de um derivado de seu amor por Rachel e se desfizera com esta, ao mesmo tempo que seu horror aos gozadores e seu respeito religioso pela virtude das mulheres.

— Que ar estranho têm aqueles dois rapazes! Olhe essa curiosa paixão pelo jogo, marquesa — disse o Sr. de Charlus, designando à Sra. de Surgis os seus dois filhos, como se ignorasse absolutamente quem eram. — Devem ser dois orientais, têm certos traços característicos, talvez sejam turcos — acrescentou, a um tempo para confirmar ainda sua fingida inocência, testemunhar uma vaga antipatia que, quando a seguir cedesse o posto à amabilidade, provaria que esta se endereçava unicamente à qualidade dos filhos da Sra. de Surgis, tendo principiado apenas no momento em que o barão soubera de quem se tratavam. Talvez também o Sr. de Charlus, de quem a insolência era um dom natural que ele sentia satisfação em exercer, aproveitasse o minuto em que dava mostras de ignorar quem eram os dois rapazes para se divertir à custa da Sra. de Surgis e se entregar às suas troças costumeiras, como Scapin aproveita o disfarce de seu amo para lhe dar umas belas pauladas.

— São meus filhos — disse a Sra. de Surgis, com um rubor que não mostraria se fosse mais esperta sem ser mais virtuosa. Teria então compreendido que o ar de indiferença absoluta, ou de zombaria, que o Sr. de Charlus manifestava a respeito de um rapaz não era mais sincero que a admiração bem superficial que testemunhava a uma mulher, e não expressava o verdadeiro fundo de sua natureza. Aquela a quem poderia indefinidamente lançar as frases mais lisonjeiras sentiria ciúmes do olhar que o barão, enquanto lhe falava, ia lançando a um homem que em seguida fingia não ter notado. Pois esse olhar era um olhar diferente daqueles que o Sr. de Charlus reservava para as mulheres; um olhar especial, vindo das profundezas e que mesmo num sarau não podia deixar de se dirigir aos jovens, como os olhares de um costureiro que revelam sua profissão pelo modo imediato que eles têm de se dirigir às roupas.

— Oh, como é curioso — respondeu o Sr. de Charlus não sem insolência, dando a impressão de obrigar seu pensamento a cumprir um longo trajeto para levá-lo a uma realidade tão diversa da que ele fingira ter suposto. — Mas eu não os conhecia — acrescentou, temendo ter ido longe demais na expressão de antipatia e, assim, ter paralisado na marquesa a intenção de lhe apresentar os filhos. — Permitiria que os apresentasse ao senhor? — indagou timidamente a Sra. de Surgis. — Ora, meu Deus! Como não? Mas olhe, eu talvez não seja uma pessoa tão divertida para rapazes tão jovens — entoou o Sr. de Charlus com o ar de hesitação e de frieza de alguém que deixa que lhe arranquem uma cortesia. — Arnulphe, Victurnien, venham depressa — chamou a Sra. de Surgis. Victurnien ergueu-se com decisão. Arnulphe, sem ver mais longe que o irmão, seguiu-o docilmente.

— Eis agora a vez dos filhos — comentou Robert. — É de morrer de rir. Ele procura agradar até o cachorro da casa. E é tanto mais engraçado, visto que meu tio detesta os gigolôs. E olha como os ouve com seriedade. Se fosse eu quem os quisesse apresentar, logo ele me mandaria plantar batatas. Escuta, vou ter de cumprimentar Oriane. Tenho tão pouco tempo para ficar em Paris que quero tentar ver aqui todas as pessoas a quem teria de deixar cartões de visita, não fosse isso. — Como parecem ser bem-educados, como têm boas maneiras — ia dizendo o Sr. de Charlus. — O senhor acha? — respondia a Sra. de Surgis, encantada.

Tendo Swann me avistado, aproximou-se de Saint-Loup e de mim. A alegria judaica era nele menos refinada que os gracejos de homem mundano. — Boa-noite — disse-nos. — Meu Deus, nós três juntos, vão pensar que é uma reunião do sindicato. Por pouco não vão procurar onde está a caixa! — Não percebera que o Sr. de Beaucerfeuil estava às suas costas e o escutava. O general involuntariamente franziu as sobrancelhas. Ouvíamos a voz do Sr. de Charlus bem perto de nós: — Como? O senhor se chama Victurnien, como no *Gabinete das Antiguidades* — dizia o barão a fim de prolongar a conversa com os dois rapazes. — De Balzac, sim — respondeu o mais velho dos Surgis, que jamais lera uma linha sequer desse romancista, mas a quem seu professor havia assinalado, dias antes, a semelhança de seu prenome com o de d'Esgrignon. A Sra. de Surgis estava encantada por ver o filho brilhar e o Sr. de Charlus extasiado ante tanta ciência.

— Parece que Loubet está conosco, isso de fonte seguríssima — disse a Saint-Loup, mas desta vez em voz mais baixa para não ser ouvido pelo general, Swann, para quem as relações republicanas de sua mulher se tornavam mais interessantes desde que o Caso Dreyfus era o centro de suas preocupações. — Digo-lhe isto porque sei que, no fundo, o senhor está do nosso lado.

— Mas nem tanto assim; o senhor se engana completamente — respondeu Robert. — Trata-se de um caso mal conduzido, ao qual lamento muito ter me associado. Não tinha nada que me meter. Se pudesse recomeçar, ficaria à parte. Sou soldado e antes de tudo pelo exército. Se ficares um momento com o Sr. Swann, estarei contigo daqui a pouco. Vou ver minha tia. — Mas percebi que era com a Srta. d'Ambresac que ele ia conversar e desgostei-me à idéia de que me houvesse mentido acerca de seu possível noivado. Tranqüilizei-me ao saber que Robert lhe fora apresentado há meia hora pela Sra. de Marsantes, que desejava esse casamento, pois os d'Ambresac eram muito ricos.

— Por fim — disse o Sr. de Charlus à Sra. de Surgis — encontro um rapaz instruído, que leu, que sabe quem é Balzac. E isso me causa tanto mais satisfação por tê-lo conhecido justamente onde isso se faz mais raro, em casa de um de meus pares, em casa de um dos nossos — acrescentou, sublinhando essas palavras. Por mais que aparentassem achar todos os homens iguais, os Guermantes, nas grandes ocasiões em que se achavam com pessoas "bem nascidas", e sobretudo menos "bem nascidas", a quem desejavam e podiam lisonjear, não hesitavam em extrair as velhas lembranças de família. — Antigamente — continuou o barão — aristocratas significava os melhores, pela inteligência, pelo coração. Ora, eis o primeiro dentre nós que vejo conhecer de quem seja Victurnien d'Esgrignon. Aliás, estou errado quando digo o primeiro. Há também um Polignac e um Montesquiou — acrescentou o Sr. de Charlus, que sabia que essa dupla assimilação só podia inebriar a marquesa. — Além disso, os seus filhos têm a quem puxar; o avô materno deles possuía uma coleção célebre do século XVIII. Mostrar-lhe-ei a minha se me quiser dar o prazer de ir almoçar comigo um dia — disse ao jovem Victurnien. — Vou lhe mostrar uma curiosa edição do *Gabinete das Antiguidades* com correções da mão do próprio Balzac. Ficarei encantado em comparar os dois Victurnien.

Eu não podia decidir-me a deixar Swann. Ele atingira aquele grau de fadiga em que o corpo de um enfermo não é mais que uma retorta onde se processam reações químicas. Seu rosto estava marcado por pequenos pontos azuis da Prússia, que davam a impressão de não pertencer ao mundo dos vivos, e desprendiam esse tipo de odor que, no colégio, depois das "experiências", torna tão desagradável a permanência numa sala de aula de "Ciências". Perguntei-lhe se não tivera uma longa conversa com o príncipe de Guermantes e se não queria me contar de que se tratara. — Sim — disse ele —, mas atenda primeiro ao Sr. de Charlus e à Sra. de Surgis. Eu esperarei aqui.

Com efeito, o Sr. de Charlus propusera à Sra. de Surgis deixarem aquele aposento excessivamente abafado e irem sentar-se por um momento em outro, e, para tanto, não pedira aos dois filhos que acompanhassem a mãe, porém a mim. Desse modo, ele dava a impressão de não ligar aos dois jovens, após tê-los seduzido. Ademais, me fazia uma polidez fácil, pois a Sra. de Surgis-le-Duc era bem malvista.

Infelizmente, apenas nos sentáramos num desvão sem saída, ocorreu passar a Sra. de Saint-Euverte, alvo das zombarias do barão. Ela, talvez para dissimular, ou desdenhar abertamente os maus sentimentos que inspirava ao Sr. de Charlus, e sobretudo para mostrar que era íntima de uma dama que conversava tão familiarmente com ele, fez um cumprimento desdenhosamente amigável àquela beldade famosa, que lhe respondeu olhando com o rabo do olho para o Sr. de Charlus com um sorriso zombeteiro. Mas o desvão era tão estreito que, quando a Sra. de Saint-Euverte quis, atrás de nós, continuar a pescar seus convidados para o dia seguinte, achou-se presa e não pôde se livrar facilmente, momento precioso que o Sr. de Charlus, desejoso de fazer brilhar sua verve insolente aos olhos da mãe dos dois jovens, tratou cuidadosamente de aproveitar. Uma pergunta idiota que lhe fiz sem malícia forneceu-lhe motivo para um triunfal *couplet* de que a pobre da Sra. de Saint-Euverte, quase imobilizada atrás de nós, não podia perder uma só palavra. — Imagine que este jovem impertinente — disse ele, designando-me à Sra. de Surgis — acaba de me perguntar, sem a menor preocupação que se deve ter para ocultar esse gênero de necessidade, se eu ia à casa da Sra. de Saint-Euverte, ou seja, o mesmo, conforme creio, se eu tinha cólicas. Em todo caso, tentaria me aliviar num local mais confortável do que na casa de uma pessoa que, se tenho boa memória, celebrava o centenário quando estreei na sociedade, isto é, não na casa dela. E, no entanto, quem mais do que ela seria interessante de ouvir? Quantas recordações históricas, vistas e vividas, do tempo do Primeiro Império e da Restauração, e também quantas histórias íntimas que certamente nada tinham de *Saint* ("santo"), mas deveriam ser muito *vertes* ("verdes"), a julgar pelas ágeis coxas da venerável saltadeira! O que me impediria de interrogá-la acerca dessas épocas apaixonantes é a sensibilidade de meu aparelho olfativo. A proximidade desta senhora é bastante. De repente digo para mim mesmo: "Oh, meu Deus! Rebentaram minha latrina!" — e é simplesmente a marquesa que acaba de abrir a boca para fazer um convite. E compreendam que, se tivesse a infelicidade de ir à casa dela, a latrina se multiplicaria em um formidável tonel de dejetos. Entretanto, ela carrega um nome místico que sempre me faz pensar, com júbilo, embora ela tenha há muito passado pela data de seu jubileu, naquele verso estúpido, dito "deliqüescente": *Ah, verde, como era verde a minha alma nesse dia...* Mas preciso de uma verdura mais limpa. Dizem-me que a cavadora infatigável dá *garden-parties*. Quanto a mim, chamo a isso "convites para passear nos esgotos".

Será que a senhora há de querer ir sujar-se lá? — perguntou ele à Sra. de Surgis, que dessa vez sentiu-se constrangida. Pois, querendo fingir para o barão que lá não ia, e sabendo que daria dias de sua vida para não faltar a uma matinê Saint-Euverte, venceu a dificuldade pela média, isto é, pela incerteza. Tal incerteza assumiu uma forma tão imbecilmente diletante e tão mesquinhamente vulgar, que o Sr. de Charlus, não receando ofender a Sra. de Surgis, à qual todavia desejava agradar, pôs-se a rir para lhe mostrar que "aquilo não colava".

— Admiro sempre as pessoas que fazem planos — disse ela; — muitas vezes desisto na última hora. Há um caso de vestido de verão que pode mudar as coisas. Agirei sob a inspiração do momento.

De minha parte, estava indignado com a abominável discurseira do Sr. de Charlus. Desejaria cumular de bens a doadora de *garden-parties*. Infelizmente na sociedade, como no mundo político, as vítimas são tão covardes que não se pode querer mal aos carrascos por muito tempo. A Sra. de Saint-Euverte, que lograra retirar-se do desvão cuja entrada impedíamos, roçou involuntariamente pelo barão de passagem e, por um reflexo de esnobismo que aniquilava nela toda a cólera, talvez até na esperança de um tipo de abordagem que não devia ser a primeira tentativa: — Oh, perdão, senhor de Charlus! — exclamou —, espero não o ter machucado — como se se ajoelhasse diante de seu mestre. Este só se dignou a responder por um largo sorriso irônico e concedeu apenas um "boa-noite" que, como se só se desse conta da presença da marquesa quando ela o saudara primeiro, era um insulto a mais. Enfim, com um servilismo supremo, do qual sofri por ela, a Sra. de Saint-Euverte se aproximou de mim e, tomando-me à parte, disse-me ao ouvido: — Mas, que foi que eu fiz ao Sr. de Charlus? Dizem que não me acha bastante chique para ele — ajuntou, rindo a bandeiras despregadas. Permaneci sério. Por um lado, achava estúpido que ela parecesse acreditar, ou quisesse fazer crer, que ninguém de fato era tão chique feito ela. Por outro lado, as pessoas que riem com tanta força do que falam, e que não é engraçado, tomando a seu cargo a hilaridade, dispensam-nos desse modo de participar dela.

— Outros asseguram que ele está ofendido porque não o tenho convidado. Mas ele não me encoraja muito. Dá impressão de estar amuado comigo (a expressão pareceu-me fraca). Procure sabê-lo e venha dizer-me amanhã. E, se ele sentir remorsos e quiser acompanhá-lo, traga-o. Para todo pecado, misericórdia. Isso até me daria bastante prazer, por causa da Sra. de Surgis, a quem o fato aborreceria. Dou-lhe carta branca. O senhor tem o faro mais fino para essas coisas, e eu não quero dar a impressão de mendigar convidados. Em todo caso, conto absolutamente com o senhor.

Imaginei que Swann devia cansar-se de me aguardar. Além disso, não queria voltar muito tarde para casa, devido a Albertine, e, despedindo-me da Sra. de Surgis e do Sr. de Charlus, fui ao encontro do meu doente na sala de jogos. Perguntei-lhe se o que dissera ao príncipe, na conversa que tiveram no jardim, fora exatamente o que o Sr. de Bréauté (não lhe disse o nome) nos contara e se relacionava com uma pecinha de Bergotte. Ele desatou a rir: — Não há nisso uma só palavra de verdade, uma única sequer; foi tudo inteiramente inventado e teria sido completamente idiota. Na verdade, é inaudita essa geração espontânea do erro. Não pergunto quem lhe disse isto, mas seria de fato curioso, num quadro tão delimitado quanto este, remontar de pessoa em pessoa para saber como tal coisa se formou. De resto, como pode interessar às outras pessoas o que o príncipe me falou? As pessoas são bastante curiosas. Por mim, nunca fui curioso, a não ser quando estive apaixonado e quando fui ciumento. E pelo muito que me adiantou! O senhor é ciumento? — Disse a Swann que jamais sentira ciúmes, que nem mesmo sabia de que se tratava. — Pois bem, felicito-o. Quando se tem um pouquinho de ciúme, isso não chega a ser desagradável sob dois pontos de vista. De um lado, porque permite às pessoas que não são curiosas interessarem-se pela vida das outras pessoas, ou pelo menos de uma outra. E depois, porque faz muito bem sentir a doçura de possuir, de subir no carro com uma mulher, de não deixá-la ir sozinha. Isto, porém, ocorre apenas nos primeiros tempos do mal ou quando a cura está quase completa. No intervalo, é o mais atroz dos suplícios. Aliás, mesmo as duas doçuras de que lhe falo, devo lhe dizer que pouco as conheci: a primeira, por culpa da minha natureza, que não é capaz de reflexões muito prolongadas; a segunda, por causa das circunstâncias, por culpa da minha mulher, quero dizer, das mulheres de quem estive enciumado. Mas não importa. Mesmo quando a gente não liga mais às coisas, não é absolutamente indiferente que nos tenham importado, porque era sempre por motivos que aos outros escapavam. Percebemos que está em nós apenas a lembrança desses sentimentos; em nós é que é preciso entrar para contemplá-la. Não caçoe muito desse jargão idealista, mas o que quero dizer é que tenho amado muito a vida e amado muito as artes. Pois bem, agora que estou um tanto cansado para viver com os outros, esses antigos sentimentos tão pessoais, tão meus, parecem-me, o que é a mania de todos os colecionadores, muito preciosos. Abro o coração para mim mesmo como uma espécie de vitrina, contemplo um a um tantos amores que os outros não terão conhecido. E dessa coleção, à qual estou agora ainda mais ligado do que às outras, digo-me, um tanto como Mazarino quanto a seus livros, mas, enfim, sem qualquer angústia, que será bem aborrecido deixar tudo isto. Mas vamos à conversa com o príncipe, não a contaria senão a uma só pessoa, e essa pessoa vai ser o senhor. — Eu não podia ouvi-lo sem ser importunado pela conversa que o Sr. de Charlus, que voltara à sala de jogos, prolongava indefinidamente bem perto de nós. — E o senhor também lê? O que é que faz? — perguntou ele ao conde Arnulphe, que nem sequer conhecia o nome de Balzac. Mas sua miopia, como ele visse tudo muito diminuído, dava-lhe o aspecto de quem enxerga de muito longe, de modo que, rara poesia num deus grego escultural, em suas pupilas se inscreviam como que distantes estrelas misteriosas.

— E se fôssemos dar alguns passos pelo jardim, senhor — sugeri a Swann, enquanto o conde Arnulphe, com voz ciciante que parecia indicar que seu desenvolvimento, ao menos mental, não era completo, respondia ao Sr. de Charlus com uma precisão ingênua e complacente: — Oh, no meu caso é antes o golfe, o tênis, o balão, a corrida a pé, e sobretudo o pólo. — Da mesma forma Minerva, tendo-se subdividido, deixara de ser, numa determinada cidade, a deusa da Sabedoria e encarnara uma parte de si mesma em uma divindade puramente esportiva, hípica, "Athenas Hippia". E ele também ia a Saint-Moritz para esquiar, pois Palas Tritogenéia freqüenta os altos cimos e captura os cavaleiros. — Ah! — respondeu o Sr. de Charlus com o sorriso transcendente do intelectual que nem se dá ao trabalho de dissimular sua zombaria, mas que, além disso, sente-se tão superior aos outros e despreza de tal modo a inteligência dos que são menos tolos, que mal os diferencia dos que o são mais, uma vez que lhe possam ser agradáveis de outra maneira. Falando a Arnulphe, o Sr. de Charlus achava que lhe conferia por isso mesmo uma superioridade que todos deveriam invejar e reconhecer. — Não — respondeu-me Swann; — estou cansado demais para caminhar; é preferível que nos sentemos em algum canto, já não agüento ficar de pé. — Era verdade; e, no entanto, começar a conversar já lhe dera uma certa vivacidade. É que na fadiga mais real existe, sobretudo entre as pessoas nervosas, uma parcela que depende da atenção e que só se conserva através da memória. Ficamos subitamente cansados logo que tememos nos cansar, e para nos refazermos da fadiga basta esquecê-la. Decerto Swann não era exatamente um desses fatigados exaustos que, chegando abatidos, desfeitos, não se agüentando mais nas pernas, reanimam-se na conversa como uma flor na água e podem, durante horas, esgotar nas próprias palavras forças que infelizmente não transmitem aos que os escutam, e que parecem cada vez mais abatidos à medida que o conversador se sente mais recuperado. Mas Swann pertencia àquela forte raça judia, de cuja energia vital e resistência à morte parecem participar os próprios indivíduos. Atacados cada qual de doenças particulares, como ela própria o é pela perseguição, eles se debatem indefinidamente em agonias terríveis que podem prolongar-se além de todo limite verossímil, quando já não se vê mais que uma barba de profeta encimada por um nariz imenso que se dilata para haurir os últimos fôlegos, antes da hora das orações rituais e quando principia o desfile pontual dos parentes afastados que avançam com movimentos mecânicos, como num friso assírio.

Fomos nos sentar, mas antes de se afastar do grupo que o Sr. de Charlus formava com os dois jovens e a mãe destes, Swann não pôde evitar lançar, sobre o corpete da Sra. de Surgis, longos olhares de conhecedor, dilatados e concupiscentes. Colocou o monóculo para observar melhor e, sempre falando comigo, de vez em quando deixava cair um olhar na direção daquela dama. — Eis, palavra por palavra, a minha conversa com o príncipe — disse-me logo que nos sentamos; — e, se está lembrado do que lhe disse há pouco, verá por que o escolhi para confidente. E depois, também, por uma outra razão que um dia o senhor saberá. "— Meu caro Swann — disse-me o príncipe de Guermantes —, o senhor há de me desculpar se tenho dado a impressão de evitá-lo desde algum tempo. (Eu absolutamente não me apercebera de nada, pois andava doente e fugia de todo o mundo.) Em primeiro lugar, tinha ouvido dizer, e bem previa, que o senhor tinha opiniões inteiramente opostas às minhas acerca do caso desgraçado que divide o nosso país. Ora, ser-me-ia muito penoso que as professasse diante de mim. Meu nervosismo era tão grande que a princesa, tendo ouvido há dois anos, o seu cunhado, o grão-duque de Hesse, dizer que Dreyfus era inocente, não se contentara em rebater a afirmativa com vivacidade, mas também não a repetira para mim, com receio de me contrariar. Quase na mesma ocasião, o príncipe real da Suécia viera a Paris e, tendo provavelmente ouvido dizer que a imperatriz Eugênia era dreyfusista, confundira-a com a princesa (estranha confusão, há de convir, entre uma mulher da estirpe da minha esposa e uma espanhola, muito menos bem-nascida do que se diz, e casada com um simples Bonaparte) e lhe havia dito: 'Princesa, estou duplamente feliz em vê-la, pois sei que professa as mesmas idéias que eu sobre o Caso Dreyfus, o que não me espanta, visto que Vossa Alteza é bávara.' O que acarretara ao príncipe esta resposta: 'Monsenhor, não passo de uma princesa francesa, e penso como todos os meus compatriotas.' Ora, meu caro Swann, há cerca de um ano e meio, uma conversa que tive com o general de Beauserfeuil fez-me suspeitar de que, não propriamente um erro, porém graves irregularidades haviam sido cometidas no desenrolar do processo."

Fomos interrompidos (Swann fazia questão de que não lhe ouvissem a narrativa) pela voz do Sr. de Charlus que (aliás, sem se incomodar conosco) passava reconduzindo a Sra. de Surgis e se deteve para tentar retê-la ainda mais, fosse por causa dos filhos dela, ou por esse desejo próprio dos Guermantes de não ver acabar o minuto atual, desejo que os mergulhava numa espécie de ansiosa inércia. Swann revelou-me a propósito, um pouco depois, algo que para mim tirou ao nome de Surgis-le-Duc toda a poesia que eu lhe atribuíra. A marquesa de Surgis-le-Duc tinha uma situação mundana muito maior, alianças muito mais belas que seu primo, o conde de Surgis, que, pobre, vivia em suas terras. Mas a palavra com que findava o título, "le Duc", de modo algum tinha a origem que eu lhe emprestava e que me fizera aproximá-lo, na minha imaginação, de Bourg-l'Abbé, Bois-le-Roi, etc.. Simplesmente um conde de Surgis desposara, durante a Restauração, a filha de um industrial riquíssimo, Sr. Leduc, ou Le Duc, ele próprio filho de um fabricante de produtos químicos, o homem mais rico do seu tempo, e que era par da França. O rei Carlos X havia criado para o filho nascido desse casamento o marquesado de Surgis-le-Duc, pois o marquesado de Surgis já existia na família. O acréscimo do nome burguês não impedira esse ramo de se aliar, por causa da enorme fortuna, às primeiras famílias do reino. E a marquesa atual de Surgis-le-Duc, de grande nascimento, poderia ter uma situação de primeira ordem. Um demônio de perversidade a impelira, desdenhando sua situação já feita, a abandonar o lar conjugal, a viver da maneira mais escandalosa. Depois, o mundo desdenhado por ela há vinte anos, quando estava a seus pés, lhe faltara cruelmente aos trinta, quando fazia dez anos que ninguém mais a saudava, a não ser raras amigas fiéis, e ela empreendera reconquistar laboriosamente, peça por peça, o que possuía ao nascer (reviravoltas que não são raras).

Quanto aos grãos-senhores seus parentes, por ela outrora renegados e que por sua vez a tinham renegado, desculpava a marquesa a satisfação que teria em trazê-los para si própria com as recordações da infância que poderia evocar com eles. E, dizendo isto para dissimular o seu esnobismo, mentia talvez menos do que julgava. — Basin, é toda a minha juventude! — dizia ela no dia em que o duque lhe voltara. E, de fato, era um pouco verdadeiro. Porém, ela calculara mal ao escolhê-lo como amante. Pois todas as amigas da duquesa de Guermantes iam tomar partido por ela e, assim, a Sra. de Surgis desceria pela segunda vez aquele despenhadeiro que tanto lhe custara subir. — Pois bem! — estava lhe dizendo o Sr. de Charlus, que fazia questão de prolongar a conversa. — Deponha as minhas homenagens ao pé do belo retrato. Como vai ele? Que é feito dele? Mas — respondeu a Sra. de Surgis — o senhor sabe que já não o tenho: meu marido não ficou satisfeito com ele. — Não ficou satisfeito? Uma das obras-primas da nossa época, igual à duquesa de Châteauroux, de Nattier, e que aliás pretendia fixar uma não menos majestosa e assassina deusa! Oh, a pequena gola azul! É de se dizer que Ver Meer nunca pintou um tecido com tanta mestria, não o digamos muito alto para que Swann não nos ataque com a intenção de vingar o seu pintor predileto, o mestre de Delft. — A marquesa, virando-se, dirigiu um sorriso e estendeu a mão a Swann, que se erguera para cumprimentá-la. Mas quase sem dissimulação, ou porque uma vida já adiantada lhe tirasse a vontade moral daquilo, pela indiferença à opinião, ou o vigor físico de o fazer, pela excitação do desejo e o enfraquecimento da energia que ajuda a ocultá-lo, logo que Swann, ao apertar a mão da marquesa, viu tão de perto e por cima o seu colo, mergulhou um olhar atento, sério, absorto, quase preocupado, nas profundezas do corpinho, e suas narinas, que o perfume da mulher inebriava, palpitaram como uma borboleta prestes a pousar na flor entrevista. Bruscamente, ele se subtraiu à vertigem que sentira, e a própria Sra. de Surgis, embora constrangida, reprimiu um hausto profundo, de tal modo o desejo é contagioso às vezes. — O pintor ficou melindrado — disse ela ao Sr. de Charlus — e o levou de volta. Disseram que estava agora na casa de Diane de Saint-Euverte. — Jamais acreditarei — replicou o barão — que uma obra-prima tenha tão mau gosto.

— Ele lhe fala do seu retrato. Quanto a mim, eu lhe falaria tão bem como Charlus desse retrato — disse-me Swann, afetando um tom arrastado e vulgar e seguindo com os olhos o par que se afastava. — E isto certamente me daria muito mais prazer do que a Charlus — acrescentou. Perguntei-lhe se o que se dizia sobre o Sr. de Charlus era verdade, no que, aliás, mentia duplamente, pois, se não sabia que alguma vez houvessem falado naquilo, em compensação sabia muito bem, desde pouco tempo, que aquilo a que me referia era verdadeiro. Swann deu de ombros como se eu tivesse proferido um absurdo. — É um amigo delicioso. Mas preciso acrescentar que é puramente platônico? Ele é mais sentimental que os outros, eis tudo; por outro lado, como nunca vai muito longe com as mulheres, isto deu uma espécie de crédito aos rumores insensatos a que o senhor quer se referir. Talvez Charlus ame muito os seus amigos, mas fique certo de que isso, aliás, nunca se passou a não ser na sua cabeça e no seu coração. Enfim, talvez tenhamos dois segundos de tranqüilidade. Portanto, o príncipe de Guermantes continuou: "Confessar-lhe-ei que semelhante idéia de uma possível ilegalidade na condução do processo era-me extremamente penosa devido ao culto que o senhor sabe que tenho pelo exército; voltei a falar no assunto com o general e, infelizmente, não tive mais qualquer dúvida a respeito. Direi francamente que, em tudo isso, a idéia de que um inocente poderia sofrer a mais infamante das penas nem sequer me ocorrera. Porém, atormentado pela idéia da ilegalidade, pus-me a estudar o que não quisera

ler, e eis que as dúvidas, desta vez não só sobre a ilegalidade, mas também sobre a inocência, começaram a assediar-me. Julguei preferível não falar nisso à princesa. Deus sabe como ela se tornou tão francesa quanto eu. Apesar de tudo, desde o dia em que a desposei, tive tanta coqueteria em mostrar-lhe a nossa França em toda a sua beleza, e aquilo que, para mim, ela possui de mais esplêndido, o seu exército, que me era cruel demais dar-lhe parte das minhas suspeitas que, na verdade, só atingiam alguns oficiais. Mas pertenço a uma família de militares; não queria crer que alguns oficiais pudessem estar enganados. Voltei a falar do assunto a Beauserfeuil; ele me confessou que haviam sido urdidas maquinações culposas, que o borderô talvez não fosse de Dreyfus, mas que existia a prova evidente de sua culpabilidade. Era o documento Henry. E, alguns dias depois, sabia-se que se tratava de um documento falso. Desde então, às escondidas da princesa, pus-me a ler todos os dias *Le Siècle*, *L'Aurore*; em breve não tive mais dúvida alguma, já não podia dormir. Externei meus sofrimentos morais ao nosso amigo, o abade Poiré, no qual encontrei com espanto a mesma convicção, e por meio dele mandei rezar missas em intenção de Dreyfus, de sua desgraçada mulher e de seus filhos. Nesse meio tempo, uma manhã em que ia ao quarto da princesa, vi a sua camareira que escondia alguma coisa na mão. Perguntei-lhe rindo o que era, mas ela enrubesceu e não quis dizer-me de que se tratava. Eu tinha a maior confiança, mas esse incidente me deixou muito perturbado (e, sem dúvida, também a princesa, a quem sua camareira o narrou decerto), pois minha querida Marie mal me falou durante o almoço que se seguiu. Naquele dia, perguntei ao abade Poiré se poderia rezar no dia seguinte a minha missa por Dreyfus."
— Bom — exclamou Swann em voz baixa, interrompendo-se. Ergui a cabeça e vi o duque de Guermantes dirigindo-se a nós. — Perdão por incomodá-los, meus filhos. Meu rapaz — disse ele para mim —, sou delegado da parte de Oriane. Marie e Gilbert lhe pediram que fique para cear com eles na companhia de apenas cinco ou seis pessoas: a princesa de Hesse, a Sra. de Ligne, a Sra. de Tarente, a Sra. de Chevreuse e a duquesa d'Arenberg. Infelizmente não podemos ficar, pois temos de ir a uma espécie de reunião dançante. — Eu o escutava, porém cada vez que temos algo a fazer num momento determinado, encarregamos, dentro de nós próprios, um certo personagem habituado a esse tipo de ocupação, de vigiar a hora e de nos advertir a tempo. Esse servidor interno me lembrou, como eu lhe havia pedido horas antes, que Albertine, naquele instante bem longe de meu pensamento, deveria ir à minha casa logo após o teatro. Assim, recusei a ceia. Não é que não me agradasse estar na casa da princesa de Guermantes. Desse modo, os homens podem desfrutar de diversos gêneros de prazer. O

verdadeiro é aquele pelo qual abandonam outro. Mas esse último, se é aparente, ou apenas só aparente, pode iludir quanto ao primeiro, sossega ou despista os ciumentos, faz extraviar-se o julgamento da sociedade. E no entanto, bastaria, para que o sacrificássemos a outro, um pouco de felicidade ou de sofrimento. Às vezes, uma terceira ordem de prazeres mais graves, porém mais essenciais, ainda não existe para nós, e sua virtualidade só se expressa despertando mágoas e desânimos. Entretanto, é a esses prazeres que nos entregamos mais tarde. Para dar um exemplo inteiramente secundário, um militar em época de paz sacrificará a vida mundana ao amor, mas, declarada a guerra (e mesmo sem que seja necessário fazer intervir a idéia de um dever patriótico), o amor à paixão de se bater, mais forte que o amor. Por mais que Swann dissesse que se sentia feliz em me contar sua história, eu bem percebia que sua conversação comigo, devido ao adiantado da hora, e porque ele estava demasiado enfermo, era um daqueles cansaços dos quais aqueles que sabem que se matam nas vigílias ou nos excessos têm, ao voltar para casa, um remorso exasperado, semelhante ao que têm, da louca despesa que mais uma vez acabam de fazer, os pródigos, que entretanto não conseguirão evitar, no dia seguinte, jogar dinheiro pela janela. A partir de um certo grau de enfraquecimento, seja causado pela doença, seja pela idade, todo prazer roubado ao sono, fora dos hábitos, todo desregramento, torna-se tedioso. O conversador continua a falar por polidez, por excitação, porém sabe que já passou a hora em que ainda poderia adormecer, e sabe também das censuras que dirigirá a si mesmo durante a insônia e o cansaço que irão se seguir. Aliás, até mesmo o prazer momentâneo já se acabou; o corpo e o espírito estão por demais destituídos de suas forças para acolher agradavelmente o que parece uma diversão a seu interlocutor. Assemelham-se a um apartamento num dia de partida ou de mudança, onde são verdadeiras maçadas as visitas que a gente recebe sentado nas malas, os olhos fixos no relógio da sala. — Enfim sós — disse-me ele; — nem sei mais onde estava. Disse-lhe, não é mesmo?, que o príncipe havia perguntado ao abade Poiré se este podia mandar rezar a sua missa por Dreyfus. "Não", me respondeu o abade (digo-lhe *me*, disse Swann, porque é o príncipe que me fala, compreende?), "pois tenho uma outra missa que, esta manhã, encarregaram-me igualmente por ele. — Como disse-lhe — existe outro católico além de mim que esteja convencido da sua inocência? — Pode-se crer. — Mas a convicção desse outro partidário deve ser menos antiga do que a minha. — No entanto, esse partidário já me mandava rezar missas quando o senhor ainda julgava que Dreyfus era culpado. — Ah, bem vejo que não é alguém do nosso meio. — Pelo contrário! — Na verdade, há dreyfusistas entre nós? O senhor me intriga; se o conheço, gostaria de me lançar sobre esse pássaro raro. — O senhor o conhece. — Ele se chama? — A princesa de Guermantes. Enquanto eu receava ofender suas opiniões nacionalistas e a fé francesa da minha querida mulher, ela tivera medo de alarmar minhas opiniões religiosas, meus sentimentos patrióticos. Mas, por seu lado, pensava como eu, embora desde muito tempo antes de mim. E aquilo que sua camareira ocultava ao entrar no seu quarto, o que ela ia lhe comprar todas as manhãs, era *L'Aurore.* Meu caro Swann, desde esse momento pensei no prazer que lhe daria ao dizer o quanto as minhas idéias eram, a tal respeito, aparentadas às suas; perdoe-me não o ter dito antes. Se se recorda do silêncio que guardei diante da princesa, não se espantará que ter idéias iguais às suas me haveria então afastado ainda mais de sua pessoa do que pensar diferentemente. Pois tal assunto era-me infinitamente penoso de abordar. Quanto mais creio que um erro, que até mesmo crimes foram cometidos, mais sangro no meu amor pelo exército. Teria imaginado que opiniões semelhantes às minhas estavam longe de lhe inspirar a mesma dor, quando me disseram outro dia que o senhor reprovava com energia as injúrias ao exército e que os dreyfusistas aceitassem aliar-se aos insultadores. Isto decidiu-me; admito que me foi cruel confessar o que penso acerca de certos oficiais, felizmente pouco numerosos, mas é um alívio não precisar mais manter-me longe do senhor e, principalmente, que o senhor tenha compreendido que, se pude alimentar outros sentimentos, é que não duvidava quanto ao bem fundamentado da sentença. Desde que tive uma dúvida, só podia desejar uma coisa: a reparação do erro." Confesso-lhe que estas palavras do príncipe de Guermantes me deixaram profundamente comovido. Se o conhecesse como eu, se soubesse de onde ele teve de vir para chegar a esse ponto, sentiria admiração por ele, e ele a merece. Além disso, sua opinião não me espanta, é uma natureza tão direita! — Swann esquecia que, de tarde, falara-me justo o contrário, que as opiniões naquele Caso Dreyfus eram comandadas pelo atavismo. Quando muito, fizera exceção para a inteligência, porque em Saint-Loup ela chegara a vencer o atavismo e a fazer dele um dreyfusista. Ora, acabava de ver que essa vitória fora de curta duração e que Saint-Loup passara para o campo adversário. Portanto, era à retidão de coração que ele dava agora o papel atribuído há pouco à inteligência. Na realidade, descobrimos sempre tarde demais que nossos adversários tinham um motivo para pertencer ao partido em que estão, e que não depende do que possa haver de justo nesse partido, e que os que pensam como nós o fazem porque a isto os obrigou a inteligência, caso sua natureza moral for muito baixa para ser invocada, ou sua retidão, se for bastante frágil a sua agudeza.

Swann agora julgava indistintamente inteligentes aqueles que eram de sua opinião, seu velho amigo o príncipe de Guermantes e meu colega Bloch, a quem mantivera afastado até então, e que ele convidava para almoçar. Swann interessou muito a Bloch ao lhe dizer que o príncipe de Guermantes era dreyfusista. — Precisamos pedir a ele que assine as nossas listas em defesa de Picquart; com um nome como o seu, o efeito seria formidável. — Porém Swann, aliando à sua ardente convicção de israelita a moderação diplomática do mundano, de que sobremodo adquirira os hábitos para poder tão tardiamente desfazer-se deles, recusou-se a autorizar Bloch a enviar ao príncipe, mesmo como que espontaneamente, uma circular para que fosse assinada. — Ele não pode fazer isso, não convém pedir-lhe o impossível — repetia Swann. — Eis um homem encantador que percorreu milhares de léguas para chegar até nós. Ele pode nos ser muito útil. Se assinasse a sua lista, ele simplesmente se comprometeria junto aos seus, seria repreendido por nossa causa, talvez se arrependesse de suas confidências e não faria mais nenhuma. — Mais ainda, Swann recusou-se a assinar o próprio nome. Achava-o hebraico demais para não causar um mau efeito. E depois, se aprovava tudo quanto dissesse respeito à revisão do processo, não queria de modo algum ser envolvido na campanha antimilitarista. Usava, o que jamais fizera até então, a condecoração que ganhara, como todo jovem mobilizado em 1870, e acrescentou ao seu testamento um codicilo para solicitar que, contrariamente às disposições precedentes, fossem dadas honras militares ao seu grau de cavaleiro da Legião de Honra. O que reuniu em torno da igreja de Combray um verdadeiro batalhão desses cavaleiros, sobre cujo futuro chorava Françoise antigamente, quando sentia a perspectiva de uma guerra. Numa palavra, Swann recusou-se a assinar a circular, de modo que, se passava por um dreyfusista radical aos olhos de muitos, meu colega considerou-o militarista e frouxo, infectado de nacionalismo.

Swann deixou-me sem me apertar a mão, para não ser obrigado a fazer despedidas naquela sala onde possuía tantos amigos, porém me disse: — O senhor deveria ir ver sua amiga Gilberte. Ela cresceu de fato e mudou muito; o senhor não a reconheceria. Ela ficaria tão feliz! — Eu já não amava Gilberte. Para mim, ela era como uma morta que se chorou por muito tempo; depois veio o esquecimento e, se ela ressuscitasse, não mais poderia inserir-se numa vida que já não era feita para ela. Não tinha mais vontade de vê-la, e nem mesmo aquela vontade de lhe mostrar que não fazia questão de vê-la e que cada dia, no tempo em que a amava, prometia a mim mesmo testemunhar-lhe quando a deixasse de amar.

Assim, não mais procurando afetar, diante de Gilberte, ter desejado de todo o meu coração voltar a encontrá-la, e de ter sido impedido de fazê-lo, como se diz, devido a circunstâncias "independentes da minha vontade", e que só ocorrem, de fato, ao menos com certa continuidade, quando a vontade não se lhes opõe, bem longe de acolher com reservas o convite de Swann, não o deixei sem que me houvesse prometido explicar em detalhes à sua filha os contratempos que me haviam privado, e ainda me privariam, de ir vê-la. — Aliás, vou escrever-lhe daqui a pouco ao voltar para casa — acrescentei. — Mas diga-lhe que é uma carta de ameaça, pois dentro de um ou dois meses estarei totalmente livre, e então, ela que trema, pois estarei em sua casa com a mesma freqüência de antigamente.

Antes de deixar Swann, disse-lhe uma palavra sobre sua saúde. — Não, a coisa não está tão má assim — respondeu-me. — Além disso, como lhe dizia, ando muito cansado e aceito antecipadamente, com resignação, o que possa acontecer. Unicamente, confesso que seria bem irritante morrer antes do fim do Caso Dreyfus. Todos esses canalhas têm mais de um trunfo no bolso. Não duvido que finalmente sejam vencidos, mas afinal são muito poderosos, têm apoio em toda parte. No momento em que tudo parece correr bem, tudo se arrebenta. Bem que desejaria viver bastante para ver Dreyfus reabilitado e Picquart coronel.

Depois que Swann foi embora, voltei para o grande salão onde se encontrava essa princesa de Guermantes à qual eu não sabia então que um dia haveria de estar tão ligado. A paixão que ela teve pelo Sr. de Charlus não se revelou a princípio para mim. Notei apenas que o barão, a partir de certa época e sem tomar pela princesa nenhuma dessas inimizades que nele não causavam espécie, mesmo continuando a dedicar-lhe tanta ou mais afeição talvez, parecia descontente e irritado cada vez que lhe falavam dela. Jamais incluía o seu nome na lista de pessoas com quem desejava jantar.

É verdade que, antes disso, eu ouvira um homem da sociedade, muito maldoso, dizer que a princesa estava completamente mudada, que estava apaixonada pelo Sr. de Charlus, mas essa maledicência me parecera absurda e me havia indignado. Bem que eu notara, com espanto, que, quando contava algo que me dizia respeito, se no meio da narrativa aparecia o Sr. de Charlus, a atenção da princesa punha-se logo nesse grau mais próximo que é o de um doente, o qual, ao ouvir-nos falar de nós mesmos, conseqüentemente de modo distraído e despreocupado, reconhece de chofre, numa palavra, o nome do mal de que está sofrendo, o que, ao mesmo tempo, o alegra e desperta-lhe o interesse. Assim, se lhe dizia: "Justamente o Sr. de Charlus me contava...", a princesa retomava nas mãos as rédeas frouxas de sua atenção. E certa vez, tendo eu dito diante dela que o Sr. de Charlus sentia uma afeição bastante viva por determinada pessoa, vi com espanto surgir nos olhos da princesa aquela expressão diversa e momentânea que traça nas pupilas como que o sulco de uma rachadura, e que provém de um pensamento que nossas palavras, sem querer, despertaram na criatura a quem falamos, pensamento secreto que não se há de traduzir por palavras, mas que subirá das profundezas por nós remexidas à superfície um instante alterada do olhar. Mas, se minhas palavras tinham emocionado a princesa, eu não adivinhara de que modo.

Aliás, pouco depois ela começou a me falar do Sr. de Charlus e quase sem rodeios. Se aludia aos rumores que raras pessoas faziam correr acerca do barão, era apenas como as absurdas e infames invenções. Mas, por outro lado, dizia: — Acho que uma mulher que se apaixona por um homem de valor imenso como Palamède também deveria ter bastante largueza de visão, bastante devotamento, para aceitá-lo e compreendê-lo como um todo, tal como é, para respeitar sua liberdade, suas fantasias, procurar unicamente amenizar-lhe as dificuldades e consolá-lo de suas mágoas. — Ora, com essas frases no entanto de tal modo vagas, a princesa de Guermantes revelava aquilo que buscava exaltar, da mesma forma como fazia às vezes o próprio Sr. de Charlus. Pois não ouvi tantas vezes este último dizer a pessoas até então incertas se ele era ou não caluniado: "Eu, que tive tantos altos e baixos na minha vida, que conheci toda espécie de gente, tanto reis como ladrões, e até, devo dizer, com uma leve preferência pelos ladrões, que tenho perseguido a beleza sob todas as suas formas, etc." — e por essas palavras que ele julgava hábeis, e desmentindo rumores de cuja existência não suspeitavam (ou para conceder à verdade, por gosto, por cautela, por preocupação com a verossimilhança, uma parte que somente ele considerava mínima), tirava a uns as últimas dúvidas a seu respeito e inspirava as primeiras aos que ainda não as tinham alimentado. Pois o mais perigoso dos encobrimentos é o da própria falta no espírito do culpado. O conhecimento permanente que tem dela o impede de supor o quanto é geralmente ignorada, o quanto uma mentira completa seria facilmente aceita e, em compensação, de perceber a que grau de verdade principia a confissão, para os outros, nas palavras que acredita inocentes. E, por outro lado, agiria muito mal se tentasse abafá-la, pois não há vícios que não encontrem apoios complacentes na alta sociedade, e já se viu modificar todo o arranjo de um castelo para que dormisse uma irmã junto de sua irmã, logo que se soube que ela não a amava apenas como irmã. Mas o que me revelou de súbito o amor da princesa foi um fato particular, sobre o qual não insistirei aqui, pois faz parte da narrativa bem diversa em que o Sr. de Charlus deixou morrer uma rainha para não perder o cabeleireiro que devia frisá-lo, em proveito de um cobrador de ônibus diante do qual sentiu-se prodigiosamente intimidado. Entretanto, para terminar a respeito do amor da princesa, digamos qual foi o nada que me abriu os olhos. Naquele dia, eu estava sozinho no carro com ela. No momento em que passávamos diante de uma caixa postal, ela mandou parar. Não havia trazido lacaio. Tirou a meio uma carta do regalo e iniciou o movimento de descer a fim de pô-la na caixa. Eu quis detê-la, a princesa debateu-se um pouco, e já nos dávamos conta, um e outro, de que o nosso primeiro gesto fora, o seu comprometedor, por parecer que ocultava um segredo, o meu indiscreto, ao opor-me a essa ocultação. Foi ela quem se recobrou mais depressa. Fazendo-se muito vermelha subitamente, deu-me a carta, não mais tive coragem de recusá-la; porém, ao colocá-la na caixa, vi sem querer que era endereçada ao Sr. de Charlus.

Voltando para trás e àquela primeira recepção na casa da princesa de Guermantes, fui fazer-lhe minhas despedidas, pois seus primos iam levar-me e tinham muita pressa. No entanto, o Sr. de Guermantes queria despedir-se do irmão. Tendo a Sra. de Surgis tido tempo, numa porta, de dizer ao duque que o Sr. de Charlus fora encantador com ela e com seus filhos, essa grande amabilidade do irmão, a primeira que tivera em tal ordem de idéias, tocou profundamente Basin e despertou-lhe sentimentos de família que jamais adormeciam por muito tempo. No momento em que nos despedíamos da princesa, ele, sem agradecer expressamente ao Sr. de Charlus, fez questão de lhe exprimir o seu afeto, ou porque de fato tivesse dificuldades em contê-lo, ou porque o barão se lembrou de que o tipo de atitudes que tivera aquela noite não passaria despercebido aos olhos de um irmão, do mesmo modo como, para lhe criar no futuro associações saudáveis, a gente dá açúcar a um cachorro que se pôs nas patas traseiras. — Ora bem, irmãozinho — disse o duque detendo o Sr. de Charlus e pegando-o docemente pelo braço —, é assim que se passa pelo irmão mais velho sem nem sequer dar boa-noite? Não te vejo mais, Mémé, e nem sabes como isto me faz falta. Procurando cartas antigas, encontrei justamente as da pobre mamãe, todas tão carinhosas contigo. — Obrigado, Basin — respondeu o Sr. de Charlus com voz alterada, pois nunca podia falar da mãe sem emoção. — Deverias te decidir a me deixar instalar um pavilhão para ti em Guermantes — prosseguiu o duque. — É lindo ver dois irmãos tão carinhosos um com o outro — disse a princesa a Oriane. — Ah, duvido que possam existir muitos irmãos como estes. Eu o convidarei com o barão — prometeu-me a duquesa. — Vocês não estão de mal?... Mas o que é que eles podem ter para se falar? — acrescentou em tom inquieto, pois ouvia indistintamente as palavras deles. Sempre tivera um certo ciúme do prazer que o Sr. de Guermantes experimentava em conversar com o irmão sobre um passado de que mantinha um tanto afastada a esposa. Esta sentia que, quando os dois estavam felizes por se acharem assim juntos e ela, não podendo mais conter sua impaciente curiosidade, ia para perto deles, sua chegada lhes causava desagrado. Mas, naquela noite, a esse habitual ciúme acrescentava-se outro. Pois, se a Sra. de Surgis contara ao Sr. de Guermantes as atenções de seu irmão, a fim de que fosse agradecê-las, ao mesmo tempo algumas amigas devotadas do casal Guermantes julgaram dever avisar a duquesa de que a amante de seu marido fora vista conversando com o irmão deste. E a Sra. de Guermantes se atormentava com isso.

— Lembra-te como éramos felizes outrora em Guermantes — continuou o duque, dirigindo-se ao Sr. de Charlus. — Se aparecesses por lá algumas vezes no verão, poderíamos recomeçar a nossa boa vida. Lembras-te do velho Courveau: "por que é que Pascal é *troublant*? Porque é *trou... trou...*" — *Blé* — pronunciou o Sr. de Charlus como se respondesse ainda ao professor. — "E por que é que Pascal é *troublé*? Porque é *trou... trou... — Blanc.* — Muito bem, o senhor será aprovado, certamente receberá uma menção, e a senhora duquesa lhe dará um dicionário de chinês." — Pois tu te lembras, Basin, naquela época eu tinha uma paixão pela China. — Se me lembro, meu querido Mémé! E creio ver ainda o velho jarrão que te trouxera Hervey de Saint-Denis. Ameaçavas ir passar definitivamente a tua vida na China, de tão apaixonado que estavas por aquele país; já gostavas de fazer longas vagabundagens. Ah, foste um tipo especial, pois pode-se dizer que nunca, em coisa alguma, tiveste os mesmos gostos de todo mundo... — Mas apenas dissera tais palavras, o duque enrubesceu, pois conhecia, se não os costumes, ao menos a reputação do irmão. Como jamais lhe falara naquilo, estava tanto mais constrangido por ter dito algo que podia parecer relacionar-se com o caso, e mais ainda por ter se mostrado constrangido. Após um segundo de silêncio: — Quem sabe — disse ele para desfazer suas últimas palavras — se não estavas apaixonado por uma chinesa, antes de amar a tantas brancas, e lhes agradares, a julgar por uma certa dama a quem deste muita satisfação esta noite ao conversar com ela. Ela ficou encantada contigo. — O duque havia prometido a si próprio não falar da Sra. de Surgis, mas, em meio à confusão que a gafe que acabara de cometer lançara nas suas idéias, apegara-se à mais próxima, que era justamente aquela que não devia aparecer na conversa, embora a tivesse motivado. Mas o Sr. de Charlus notara o rubor do irmão. E como os culpados que não desejam parecer embaraçados quando se fala diante deles do crime que pretendem não ter cometido, e julgam dever prolongar uma conversação perigosa: — Estou encantado — respondeu-lhe —; mas faço questão de reportar-me à tua frase anterior, que me parece profundamente verdadeira. Tu dizias que nunca tive as mesmas idéias de todo mundo, não dizias idéias, dizias gostos. Como é exato! Nunca tive em coisa alguma os gostos de todo mundo; como é exato! Tu dizias que eu tinha gostos especiais. — Absolutamente não — protestou o Sr. de Guermantes, que de fato não dissera tais palavras e talvez não acreditasse na realidade, no caso do irmão, do que elas designam. E, além disso, julgar-se-ia por acaso no direito de atormentá-lo devido a singularidades que, de qualquer maneira, tinham permanecido bastante duvidosas ou bastante secretas para não prejudicar em nada a excepcional posição de Charlus? Mais ainda, sentindo que essa posição do irmão ia colocar-se a serviço de suas amantes, o duque dizia consigo que aquilo bem valia algumas complacências em troca; se tivesse, nesse momento, conhecido alguma ligação "especial" do irmão, ele, na esperança do apoio que o irmão lhe daria, esperança unida à piedosa lembrança do tempo passado, teria passado por cima, fechando os olhos a tudo e, caso necessário, até estenderia a mão. — Vamos, Basin; boa-noite, Palamède — disse a duquesa, roída de raiva e de curiosidade; — se resolveram passar a noite aqui, é melhor que fiquemos para a ceia. Faz meia hora que nos deixam de pé, a Marie e a mim. — O duque deixou o irmão após um abraço significativo; e nós três descemos a escadaria imensa do palácio da princesa.

Dos dois lados, nos degraus mais altos, espalhavam-se casais que esperavam que seu carro aparecesse. Ereta, isolada, ladeada por mim e pelo marido, a duquesa mantinha-se à esquerda da escadaria, já envolta em seu manto à Tiepolo, o broche de rubis fechando-lhe a garganta, devorada pelos olhos das mulheres e dos homens, que procuravam surpreender o segredo da sua beleza e da sua elegância. Esperando o seu carro no mesmo degrau da escada da Sra. de Guermantes, mas na extremidade oposta, a Sra. de Gallardon, que desde muito perdera toda a esperança de ser um dia visitada por sua prima, virava as costas para não parecer vê-la, e sobretudo para não oferecer a prova de que esta não a cumprimentava. A Sra. de Gallardon estava de muito mau humor, pois os senhores que a acompanhavam tinham julgado dever falar-lhe de Oriane: — Absolutamente, não faço questão nenhuma de vê-la — respondera-lhes; — aliás, avistei-a há pouco, ela principia a envelhecer; parece que não consegue se acostumar. O próprio Basin foi quem disse. E bem o compreendo, pois, como não possui inteligência, é malvada e tem maus modos, percebe que, quando lhe faltar a beleza, não terá mais absolutamente nada.

Eu pusera meu sobretudo, o que o Sr. de Guermantes, que receava gripes, censurou ao descer comigo, por causa do calor que fazia. E a geração de nobres, que mais ou menos havia passado por monsenhor Dupanloup, fala um francês tão ruim (à exceção dos Castellane), que o duque assim exprimiu seu pensamento: — É preferível não estar coberto antes de ir para fora, pelo menos em tese geral. — Revejo toda esta saída, revejo, se não é por engano que coloco esta cena na escadaria, retrato destacado de seu quadro, o príncipe de Sagan, para quem seria essa a última recepção mundana, descobrir-se para render suas homenagens à duquesa, com uma revolução tão ampla do chapéu alto na mão de branco enluvada, combinando com a gardênia da botoeira, que a gente se espantava de que não fosse um chapéu de feltro, ornado de plumas, do Antigo Regime, do qual várias figuras ancestrais estavam perfeitamente reproduzidas na daquele grão-senhor. Pouco se deteve junto dela, porém mesmo as suas atitudes de um momento bastavam para compor todo um quadro vivo e como que uma cena histórica. Por outro lado, como está morto desde então e eu mal o avistara quando vivo, de tal modo tornou-se para mim um personagem histórico, ao menos da história mundana, que ocorre espantar-me ao pensar que uma mulher e um homem de meu conhecimento sejam sua irmã e seu sobrinho.

Enquanto descíamos as escadas, ia subindo, com um ar de fadiga que bem lhe assentava, uma mulher aparentando quarenta anos, mas que deveria ter mais. Era a princesa d'Orvillers, filha natural, conforme diziam, do duque de Parma, e cuja voz suave se escondia num vago acento austríaco. Ela avançava, alta, inclinada, num vestido de seda branco e florido, deixando ofegar o colo delicioso, palpitante e exausto através de um arnês de diamantes e de safiras. Sempre sacudindo a cabeça como uma potranca real que se embaraçasse com seu cabresto de pérolas, de valor inestimável e de peso incômodo, pousava aqui e ali os olhares doces e encantadores, de um azul que, à medida que principiava a desgastar-se, tornava-se ainda mais acariciante e fazia à maioria dos convidados que se retiravam um aceno amigável de cabeça. — Que bela hora arranjou para chegar, Paulette! — disse a duquesa. — Ah, lamento muito! Mas na verdade não houve possibilidade material — respondeu a princesa d'Orvillers, que tomara emprestado à duquesa de Guermantes esse gênero de frases, mas acrescentava-lhe a sua doçura natural e o ar de sinceridade conferido pela energia de um acento vagamente tudesco numa voz tão suave. Ela dava a impressão de aludir a contratempos de vida muito longos para narrar, e não vulgarmente às recepções, embora naquele momento regressasse de várias delas. Mas não eram estas que a forçavam a vir tão tarde. Como o príncipe de Guermantes houvesse impedido sua mulher, durante longos anos, de receber a Sra. d'Orvillers, esta, quando foi levantada a proibição, contentara-se em responder aos convites, para não dar a entender que estava sequiosa por eles, com simples cartões de visitas deixados no palácio. Ao fim de dois ou três anos de utilização desse método, ela própria comparecia, mas bem tarde, como se estivesse voltando do teatro. Dessa forma, dava a impressão de não ligar a mínima para a recepção, nem de ser vista ali, mas de simplesmente fazer uma visita ao príncipe e à princesa somente por eles, por simpatia, no momento em que, tendo já ido embora três quartos dos convidados, ela "gozaria mais a presença deles". — Oriane, de fato, desceu ao último degrau — resmungou a Sra. de Gallardon. — Não compreendo como Basin a deixa falar à Sra. d'Orvillers. Não é o Sr. de Gallardon quem me permitiria fazer isto. — Quanto a mim, reconhecera na Sra. d'Orvillers a mulher que, perto do palácio Guermantes, lançara-me longos olhares langorosos, virava-se, parava diante das vitrines das lojas. A Sra. de Guermantes me apresentou; a Sra. d'Orvillers foi encantadora, nem muito amável nem constrangida. Olhou-me como a todo mundo com seus olhos suaves... Porém nunca mais, quando a encontrasse, eu deveria receber de sua parte um só daqueles avanços em que ela parecia oferecer-se. Existem olhares especiais que parecem nos reconhecer, e que um rapaz só recebe de certas mulheres — e de certos homens — até o dia em que nos conhecem e ficam sabendo que somos amigos de pessoas a que também estão ligados.

Anunciaram que o carro já avançara. A Sra. de Guermantes segurou a saia vermelha, como para descer a escada e subir ao carro, mas, tomada talvez pelo remorso, ou pelo desejo de agradar e, sobretudo, de aproveitar a brevidade que o impedimento material de prolongá-lo impunha a um ato tão tedioso, olhou para a Sra. de Gallardon; depois, como se somente então a tivesse avistado, atravessou todo o comprimento do degrau antes de descer e, tendo chegado à prima deslumbrada, estendeu-lhe a mão. — Há quanto tempo! — disse-lhe a duquesa que, para não ser obrigada a desenvolver tudo o que se continha de pesar e de desculpas legítimas nessa fórmula, voltou-se com ar assustado para o duque, o qual, de fato, tendo descido comigo em direção ao carro, esbravejava ao ver que a mulher seguira em direção à Sra. de Gallardon e interrompia a circulação dos outros carros. — Oriane ainda está mesmo muito bonita! — disse a Sra. de Gallardon. — Fazem-me rir as pessoas quando dizem que não nos damos bem; por motivos em que não precisamos meter os outros, podemos ficar anos e anos sem nos vermos; mas temos bastantes recordações comuns para que possamos algum dia ficar afastadas, e, no fundo, ela bem sabe que me estima ainda mais que muitas pessoas a quem vê todos os dias e que não são do seu sangue. — A Sra. de Gallardon era na verdade como esses amorosos desdenhados que a todo transe querem fazer acreditar que são mais amados do que aqueles escolhidos por sua bela. E — pelos elogios que, sem se preocupar com a contradição com o que havia dito pouco antes, ela prodigalizava ao falar da duquesa de Guermantes — provava indiretamente que esta possuía a fundo as normas que devem orientar em sua carreira a uma rainha da elegância, a qual, na ocasião mesma em que seu vestido mais maravilhoso excita, além da admiração, a inveja, deve saber atravessar uma escadaria inteira para desarmá-la. — Pelo menos, presta atenção para não molhar os sapatos — (pois havia caído uma breve pancada de chuva) — disse o duque, que ainda estava furioso por ter esperado.

Durante a volta, devido à exigüidade do cupê, os sapatos vermelhos se achavam forçosamente pouco afastados dos meus; e a Sra. de Guermantes, receando até que me houvessem tocado, disse ao duque: — Este rapaz vai ser obrigado a dizer-me, como em não sei mais qual caricatura: "Senhora, diga logo que me ama, mas não pise meus pés desse jeito." — Aliás, meus pensamentos andavam bem longe da Sra. de Guermantes. Desde que Saint-Loup me falara de uma moça de alta linhagem que freqüentava um bordel e da camareira da baronesa Putbus, era nessas duas pessoas que, em bloco, se resumiam os desejos que me inspiravam diariamente tantas beldades de ambas as classes; de uma parte, as vulgares e magníficas, as majestosas camareiras de casa nobre, cheias de orgulho, e que dizem "nós" ao falar das duquesas; de outra parte, aquelas moças de que às vezes me bastava, mesmo sem as ter visto passar de carro ou a pé, ter lido o nome num noticiário de baile para me enamorar delas e, depois de procurar conscienciosamente no anuário dos castelos o lugar onde passavam o verão (muitas vezes deixando-me iludir por um nome parecido), sonhar, alternativamente, ir habitar as planícies do Oeste, as dunas do Norte e os bosques de pinheirais do Sul. Mas, por mais que fundisse inteira toda a matéria carnal mais requintada para compor, conforme o ideal que me traçara Saint-Loup, a jovem leviana e a camareira da Sra. Putbus, faltava às minhas duas beldades possíveis aquilo que eu ignoraria enquanto as não tivesse visto: o caráter individual. Em vão eu devia esgotar-me para tentar imaginar, durante os meses em que o meu desejo se dirigia de preferência às moças, como era feita e quem seria aquela de quem Saint-Loup me havia falado; e, durante os meses em que teria preferido uma camareira, a da Sra. Putbus. Mas que tranqüilidade, depois de ter sido perpetuamente perturbado por meus desejos inquietos, por tantas criaturas fugitivas de quem muitas vezes nem mesmo sabia os nomes, que de todo jeito eram tão difíceis de encontrar, e mais ainda de conhecer, impossíveis talvez de conquistar, o haver reservado, de toda essa beleza esparsa, fugidia, anônima, dois espécimes de elite, munidos de sua ficha identificadora, e que eu pelo menos tinha certeza de conseguir quando quisesse! Adiava a hora de entregar-me a esse duplo prazer, como adiava a do trabalho, mas a certeza de obtê-lo quando quisesse quase me dispensava de agarrá-lo, como esses comprimidos soporíferos que é bastante ter ao alcance da mão para não precisar mais deles e adormecer. No universo inteiro eu não desejava mais que duas mulheres das quais, é verdade, não conseguia imaginar o rosto, mas de quem Saint-Loup me ensinara os nomes e garantira a complacência. De modo que, se por suas palavras de há pouco havia fornecido um áspero trabalho à minha imaginação, em compensação proporcionara um apreciável descanso, um repouso duradouro à minha vontade.

— Pois bem — disse-me a duquesa. — Fora os bailes, não poderei lhe ser útil de algum modo? Encontrou algum salão onde deseja que lhe apresente? — Respondi-lhe que temia que o único que desejava conhecer não fosse suficientemente distinto para ela. — Qual é? — indagou ela com voz rouca e ameaçadora, sem quase abrir a boca. — A baronesa Putbus. — Desta vez, ela fingiu verdadeira cólera. — Ah, não! Isso é que não. Creio que está zombando de mim. Nem sei mesmo por qual acaso sei o nome desse camelo. Pois ela é o lodo da sociedade. É como se o senhor me pedisse que o apresentasse à minha caixeira. E, mesmo assim, não; a minha caixeira é encantadora. Você é meio doido, meu pobre rapaz. Em todo caso, peço-lhe por favor, seja polido para com as pessoas a quem o apresentei; deixe-lhes cartões, vá visitá-las e não lhes fale da baronesa Putbus, que lhes é desconhecida. — Perguntei-lhe se a Sra. d'Orvillers não era um tanto leviana. — Oh, de jeito nenhum, o senhor está confundindo, ela seria antes presunçosa. Não é mesmo, Basin? — Sim; de qualquer modo, creio que nunca houve o que dizer a seu respeito — disse o duque.

— Não quer ir conosco ao baile à fantasia? — perguntou-me ele. — Eu lhe emprestaria um manto veneziano e sei de alguém que terá enorme satisfação com isso; primeiro a Oriane, é escusado dizer, mas estou me referindo à princesa de Parma. Todo o tempo ela entoa os seus louvores, e só jura pelo senhor. O amigo tem a sorte — visto ser a princesa um tanto madura — de que ela seja de uma pudicícia absoluta. Não fosse isso, ela certamente o tomaria como chichisbéu, como se dizia na minha juventude, uma espécie de cavaleiro servidor.

Eu não fiz questão do baile à fantasia, mas do encontro com Albertine. Portanto, recusei. O carro havia parado, o lacaio bateu no portão principal, os cavalos escarvaram até que ele fosse escancarado, e o carro penetrou no pátio. — Até mais ver — disse o duque. — Às vezes, tenho lastimado morar assim tão perto de Marie — disse a duquesa — porque, se gosto muito dela, gosto um pouquinho menos de vê-la. Mas nunca lastimei essa proximidade tanto como esta noite, pois isto me faz ficar tão pouco tempo em sua companhia. — Vamos, Oriane, nada de discursos. — A duquesa desejaria que eu entrasse por um momento em sua casa. Riu muito, bem como o duque, quando eu disse que não podia porque uma moça devia me fazer uma visita precisamente àquela hora. — O senhor tem uma hora muito divertida para receber suas visitas — disse a duquesa. — Vamos, minha querida, despachemo-nos — disse o Sr. de Guermantes à mulher. — Faltam quinze para a meia-noite e é hora de a gente se fantasiar... — Diante da porta, severamente guardada por elas, ele topou com as duas damas de bengala que não tinham receado descer de suas alturas a fim de evitar um escândalo. — Basin, fizemos questão de preveni-lo, por medo de que seja visto nesse baile: o pobre Amanien acaba de morrer faz uma hora. — O duque teve um instante de alarme. Via a famosa festa evaporar-se para ele desde o momento em que, devido àquelas malditas montanhesas, era advertido da morte do Sr. d'Osmond. Mas recuperou-se rápido e atirou às duas primas esta frase em que expressava, com a determinação de não renunciar a um prazer, a sua incapacidade de assimilar exatamente os volteios da língua francesa: — Está morto! Mas não, estão exagerando, exagerando! — E sem mais se ocupar das duas parentas que, munidas de seus *alpenstocks,* iam fazer a escalada dentro da noite, ele se precipitou em busca de notícias, interrogando o seu criado de quarto: — Meu capacete já chegou? — Sim, senhor duque. — Tem um buraco por onde se possa respirar? Não tenho vontade de ficar asfixiado, que diabo! — Sim, senhor duque. — Ah, maldição! Esta é uma noite de desgraças! Oriane, esqueci de perguntar a Babal se os sapatos de polainas eram para você! — Mas meu querido, já que o roupeiro da Ópera Cômica está aí, ele nos dirá. Por mim, não creio que possa combinar com suas esporas. — Vamos procurar o roupeiro — disse o duque. — Adeus, meu rapaz; gostaria de convidá-lo para entrar conosco, enquanto experimentamos as fantasias, para diverti-lo. Mas ficaríamos conversando, já vai dar meia-noite e é preciso que não cheguemos atrasados para que a festa seja completa.

Eu também tinha pressa de deixar o Sr. e a Sra. de Guermantes o mais rápido possível. *Fedra* terminava cerca das onze e meia. Pelo tempo decorrido, Albertine já devia ter chegado. Fui direto a Françoise: — A Srta. Albertine está aí? — Ninguém chegou. — Meu Deus, isto queria dizer que ninguém viria? Sentia-me atormentado, a visita de Albertine parecia-me agora tanto mais desejável, por ser menos certa. Françoise também estava aborrecida, mas por um motivo inteiramente diverso. Acabava de instalar sua filha à mesa para uma refeição suculenta. Mas, ao ouvir-me chegar, vendo que lhe faltava tempo para tirar os pratos e preparar as agulhas e a linha, como se se tratasse de uma costura e não de uma ceia, disse-me: — Ela acaba de tomar umas colheradas de sopa; obriguei-a a chupar uns ossos — para reduzir assim a quase nada a refeição da filha, e como se fosse coisa culposa a abundância. Mesmo no almoço ou no jantar, se eu cometesse a falta de entrar na cozinha, Françoise fingia que tinham terminado e até se desculpava dizendo: "Eu tinha querido comer um *pedaço*", ou "um *bocado*." — Mas a gente logo se tranqüilizava ao ver a multidão de pratos que enchiam a mesa e que Françoise, surpreendida pela minha súbita entrada, como um malfeitor que ela não era, não tivera tempo de fazer desaparecer. Depois, acrescentou: — Vamos, vai te deitar, já trabalhaste demasiado hoje — (pois queria que a filha desse a impressão não só de não nos custar nada, de viver de privações, mas também de se matar de trabalho por nossa causa). — Não fazes mais que atravancar a cozinha e sobretudo incomodar o patrão que espera a visita. Vamos, sobe — prosseguiu, como se fosse obrigada a usar de autoridade para mandar a filha dormir, a qual, uma vez que estava gorada a ceia, estava ali por estar, e que, se eu tivesse permanecido ali mais cinco minutos, teria saído por si mesma. E voltando-se para mim, com o belo francês popular e no entanto meio individual, que era o seu: — Pois não vê o patrão que a vontade de dormir lhe desfaz a cara? — Eu ficara encantado por não ter de conversar com a filha de Françoise.

Já disse que ela era de uma região bem próxima da de sua mãe, e no entanto bem diferente pala natureza do terreno, das culturas, do dialeto, principalmente por certas particularidades dos habitantes. Assim, a "açougueira" e a sobrinha de Françoise não se davam nada bem, mas tinham algo em comum: quando saíam a recado, demoravam-se horas "na casa da irmã" ou "na casa da prima", sendo incapazes de terminar uma conversação, em cujo transcorrer se dissipava o motivo que as havia feito sair, de tal modo que se lhes perguntavam, ao regressarem: — E então, o Sr. marquês de Norpois estará visível às seis e quinze? — elas nem mesmo batiam na testa dizendo: — Ah, esqueci — mas: — Ah, não entendi que o patrão tinha perguntado isso, pensei que era só para cumprimentar o senhor marquês. — Se elas "perdiam a cabeça" desse jeito quanto a uma coisa dita uma hora antes, em compensação era impossível tirar-lhes da cabeça o que tinham ouvido a irmã ou a prima dizerem uma vez. Assim, se a "açougueira" ouvisse dizer que os ingleses nos tinham feito a guerra em 1870 ao mesmo tempo que os prussianos (e por mais que eu lhe explicasse que aquilo era falso), a cada três semanas me repetia no decurso de uma conversa: — É por causa dessa guerra que os ingleses nos fizeram em 1870, ao mesmo tempo que os prussianos. — Mas eu já lhe disse cem vezes que você está enganada. — Ela respondia, o que deixava claro que nada abalava a sua convicção: — Em todo caso, não é motivo para lhes querer mal. Desde 1870, muita água correu debaixo das pontes, etc. — Uma outra vez, pregando uma guerra contra a Inglaterra, que eu desaprovava, dizia: — Decerto, sempre é melhor não haver guerra. Mas, visto que é necessário, é preferível começar logo. Como explicava a mana há pouco, desde essa guerra que os ingleses nos fizeram em 1870, os tratados comerciais nos arruínam. Depois de os termos derrotado, não se deixará mais entrar na França um só inglês sem pagar trezentos francos de entrada, como nós fazemos agora para ir à Inglaterra.

Tal era, além de grande honestidade e, quando falavam, de uma surda obstinação em não se deixarem interromper, em recomeçarem vinte vezes do ponto em que por acaso eram interrompidas, o que acabava por dar às suas frases a solidez inabalável de uma fuga de Bach, o caráter dos habitantes daquela terrinha, que não contava mais de quinhentos, orlada de castanheiros, salgueiros, campos de batatas e de beterrabas.

Ao contrário, a filha de Françoise falava, julgando-se uma mulher moderna e fora dos caminhos muito batidos, a gíria parisiense e não perdia nenhum dos gracejos adjuntos. Tendo-lhe dito Françoise que eu chegava da casa de uma princesa: — Ah, sem dúvida uma princesa de fancaria. — Vendo que eu esperava uma visita, fingiu julgar que me chamava Charles. Respondi-lhe ingenuamente que não, o que lhe permitiu encaixar: — Ah, era o que eu pensava! E dizia comigo *Charles attend* (*charlatan*).[11] — Não era de muito bom gosto. Mas fiquei menos indiferente quando, como consolo pelo atraso de Albertine, ela me disse: — Acho que o senhor pode esperá-la sentado. Ela não vem mais. Ah, as nossas gigoletes de hoje!

Assim, o seu linguajar diferia do da mãe; mas o que é mais curioso, a fala de sua mãe diferia da de sua avó, natural de Bailleau-le-Pin, que era bem próximo da região de Françoise. No entanto, os dialetos diferiam ligeiramente como as duas paisagens. A região da mãe de Françoise, em declive e descendo para um barranco, era povoada de salgueiros. E, muito longe dali, pelo contrário, havia na França uma pequena região onde se falava quase exatamente o mesmo dialeto que em Méséglise. Fiz essa descoberta ao mesmo tempo que aquilo me aborreceu. Com efeito, certa vez achei Françoise em animada conversa com uma camareira da casa, que era dessa região e falava aquele dialeto. Elas quase se compreendiam, eu não as compreendia absolutamente, elas o sabiam, e nem por isso deixavam de

[11] Trocadilho muito conhecido: seriam as pretensas palavras que teria pronunciado o rei Luís XVIII, agonizante, a seus médicos: — *Allons, finissons-en, Charles attend* ("Vamos, acabemos com isso, Carlos espera"), aludindo à inépcia dos médicos (*charlatans*) e à pressa de Carlos X em subir ao trono (*Charles attend*). (N. do T.)

conversar, com a desculpa, acreditavam, da alegria de serem conterrâneas, embora nascidas tão longe uma da outra, diante de mim naquela língua estranha, como quando não se deseja ser compreendido. Esses pitorescos estudos de geografia lingüística e de camaradagem ancilar prosseguiram todas as semanas na cozinha, sem que eu sentisse nenhum prazer naquilo.

Como, de cada vez que se abria o portão principal, o porteiro apertava um botão elétrico que iluminava a escada, e como todos os locatários já estivessem em casa, deixei imediatamente a cozinha e voltei a sentar-me na antecâmara para espiar, ali onde a cortina um pouco estreita, que não cobria inteiramente a porta envidraçada de nosso apartamento, deixava passar a sombria raia vertical formada pela semi-obscuridade da escada. Se, de repente, essa raia se tornasse de um amarelo dourado, é que Albertine acabara de entrar embaixo e em dois minutos estaria junto de mim; nenhuma outra pessoa podia chegar àquela hora. E eu permanecia, sem poder desviar os olhos da raia que se obstinava em continuar sombria; debruçava-me de todo para estar certo de ver bem; porém, por mais que olhasse, o negro traço vertical, apesar de meu desejo apaixonado, não me concedia o contentamento embriagador que eu teria tido se o visse mudar-se, por um súbito encantamento significativo, numa luminosa barra de ouro. Era inquietação demais por causa dessa Albertine, em quem não havia pensado sequer três minutos durante o sarau Guermantes! Porém, despertando os sentimentos de espera que outrora experimentara a respeito de outras moças, principalmente Gilberte, quando ela demorava a chegar, a possível privação de um simples prazer físico causava-me um cruel sofrimento moral.

Tive de voltar para o quarto. Françoise me seguiu. Como eu estivesse de volta da recepção, ela achava inútil que eu guardasse a rosa da botoeira, e veio tirá-la. Seu gesto, fazendo-me lembrar que Albertine podia não vir mais e obrigando-me também a confessar que desejava estar elegante para ela, provocou-me uma irritação que foi duplicada pelo fato de que havia machucado a flor enquanto me desprendia violentamente e pelas palavras de Françoise: — Seria melhor deixar que a tirasse em vez de estragá-la desse jeito. — Aliás, suas menores palavras me exasperavam. Enquanto a gente espera, sofre tanto com a ausência de quem está esperando que não pode suportar a presença de outra pessoa.

Depois que Françoise saiu do quarto, pensei que, se chegara agora a essa coqueteria em relação a Albertine, era uma pena que tivesse me mostrado tantas vezes a ela tão mal barbeado, com uma barba de muitos dias, nas noites em que a deixava vir para recomeçar nossas carícias. Sentia que, despreocupada de mim, ela me deixava sozinho. Para embelezar um pouco o meu quarto, caso Albertine ainda viesse, e porque era uma das coisas mais belas que eu possuía, voltei a colocar pela primeira vez em muitos anos, sobre a mesa que ficava junto da cama, aquele porta-papéis ornado de turquesas que Gilberte me encomendara para envolver a plaquete de Bergotte e que, durante tanto tempo, quisera eu guardar comigo enquanto dormia, ao lado da bolinha de ágata. Além disso, talvez tanto como Albertine, ainda não chegada, sua presença naquele momento em um "alhures" que ela evidentemente achara mais agradável e que eu não conhecia causava-me um sentimento doloroso que, apesar do que eu dissera há uma hora apenas a Swann, acerca da minha incapacidade de sentir ciúmes, teria se transformado, se visse a minha amiga a intervalos menos longos, numa ansiosa necessidade de saber onde e com quem ela passava o tempo. Não me animava a mandar um recado à casa de Albertine, era muito tarde; mas, na esperança de que, ceando talvez com amigas num café, ela tivesse a idéia de me telefonar, torci o interruptor e, restabelecendo a comunicação no meu quarto, cortei-a entre a central e o quarto do porteiro, a que estava normalmente ligado àquela hora. Ter um receptor no corredorzinho para onde dava o quarto de Françoise teria sido mais simples, menos incômodo, porém inútil. Os progressos da civilização permitem a cada um manifestar qualidades insuspeitadas ou vícios novos que os tornam mais caros ou mais insuportáveis a seus amigos. Foi assim que a descoberta de Edison[12] permitira a Françoise adquirir um defeito a mais, que era o de se recusar a servir-se do telefone, por mais urgência ou utilidade que houvesse nisso. Ela encontrava um jeito de se furtar quando queriam lhe ensinar a usá-lo, como outros fogem no momento de serem vacinados. Assim, o telefone estava instalado no meu quarto e, para que não incomodasse meus pais, sua campainha fora substituída por um simples rumor de torniquete. De medo de não ouvi-lo, eu não me movia. Minha imobilidade era tal que, pela primeira vez depois de meses, reparei no tique-taque da pêndula. Françoise veio arrumar as coisas. Conversava comigo, mas eu detestava aquela conversa, sob cuja continuidade uniformemente banal meus sentimentos se alteravam de minuto a minuto, passando do temor à ansiedade, da ansiedade à decepção completa. Diversamente das palavras vagamente satisfeitas que me julgava obrigado a dirigir-lhe, sentia tão infeliz a minha fisionomia que pretextei estar sofrendo de um reumatismo para explicar a discordância entre minha indiferença simulada e aquela expressão dolorosa; além disso, temia que as palavras pronunciadas por Françoise, aliás a meia voz (não por causa de Albertine, pois ela julgava passada há muito a hora de sua possível chega-

[12] Lapso de Proust. O inventor do telefone é Alexander Graham-Bell. (N. do T.)

da), me impedissem de ouvir o apelo salvador que não viria mais. Por fim Françoise foi se deitar; despedi-a com uma rude brandura, para que o ruído que ela faria ao sair não abafasse o do telefone. E recomecei a escutar, a sofrer; quando estamos esperando, do ouvido que recolhe os ruídos ao espírito que os despoja e analisa, e do espírito ao coração, a quem ele transmite seus resultados, o duplo trajeto é tão rápido que nós nem sequer podemos perceber sua duração, e parece que estamos ouvindo diretamente com o coração.

Eu era torturado pela incessante reincidência do desejo, sempre mais ansioso e jamais satisfeito, de um rumor de chamada; eis que, chegando ao ponto culminante de uma ascensão atormentada pelas espirais de minha angústia solitária, do fundo da Paris populosa e noturna, súbito próxima de mim, ao lado de minha biblioteca, ouvi de repente, mecânico e sublime, como no *Tristão* a *écharpe* agitada ou a flauta de cana do pastor, o ruído de pião do telefone. Levantei-me depressa; era Albertine. — Não o incomodo ao telefone numa hora destas? — Claro que não... — disse eu, reprimindo a alegria, pois o que ela dizia acerca da hora indevida sem dúvida era para se desculpar por vir num momento tão tardio, e não que não viesse. — Você vem? — perguntei num tom indiferente. — Claro que não... se você não tem necessidade absoluta de mim.

Uma parte de mim à qual a outra queria se juntar estava em Albertine. Era preciso que ela viesse, mas no começo eu não lhe disse nada; como estávamos em comunicação, disse para mim mesmo que poderia sempre obrigá-la, no último instante, ou a vir até minha casa, ou a me deixar correr até a sua. — Sim, estou perto de casa — disse ela; — e um pouco longe da sua. Não tinha lido bem o seu recado. Acabei de relê-lo e receei que você não estivesse me esperando. — Percebi que ela mentia e agora, na minha fúria, mais ainda pela necessidade de incomodá-la do que de vê-la, é que desejava obrigá-la a vir. Mas queria primeiro recusar o que tentaria obter dentro de instantes. Mas onde estava ela? Às suas palavras misturavam-se outros sons: a buzina de um ciclista, a voz de uma mulher que cantava, uma fanfarra distante ressoavam tão distintamente como a voz querida, como para me mostrar que era mesmo Albertine em seu meio atual que estava perto de mim naquele momento, como um torrão de terra com o qual foram trazidas todas as gramíneas que o cercavam. Os mesmos ruídos que eu ouvia também feriam seus ouvidos e estorvavam sua atenção: pormenores de verdade, estranhos ao assunto, inúteis em si mesmos, tanto mais necessários para nos revelar a evidência do milagre; vestígios sóbrios e encantadores, descritivos de alguma rua parisiense, vestígios igualmente intensos e cruéis de um sarau desconhecido que, à saída da *Fedra*, haviam impedido Albertine de vir até minha casa. — Começo prevenindo-a de que não é para que você venha, pois a essa hora você me deixaria muito constrangido... — disse-lhe; — estou caindo de sono. E depois, afinal, há um monte de complicações. Faço questão de lhe dizer que não havia mal-entendido possível em meu bilhete. Você me havia respondido que estava combinado. Então, se você não tinha compreendido, o que é que queria dizer com isso? — Eu disse que estava combinado, apenas já não me lembrava bem do que fora combinado. Mas vejo que você está aborrecido e isto me incomoda. Lamento ter ido à *Fedra.* Se tivesse adivinhado que ia causar tantos transtornos... — acrescentou, como todas as pessoas que, sendo culpadas de uma coisa, aparentam crer que é uma outra coisa que lhes censuram. — *Fedra* não tem nada a ver com o meu descontentamento, visto que fui eu quem lhe aconselhou que fosse. — Então você ficou aborrecido comigo; é pena que já seja tão tarde esta noite; não fosse isso eu teria ido a sua casa, mas irei amanhã ou depois de amanhã para me desculpar. — Oh, não! Albertine, peço-lhe; depois de ter-me feito perder uma noite, deixe-me ao menos em paz nos dias seguintes. Não estarei livre nos próximos quinze dias, ou três semanas. Escute, se lhe aborrece nos separarmos com uma impressão de cólera, e, no fundo, talvez tenha razão, então ainda prefiro, cansaço por cansaço, já que a esperei até esta hora e que você ainda está na rua, que venha imediatamente, vou tomar café para despertar. — Não seria possível deixar isto para amanhã? Porque a dificuldade... — Ao ouvir estas palavras de desculpa, pronunciadas como se ela não viesse, senti que, ao desejo de rever o rosto aveludado que já em Balbec orientava todos os meus dias para o momento em que, diante do mar cor-de-malva de setembro, eu estaria ao lado daquela rósea flor, tentava dolorosamente unir-se um elemento bem diverso. Essa tremenda necessidade de uma criatura, eu aprendera a conhecê-la em Combray a respeito de minha mãe, e até ao ponto de desejar morrer se ela me mandava dizer por Françoise que não poderia subir. Esse esforço do antigo sentimento para se combinar e fazer apenas um só elemento com o outro, mais recente, e que tinha somente como objeto a superfície colorida, a rósea carnação de uma flor de praia, esse esforço muitas vezes leva apenas (no sentido químico) a um corpo novo, que pode durar pouco mais que alguns instantes. Naquela noite ao menos, e por muito tempo ainda, os dois elementos permaneceram dissociados. Mas, já às últimas palavras ouvidas pelo telefone, comecei a compreender que a vida de Albertine estava situada (sem dúvida não do ponto de vista material) a uma tal distância de mim que me seriam necessárias sempre explorações fatigantes para lhe pôr a mão em cima; mais ainda: estava organizada como fortificações de campanha e, para maior segurança, com o tipo daquelas a que bem mais tarde adquiriu-se o hábito de chamar "camufladas". Aliás, Albertine, em um nível mais elevado da sociedade, fazia parte desse tipo de pessoas a quem a porteira promete ao nosso portador entregar a carta quando voltar para casa — até o dia em que descobrimos que precisamente ela (a pessoa encontrada fora e a quem tivemos permissão de escrever) é que é a porteira, de modo que ela de fato mora — mas na portaria — na casa que nos indicou (a qual, por sua vez, é um pequeno bordel do qual a porteira é a cafetina) ou então dá como endereço um prédio onde é conhecida por cúmplices que não revelarão o seu segredo, de onde lhe farão chegar as nossas cartas, mas onde ela não reside, onde, quando muito, deixou suas coisas. Existências dispostas sobre cinco ou seis linhas estratégicas, de maneira que, quando se deseja ver ou conhecer essa mulher, bate-se muito à direita, ou muito à esquerda, ou muito adiante, ou muito atrás, podendo-se ignorar tudo durante meses e anos. Quanto a Albertine, eu sentia que jamais aprenderia coisa alguma, que entre a multiplicidade entremeada de detalhes reais e de fatos mentirosos eu nunca chegaria a me desembaraçar. E que isto seria sempre assim, a menos que a colocasse na prisão (porém, foge-se) até o fim. Naquela noite, essa convicção fez passar através de mim não mais que uma inquietude, mas na qual eu sentia fremir como que uma antecipação de longos sofrimentos.

— Claro que não — respondi; — já lhe disse que não estaria livre antes de três semanas, e muito menos amanhã que em qualquer outro dia. — Bem, então... tenho que andar depressa... é aborrecido, pois estou na casa de uma amiga que... — Eu sentia que ela não acreditara que eu aceitaria a sua proposta de vir, a qual, pois, não era sincera, e quis colocá-la entre a espada e a parede. — Que me importa a sua amiga? Venha ou não venha, você é quem decide, não sou eu quem lhe pede para vir, foi você quem me propôs. — Não se zangue, vou pegar um fiacre e estarei em sua casa dentro de dez minutos. — Assim, dessa Paris de cujas profundezas noturnas já emanava até meu quarto, medindo o raio de ação de um ser longínquo, a mensagem invisível, o que ia surgir e aparecer após essa primeira anunciação era aquela Albertine que eu havia conhecido outrora sob o céu de Balbec, quando os garçons do Grande Hotel, ao porem a mesa, eram ofuscados pela luz do poente, quando, estando as vidraças totalmente abertas, a aragem imperceptível do entardecer corria livremente da praia, onde se demoravam os últimos passeantes, para a enorme sala de jantar onde ainda não se haviam sentado os primeiros comensais, e quando, no espelho colocado por detrás do balcão, passava o reflexo rubro do casco e se deixava ficar por muito tempo o reflexo cinzento da fumaça do último vapor para Rivebelle. Eu já não me perguntava o que poderia ter atrasado Albertine, e, quando Françoise entrou no meu quarto e disse: — A senhorita Albertine está aí —, se respondi sem nem mesmo mover a cabeça, foi apenas para dissimular: — Como, a Srta. Albertine vem tão tarde? — Mas então, erguendo os olhos para Françoise, como na curiosidade de que sua resposta devia corroborar a aparente sinceridade de minha pergunta, percebi, com admiração e furor, que, capaz de rivalizar com a própria Berma na arte de fazer falar as roupas inanimadas e as feições do rosto, Françoise soubera "ensinar" ao seu corpete, a seus cabelos, cujos fios mais brancos tinham sido trazidos à superfície, exibidos como uma certidão de nascimento, a seu pescoço encurvado pela fadiga e pela obediência. Eles a lamentavam por ter sido arrancada ao sono e à tepidez do leito, no meio da noite, na sua idade, obrigada a se vestir às pressas, arriscando-se a pegar uma pneumonia. Assim, temendo ter dado a impressão de desculpar-me pela chegada tardia de Albertine, disse: — Em todo caso, estou muito contente por ela ter vindo, não podia ser melhor — e deixei explodir minha profunda alegria. Que não ficou muito tempo sem mistura, quando ouvi a resposta de Françoise. Esta, sem proferir nenhuma queixa, parecendo mesmo sufocar da melhor maneira uma tosse irresistível, e apenas cruzando o xale como se tivesse frio, começou a me contar tudo o que dissera a Albertine, não tendo esquecido de lhe pedir notícias da tia. — Justamente dizia eu que o patrão devia recear que a senhorita não viesse mais, pois isto não são horas de chegar, daqui a pouco será de manhã. Mas ela devia estar em lugares onde se divertia bastante, pois não só não falou que estava contrariada por ter feito o patrão esperar, como também me respondeu com ar de pouco-caso: — Antes tarde que nunca! — E Françoise acrescentou estas palavras que me partiram o coração: — Falando desse modo, ela se denunciou. Talvez tivesse desejado fingir, mas...

Eu não tinha de que ficar espantado. Acabo de dizer que raramente Françoise se justificava, nos recados que lhe incumbiam, se não do que havia dito e sobre o que discorria de bom grado, ao menos da resposta esperada. Mas se, por exceção, ela nos repetia as frases que nossos amigos tinham dito, por mais curtas que fossem, em geral arranjava um meio, graças à expressão se necessário, ao tom com que assegurava terem sido acompanhadas, para lhes atribuir algo de ferino. A rigor, aceitava ter sofrido um insulto de um fornecedor a cujo estabelecimento a tínhamos enviado, insulto, aliás, provavelmente imaginário, desde que, dirigindo-se a ela, que nos representava, que falara em nosso nome, tal insulto nos atingisse de ricochete. Só restava responder-lhe que compreendera mal, que estava atacada de mania de perseguição, e que todos os comerciantes não se achavam unidos contra ela. Aliás, seus sentimentos pouco me importavam. Não ocorria o mesmo com os de Albertine. Ao repetir-me estas palavras irônicas: — Antes tarde que nunca! —, Françoise lembrou-me logo os amigos em cuja companhia Albertine terminara sua noite, divertindo-se ali, então, bem mais do que comigo. — Ela é cômica, tem um chapeuzinho achatado e, com seus olhos graúdos, isto lhe dá um ar engraçado, principalmente com sua capa, que faria melhor se mandasse para a cerzidora, pois está toda comida. Ela me diverte — acrescentou, como se zombasse de Albertine. Françoise dificilmente compartilhava de minhas impressões, mas experimentava um vivo desejo de fazer conhecer as suas. Eu nem mesmo queria parecer compreender que esse riso significava o desdém e a zombaria, mas, para rebater golpe por golpe, respondi a Françoise, muito embora não conhecesse o chapeuzinho de que ela falava: — O que você chama de "chapeuzinho achatado" é algo simplesmente encantador... — Quer dizer que é três vezes nada — disse Françoise exprimindo desta vez com franqueza um verdadeiro desprezo. Então (num tom suave e moderado, para que minha resposta mentirosa parecesse a expressão, não da minha cólera, mas da verdade, e entretanto sem perder tempo, para não fazer Albertine esperar), dirigi a Françoise estas palavras cruéis: — Você é muito boa — disse-lhe melosamente —, você é gentil, você tem mil qualidades, mas está no mesmo ponto que no dia em que chegou a Paris, tanto para entender de coisas de *toilette* como para pronunciar de modo correto as palavras e não cometer erros. — E esta censura era particularmente estúpida, pois as palavras francesas, de que somos tão orgulhosos de pronunciar corretamente, não passam elas mesmas de "erros" cometidos por bocas gaulesas que pronunciavam arrevesadamente o latim ou o saxão, não passando a nossa língua da pronúncia defeituosa de algumas outras. O gênio lingüístico em estado vivo, o passado e o futuro do francês, eis o que deveria interessar-me nos erros de Françoise. A "cerzidora" em vez de "cerzideira" não seria tão curioso como aqueles animais sobreviventes de épocas remotas, como a baleia ou a girafa, e que nos mostram os estágios que a vida animal atravessou? — E — acrescentei — já que você, depois de tantos anos, ainda não aprendeu, quer dizer que jamais aprenderá. Console-se, pois isto não a impede de ser uma excelente pessoa e de preparar às maravilhas bifes na geléia e mais uma infinidade de coisas. O chapéu que você acha simplório é copiado de um chapéu da princesa de Guermantes que custou quinhentos francos. Aliás, pretendo em breve oferecer um outro ainda mais belo à Srta. Albertine. — Eu sabia que o que mais podia aborrecer a Françoise era que eu gastasse dinheiro com pessoas de quem ela não gostava. Respondeu-me com algumas palavras que uma brusca sufocação tornou quase ininteligíveis. Quando mais tarde soube que ela sofria do coração, quantos remorsos não senti por jamais me recusar ao prazer feroz e estéril de retrucar desse modo às suas palavras! Ademais, Françoise detestava Albertine porque esta, sendo pobre, não poderia aumentar o que Françoise chamava minhas superioridades. Sorria benevolamente de cada vez que eu era convidado pela Sra. de Villeparisis. Em troca, indignava-se por Albertine não praticar a reciprocidade. Eu fora obrigado a inventar supostos presentes dados por esta e em cuja existência Françoise jamais dera o menor sinal de fé. Essa falta de reciprocidade a chocava sobretudo em matéria alimentar. Que Albertine aceitasse jantares de mamãe, se não éramos convidados para ir à casa da Sra. Bontemps (a qual, no entanto, passava a metade do tempo fora de Paris, já que o marido aceitava "postos" como outrora, quando estava farto do ministério), isto lhe parecia da parte de minha amiga uma indelicadeza que ela indiretamente punia, recitando esta quadrinha corrente em Combray:

Mangeons mon pain.
— Je le veux bien.
— Mangeons le tien.
— Je n'ai plus faim.[13]

Fingi que estava escrevendo. — A quem escreve? — perguntou Albertine entrando. — A uma bela amiga minha, Gilberte Swann. Não a conhece? — Não. — Desisti de fazer a Albertine algumas perguntas sobre a sua noitada, sentia que lhe faria censuras e que não teríamos tempo, em vista do adiantado da hora, de nos reconciliarmos o bastante para passar aos beijos e carícias. Assim, foi com eles que eu quis começar desde o primeiro minuto. Além disso, se estava mais calmo, nem por essa razão me sentia feliz. A perda de toda bússola, de toda orientação, que caracteriza a espera, subsiste mesmo após a vinda da pessoa esperada e, substituindo em nós a calma em que imaginávamos a sua chegada com tanto prazer, impede-nos de sentir o menor prazer que seja. Ali estava Albertine; meus nervos destroçados, continuando com sua agitação, esperavam-na ainda. — Posso dar-lhe um bom beijo, Albertine? — Tantos quantos quiser — disse ela com toda a sua bondade. Eu nunca a vira tão bonita. — Mais um ainda? — Mas você sabe que isto me dá um prazer imenso. — E a mim, ainda mil vezes mais — respondeu ela. — Oh, que linda pasta de papéis você tem aí! — Leve-a, dou-lhe como lembrança. — Você é tão gentil... — Ficaríamos

13 "Comamos o meu pão. /– Com todo o prazer. /– Comamos o teu. /– Já não tenho fome." (N. do T.)

para sempre curados do romantismo, se, para se pensar naquela a quem amamos, procurássemos ser aquele que seremos quando não mais a amarmos. O porta-papéis, a bolinha de ágata de Gilberte, tudo isso recebera outrora a sua importância apenas de um estado puramente interior, visto que agora eram para mim um porta-papéis e uma bolinha quaisquer.

Perguntei a Albertine se não queria beber. — Parece-me que vejo aí laranjas e água — disse-me ela. — Seria perfeito. — Assim, pude desfrutar com seus beijos aquele frescor que me parecia superior a eles, na casa da princesa de Guermantes. E a laranja espremida na água parecia entregar-me, à medida que ia bebendo, a vida secreta de seu amadurecimento, sua ação feliz contra certos estados desse corpo humano que pertence a um reino tão diverso, sua impotência em fazê-lo viver, mas em compensação os jogos irrigadores pelos quais lhe podia ser favorável, sem mistérios revelados pela fruta à minha sensação, mas de modo algum à minha inteligência.

Depois que Albertine saiu, lembrei-me que prometera a Swann escrever a Gilberte e achei mais gentil fazê-lo imediatamente. Foi sem emoção, e como que escrevendo a última linha de um tedioso dever de aula, que tracei sobre o envelope o nome de Gilberte Swann com que outrora cobrira meus cadernos para dar-me a ilusão de que me correspondia com ela. E eu, se era eu quem antigamente escrevia esse nome, agora a tarefa estava entregue, pelo hábito, a um desses numerosos secretários de que ele se utiliza. Aquele podia, com tanto mais calma, escrever o nome de Gilberte, visto que, posto em mim recentemente pelo hábito, recém-colocado a meu serviço, não conhecera Gilberte e sabia apenas, sem emprestar realidade nenhuma a essas palavras, porque me ouvira falar delas, que se tratava de uma jovem da qual estivera enamorado.

Não podia acusá-lo de secura. O indivíduo que eu era agora em face dela era a "testemunha" mais bem escolhida para compreender o que ela própria havia sido. O porta-papéis e a bolinha de ágata tinham-se tornado simplesmente para mim, relativamente a Albertine, o que haviam sido para Gilberte, o que teriam sido para toda criatura que não tivesse lançado sobre eles o reflexo de uma chama interior. Mas agora, havia em mim uma nova perturbação, que alterava, por sua vez, o verdadeiro poder das coisas e das palavras. E, como Albertine me dissesse, ainda para me agradecer: — Gosto tanto de turquesas! — respondi-lhe: — Não deixe morrer estas — confiando-lhe, assim como às pedras, o futuro da nossa amizade, que no entanto não era mais capaz de inspirar a Albertine um sentimento do que o fora de conservar aquele que me unira outrora a Gilberte.

Aconteceu por essa época um fenômeno que só merece ser mencionado porque se encontra em todos os períodos importantes da História. No momento mesmo em que eu escrevia a Gilberte, o Sr. de Guermantes, mal tendo regressado do baile à fantasia, ainda adornado com seu capacete, pensava que no dia seguinte se veria forçado a estar oficialmente de luto, e decidiu antecipar em oito dias a estação de águas que deveria fazer. Quando voltou, três semanas depois (e para adiantar, visto que apenas acabo de escrever a minha carta a Gilberte), os amigos do duque que o tinham visto, tão indiferente a princípio, tornar-se um antidreyfusista furioso, ficaram mudos de surpresa ao ouvi-lo (como se a estação de águas não tivesse agido unicamente na bexiga) responder-lhes: — Pois bem, o processo será revisado e ele vai ser absolvido; não se pode condenar um homem contra o qual nada existe. Já viram alguma vez um gagá como Froberville? Um oficial preparando os franceses para a matança (quer dizer, para a guerra)! Época estranha! — Ora, nesse intervalo o duque de Guermantes conhecera na estação de águas três senhoras encantadoras (uma princesa italiana e suas duas cunhadas). Ouvindo-as dizer algumas palavras sobre os livros que liam, sobre uma peça que se representava no Cassino, o duque de súbito compreendera que tinha a haver-se com mulheres de intelectualidade superior e com quem, como dizia, não dispunha de forças. Nem por isso ficara menos contente de ser convidado pela princesa para jogar bridge. Porém mal chegara à casa desta, como lhe dissesse, no fervor de seu antidreyfusismo sem matizes: — Pois bem, não nos falam mais da revisão do famoso Caso Dreyfus —, grande fora a sua estupefação ao ouvir a princesa e as cunhadas afirmarem: — Nunca esteve tão próxima a revisão. É impossível manter na prisão quem nada fez. — Hã? Hã — balbuciara a princípio o duque, como diante da descoberta de uma alcunha esquisita, que fosse usada numa casa para ridicularizar alguém que até então julgasse inteligente. Mas ao cabo de alguns dias, como por covardia e espírito de imitação a gente grita: — Olá, Jojotte — sem saber por quê, a um grande artista a quem ouvimos chamar desse modo naquela casa, o duque, ainda bem constrangido pelo novo costume, entretanto dizia: — De fato, se não há nada contra ele. — As três damas encantadoras achavam que ele não se acostumava muito rápido e o maltratavam um pouco. — Mas no fundo, nenhuma pessoa um pouco inteligente poderia acreditar que houvesse algo contra ele. — De cada vez que surgia um fato "esmagador" contra Dreyfus, e o duque, julgando que aquilo iria convertê-las, vinha anunciá-lo, as três damas encantadoras riam muito e não tinham problemas, com uma grande finura de dialética, em mostrar-lhe que o argumento era sem valor e inteiramente ridículo. O duque voltara a Paris como um dreyfusista enraivecido. E com certeza nós não pretendemos que as três damas encantadoras fossem naquele caso mensageiras da verdade. Mas é de notar que a cada dez anos, quando se deixou um homem cheio de uma verdadeira convicção, ocorre que um casal inteligente, ou uma solitária dama encantadora entrem no seu convívio e que ao fim de alguns meses o conduzam a opiniões contrárias. E sobre esse ponto há muitos países que se comportam como o homem sincero, muitos países aos quais deixaram cheios de ódio contra um povo e que, passados seis meses, mudaram de sentimento e desfizeram suas alianças.

Durante algum tempo não vi mais Albertine, mas continuei, à falta da Sra. de Guermantes, que já não falava à minha imaginação, a ver outras fadas e suas residências, tão inseparáveis delas como, do molusco que a fabricou e nela se abriga, a valva de nácar ou de esmalte, ou o torreão guarnecido de ameias de sua concha. Eu não saberia classificar essas damas, sendo a dificuldade do problema tão insignificante como impossível não só de resolver, mas também de colocar. Antes da dama, era preciso abordar o palácio das fadas. Ora, uma recebia todos os dias após o almoço nos meses de verão; mesmo antes de chegar a sua casa, era necessário baixar a capota do fiacre, tão intenso era o sol, cuja lembrança, sem que eu me desse conta, ia entrar na impressão total. Pensava unicamente em ir ao Cours-la-Reine; na verdade, antes de chegar à reunião de que um homem prático teria talvez zombado, eu sentia, como numa viagem pela Itália, um deslumbramento, um deleite de que o palácio não mais se separaria em minha memória. Ademais, devido ao calor da estação e da hora, a dama fechara hermeticamente os postigos nos vastos salões retangulares do andar térreo onde recebia. No princípio eu não reconhecia bem a dona de casa e suas visitas, nem mesmo a duquesa de Guermantes que, com sua voz rouca, me pedia que fosse sentar-me junto dela, numa poltrona de Beauvais que representava *O Rapto de Europa.* Depois distinguia, nas paredes, as amplas tapeçarias do século XVIII que representavam barcos de mastros floridos de malvas-rosas, sob as quais eu me achava, não como no palácio do Sena, mas de Netuno, à margem do rio Oceano, onde a duquesa de Guermantes se transformava numa espécie de divindade das águas. Não acabaria mais, se fosse enumerar todos os salões diferentes deste. Este exemplo basta para mostrar que eu incluía, nos juízos mundanos, impressões poéticas que nunca levava em consideração no momento de calcular o total, de modo que, quando avaliava os méritos de um salão, nunca era exato.

Claro que essas causas de erro estavam longe de serem as únicas, mas não tenho mais tempo, antes de minha partida para Balbec (onde, para minha infelicidade, vou fazer uma segunda temporada que também será a última), de iniciar pinturas da alta sociedade que terão seu lugar bem posteriormente. Digamos apenas que àquela primeira falsa razão (minha vida relativamente frívola e que fazia supor o apego à sociedade) de minha carta a Gilberte e da volta aos Swann que ela parecia indicar, poderia Odette acrescentar tão inexatamente uma segunda. Não pensei até agora nos aspectos diferentes que a sociedade apresenta para uma mesma pessoa, senão supondo que o mundo não muda: se a mesma dama que não conhece ninguém vai à casa de todos, e uma outra, que desfrutava de uma posição dominante é desprezada, sentimo-nos tentados a ver nisso unicamente os altos e baixos puramente pessoais que, de quando em vez, trazem a uma mesma sociedade, em virtude de especulações na Bolsa, uma ruína estrondosa ou um enriquecimento inesperado. Ora, não é somente isso. Numa certa medida, as manifestações mundanas (muito inferiores aos movimentos artísticos, às crises políticas, à evolução que leva o gosto do público para o teatro de idéias, e depois para a pintura impressionista, para a música alemã e complexa, depois para a música russa e simples, ou para as idéias sociais, as idéias de justiça, a reação religiosa, o sobressalto patriótico, são entretanto o seu reflexo remoto, partido, incerto, perturbado e mutável. De forma que até mesmo os salões não podem ser pintados numa imobilidade estática que, até agora, pôde ser conveniente ao estudo dos caracteres, os quais deverão também ser como que apanhados em um movimento quase histórico. O gosto pelas novidades, que leva os homens da sociedade, mais ou menos sinceramente ávidos de se informarem sobre a evolução intelectual, a freqüentarem os meios em que podem segui-la, fá-los habitualmente preferir alguma dona-de-casa até então inédita, que representa ainda bem frescas as esperanças de mentalidade superior, tão murchas e ressequidas nas mulheres que exerceram durante muito tempo o poder mundano, daquelas de quem conhecem os pontos fracos e fortes e que já não lhes falam à imaginação. E assim, cada época acha-se personificada em mulheres novas, num novo grupo de mulheres que, estreitamente ligadas ao que aguça as curiosidades mais novas, parecem, na sua *toilette,* surgir apenas naquele momento, como uma espécie desconhecida provinda do último dilúvio, beldades irresistíveis de cada novo Consulado, de cada novo Diretório. Porém, muitas vezes as novas donas de casa são simplesmente, como certos estadistas em seu primeiro ministério mas que há quarenta anos batiam a todas as portas sem que lhas abrissem, mulheres que não eram conhecidas da sociedade, mas que nem por isso recebiam menos, há muito tempo, e à falta de melhor, alguns "raros íntimos". Decerto, nem sempre era este o caso e quando, com a prodigiosa eflorescência dos balés russos, sucessivamente reveladora de Bakst, de Nijinski, de Benois, do gênio de Stravinski, a princesa Yourbeletieff, jovem madrinha de todos esses novos grandes homens, apareceu trazendo na cabeça uma imensa e trêmula *aigrette*, desconhecida das parisienses e que elas todas procuraram imitar, pôde-se crer que essa maravilhosa criatura fora trazida pelos dançarinos russos em suas bagagens inumeráveis e como se fosse o seu mais precioso tesouro; mas, quando a seu lado, em seu proscênio, virmos assente em todas as apresentações dos "Russos", como uma verdadeira fada, até então desconhecida da aristocracia, a Sra. Verdurin, poderemos responder às pessoas da sociedade, que facilmente supuseram a Sra. Verdurin desembarcada com a trupe de Diaghilev, que esta senhora já existira em épocas bem diversas e passara por avatares diferentes, de que aquele não divergia senão pelo fato de ser o primeiro que afinal trazia, daí em diante assegurado e em marcha cada vez mais rápida, o sucesso durante tanto tempo e tão infrutiferamente esperado pela Patroa. Quanto à Sra. Swann, de fato, a novidade que ela representava não tinha o mesmo caráter coletivo. Seu salão cristalizara-se em torno de um homem, um moribundo, que havia passado, quase de súbito, na ocasião em que seu talento se esgotava, da obscuridade à glória retumbante. Era imensa a admiração pelas obras de Bergotte. Ele passava o dia inteiro sendo exibido na casa da Sra. Swann, que sussurrava a um homem influente: — Eu lhe falarei; e ele vai lhe escrever um artigo. — De resto, ele estava em condições de fazê-lo, e até mesmo de redigir um pequeno ato para a Sra. Swann. Mais perto da morte, andava um pouco menos mal do que no tempo em que vinha saber notícias da minha avó. É que grandes sofrimentos físicos lhe haviam imposto um regime. A doença é o mais ouvido dos médicos: à bondade e ao saber fazem-se apenas promessas; ao sofrimento, obedece-se.

Decerto o pequeno clã dos Verdurin possuía atualmente um interesse muito mais vivo que o salão ligeiramente nacionalista, ainda mais literário, e sobretudo *bergótico*, da Sra. Swann. O pequeno clã era de fato o centro ativo de uma longa crise política que chegara a seu máximo de intensidade: o dreyfusismo. Mas as pessoas da sociedade eram na maioria de tal modo anti-revisionistas, que um salão dreyfusista parecia algo tão impossível como, em outra época, um salão da Comuna. A princesa de Caprarola, que travara conhecimento com a Sra. Verdurin durante uma grande exposição que esta organizara, bem que lhe fora fazer uma longa visita na esperança de desencaminhar alguns elementos interessantes do pequeno clã e agregá-los a seu próprio salão, visita no decurso da qual a princesa (representando em miniatura as duquesas de Guermantes) tomara a contrapartida das opiniões recebidas, declarara idiotas as pessoas do seu mundo, o que a Sra. Verdurin achara de uma grande coragem. Mas essa coragem não iria mais tarde ao ponto de ousar, sob o fogo dos olhares das damas nacionalistas, saudar a Sra. Verdurin nas corridas de Balbec. Quanto à Sra. Swann, ao contrário, os antidreyfusistas lhe agradeciam o ser "bem pensante", o que lhe atribuía um duplo mérito, por ser casada com um judeu. Não obstante, as pessoas que jamais tinham ido à sua casa imaginavam que ela recebia somente alguns israelitas obscuros e alunos de Bergotte. Assim, classificam-se mulheres muito mais qualificadas que a Sra. Swann no último degrau da escala social, ou por causa de suas origens, ou porque não gostam de jantares na cidade e dos saraus onde nunca são vistas, o que é falsamente atribuído ao fato de que não teriam sido convidadas, seja porque elas nunca falam de suas amizades mundanas, mas apenas de arte e literatura, seja porque as pessoas escondem o fato de que vão à casa delas, ou então ocultam que as recebem para não se mostrarem impolidas com os outros; enfim, por mil razões que acabam por fazer de tal ou qual dentre elas, aos olhos de alguns, a mulher que não se recebe. Assim ocorria com Odette. A Sra. d'Épinoy, por ocasião de uma subscrição que desejava fazer para a *Patrie française,* tendo de ir visitá-la, como teria entrado na casa de sua vendeira, aliás convencida de que só encontraria rostos, nem sequer desprezíveis, mas desconhecidos, estacou diante da porta que se abrira não para o salão que imaginava, mas para uma sala mágica onde, como que devido a uma mudança à vista numa *féerie,* reconheceu nas figurantes sedutoras, meio estendidas nos divãs, sentadas em poltronas, chamando a dona da casa pelo seu nome de batismo, as altezas e duquesas que ela própria, princesa d'Épinoy, tinha muita dificuldade em atrair à sua própria casa, e às quais naquele momento, sob os olhos benévolos de Odette, o marquês du Lau, o conde Louis de Turenne, o príncipe Borghese e o duque d'Estrées, trazendo laranjada e bolinhos, serviam de criados e escanções. Como a princesa d'Épinoy colocava, sem se aperceber de tal, a qualidade mundana no interior das criaturas, viu-se obrigada a desencarnar a Sra. Swann e a reencarná-la em uma mulher elegante. A ignorância da vida real que levam as mulheres que não a expõem nos jornais estende assim sobre certas situações (contribuindo desse modo para diversificar os salões) um véu de mistério. Quanto a Odette, no começo, alguns homens da mais alta sociedade, curiosos de conhecer Bergotte, tinham estado em sua casa para um jantar íntimo. Ela tivera o tato, recentemente adquirido, de não divulgá-lo; ali eles encontravam — talvez recordação do "pequeno núcleo", do qual Odette, desde o cisma, conservara as tradições — a mesa posta, etc.. Odette levava-os com Bergotte, a quem isto aliás acabava de matar, às estréias interessantes. Eles falaram dela a algumas mulheres do seu mundo capazes de se interessar com tanta novidade. Estavam elas persuadidas de que Odette, íntima de Bergotte, mais ou menos havia colaborado em suas obras, e a julgavam mil vezes mais inteligente que as mulheres mais notáveis do Faubourg, pelo mesmo motivo porque punham toda a sua esperança política em certos republicanos legítimos como o Sr. Doumer e o Sr. Deschanel, ao passo que viam a França no abismo se fosse confiada ao pessoal monarquista a quem não recebiam para jantar, aos Charette, aos Doudeauville, etc. Esta mudança da posição de Odette cumpriu-se da parte dela com uma discrição que a tornava cada vez mais rápida e segura, mas não a deixava absolutamente suspeitar do público, inclinado a medir pelas crônicas do *Gaulois* o progresso ou a decadência de um salão; de modo que um dia, no ensaio geral de uma peça de Bergotte dado numa das salas mais elegantes em benefício de uma obra de caridade, foi um verdadeiro lance teatral quando se viu, no camarote da frente, que era o do autor, virem sentar-se, ao lado da Sra. Swann, a Sra. de Marsantes e aquela que, pelo apagamento progressivo da duquesa de Guermantes (farta de honrarias e anulando-se ao menor esforço), estava se tornando a leoa, a rainha da época: a condessa Molé. "Quando nem adivinhávamos que ela havia começado a subir", disseram de Odette, no momento em que se viu entrar a condessa Molé no camarote, "ela atingiu o último degrau." De modo que a Sra. Swann podia crer que era por esnobismo que eu me reaproximava de sua filha. Odette, apesar de suas brilhantes amigas, nem por isso deixou de ouvir a peça com extrema atenção, como se estivesse ali apenas para escutá-la, da mesma maneira como antigamente atravessava o Bois por higiene e para fazer exercício. Homens que outrora eram menos solícitos a seu redor chegaram-se ao balcão incomodando a toda a gente, para suspenderem-se à sua mão a fim de se aproximar do círculo imponente de que ela se cercava. Odette, com um sorriso antes de amabilidade que de ironia, respondia pacientemente às suas perguntas, afetando mais calma do que pensavam e que era talvez sincera, pois tal exibição não passava da exibição tardia de uma intimidade habitual e discretamente oculta. Por detrás daquelas três damas, atraindo todas as atenções, estava Bergotte cercado pelo príncipe de Agrigento, pelo conde Louis de Turenne e pelo marquês de Bréauté. E é fácil compreender que, para os homens que eram recebidos em toda parte e que não mais podiam esperar uma superestimação senão da busca de originalidade, essa demonstração que pensavam dar de seu valor ao se deixarem atrair por uma dona-de-casa tida como grande intelectual e junto a quem esperavam encontrar todos os dramaturgos e romancistas em voga, era mais viva e excitante do que aqueles saraus em casa da princesa de Guermantes, que, sem nenhum programa ou atração nova, sucediam-se há tantos anos, mais ou menos iguais ao que tão longamente descrevemos. Naquele grande mundo, o dos Guermantes, de onde a curiosidade se afastava um pouco, as novas modas intelectuais não se encarnavam em divertimentos à sua imagem, como nessas pecinhas de Bergotte escritas para a Sra. Swann, como nas verdadeiras sessões de Salvação Pública (se a alta sociedade pudesse interessar-se pelo Caso Dreyfus) onde, na casa da Sra. Verdurin, se reuniam Picquart, Clemenceau, Zola, Reinach e Labori.

Gilberte também contribuía para a situação da mãe, pois um tio de Swann acabava de lhe deixar cerca de oitenta milhões, o que fazia com que o *faubourg* Saint-Germain começasse a pensar nela. O reverso da medalha era que Swann, de resto agonizante, professava opiniões dreyfusistas, porém isto não prejudicava a mulher e até lhe prestava serviço. Não a prejudicava porque diziam: — Ele é esclerosado, idiota, a gente não liga para ele, só a sua mulher é que importa, e ela é encantadora. — Porém até o dreyfusismo de Swann era útil a Odette. Entregue a si mesma, ela talvez fizesse às mulheres elegantes concessões que a perderiam. Ao passo que nas noites em que arrastava o marido para jantar no *faubourg* Saint-Germain, Swann, ficando ferozmente no seu canto, não se constrangia em dizer em voz alta, caso visse Odette fazer-se apresentar a alguma dama nacionalista: — Ora, Odette, você está louca. Peço-lhe que fique quieta. Seria uma baixeza de sua parte fazer-se apresentar a anti-semitas. Eu a proíbo. — As pessoas mundanas, a quem todos acorrem, não estão acostumadas a tanto orgulho nem a tamanha falta de educação. Pela primeira vez viam alguém que se julgava "mais" que elas. Comentavam-se esses resmungos de Swann, e os cartões dobrados choviam na casa de Odette. Quando esta estava de visita à casa da Sra. d'Arpajon, criava-se um vivo e simpático movimento de curiosidade. — Não se aborreceu por tê-la apresentado? — dizia a Sra. d'Arpajon. — Ela é muito gentil. Foi Marie de Marsantes quem me deu a conhecê-la. — Não, pelo contrário, parece que ela é o que há de mais inteligente, é encantadora. Eu até desejava encontrá-la. Diga-me onde ela mora. — A Sra d'Arpajon dizia à Sra. Swann que se divertira bastante na casa desta na antevéspera e que, por ela, abandonara com alegria a Sra. de Saint-Euverte. E era verdade, pois preferir a Sra. Swann era mostrar-se inteligente, como ir a um concerto em vez de comparecer a um chá. Mas, quando a Sra. de Saint-Euverte ia à casa da Sra. d'Arpajon ao mesmo tempo que Odette, como a Sra. de Saint-Euverte era muito esnobe e a Sra. d'Arpajon, embora a tratasse de cima, fazia questão de manter suas recepções, esta não apresentava Odette para que a Sra. de Saint-Euverte não soubesse de quem se tratava. A marquesa imaginava que deveria ser alguma princesa que saía muito pouco, visto que não a conhecia, e prolongava a visita, respondia indiretamente ao que Odette dizia, mas a Sra. d'Arpajon permanecia de ferro. E, quando a Sra. de Saint-Euverte, derrotada, ia embora: — Eu não lhe apresentei — dizia a dona da casa a Odette — porque a gente não gosta muito de ir à casa dela e ela convida imensamente; você não teria podido se livrar. — Oh, isso não tem importância — dizia Odette pesarosa. Mas manteve a idéia de que não gostavam de ir à casa da Sra. de Saint-Euverte, o que até certo ponto era verdade, e daí concluiu que possuía uma situação muito superior à Sra. de Saint-Euverte, conquanto a desta fosse muito boa e Odette ainda não tivesse nenhuma.

Ela não se apercebia disso e, embora todas as amigas da Sra. de Guermantes tivessem relações com a Sra. d'Arpajon, quando esta convidava a Sra. Swann, Odette dizia com ar escrupuloso: — Vou à casa da Sra. d'Arpajon, mas vocês vão me achar muito antiquada; isto me deixa contrariada por causa da Sra. de Guermantes — (que, aliás, ela não conhecia). Os homens distintos pensavam que o fato de a Sra. Swann conhecer poucas pessoas da alta sociedade se atribuía a que ela fosse uma mulher superior, provavelmente uma grande musicista, e que ir à sua casa seria uma espécie de título extramundano, como para um duque ser doutor em ciências. As mulheres completamente nulas eram atraídas para Odette por uma razão oposta; sabendo que ela ia ao concerto Colonne e se declarava wagneriana, concluíam daí que devia ser uma "farsista" e ficavam muito entusiasmadas à idéia de conhecê-la. Mas, pouco seguras de sua própria situação, temiam comprometer-se em público parecendo estar ligadas a Odette e, se num concerto de caridade avistavam a Sra. Swann, desviavam o rosto, achando impossível cumprimentar, aos olhos da Sra. de Rochechouart, uma mulher que era bem capaz de ter ido a Bayreuth — o que significava capaz de levar uma vida desregrada.

Toda pessoa em visita a outra fazia-se diferente. Sem falar das maravilhosas metamorfoses que assim se efetuavam entre as fadas no salão da Sra. Swann, o Sr. de Bréauté, subitamente valorizado pela ausência de pessoas que de hábito o rodeavam, pelo ar de satisfação que tinha de se encontrar tão bem ali, como se, em vez de ir a uma festa, tivesse posto os óculos para encerrar-se a fim de ler *La Revue des Deux Mondes*, pelo rito misterioso que parecia cumprir vindo visitar Odette, o próprio Sr. de Bréauté dava a impressão de um novo homem. Eu teria dado muito para ver quais alterações sofreria a duquesa de Montmorency-Luxembourg naquele meio novo. Mas ela era uma das pessoas a quem nunca se poderia apresentar Odette. A Sra. de Montmorency, muito mais benevolente para com Oriane do que esta o era quanto a ela, espantava-me bastante ao dizer a propósito da Sra. de Guermantes: — Ela conhece pessoas de espírito, todos gostam dela, e creio que, se tivesse tido um pouco mais de coerência, chegaria a formar um salão. A verdade é que não liga para isso, está coberta de razão e é feliz assim, requisitada por todos. — Se a Sra. de Guermantes não tinha um "salão", então o que era um "salão"? A estupefação em que me lançaram tais palavras não era maior do que aquela que causei à Sra. de Guermantes ao lhe dizer que apreciava bastante ir à casa da Sra. de Montmorency. Oriane achava-a uma velha cretina. — Quanto a mim, vá lá — dizia ela —, sou forçada a isso, é minha tia; mas você! Ela nem sequer sabe atrair as pessoas agradáveis. — A Sra. de Guermantes não percebia que as pessoas agradáveis deixavam-me frio, que, quando ela me dizia "salão Arpajon", eu via uma borboleta amarela, e "salão Swann" (a Sra. Swann recebia em casa, no inverno, das seis às sete), uma borboleta preta de asas mosqueadas de neve. Ainda este último salão, que não o era, a duquesa o julgava, conquanto inacessível para ela, dispensável para mim, devido às "pessoas de espírito". Mas a Sra. de Luxembourg! Se eu já houvesse "produzido" algo que me fizesse ser notado, ela teria concluído que uma dose de esnobismo pode aliar-se ao talento. E levei ao cúmulo a sua decepção: confessei-lhe que não ia à casa da Sra. de Montmorency (como ela acreditava) para "tomar apontamentos" e "fazer um estudo". A Sra. de Guermantes, de resto, não se enganava mais que os romancistas mundanos que analisam cruelmente, de fora, as ações de um esnobe ou de quem é tido como tal, mas jamais se colocam no seu interior, na época em que floresce na imaginação toda uma primavera social. Eu mesmo, quando quis saber que tipo tão grande de prazer sentiria em ir à casa da Sra. de Montmorency, fiquei um tanto desapontado. No *faubourg* Saint-Germain, ela morava numa velha casa cheia de pavilhões separados por pequenos jardins. Debaixo da abóbada, uma estatueta atribuída a Falconet representava uma fonte, de onde, aliás, escorria uma umidade permanente. Um pouco mais longe, a porteira, com os olhos sempre vermelhos, fosse por desgostos, fosse por neurastenia, enxaqueca ou gripe, jamais respondia, limitando-se a fazer um gesto vago indicando que a duquesa se encontrava em casa e deixava cair das pálpebras algumas gotas sobre uma taça repleta de miosótis. O prazer que me dava observar a estatueta, porque ela me lembrava um pequeno jardineiro em gesso que havia num jardim de Combray, não era nada comparado ao que me causavam a grande escadaria úmida e sonora, cheia de ecos, como a de certos estabelecimentos de banhos de outrora, os vasos cheios de cinerárias — azul sobre azul — na antecâmara, e sobretudo o toque da campainha, que era exatamente o do quarto de Eulalie. Esse toque levava ao auge o meu entusiasmo, mas parecia-me por demais humilde para que o pudesse explicar à Sra. de Montmorency, de modo que essa dama me via sempre num deslumbramento de cuja causa nunca suspeitou.

AS INTERMITÊNCIAS DO CORAÇÃO

Minha segunda chegada a Balbec foi bem diversa da primeira. O gerente fora em pessoa me esperar em Pont-à-Couleuvre, repetindo o quanto considerava os hóspedes titulares, o que me fez recear que ele me havia enobrecido, até que compreendi que, na obscuridade de sua memória gramatical, titular significava simplesmente "preferido". Aliás, à medida que aprendia novos idiomas, falava pior os idiomas anteriores. Anunciou-me que me reservara um quarto bem no alto do hotel. — Espero — disse — que o senhor não veja nisso falta de cortesia; aborrecia-me dar-lhe um quarto do qual o senhor é indigno, porém o fiz em relação aos barulhos, pois assim não terá ninguém por cima a lhe cansar os trépanos (em vez de "tímpanos"). Fique tranqüilo, mandarei fechar as janelas para que elas não batam. Nesse ponto, sou intolerável — (tais palavras não exprimiam o seu pensamento, que era o de que o achariam sempre inexorável a esse respeito, mas talvez perfeitamente o de seus camareiros). Aliás, os quartos eram os da primeira estada. Não eram inferiores, mas eu havia subido na estima do gerente. Poderia mandar acender a lareira se quisesse (pois eu partira pela Páscoa, por ordem dos médicos), mas ele receava não houvesse "fixuras" no teto. — Sobretudo, espere sempre, para acender uma fogueira, que a anterior esteja consumada (em vez de "consumida"). Pois o importante é evitar incendiar a lareira, tanto mais que para alegrar um pouco, mandei colocar por cima um grande vaso de porcelana chinesa que isso poderia danificar.

Informou-me, com muita tristeza, da morte do presidente da Ordem dos Advogados de Cherburgo. — Era um velho experiente — disse-me ele (provavelmente por "espertalhão"), e deu-me a entender que seu fim fora antecipado por uma vida de "devastações", o que significava "devassidões". — Há já algum tempo eu notava que, após o jantar, ele cochichava no salão (sem dúvida em vez de "cochilava"). Ultimamente, havia mudado de tal forma que, se não soubessem que era ele, ao vê-lo não tinha nada de reconhecido (em vez de "reconhecível", sem dúvida).

Compensação feliz, o presidente do conselho de Caen acabava de receber a "chibata" de comandante da Legião de Honra. — Certamente que ele tem capacidade, mas creio que a deram sobretudo por sua grande "impotência". Aliás, voltavam a falar dessa "decoração" no *Écho de Paris* da véspera, do qual o gerente lera apenas "o primeiro parafo" (em vez de "parágrafo"). A política do Sr. Caillaux estava bem arranjada. — De resto, acho que eles têm razão — disse ele. — Ele nos põe demais sob a cópula da Alemanha (sob a "cúpula"). — Como esse tipo de assunto, tratado por um hoteleiro, me parecia tedioso, deixei de escutá-lo. Pensava nas imagens que me haviam decidido a voltar a Balbec. Eram bem diferentes das de outrora, a visão que eu vinha buscar era tão esplêndida como a primeira era brumosa; não deviam me decepcionar menos. As imagens escolhidas pela lembrança são tão arbitrárias, tão estreitas, tão inatingíveis como as que a imaginação havia formado e a realidade destruíra. Não há motivo para que, fora de nós, um local de verdade possua de preferência os quadros da memória do que os do sonho. E depois, uma nova realidade nos fará talvez esquecer, e até mesmo detestar, os desejos em virtude dos quais tínhamos partido.

Aqueles que me haviam feito partir para Balbec se relacionavam em parte com o fato de que os Verdurin (de cujos convites jamais me aproveitara, e que certamente ficariam felizes por me receberem, caso eu fosse ao campo a fim de desculpar-me de nunca lhes ter feito uma visita em Paris), sabendo que vários fiéis passariam as férias naquela costa, e tendo por isso alugado para toda a temporada um dos castelos do Sr. de Cambremer (La Raspelière), enviei, feito um verdadeiro doido, o nosso jovem lacaio para se informar se essa dama levaria a sua camareira a Balbec. Eram onze horas da noite. O porteiro levou muito tempo para abrir e por milagre não mandou passear o meu mensageiro, não mandou chamar a polícia, contentando-se em recebê-lo muito mal, dando-lhe porém a informação desejada. Disse que de fato a camareira principal acompanharia a patroa, primeiro às águas da Alemanha, depois a Biarritz e, finalmente, à casa da Sra. Verdurin. Desde então eu me tranqüilizara, ficando satisfeito por ter aquele pão no forno. Podia dispensar-me dessas buscas nas ruas onde estava desprovido, junto às belezas que encontrava, desse cartão de recomendação que seria, ao lado do "Giorgione", o ter jantado na mesma noite com sua patroa, na casa dos Verdurin. Além disso, ela faria talvez melhor idéia a meu respeito, ainda mais sabendo que eu conhecia não somente os burgueses locatários de La Raspelière como também seus proprietários, e principalmente Saint-Loup, que, não podendo me recomendar a distância à camareira (esta ignorava o nome de Robert), escrevera para mim uma calorosa carta aos Cambremer. Pensava que, afora toda a utilidade de que me poderiam ser, a Sra. de Cambremer, a nora nascida Legrandin, haveria de interessar-me para conversar. — É uma mulher inteligente — me assegurara. — Até certo ponto, naturalmente. Ela não te dirá coisas definitivas (as coisas "definitivas" tinham sido substituídas pelas coisas "sublimes" por Robert, que modificava, a cada cinco ou seis anos, algumas de suas expressões prediletas, sempre conservando as principais), mas é uma natureza, ela tem personalidade e intuição; diz a propósito a palavra exata. De vez em quando é enervante, solta asneiras para "bancar gente fina", o que é tanto mais ridículo, visto que nada é menos elegante que os Cambremer; nem sempre está atualizada, mas enfim ainda é uma das pessoas mais suportáveis de se freqüentar.

Logo que lhes chegou às mãos a recomendação de Robert, os Cambremer, fosse pelo esnobismo que os fazia desejar indiretamente serem amáveis com Saint-Loup, fosse por gratidão pelo que ele fizera por um de seus sobrinhos em Doncières, e mais provavelmente, sobretudo, por bondade e tradições hospitaleiras, tinham escrito longas cartas pedindo que morasse com eles e, se preferia ser mais independente, oferecendo-se para me procurar um quarto. Quando Saint-Loup lhes objetou que eu ficaria no Grande Hotel de Balbec, responderam que ao menos esperavam uma visita desde a minha chegada e, se ela demorasse demais, não deixariam de me procurar para convidar-me a freqüentar os seus *garden-parties.*

Sem dúvida, nada ligava de modo essencial a camareira da Sra. Putbus à região de Balbec; ali, ela não seria para mim como a camponesa que eu, sozinho na estrada de Méséglise, chamara tantas vezes em vão com todas as forças do meu desejo.

Mas há muito eu já deixara de tentar extrair de uma mulher como que a raiz quadrada de seu desconhecido, o qual não resistia muitas vezes a uma simples apresentação. Pelo menos em Balbec, aonde eu não ia há muito tempo, teria essa vantagem — na falta da relação necessária que não existia entre a região e aquela mulher —, a de que o sentimento da realidade não me seria suprimido ali pelo hábito, como em Paris, onde, seja em minha própria casa, seja num quarto conhecido, o prazer junto de uma mulher não podia me dar por um só instante a ilusão de que, em meio às coisas cotidianas, me abria acesso a uma vida nova. (Pois, se o hábito é uma segunda natureza, ele nos impede de conhecer a primeira, da qual não tem nem as cruezas nem os encantos.) Ora, essa ilusão, eu a teria talvez numa região nova onde a sensibilidade renasce ante um raio de sol, e onde justamente acabaria de exaltar-me a camareira que eu desejava; porém iremos ver que as circunstâncias não só impedirão que essa mulher vá a Balbec, mas também que eu nada temeria tanto quanto a sua provável chegada; de modo que este objetivo principal da minha viagem não foi alcançado, nem mesmo perseguido. Decerto a Sra. Putbus não deveria ir tão cedo à casa dos Verdurin naquela temporada; mas tais prazeres escolhidos podem estar distantes desde que sua vinda esteja assegurada e que, durante a sua espera, possamos entregar-nos, daqui até lá, à preguiça de tentar agradar e à impotência de amar. Além disso, eu não ia a Balbec com um espírito tão pouco prático feito da primeira vez; há sempre menos egoísmo na imaginação pura do que na recordação; e eu sabia que ia precisamente me encontrar num desses lugares em que pululam as belas desconhecidas;

uma praia não as oferece menos que um salão de baile, e eu pensava previamente nos passeios diante do hotel, sobre o molhe, com o mesmo tipo de prazer que a Sra. de Guermantes me proporcionaria se, em vez de me mandar convidar para brilhantes jantares, sugerisse mais vezes o meu nome, para as listas de cavalheiros, às donas-de-casa que davam bailes. Travar relações femininas em Balbec me seria tão fácil quanto difícil me fora antigamente, pois agora tinha ali tantos apoios e conhecimentos como era destituído deles na minha primeira viagem.

Fui arrancado de meus devaneios pela voz do gerente, cujas dissertações políticas não havia escutado. Mudando de assunto, falou-me da alegria do presidente do conselho de Caen ao saber da minha chegada, e que viria visitar-me no quarto na mesma noite. A idéia dessa visita me assustou de tal maneira — pois principiava a sentir-me esgotado — que lhe implorei que a evitasse (o que me prometeu) e, para maior segurança, que mandasse seus empregados montarem guarda no meu andar, na primeira noite. O gerente parecia não apreciá-los muito. — Sou obrigado o tempo todo a correr atrás deles, pois falta-lhes inércia demais. Se eu não estivesse aí, eles não se mexeriam. Vou colocar o ascensorista de plantão na sua porta. — Perguntei se este era afinal "chefe dos *grooms*". — Ainda não é bem velho na casa — respondeu-me. — Tem companheiros mais velhos que ele. Isso causaria protestos. Em todas as coisas é necessário *granulações*.[14] Reconheço que ele possui uma boa aptitude (em vez de "atitude") diante de seu ascensor. Mas ainda é um pouco jovem para situações semelhantes. Isto faria contraste com os outros, que são bem antigos. Falta-lhe um pouco de seriedade, que é a qualidade primitiva (sem dúvida, a qualidade primordial, a qualidade mais importante). É preciso que seja mais *repensável* (meu interlocutor queria dizer *responsável*). De resto, só pode confiar em mim. Conheço o assunto. Antes de tomar meus galões como gerente do Grande Hotel, fiz minhas primeiras armas às ordens do Sr. Paillard. — Essa comparação impressionou-me e agradeci ao gerente o ter vindo em pessoa até Pont-à-Couleuvre. — Ora, de nada. Isto só me fez perder um tempo infinito (em vez de "ínfimo"). — Além disso, já tínhamos chegado.

Forte perturbação de todo o meu ser. Desde a primeira noite, como eu sofresse de uma violenta crise de fadiga cardíaca, tratando de vencer meu sofrimento, abaixei-me com prudência e bem devagar para tirar os sapatos. Porém mal tocara o primeiro botão de minha botina, meu peito inchou-se, repleto de uma presença desconhecida, divina, soluços me sacudiram, lá-

[14] Evidentemente o hoteleiro quer dizer "gradações". (N. do T.)

grimas me rolaram dos olhos. A criatura que vinha em meu socorro, que me salvava da secura da alma, era aquela que, muitos anos antes, num momento de aflição e solitude idênticas, num momento em que eu nada mais possuía de mim, havia entrado e me devolvera a mim mesmo, pois ela era eu e mais do que eu (o continente que é mais que o conteúdo e que ela me trazia). Eu acabava de perceber, em minha memória, debruçado sobre minha fadiga, o rosto preocupado, terno e desapontado de minha avó, assim como estivera na primeira noite da chegada; o rosto de minha avó, não daquela que eu me espantara e censurara de lamentar tão pouco e que dela só possuía o nome, mas de minha avó verdadeira, de quem, pela primeira vez desde os Champs-Élysées onde ela tivera o seu ataque, eu encontrava a realidade viva numa lembrança involuntária e completa. Essa realidade não existe para nós enquanto não for recriada pelo nosso pensamento (sem isto, todos os homens que participassem de uma gigantesca batalha seriam grandes poetas épicos). E assim, num desejo louco de me precipitar em seus braços, era apenas naquele instante (mais de um ano após o seu enterro, devido a esse anacronismo que muitas vezes impede o calendário dos fatos de coincidir com o dos sentimentos) que eu acabava de saber que ela estava morta. Muitas vezes falara eu nela desde esse momento, e até pensara nela, mas sob as minhas palavras e pensamentos de rapaz ingrato, egoísta e cruel, nunca houvera nada que se assemelhasse à minha avó, pois que, na minha leviandade, no meu amor pelo prazer, no meu hábito de vê-la enferma, eu continha em mim apenas em estado virtual a lembrança do que ela havia sido. Em qualquer momento que a consideremos, nossa alma total só tem um valor quase fictício, apesar do saldo numeroso de suas riquezas, pois ora umas, ora outras são indisponíveis, quer se trate de riquezas efetivas ou de riquezas da imaginação; e para mim, por exemplo, tanto as do antigo nome de Guermantes, como aquelas, bem mais graves, da verdadeira lembrança de minha avó. Pois às perturbações da memória estão ligadas as intermitências do coração. É sem dúvida a existência do nosso corpo, para nós semelhante a um vaso em que estaria encerrada a nossa espiritualidade, que nos induz a supor que todos os nossos bens interiores, nossas alegrias passadas, todas as nossas dores estão perpetuamente sob nossa posse. Talvez também seja incorreto crer que nos fujam ou que retornem. Em todo caso, se permanecem dentro de nós, na maior parte do tempo ficam num domínio desconhecido onde não têm nenhuma utilidade para nós, e onde até os mais comuns são recalcados por lembranças de ordem diferente e que excluem toda simultaneidade com eles na consciência. Mas, se o quadro de sensações em que estão conservados se recupera, têm por sua vez aquele mesmo poder de expulsar tudo o que lhes é incompatível, de instalar sozinho em nós o eu que lhes deu vida. Ora, como esse que eu acabara subitamente de tornar-me não havia existido desde aquela noite remota em que minha avó me despira quando da minha chegada a Balbec, foi bem naturalmente, não depois do dia atual, que esse eu ignorava, mas — como se houvesse no tempo séries diversas e paralelas — sem solução de continuidade, logo após a primeira noite de outrora, que aderi ao instante em que minha avó se debruçara sobre mim. O eu que eu era então, e que desaparecera durante tanto tempo, estava de novo tão perto de mim que me parecia ouvir ainda as palavras que tinham imediatamente precedido e que no entanto não passavam de um sonho, como um homem maldesperto julga perceber bem pertinho os rumores de seu sonho que se desvanece. Eu já não era senão aquela criatura que buscava refugiar-se nos braços de sua avó, a apagar com beijos os vestígios de suas mágoas, essa criatura que, quando eu era este ou aquele que em mim se haviam sucedido desde algum tempo, eu teria, para imaginar, tanta dificuldade que agora me seria necessário fazer esforços, aliás inúteis, para voltar a sentir os desejos e as alegrias de um daqueles que eu já não era, pelo menos por algum tempo. Lembrava-me como, uma hora antes do momento em que minha avó se inclinara desse modo, em seu chambre, para as minhas botinhas, vagando eu na rua sufocante de calor, diante da confeitaria, achara que jamais poderia, dada a necessidade que sentia de beijá-la, esperar a hora que ainda devia passar sem ela. E agora que essa mesma necessidade renascia, sabia que poderia esperar horas e horas, que ela nunca mais estaria a meu lado; não fazia mais que descobri-lo porque, sentindo-a pela primeira vez, viva, verdadeira, enchendo meu coração a ponto de parti-lo, reencontrando-a enfim, acabava de saber que a perdera para sempre. Perdida para sempre; eu não podia compreender e me exercitava em sofrer a dor dessa contradição: de um lado, uma existência, uma ternura, sobreviventes em mim tais como as havia conhecido, ou seja, feitas para mim, um amor onde tudo achava de tal modo em mim o seu complemento, seu objetivo, sua direção constante, que o gênio de grandes homens, todos os gênios que pudessem ter existido desde o começo do mundo não teriam valido para a minha avó um só de meus defeitos; e de outro lado, logo que eu revivera essa felicidade como atual, senti-la atravessada pela certeza, que se lançava como uma dor física à repetição, de um nada que havia apagado minha imagem dessa ternura, que havia destruído essa existência, abolido retrospectivamente nossa mútua predestinação e feito de minha avó, no momento em que a reencontrava como num espelho, uma simples estranha que um acaso fizera passar alguns anos junto de mim, como poderia ter sido junto de qualquer outro, mas para quem, antes e depois, eu não era nada e não seria nada.

Em vez dos prazeres que tivera desde algum tempo, o único que me seria possível desgrudar nesse momento teria sido, retocando o passado, diminuir as dores que a minha avó sentira antigamente. Ora, eu não a lembrava apenas naquele chambre, vestimenta apropriada, a ponto de se tornar quase simbólica, às fadigas, sem dúvida malsãs, mas igualmente suaves, que ela tomava por mim; pouco a pouco, eis que me lembrava de todas as ocasiões em que eu havia aproveitado, mostrando-lhe, exagerando, se necessário, os meus sofrimentos, para lhe causar uma dor que eu logo imaginava desfeita pelos meus beijos, como se a minha ternura fosse tão capaz, como a minha felicidade, de fazer a sua. E pior que isto, eu que agora já não concebia felicidade a não ser encontrando-a espalhada em minha lembrança sobre os planos daquele rosto modelados e inclinados pelo carinho, dedicara outrora uma fúria insensata em tentar extirpar-lhe até os menores prazeres, como naquele dia em que Saint-Loup tirara a fotografia de minha avó e quando, tendo dificuldade de dissimular a puerilidade quase ridícula de sua coqueteria em posar com seu chapéu de abas largas, numa penumbra apropriada, deixara-me levar a proferir uns resmungos impacientes e ferinos, que, sentira-o por uma contração de sua face, tinham atingido o alvo; era a mim que tais resmungos feriam agora, era impossível para sempre o consolo de mil beijos.

Porém nunca mais eu poderia apagar aquela contração de sua face, nem esse sofrimento do seu coração, ou melhor, do meu. Pois, como os mortos não mais existem senão em nós, é em nós mesmos que batemos sem cessar quando nos obstinamos a recordar os golpes que lhes assestamos. Por mais cruéis que fossem essas dores, eu me ligava a elas com todas as forças, pois sentia perfeitamente que elas eram o efeito da recordação de minha avó, a prova de que essa lembrança que eu tinha estava bem presente em mim. Sentia que só a recordava de fato através da dor e desejaria que se encravassem mais solidamente ainda aqueles pregos que fixavam a sua memória. Não buscava tornar mais suave o sofrimento, embelezá-lo, fingir que minha avó estava apenas ausente e momentaneamente invisível, ao dirigir à sua fotografia (a que fora tirada por Saint-Loup e que eu trazia comigo) palavras e rogativas como a um ser separado de nós por uma indissolúvel harmonia. Jamais o fiz, pois não só estava empenhado em sofrer, mas também em respeitar a originalidade do meu sofrimento tal como o havia sentido de súbito, sem querer, e que desejava continuar a sofrer, seguindo suas próprias leis, a cada vez que voltasse essa contradição tão estranha da sobrevivência e do nada entrecruzados em mim. Essa impressão dolorosa e atualmente incompreensível, eu não sabia, é claro, se algum dia poderia arrancar-lhe um pouco de verdade, mas sim que esse pouco de verdade, se alguma vez o pudesse extrair, só poderia ser dela, tão particular, tão espontânea, que não fora traçada pela minha inteligência nem atenuada pela minha pusilanimidade, mas que a própria morte, a brusca revelação da morte, como um raio, abrira em mim um duplo e misterioso sulco, segundo um gráfico sobrenatural, inumano. (Quanto ao olvido de minha avó em que eu vivera até agora, nem mesmo podia sonhar em ligar-me a ele para lhe extrair a verdade; porquanto em si mesmo não passava de uma negação, do enfraquecimento das idéias, incapazes de recriar um momento real da vida e obrigadas a substituí-lo por imagens convencionais e indiferentes.) Talvez, entretanto, o instinto de conservação, a engenhosidade da inteligência que nos preserva da dor, já começasse a reconstruir sobre ruínas ainda fumegantes, a colocar os primeiros alicerces de sua obra útil e nefasta, e eu desfrutasse por demais a doçura de me lembrar tais e tais opiniões da criatura querida, lembrá-las como se ela pudesse tê-las ainda, como se ela existisse, como se eu continuasse a existir para ela. Porém, logo que cheguei a adormecer, nessa hora, mais verídica, em que meus olhos se fechavam às coisas de fora, o mundo do sono (em cujo limiar a inteligência e a vontade, momentaneamente paralisadas, não mais podiam disputar-me à crueldade de minhas impressões verdadeiras) refletiu, refratou a dolorosa síntese da sobrevivência e do nada, na profundeza orgânica, tornada translúcida, das vísceras misteriosamente iluminadas. Mundo do sono, onde o conhecimento interno, posto sob a dependência das perturbações de nossos órgãos, acelera o ritmo do coração ou da respiração, pois que uma mesma dose de terror, de tristeza, de remorso, age com centuplicada força se é desse modo injetada em nossas veias; logo que, para percorrermos as artérias da cidade subterrânea, sulcamos as águas escuras do nosso próprio sangue como por um Letes interior de dobras sêxtuplas, surgem-nos grandes figuras solenes, abordam-nos e nos abandonam, deixando-nos em lágrimas. Em vão procurei a de minha avó, assim que desembarquei sob os pórticos sombrios; no entanto sabia que ela existia ainda, mas de uma vida diminuída, tão pálida como a da recordação; a escuridão aumentava, assim como o vento; tardava meu pai, que devia conduzir-me à presença dela. De repente, faltou-me a respiração, senti o coração como que endurecido, acabava de me lembrar que desde longas semanas me esquecera de escrever à minha avó. Que deveria ela pensar de mim? "Meu Deus", dizia comigo, "como não deve estar infeliz nesse pequeno quarto que alugaram para ela, tão pequeno como para uma antiga criada, onde ela está sozinha com a guarda que puseram para cuidá-la e onde ela não pode se mexer, pois está sempre um tanto paralisada e não quis se levantar uma só vez! Ela deve acreditar que a esqueço desde que morreu, como deve se sentir sozinha e abandonada! Oh! Preciso correr para vê-la, não posso esperar um segundo, não posso esperar que meu pai chegue, mas onde? Como pude esquecer o endereço? Contanto que ela ainda me reconheça! Como pude esquecê-la durante meses?" Está escuro, não encontrarei, o vento impede-me de prosseguir; mas eis meu pai que passeia à minha frente; grito-lhe: — Onde está minha avó? Dê-me o endereço. Ela está bem? Tem certeza de que não lhe falta nada? — Claro que não — responde meu pai —, podes ficar tranqüilo. Seu guarda é uma pessoa muito organizada. De vez em quando, manda-se uma pequena quantia para que lhe seja possível comprar-lhe o estritamente necessário. Às vezes ela pergunta o que é feito de ti. Disseram-lhe até que ias escrever um livro. Ela pareceu contente. Enxugou uma lágrima. Então julguei lembrar-me que, um pouco antes de sua morte, minha avó me dissera, soluçando, com ar humilde, como uma velha criada expulsa, como uma estranha: "Hás de permitir que, mesmo assim, te veja algumas vezes, não passes muitos anos sem me visitar. Pensa que foste o meu netinho e que as avós não esquecem." Revendo aquele rosto tão submisso, tão suave, tão infeliz, que ela possuía, queria correr logo para ela e dizer-lhe aquilo que deveria ter dito então: "Mas, avó, tu me verás quantas vezes quiseres, só tenho a ti neste mundo, não te deixarei nunca mais." Como a deve ter feito soluçar o meu silêncio, durante todos esses meses em que não fui até lá onde ela está deitada! O que não terá imaginado? E foi também soluçando que disse a meu pai: — Depressa, depressa, o seu endereço, leva-me até lá. Mas ele: — É que... não sei se poderás vê-la. E depois, sabes, está muito fraca, muito fraca, já não é mais ela mesma, creio que isto vai ser até penoso para ti. E não me lembro do número exato da avenida. — Mas dize-me, tu que sabes, não é verdade que os mortos não vivem mais. Mesmo assim, não é verdade, apesar do que se diz, visto que minha avó existe ainda. Meu pai sorriu tristemente: Oh, bem pouco, sabes, bem pouco. Creio que farias melhor em não ir até lá. Não lhe falta nada. Tudo está em ordem. — Mas ela fica muitas vezes sozinha? — Sim, mas é preferível isto para ela. É preferível que não pense, só poderia lhe fazer mal. Freqüentemente faz mal pensar. Aliás, tu sabes, está muito abatida. Deixar-te-ei a indicação precisa para que possas ir até lá; não vejo o que poderias fazer ali e não creio que o guarda permitiria que a visses. — No entanto, sabes bem que viverei sempre junto dela, cervos, cervos, Francis Jammes, garfo. Porém já atravessara de volta o rio de tenebrosos meandros, regressara à superfície onde se abre o mundo dos vivos; de forma que, se ainda repetia: "Francis Jammes, cervos, cervos", a seqüência dessas palavras já não me oferecia o sentido límpido e a lógica que exprimiam tão naturalmente para mim há um instante apenas, e que não mais podia recordar. Já nem sequer percebia por que a palavra *Aias*, que meu pai dissera há pouco, significara de imediato: "Cuidado com o frio", sem qualquer dúvida possível. Esquecera-me de fechar os postigos e decerto o dia claro me havia despertado. Mas não pude suportar ter debaixo dos olhos aquelas ondas do mar que minha avó outrora podia contemplar durante horas; a nova imagem de sua beleza indiferente era logo completada pela idéia de que ela não as via mais; desejaria tapar os ouvidos ao seu rumor, pois agora a plenitude luminosa da praia cavava um vazio em meu peito; tudo parecia dizer-me, como aquelas alamedas e gramados de um jardim público onde outrora me perdera dela, quando era bem pequeno: "Não a vimos", e, sob a redondez do céu pálido e divino, eu me sentia opresso, como debaixo de uma imensa cúpula azulada que fechasse um horizonte no qual não estava a minha avó. Para não ver mais coisa alguma, desviei-me para o lado da parede, mas, ai de mim, o que ficava à minha frente era aquele tabique que antigamente servia, entre nós, de mensageiro matinal, aquele tabique tão dócil como um violino para traduzir todos os matizes de um sentimento, que dizia tão exatamente à minha avó o meu temor a um tempo de despertá-la e, se já estivesse acordada, de não ser ouvido por ela e de que ela não se animasse a mover-se, e, logo depois, como a réplica de um segundo instrumento, me anunciava a sua vinda e me convidava ao sossego. Não tinha coragem de me aproximar dessa divisória mais que de um piano em que minha avó teria tocado e que vibraria ainda com seu toque. Sabia que poderia agora bater até com mais força, que nada mais conseguiria despertá-la, que eu não ouviria resposta alguma, que minha avó não mais viria. E eu nada mais pedia a Deus, se existe um paraíso, senão poder bater naquela divisória as três pancadinhas que minha avó reconheceria entre mil, e às quais responderia por essas três outras pancadinhas que queriam dizer: "Não te inquietes, meu ratinho, compreendo que estejas impaciente, mas já estou indo", e que me deixasse ficar com ela por toda a eternidade, que não seria bastante longa para nós dois.

O gerente veio indagar se eu não queria descer. De qualquer modo, havia cuidado do meu "posto" na sala de jantar. Como não me visse, receara que estivesse com minhas sufocações de antigamente. Esperava que aquilo não passasse de pequena "dor de garganta" e me garantiu ter ouvido dizer que era acalmada com o auxílio do que ele denominava o "calipto".

Entregou-me um bilhete de Albertine. Ela não deveria vir a Balbec este ano, mas, tendo mudado de intenção, estava há três dias, não exatamente em Balbec, mas a dez minutos de trem numa estação vizinha. Temendo que eu estivesse cansado da viagem, abstivera-se na primeira noite, mas mandava perguntar quando poderia recebê-la. Informei-me se ela tinha vindo em pessoa, não para vê-la, mas para cuidar de não a ver. — Sim — respondeu-me o gerente. Mas ela queria que fosse o mais cedo possível, a menos que o senhor não tenha motivos absolutamente "necessitosos". O senhor vê — concluiu — que todo mundo aqui o deseja, em definitivo. — Mas eu não queria ver ninguém.

E no entanto na véspera, à chegada, sentira-me retomado pelo encanto indolente da vida dos banhos de mar. O mesmo ascensorista silencioso, desta vez por respeito, não por desdém, e rubro de prazer, pusera o elevador em andamento. Erguendo-me ao longo da coluna que subia, voltara a atravessar o que outrora fora para mim o mistério de um hotel desconhecido, onde, quando se chega, turista sem proteção e sem prestígio, cada hóspede que se recolhe ao quarto, cada moça que desce para jantar, cada criada que passa nos corredores estranhamente delineados, e a jovem chegada da América com sua dama de companhia e que desce para jantar lançam sobre nós um olhar onde não se lê nada daquilo que nos agradaria. Desta vez, ao contrário, eu experimentava o prazer bem repousante de subir num hotel conhecido, onde me sentia em casa, onde mais uma vez cumprira aquela operação de começar sempre, mais longa, mais difícil que o revirar das pálpebras, e que consiste em pousar nas coisas a alma que nos é familiar em vez das suas, que nos aterrorizava. Seria necessário agora, diria eu comigo, sem suspeitar da brusca mudança da alma que me esperava, ir sempre a outros hotéis onde jantaria pela primeira vez, onde o hábito ainda não teria matado em cada andar, diante de cada porta, o terrífico dragão que parecia velar por uma existência encantada, onde teria eu de aproximar-me dessas mulheres desconhecidas que os palácios, os cassinos e as praias à maneira de vastos polipeiros, não fazem mais que reunir e obrigar a viver em comum?

Agradara-me até que o aborrecido presidente do conselho tivesse tanta pressa de me ver; observava, no primeiro dia, as vagas, as cadeias de montanhas do azul do mar, suas geleiras e cascatas, sua elevação e sua majestade negligente — apenas ao sentir, pela primeira vez em muitos anos, ao lavar as mãos, esse cheiro especial dos sabonetes excessivamente perfumados do Grande Hotel —, a qual, parecendo pertencer, a um tempo, ao momento presente e à estada passada, flutuava entre eles como o encanto real de uma vida particular à qual só se volta para mudar a gravata. Os cortinados da cama, muito finos, muito leves e muito amplos, impossíveis de bordar, de prender, e que permaneciam estufados em torno das cobertas em volutas moventes, me entristeceriam outrora. Somente embalaram na redondez incômoda e bojuda de suas velas, o sol glorioso e cheio de esperanças da primeira manhã. Mas este não teve tempo de aparecer. Na mesma noite, a atroz e divina presença havia ressuscitado. Pedi ao gerente que saísse, e que não deixasse entrar ninguém. Disse-lhe que ficaria deitado e recusei sua oferta de mandar buscar na farmácia a excelente droga. Gostou da minha recusa, pois temia que os hóspedes ficassem incomodados pelo cheiro do "calipto". O que me valeu este cumprimento: — O senhor está em dia — (queria dizer "certo"), e essa recomendação: — Cuidado para não se sujar à porta, pois mandei "untar" as fechaduras, e, se um empregado se permitisse baterem seu quarto, seria "moído" de pancadas. E que isto fique estabelecido, pois não gosto de "repetições" (evidentemente aquilo significava: "não gosto de dizer duas vezes a mesma coisa"). Apenas uma observação: não quer que lhe mande subir um pouco de vinho velho do qual tenho lá embaixo uma burrica (sem dúvida por barrica)? Não lha trarei sobre uma salva de prata como a cabeça de Ionathan[15] e previno-lhe que não se trata de um Château-Lafite, mas é mais ou menos equívoco (em vez de "equivalente"). E como é leve, poderiam lhe preparar um pequeno linguado. — Recusei tudo, mas assombrou-me ouvir o nome do peixe (*sole*) ser pronunciado como o da árvore (*saule, salgueiro*), por um homem que deveria ter encomendado tantos em sua vida.[16]

Apesar das promessas do gerente, pouco depois me trouxeram o cartão de visitas dobrado da marquesa de Cambremer. Tendo vindo visitar-me, a velha senhora mandara perguntar se me achava presente, e, ao saber que minha chegada datava apenas da véspera, e que eu estava adoentado, ela não insistira, e (sem dúvida não sem parar na farmácia ou na mercearia, onde o lacaio, saltando da sege, entrava para pagar alguma conta ou comprar mantimentos) voltara a partir para Féterne, na sua velha caleça de oito molas tirada por dois cavalos. Aliás, bem freqüentemente se ouvia o rodar e se admirava o aparato da sua caleça nas ruas de Balbec e de algumas outras pequenas localidades da costa, situadas entre Balbec e Féterne. Não que essas paradas nas lojas de fornecedores fossem o objetivo desses passeios. Ao contrário, o objetivo era algum chá ou *garden-party*, na casa de um fidalgo provinciano ou de um burguês bastante indignos da marquesa. Porém esta, embora dominasse de muito alto, pelo nascimento e pela fortuna, a pequena nobreza das vizinhanças, possuía, em sua bondade e simplicidade perfeitas, tanto receio de decepcionar alguém que a convidasse, que comparecia às mais insignificantes reuniões mundanas dos

[15] O gerente quer dizer Iocanaã, nome de São João, o Batista. (N. do T.)

[16] Trocadilho intraduzível, que o próprio Proust se apressa a colocar entre parênteses, como para avisar a algum leitor estrangeiro. Aliás, toda a fala do gerente tende ao trocadilho fonético. (N. do T.)

arredores. Decerto, em vez de rodar tanto para vir escutar, no calor de um salãozinho sufocante, uma cantora em geral sem talento e que, em sua qualidade de grande dama da região e musicista famosa, era preciso a seguir felicitar com exagero, a Sra. de Cambremer teria preferido ir dar um passeio ou permanecer nos maravilhosos jardins de Féterne, onde a vaga mansa de uma pequena baía vem morrer em meio às flores. Mas ela sabia que sua vinda provável fora anunciada pelo dono da casa, fosse este um nobre ou um burguês de Maineville-la-Teinturière ou de Chattoncourt-l'Orgueilleux. Ora, se a Sra. de Cambremer tinha saído nesse dia sem fazer ato de presença na festa, este ou aquele convidado, vindo de alguma das praiazinhas que se estendem à beira-mar, pudera ouvir e ver a caleça da marquesa, o que anularia a desculpa de não ter podido deixar Féterne. Por outro lado, por mais que esses donos de casa vissem a Sra. de Cambremer comparecer aos concertos dados em casa de pessoas onde eles a consideravam deslocada, a pequena diminuição que, a seus olhos, era por esse fato infligida à posição da boníssima marquesa, desaparecia logo que eram eles os que a recebiam, e era febrilmente que se indagavam se a teriam ou não para o seu chá. Que alívio para as inquietações sentidas durante vários dias, se, depois do primeiro trecho cantado pela filha dos donos da casa ou por algum amador em férias, um convidado anunciava (sinal infalível de que a marquesa compareceria à vesperal) ter visto os cavalos da famosa caleça parados diante do relojoeiro ou do farmacêutico! Então a Sra. de Cambremer (que de fato não demoraria a entrar junto com sua nora, os convidados naquele momento hospedados em sua casa e que ela pedira permissão — com que alegria concedida — para trazer) retomava todo o seu brilho aos olhos dos donos da casa, para quem a recompensa de sua esperada vinda talvez fosse a causa determinante e inconfessa da decisão que haviam tomado há um mês: infligirem-se a balbúrdia e a despesa para dar uma vesperal. Vendo a marquesa presente a seu chá, recordavam, não mais a sua complacência em comparecer ao dos vizinhos pouco qualificados, mas a antiguidade de sua família, o luxo de seu castelo, a descortesia de sua nora nascida Legrandin que, por sua arrogância, realçava a bonomia um tanto antiquada da sogra. Já acreditavam ler, nas notas sociais do *Gaulois*, o tópico que eles próprios cozinhariam em família, todas as portas fechadas à chave, sobre "o pequeno recanto da Bretanha onde a gente se diverte de fato, a vesperal ultra-secreta que só se dissolveu depois que se obteve dos donos da casa a promessa de que em breve dariam outra". Todos os dias esperavam o jornal, ansiosos por não terem visto ainda figurar nele a sua vesperal, temendo haver conseguido a Sra. de Cambremer apenas para seus convidados, não para a multidão dos leitores. Por fim chegava o dia bendito: "A temporada está excepcionalmente brilhante este ano em Balbec. A moda são os pequenos concertos das tardes, etc.." Graças a Deus, o nome da Sra. de Cambremer fora bem grafado e "citado ao acaso", mas ao alto. Restava apenas parecer aborrecido com essa indiscrição dos jornais, que podia causar rixas com pessoas a quem não fora possível convidar, e perguntar hipocritamente à Sra. de Cambremer quem fora capaz da perfídia de enviar aquele eco, ao que a marquesa, benevolente e grande dama, dizia:

— Compreendo que isto os aborreça, mas quanto a mim fiquei muito feliz que soubessem que estava em casa dos senhores.

No cartão que me enviou, a Sra. de Cambremer havia escrito que dava uma vesperal dois dias depois. E certamente há apenas dois dias, por mais cansado que estivesse da vida mundana, teria sido um verdadeiro prazer para mim desfrutá-la transplantada para aqueles jardins onde cresciam em plena terra, graças à exposição de Féterne, as figueiras, as palmeiras, os canteiros de rosas, e até ao mar, muitas vezes de um azul e de um sossego mediterrâneos e no qual o pequeno iate dos proprietários, antes do começo da festa, ia apanhar, nas praias do outro lado da baía, os convidados mais importantes, e que, com seus toldos estendidos contra o sol, servia de refeitório, quando todos já haviam chegado, e voltava à tardinha para reconduzir aqueles que trouxera. Luxo encantador, mas tão dispendioso que, em parte, a fim de cortar as despesas que ele acarretava, é que a Sra. de Cambremer havia procurado aumentar seus rendimentos de diversas maneiras, principalmente alugando pela primeira vez uma de suas propriedades, bem diferente de Féterne: La Raspelière. Sim, dois dias antes, o quanto uma vesperal dessas, povoada de pequenos nobres desconhecidos, num ambiente novo, não teria me distraído da "alta roda" parisiense! Mas agora os prazeres não tinham mais nenhum sentido para mim. Assim, escrevi à Sra. de Cambremer para desculpar-me, da mesma forma como, uma hora antes, mandara despedir Albertine: o desgosto abolira em mim a possibilidade do desejo, de modo tão completo como uma febre muito alta tira o apetite. Minha mãe devia chegar no dia seguinte. Parecia-me que era menos indigno de viver junto dela, que a compreenderia melhor agora que toda uma vida estranha e degradante dera lugar ao retorno das lancinantes lembranças que cingiam e enobreciam minha alma e a sua de coroas de espinhos. Acreditava-o assim; na realidade, há muita distância entre os desgostos verdadeiros, como era o de mamãe — que literalmente nos tiram a vida por muito tempo, às vezes para sempre, quando se perde a criatura amada —, e os demais desgostos, apesar de tudo passageiros, como devia ser o meu, que se vão tão depressa como tarde chegaram, que só são conhecidos muito tempo depois do acontecimento porque, para senti-los, houve necessidade de os "compreender"; desgostos como tantas pessoas os experimentam e dos quais o que atualmente me torturava só se diferençava por aquela modalidade da lembrança involuntária.

Quanto a um desgosto tão profundo como o de minha mãe, eu devia conhecê-lo um dia, e o veremos na continuação desta narrativa, mas não era agora e nem assim que eu o imaginava. Não obstante, como um recitador que deveria conhecer o seu papel e estar no seu posto há muito, mas que apareceu apenas no último segundo e, tendo lido somente uma vez o que tem a dizer, sabe dissimular com extrema habilidade ao chegar o momento em que deve dar a réplica, para que ninguém se aperceba de seu atraso — o meu desgosto, inteiramente novo, permitiu-me, quando minha mãe chegou, que lhe falasse como se tivesse sido sempre o mesmo. Ela apenas imaginou que a vista daqueles lugares onde eu tinha estado com minha avó (e aliás não era isto) o havia despertado. Então pela primeira vez, e porque eu sentia uma dor que nada era ao lado da sua, mas que me abria os olhos, dei-me conta, com terror, do que ela podia sofrer. Pela primeira vez compreendi que aquele olhar fixo e sem lágrimas (o que fazia com que Françoise pouco a lamentasse), que ela apresentava desde a morte de minha avó, estava preso naquela incompreensível contradição da lembrança e do nada. Além disso, embora sempre com seus véus negros, mais vestida naquela região nova, mais me impressionava a transformação que se fizera nela. Não é muito dizer que havia perdido toda a alegria; fundida, fixa numa espécie de imagem implorativa, ela parecia ter medo de ofender com um movimento excessivamente brusco, com um tom de voz alto demais, a dolorosa presença que não a abandonava. Mas principalmente, desde que a vi entrar com seu manto de crepe, percebi — o que me havia escapado em Paris — que já não era minha mãe quem eu tinha diante dos olhos: era minha avó. Como nas famílias reais e ducais, à morte do chefe o filho assume o seu título e, de duque de Orléans, de príncipe de Tarento ou de príncipe des Laumes, torna-se rei da França, duque de La Trémoïlle, duque de Guermantes, assim muitas vezes, devido a um acontecimento de outra ordem e de mais profunda origem, o morto se apodera do vivo, que se torna seu sucessor análogo, o continuador de sua vida interrompida. Talvez a grande mágoa que se segue, numa filha como era mamãe, à morte de sua mãe, não faça mais que romper mais cedo a crisálida, apressar a metamorfose e o aparecimento de um ser que trazemos em nós, e que, sem essa crise que faz queimar as etapas e saltar de um pulo os períodos, só teria sobrevindo mais lentamente. Talvez, na saudade daquela que já não existe, haja uma espécie de sugestão que acaba por trazer às nossas feições semelhanças que aliás teríamos em potencial, e sobretudo talvez haja uma parada de nossa atividade mais particularmente individual (em minha mãe, o bom-senso, a alegria zombeteira que lhe vinha do pai), que não receávamos exercer enquanto vivia o ser amado, mesmo que fosse às suas custas, e que contrabalançava o caráter que havíamos herdado exclusivamente dele. Uma vez que a pessoa amada está morta, sentiríamos escrúpulos em ser outra, não mais admiramos senão o que ela era, o que já éramos, porém misturado a outra coisa, e que vamos unicamente ser de hoje em diante. É neste sentido (e não naquele tão vago, tão falso, em que é geralmente entendido) que se pode dizer que a morte não é inútil, que o morto continua a agir sobre nós. Trata-se até mais que um vivo porque, sendo a verdadeira realidade apreendida apenas pelo espírito, só conhecemos de fato o que somos obrigados a recriar pelo pensamento, aquilo que a vida cotidiana nos oculta... Enfim, neste culto da dor pelos nossos mortos, votamos uma idolatria pelo que eles amaram. Não só minha mãe não podia separar-se da bolsa de minha avó, que se tornara mais preciosa do que se fosse de safiras e diamantes, de seu regalo, de todos aqueles vestuários que ainda mais acentuavam a semelhança de aspecto entre elas, mas até mesmo dos volumes da Sra. de Sévigné que minha avó trazia sempre consigo, exemplares que minha mãe não trocaria nem mesmo pelo próprio manuscrito das *Cartas*. Antigamente, ela gracejava com a mãe, que jamais lhe escrevia sem citar uma frase da Sra. de Sévigné ou da Sra. de Beausergent. Em cada uma das três cartas que recebi de mamãe antes de sua chegada a Balbec, ela citou a Sra. de Sévigné, como se essas três cartas não tivessem sido endereçadas por ela a mim, mas por minha avó a ela. Quis descer e ir até o molhe para ver aquela praia de que minha avó lhe falava todos os dias ao lhe escrever. Segurando a sombrinha da mãe, eu a vi pela janela adiantar-se, toda de preto, com passos tímidos, piedosos, pela areia que os pés queridos haviam pisado antes dela, e dava a impressão de ir em busca de uma morta que as ondas deviam trazer. Para não deixá-la jantar sozinha, tive de descer com ela. O presidente do conselho e a viúva do presidente da Ordem dos Advogados fizeram-se apresentar. E tudo o que se relacionava com minha avó era-lhe tão sensível, que ela se sentiu infinitamente tocada e conservou sempre a recordação e o reconhecimento pelo que lhe disse o presidente do conselho, como ao contrário sofreu com indignação o fato de que a viúva do presidente da Ordem dos Advogados não tivesse tido uma só palavra em lembrança da morta. Na realidade, o presidente do conselho não se preocupava com ela mais do que a viúva. As palavras comovidas de um, bem como o silêncio da outra, embora minha mãe pusesse entre ambos uma grande distância, não passavam da forma diversa de exprimir aquela indiferença que nos inspiram os mortos. Creio, porém, que minha mãe achou principalmente doçura nas palavras em que, contra a minha vontade, deixei passar um pouco do meu sofrimento. Aquilo só conseguia deixar mamãe feliz (apesar de todo o carinho que sentia por mim), como tudo o que assegurasse à minha avó uma sobrevivência nos corações. Nos dias seguintes, minha mãe descia para sentar-se na praia, para fazer exatamente o que sua mãe fizera, e de quem lia os dois livros preferidos: as *Memórias* da Sra. de Beausergent e as *Cartas*, da Sra. de Sévigné. Ela, e nenhum de nós, não teria suportado que chamassem a esta última de "espirituosa marquesa" e nem a La Fontaine de "le Bonhomme". Mas, quando lia nas cartas as palavras "minha filha", julgava ouvir sua mãe lhe falando.

Teve o azar, numa dessas peregrinações em que não queria ser perturbada, de encontrar na praia uma senhora de Combray, seguida das filhas. Creio que seu nome era Sra. Poussin. Mas entre nós só a chamávamos de "Vais ver o que te acontece", pois era com essa frase perpetuamente repetida que ela advertia as filhas para os males que acarretariam a si mesmas; por exemplo, dizia a uma delas que esfregava os olhos: "Quando tiveres uma boa oftalmia, vais ver o que te acontece." De longe, dirigiu a mamãe longas saudações lacrimosas, mas não de condolências, e sim de gênero de educação. Não tivéssemos perdido a minha avó, e só teríamos motivo de estar felizes, ela teria feito o mesmo. Vivia bastante retirada em Combray, num imenso jardim, nunca achava nada bastante suave e impunha suavizações até às palavras e nomes próprios da língua francesa. Achava muito duro chamar de "colher" à peça de prata em que se servia do seu xarope e, em conseqüência, só dizia "coler"; teria receio de maltratar o doce cantor de Telêmaco chamando-o rudemente Fénelon — como o fazia eu mesmo, com conhecimento de causa, pois tinha por amigo a criatura mais inteligente, mais bondosa e de maior coragem, inesquecível para quantos o conheceram, Bertrand de Fénelon — e ela só dizia "Fénélon", achando que o acento agudo lhe acrescentava alguma suavidade. O genro desta Sra. Poussin, menos suave, e cujo nome esqueci de todo, sendo notário em Combray, ocorreu-lhe carregar com a caixa, fazendo principalmente o meu tio perder uma quantia respeitável. Mas como a maioria das pessoas de Combray dava-se tão bem com os outros membros da família, disso não resultou qualquer frieza, contentando-se elas em lamentar a Sra. Poussin. Ela não costumava receber, mas, cada vez que alguém passava pelas grades do seu jardim, parava para admirar suas admiráveis sombras, sem poder distinguir mais nada. Ela absolutamente não nos incomodou em Balbec, onde só a vi uma vez, no momento em que estava dizendo à filha, que roía as unhas: — Quando tiveres um bom panarício, vais ver o que te acontece.

Enquanto mamãe lia na praia, eu ficava sozinho no quarto. Recordava-me dos últimos tempos de vida da minha avó e tudo o que se relacionava com eles, a porta da escadaria, que se mantivera aberta quando tínhamos saído para o nosso último passeio. Em contraste com tudo aquilo, o resto do mundo apenas parecia real, e o meu sofrimento o envenenava todo. Por fim, minha mãe exigiu que eu saísse. Mas a cada passo, algum aspecto esquecido do cassino, da rua em que, esperando-a na primeira noite, eu caminhara até o monumento de Duguay-Trouin, impedia-me de ir adiante, como um vento contra o qual não se pode lutar; baixava os olhos para não ver. E, depois de recobrar um pouco de força, voltava para o hotel, para o hotel onde sabia que, de agora em diante, era impossível, por mais que esperasse, encontrar minha avó, minha avó que eu encontrara outrora, na primeira noite da chegada. Como era a primeira vez que saía, muitos criados que ainda não me conheciam me olharam com curiosidade. Na própria entrada do hotel, um jovem *groom* tirou o boné para me saudar, recolocando-o com presteza. Acreditei que Aimé, segundo sua própria expressão, lhe "passara a senha" para que me cumprimentasse. Mas no mesmo instante percebi que o tirava novamente para outra pessoa que chegava. A verdade era que aquele rapaz não sabia fazer outra coisa na vida senão tirar e pôr o boné, e o fazia extremamente bem. Tendo compreendido que era incapaz de outra coisa e que excelia naquilo, cumpria-o o maior número possível de vezes por dia, o que lhe valia da parte dos hóspedes uma simpatia discreta mas generalizada, uma grande simpatia igualmente da parte do porteiro a quem incumbia o trabalho de contratar os *grooms*, e que, até achar esse pássaro raro, não pudera encontrar um só que não despedisse em menos de oito dias, para grande espanto de Aimé, que dizia: — No entanto, nesse ofício só se exige que sejam corteses, não deveria ser tão difícil. — O gerente também fazia questão de que tivesse o que ele chamava uma bela "presença", querendo dizer que ali permanecessem, ou porque se referisse mesmo a uma boa presença.[17] O aspecto do gramado que se estendia por detrás do hotel fora modificado pela criação de algumas platibandas floridas e a retirada não só de um arbusto exótico, mas também do *groom* que, naquele primeiro ano, decorava exteriormente a entrada com o tronco flexível do seu talhe e a coloração curiosa de sua cabeleira. Havia seguido uma condessa polonesa que o tomara como secretário, nisso imitando seus dois irmãos mais velhos e a irmã datilógrafa, arranca-

[17] "Boa presença", em francês, é *prestance*, palavra que no texto está associada foneticamente a *présence* ("presença"). (N. do T.)

dos ao hotel por personalidades de regiões e sexos diversos, que haviam se encantado com o charme deles. Permanecia apenas o irmão caçula, que ninguém queria por ser estrábico. Sentia-se muito feliz quando a condessa polonesa e os protetores dos outros dois vinham passar algum tempo no hotel de Balbec. Pois, apesar de invejar os irmãos, amava-os e podia assim, durante algumas semanas, cultivar sentimentos de família. A abadessa de Fontevrault não tinha por acaso o hábito, deixando as suas monjas, de vir partilhar a hospitalidade que Luís XIV oferecia àquela outra Mortemart, sua amante, a Sra. de Montespan? Quanto a ele, era o primeiro ano que estava em Balbec; ainda não me conhecia, mas, tendo ouvido seus companheiros mais antigos, quando me diziam a palavra senhor, acrescentar-lhe o meu nome, imitou-os desde a primeira vez com ar de satisfação, fosse para manifestar o seu conhecimento relativamente a uma personalidade que julgava conhecida, fosse para se conformar a um uso que ignorava cinco minutos antes, mas ao qual lhe parecia indispensável não faltar. Eu compreendia muito bem o encanto que aquele grande palácio poderia oferecer a certas pessoas. Estava erguido como um teatro, e uma comparsaria numerosa o animava até a curvatura da abóbada. Ainda que o hóspede não fosse mais que uma espécie de espectador, estava permanentemente mesclado ao espetáculo, não apenas como nesses teatros em que os atores representam uma cena na platéia, mas como se a vida do espectador se desenrolasse em meio às suntuosidades da cena. O jogador de tênis podia regressar de casaco de flanela branca, que o porteiro teria vestido a casaca azul agaloada de prata para lhe dar a correspondência. Se este jogador de tênis não desejava subir a pé, nem por isto estava menos misturado aos atores, tendo a seu lado, para acionar o elevador, o ascensorista também ricamente uniformizado. Os corredores dos andares entremostravam uma fuga de camareiras e mensageiras, belas de encontro ao mar como o friso das Panatenéias, e até aos seus quartinhos aonde chegavam por sábios desvios os apreciadores da beleza feminina ancilar. Embaixo, dominava o elemento masculino, fazendo desse hotel, devido à extrema e ociosa juventude dos empregados, como que uma espécie de tragédia judeu-cristã que se encorpasse e fosse perpetuamente representada. Assim, não podia deixar de dizer a mim mesmo, ao vê-los, não certamente os versos de Racine que me vieram ao espírito na casa da princesa de Guermantes, enquanto o Sr. de Vaugoubert contemplava os jovens secretários da embaixada que saudavam o Sr. de Charlus, porém outros versos do mesmo Racine, desta vez não de *Esther*, mas de *Athalie*; pois desde o *hall*, o que no século XVII se chamava os Pórticos, mantinha-se "um povo florescente" de jovens *grooms*, especialmente à hora das refeições, como os jovens israelitas dos coros de Racine. Mas não creio que um só deles pudesse dar sequer a vaga resposta que Joas encontra para Atália, quando esta indaga ao príncipe menino: "Qual é, pois, o seu emprego?", visto não terem nenhum. Quando muito, se perguntassem a qualquer deles, como a velha rainha:

Mas de que se ocupa toda essa gente encerrada neste lugar?[18]

poderia ter dito:

"Vejo a ordem pomposa destas cerimônias[19] *e para elas contribuo."*

Às vezes, uma das jovens figurantes caminhava na direção de algum personagem mais importante, porém logo essa jovem beldade voltava para o coro e, a menos que não fosse o instante de uma pausa contemplativa, todos entrelaçavam suas evoluções inúteis, respeitosas, decorativas e cotidianas. Pois, a não ser em seus "dias de folga", "longe do mundo educados"[20] e não franqueando o vestíbulo, levavam a mesma existência eclesiástica dos levitas em *Athalie,* e diante desse "grupo jovem e fiel",[21] representando ao pé dos degraus cobertos de magníficos tapetes, eu podia indagar-me se penetrava no Grande Hotel de Balbec ou no templo de Salomão.

Subia diretamente para o quarto. Meus pensamentos estavam ligados habitualmente aos últimos dias da enfermidade de minha avó, a seus sofrimentos, que eu revivia, acrescentando-lhes esse elemento, ainda mais difícil de suportar que o próprio sofrimento alheio e aos quais é ajuntado por nossa piedade cruel; quando julgamos estar apenas recriando as dores de um ser querido, nossa piedade as exagera; mas talvez seja ela que detenha a verdade, mais do que a consciência que têm dessas dores aqueles que as sofrem, e aos quais é oculta essa tristeza de suas vidas, que a piedade vê e com que se desespera. Todavia, a minha piedade teria, num novo impulso, ultrapassado os sofrimentos de minha avó se eu então tivesse sabido aquilo que ignorei por muito tempo; que, na véspera de sua morte, num instante de consciência e assegurando-se de que eu não me achava ali, ela pegara a mão de mamãe e, depois de lhe ter colado os lábios febris, lhe dissera: "Adeus, minha filha, adeus para sempre." E talvez também seja essa lembrança que minha mãe nunca mais deixou de encarar tão fi-

[18] *Athalie,* ato II, cena VII. (N. do T.)

[19] *Athalie, id., ibid.* Citação modificada de: "Vejo a ordem pomposa de suas cerimônias." (N. do T.)

[20] *Athalie,* ato II, cena IX. Citação modificada. (N. do T.)

[21] *Athalie,* ato I, cena III. (N. do T.)

xamente. Depois, voltavam-me as doces recordações. Ela era a minha avó e eu o seu neto. As expressões de sua fisionomia pareciam escritas numa língua só para mim; ela estava em toda a minha vida, os outros só existiam relativamente a ela, no julgamento que ela me fazia a seu respeito; mas não, nossas relações foram por demais fugidias para não terem sido acidentais. Ela já não me conhece, eu jamais voltarei a vê-la. Não tínhamos sido criados exclusivamente um para o outro, tratava-se de uma estranha. Essa estranha, eu a contemplava na fotografia tirada por Saint-Loup. Mamãe, que encontrara Albertine, insistira comigo para que a visse, por causa das amabilidades que dissera a respeito de minha avó e de mim. Marquei-lhe então um encontro. Preveni o gerente para que a fizesse esperar no salão. Disse-me que já a conhecia de muito, a ela e a suas amigas, bem antes que houvessem atingido a "idade da pureza", mas que estava aborrecido com elas devido às coisas que tinham dito sobre o hotel. — Não devem ser muito "ilustradas" para falarem assim. A menos que as tenham caluniado. — Compreendi facilmente que "pureza" fora dito em vez de "puberdade".[22] Esperando a hora de ir ao encontro de Albertine, mantinha os olhos fixos, como sobre um desenho que a gente acaba por não ver mais de tanto o olhar, na fotografia tirada por Saint-Loup, quando subitamente pensei de novo: "É a avó, sou seu neto", como um amnésico redescobre seu nome, como um doente muda de personalidade. Françoise entrou para me dizer que Albertine já chegara e, vendo a fotografia: — Pobre Senhora, é exatamente ela, até no sinalzinho do rosto; no dia em que o marquês a fotografou, ela tinha estado bem doente, por duas vezes passou mal. "Principalmente Françoise", tinha me dito, "é preciso que meu neto não o saiba." E ela o escondia bem, estava sempre alegre em sociedade. Unicamente, por exemplo, eu achava que às vezes ela parecia ter o espírito um pouco monótono. Mas isso passava depressa. E depois ela me disse assim: "Se um dia me acontecer alguma coisa, é preciso que ele tenha um retrato meu. Nunca mandei tirar nenhum." Então, mandou-me perguntar ao senhor marquês, recomendando-lhe que não contasse ao patrão que fora ela que o pedira, se ele não poderia lhe tirar a foto. Mas, quando voltei para dizer que sim, ela não queria mais, porque se achava com aparência muito ruim. "É ainda pior", disse-me, "do que não ter fotografia nenhuma." Mas, como ela não era boba, acabou por se arrumar tão bem, pondo um grande chapéu de abas largas, que já não parecia mais desfigurada do que quando se achava em pleno dia claro. Estava bem satisfeita com sua fotografia, pois naquele

[22] Nova confusão do gerente, entre *pureté* (pureza) e *puberté* (puberdade). (N. do T.)

momento não acreditava que fosse voltar de Balbec. Por mais que lhe dissesse: "Patroa, não deve falar desse jeito, não gosto de ouvi-la falar assim", aquilo estava na sua cabeça. E, diabos, fazia vários dias que ela não podia comer. Era por isso que deixava o patrão ir jantar bem longe com o senhor marquês. Então, em vez de ir para a mesa, fingia estar lendo e, logo que o carro do marquês saía, ela subia para se deitar. Havia dias em que desejava prevenir a patroa para que viesse vê-la ainda. E depois tinha medo de assustá-la, já que não lhe dissera nada. "É melhor que ela fique com o marido, não é mesmo, Françoise?" — Olhando-me, Françoise perguntou bruscamente se me "sentia indisposto". Disse-lhe que não; e ela: — E depois me prende aqui para conversar. Talvez sua visita já tenha chegado. Preciso descer. Não é uma pessoa para aqui. E estabanada como é, poderia ter ido embora. Ela não gosta de esperar. Ah, agora a senhorita Albertine é alguém. — Está enganada, Françoise, ela está muito bem, está até bem demais para aqui. Mas vá avisá-la de que não poderei vê-la hoje.

Quantas exclamações apiedadas eu teria despertado em Françoise, caso ela me tivesse visto chorar! Ocultei-me cuidadosamente. Sem isto, eu teria tido a sua simpatia. Mas dei-lhe a minha. Não nos colocamos bastante no coração dessas pobres camareiras que não podem nos ver chorar, como se chorar nos fizesse mal; ou talvez lhes fizesse mal; Françoise me dissera quando eu era pequeno: — Não chore assim, não gosto de vê-lo chorar desse jeito. — Não apreciamos as grandes frases, as declarações, e erramos; assim, fechamos o coração ao patético rural, à lenda que a pobre criada, despedida talvez injustamente por furto, muito pálida, subitamente mais humilde como se se tratasse de um crime a ser acusada, desenrola, invocando a honestidade do pai, os princípios da mãe, os conselhos da avó. É claro que essas mesmas criadas que não podem suportar nossas lágrimas, sem escrúpulo, nos farão apanhar um resfriado porque a camareira do andar de baixo gosta das correntes de ar e não seria cortês suprimi-las. Pois é necessário que mesmo aqueles que têm razão, como Françoise, também estejam errados, para fazer da justiça uma coisa impossível. Até os humildes prazeres das criadas provocam ou a recusa ou a zombaria dos patrões. Pois é sempre um nada, mas ingenuamente sentimental, anti-higiênico. Assim, elas podem dizer: — Como, a mim que só peço isso o ano inteiro, eles me negam! — E no entanto os patrões concordariam com muito mais, desde que não seja estúpido e perigoso para elas — ou para eles. Certamente, à humildade da pobre camareira trêmula, prestes a confessar o que não praticara, dizendo "partirei esta noite, se preciso for", não é possível resistir. Mas também é preciso saber não permanecer insensível, apesar da banalidade solene e ameaçadora das coisas que ela diz, sua herança materna e a dignidade da "roça", diante de uma velha cozinheira, criada numa vida e numa ascendência honrosas, empunhando a vassoura como um cetro, levando o seu papel para o trágico, entrecortando-o de choros, empertigando-se majestosamente. Naquele dia recordei ou imaginei tais cenas, relacionei-as com a nossa velha criada e, desde então, apesar de todo o mal que pôde fazer a Albertine, amei Françoise com uma afeição, é verdade que intermitente, mas do mais forte gênero, o que tem por base a piedade.

Decerto, sofri o dia inteiro ficando diante da fotografia de minha avó. Ela me torturava. Entretanto, menos do que o fez a visita do gerente à noitinha. Como lhe falasse de minha avó e ele me renovasse suas condolências, ouvi-o dizer-me (pois gostava de empregar os termos que pronunciava mal): — É como no dia em que a Senhora sua avó teve aquela *simécope*; quis avisá-lo porque, devido aos hóspedes, o senhor compreende, podia dar prejuízo à casa. Teria sido preferível que ela partisse naquela mesma noite. Mas suplicou-me que nada dissesse e me prometeu que não teria mais *simécope* ou que, logo à primeira, iria embora. Entretanto, o chefe do andar me comunicou que ela teve uma outra. Mas, enfim, os senhores eram antigos hóspedes que a gente procurava satisfazer, e já que ninguém se queixou... — Portanto, minha avó tivera síncopes e as escondera de mim. Talvez no momento mesmo em que eu fora menos gentil para com ela, quando era obrigada, sempre sofrendo, a prestar atenção para mostrar-se de bom humor para não me irritar e parecer estar de boa saúde, a fim de não ser despejada do hotel. *Simécope* era uma palavra que, assim pronunciada, eu jamais teria imaginado que, aplicada a outros, talvez me tivesse parecido ridícula, mas que, em sua estranha novidade sonora, semelhante à de uma dissonância original, permaneceu sendo, durante muito tempo, o que era capaz de despertar em mim as mais dolorosas sensações.

No dia seguinte fui, a pedido de mamãe, estender-me um pouco na areia, ou melhor, nas dunas, ali onde se fica escondido por suas ondulações, e onde sabia que Albertine e suas amigas não poderiam me encontrar. Minhas pálpebras, abaixadas, só deixavam passar uma única luz, inteiramente cor-de-rosa, a das paredes internas dos olhos. Depois se fecharam completamente. Então minha avó me apareceu sentada numa poltrona. Tão fraquinha, parecia viver menos que qualquer outra pessoa. Entretanto, ouvia-a respirar; às vezes, um sinal mostrava que ela compreendera o que dizíamos, meu pai e eu. Mas, por mais que a beijasse, não conseguia despertar um olhar de afeição em seus olhos, um pouco de cor em suas faces. Ausente de si mesma, dava a impressão de não me amar, de não me conhecer, talvez mesmo de não me ver. Eu não podia adivinhar o segredo de sua indiferença, do seu abatimento, de seu descontentamento silencioso.

Arrastei meu pai à parte. — Contudo, estás vendo — disse-lhe —, não há o que dizer, ela percebeu perfeitamente cada coisa. É a ilusão completa da vida. Se se pudesse mandar vir o teu primo que pretende que os mortos não vivem! Faz mais de um ano que ela está morta e afinal vive sempre. Mas por que não deseja me beijar? — Olha, sua pobre cabeça cai de novo. — Achas mesmo que isso poderia lhe fazer mal, que ela poderia morrer ainda mais? Não é possível que já não me ame. Por mais que a beije, será que ela não me sorrirá nunca mais? — Que queres, os mortos são os mortos.

Alguns dias depois, a fotografia tirada por Saint-Loup era doce de olhar; já não despertava a recordação do que me dissera Françoise porque essa recordação não me deixara mais e eu me habituara a ela. Mas, diante da idéia que eu me fazia de seu estado tão grave e doloroso daquele dia, a foto, aproveitando ainda as manhas que tivera a minha avó e que logravam enganar-me até quando me foram reveladas, mostrava-a tão elegante, tão despreocupada, debaixo do chapéu que ocultava um pouco o seu rosto, que eu a via menos infeliz e de melhor saúde do que imaginara. E no entanto suas faces, tendo mantido à sua revelia uma expressão própria, algo de plúmbeo, de esgazeado, como o olhar de um animal que se sentisse já escolhido e designado, minha avó exibia um ar de condenada à morte, um ar involuntariamente sombrio, inconscientemente trágico, que me escapava, mas que impedia mamãe de olhar jamais para aquela fotografia, essa fotografia que lhe parecia menos uma fotografia de sua mãe do que a de sua doença, de um insulto que essa doença fazia ao rosto brutalmente esbofeteado de minha avó.

Depois, um dia decidi-me a mandar dizer a Albertine que a receberia em breve. É que, numa manhã de grande calor prematuro, os milhares de gritos das crianças que brincavam, dos banhistas que se divertiam, dos jornaleiros, tinham-me descrito em traços de fogo, em labaredas entrelaçadas, a praia ardente que as pequenas ondas vinham, uma a uma, banhar de seu frescor; começara então o concerto sinfônico misturado ao barulho das águas, no qual os violinos vibravam como um enxame de abelhas disperso sobre o mar. E logo eu desejara ouvir novamente o riso de Albertine, rever suas amigas, aquelas mocinhas que se destacavam contra as ondas e que tinham ficado em minha lembrança como o encanto inseparável, a flora característica de Balbec; e resolvera mandar por Françoise um recado a Albertine, para a semana próxima, enquanto o mar, subindo suavemente a cada rebentar das ondas, cobria inteiramente de rolamentos de cristal a melodia cujas frases surgiam separadas umas das outras, como aqueles anjos tocadores de alaúde que, no topo da catedral italiana, erguem-se por entre as cristas de pórfiro azul e de jaspe espumante. Mas, no dia em que Albertine veio, o tempo se arruinara de novo, refrescara, e além disso não tive oportunidade de ouvir sua risada; ela estava de muito mau humor. — Balbec está insuportável este ano — disse ela. — Vou tratar de não me demorar muito. Sabe que estou aqui desde a Páscoa, já faz mais de um mês. Não há ninguém. Se acha que é bem divertido isso... — apesar da chuva recente e do céu que mudava a cada instante, depois de ter acompanhado Albertine até Épreville, pois ela fazia, segundo sua expressão, "o vaivém" entre essa pequena praia, onde estava a vivenda da Sra. Bontemps, e Incarville, onde fora "tomada em pensão" pelos pais de Rosemonde, saí para passear sozinho por aquela grande estrada pela qual tomava o carro da Sra. de Villeparisis quando íamos passear com minha avó; poças d'água, que o sol que brilhava não havia secado, tornavam o solo um verdadeiro lamaçal, e eu pensava em minha avó, que outrora não podia dar dois passos sem se enlamear. Mas, quando cheguei à estrada, foi um deslumbramento. Ali onde eu não vira com minha avó, no mês de agosto, mais do que folhas e como que a localização das macieiras, estavam elas agora em plena floração a perder de vista, de um luxo inaudito, os pés na lama e em vestido de baile, sem tomar precauções para não estragar o cetim róseo mais maravilhoso que já se viu e que o sol fazia brilhar; o horizonte remoto do mar fornecia às macieiras uma espécie de pano de fundo de estampa japonesa; se eu erguia a cabeça para contemplar o céu por entre as flores, que faziam parecer quase violento o seu azul tranqüilo, elas pareciam afastar-se para mostrar a profundeza daquele paraíso. Sob esse azul, uma brisa leve, porém fria, fazia tremular ligeiramente os ramos avermelhados. Melharucos azuis vinham pousar nos ramos e saltitavam por entre as flores, indulgentes, como se um amador de exotismos e de cores houvesse criado artificialmente aquela beleza viva. Mas emocionava até às lágrimas porque, embora fosse bem longe em seus efeitos de arte refinada, sentia-se que era natural, que aquelas macieiras estavam ali, em pleno campo, como camponeses numa estrada real da França. Depois, aos raios de sol sucederam os da chuva; riscaram todo o horizonte e encerraram a fila de macieiras em sua rede cinzenta. Mas estas continuavam a erguer a sua beleza, florida e rósea, ao vento que se tornara glacial sob o aguaceiro que caía: era um dia de primavera.

CAPÍTULO SEGUNDO

Os mistérios de Albertine. — As moças que ela vê no espelho. — A dama desconhecida. — O ascensorista. — A Senhora de Cambremer. — Os prazeres do Sr. Nissim Bernard. — Primeiro esboço do estranho caráter de Morel. — O Sr. de Charlus janta em casa dos Verdurin.

No meu receio de que o prazer que tivera naquele passeio solitário enfraquecesse em mim a lembrança de minha avó, procurei reavivá-la pensando num certo sofrimento moral que ela tivesse tido; a meu apelo, tal sofrimento buscava construir-se em meu coração, onde alicerçava seus imensos pilares; mas meu coração, sem dúvida, era muito pequeno para ele, eu não tinha forças para carregar comigo uma dor tão grande, minha atenção se esquivava no momento em que se reformava toda, e seus arcos desabavam antes de se juntarem, como desabam as ondas antes de ter formado a sua abóbada.

Entretanto, apenas pelos meus sonhos quando estava adormecido, eu poderia compreender que minha mágoa pela morte de minha avó ia diminuindo, pois neles parecia menos oprimida pela idéia que eu me fazia de seu nada. Via-a sempre enferma, mas em vias de se restabelecer; achava-a melhor. E, se ela aludisse ao que havia sofrido, eu lhe fechava os lábios com meus beijos e lhe garantia que agora estava curada para sempre. Teria desejado fazer que os céticos constatassem que a morte é na verdade uma doença da qual nos restabelecemos. Apenas, já não achava em minha avó a rica espontaneidade de antigamente. Suas palavras não passavam de uma resposta dócil, enfraquecida, quase um simples eco das minhas; ela não era mais que o reflexo de meu próprio pensamento.

Incapaz como ainda me encontrava de experimentar de novo um desejo físico, Albertine recomeçava no entanto a inspirar-me como que um desejo de felicidade. Certos sonhos de ternura compartilhada, sempre flutuantes em nós, aliam-se de bom grado por uma espécie de afinidade à lembrança (desde que esta já se tenha tornado um tanto vaga) de uma mulher com quem tenhamos desfrutado prazeres. Este sentimento me recordava aspectos do rosto de Albertine, mais doces, menos alegres, bem diversos dos que o desejo físico teria evocado; e, como era também menos urgente do que este último, eu teria de boa vontade adiado sua realização para o inverno seguinte, sem procurar rever Albertine em Balbec antes de sua partida. Porém, mesmo em meio a um desgosto ainda vivo, o desejo físico renasce. De minha cama, onde me faziam permanecer por muito tempo de repouso, todos os dias, eu desejava que Albertine viesse recomeçar nossos jogos de outrora. Não se vê, no próprio quarto em que perderam um filho, os esposos em breve de novo enlaçados darem um irmão ao pequenino morto? Eu tentava distrair-me desse desejo indo à janela a fim de contemplar o mar desse dia. Como no primeiro ano, os mares, de um dia para o outro, raramente eram os mesmos. Mas, além disso, de modo algum se assemelhavam aos daquele primeiro ano, fosse porque agora era a primavera com seus temporais, fosse porque, mesmo que eu tivesse vindo na mesma data da primeira vez, tempos diversos, mais mutáveis, teriam podido desaconselhar aquele litoral a certos mares indolentes, vaporosos e frágeis que eu vira dormir na praia durante os dias mais quentes, erguendo imperceptivelmente o seio azulado com suave palpitação, fosse principalmente porque meus olhos, instruídos por Elstir para reter precisamente os elementos que outrora eu voluntariamente eliminava, contemplavam longamente o que no primeiro ano não sabiam ver. Essa oposição, que então me impressionava tanto, entre os passeios agrestes que dava com a Sra. de Villeparisis e aquela vizinhança fluida, inacessível e mitológica, do eterno Oceano, já não existia para mim. E, pelo contrário, em certos dias o próprio mar me parecia agora quase rural. Nos dias bem raros de verdadeiro bom tempo, o calor traçara na água, como através dos campos, uma estrada poeirenta e branca, por detrás da qual se erguia, como um campanário de aldeia, a fina ponta de um barco de pesca. Um rebocador, de que só se via a chaminé, fumegava ao longe como uma usina afastada, ao passo que, sozinho no horizonte, um quadrado branco e inflado, pintado sem dúvida por uma vela, mas que parecia compacto e um tanto calcário, lembrava o ângulo ensolarado de alguma construção isolada, hospital ou escola. E as nuvens e o vento, nos dias em que a eles se ajuntava o sol, rematavam, se não o erro de julgamento, pelo menos a ilusão do primeiro olhar, a sugestão que ele desperta na imaginação. Pois a alternância de espaços de cores nitidamente recortadas como as que resultam, no campo, da contigüidade de culturas diferentes, as desigualdades ásperas, amarelas e meio lamacentas da superfície marinha, as colheitas, os declives que escondiam da vista um barco, onde uma equipagem de hábeis marinheiros parecia ceifar, tudo isso nos dias tempestuosos fazia do oceano algo de tão variado, tão consistente, tão acidentado, tão populoso, tão civilizado como o caminho carroçável pelo qual eu passeava outrora, como não tardaria a passear agora. E uma vez, não mais podendo resistir ao meu desejo, em vez de voltar a deitar-me, vesti-me e fui procurar Albertine em Incarville. Pediria que me acompanhasse até Douville, onde iria fazer em Féterne uma visita à Sra. de Cambremer e, na La Raspelière, uma visita à Sra. Verdurin. Durante esse tempo, Albertine me aguardaria na praia e voltaríamos juntos à noite. Fui tomar o trenzinho local, de que aprendera outrora, com Albertine e suas amigas, todos os apelidos que lhe davam na região, onde era chamado o *Tortuoso*, por causa de suas voltas inumeráveis, ora o *Calhambeque*, porque não avançava, *Transatlântico*, por causa de uma terrível sirena que possuía para que os passageiros embarcassem, *Decauville* e *Funi,* embora não fosse de forma alguma um funicular, mas porque subia a falésia, nem sequer, a rigor, um *Decauville,* mas por possuir uma bitola de 60, o B.A.G., porque ia de Balbec a Grattevast passando por Angerville, *Tram* e o T.S.N., porque fazia parte da linha dos *tramways* do sul da Normandia. Instalei-me num vagão onde estava sozinho; fazia um sol esplêndido, a gente abafava; baixei o estore azul, que não deixou passar mais que uma réstia de sol. Porém logo vi a minha avó, exatamente como se havia sentado no trem à nossa partida de Paris para Balbec, quando, na mágoa de me ver tomar cerveja, preferira não olhar, fechar os olhos e dar a impressão de estar dormindo. Eu, que antigamente não podia suportar a mágoa que ela sentia quando meu avô tomava conhaque, infligira-lhe esta, não apenas a de me ver tomar, a convite de outro, uma bebida que ela considerava funesta para mim, mas forçara-a a deixar-me livre para beber à vontade; mais ainda, por meus acessos de cólera, minhas crises de sufocação, eu a forçara a ajudar-me, a aconselhar-me que o fizesse, numa resignação suprema da qual guardava na memória a imagem muda, desesperada, de olhos fechados para não ver. Uma tal lembrança, como um toque de varinha mágica, me recuperara a alma que eu estava em vias de perder fazia algum tempo; que poderia eu fazer de Rosemonde[23] quando meus lábios inteiros eram percorridos unicamente pelo desejo desesperado de beijar uma morta? Que poderia eu dizer aos Cambremer e aos Verdurin, quando meu coração batia com tanta força porque, nele, reformava a cada instante a dor que minha avó sofrera? Não pude permanecer naquele vagão. Logo que o trem parou em Maineville-la-Teinturière, desci, renunciando aos meus projetos. Maineville adquirira desde algum tempo uma considerável importância e uma reputação especial, porque um gerente de numerosos cassinos, comerciante de

[23] "Rosemonde", por lapso do autor, está em vez de "Albertine". (N. do T.)

bem-estar, mandara construir, não longe dali, com um luxo de mau gosto capaz de rivalizar com o de um palácio, um estabelecimento ao qual voltaremos, e que era, para falar francamente, a primeira casa pública para gente elegante que se teve idéia de construir nas costas da França. Era a única. Na verdade cada porto tem a sua, porém boa apenas para marinheiros e amadores do pitoresco, a quem diverte ver, bem perto da igreja imemorial, a patroa quase tão velha, venerável e musgosa, postar-se diante de sua porta mal-afamada à espera do regresso dos barcos de pesca.

Afastando-me da deslumbrante casa de "prazer", insolentemente erguida ali apesar dos protestos das famílias debalde endereçados ao prefeito, atingi a falésia e por ali segui os tortuosos caminhos na direção de Balbec. Ouvi sem responder os apelos dos espinheiros-alvos. Vizinhos menos ricos das flores das macieiras, eles as achavam bem pesadas, embora reconhecendo a pele fresca das filhas, de pétalas róseas, desses gordos fabricantes de sidra. Sabiam que, menos ricamente dotadas, eram no entanto mais procuradas e que lhes bastava, para agradarem, uma brancura amarrotada.

Quando cheguei, o porteiro do hotel entregou-me um convite de enterro assinado pelo marquês e a marquesa de Gonneville, o visconde e a viscondessa d'Amfreville, o conde e a condessa de Berneville, o marquês e a marquesa de Graincourt, o conde d'Amenoncourt, a condessa de Maineville, o conde e a condessa de Franquetot, a condessa de Chaverny, nascida d'Aigleville, e que afinal compreendi porque me fora enviado, ao reconhecer os nomes da marquesa de Cambremer, e quando vi que a morta era uma prima dos Cambremers chamada Éléonore-Euphrasie-Humbertine de Cambremer, condessa de Criquetot. Em toda a extensão dessa família provinciana, cuja enumeração enchia linhas finas e cerradas, não havia um só burguês, e aliás nem um título conhecido, mas todo o grupo e subgrupo de nobres da região que faziam ressoar seus nomes — os de todos os lugares interessantes das redondezas — com alegres finais em *ville*, em *court*, às vezes mais surdos (em *tot*). Vestidos com a telha de seu castelo ou com o reboco de sua igreja, a cabeça vacilante mal ultrapassando a abóbada ou a construção central, e unicamente para ornarem-se com a clarabóia normanda ou as armações do telhado em forma de cone, davam a impressão de terem ressoado o toque de reunião de todas as belas aldeias escalonadas ou dispersas num raio de cinqüenta léguas e de as terem disposto em formação cerrada, sem uma só lacuna, sem um intruso, no tabuleiro retangular e compacto do convite aristocrático bordado de preto.

Minha mãe tornara a subir para seu quarto, meditando esta frase da Sra. de Sévigné: "Não visito nenhum dos que desejam me divertir; em palavras encobertas, o que eles querem é impedir-me de pensar em você e isso me ofende", porque o presidente do conselho lhe dissera que deveria distrair-se. Ele me sussurrou: — É a princesa de Parma. — Meu temor dissipou-se ao ver que a mulher que o magistrado me indicava não tinha qualquer relação com Sua Alteza Real. Mas, como esta mandara reservar um quarto para passar a noite ao voltar da casa da princesa de Luxemburgo, a notícia teve para muitos o efeito de fazê-los tomar pela princesa de Parma toda nova dama recém-chegada — e, para mim, o de fazer-me subir e ficar fechado em meu sótão. Não gostaria de estar ali sozinho. Eram apenas quatro horas. Pedi a Françoise que fosse buscar Albertine, para que viesse passar comigo o final da tarde.

Creio que mentiria se dissesse que já principiara a dolorosa e perpétua desconfiança que Albertine devia me inspirar, e com maior razão o caráter especial, sobretudo gomorriano, que deveria revestir essa desconfiança. Decerto, desde aquele dia — mas que não era o primeiro — minha espera foi um tanto ansiosa. Françoise, logo que partiu, demorou tanto tempo que comecei a desesperar. Não havia acendido a lâmpada. Quase não havia claridade. O vento fazia estalar a bandeira do cassino. E, mais débil ainda que o silêncio da praia, por onde o mar subia, e como uma voz que traduzisse e aumentasse a vagueza enervante daquela hora inquieta e falsa, um realejo parado diante do hotel tocava valsas vienenses. Por fim Françoise chegou, mas sozinha. — Fui o mais rápido que pude, mas ela não queria vir porque não se achava bem penteada. Se não ficou uma hora se empoando, cinco minutos é que não foi. Vai ser uma verdadeira perfumaria aqui. Ela vem, ficou para trás para se arrumar diante do espelho. Pensava já encontrá-la aqui. — Ainda se passou longo tempo antes que Albertine chegasse. Porém a alegria e a amabilidade que demonstrou dessa vez dissiparam a minha tristeza. Anunciou-me (ao contrário do que havia dito outro dia) que ficaria por toda a temporada e perguntou se não poderíamos, como no primeiro ano, ver-nos todos os dias. Disse-lhe que naquele momento estava triste demais e que seria melhor mandar buscá-la de vez em quando, no último instante, como em Paris. — Se alguma vez sentir-se aflito ou o coração o aconselhar, não hesite — disse ela —, mande me buscar, virei depressa; e, se não recear que isso faça escândalo no hotel, permanecerei o tempo que quiser. — Ao trazê-la, Françoise ostentara um ar feliz, como cada vez que se dava a um trabalho por mim e conseguia me agradar. Mas Albertine em si não entrava em nada nessa alegria, e já no dia seguinte Françoise devia me dizer estas palavras profundas: — O patrão não deveria ver essa moça; bem sei o tipo de caráter que ela tem, vai lhe dar desgostos. Reconduzindo Albertine, vi pela sala de jantar iluminada a princesa de

Parma. Limitei-me a olhá-la, cuidando em não ser visto. Mas confesso que achei uma certa grandeza na régia polidez que me fizera sorrir na casa dos Guermantes. É um princípio que os soberanos estejam em sua casa em toda parte, e o protocolo o traduz em usanças mortas e sem valor, como o que quer que o dono da casa fique de chapéu na mão em sua própria residência, para mostrar que não está mais em sua casa, mas na do príncipe. Ora, essa idéia, a princesa de Parma talvez não a formulasse, porém estava dela tão imbuída que todos os seus atos, espontaneamente inventados pelas circunstâncias, a traduziam. Quando se ergueu da mesa, deu uma significativa gorjeta a Aimé como se este estivesse ali apenas para servi-la e ela recompensasse, ao deixar um castelo, um mordomo afeto a seu serviço. Aliás, não se contentou com a gorjeta, mas, com um sorriso gracioso, dirigiu-lhe algumas palavras amáveis e lisonjeiras de que sua mãe a abastecera. Um pouco mais, e ela lhe teria dito que, quanto mais bem dirigido o hotel, tanto mais florescente era a Normandia, e que de todos os países do mundo ela preferia a França. Outra moeda deslizou das mãos da princesa, para o copeiro que ela mandara chamar e a quem fez questão de exprimir o seu contentamento, como um general que acaba de fazer uma revista. Naquele momento, o ascensorista viera dar uma resposta; ganhou também uma frase, um sorriso e uma gorjeta, tudo isso misturado a palavras de estímulo, humildes, destinadas a lhes provar que ela não era mais que um deles. Como Aimé, o copeiro, o ascensorista e os demais julgaram ser impolido não sorrir de orelha a orelha a uma pessoa que lhes sorria, ela foi em breve cercada por um grupo de criados, com quem conversou benevolamente; como tais maneiras eram desacostumadas nos palácios, as pessoas que passavam pela praia, ignorando o seu nome, acreditaram estar vendo uma *habituée* de Balbec, e que, devido a uma extração medíocre ou a um interesse profissional (talvez fosse a esposa de um corretor rural), era menos diferente da criadagem que seus clientes verdadeiramente elegantes. Quanto a mim, pensei no palácio de Parma, nos conselhos meio religiosos, meio políticos dados a essa princesa, que lidava com o povo como se devesse conciliar-lhe as graças para reinar um dia; mais ainda, como se já reinasse.

Voltei para o meu quarto, mas ali não me achava sozinho. Ouvia alguém tocando com suavidade trechos de Schumann. Com certeza ocorre que as pessoas, mesmo aquelas a quem mais amamos, saturam-se com a tristeza ou a irritação que provém de nós. Entretanto, existe algo que tem uma capacidade de exasperar que pessoa alguma consegue atingir: é um piano.

Albertine me fizera anotar as datas em que deveria ausentar-se e ir à casa de amigas durante alguns dias, e fizera-me também escrever seus endereços para o caso que eu tivesse necessidade dela numa dessas noites, pois nenhuma residia muito longe. Isto fez com que, para achá-la, de moça em moça, bem naturalmente se foi formando a meu redor um laço de flores. Ouso confessar que muitas de suas amigas — eu não a amava ainda — me proporcionaram, numa ou noutra praia, alguns instantes de prazer. Essas jovens companheiras benevolentes não me pareciam muito numerosas. Mas ultimamente voltei a pensar nisso, seus nomes me regressaram. Contei que, somente naquela temporada, doze me concederam seus frívolos favores. Um nome a mais me acudiu logo, totalizando treze. Tive então uma espécie de medo infantil de permanecer nesse número. Ai de mim, pensava que havia esquecido a primeira, Albertine, que já não estava e foi a décima quarta.

Para retomar o fio da narrativa, eu anotara os nomes e endereços das moças onde a encontraria nos tais dias em que ela não estivesse em Incarville, mas imaginara que aproveitaria melhor esses dias indo à casa da Sra. Verdurin. Além disso, nossos desejos por mulheres diferentes não têm sempre a mesma intensidade. Em determinada noite não podemos passar sem uma que, depois disso, não nos perturbará durante um ou dois meses. Ademais, além das causas de alternância de que não é aqui o lugar de estudar, depois das grandes fadigas carnais, a mulher cuja imagem freqüenta a nossa momentânea senilidade é uma mulher a quem quase não faríamos mais que beijar na fronte. Quanto a Albertine, eu a via raramente, e apenas em tardes muito espaçadas, quando não podia passar sem ela. Se um tal desejo me possuísse quando ela estivesse longe demais de Balbec para que Françoise pudesse ir a seu encontro, eu enviava o ascensorista a Épreville, a La Sogne, a Saint-Frichoux, pedindo-lhe que terminasse um pouco mais cedo o seu trabalho. Ele entrava em meu quarto, mas deixando a porta aberta, pois, embora cumprisse conscienciosamente com seu "batente", que era bem pesado, e consistia em numerosas limpezas desde as cinco da manhã, não podia resolver-se ao esforço de fechar uma porta e, se lhe observassem que estava aberta, voltava e, fazendo um esforço máximo, encostava-a de leve. Com o orgulho democrático que o caracterizava e ao qual não atingem em suas carreiras liberais os membros de profissões um tanto numerosas, advogados, médicos, que somente a um outro advogado, homem de letras ou médico chamam: — Meu confrade —, ele, usando com razão um termo reservado aos corpos restritos, como as academias por exemplo, me dizia, falando de um *groom* que era ascensorista uma vez a cada dois dias: — Vou tratar de ser substituído por meu colega. — Esse orgulho não o impedia, com o objetivo de melhorar o que denominava *seus vencimentos,* de aceitar remunerações pelos recados, o que fizera Françoise criar-lhe horror: — Sim, da primeira vez que a gente o vê é capaz de lhe dar a hóstia sem confissão; mas há dias em que ele é cortês como a porta de uma prisão. Todos eles são caça-níqueis. — Categoria em que ela tantas vezes havia classificado Eulalie e onde infelizmente, por todas as desgraças que aquilo um dia deveria trazer, ela já colocava Albertine, pois me via muitas vezes pedir a mamãe, para a minha amiga pouco afortunada, objetos miúdos, ninharias, o que Françoise achava indesculpável, porque a Sra. Bontemps só tinha uma criada para fazer tudo. Bem depressa, o ascensorista, tirando o que eu chamaria a sua libré e que ele denominava sua túnica, aparecia de bengala e chapéu de palha, cuidando do seu andar e do porte erguido, pois a mãe lhe recomendara que nunca assumisse o tipo "operário" ou *groom*. Da mesma forma que, graças aos livros, a ciência é acessível a um operário que não é mais operário depois que findou seu trabalho, assim, graças ao chapéu de palha e ao par de luvas, a elegância tornou-se acessível ao ascensorista, o qual, deixando à noite de fazer subir os hóspedes, julgava-se, como um jovem cirurgião que despiu o jaleco, ou o sargento Saint-Loup sem o uniforme, um perfeito mundano. Aliás, não era destituído de ambição, nem tampouco de talento para manipular a sua gaiola e nos deixar entre dois andares. Mas sua linguagem era defeituosa. Eu acreditava na sua ambição porque, referindo-se ao porteiro, de quem dependia: — Meu porteiro — falava, com o mesmo tom que um homem, que possuindo em Paris o que o *groom* teria chamado "um hotel particular", falaria do seu porteiro. Quanto à linguagem do ascensorista, é curioso que alguém que ouvia um hóspede dizer cinqüenta vezes por dia "elevador", nunca dissesse ele próprio senão "ascensor". Certas coisas nesse ascensorista eram muito irritantes: qualquer coisa que eu lhe dissesse, ele me interrompia com uma locução, "é claro!", ou "logo vi!", que parecia significar ou que minha observação era de uma tal evidência que todo mundo a teria feito, ou então atribuir a si o mérito, como se ele é que me chamasse a atenção para o fato. "É claro!" ou "logo vi!", proferidos com a maior energia, retornavam de dois em dois minutos à sua boca, a propósito de coisas que nunca lhe teriam ocorrido, o que irritava tanto que logo me punha a dizer o contrário para lhe mostrar que não compreendia nada. Mas à minha segunda afirmativa, embora fosse inconciliável com a primeira, ele também não deixava de retrucar: "É claro!", ou "logo vi!", como se estas palavras fossem inevitáveis. Também dificilmente lhe perdoava que empregasse certos termos do seu ofício, e que, por isso mesmo, seriam perfeitamente adequados no sentido próprio, apenas no sentido figurado, o que lhes dava uma intenção espirituosa bem tola; por exemplo, o verbo pedalar. Ele nunca o usava quando fazia uma corrida de bicicleta. Mas se, a pé, correra para chegar na hora, para indicar que havia caminhado depressa dizia: — Como pedalei! — O ascensorista era antes baixinho, malfeito de corpo e muito feio. Isso não impedia que, cada vez que lhe falavam de um rapaz alto, esbelto e fino, ele dissesse: — Ah, sim, sei, um que é bem do meu tamanho. — E um dia em que esperava uma resposta sua, como alguém subisse a escada, eu, ao ruído dos passos, abrira com impaciência a porta do quarto e vira um *groom*, belo como Endimião, os traços incrivelmente perfeitos, que vinha a chamado de uma dama que eu não conhecia. Quando o ascensorista regressou, ao lhe dizer com que impaciência eu havia esperado a sua resposta, contei que julgara que era ele quem subia, mas que se tratava de um *groom* do Hotel da Normandia. E ele disse: — Ah, sim, sei que é, só existe um, um rapaz do meu tamanho. De cara, também se parece muito comigo, de tal modo que poderiam nos tomar um pelo outro, dir-se-ia que é meu irmão. — Enfim, queria parecer ter compreendido tudo desde o primeiro instante, o que fazia com que, logo que lhe recomendassem alguma coisa, dissesse: — Sim, sim, sim, sim, sim, compreendo muito bem — com uma clareza e um tom inteligente que me iludiram por algum tempo; mas as pessoas, à medida que a gente as conhece, são como um metal mergulhado numa mistura alteradora, e aos poucos vemo-las perderem suas qualidades (como às vezes seus defeitos). Antes de lhe fazer minhas recomendações, vi que deixara aberta a porta; chamei-lhe a atenção, receava que nos ouvissem; condescendeu ao meu desejo e voltou, após ter diminuído a abertura. — É para agradá-lo. Mas não há ninguém neste andar senão nós dois. — E logo ouvi passar uma pessoa, depois duas, e depois três. Isso me irritava por causa da possível indiscrição, mas sobretudo porque via que aquilo não o admirava de maneira nenhuma e se tratava de um vaivém normal. — Sim, é a camareira do lado que vai buscar suas coisas. Oh, não tem importância, é o copeiro que traz as suas chaves. Não, não, não é nada, o senhor pode falar, é meu colega que vai pegar no serviço. — E, como todos os motivos que as pessoas tinham para passar não diminuíssem o meu aborrecimento pelo fato de que podiam me ouvir, diante de minhas ordens formais ele foi, não fechar a porta, pois isto estava acima das forças daquele ciclista que desejava uma moto, mas empurrá-la um bocadinho mais. — Assim ficaremos tranqüilos. — Estávamos tranqüilos de tal maneira que uma americana entrou e saiu, desculpando-se por se haver enganado de quarto. — Você vai me trazer essa moça — disse eu, depois de ter eu próprio batido a porta com toda a força, o que levou um outro *grooom* a verificar se não havia uma janela aberta. — Você se lembra bem: Srta. Albertine Simonet. Aliás, está no envelope. Você só precisa lhe dizer que isto vem de minha parte. Ela virá de muito bom grado — acrescentei para encorajá-lo e não me humilhar demais. — É claro! — Mas não, ao contrário, não é nada natural que ela venha de bom grado. É muito incômodo vir de Berneville até aqui. — Compreendo! — Você lhe dirá que venha consigo. — Sim, sim, sim, sim, compreendo muito bem — respondia ele, com esse tom preciso e fino que há muito já deixara de me causar "boa impressão", porque eu sabia que era quase mecânico e recobria, sob a nitidez aparente, muita vaguidão e estupidez. — A que horas terá voltado? — Não ficarei fora por muito tempo — dizia o ascensorista que, levando ao extremo a regra ditada por Bélise para evitar a reincidência do *ne* com o *pas*, contentava-se sempre com uma só negativa.[24] — Posso muito bem ir até lá. Justamente as saídas tinham sido suspensas há pouco porque havia um almoço de vinte talheres. E era a minha vez de sair à tardinha. É justo que eu saia um pouco esta noite. Levo a minha bicicleta. Assim irei depressa. — E uma hora depois ele chegava, dizendo: — O senhor esperou bastante, mas a senhorita veio comigo. Está lá embaixo. — Ah, obrigado, o porteiro não vai ficar aborrecido comigo? — O senhor Paul? Não sabe onde estive. Nem o chefe da portaria tem nada a dizer. — Mas certa vez em que lhe dissera: — É absolutamente necessário que a traga —, ele me falou sorrindo: — O senhor sabe que não a encontrei. Ela não está aí. E não pude permanecer por muito tempo; tinha medo de ser como o meu colega, que foi enviado do hotel — (pois o ascensorista, que dizia *reentrar* no caso de uma profissão na qual se entra pela primeira vez: "eu gostaria muito de *reentrar* para os Correios", em compensação, fosse para adoçar a coisa, se se tratasse dele, fosse para insinuá-la mais adocicada e perfidamente, se se tratasse de outrem, suprimia o *re* inicial e dizia: "sei que ele foi enviado").[25] Não era por maldade que ele sorria, e sim por timidez. Julgava diminuir a importância de sua falta, levando-a na brincadeira. Da mesma forma, se me havia dito: — O *senhor sabe* que não a encontrei — não era porque julgasse que eu de fato já o sabia. Pelo contrário, não duvidava que eu o ignorasse e, principalmente, assustava-se com isso. Assim, dizia "o senhor sabe" para evitar a si próprio as angústias que teria ao pronunciar as frases destinadas a revelar-me aquilo. Jamais nos deveríamos encolerizar contra aqueles que, apanhados em falta por nós, põem-se a troçar. Eles procedem assim não porque zombem, mas por

---

[24] Em francês, a negativa numa frase é feita obrigatoriamente com os advérbios *ne* e *pas*, em geral com o verbo no meio. Essa forma desaparece na tradução. Bélise é personagem de Molière (1622-1673) em *Les Femmes Savantes* ("As sabichonas"). (N. do T.)

[25] A linguagem peculiar do ascensorista leva-nos às vezes a recriar semanticamente um termo. Empregamos "enviar" por "reenviar", no sentido de "despedir", "mandar embora". (N. do T.)

tremerem à idéia de que possamos estar descontentes. Testemunhemos uma grande piedade, demonstremos uma grande ternura por aqueles que riem. Semelhante a um verdadeiro acesso, a perturbação do ascensorista lhe trouxera não apenas um rubor apoplético, mas também uma alteração da linguagem, que subitamente se tornara familiar. Acabou por explicar-me que Albertine não estava em Épreville, que deveria regressar somente às nove horas e que se às vezes, o que significava por acaso, voltasse mais cedo, lhe dariam o meu recado e, em todo caso, ela estaria comigo antes de uma da madrugada.

Aliás, ainda não foi naquela noite que principiou a tomar consistência a minha cruel desconfiança. Não, para dizê-lo de imediato e embora o caso haja ocorrido somente algumas semanas depois, ela nasceu de uma observação de Cottard. Naquele dia, Albertine e suas amigas tinham desejado arrastar-me ao cassino de Incarville, e por sorte minha eu não as teria encontrado (pois queria fazer uma visita à Sra. Verdurin que me convidara várias vezes) se não fosse detido exatamente em Incarville por uma pane no trem que ia demorar algum tempo para ser reparada. Andando de um lado para o outro à espera de que terminassem, encontrei-me de súbito frente a frente com o doutor Cottard, que fora a Incarville para dar uma consulta. Hesitei quase em cumprimentá-lo, visto que não respondera a nenhuma de minhas cartas. Mas a amabilidade não se manifesta em todo mundo da mesma forma. Não tendo sido restringido pela educação às mesmas regras fixas de polidez das pessoas da sociedade, Cottard era cheio de boas intenções que se ignoravam, que se negavam, até o dia em que ele tinha ocasião de manifestá-las. Desculpou-se, havia certamente recebido as minhas cartas, havia assinalado a minha presença aos Verdurin, que tinham muita vontade de me ver e a cuja casa me aconselhou que fosse. Queria mesmo levar-me até lá na mesma noite, pois ia pegar de volta o trenzinho local para jantar com eles. Como eu hesitasse e ele ainda dispunha de algum tempo para tomar o trem, pois a pane ia demorar para ser reparada, fi-lo entrar no pequeno cassino, um daqueles que me haviam parecido tão tristes na noite da minha primeira chegada, e agora estava cheio do tumulto das moças que, por falta de cavalheiro, dançavam juntas. Andrée veio ter comigo, deslizando; eu contava partir em breve com Cottard para a casa dos Verdurin, quando recusei definitivamente o seu oferecimento, possuído pelo desejo muito vivo de ficar com Albertine. É que acabava de ouvi-la rir. E esse riso evocava logo as carnações róseas, as perfumadas paredes, contra as quais parecia que acabara de se esfregar e de que, acre, sensual e revelador como um aroma de gerânio, parecia transportar consigo algumas partículas quase imponderáveis, irritantes e secretas.

Uma das moças que eu não conhecia sentou-se ao piano, e Andrée pediu a Albertine que valsasse com ela. Feliz, nesse pequeno cassino, ao pensar que ia permanecer com aquelas moças, observei a Cottard como elas dançavam bem. Mas ele, do ponto de vista especial do médico, e com a má educação de quem não levava em conta o fato de eu conhecer aquelas moças, às quais no entanto me vira cumprimentar, respondeu: — Sim, mas são bem imprudentes os pais que deixam as filhas adquirirem semelhantes hábitos. Certamente eu não permitiria às minhas que viessem até aqui. Ao menos são bonitas? Não distingo suas feições. Olhe — acrescentou, mostrando-me Albertine e Andrée que valsavam lentamente, apertadas uma contra a outra —, esqueci o meu *pince-nez* e não enxergo bem, mas com certeza elas estão no auge do gozo. Não se sabe muito bem que é principalmente pelos seios que elas o experimentam. E repare, os seios delas se tocam completamente. — De fato, o toque não cessara entre os de Andrée e os de Albertine. Não sei se elas ouviram ou adivinharam a reflexão de Cottard, mas desligaram-se levemente uma da outra, sempre continuando a valsar. Nesse momento, Andrée disse uma palavra a Albertine, e esta riu com o mesmo riso penetrante e profundo que eu escutara há pouco. Mas a perturbação que me causou desta vez foi apenas cruel; Albertine dava a impressão de mostrar desse modo, de fazer notar a Andrée, algum frêmito voluptuoso e secreto. Aquele riso soava como os primeiros ou os últimos acordes de uma festa desconhecida. Saí com Cottard, conversando com ele, distraído, só por instantes pensando na cena que acabava de presenciar. Não é que a conversa de Cottard fosse interessante. Naquele momento até se tornara azeda, pois acabávamos de ver o doutor Du Boulbon, que não nos percebeu. Ele viera passar algum tempo do outro lado da baía de Balbec, onde era muito consultado. Ora, Cottard, embora habitualmente declarasse que não praticava medicina nas férias, havia esperado formar nessa costa uma clientela de escol, a que Du Boulbon se constituía num obstáculo. Por certo o médico de Balbec não podia incomodar a Cottard. Não passava de um médico bastante consciencioso que sabia tudo e a quem não se podia falar no menor prurido sem que ele indicasse logo, numa fórmula complexa, a pomada, loção ou linimento adequados. Como dizia Marie Gineste em seu bonito linguajar, ele sabia "encantar" as feridas e as chagas. Mas não tinha qualquer ilustração. E de fato já causara um pequeno aborrecimento a Cottard. Este, desde que desejara trocar sua cátedra pela de terapêutica, se fizera especialista em intoxicações, perigosa inovação da medicina que serve para renovar os rótulos dos farmacêuticos, dos quais todo produto é declarado inteiramente atóxico, ao contrário das drogas similares, e até desintoxicante. É a propaganda da moda; mal sobrevive, por baixo, em letras ilegíveis, como um débil vestígio de uma moda precedente, a afirmativa de que o produto foi cuidadosamente antisseptizado. As intoxicações também servem para que o doente se tranqüilize, ao saber alegremente que sua paralisia é apenas uma enfermidade tóxica. Ora, tendo um grão-duque vindo passar alguns dias em Balbec e estando com um olho extremamente inchado, mandara trazer Cottard, o qual, em troca de algumas cédulas de cem francos (o professor não se incomodava por menos), atribuíra a inflamação a um estado tóxico e prescrevera um regime desintoxicante. Visto que o olho não desinchava, o grão-duque recorreu ao médico ordinário de Balbec, o qual em cinco minutos retirou um grão de poeira. No dia seguinte não havia mais nada. Entretanto, um rival mais perigoso era uma celebridade em doenças nervosas. Era um homem rubro, jovial, a um tempo porque o convívio com o descontrole nervoso não o impedia de gozar de muito boa saúde, mas também para tranqüilizar seus doentes com o riso grosso de seus bons-dias e de seu até logo, pronto para ajudar com seus braços de atleta a lhes vestir mais tarde a camisa-de-força. Não obstante, quando se conversava com ele em sociedade, fosse de política ou de literatura, ele escutava com uma benevolência atenta, como se indagasse: "De que se trata?", sem se pronunciar de imediato, como se se tratasse de uma consulta. Mas enfim, este, fosse qual fosse o talento que tivesse, era um especialista. Assim, toda a raiva de Cottard recaía sobre Du Boulbon. Aliás, deixei logo o professor amigo dos Verdurin, para recolher-me, prometendo ir vê-los.

Era profundo o mal que me haviam feito suas palavras no tocante a Albertine e Andrée. Mas os piores sofrimentos não foram sentidos por mim de imediato, como ocorre com esses venenos que só agem depois de um certo tempo.

Albertine não veio na noite em que o ascensorista fora buscá-la, apesar da segurança deste. Por certo, os encantos de uma pessoa são uma causa menos comum de amor que uma frase do tipo desta: "Não, esta noite não estarei livre." Não se dá atenção a essa frase se se está em presença de amigos; estamos alegres toda a noite, não nos preocupamos com determinada imagem; durante esse tempo, ela está mergulhada na mistura necessária; ao regressar, encontra-se o clichê pronto e perfeitamente nítido. Percebe-se que a vida já não é aquela que se teria deixado por uma ninharia na véspera, pois, se continuamos a não temer a morte, não mais temos coragem de pensar na separação.

Além disso, não a partir de uma da madrugada (hora que o ascensorista havia fixado), mas das três horas, não mais experimentei como outrora o sofrimento de sentir diminuir as minhas chances de que ela aparecesse. A certeza de que não viria trouxe-me um sossego absoluto, um alívio; essa noite era simplesmente uma noite como tantas outras em que eu não a via, e dessa idéia eu começava. E desde então, destacando-se sobre esse Nada aceito, tornava-se doce o pensamento de que a veria no dia seguinte ou em outros dias. Às vezes, nessas noites de espera, a angústia se deve a um remédio que se tomou. Falsamente interpretada por aquele que sofre, julga ele estar angustiado por causa daquela que não vem. Em tal caso, o amor nasce, como certas doenças nervosas, da explicação incorreta de um mal penoso. Explicação que não é útil retificar, pelo menos no que concerne ao amor, sentimento que é sempre errôneo, seja qual for a sua causa.

No dia seguinte, quando Albertine me escreveu dizendo que mal acabava de voltar a Épreville, e portanto não recebera a tempo o meu recado, e viria, se eu o permitisse, visitar-me à noite — por detrás das palavras da carta, como por trás das que me dissera uma vez ao telefone —, julguei sentir a presença de prazeres e de criaturas que ela teria preferido a mim. Mais uma vez fui inteiramente abalado pela dolorosa curiosidade de saber o que poderia ela ter feito, devido ao amor latente que sempre trazemos dentro de nós; durante um momento, cheguei a acreditar que esse amor iria ligar-me a Albertine, porém ele se contentou em fremir dentro de mim, e seus últimos ruídos se extinguiram sem que se pusesse em marcha.

Eu havia compreendido mal, na minha primeira estada em Balbec, o caráter de Albertine — e talvez o mesmo tivesse acontecido com Andrée. Achara ser frivolidade ingênua de sua parte, se todas as nossas súplicas não conseguiam retê-la e fazê-la faltar a um *garden-party*, a um passeio em lombo de burro, a um piquenique. Em minha segunda estada em Balbec, suspeitei que essa frivolidade era apenas aparente, o *garden-party* um biombo, senão uma invenção. Ocorria, sob formas diversas, o seguinte (entendo a coisa vista por mim, do meu lado do vidro que de modo algum era transparente, e sem que pudesse saber o que havia de verdadeiro do outro lado): Albertine me fazia os mais apaixonados protestos de ternura. Vigiava a hora porque precisava fazer uma visita a uma dama que recebia, ao que parece, todos os dias às cinco da tarde em Infreville. Atormentado por uma suspeita e aliás sentindo-me adoentado, pedia a Albertine, suplicava-lhe que permanecesse comigo. Era impossível (e ela até nem tinha mais que cinco minutos para ficar), pois aquilo aborreceria a tal dama, pouco hospitaleira e suscetível, e, ao que dizia Albertine, enfadonha. — Mas pode-se perfeitamente deixar de fazer uma visita. — Não, minha tia me ensinou que é necessário ser polido com todos. — Mas eu a tenho visto ser impolida muitas vezes. — Não é a mesma coisa, essa dama iria me querer mal e haveria de me intrigar com minha tia. E já não estou assim em tão boas relações com ela. E ela faz questão de que eu visite essa dama ao menos uma vez. — Mas, já que ela recebe todos os dias. — Aí Albertine, apanhada em contradição, modificava o motivo: — Claro que recebe todos os dias. Mas hoje marquei um encontro com algumas amigas na casa dela. Assim, a gente se aborrece menos. — Então, Albertine, você prefere a dama e suas amigas a mim, já que, para não deixar de fazer uma visita aborrecida, prefere largar-me sozinho, doente e desolado? — Pouco me importaria que a visita fosse aborrecida, mas é em atenção a elas. Vou trazê-las de volta no meu carro. Sem isso elas não teriam nenhum meio de transporte. — Observei a Albertine que havia trens de Infreville até às dez horas da noite. — É verdade, mas você sabe que é possível que nos peçam para ficar para a ceia. Ela é muito hospitaleira. — Muito bem, você recusará. — Vou aborrecer ainda mais a minha tia. — De resto, você pode cear e tomar o trem das dez horas. — Fica meio apertado. — Então nunca posso ir jantar no centro da cidade e voltar de trem. Mas olhe, Albertine, vamos fazer algo bem simples: sinto que o ar livre me fará bem; e, já que você não pode deixar de visitar essa dama, vou acompanhá-la até Infreville. Não tenha medo, não irei até a *Tour Élisabeth* (a vivenda da tal dama), não verei nem a dama nem suas amigas. — Albertine parecia ter recebido um tremendo golpe. Suas palavras saíam entrecortadas. Disse que os banhos de mar não lhe agradavam. — Mas aborrece-lhe que eu a acompanhe? — Como é que pode dizer uma coisa dessas? Bem sabe que o meu maior prazer é sair com você. — Uma brusca reviravolta se operara. — Já que vamos passear juntos — disse ela —, por que não irmos para o outro lado de Balbec, poderíamos jantar juntos. Seria tão bom. No fundo, aquela costa é muito mais bonita. Começo a detestar Infreville e o resto, esses lugarezinhos de cor verde-espinafre. — Mas a amiga de sua tia ficará aborrecida se você não for visitá-la. — Pois bem, ela se acalmará. — Não, não convém aborrecer as pessoas. — Mas ela nem sequer perceberá; recebe todos os dias. Tanto faz que eu vá amanhã, depois de amanhã, dentro de oito dias ou em duas semanas. — E suas amigas? — Oh, elas já me deixaram na mão em várias ocasiões. Agora é a minha vez. — Mas para o lado que você propõe, não há trem depois das nove. — Muito bem, que belo negócio! Nove horas é perfeito. E depois, a gente nunca precisa se preocupar com o problema de volta. Sempre haveremos de encontrar uma charrete, uma bicicleta, e, faltando tudo isso, temos nossas pernas. — Sempre havemos de encontrar? Como você anda depressa, Albertine! Para os lados de Infreville, onde as pequenas estações de madeira são coladas umas às outras, sim. Mas do lado oposto não é a mesma coisa. — Mesmo desse lado. Prometo trazê-lo de volta são e salvo. — Eu sentia que, por mim, Albertine renunciava a alguma coisa já combinada que ela não queria me revelar, e que haveria alguém que ficaria tão infeliz como eu estava. Vendo que o que desejara não era possível, pois eu queria acompanhá-la, renunciava francamente a isso. Sabia que não era irremediável. Pois, como as mulheres que têm várias coisas na vida, possuía esse ponto de apoio que jamais enfraquece: a dúvida e o ciúme. Decerto ela não procurava excitá-los, pelo contrário. Mas os enamorados são tão suspicazes que imediatamente farejam a mentira. De modo que Albertine, não sendo melhor que qualquer outra, sabia por experiência (sem nem desconfiar que o devia ao ciúme) que sempre estava segura de reencontrar as pessoas a quem uma noite deixara esperando. A pessoa desconhecida que ela abandonava por mim sofreria, iria amá-la ainda mais (Albertine não sabia que era por isso), e, para não continuar a sofrer, voltaria por si mesma para junto dela, como eu o teria feito. Mas eu não queria causar desgostos, nem me cansar, nem entrar no terrível caminho das investigações, da vigilância multiforme, inumerável. — Não, Albertine, não quero estragar o seu prazer, vá para a casa de sua dama de Infreville, ou enfim, para a casa da pessoa de quem ela é o pseudônimo, pouco me importa. O verdadeiro motivo pelo qual não saio com você é que você não o deseja, que o passeio que você daria comigo não é o que gostaria de dar; a prova é que você se contradisse mais de cinco vezes sem perceber. — A pobre Albertine receou que suas contradições, de que não se apercebera, tivessem sido mais graves, não lembrando exatamente as mentiras que havia pregado: — É bem possível que eu tenha caído em contradições. O ar marinho me tira todo o raciocínio. Troquei os nomes o tempo inteiro. — E (o que me provou que ela agora não teria necessidade de muitas doces afirmações para que eu acreditasse no que dizia) voltei a sentir a dor de um ferimento ao ouvir esta confissão do que eu só vagamente havia suposto: — Pois bem, está combinado, vou embora — disse ela num tom trágico, não sem olhar a hora para ver se não estava atrasada para o outro, agora que eu lhe fornecia o pretexto para não passar a noite comigo. — Você é muito mau. Modifico tudo para passar uma noite boa com você e é você quem não quer e ainda me acusa de mentirosa. Nunca o tinha visto ser tão cruel. O mar será o meu túmulo. Não o verei nunca mais. (Meu coração bateu a estas palavras, apesar de eu estar certo de que ela voltaria no dia seguinte, o que aconteceu.) Vou me afogar, vou lançar-me às águas. — Como Safo. — Mais um insulto; você tem dúvidas não só sobre o que digo, mas também sobre o que faço. — Mas, minha pequena, juro que não tinha nenhuma intenção, você sabe que Safo se precipitou no mar. — Sim, sim, você não tem nenhuma confiança em mim. — Albertine viu que faltavam vinte minutos para as oito na pêndula; receou atrasar-se para o que tinha de fazer e, preferindo a despedida mais breve (da qual, de resto, desculpou-se ao vir visitar-me no dia seguinte; provavelmente nesse dia a outra pessoa não estava livre), fugiu em passos rápidos gritando: — Adeus para sempre — com ar desolado. E talvez estivesse mesmo desolada. Pois, sabendo melhor do que eu o que fazia naquele instante, ao mesmo tempo mais severa e mais indulgente consigo própria do que eu era com ela, talvez ainda assim duvidasse de que eu não a quisesse receber mais, em vista da maneira como me havia deixado. Ora, creio que ela fazia mesmo questão de mim, a ponto de a outra pessoa estar mais enciumada que eu próprio.

Dias depois, em Balbec, como estivéssemos na sala de dança do cassino, entraram a irmã e a prima de Bloch, que se haviam tornado ambas muito bonitas, mas a quem não cumprimentei por causa de minhas amigas, pois a mais jovem, a prima, com o conhecimento de todos, vivia com a atriz a quem havia conhecido por ocasião da minha primeira temporada. A uma alusão que fiz à meia-voz, Andrée me disse: — Oh, sob esse aspecto eu sou como Albertine: não há nada que me dê tanto horror quanto isso. — Quanto a Albertine, pondo-se a conversar comigo no canapé em que estávamos sentados, dera as costas às duas moças de maus costumes. E no entanto eu havia reparado que antes desse movimento, na ocasião em que a Srta. Bloch e sua prima tinham aparecido, passara pelos olhos de minha amiga essa atenção brusca e profunda que por vezes conferia ao rosto malicioso de Albertine um ar sério, até mesmo grave, deixando-a triste depois. Porém, logo volvera para mim os seus olhos, que entretanto permaneceram singularmente imóveis e sonhadores. Tendo a Srta. Bloch e sua prima acabado por ir-se embora, depois de rirem muito alto e soltarem gritos inconvenientes, perguntei a Albertine se a lourinha (a que era amiga da atriz) não era a mesma pessoa que na véspera ganhara o prêmio do desfile de carros de flores. — Ah, não sei — disse Albertine —, uma delas é loura? Digo-lhe que elas me interessam muito pouco, nunca as observei. Uma delas é loura? — indagou com ar interrogativo e desligado às três amigas. Referindo-se a pessoas que Albertine encontrava todos os dias no molhe, essa ignorância me pareceu muito excessiva para não ser fingida. — Elas também não parecem nos olhar muito — disse eu a Albertine, talvez na hipótese, que no entanto não considerava de modo consciente, de que Albertine gostasse de mulheres, e, a fim de lhe tirar toda a pena, mostrando-lhe que não havia atraído a atenção delas e que, de um modo geral, não é costume, mesmo entre as mais viciosas, preocuparem-se com mocinhas que desconhecem. — Não nos olharam? — respondeu Albertine irrefletidamente. — Não fizeram outra coisa o tempo todo. — Mas você não podia saber — disse eu —, estava de costas para elas. — Pois bem, e aquilo ali? —

retrucou ela, mostrando-me, encaixado na parede à nossa frente, um grande espelho que eu não havia notado e no qual eu entendia agora que minha amiga, sem parar de falar, não cessara de pregar seus belos olhos cheios de preocupação.

A partir do dia em que Cottard entrou comigo no pequeno cassino de Incarville, ainda que não partilhasse da opinião que ele emitira, Albertine já não me pareceu a mesma; sua vista causava-me cólera. Eu próprio havia mudado tanto quanto ela me parecia outra. Deixara de lhe querer bem; em sua presença, na sua ausência quando isso lhe podia ser repetido, falava dela da maneira mais ferina. Contudo, havia tréguas. Um dia, soube que Albertine e Andrée tinham aceitado um convite de Elstir. Não duvidando que o haviam feito porque poderiam na volta se divertir, como alunas de internato, imitando as moças de maus costumes, achando nisso um prazer inconfesso de virgens que me apertava o coração, sem avisar, para constrangê-las e privar Albertine do prazer com que contava, cheguei de improviso na casa de Elstir. Mas ali só encontrei Andrée. Albertine escolhera outro dia, quando a tia deveria comparecer. Então pensei comigo que Cottard devia ter se enganado; a impressão favorável que me produzira a presença de Andrée sem sua amiga prolongava-se e alimentava em mim disposições mais amenas acerca de Albertine. Mas estas não duraram mais do que a frágil boa saúde dessas pessoas delicadas, sujeitas a melhoras passageiras, a quem basta um nada para fazê-las ter uma recaída. Albertine incitava Andrée a brincadeiras que, sem irem muito longe, não eram talvez inteiramente inocentes; padecendo dessa suspeita, terminava por afastá-la. Mal me sentia curado, a suspeita renascia sob outra forma. Acabava de ver Andrée, num daqueles movimentos graciosos que lhe eram particulares, pousar carinhosamente a cabeça no ombro de Albertine, beijar-lhe o pescoço entrecerrando os olhos; ou então, elas haviam trocado uma piscadela; uma palavra escapara a alguém que as vira juntas a caminho do banho, pequenos nadas feito os que flutuam de modo habitual na atmosfera ambiente, onde a maioria das pessoas os absorvem o dia inteiro sem que sua saúde se ressinta disso, ou que o seu humor se altere, mas que são mórbidos e geradores de novos sofrimentos para uma criatura que já está predisposta a tanto. Às vezes até, sem que eu tivesse voltado a ver Albertine, sem que ninguém me falasse dela, eu reencontrava na memória uma pose de Albertine junto de Gisèle que então me havia parecido inocente; era o que bastava agora para destruir a calma que eu pudera achar, não tinha sequer a necessidade de ir respirar lá fora os germes perigosos, pois, como diria Cottard, intoxicara a mim mesmo. Pensava então em tudo o que soubera acerca do amor de Swann por Odette, da maneira como Swann fora enganado em toda a sua vida. No fundo, a hipótese que me fez construir aos poucos todo o caráter de Albertine e interpretar dolorosamente cada instante de uma vida que eu não podia controlar por completo foi a Swann, tal como me haviam contado que era. Essas narrativas contribuíram para fazer com que, no futuro, minha imaginação se entregasse ao jogo de supor que Albertine poderia, ao invés de ser uma boa moça, ter a mesma imoralidade, a mesma capacidade de enganar de uma antiga cocote, e pensava em todos os sofrimentos que, nesse caso, teriam me esperado se a devesse amar alguma vez.

Um dia, estando nós reunidos no molhe diante do Grande Hotel, acabava de dirigir a Albertine as palavras mais duras e mais humilhantes, e Rosemonde dizia: — Ah, como você mudou com ela! Antigamente, tudo era para ela, ela é que segurava as rédeas; agora não é boa nem para os cães comerem. — Para ressaltar ainda mais a minha atitude quanto a Albertine, eu estava dirigindo todas as amabilidades possíveis a Andrée, que, se era atingida pelo mesmo vício, me parecia mais desculpável por ser doente e neurastênica, quando vimos desembocar, ao trotezinho de seus dois cavalos, na rua perpendicular ao molhe em cuja esquina estávamos, a caleça da Sra. de Cambremer. O presidente do conselho, que naquele momento avançava para nós, afastou-se de um salto, quando reconheceu o carro, para não ser visto em nossa companhia; depois, quando pensou que os olhares da marquesa podiam cruzar com os seus, inclinou-se com um enorme cumprimento de chapéu. Mas o carro, em vez de continuar pela rua de *La Mer*, como parecia provável, desapareceu por detrás da entrada do hotel. Passaram-se mais ou menos dez minutos, quando o ascensorista, todo esbaforido, veio me avisar: — É a marquesa de Camembert, que veio até aqui visitar o senhor. Subi a seu quarto, procurei no salão de leitura, não podia encontrar o senhor. Felizmente que tive a idéia de olhar a praia. — Mal acabara de falar, quando, seguida de sua nora e de um senhor muito cerimonioso, caminhou para mim a marquesa, provavelmente de volta de uma vesperal ou de um chá nas vizinhanças, e toda encurvada sob o peso, menos da velhice que da multidão de objetos de luxo, dos quais ela achava mais amável e mais digno de sua estirpe estar recoberta, a fim de parecer o mais "vestida" possível às pessoas a quem vinha visitar. Em suma, era esse "desembarque" dos Cambremer no hotel que tanto receava a minha avó outrora, quando queria que se deixasse Legrandin na ignorância de que talvez fôssemos a Balbec. Então mamãe ria dos temores inspirados por um acontecimento que ela julgava impossível. Eis que, enfim, ele se produzia, entretanto por outras vias e sem que Legrandin contribuísse em nada para isso. — Posso ficar, se não estou incomodando? — perguntou Albertine (em cujos olhos permaneciam, causadas pelas coisas cruéis que eu acabara de dizer-lhe, algumas lágrimas que notei sem parecer vê-las, mas não sem regozijar-me com elas). — Teria alguma coisa para lhe dizer. — Um chapéu de plumas, encimado por um alfinete de safira, estava colocado de qualquer jeito sobre a peruca da Sra. de Cambremer, como uma insígnia cuja exibição é necessária, mas suficiente, o local indiferente, a elegância convencional e a imobilidade inútil. Apesar do calor, a boa senhora vestira uma mantilha de azeviche semelhante a uma dalmática, sobre a qual caía uma estola de arminho cujo porte parecia estar em relação, não com a temperatura e a estação, mas com o caráter da cerimônia. E sobre o peito da Sra. de Cambremer, uma coroa de baronesa, ligada a uma correntinha, pendia à maneira de uma cruz peitoral. O cavalheiro era um famoso advogado de Paris, de família nobre, que fora passar três dias na casa dos Cambremer. Era um desses homens a quem a consumada experiência profissional faz com que desprezem um pouco sua profissão e que dizem, por exemplo: "Sei que advogo bem; portanto, já não me diverte advogar", ou: "Não me interessa mais operar; sei que opero bem." Inteligentes, *artistas*, vêem em torno de sua maturidade, fortemente recompensada pelo sucesso, brilhar essa "inteligência", essa natureza de "artista" que os confrades lhes reconhecem e que lhes confere um certo gosto e discernimento. Apaixonam-se pela pintura, não de um grande artista, mas de um artista contudo bem distinto, e para a aquisição de cujas obras empregam os gordos dividendos que lhes traz sua carreira. Le Sidaner era o artista eleito pelo amigo dos Cambremer, o qual aliás era bem agradável. Falava bem dos livros, mas não das obras dos verdadeiros mestres, daqueles que dominaram a si próprios. O único defeito constrangedor desse diletante era o de empregar certas frases feitas com insistência, por exemplo: "na maior parte", o que dava àquilo de que ele queria falar algo de importante e de incompleto. A Sra. de Cambremer, segundo ela me disse, aproveitara uma vesperal de amigos seus perto de Balbec para visitar-me, como havia prometido a Robert de Saint-Loup. — O senhor sabe que dentro em pouco ele deve vir passar alguns dias aqui na região. Seu tio Charlus está veraneando em casa da cunhada, a duquesa de Luxemburgo, e o Sr. de Saint-Loup aproveitará a ocasião para, ao mesmo tempo, ir cumprimentar a tia e rever seu antigo regimento, onde é muito querido, muito estimado. Muitas vezes recebemos oficiais que nos falam dele sem poupar elogios. Como seria agradável que o senhor e ele nos dessem o prazer de ir a Féterne. — Apresentei-lhe Albertine e suas amigas. A Sra. de Cambremer nos apresentou à sua nora. Esta, glacial como era com a pequena nobreza que a vizinhança de Féterne a obrigava a freqüentar, tão cheia de reserva por medo de comprometer-se, estendeu-me ao contrário a mão com um sorriso radiante, plena de segurança e de alegria diante de um amigo de Robert de Saint-Loup, e que este, com mais finura mundana do que desejaria aparentar, lhe havia dito ser muito ligado aos Guermantes. Assim, ao contrário de sua sogra, a Sra. de Cambremer ostentava dois tipos de polidez completamente diversos. Teria sido quando muito o primeiro, seco, insuportável, que ela teria me concedido se eu a conhecesse através de seu irmão Legrandin. Mas para um amigo dos Guermantes ela não possuía sorrisos que bastassem. A peça mais cômoda do hotel para recepção era o salão de leitura, esse lugar outrora tão terrível onde agora eu entrava dez vezes por dia, saindo livremente, feito dono, como esses loucos mansos, há tanto tempo pensionistas de um asilo que o médico lhes confiou a chave do mesmo. Assim, ofereci-me à Sra. de Cambremer para conduzi-la até lá. E, como aquele salão já não me inspirava timidez e não mais oferecia encantos, porque a face das coisas muda para nós como a das pessoas, foi sem perturbação que lhe fiz aquela proposta. Mas ela a recusou, preferindo ficar fora, e nós nos sentamos ao ar livre, no terraço do hotel. Ali encontrei e recolhi um livro da Sra. de Sévigné que mamãe não tivera tempo de levar em sua fuga precipitada, ao perceber que visitas chegavam para mim. Assim como a minha avó, ela temia essas invasões de estranhos e, de medo de não mais poder escapar, se se deixasse cercar, fugia com uma rapidez que fazia sempre, meu pai e eu, zombarmos dela. A Sra. de Cambremer segurava na mão, junto com o cabo da sombrinha, várias bolsas bordadas, uma cestinha, uma carteira dourada de onde pendiam fios de *grenats* e um lenço de renda. Creio que lhe seria mais cômodo colocá-los sobre uma cadeira; mas sentia que teria sido inconveniente e inútil pedir-lhe que abandonasse os ornamentos de sua turnê pastoral e de seu sacerdócio mundano. Contemplávamos o mar calmo onde flutuavam gaivotas esparsas como corolas brancas. Por causa do nível de simples *medium* a que nos degrada a conversação mundana, e também o nosso desejo de agradar, não com o auxílio de qualidades ignoradas por nós mesmos, mas daquilo que julgamos ser apreciado pelos que se acham conosco, instintivamente me pus a falar à Sra. de Cambremer, nascida Legrandin, da mesma forma que o teria feito seu irmão. — Elas possuem — disse-lhe eu, referindo-me às gaivotas — uma imobilidade e uma brancura de ninféias. — E com efeito elas pareciam oferecer um alvo inerte às pequenas ondas que as balançavam a ponto de que estas, por contraste, davam a impressão de ir em sua perseguição, de modo intencional e animadas de vida própria. A velha marquesa não se cansava de elogiar a soberba vista do oceano que tínhamos em Balbec e me invejava, ela que de La Raspelière (onde aliás não residia naquele ano) só via as ondas de muito longe. Possuía dois hábitos singulares, que resultavam a um tempo de seu exaltado amor às artes (sobretudo pela música) e de sua insuficiência dentária. De cada vez que falava de estética, suas glândulas salivares, como as de certos animais na época do cio, entravam numa fase de hipersecreção tal, que a boca desdentada da velha dama deixava passar, nos cantos dos lábios cobertos de um leve buço, algumas gotas cujo lugar não era ali. Logo em seguida, ela as engolia com um suspiro, como alguém que recobra a respiração. Enfim, se se tratasse de uma bem grande beleza musical, ela em seu entusiasmo erguia os braços e proferia alguns juízos sumários, energicamente mastigados e, se necessário, nasais. Ora, eu jamais pensara que a praia vulgar de Balbec pudesse oferecer na verdade uma "vista de mar", e as simples palavras da Sra. de Cambremer mudavam minhas idéias a respeito. Em compensação, e isso eu lhe disse, sempre ouvira celebrar a vista única de La Raspelière, situada no topo da colina e de onde, num grande salão de duas lareiras, uma fila inteira de janelas olha, do fundo dos jardins entre as folhagens, o mar até além de Balbec, e outra fila, para o vale. — Como o senhor é amável e como está bem dito: o mar entre as folhagens. É encantador. Dir-se-ia... um leque. — E senti, a uma profunda respiração destinada a engolir a saliva e a secar o buço, que o cumprimento era sincero. Mas a marquesa nascida Legrandin permaneceu fria para mostrar seu desdém não pelas minhas palavras, mas pelas da sogra. Além disso, não só desprezava a inteligência desta, como deplorava a sua amabilidade, sempre receando que as pessoas não fizessem uma alta idéia dos Cambremer. — E como é bonito o nome — disse eu. — Gostaria de saber a origem de todos esses nomes. — Quanto a este, posso lhe dizer — respondeu com doçura a velha dama. — É uma residência de família, da minha avó Arrachepel; não é uma família ilustre, mas uma boa e antiga família provinciana. — Como, não é ilustre? — interrompeu secamente sua nora. — Um vitral inteiro da catedral de Bayeux está cheio de suas armas, e a principal igreja de Avranches contém seus monumentos funerários. Se esses velhos nomes o divertem — acrescentou —, o senhor chega com um ano de atraso. Tínhamos conseguido nomear para o curato de Criquetot, apesar de todas as dificuldades que existem para mudança de diocese, o decano de uma região onde pessoalmente possuo terras, muito longe daqui, em Combray, onde o bom padre sentia que estava ficando neurastênico. Infelizmente o ar marinho não foi bom para a sua idade avançada; sua neurastenia aumentou e ele acabou voltando para Combray. Mas, enquanto foi nosso vizinho, divertiu-se em ir consultar todas as velhas cartas e escreveu uma pequena brochura bastante curiosa sobre os nomes da região. Aliás, isso lhe deu no gosto, pois parece que ele ocupa seus últimos anos em escrever uma grande obra sobre Combray e suas redondezas. Vou enviar-lhe a sua brochura sobre as cercanias de Féterne. É um trabalho de beneditino. Nela o senhor lerá coisas muito interessantes sobre a nossa velha Raspelière, de que a minha sogra fala tão modestamente. — Em todo caso, este ano — respondeu a velha marquesa — La Raspelière não é mais nossa e não me pertence. Mas sente-se que o senhor possui uma natureza de pintor; deveria desenhar, e eu gostaria muito de lhe mostrar Féterne, que é bem melhor que La Raspelière. — Pois, desde que os Cambremer haviam alugado esta última residência aos Verdurin, sua posição dominante deixara bruscamente de lhes parecer o que havia sido para eles durante tantos anos, isto é, com a vantagem única na região de ter vista a um tempo para o mar e para o vale, em compensação lhes dera de golpe — e de contragolpe — o inconveniente de que era preciso sempre subir e descer para chegar e sair. Em suma, julgar-se-ia que, se a Sra. de Cambremer a alugara, fora menos para aumentar suas rendas do que para poupar seus cavalos. E ela dizia-se encantada de poder enfim ter o tempo todo o mar tão pertinho, em Féterne, ela que durante tanto tempo, esquecendo os dois meses que ali passava, só o vira do alto e como que num panorama. — Descubro-o na minha idade — dizia — e como o aproveito! Isto me faz tão bem! Alugaria La Raspelière por um nada a fim de ser constrangida a morar em Féterne.

— Para retornar a assuntos mais interessantes — prosseguiu a irmã de Legrandin, que dizia "Minha mãe" à velha marquesa, mas com o passar dos anos assumira maneiras insolentes com ela —, o senhor falava de ninféias; penso que conhece as que Claude Monet pintou. Que gênio! Isto me interessa tanto mais que, perto de Combray, esse lugar onde lhe disse que possuía terras... — Mas ela preferiu não falar muito de Combray. — Ah, certamente é a série de que nos falou Elstir, o maior dos pintores contemporâneos! — exclamou Albertine que nada dissera até então. — Ah! Vê-se que a senhorita ama as artes — gritou a velha marquesa que, numa respiração profunda, reabsorveu um jato de saliva. — Permita-me preferir-lhe Le Sidaner, senhorita — disse sorrindo o advogado, com um ar de conhecedor. E, como antigamente havia apreciado ou vira apreciar certas "audácias" de Elstir, acrescentou: — Elstir era dotado, chegou quase até a fazer parte da vanguarda, mas não sei por que cessou de segui-la, estragou sua vida. — A Sra. de Cambremer deu razão ao advogado no que dizia respeito a Elstir, mas, para grande desgosto de seu convidado, igualou Monet a Le Sidaner. Não se pode dizer que ela fosse idiota; transbordava de uma inteligência que eu sentia ser-me completamente inútil. Precisamente o sol, declinando, fazia as gaivotas serem agora amareladas, como as ninféias em outra tela dessa mesma série de Monet. Eu disse que a conhecia e (continuando a imitar a linguagem do irmão, cujo nome ainda não me atrevera a declarar) acrescentei que era uma pena não ter ela tido a idéia de vir na véspera, pois, à mesma hora, era uma luz de Poussin o que ela poderia ter admirado. Diante de um fidalgote normando, desconhecido dos Guermantes, e que lhe dissesse que deveria ter vindo na véspera, a Sra. de Cambremer-Legrandin decerto se empertigaria com ar ofendido. Mas ainda que eu pudesse ter sido bem mais familiar, ela só se derramaria numa doçura mole e sumarenta; no calor daquele belo fim de tarde, eu podia fartar-me à vontade no grande bolo de mel que tão raramente era a Sra. de Cambremer e que substituiu os bolinhos que não tive a lembrança de oferecer. Mas o nome de Poussin, sem alterar a amenidade da mulher mundana, ergueu os protestos da diletante. Ouvindo esse nome, a Sra. de Cambremer, por seis vezes, que quase nenhum intervalo separava, deu esse estalido de língua contra o céu da boca que serve para indicar, a uma criança que fez uma asneira, ao mesmo tempo uma censura por ter começado e a proibição de continuar. — Em nome do céu, depois de um pintor como Monet, que é certamente um gênio, não vá nomear um velho rotineiro e sem talento como Poussin. Eu lhe direi sem rodeios que o considero o mais paulificante dos barbeiros. Que é que o senhor quer, não consigo chamar aquilo de pintura. Monet, Degas, Manet, sim, são pintores! É muito curioso — acrescentou ela, fixando um olhar escrutador e deslumbrado num ponto vago do espaço, onde percebia o próprio pensamento —, é muito curioso, antigamente eu preferia Manet. Agora, sempre admiro Manet, está claro, mas creio que lhe prefiro talvez Monet, ainda. Ah, as catedrais! — Ela punha tanto escrúpulo quanto complacência em me informar acerca da evolução sofrida pelo seu gosto. E sentia-se que as fases por que havia passado esse gosto não eram, segundo ela, menos importantes que as diversas maneiras do próprio Monet. Aliás, eu não tinha que me sentir lisonjeado que ela me confidenciasse as suas admirações, pois, mesmo diante da mais tacanha provinciana, ela não podia ficar cinco minutos sem experimentar a necessidade de confessá-las. Quando uma senhora nobre de Avranches, que não teria sido capaz de distinguir Mozart de Wagner, dizia diante da Sra. de Cambremer: — Não tivemos nenhuma novidade interessante na nossa temporada em Paris, fomos uma vez à Ópera-Cômica, onde representavam *Pelléas et Mélisande,* é horrível — a Sra. de Cambremer não só fervia como também sentia necessidade de gritar: — Mas pelo contrário, é uma pequena obra-prima! — e de discutir. Era talvez um hábito de Combray, adquirido junto às irmãs de minha avó, que chamavam àquilo "combater por uma boa causa", e que apreciavam os jantares em que, todas as semanas, sabiam que teriam de defender seus deuses contra os filisteus. Da mesma forma, a Sra. de Cambremer gostava de "ativar o sangue", "engalfinhando-se" sobre arte, como outros sobre política. Ela tomava o partido de Debussy como tomaria o de uma amiga sua a quem houvessem acusado de má conduta. Entretanto, devia compreender muito bem que, ao dizer: "Mas não, é uma pequena obra-prima", não podia improvisar, junto à pessoa a quem punha em seu devido lugar, toda a evolução da cultura artística, ao termo da qual ficassem de acordo sem ter necessidade de discutir. — Será preciso que eu pergunte a Le Sidaner o que ele pensa de Poussin — disse-me o advogado. — É uma pessoa fechada, silenciosa, mas saberei muito bem fazê-lo falar.

— Aliás — continuou a Sra. de Cambremer —, tenho horror aos ocasos, é romântico, é pura ópera. É por isso que detesto a casa de minha sogra, com suas plantas do Sul. O senhor verá, aquilo parece um parque de Monte-Carlo. É por isso que prefiro o seu litoral; é mais triste, mais sincero. Há um pequeno caminho de onde não se vê o mar. Nos dias de chuva, só tem lama; é todo um mundo. É como em Veneza, detesto o Grande Canal e não conheço nada mais tocante que as pequenas ruelas. De resto, é uma questão de ambiência. — Mas — disse-lhe eu, sentindo que a única maneira de reabilitar Poussin aos olhos da Sra. de Cambremer era informá-la de que ele voltara a estar na moda —, o Sr. Degas assegura que não conhece nada mais belo que os Poussins de Chantilly. — Oh, eu não conheço esses de Chantilly — disse a Sra. de Cambremer, que não queria ser de opinião diversa da de Degas —, mas posso falar dos do Louvre que são uns horrores. — Ele também os admira imensamente. — Será necessário que os veja de novo. Tudo isto é um pouco antigo na minha cabeça — respondeu ela após um instante de silêncio, e, como se o juízo favorável que em breve certamente iria fazer acerca de Poussin devesse depender não da notícia que eu acabara de lhe dar, mas do exame suplementar e desta vez definitivo a que tencionava submeter os Poussins do Louvre para ter a faculdade de reconsiderar seu julgamento. Contentando-me com o que era um começo de retratação, visto que se ela ainda não admirava os Poussins, guardava-se para uma deliberação posterior, eu, para não deixá-la por mais tempo na tortura, disse a sua sogra o quanto me haviam falado das admiráveis flores de Féterne. Modestamente, ela se referiu ao jardinzinho de cultivo que possuía nos fundos e aonde, pela manhã, empurrando uma porta, ela ia de chambre dar de comer a seus pavões, procurar ovos já postos e colher zínias ou rosas que, no centro da mesa, dando aos ovos *à la crême* ou às frituras uma orla de flores, recordavam-lhe as suas alamedas. — É verdade que temos muitas rosas — disse ela. — Nosso roseiral está quase um pouco perto demais da casa; há dias em que me dá dor de cabeça. É mais agradável no terraço da Raspelière, onde o vento traz o aroma das rosas, porém menos inebriante. — Voltei-me para a sua nora: — Esse odor de rosas subindo até o terraço é puro *Pelléas* — disse-lhe, para contentar o seu gosto pelo modernismo. — É tão forte na partitura que eu, que sofro de *hay-fever* e de *rose-fever,* espirrava cada vez que ouvia a cena. — Que obra-prima é *Pellléas*! — exclamou a Sra. de Cambremer. — Sou doida por ela. — E, aproximando-se de mim com gestos de uma mulher selvagem que quisesse me fazer agrados, usando os dedos para ferir as notas imaginárias, pôs-se a cantarolar alguma coisa que supus ser para ela os adeuses de Pelléas e continuou com uma insistência veemente, como se fosse importante que a Sra. de Cambremer me recordasse naquele momento a tal cena, ou antes, talvez, me mostrasse que se lembrava dela. — Creio até que é mais belo que *Parsifal* — acrescentou —, porque no *Parsifal* une-se às maiores belezas um certo halo de frases melódicas, portanto caducas, visto serem melódicas. — Sei que é uma grande musicista, senhora — disse eu à velha dama. — Gostaria muito de ouvi-la. — A Sra. de Cambremer-Legrandin contemplou o mar para não tomar parte na conversa. Considerando que aquilo de que a sogra gostava não era música, julgava o talento (pretenso segundo ela, dos mais notáveis na realidade) que lhe atribuíam, como um virtuosismo sem interesse. É verdade que a única aluna ainda viva de Chopin declarava com razão que a maneira de tocar, o "sentimento" do Mestre, só se transmitira através dela à Sra. de Cambremer; mas tocar como Chopin estava longe de ser uma referência para a irmã de Legrandin, que não desprezava ninguém tanto como o músico polonês. — Oh! elas estão voando! — gritou Albertine mostrando as gaivotas que, desembaraçando-se por um instante de seu incógnito de flores, subiam todas juntas para o sol. — "Suas asas de gigante as impedem de andar" — disse a Sra. de Cambremer, confundindo as gaivotas com o albatroz.[26] — Gosto muito delas, via-as em Amsterdã — disse Albertine. — Elas sentem o mar, vêm aspirá-lo até através das pedras da rua. — Ah, esteve na Holanda, conhece os Ver Meer? — indagou imperiosamente a Sra. de Cambremer, e no mesmo tom com que teria perguntado: "Conhece os Guermantes?", pois o esnobismo, mudando de objeto, não muda de acento. Albertine respondeu que não: achava que se tratava de pessoas vivas. Porém isso passou despercebido. — Eu ficaria muito feliz de lhe tocar música — disse-me a Sra. de Cambremer. — Mas, o senhor sabe, eu toco apenas algumas coisas que já não interessam à sua geração. Fui educada no culto de Chopin — disse ela em voz baixa, pois temia a nora e sabia que esta achava que Chopin, nada tendo a ver com

[26] Alusão ao poema "O albatroz", de Baudelaire. (N. do T.)

música, tocá-lo bem ou mal eram expressões destituídas de significado. A nora reconhecia que a sogra era dotada de técnica, embelezava as passagens. — Jamais me farão afirmar que ela é musicista — concluía a Sra. de Cambremer-Legrandin. Como se julgava "avançada" e (em arte apenas) "nunca demais à esquerda", dizia, pensava não só que a música progride, mas também que o faz numa única direção, e que Debussy era uma espécie de super-Wagner, ainda um pouco mais avançado que Wagner. Não se apercebia de que, se Debussy não era tão independente de Wagner como ela própria deveria acreditar dentro de alguns anos, pois enfim a gente se serve das armas conquistadas para terminar de livrar-se daquele a quem momentaneamente venceu, ele no entanto buscava, após a saciedade que se começava a sentir das obras muito completas, onde tudo está expresso, contentar a necessidade oposta. É claro que teorias sustentavam momentaneamente essa reação, semelhantes àquelas que, em política, acorrem em apoio às leis contra as congregações, as guerras no Oriente (ensino contra a natureza, perigo amarelo, etc., etc.). Dizia-se que numa época de pressa era conveniente uma arte rápida, exatamente como se teria dito que a guerra futura não podia durar mais que uma quinzena, ou que, com as estradas de ferro, seriam abandonados os pequenos recantos caros às diligências a que o automóvel, entretanto, deveria restituir todas as honras. Recomendava-se que não se cansasse a atenção do auditório, como se não dispuséssemos de atenções diferentes, das quais compete justamente ao artista despertar as mais elevadas. Pois aqueles que bocejam de cansaço depois de dez linhas de um artigo medíocre haviam refeito, todos os anos, a viagem a Bayreuth a fim de ouvir a *Tetralogia*. Aliás, chegaria o dia em que, durante algum tempo, Debussy seria declarado tão frágil quanto Massenet, e as emoções de Mélisande rebaixadas ao nível das de Manon. Pois as teorias e as escolas, como os micróbios e os glóbulos, entredevoram-se e garantem, com sua luta, a continuidade da vida. Mas esse tempo ainda não havia chegado.

Como na Bolsa, quando ocorre um movimento de alta, e toda uma categoria de valores se aproveita disso, certo número de autores desdenhados se beneficia com a reação, ou porque não mereciam esse desdém, ou simplesmente — o que permitia dizer que uma novidade os realçava — porque nele haviam incorrido. E ia-se até buscar, num passado solitário, alguns talentos independentes sobre cuja reputação não parecia dever influir o movimento atual, mas cujo nome dizia-se que um dos mestres novos o citava com benevolência. Muitas vezes era porque um mestre, fosse qual fosse, por mais exclusiva que deva ser sua escola, julga de acordo com seu sentimento original, rende justiça ao talento onde quer que se encontre, e até menos ao talento, a alguma inspiração agradável que teve outrora, que se liga a um instante amado de sua adolescência. Outras vezes, porque certos artistas de outra época exibem, num simples trecho realizado, algo que se assemelha ao que o mestre aos poucos percebeu que ele próprio desejou fazer. Então, enxerga nesse antigo como que um precursor; aprecia nele, sob outra forma, um esforço parcial e momentaneamente fraterno. Há trechos de Turner na obra de Poussin, uma frase de Flaubert em Montesquieu. E às vezes também, o rumor da predileção do mestre era o resultado de um engano, nascido não se sabe onde e divulgado na escola. Mas o nome citado beneficiava-se então da firma sob cuja proteção entrara justamente a tempo, pois, se existe alguma liberdade, um gosto genuíno, na escolha do mestre, as escolas, essas, só se dirigem no sentido da teoria. Fora assim que o espírito, seguindo seu curso habitual que avança por digressões, inclinando-se uma vez num sentido, na vez seguinte em sentido contrário, havia trazido luz do alto sobre um certo número de obras, às quais a necessidade de justiça, ou de renovação, ou o gosto de Debussy, ou seu capricho, ou algum propósito que ele talvez não tivera, havia acrescentado as de Chopin. Enaltecidas pelos juízes nos quais se tinha inteira confiança, beneficiando-se da admiração que *Pelléas* excitava, encontraram elas um brilho novo, e mesmo aqueles que não as tinham ouvido novamente estavam tão desejosos de as amar que o faziam sem querer, embora com a ilusão de liberdade. Mas a Sra. de Cambremer-Legrandin ficava uma parte do ano na província. Mesmo em Paris, doente, ela vivia muito presa no seu quarto. É verdade que o inconveniente podia sobretudo se fazer sentir na escolha das expressões que a Sra. de Cambremer julgava estarem na moda e que antes se conformariam melhor à linguagem escrita, nuança que ela não discernia, pois tirava-as mais da leitura que da conversação. Esta não é tão necessária para o conhecimento exato das opiniões como as expressões novas. Entretanto, esse rejuvenescimento dos *Noturnos* ainda não fora anunciado pelos críticos. A novidade só se transmitira pelas conversas de "jovens". Permanecia ignorada da Sra. de Cambremer-Legrandin. Dei-me o prazer de fazê-la ciente, porém dirigindo-me para tanto à sua sogra, como no bilhar, quando, para atingir uma bola, joga-se pela beirada, de que Chopin, bem longe de estar fora de moda, era o compositor preferido de Debussy. — Vejam só! É divertido — disse-me sorrindo a nora, como se aquilo não passasse de um paradoxo criado pelo autor de *Pelléas.* Todavia, agora era certo que ela só ouviria Chopin com respeito e até com prazer. Minhas palavras, que acabavam de fazer soar a hora da libertação para a velha marquesa, puseram-lhe no rosto uma expressão de reconhecimento por mim, e sobretudo de alegria. Seus olhos brilharam como os de Latude, na peça denominada *Latude, ou Trinta e cinco anos de cativeiro*,[27] e seu peito aspirou o ar marinho com aquela dilatação que Beethoven tão bem assinalou no *Fidelio,* quando seus prisioneiros por fim respiram "este ar que vivifica". Julguei que ela ia pousar no meu rosto os lábios com seu buço. — Como, o senhor gosta de Chopin? Ele gosta de Chopin, ele gosta de Chopin — exclamou ela num nasalamento apaixonado, como se dissesse: "Como, o senhor conhece também a Sra. de Francquetot?", com a diferença de que minhas relações com a Sra. de Francquetot lhe teriam sido profundamente indiferentes, ao passo que o meu conhecimento de Chopin lançou-a numa espécie de delírio artístico. A hipersecreção salivar não bastou mais. Não tendo nem mesmo procurado compreender o papel de Debussy na reinvenção de Chopin, sentiu apenas que meu juízo era favorável. O entusiasmo musical a arrebatou: — Élodie! Élodie! Ele gosta de Chopin. — Seus seios se soergueram e os braços agitaram-se no ar. — Ah, bem que eu senti que o senhor era músico — exclamou. — *Hhartista* como o senhor é, compreendo que goste. É tão belo! — E sua voz era tão pedregosa como se, para exprimir seu ardor por Chopin, ele houvesse, imitando Demóstenes, enchido a boca com os pedregulhos da praia. Por fim veio o refluxo, atingindo até o pequeno véu que ela não teve tempo de pôr a salvo e foi transpassado; e afinal a marquesa enxugou com seu lenço bordado a baba de espuma com que sua lembrança de Chopin acabava de lhe umedecer o buço.

— Meu Deus — disse-me a Sra. de Cambremer-Legrandin —, acho que minha sogra está bastante atrasada; esquece que temos de jantar em casa do meu tio de Ch'nouville. E além disso, Cancan não gosta de esperar. — "Cancan" ficou incompreensível para mim e pensei que talvez se tratasse de um cachorro. Mas, quanto aos primos de Ch'nouville, eis o que ocorria. Com o passar do tempo, amortecera na jovem marquesa o prazer de pronunciar-lhes o nome dessa maneira. E no entanto fora para desfrutá-lo que ela antigamente decidira casar-se. Em outros grupos mundanos, quando se falava dos Chenouville, o costume era (ao menos de cada vez que a partícula vinha precedida de um nome que terminasse por vogal, pois em caso contrário era-se obrigado a apoiar-se no *de,* visto recusar-se a língua a pronunciar Madam' d' Ch'nonceaux) que fosse sacrificado o *e* mudo da partícula. Dizia-se: "Senhor d' Chenouville". Entre os Cambremer a tradição era inversa, mas igualmente imperiosa. Era o *e* mudo de Chenouville que se suprimia em todos os casos. Que o nome fosse precedido de "meu primo" ou de "minha prima", era sempre de "Ch'nouville" e nunca de Chenou-

[27] Drama histórico em três atos e cinco quadros, de Guilbert de Pixérécourt e Anicet Bourgeois. (N. do T.)

ville. (No caso do pai desses Chenouvilles, dizia-se *"notre oncle"* [nosso tio], pois não se era bastante refinado em Féterne para pronunciar "notre onk", como teriam feito os Guermantes, cuja algaravia intencional, suprimindo as consoantes e nacionalizando os nomes estrangeiros, era tão difícil de entender como o francês antigo ou o dialeto moderno.) Toda pessoa que entrava para a família Cambremer recebia logo, sobre essa questão dos Ch'nouvilles, uma advertência da qual a Srta. Legrandin não tivera necessidade. Um dia em visita, ouvindo uma moça dizer: "Minha tia d'Uzai", "mon onk de Rouan", ela não reconhecera de imediato esses nomes ilustres que tinha o hábito de pronunciar: Uzès e Rohan; sentira o espanto, o embaraço e a vergonha de alguém que tem à sua frente, na mesa, um utensílio recentemente inventado de que não conhece o uso e com o qual não tem coragem de começar a comer. Mas, na noite e no dia seguinte, repetira deliciada: "minha tia d'Uzai" com aquela supressão do *s* final, supressão que a deixara estupefata na véspera, mas que agora lhe parecia tão vulgar não conhecer que, tendo uma de suas amigas lhe falado de um busto da duquesa d'Uzès, a Srta. Legrandin lhe respondera mal-humorada, e num tom altivo: — Você poderia ao menos responder como é correto: "Mame d'Uzai". — Desde então compreendera que, em virtude da transmutação das matérias consistentes em elementos cada vez mais sutis, a fortuna considerável e tão honradamente adquirida que herdara do pai, a educação completa que havia recebido, sua assiduidade à Sorbonne, tanto às aulas de Caro como às de Brunetière, e aos concertos Lamoureux, tudo isso devia volatilizar-se, encontrar sua sublimação última no prazer de dizer um dia: "minha tia d'Uzai". Isso não excluía de seu espírito a idéia de que continuaria a freqüentar, ao menos nos primeiros tempos após o matrimônio, não certas amigas de quem gostava mas estava resignada a sacrificar, porém determinadas outras de quem não gostava e às quais desejava poder dizer (pois se casara para aquilo): — Vou lhe apresentar minha tia d'Uzai; — e, quando viu que essa aliança era em extremo difícil: — Vou apresentá-la à minha tia de Ch'nouville — e — Vou levá-la para jantar com os Uzai. — Seu casamento com o Sr. de Cambremer dera-lhe a oportunidade de dizer a primeira dessas frases, mas não a segunda, visto que a sociedade que seus sogros freqüentavam não era a que ela havia julgado e com a qual continuava a sonhar. E, depois de me haver dito de Saint-Loup (para tal adotando uma expressão do próprio Robert, pois se, para conversar com ela, eu falava como Legrandin, por uma sugestão inversa ela me respondia no linguajar de Robert, que não sabia ser tomado de empréstimo a Rachel), aproximando o polegar do indicador e entrecerrando os olhos como se encarasse algo infinitamente delicado que conseguira capturar: — Ele tem uma bela qualidade de espírito; — fez o elogio dele com tanto calor que poderiam achar que estava apaixonada por ele (aliás, tinham cochichado que outrora, quando estava em Doncières, Robert fora seu amante), mas na verdade simplesmente para que eu o confirmasse e chegar a isto: — O senhor é muito ligado à duquesa de Guermantes. Estou doente, quase não saio, e sei que ela permanece confinada num círculo de amigos seletos, o que acho muito bom, e assim conheço-a muito pouco, mas sei que é uma mulher absolutamente superior. — Sabendo que a Sra. de Cambremer mal a conhecia, e para me fazer tão pequeno quanto ela, ladeei esse assunto e respondi à marquesa que havia conhecido principalmente o seu irmão, Sr. Legrandin. A este nome, ela assumiu o mesmo ar evasivo que eu tivera para com a Sra. de Guermantes, mas acrescentando-lhe uma expressão de descontentamento, pois pensou que eu dissera aquilo para humilhar, não a mim, mas a ela. Estaria roída pelo desespero de ter nascido Legrandin? Pelo menos, era o que afirmavam as irmãs e cunhadas do marido, nobres damas provincianas que não conheciam ninguém e não sabiam coisa alguma, invejavam a inteligência da Sra. de Cambremer, sua instrução, sua fortuna, os dotes físicos que ostentara antes de cair enferma. — Ela não pensa em outra coisa, é isto que a está matando — diziam essas maldosas quando falavam da Sra. de Cambremer a qualquer pessoa, mas de preferência a um plebeu, para que este, se era presumido e estúpido, desse mais valor à gentileza com que o tratavam, com essa afirmativa do que possui a plebe de vergonhoso, ou então, se era tímido e fino, e aplicasse as palavras a si mesmo, para terem o prazer, sempre recebendo-o bem, de lhe fazerem indiretamente uma insolência. Mas, se essas damas julgavam falar a verdade no respeitante à cunhada, enganavam-se. Tanto menos sofria esta por ter nascido Legrandin, visto haver perdido a lembrança de o ter sido. Sentiu-se melindrada por eu ter lhe devolvido tal lembrança e calou-se como se não tivesse compreendido nada, não julgando necessária uma precisão, nem mesmo uma confirmação de minha parte.

— Nossos parentes não são a causa principal do encurtamento da nossa visita — disse-me a velha Sra. de Cambremer, que provavelmente estava mais farta que sua nora quanto ao prazer que há em dizer: "Ch'nouville". — Mas, para não cansá-lo com muita gente, este senhor — disse ela mostrando o advogado — não ousou trazer aqui a esposa e o filho. Eles passeiam na praia à nossa espera e já devem começar a se aborrecer. — Pedi que os indicassem exatamente e corri para buscá-los. A mulher tinha um rosto redondo como certas flores da família das ranunculáceas e, no canto dos olhos, um signo vegetal bastante considerável. E, já que as gerações humanas conservam seus caracteres como uma família de plantas, da mesma forma que no rosto murcho da mãe, o mesmo sinal, que poderia auxiliar na classificação de uma variedade, inchava-se sob o olho do filho. Minha solicitude para com sua mulher e seu filho comoveu o advogado. Manifestou interesse pela minha estada em Balbec. — O senhor deve encontrar-se um tanto deslocado, pois aqui a maioria é de estrangeiros. — E, enquanto falava, ia me olhando, pois, não gostando de estrangeiros, embora muitos deles fossem seus clientes, queria assegurar-se de que eu não era hostil à sua xenofobia, caso em que teria batido em retirada, dizendo: — Naturalmente, a Sra. X pode ser uma mulher encantadora. É uma questão de princípios. — Como, à época, eu não tinha nenhuma opinião acerca dos estrangeiros, não testemunhei desaprovação, e ele se sentiu em terreno seguro. Chegou a me convidar para que fosse um dia à sua casa, em Paris, a fim de ver sua coleção de Le Sidaner, e arrastar comigo os Cambremer, dos quais evidentemente julgava que eu fosse íntimo. — Eu o convidaria junto com Le Sidaner — disse-me ele, convencido de que eu só viveria na expectativa desse dia bendito. — O senhor verá que homem especial. E seus quadros o deixarão encantado. É claro que não posso rivalizar com os grandes colecionadores, mas creio que sou eu quem possui a maior quantidade de suas telas preferidas. Isso lhe interessará tanto mais, ao voltar de Balbec, por serem marinhas, pelo menos na maior parte. — A mulher e o filho, constituídos da natureza vegetal, escutavam com recolhimento. Sentia-se que em Paris a sua residência era uma espécie de templo de Le Sidaner. Esses gêneros de templo não são inúteis. Quando o deus tem dúvidas sobre si próprio, tapa com facilidade as fissuras de sua opinião com os testemunhos irrecusáveis de criaturas que devotaram a vida à sua obra.

A um sinal de sua nora, a Sra. de Cambremer ia se levantando e me dizia: — Já que o senhor não quer instalar-se em Féterne, não gostaria pelo menos de vir jantar um dia na semana, amanhã, por exemplo? — E em sua benevolência, para decidir-me, acrescentou: — O senhor *reencontrará* o conde de Crisenoy — que eu absolutamente não havia perdido, pela simples razão de que o não conhecia. Ela ainda começava a fazer brilhar a meus olhos novas tentações, porém estacou de repente. O presidente do conselho que, ao regressar, soubera que ela estava no hotel, procurara-a sorrateiramente por toda parte, e ficara vigiando; fingindo encontrá-la por acaso, veio apresentar-lhe suas homenagens. Compreendi que a Sra. de Cambremer não desejava estender a ele o convite para o almoço que acabava de me fazer. No entanto, ele a conhecia há bem mais tempo do que eu, sendo há vários anos um dos convivas de costume das vesperais de Féterne que eu tanto invejava durante minha primeira estada em Balbec. Mas a antiguidade não é tudo para as pessoas mundanas. E de muito bom grado reservam os almoços para as relações novas que ainda espicaçam a sua curiosidade, sobretudo quando chegam precedidas de uma recomendação calorosa e de prestígio com a de Saint-Loup. A Sra. de Cambremer calculou que o presidente do conselho não tinha ouvido o que ela dissera, mas, para acalmar os remorsos que sentia, dirigiu-lhe as frases mais amáveis. No ensolaramento que afogava no horizonte a costa dourada de Rivebelle, habitualmente invisível, discernimos, mal destacados do azul luminoso, saindo das águas, róseos, argentinos, imperceptíveis, os pequenos sinos do ângelus que ressoavam nos arredores de Féterne. — Isto ainda é bastante *Pelléas* — observei à Sra. de Cambremer-Legrandin. — Sabe a que cena quero me referir. — Creio que sim. — Mas "não sei coisa nenhuma" era o que proclamavam a sua voz e seu rosto, que não se ajustavam a qualquer lembrança, e o seu sorriso sem apoio, no ar. A velha marquesa não se recobrava do pasmo de que os sinos chegassem até nós e ergueu-se, pensando na hora: — Mas na verdade — disse eu —, em geral, aqui de Balbec não se enxerga essa costa e nada se ouve também. É preciso que o tempo tenha mudado e haja bem alargado o horizonte. A não ser que os sinos venham buscá-la, pois estou vendo que eles a fazem partir; são para a senhora a sineta do jantar. — O presidente do conselho, pouco sensível ao toque dos sinos, espiava furtivamente o molhe, entristecendo-se por vê-lo tão deserto aquela tarde. — O senhor é um verdadeiro poeta — disse-me a Sra. de Cambremer. — Percebe-se que é tão vibrante, tão artista... Venha que vou lhe tocar Chopin — acrescentou, erguendo os braços com ar extasiado e pronunciando as palavras com uma voz rouca, que parecia deslocar pedregulhos. Depois veio a deglutição da saliva, e a velha dama enxugou instintivamente com o lenço a leve escovinha, dita à americana, do seu buço. O presidente do conselho, sem querer, me prestou um grande serviço dando o braço à marquesa para conduzi-la ao carro, pois certa vulgaridade de ousadia e de gosto pela ostentação dita uma conduta que outros hesitariam em assumir, e que está longe de desagradar na vida mundana. Além disso, depois de tantos anos, estava muito mais habituado do que eu. Bendizendo-o, não tive coragem de imitá-lo e caminhei ao lado da Sra. de Cambremer-Legrandin, que quis ver o livro que eu trazia na mão. O nome da Sra. de Sévigné fê-la fazer uma careta; e, empregando uma palavra que havia lido em certos jornais, mas que, falada e posta no feminino, e aplicada a um escritor do século XVII, dava um efeito esquisito, ela me perguntou: — Acha-a verdadeiramente talentosa? — A velha marquesa deu ao lacaio o endereço de uma pastelaria aonde precisava ir antes de voltar à estrada, rósea da poeira da tarde, em que azulavam em forma de garupa os rochedos escalonados. Perguntou a seu velho cocheiro se um dos cavalos, que era friorento, fora suficientemente agasalhado, se o casco de outro não o incomodava. — Vou escrever-lhe para combinarmos — disse-me ela a meia voz. — Vi que o senhor conversava sobre literatura com minha nora, ela é adorável — acrescentou, embora não pensasse desse modo; mas havia adquirido o hábito — conservado por bondade de o dizer para que seu filho não desse a impressão de ter feito um casamento por dinheiro. — E depois — aduziu num último mastigamento entusiasta — ela é tão *harrthhisstta*! — Em seguida subiu para o carro, balançando a cabeça, erguendo o cabo da sombrinha, e voltou pelas ruas de Balbec, sobrecarregada dos ornamentos de seu sacerdócio, como um velho bispo em viagem de crisma.

— Ela o convidou para almoçar — disse-me severamente o presidente do conselho quando o carro se afastou e eu voltei com minhas amigas. — Estamos estremecidos. Julga que me descuido dela. Diabos, sou fácil de tratar, sempre estou aí para responder: "Presente." Mas quiseram tomar conta de mim. Ah, então — acrescentou com ar finório e erguendo o dedo como alguém que distingue e argumenta — isso eu não permito. É atentar contra a liberdade de minhas férias. Fui obrigado a dizer: "Chega!" O senhor parece estar muito bem com ela. Quando atingir a minha idade, verá que a sociedade é bem *pouco* e lamentará ter dado tanta importância a essas ninharias. Bem, vou dar uma volta antes do jantar. Adeus, crianças — gritou, como se já estivesse distante cinqüenta passos.

Quando me despedi de Rosemonde e de Gisèle, viram elas com espanto que Albertine, parada, não as seguia. — E então, Albertine, que estás fazendo? Não sabes que horas são? — Voltem — respondeu-lhes Albertine com autoridade. — Preciso falar com ele — acrescentou, apontando-me com ar submisso. Rosemonde e Gisèle me olharam, penetradas de um novo respeito por mim. Era delicioso sentir que, por um momento ao menos, aos próprios olhos de Rosemonde e de Gisèle, eu era para Albertine algo de mais importante que a hora de regressar, que suas amigas, e podia até mesmo ter com ela graves segredos aos quais era impossível misturá-las. — Quer dizer que não te veremos esta noite? — Não sei, depende dele. Em todo caso, até amanhã. — Subamos para o meu quarto — disse-lhe eu depois que as amigas se afastaram. Tomamos o elevador; ela se manteve em silêncio diante do ascensorista. O hábito de ser obrigado a recorrer à observação pessoal e à dedução para conhecer os assuntos particulares dos patrões, essas pessoas estranhas que conversam entre si e não lhes falam, desenvolve entre os "empregados" (como o ascensorista denominava os criados) um grande poder de adivinhação, maior do que entre os "patrões". Os órgãos se atrofiam ou tornam-se mais robustos ou mais sutis, conforme aumenta ou diminui a necessidade de seu uso. Desde que existem estradas de ferro, a necessidade de não perder o trem nos ensinou a prestar atenção nos minutos, enquanto que, entre os antigos romanos, cuja astronomia era não só mais sumária mas cuja vida era também menos apressada, a noção não dos minutos, mas até das horas fixas, mal existia. Assim, o ascensorista compreendera — e esperava contar aos camaradas — que Albertine e eu estávamos preocupados. Mas ele nos falava sem parar porque era destituído de tato. Entretanto, eu via desenhar-se em seu rosto, substituindo a impressão habitual de alegria e amizade com que me fazia subir pelo elevador, um raro aspecto de abatimento e inquietação. Como lhe ignorava a causa, para tentar distraí-lo, apesar de mais preocupado com Albertine, disse-lhe que a dama que acabara de partir se chamava marquesa de Cambremer e não de Camembert. No andar pelo qual passávamos então, avistei, carregando um travesseiro, uma camareira horrível que me saudou com respeito, esperando uma gorjeta à saída. Gostaria eu de saber se fora ela que tanto havia desejado na noite da minha primeira chegada a Balbec, mas nunca pude ter certeza. O ascensorista jurou-me, com a sinceridade da maioria dos falsos testemunhos, mas sem abandonar seu ar desesperado, que fora mesmo sob o nome de Camembert que a marquesa lhe pedira que a anunciasse. E, para falar a verdade, era natural que tivesse entendido um nome que já conhecia. Além disso, tendo sobre a nobreza e a natureza dos nomes com que se fazem os títulos noções extremamente vagas, que são as de muita gente que não é ascensorista, o nome de Camembert lhe parecera tanto mais verossímil, porque, sendo aquele queijo universalmente conhecido, não seria de espantar que se houvesse extraído um marquesado de um renome tão glorioso, a menos que não fosse o do marquesado que desse a sua celebridade ao queijo. Todavia, como reparava que eu não queria parecer que me enganava, e sabia que os patrões gostam de ver obedecidos seus caprichos mais fúteis e aceitas suas mentiras mais evidentes, prometeu-me, como bom criado, passar a dizer Cambremer. É verdade que nenhum lojista da cidade ou nenhum camponês das redondezas, onde o nome e a pessoa dos Cambremer eram perfeitamente conhecidos, jamais poderiam cometer o erro do ascensorista. Mas o pessoal do Grande Hotel de Balbec absolutamente não era da região. Provinha diretamente, com todo o material, de Biarritz, Nice e Monte-Carlo, uma parte tendo sido encaminhada para Deauville, outra para Dinard e a terceira reservada para Balbec. Mas a dor angustiosa do ascensorista não fez mais que crescer. Para que ele assim se esquecesse de me testemunhar o seu devotamento com os sorrisos costumeiros, era preciso que lhe tivesse acontecido alguma desgraça. Talvez tivesse sido "enviado". Prometi a mim mesmo, nesse caso, tentar conseguir que ele permanecesse no emprego, pois o gerente me garantira que ratificaria tudo o que eu decidisse em relação ao seu pessoal. — O senhor pode fazer sempre o que desejar, eu ratifico previamente. — De súbito, como acabasse de sair do elevador, compreendi a aflição e o ar desesperado do ascensorista. Por causa da presença de Albertine, eu não lhe dera os cem *sous* que tinha o hábito de lhe pôr na mão, ao subir. E esse imbecil, em vez de entender que eu não queria fazer alarde de gorjetas diante de terceiros, começara a tremer, supondo que aquilo estava acabado de uma vez por todas, que nunca mais lhe daria nada. Pensava que eu caíra no "desvio" (como teria dito o duque de Guermantes), e tal suposição não lhe inspirava nenhuma piedade por mim, mas uma terrível decepção egoísta. Disse comigo que eu era menos desarrazoado do que achava minha mãe quando não ousava deixar de dar um dia a soma exagerada, mas febrilmente esperada, que dera na véspera. Mas também o sentido dado até ali por mim, e sem qualquer dúvida, ao habitual ar de alegria em que não hesitava em ver um sinal de simpatia pareceu-me de menos segura significação. Ao ver o ascensorista, no seu desespero, prestes a se atirar do quinto andar, perguntei-me se (caso se achassem respectivamente trocadas as nossas condições sociais, por exemplo, devido a uma revolução) em vez de manobrar gentilmente para mim o elevador, o ascensorista se transformasse num burguês, eu não teria me jogado, e se não há em certas classes do povo mais duplicidade que entre os mundanos, nas quais sem dúvida reserva-se para a nossa ausência as frases desfavoráveis, mas onde a atitude a nosso respeito não seria insultuosa se fôssemos infelizes.

No entanto, não se pode dizer que no hotel de Balbec o ascensorista fosse o mais interesseiro. Sob esse aspecto, o pessoal dividia-se em duas categorias: por um lado, os que faziam diferenças entre os hóspedes, mais sensíveis à gorjeta razoável de um velho nobre (aliás, em condições de evitar-lhes os vinte e oito dias de convocação, recomendando-lhes ao general de Beautrillis) do que às larguezas despropositadas de um rasto, que revelava nisso mesmo uma falta de experiência que só diante dele se chamava bondade. Por outro lado, aqueles para quem nobreza, inteligência, celebridade, situação, maneiras era algo inexistente, coberto por uma cifra. Para esses, só havia uma hierarquia, o dinheiro que se tem, ou melhor, que é dado. Talvez o próprio Aimé, que, devido ao grande número de hotéis em que servira, afirmava possuir uma grande sabedoria mundana, pertencesse a essa categoria. Quando muito, dava um toque social e de conhecimento das famílias a esse gênero de apreciação, dizendo, por exemplo, da princesa de Luxemburgo: — Há muito dinheiro ali? (o ponto de interrogação era para informar-se ou para controlar definitivamente as informações que tomara antes de conseguir para um freguês um cozinheiro para Paris, ou de lhe garantir uma mesa à esquerda, à entrada, com vista para o mar, em Balbec). Apesar disso, embora não desprovido de interesse, não o teria exibido da maneira tolamente desesperada do ascensorista. Aliás, a ingenuidade deste último talvez simplificasse as coisas. A comodidade de um grande hotel, de uma casa como o era antigamente a de Rachel é que, sem intermediários, à face até então glacial de um empregado ou de uma mulher, a vista de uma cédula de cem francos, e com mais forte razão uma de mil, mesmo dada uma vez ou outra, traz um sorriso e oferecimentos. Pelo contrário, na política, nas relações de amante para amante, há muita coisa colocada entre o dinheiro e a docilidade. Tantas coisas que mesmo aqueles em quem o dinheiro afinal desperta o sorriso são amiúde incapazes de acompanhar o processo interno que os liga, e se julgam e são mais delicados. E depois, isso filtra a conversação polida dos "Já sei o que me resta fazer: amanhã vão me encontrar no necrotério." Assim, encontram-se na sociedade polida poucos romancistas, poetas, todas essas criaturas sublimes que falam justamente do que não convém falar.

Logo que ficamos sozinhos e fomos pelo corredor, Albertine disse: — Que é que você tem contra mim? — Minha dureza para com ela fora mais penosa para mim mesmo? Não passaria, de minha parte, de uma astúcia inconsciente para levar minha amiga, perante mim, àquela atitude de temor e de súplica que me permitiria interrogá-la, e talvez ficar sabendo qual das duas hipóteses que eu há muito formava a seu respeito era a verdadeira? Sempre é certo que, quando ouvi sua pergunta, senti-me subitamente feliz como alguém que alcança um objetivo há muito desejado. Antes de responder, levei-a até minha porta. Esta, abrindo-se, fez refluir a luz cor-de-rosa que enchia o quarto e mudava a musselina branca das cortinas estendidas sobre a noite num tom de aurora. Cheguei à janela; as gaivotas haviam pousado novamente nas ondas; mas agora eram róseas. Fi-lo reparar a Albertine. — Não mude de assunto, seja franco comigo — disse ela. Menti. Declarei-lhe que ela devia ouvir primeiro uma confissão, a de uma grande paixão que eu tivera fazia algum tempo por Andrée, e o fiz com uma simplicidade e uma franqueza dignas do teatro, mas que na vida só temos para com os amores que já não sentimos. Retomando a mentira que pregara a Gilberte antes de minha primeira estada em Balbec, porém variando-a, e para melhor me fazer acreditado por ela quando lhe dizia agora que não a amava, fui ao ponto de deixar escapar que outrora estivera prestes a enamorar-me dela, mas que muito tempo se passara, que ela para mim não era mais que uma boa camarada e que, mesmo que o quisesse, já não me teria sido possível experimentar de novo a seu respeito sentimentos mais ardentes. Além disso, apoiando-me assim, diante de Albertine, nesses protestos de frieza para com ela, eu só fazia — devido a uma circunstância e em vista de um fim particulares — tornar mais sensível, acentuar com mais intensidade esse ritmo binário que o amor adota em todos aqueles que duvidam demais de si mesmos para crer que uma mulher possa amá-los um dia, e também que eles a possam amar de verdade. Conhecem-se o bastante para saber que, junto das mais diferentes, experimentavam as mesmas esperanças, as mesmas angústias, inventavam os mesmos romances, pronunciavam as mesmas palavras, para igualmente se darem conta de que seus sentimentos e ações não se relacionam estreita e necessariamente com a mulher amada, mas passam a seu lado, salpicam-na, circundam-na como o fluxo que se lança ao longo dos rochedos, e o sentimento de sua própria instabilidade ainda faz aumentar neles a desconfiança de que essa mulher, por quem tanto gostariam de ser amados, não os ama em absoluto. Por que faria o acaso, visto que ela é apenas um simples acidente colocado diante do jorrar dos nossos desejos, que fôssemos nós mesmos o objetivo dos desejos dela? Assim, mesmo tendo necessidade de expandir para ela todos esses sentimentos, tão diversos dos sentimentos simplesmente humanos que nosso próximo nos inspira, esses sentimentos tão especiais que são os sentimentos amorosos, depois de ter dado um passo adiante, confessando àquela a quem amamos a nossa ternura por ela, nossas esperanças, e logo temendo desagradar-lhe, também confusos por sentir que a linguagem com que lhe falamos não se formou expressamente para ela, que nos serviu e servirá para outras, que se ela não nos ama não poderá nos compreender, e que então falamos com falta de gosto, com o impudor do pedante que dirige às pessoas ignorantes frases sutis que não são para elas, esse temor, essa vergonha, trazem o contra-ritmo, o refluxo, a necessidade — ainda que recuando a princípio, retirando vivamente a simpatia primeiro confessada — de retomar a ofensiva e de recuperar a estima, a autoridade; o ritmo duplo é perceptível nos diversos períodos de um mesmo amor, em todos os períodos correspondentes de amores similares, em todas as criaturas que melhor se analisam do que se prezam. No entanto, se estava um pouco mais vigorosamente acentuado que de hábito naquele discurso que eu fazia a Albertine, era apenas para me permitir passar mais rápida e energicamente ao ritmo oposto que minha ternura escandiria.

Como Albertine tivesse dificuldade em acreditar que lhe dizia sobre minha impossibilidade de a amar de novo, por causa do tão longo intervalo, apoiei o que chamava de esquisitice do meu temperamento em exemplos tirados de pessoas a quem, por culpa delas ou minha, havia deixado passar a hora de as amar, sem poder, por mais que o desejasse, encontrá-la depois. Assim, dava a um tempo a impressão de me desculpar com ela, como de uma indelicadeza, dessa incapacidade de recomeçar a amá-la, e de procurar fazê-la compreender os motivos psicológicos daquilo como se me fossem peculiares. Porém, explicando-me desse modo, e estendendo-me sobre o caso de Gilberte, com quem fora de fato rigorosamente verdadeiro o que o era muito pouco aplicado em relação a Albertine, não fazia mais que tornar minhas asserções tão plausíveis quanto fingia acreditar que não o fossem. Sentindo que Albertine apreciava o que julgava ser "o meu modo franco de falar" e reconhecendo em minhas deduções a clareza da evidência, desculpei-me do primeiro dizendo que bem sabia que a gente sempre desagradava ao dizer a verdade e que esta, aliás, deveria parecer-lhe incompreensível. Ao contrário, ela me agradeceu a sinceridade e acrescentou que, quanto ao resto, compreendia às maravilhas um estado de espírito tão freqüente e tão natural.

Confessando a Albertine um sentimento imaginário por Andrée e por ela própria uma indiferença que, para parecer totalmente sincera e sem exagero, assegurei-lhe incidentalmente, como por escrúpulo de polidez, não dever ser tomada muito ao pé da letra, pude enfim, sem recear que Albertine lhe suspeitasse amor, falar-lhe com uma doçura que há muito me recusava e que me pareceu deliciosa. Quase acariciei a minha confidente; falando de sua amiga, a quem amava, vinham-me lágrimas aos olhos. Mas, vindo aos fatos, disse-lhe por fim que ela sabia o que era o amor, suas suscetibilidades, seus sofrimentos e que talvez, como já velha amiga minha, se empenhasse em fazer cessar as grandes mágoas que me causava, não diretamente, pois não era ela que eu amava, se ousava repeti-lo sem constrangê-la, mas indiretamente, atingindo-me em meu amor por Andrée. Interrompi-me para olhar e mostrar a Albertine um grande pássaro solitário e apressado que, longe, à nossa frente, fustigando o ar com as batidas regulares de suas asas, passava rapidamente por sobre a praia, aqui e ali manchada de reflexos semelhantes a pedacinhos de papel vermelho rasgados, e atravessava-a em todo o comprimento, sem diminuir o vôo, sem desviar sua atenção, sem mudar de caminho, como um emissário que vai levar bem longe uma mensagem urgente e de importância capital. — Ele ao menos vai direto ao fim — comentou Albertine em tom de censura. — Você me diz isso porque não sabe o que eu desejaria dizer-lhe. Mas é tão difícil que prefiro desistir; estou certo de que você se aborreceria; e tudo só ficaria nisso: eu não seria mais feliz em nada com aquela a quem amo de fato e teria perdido uma boa camarada. — Mas eu lhe juro que não me aborreceria. — Tinha ela um ar tão suave, tão tristemente dócil e como que esperasse de mim a sua felicidade, que eu mal me segurava para não beijá-la — e beijá-la quase com o mesmo tipo de prazer que sentiria em beijar minha mãe — naquele rosto novo que já não oferecia a face alerta e ruborizada de uma gatinha teimosa e perversa, de narizinho róseo e arrebitado, mas parecia, na plenitude de sua tristeza acabrunhada, todo fundido na bondade em amplas vazas escorridas e pendentes. Abstraindo o meu amor como uma loucura crônica sem relação com ela, pondo-me no seu lugar, eu me enternecia diante daquela boa moça habituada a que tivessem consigo atitudes amáveis e leais, e que o bom rapaz que julgara que eu podia ser para ela, a perseguia desde algumas semanas; perseguições que haviam atingido por fim o seu ponto culminante. Por colocar-me num ponto de vista puramente humano, exterior a nós dois e de onde o meu amor ciumento se desvanecia, é que sentia por Albertine essa profunda piedade, que seria menor se não a amasse. De resto, na oscilação ritmada que vai da declaração à briga (o meio mais seguro, o mais eficazmente perigoso para formar, por movimentos opostos e sucessivos, um nó que não se desata e nos prende solidamente a uma pessoa), no seio do movimento de retração que constitui um dos dois elementos do ritmo, para que distinguir ainda os refluxos da piedade humana que, opostos ao amor, embora tendo talvez inconscientemente a mesma causa, em todo caso produzem os mesmos efeitos? Ao nos lembrarmos mais tarde do total de tudo o que fizemos por uma mulher, percebemos muitas vezes que os atos inspirados pelo desejo de mostrar que amamos, de nos fazer amados, de obter favores, não ocupam mais espaço do que os devidos à necessidade humana de reparar os erros relativos à criatura amada, por simples dever moral, como se não mais a amássemos. — Mas afinal, que poderei ter feito? — indagou Albertine. Bateram; era o ascensorista; a tia de Albertine, que passava de carro pelo hotel, havia parado para ver se por acaso ela não se achava ali e levá-la de volta. Albertine mandou dizer que não podia descer, que fossem jantar sem esperá-la, que não sabia a que horas chegaria a casa. — Mas sua tia não vai ficar aborrecida? — Imagine! Ela vai compreender muito bem. — Assim, portanto, ao menos naquele momento, como talvez jamais houvesse outro, um encontro comigo acontecia ser, aos olhos de Albertine, devido às circunstâncias, algo de uma tão evidente importância que devia superar tudo o mais, e ao qual, reportando-se instintivamente sem dúvida a uma jurisprudência familial, enumerando certas conjunturas em que, quando estava em jogo a carreira do Sr. Bontemps, não haviam desistido diante de uma viagem, minha amiga tinha a certeza de que sua tia acharia muito natural ver sacrificada a hora do jantar. Essa hora remota que ela passava sem mim, com os seus, Albertine dava-me agora, fazendo-a deslizar até mim; eu podia utilizá-la à vontade. Acabei por ousar dizer-lhe o que me haviam contado do seu gênero de vida e que, apesar da aversão profunda que me inspiravam as mulheres portadoras do mesmo vício, eu não me incomodara até que me haviam dito o nome de sua cúmplice, e que ela facilmente podia compreender, tendo em vista o quanto eu amava Andrée, como deveria ter sofrido. Talvez fora mais hábil dizer que também me haviam nomeado outras mulheres, que me eram indiferentes. Mas a brusca e terrível revelação que me fizera Cottard entrara em mim dilacerando-me, tal e qual, inteira, sem mais nada. E assim como, antes, eu jamais teria por mim mesmo a idéia de que Albertine amava Andrée, ou que pelo menos pudesse ter brincadeiras cariciosas com ela, caso Cottard não me houvesse chamado a atenção para a sua atitude ao valsar, da mesma forma não soubera passar deste pensamento ao outro, para mim totalmente diverso, de que Albertine pudesse ter com outras mulheres, que não Andrée, relações a que nem o afeto serviria de desculpa. Albertine, antes mesmo de me jurar que aquilo não era verdade, manifestou, como toda pessoa a quem acabam de falar dela desse modo, cólera, aborrecimento e, em relação ao caluniador desconhecido, a raivosa curiosidade de saber quem era e o desejo de ser confrontada com ele para poder confundi-lo. Mas garantiu-me que, pelo menos a mim, não me queria mal por isso. — Se isso fosse verdade, eu lhe teria confessado. Mas tanto eu como Andrée temos horror dessas coisas. Não chegamos à nossa idade sem ver mulheres de cabelos curtos, que têm maneiras masculinas e são do gênero que você diz. E não há nada que mais nos revolte. — Albertine só me dava a sua palavra, peremptória e sem provas. Mas era justamente o que melhor podia me acalmar, pois o ciúme pertence a essa família de dúvidas doentias que cedem muito mais à energia de uma afirmativa do que à sua verossimilhança. É aliás próprio do amor tornar-nos a um tempo mais desconfiados e mais crédulos, fazer-nos suspeitar, mais depressa do que o faríamos quanto a uma outra, daquela a quem amamos, e mais facilmente acreditar em suas negações. É preciso amar para preocupar-se com que não existam apenas mulheres honestas, ou melhor, para reparar nisso, e é preciso também amar para desejar que existam, isto é, para ter certeza de que existem. É humano buscar a dor e logo livrar-se dela. As proposições capazes de o conseguir facilmente nos parecem verdadeiras, não se discute muito sobre um calmante que produz efeito. E depois, por múltipla que seja a criatura que amamos, pode em todo caso apresentar-nos duas personalidades essenciais conforme nos surja como nossa, ou com seus desejos voltados para outrem. A primeira dessas personalidades possui a força particular que nos impede de crer na realidade da segunda, o segredo específico para acalmar os sofrimentos que esta última provocou. A criatura amada é sucessivamente o mal e o remédio que suspende e agrava o mal. Sem dúvida, há muito tempo, pela força que exercia em minha imaginação e minha faculdade sensitiva o exemplo de Swann, eu estava preparado para julgar verdadeiro o que receava em vez daquilo que teria desejado. Assim, a doçura trazida pelas afirmações de Albertine esteve a um passo de se comprometer porque me lembrei da história de Odette. Mas disse a mim mesmo que, se era justo considerar o pior não só quando, para compreender os sofrimentos de Swann, tentara colocar-me em seu lugar, mas também agora que se tratava de mim mesmo, buscando a verdade como se tratasse de outro, todavia não era preciso que, por crueldade para comigo, soldado que escolhe o local em que talvez seja mais útil, mas também onde ficará mais exposto, eu chegasse ao erro de julgar uma suposição mais verdadeira que as outras, só porque era a mais dolorosa. Não haveria um abismo entre Albertine, moça de muito boa família burguesa, e Odette, cocote vendida pela mãe desde a infância? A palavra de uma não podia ser comparada com a de outra. Além disso, Albertine não tinha em mentir-me o mesmo interesse que Odette a Swann. E ainda a este, Odette havia confessado o que Albertine acabara de negar. Eu teria portanto cometido uma falha de raciocínio tão grave — embora inversa — como a que me inclinasse para uma hipótese apenas porque esta me fazia sofrer menos que as outras, sem levar em consideração essas diferenças de fato nas situações, e reconstituindo a vida real de minha amiga unicamente segundo o que soubera acerca da de Odette. Tinha diante de mim uma nova Albertine, de fato já vislumbrada diversas vezes, no fim de minha primeira estada em Balbec, franca, bondosa, uma Albertine que, por afeição a mim, acabava de perdoar minhas suspeitas e de tentar dissipá-las. Fez-me sentar a seu lado na cama. Agradeci-lhe o que havia dito, assegurei-lhe que estávamos reconciliados e que nunca mais seria duro com ela. Disse-lhe que, de qualquer maneira, ela deveria voltar para jantar em casa. Ela me perguntou se não me sentia bem assim. E, puxando a minha cabeça para uma carícia que jamais me fizera e que eu devia à nossa rusga terminada, passou ligeiramente a língua sobre meus lábios, a que tentava entreabrir. Para começar, não os descerrei. — Como és mau! — disse ela.

Eu deveria ter ido embora aquela noite sem jamais tornar a vê-la. Desde então pressentia que no amor não compartilhado — o que importa dizer no amor, pois há pessoas para quem não existe amor compartilhado — só se pode desfrutar da felicidade aquele simulacro que me era dado num desses momentos únicos em que a bondade de uma mulher, ou o seu capricho, ou o acaso, aplicam sobre nosso desejos, numa perfeita coincidência, as mesmas palavras e as mesmas ações de como se fôssemos verdadeiramente amados. Sábio seria considerar com curiosidade, possuir com delícias essa pequena parcela de ventura, na falta da qual eu morreria sem ter suspeitado o que pode ser essa ventura para os corações menos difíceis ou mais favorecidos; supor que ela fazia parte de uma felicidade vasta e duradoura que só me aparecia naquele ponto; e, para que o dia seguinte não desse um desmentido a esse fingimento, não procurar pedir um favor a mais depois daquele que só fora alcançado devido a um artifício de um minuto de exceção. Deveria ter deixado Balbec, fechar-me na solidão e nela permanecer em harmonia com as últimas vibrações da voz que eu soubera por um instante fazer amorosa, e da qual só exigiria que nunca mais se dirigisse a mim, por medo de que, com uma palavra nova que daí em diante só poderia ser diferente, ela viesse ferir com uma dissonância o silêncio sensitivo onde, como que graças a um pedal, a tonalidade da ventura poderia sobreviver em mim por muito tempo.

Tranqüilizado pela minha explicação com Albertine, recomecei a viver mais junto de minha mãe. Ela gostava de me falar docemente do tempo em que minha avó era mais jovem. Temendo que eu me censurasse pelas tristezas com que poderia ter ensombrado o fim daquela vida, ela voltava de bom grado aos anos em que meus primeiros estudos haviam causado a minha avó alegrias que até então me foram sempre ocultadas. Falávamos de novo sobre Combray. Minha mãe me disse que lá pelo menos eu lia e que em Balbec deveria fazer o mesmo, caso não escrevesse. Respondi que, justamente para me rodear das lembranças de Combray e dos belos pratos pintados, gostaria de reler *As Mil e Uma Noites.* Como outrora, em Combray, quando ela me dava livros de aniversário, foi às escondidas, para me fazer uma surpresa, que minha mãe mandou buscar, ao mesmo tempo, *As Mil e Uma Noites,* de Galland, e *As Mil Noites e Uma Noite,* de Mardrus. Mas depois de haver lançado um olhar sobre as duas traduções, minha mãe bem gostaria que eu me limitasse à de Galland, conquanto temesse influenciar-me devido ao seu respeito pela liberdade intelectual, ao receio de intervir desastradamente na vida de meu pensamento, e ao sentimento de que, sendo mulher, julgava faltar-lhe, por um lado, a necessária competência literária, e, por outro, achava que não devia julgar as leituras de um rapaz de acordo com aquilo que a chocava. Lendo certos contos, revoltara-se com a imoralidade do assunto e a crueza da expressão. Mas sobretudo, conservando preciosamente como relíquias não apenas o broche, a sombrinha, a capa e o volume da Sra. de Sévigné, mas também os hábitos de pensamento e linguagem de sua mãe, procurando em qualquer ocasião a opinião que esta teria dado, minha mãe não podia duvidar da condenação que minha avó teria pronunciado contra o livro de Mardrus. Lembrava-se que em Combray, enquanto que, antes de partir para os lados de Méséglise, eu lia Augustin Thierry, minha avó, contente pelas minhas leituras e meus passeios, indignava-se entretanto ao ver aquele, cujo nome permanecia ligado a este hemistíquio: "Reina, após, Meroveu" chamado Merowig, recusar dizer Carolíngios em vez de Carlovíngios, aos quais permanecia fiel. Enfim, eu lhe contara o que minha avó tinha pensado dos nomes gregos que Bloch, segundo Leconte de Lisle, dava aos deuses de Homero, chegando até a ser um dever religioso a adoção da ortografia grega para as coisas mais simples, achando que nisso consistia o talento literário. Tendo, por exemplo, que dizer numa carta que o vinho bebido em sua casa era um verdadeiro néctar, ele escrevia "um verdadeiro nektar", com k, o que lhe permitia troçar de Lamartine. Ora, se uma *Odisséia*, de onde estivessem ausentes os nomes de Ulisses e de Minerva, já não era para a minha avó a *Odisséia*, que diria então se visse já deformado na capa o título de suas *Mil e Uma Noites,* não mais encontrando, transcritos exatamente como ela o tempo todo se habituara a dizê-los, os nomes imortalmente familiares de Sherazade, de Dinazarda, e onde, eles próprios desbalizados, se é que se pode aplicar o vocábulo a histórias muçulmanas, o encantador Califa e os poderosos Gênios mal se reconheciam, sendo denominados, um o "Khalifat", os outros "Gennis"? No entanto, minha mãe entregou-me as duas obras, e eu lhe disse que as leria nos dias em que estivesse cansado demais para passear.

Aliás, tais dias não eram muito freqüentes. Como antigamente, íamos merendar "em grupo", Albertine, suas amigas e eu, no rochedo ou na granja Marie-Antoinette. Havia ocasiões, porém, em que Albertine me dava este grande prazer. Dizia-me: — Hoje eu quero estar um pouco sozinha com você, será mais agradável que fiquemos os dois juntos. — Então dizia que tinha coisas a fazer, de que aliás não precisava prestar contas, e para que as outras, se fossem sem nós passear e merendar, não pudessem nos encontrar, íamos sozinhos, como dois amantes, à Bagatelle ou à Croix d'Heulan, ao passo que o grupo, que jamais teria tido a idéia de nos procurar por lá, aonde nunca ia, permanecia indefinidamente em Marie-Antoinette, na esperança de ver-nos chegar. Lembro-me dos dias quentes de então, em que da testa dos empregados da granja, que trabalhavam ao sol, caía uma gota de suor, vertical, regular, intermitente, como a gota d'água de um reservatório, e se alternava com a queda do fruto maduro que se desprendia da árvore nos cercados vizinhos; continuam sendo, ainda hoje, junto com esse mistério de uma mulher oculta, a parte mais consistente de todo amor que se me apresente. Uma mulher de quem me falam e na qual não pensaria um só instante, eis que modifico todos os encontros da semana para conhecê-la, se se trata de uma semana em que faz um tempo daqueles, e se devo vê-la nalguma granja isolada. Por mais que saiba que esse tipo de tempo e de encontro não são dela, são todavia a isca bem conhecida de mim, a que me deixo prender e que basta para me agarrar. Sei que essa mulher, num tempo frio, numa cidade, poderia tê-la desejado, mas sem a companhia de um sentimento romanesco, sem me apaixonar; o amor nem por isso é menos forte, uma vez que me encadeou graças às circunstâncias; apenas é mais melancólico, como na vida se tornam os nossos sentimentos pelas pessoas, à medida que mais percebemos a parte cada vez menor que elas representam para os mesmos, e que o amor novo, que desejaríamos fosse tão durável, abreviado como nossa própria vida, será o último.

Havia ainda poucas pessoas da sociedade em Balbec, poucas moças. Às vezes eu via uma ou outra, parada na praia, sem atrativo, e que no entanto muitas coincidências pareciam atestar ser a mesma de quem eu me desesperava por não poder me aproximar no momento em que ela saía com as amigas do carrossel ou da aula de ginástica. Se era a mesma (e eu evitava falar nisso a Albertine), a moça que eu julgara inebriante não existia. Mas eu não conseguia ter certeza, pois o rosto dessas moças não ocupava na praia uma dimensão, não oferecia uma forma permanente, contraído, dilatado, transformado como era pela minha própria expectativa, pela inquietação do meu desejo, ou por um bem-estar que se basta a si mesmo, pelos vestidos diferentes que trajam, pela rapidez de seu passo ou pela sua imobilidade. Todavia, bem de perto, duas ou três me pareciam adoráveis. Cada vez que via uma destas, tinha vontade de levá-las para a avenida dos Tamaris, ou para as dunas, ou, melhor ainda, para os rochedos. Mas ainda que no desejo, em comparação com a indiferença, já entre aquela audácia que é um verdadeiro começo unilateral de realização, mesmo assim, entre o meu desejo e a ação, que seria o meu pedido para beijá-la, havia todo o "branco" indefinido da hesitação e da timidez. Então eu entrava na confeitaria, bebia, um após outro, sete a oito cálices de vinho do porto. Em seguida, em vez do intervalo impossível de preencher entre o meu desejo e a ação, o efeito do álcool traçava uma linha que os reunia a ambos. Não havia mais lugar para o temor ou a hesitação. Parecia-me que a moça ia voar para mim. Eu ia até ela, e por si sós iam saindo de meus lábios estas palavras: — Gostaria de passear com você. Não quer que a leve aos rochedos? Lá ninguém nos incomoda, lá atrás do bosquezinho que abriga do vento a casa desmontável, atualmente desabitada... — Todas as dificuldades da vida estavam aplainadas, já não havia obstáculos para o enlaçamento de nossos corpos. Pelo menos, não para mim. Pois para ela, que não havia bebido, eles não tinham sido volatilizados. Se o tivesse feito, o universo perderia alguma realidade a seus olhos, e mesmo assim, o sonho longamente acariciado que então lhe pareceria de súbito realizável talvez absolutamente não fosse o de cair nos meus braços.

Não só as moças eram pouco numerosas, mas, naquela estação, que ainda não era "a estação", ficavam por pouco tempo. Lembro-me de uma de tez rubra de *coléus*, olhos verdes, duas faces coradas, e cujo rosto leve e duplo se assemelhava aos grãos alados de certas árvores. Não sei que brisa a trouxera a Balbec e que outra a levara embora. Foi de modo tão brusco que durante vários dias senti um desgosto que me atrevi a confessar a Albertine, quando compreendi que ela se fora para sempre.

É preciso dizer que muitas delas eram moças que eu ou absolutamente não conhecia, ou deixara de ver há muitos anos. Freqüentemente, antes de me encontrar com elas, eu lhes escrevia. Se a sua resposta me fazia crer num possível amor, que alegria! No começo de uma amizade por uma mulher, e até mesmo se esta amizade não se deve realizar em seguida, não é possível separar-se dessas primeiras cartas recebidas. Desejamos tê-las o tempo todo conosco, como lindas flores recebidas, ainda bem frescas, e que não cessamos de contemplar senão para respirá-las de mais perto. A frase que sabemos de cor é agradável de reler e, naquelas menos literalmente apreendidas, desejamos verificar o grau de ternura de uma expressão. Escreveu ela: *"Votre chère lettre"*? Pequena decepção na doçura que respiramos e que deve ser atribuída a uma leitura muito rápida, ou à escrita ilegível da correspondente; ela não escreveu: *"et votre chère lettre"*, mas: *"en voyant cette lettre"*.[28] Mas o restante é tão carinhoso. Oh! Quantas flores iguais chegam amanhã! Depois, isto apenas não é bastante; é preciso confrontar, às palavras escritas, os olhares, a voz. Marcamos encontro, e — sem que ela talvez tenha mudado — ali onde julgávamos, pela descrição feita ou pela recordação pessoal, encontrar a fada Viviane, achamos o Gato de Botas. Mesmo assim, marcamos encontro para o dia seguinte, pois apesar de tudo é *ela* e o que desejávamos era ela. Ora, esses desejos por uma mulher com quem se sonhou não tornam absolutamente necessária a beleza de um determinado traço. Tais desejos são apenas o desejo de uma dada criatura; vagos como o perfume, assim como o *styrax* era o desejo de Protiraia, o açafrão o desejo etéreo, as substâncias aromáticas o desejo de Hera, a mirra o perfume das nuvens, o maná o desejo de Nicéia, o incenso o perfume do mar. Mas estes perfumes cantados pelos hinos órficos são bem menos numerosos do que as divindades a quem adoram. A mirra é o perfume das nuvens mas também de Protógonos, de Netuno, de Nereu, de Leto;

[28] Respectivamente: "Sua prezada carta", "e sua prezada carta" ou ("querida carta") e "vendo sua carta". As expressões foram deixadas em francês, pois a possível confusão que Proust indica entre elas é intraduzível no português. (N. do T.)

o incenso é o perfume do mar, mas também da bela Dicéia, de Têmis, de Circe, das nove musas, de Éos, de Mnemósina, do Dia, de Dikaïosuné. Quanto ao *styrax,* o maná e as substâncias aromáticas, seria um não acabar de dizer as divindades que os inspiram, de tão numerosas que são. Anfíetes possui todos os perfumes, exceto o incenso, e Gaia rejeita apenas as favas e as substâncias aromáticas. Assim, eram desse tipo os desejos que eu tinha dessas moças. Menos numerosos do que elas, mudavam-se em decepções e tristezas bem semelhantes umas às outras. Eu jamais quis a mirra. Reservei-a para Jupien e para a princesa de Guermantes, pois ela é o desejo de Protógonos, "o de dois sexos, tendo o mugido do touro, de inumeráveis orgias, memorável, inenarrável, descendo, cheio de júbilo, para os sacrifícios dos orgiofantas".

Mas em breve a estação atingiu o auge; todos os dias era uma chegada nova e, para a freqüência de súbito crescente de meus passeios, que substituía a leitura agradável das *Mil e Uma Noites,* havia uma causa desprovida de prazer e que os envenenava a todos. A praia estava agora povoada de moças; e, como a idéia que me havia sugerido Cottard, embora não me despertasse novas suspeitas, tornara-me frágil e sensível a esse respeito, e cauteloso para não deixá-las formarem-se em mim; quando uma jovem chegava a Balbec eu me sentia pouco à vontade, propunha a Albertine as excursões mais afastadas, para que ela não pudesse travar conhecimento e, até, se fosse possível, nem sequer visse a recém-chegada. Naturalmente, temia ainda mais aquelas cujos maus costumes eram bem conhecidos, ou de quem se sabia a má reputação; tentava persuadir a minha amiga de que essa má reputação não se baseava em nada, era caluniosa, talvez por um medo inconfesso, ainda inconsciente, de que ela procurasse unir-se à depravada, ou que lamentasse não poder procurá-la por minha causa, ou que julgasse, pelo número de exemplos, que um vício tão disseminado não seria condenável. Negando-o em cada culpada, eu chegava a pretender nada menos que o lesbianismo não existia. Albertine adotava a minha incredulidade quanto ao vício desta ou daquela: — Não, creio que é só atitude; ela quer se mostrar. — Mas então eu quase lamentava ter pugnado pela inocência, pois desagradava-me que Albertine, tão severa antigamente, pudesse achar que essa "atitude" fosse algo de muito lisonjeiro, vantajoso, para que uma mulher isenta desses gostos procurasse fingi-los. Gostaria que mulher nenhuma chegasse mais a Balbec; tremia ao pensar que, como era mais ou menos a época em que a Sra. Putbus devia chegar à casa dos Verdurin, sua camareira, cujas preferências Saint-Loup não me ocultara, poderia vir excursionar até a praia e, se fosse num dia em que eu não estivesse junto de Albertine, tentar corrompê-la. Chegava a indagar de mim mesmo, já que Cottard não me ocultara que os Verdurin me apreciavam muito, e, embora não querendo parecer que corriam atrás de mim, como ele dizia, fariam tudo para que eu fosse à casa deles, senão poderia, mediante a promessa de levar-lhes em Paris todos os Guermantes do mundo, obter da Sra. Verdurin que, sob qualquer pretexto, ela avisasse a Sra. Putbus que lhe seria impossível conservar em sua casa a camareira e a mandasse de volta o mais rápido possível.

Apesar desses pensamentos e como era sobretudo a presença de Andrée que me inquietava, a tranqüilidade que me haviam trazido as palavras de Albertine durava ainda um pouco. Aliás, eu sabia que em breve teria menos necessidade dela, pois Andrée deveria partir com Gisèle e Rosemonde, quase no momento em que todo mundo chegava, não tendo que ficar junto de Albertine mais que algumas semanas. Durante estas, aliás, Albertine pareceu combinar tudo o que fazia, tudo o que dizia, com vistas a destruir minhas suspeitas, se ainda me ficava alguma, ou impedi-las de renascerem. Arranjava-se para nunca ficar sozinha com Andrée e insistia, quando voltávamos, para que eu a acompanhasse até a sua porta e que lá fosse buscá-la quando devíamos sair. Entretanto, de seu lado, Andrée procedia de igual maneira, parecia evitar ver Albertine. E esse aparente conluio entre elas não era o único sinal de que Albertine deveria ter posto sua amiga ao corrente de nossa conversação, pedindo-lhe que tivesse a gentileza de acalmar minhas suspeitas absurdas.

Por essa época, ocorreu no Grande Hotel de Balbec um escândalo que não foi próprio para mudar a inclinação dos meus tormentos. A irmã de Bloch mantinha há algum tempo, com uma antiga atriz, relações secretas que em breve não lhes bastaram mais. O serem vistas parecia-lhes acrescentar alguma perversidade a seu prazer; desejavam que os olhares de todos se banhassem em seus perigosos embates. Isto começou com carícias, que afinal podiam ser atribuídas à intimidade de amigas, no salão de jogo, em torno da mesa de bacará. Depois, atreveram-se a mais. E por fim, uma tarde, num canto nem mesmo escuro do grande salão de dança, sobre um canapé, não se constrangeram mais do que se estivessem em sua cama. Dois oficiais, que estavam não longe dali com suas esposas, foram queixar-se ao gerente. Por um momento, julgou-se que o seu protesto teria alguma eficácia. Mas tinham contra si o fato de que, tendo vindo por uma noite de Netteholme, onde moravam, a Balbec, não podiam ser úteis em nada ao gerente. Ao passo que, mesmo sem que ela soubesse, e ainda que o gerente lhe fizesse alguma observação, pairava sobre a Srta. Bloch a proteção do Sr. Nissim Bernard. Convém dizer por quê. O Sr. Nissim Bernard praticava no mais alto grau as virtudes da família. Todos os anos alugava em Balbec uma vivenda magnífica para o seu sobrinho, e nenhum convite poderia impedi-lo de voltar para jantar em sua casa, que na verdade era a deles. Mas nunca almoçava em casa. Todos os dias estava ao meio-dia no Grande Hotel. É que ele sustentava, como outros, a um figurante de ópera, um "empregado", bem semelhante a esses *grooms* de que falamos, e que nos fazia pensar nos jovens israelitas de *Esther* e de *Athalie*. A falar a verdade, os quarenta anos que separavam o Sr. Nissim Bernard do jovem empregado deveriam preservar este de um contato pouco amável. Porém, como diz Racine com tanta sabedoria nos mesmos coros:

Mon Dieu, qu'une vertu naissante
Parmi tant de périls marche à pas incertains!
Qu'une âme qui te cherche et veut être innocente
Trouve d'obstacle à ses desseins![29]

O jovem empregado, por mais que fosse "longe do mundo criado", no Templo-Palácio de Balbec, não seguira o conselho de Joad:

Sur la richesse et l'or ne mets point ton appui.[30]

Talvez achasse uma desculpa, dizendo: "Os pecadores cobrem a terra."[31] Fosse como fosse, e embora o Sr. Nissim Bernard não esperasse um prazo tão curto, logo ao primeiro dia,

Et soit frayeur encor ou pour le caresser
De ses bras innocents il se sentit presser.[32]

E, desde o segundo dia, o Sr. Nissim Bernard, passeando o empregado, "a aproximação contagiosa lhe alterava a inocência".[33] Desde então, a vida do jovem havia mudado. Era em vão que ele carregava o pão e o sal, como lhe mandava o seu chefe, todo o seu rosto cantava:

---

[29] "Meu Deus, como uma virtude nascente, entre tantos perigos, anda a passo inseguro! Uma alma que te procura e quer ser inocente, quantos obstáculos encontra para os seus desígnios!" (*Athalie*, ato II, cena IX). (N. do T.)

[30] "Não busques apoio no ouro ou nas riquezas." (Cit. modif. de *Athalie*, ato IV, cena II) (N. do T.)

[31] *Athalie*, ato II, cena IX. (N. do T.)

[32] *"E* fosse ainda por terror ou para acariciá-lo, sentiu-se apertado por seus braços inocentes." (Cit. modif. de *Athalie*, ato I, cena II). (N. do T.)

[33] Citação modificada de *Athalie*, ato II, cena IX. (N. do T.)

De fleurs en fleurs, de plaisirs en plaisirs
Promenons nos désirs.
De nos ans passagers le nombre est incertain.
Hâtons-nous aujourd'hui de jouir de la vie!
L'honneur et les emplois
Sont le prix d'une aveugle et douce obéissance,
Pour la triste innocence
Qui viendrait élever la voix.[34]

Desde esse dia, o Sr. Nissim Bernard jamais deixara de vir ocupar sua mesa no almoço (como o teria feito à orquestra alguém que sustentasse uma figurante, figurante essa de um gênero fortemente caracterizado e que ainda espera o seu Degas). O prazer do Sr. Nissim Bernard era seguir na sala de jantar, e até às longínquas perspectivas onde, sob sua palmeira, se assentava o caixa, as evoluções do adolescente atencioso no serviço, no serviço de todos e menos no do Sr. Nissim Bernard desde que este o sustentava, fosse porque o jovem menino do coro não julgasse necessário manifestar a mesma gentileza a alguém de quem se sabia suficientemente amado, fosse porque tal amor o irritasse ou que temesse que, uma vez descoberto, lhe fizesse perder outras ocasiões. Mas, até mesmo essa frieza agradava ao Sr. Nissim Bernard, por tudo o que ela dissimulava. Seja por atavismo hebraico ou pela profanação do sentimento cristão, singularmente se deleitava com a cerimônia raciniana, fosse judia ou católica. Caso se tratasse de uma verdadeira representação de *Esther* ou de *Athalie,* o Sr. Nissim Bernard teria lamentado que a diferença de séculos não lhe tivesse permitido conhecer o autor, Jean Racine, a fim de obter um papel maior para o seu protegido. Mas, como a cerimônia do almoço não provinha de nenhum escritor, ele se contentava em estar em bons termos com o gerente e com Aimé para que o "jovem israelita" fosse promovido às funções desejadas, de subchefe ou até mesmo de chefe graduado. Tinham-lhe sido oferecidas as de despenseiro. Mas o Sr. Bernard o obrigou a recusá-las, pois assim não poderia mais vir vê-lo, todos os dias, correndo pelo refeitório verde e fazer-se servir por ele como um estranho. Ora, tal prazer era tão forte que todos os anos o Sr. Bernard regressava a Balbec e almoçava fora, hábitos em que o Sr. Bloch via, no primeiro, um gosto poético pela claridade e os ocasos daquela costa preferida a todas as outras; e, no segundo, uma inveterada mania de velho celibatário.

[34] "De flores em flores, de prazeres em prazeres, passeemos nossos desejos. Incerto é o número de nossos anos passageiros. Apressemo-nos a gozar a vida hoje! A honra e os empregos são o preço de uma cega e doce obediência. Pela triste inocência quem viria erguer a voz?" (Citações modif. de *Athalie,* ato II, cena IX e ato III, cena VIII). (N. do T.)

A falar a verdade, esse engano dos parentes do Sr. Nissim Bernard, os quais não desconfiavam do motivo real de sua volta a Balbec todos os anos, e do que a pedante sra. Bloch denominava as suas infidelidades culinárias, esse engano era uma verdade mais profunda e do segundo grau. Pois o próprio Sr. Nissim Bernard ignorava o que podia entrar de amor à praia de Balbec, da vista marítima que se tem do restaurante, e dos hábitos maníacos, no seu gosto de sustentar, como a uma figurante de ópera de outra espécie, a que ainda faltasse um Degas, um dos empregados da casa que também eram "meninas". Assim, o Sr. Bernard mantinha excelentes relações com o gerente daquele teatro que era o hotel de Balbec, e com o diretor de cena e regente Aimé, cujo papel em todo esse negócio não era dos mais claros. Um dia, dar-se-iam intrigas para conseguir um grande papel, talvez uma posição de mordomo. Enquanto esperava, o prazer do Sr. Nissim Bernard, por mais poético e sossegadamente contemplativo que fosse, tinha um tanto das características desses homens mulherengos que sempre sabem — Swann outrora, por exemplo — que, indo a uma festa, encontrarão a sua amante. Mal o Sr. Bernard se assentasse, já veria o objeto de seus anseios avançar em cena, trazendo na mão frutas ou charutos numa bandeja. Assim todas as manhãs, após haver beijado a sobrinha, ter se inquietado com os trabalhos de meu amigo Bloch e dado de comer torrões de açúcar na palma estendida a seus cavalos, febrilmente se apressava a chegar para almoçar no Grande Hotel. A casa poderia estar em chamas, sua sobrinha ter um ataque, que mesmo assim sem dúvida ele sairia. Receava, como a uma peste, um resfriado que o pusesse de cama — pois era hipocondríaco — e que houvesse necessidade de mandar pedir a Aimé que lhe enviasse para sua casa, antes da hora da refeição, o seu jovem amigo.

Aliás, ele gostava do labirinto de corredores, gabinetes secretos, salões, vestiários, despensas e galerias que era o hotel de Balbec. Por atavismo de oriental amava os serralhos e, quando saía à noite, viam-no explorar-lhe às escondidas os esconderijos.

Ao passo que, arriscando-se até o subsolo e apesar de tudo procurando não ser visto e evitar o escândalo, o Sr. Nissim Bernard, em sua busca de jovens levitas, lembrava estes versos de *La Juive*:

Ô Dieu de nos pères,
Parmi nous descends,
Cache nos mystères
À l'oeil des méchants![35]

[35] "Ó Deus dos nossos pais, desce entre nós; oculta nossos mistérios aos olhos dos malvados!" (*La Juive* ['A Judia'], ópera de Halévy). (N. do T.)

Eu, ao contrário, subia para o quarto de duas irmãs que tinham acompanhado a Balbec, como camareiras, uma velha dama estrangeira. Era o que a linguagem dos hotéis denominava "mensageiras", e a de Françoise, que pensava que um mensageiro [*courrier*] ou uma mensageira [*courrière*] estão ali para fazer recados [*courses*], "recadeiras" [*coursières*]. Quanto aos hotéis, conservaram-se com mais nobreza no tempo em que se cantava: "É um mensageiro de gabinete."

Apesar da dificuldade que um hóspede encontrava para ir aos quartos das camareiras, e reciprocamente, eu bem depressa liguei-me em amizade muito viva com estas duas pessoas: Srta. Marie Gineste e Sra. Céleste Albaret. Nascidas ao sopé das altas montanhas da região central da França, à beira de regatos e de torrentes (a água passava mesmo sob a casa da família, onde girava um moinho, e que fora devastada diversas vezes pela inundação), elas pareciam ter-lhes conservado a natureza. Marie Gineste era mais regularmente rápida e sacudida; Céleste Albaret, mais vagarosa e lânguida, parada como um lago, porém com terríveis acessos de efervescência, em que o seu furor lembrava o perigo das enchentes e dos turbilhões líquidos que arrastam tudo, devastam tudo. Vinham ver-me diversas vezes de manhã, quando eu ainda estava deitado. Jamais conheci pessoas tão voluntariamente ignorantes, que não haviam aprendido absolutamente nada na escola, e cuja linguagem, no entanto, possuía algo de tão literário que, sem o natural quase selvagem de seu tom, a gente poderia julgar afetadas as suas palavras. Com uma familiaridade que não aperfeiçôo, apesar dos elogios (que não estão aqui para me louvar, mas para louvar o gênio estranho de Céleste) e das críticas, igualmente falsas, mas muito sinceras, que estas frases parecem comportar a meu respeito, enquanto eu mergulhava pãezinhos no meu leite, Céleste me dizia: — Ó diabinho preto de cabelos de gaio, ó que profunda malícia! Não sei em que pensava sua mãe quando o fez, pois o senhor é igual a um pássaro. Olha, Marie, não parece até que ele alisa as penas, e vira o pescoço com facilidade? Tem um ar tão leve que parece estar aprendendo a voar. Ah, o senhor tem sorte de que aqueles que o geraram o tenham feito nascer entre os ricos; que seria do senhor, perdulário como é? Olha como ele joga fora o pãozinho só porque tocou na cama. Bem, agora derramou o leite, espere que vou lhe pôr um guardanapo, pois o senhor não saberia colocá-lo sozinho; nunca vi ninguém tão bobo e desajeitado como o senhor. — Ouvia-se então o ruído mais regular de torrente de Marie Gineste que, furiosa, fazia reprimendas à irmã: — Ora, Céleste, não vais calar a boca? Estás louca para falares ao senhor desse modo? — Céleste limitava-se a sorrir; e, como eu detestava que me pusessem um guardanapo: — Mas não, Marie! Vê só, olha como se ergueu feito uma serpente. Uma verdadeira serpente, estou dizendo. — Aliás, ela era pródiga em comparações zoológicas, pois, segundo dizia, não se sabia quando eu estava dormindo, eu revoluteava a noite inteira como uma borboleta e de dia era tão rápido como aqueles esquilos, "sabes Marie, como se vêem na nossa casa, tão ágeis que mesmo com os olhos não é possível segui-los." — Mas, Céleste, sabes que ele não gosta de pôr guardanapo quando está comendo. — Não é que não goste, é para mostrar que não lhe podem mudar a vontade. É um senhor, e quer que saibam que é um senhor. Trocam-lhe os lençóis dez vezes se for preciso, e ele não se incomoda. Os de ontem, tudo bem, mas os de hoje, mal acabam de ser colocados e já precisam de troca; ah, eu tinha razão em dizer que ele não foi feito para nascer entre os pobres. Olha, seus cabelos se eriçam, incham-se de cólera como as penas dos pássaros. Pobre avezinha! — Aqui não era só Marie que protestava, mas também eu, pois de modo algum me sentia um senhor. Mas Céleste jamais acreditava na sinceridade da minha modéstia e, cortando-me a palavra: — Ah, novelo! Ah, doçura! Ah, perfídia! Astuto entre os astutos, safado entre os safados! Ah, Molière! — (Era o único nome de escritor que conhecia, mas aplicava-o a mim, significando com isso alguém que seria ao mesmo tempo capaz de compor e representar peças.) — Céleste! — gritava imperiosamente Marie, que, ignorando o nome de Molière, temia que se tratasse de uma nova injúria. Céleste se limitava a sorrir: — Então não viste na sua gaveta a fotografia dele, quando criança? Queria nos fazer acreditar que o vestiam sempre de modo muito simples. E ali, com sua bengalinha, a gente só enxerga peles e rendas, como um príncipe nunca teve. Mas isso não é nada diante de sua imensa majestade e de sua bondade ainda mais profunda. — Então — estrugia a torrente Marie — agora deste para mexer em suas gavetas? — Para acalmar os temores de Marie, perguntei-lhe o que pensava do que fazia o Sr. Nissim Bernard. — Ah, senhor, é dessas coisas que eu não poderia acreditar que existissem: foi preciso vir para cá — e, levando vantagem sobre Céleste por uma vez, com uma palavra mais profunda: — Ah, veja, senhor, nunca se sabe o que pode acontecer numa vida. — Para mudar de assunto, falava-lhe da vida de meu pai, que trabalhava dia e noite. — Ah, senhor, são vidas em que não se reserva nada para si mesmo, nem um minuto, nem um prazer; tudo, inteiramente tudo, é um sacrificar-se para os outros, são vidas *doadas*... Olha, Céleste, que distinção só para pousar a mão no cobertor e pegar o seu pãozinho! Ele pode fazer as coisas mais insignificantes e é como se toda a nobreza da França se deslocasse em cada um de seus movimentos.

Aniquilado por esse retrato tão pouco verídico, mantinha-me calado; Céleste via nisso uma nova artimanha: — Ah, fronte que tens um ar tão puro e que escondes tantas coisas, faces amigas e frescas como o interior de uma amêndoa, mãozinhas de cetim bem felpudo, unhas como garras, etc.. Olha, Marie, observa-o beber o leite com um recato que me dá vontade de rezar minha oração. Que ar sério! Deveriam tirar o seu retrato neste momento. Ele tem tudo das crianças. Foi de beber leite como elas que conservou a pele clara? Ah, juventude! Ah, linda pele! O senhor jamais há de envelhecer. Tem sorte, nunca terá de erguer a mão contra ninguém, pois tem olhos que sabem impor a sua vontade. E agora ficou furioso. Pôs-se de pé, tão direito como uma evidência.

Françoise absolutamente não gostava que elas, a quem chamava as duas adulonas, viessem conversar desse modo comigo. O gerente, que espreitava tudo através dos empregados, chegou a me observar gravemente que não era digno de um hóspede conversar com mensageiras. Eu, que achava as "adulonas" superiores a todas as hóspedes do hotel, limitei-me a desatar a rir na sua cara, convencido de que ele não compreenderia as minhas explicações. E as duas irmãs voltavam. — Observa, Marie, os seus traços finos. Ó miniatura perfeita, mais linda que a mais preciosa que se veria numa vitrina, pois possui movimentos, e palavras que é da gente ficar escutando dias e noites.

Era milagre que uma dama estrangeira tivesse podido trazê-las, pois, sem saber história nem geografia, elas detestavam francamente os ingleses, os alemães, os russos, os italianos, a "escória" dos estrangeiros e, com exceções, só gostavam de franceses. Seu rosto de tal modo havia conservado a umidade do barro maleável de seus rios, que, quando se falava num estrangeiro que estava no hotel, Céleste e Marie, para repetir o que ele havia dito, aplicavam sobre os próprios rostos o rosto dele, seus lábios transformavam-se nos lábios dele, seus olhos eram os olhos dele, e a gente gostaria de guardar essas admiráveis máscaras de teatro. A própria Céleste, parecendo repetir apenas o que dissera o gerente ou algum de meus amigos, inseria em seu pequeno relato frases fictícias, onde estavam pintados maliciosamente todos os defeitos de Bloch ou do presidente do conselho, etc., sem parecer que o fazia. Sob a forma de relatório de uma simples comissão de que se houvesse atenciosamente encarregado, era um retrato inimitável. Elas nunca liam nada, nem mesmo um jornal. No entanto, um dia acharam na minha cama um volume. Eram os poemas admiráveis, mas obscuros, de Saint-Léger Léger. Céleste leu algumas páginas e me disse: — Mas o senhor tem certeza de que são mesmo versos, não seriam antes adivinhações? — Evidentemente, para uma pessoa que aprendera na infância uma única poesia: *Ici bas tous les lilas meurent* ["Aqui todos os lilases morrem"],[36] havia falta de transição. Creio que sua obstinação em nada aprender provinha um pouco de sua terra malsã. Eram no entanto tão dotadas como um poeta e com mais modéstia do que eles em geral. Pois, se Céleste havia dito algo de notável que eu, não me lembrando bem, pedia que me repetisse, ela garantia tê-lo esquecido. Elas nunca lerão livros, mas também nunca os escreverão.

Françoise ficou grandemente impressionada ao saber que os dois irmãos dessas mulheres tão simples haviam desposado, um, a sobrinha do arcebispo de Tours, o outro, uma parenta do bispo de Rodez. Para o gerente, nada disso teria qualquer significação. Às vezes, Céleste censurava o marido por não compreendê-la, e eu espantava-me que ele pudesse suportá-la. Pois em certos momentos, fremente, furiosa, destruindo tudo, ela era detestável. Pretende-se que o líquido salgado que é o nosso sangue não passa da sobrevivência interna do elemento marinho primitivo. Da mesma maneira, julgo que Céleste, não só em seus furores, mas também em suas horas de depressão, conservava o ritmo dos regatos de sua terra. Quando estava esgotada, era ao jeito deles: estava verdadeiramente seca. Então nada poderia revivificá-la. Depois, subitamente, a circulação retornava a seu alto corpo leve e magnífico. A água corria na transparência opalina de sua pele azulada. Ela sorria ao sol e se fazia mais azul ainda. Nesses momentos, era verdadeiramente celeste.

Conquanto a família Bloch que jamais houvesse desconfiado do motivo pelo qual o tio nunca almoçava em casa, aceitando isso desde o começo como uma mania de velho celibatário, talvez devido às exigências da ligação com alguma atriz, tudo quanto se referisse ao Sr. Nissim Bernard era tabu para o gerente do hotel de Balbec. E eis a razão por que, sem nem mesmo referi-lo ao tio, ele finalmente não se atrevera a censurar a sobrinha, recomendando-lhe contudo uma certa circunspecção. Ora, a moça e sua amiga, que durante alguns dias tinham se julgado excluídas do cassino e do Grande Hotel, vendo que tudo se ajeitava, ficaram felizes por mostrar aos pais de família, que as mantinham à parte, que podiam se permitir tudo impunemente. É claro que não foram ao ponto de renovar a cena pública que revoltara a todos. Mas pouco a pouco os seus modos reapareceram insensivelmente. E, numa noite em que eu saía do cassino já meio apagado, com Albertine e Bloch, a quem havíamos encontrado, elas passaram abraçadas, sem parar de se beijar, e, ao cruzarem por nós, soltaram

[36] Poema "Ici-bas", de Sully Prudhomme, poeta francês (1839-1907), prêmio Nobel de literatura (1901). (N. do T.)

cacarejos, risos e gritos indecentes. Bloch baixou os olhos para não parecer ter reconhecido a irmã, e eu me sentia torturado ao pensar que aquela linguagem particular e atroz se dirigia talvez a Albertine.

Outro incidente ainda mais fixou minhas preocupações sobre o lado de Gomorra. Eu havia visto na praia uma bela jovem esguia e pálida, cujos olhos, ao redor do centro, dispunham raios tão geometricamente luminosos que se pensava, diante de seu olhar, em alguma constelação. Pensava eu o quanto essa moça era mais bonita que Albertine e como não seria mais sábio renunciar à outra. Todavia, o rosto dessa mulher passara pela plaina invisível de uma vida de grande baixeza, da constante aceitação de expedientes vulgares, tanto que seus olhos, apesar de mais nobres que o restante da fisionomia, não deviam irradiar senão apetites e desejos. Ora, no dia seguinte, estando essa jovem bem longe de nós no cassino, vi que ela não cessava de pousar em Albertine os fogos alternados e giratórios de seus olhares. Dir-se-ia que lhe fazia sinais como com a ajuda de um farol. Torturava-me que minha amiga visse que lhe prestavam tamanha atenção e temia que esses olhares incessantemente iluminados tivessem o sentido convencional de um encontro de amor para o dia seguinte. Quem sabe? Esse encontro talvez não fosse o primeiro. A jovem de olhos radiosos poderia ter vindo num outro ano a Balbec. Talvez porque Albertine já tivesse cedido aos seus desejos, ou aos de uma amiga, é que ela se permitia endereçar-lhe aqueles sinais brilhantes. Faziam então mais do que reclamar alguma coisa para o presente; autorizavam-se para isso com os bons momentos do passado.

Nesse caso, tal encontro não devia ser o primeiro, mas a conseqüência de passeios dados juntos em outros anos. E de fato, os olhares não diziam: "Queres?" Logo que a jovem avistara Albertine, voltara a cabeça inteiramente para ela e fizera luzir em sua direção olhares repletos de memória, como se receasse e sentisse espanto de que minha amiga não lembrasse. Albertine, que a via muito bem, permaneceu imóvel, com fleuma, de modo que a outra, com o mesmo grau de discrição de um homem que, vendo a antiga amante com um amante novo, deixou de olhá-la, não mais se ocupando de sua pessoa como se ela não existisse.

Mas, alguns dias depois, tive a prova dos gostos dessa jovem e também da probabilidade de que ela tivesse conhecido Albertine antigamente. Muitas vezes, quando na sala do cassino duas moças se desejavam, produzia-se como que um fenômeno luminoso, uma espécie de corrente fosforescente que ia de uma para outra. Digamos, de passagem, que é com o auxílio de tais materializações, mesmo que imponderáveis, por esses signos astrais que inflamam toda uma parte da atmosfera, que Gomorra, dispersa, tende, em cada cidade, em cada aldeia, a reunir seus membros separados, para reconstituir a cidade bíblica, ao passo que em toda parte prosseguem idênticos esforços, ainda que em vista de uma construção intermitente, por meio dos nostálgicos, hipócritas e, às vezes, corajosos exilados de Sodoma.

Uma vez vi a desconhecida que Albertine parecia não reconhecer, justo num momento em que passava a prima de Bloch. Os olhos da jovem resplandeceram, mas via-se bem que ela não conhecia a moça israelita. Via-a pela primeira vez, sentia um desejo, e nada de dúvidas, de modo algum a mesma certeza que experimentara quanto a Albertine, Albertine com cuja camaradagem de tal modo deveria ter contado que, diante de sua frieza, sentira a surpresa de um estrangeiro habituado a Paris, mas que nela não mora e que, tendo regressado para ali passar algumas semanas, em vez do teatrinho onde se acostumara a passar boas noitadas, vê que construíram um banco.

A prima de Bloch foi sentar-se a uma mesa, onde se pôs a folhear uma revista. Em breve a jovem foi sentar-se ao lado dela, com ar distraído. Mas, debaixo da mesa, poderia ver-se, dali a pouco, tocarem-se os seus pés, depois suas pernas e suas mãos, que estavam entrelaçadas. As palavras seguiram-se, travou-se a conversação, e o ingênuo marido da jovem senhora, que a procurava por todo lado, espantou-se de vê-la fazendo projetos para a mesma noite com uma moça que ele não conhecia. Sua mulher lhe apresentou como amiga de infância a prima de Bloch, sob um nome ininteligível, pois havia esquecido de lhe perguntar como se chamava. Mas a presença do marido fez avançar um passo mais a intimidade delas, pois passaram a tratar-se por tu, visto que se haviam conhecido no internato de freiras, incidente do qual deram boas risadas mais tarde, bem como do marido enganado, com uma alegria que deu oportunidade a novas carícias.

Quanto a Albertine, não posso afirmar que em parte alguma, no cassino ou na praia, ela tivesse maneiras tão livres com uma moça. Achava-lhe até um excesso de frieza e de insignificância, que parecia, mais que da boa educação, um ardil destinado a eliminar as suspeitas. A determinada moça, ela possuía um modo rápido, frio e decente de responder em voz bem alta: — Sim, eu irei ao tênis mais ou menos às cinco. Vou tomar banho amanhã de manhã cerca das oito horas —, e de deixar imediatamente a pessoa a quem acabara de dizer isto, a qual parecia terrivelmente querer dizer outra coisa, marcar um encontro, ou melhor, depois de o ter combinado em voz baixa, dizer alto aquela frase, na verdade insignificante, para "não se fazer notar". E, quando, em seguida, eu a via pegar a bicicleta e sair na disparada, não podia evitar de pensar que ela ia encontrar-se com aquela a quem mal falara.

De qualquer modo, quando alguma jovem senhora muito bonita descia do automóvel na praia, Albertine não podia deixar de virar-se. E explicava logo: — Eu estava olhando a bandeira nova que puseram no posto de banho. Poderiam ter gastado mais. A outra já era bem vagabunda. Mas de fato esta é ainda pior.

Uma vez Albertine não se limitou à frieza e só contribuiu para me deixar mais infeliz. Sabia que eu ficava aborrecido com a probabilidade de ela encontrar-se às vezes com uma amiga de sua tia, que era "de maus costumes" e, de vez em quando, vinha passar dois ou três dias em casa da Sra. Bontemps. Gentilmente, Albertine me dissera que não mais a cumprimentaria. E, quando essa mulher ia a Incarville, Albertine dizia: — A propósito, sabe que ela está aqui? Já não lhe disseram? — como para me mostrar que ela não a via às escondidas. Num dia em que me dizia isso, acrescentou: — Sim, encontrei-a na praia e, de propósito, por grosseria, quase lhe dei um encontrão ao passar por ela. Deixei-a desarrumada. — Quando Albertine disse isso, voltou-me à memória uma frase da Sra. Bontemps, na qual jamais pensara de novo, aquela em que havia dito, diante de mim e da Sra. Swann, o quanto a sua sobrinha Albertine era atrevida, como se se tratasse de uma qualidade, e como Albertine dissera a não sei mais qual mulher de funcionário que o pai desta fora um ajudante de cozinha. Mas uma palavra da mulher a quem amamos não se conserva por muito tempo em sua pureza; ela se corrompe, deteriora-se. Uma ou duas noites depois, voltei a pensar na frase de Albertine e já não foi a má educação de que ela se orgulhava — e que só podia causar um sorriso — o que essa frase me pareceu significar, mas outra coisa, e que Albertine, talvez mesmo sem uma finalidade precisa, para irritar os sentidos daquela dama ou lembrar-lhe maldosamente antigas propostas, talvez aceitas outrora, roçara rapidamente por ela e, pensando que eu talvez o tivesse sabido porque fora em público, quisera desse modo evitar previamente uma interpretação desfavorável.

Aliás, os ciúmes que me causavam as mulheres que talvez amassem Albertine iam cessar de repente.

◆ ◆ ◆

Estávamos, Albertine e eu, diante da estação do trenzinho local de Balbec. Tínhamos tomado o ônibus do hotel por causa do mau tempo. Não longe de nós encontrava-se o Sr. Nissim Bernard, que estava com um olho machucado. Fazia algum tempo que vinha enganando o menino do coro de *Athalie* com o rapaz de uma granja muito freqüentada das vizinhanças, *Às Cerejeiras.* Esse rapaz rubro, de feições rudes, era exatamente como se tivesse um tomate no lugar da cabeça. Um tomate exatamente igual servia de cabeça a seu irmão gêmeo. Para o contemplador desinteressado, há muito de belo nessas semelhanças perfeitas de dois gêmeos, que a natureza, como se se houvesse momentaneamente industrializado, parece produzir em série. Infelizmente, o ponto de vista do Sr. Nissim Bernard era diferente, e essa parecença era exterior apenas. O tomate nº 2 se comprazia freneticamente em fazer com exclusividade as delícias das damas, e o tomate nº 1 não detestava condescender aos gostos de certos senhores. Ora, cada vez que, sacudido, assim como que por um reflexo, pela lembrança das boas horas passadas com o tomate nº 1, o Sr. Bernard se apresentava em *Às Cerejeiras,* míope como era (e, aliás, a miopia não era necessária para confundi-los), o velho israelita, representando o Anfitrião sem o saber, dirigia-se ao irmão gêmeo, dizendo: — Queres marcar um encontro para esta noite? — recebia logo uma surra vigorosa. Chegou até a renovar-se no decurso de uma mesma refeição, em que ele continuava com o outro as frases começadas com o primeiro. Por fim, aquilo acabou por aborrecê-lo de tal modo que, por associação de idéias, se enjoou dos tomates, mesmo dos comestíveis, e, se ouvia a seu lado, no Grande Hotel, um viajante encomendá-los, sussurrava-lhe: — Desculpe-me, senhor, por dirigir-me a sua pessoa sem conhecê-lo. Porém ouvi que encomendou tomates. Eles estão podres hoje. Digo-lhe isto no seu interesse, pois por mim tanto faz, nunca os como. O estrangeiro agradecia com efusão àquele vizinho filantropo e desinteressado, chamava o garçom, fingia mudar de idéia: — Não, decididamente nada de tomates. — Aimé, que conhecia a cena, ria-se por dentro e pensava: "É um velho astuto esse Sr. Bernard; ainda achou um meio de mudar o prato." O Sr. Bernard, à espera do trem atrasado, não fazia questão nenhuma de cumprimentar a Albertine e a mim, por causa do olho machucado. E nós muito menos ainda de lhe falar. Todavia isso teria sido quase inevitável se, naquele momento, uma bicicleta não arremetesse contra nós a toda velocidade; dela saltou o ascensorista, sem fôlego. A Sra. Verdurin havia telefonado pouco depois da nossa partida para que eu fosse jantar em sua casa, dali a dois dias; logo veremos o porquê. Depois de me dar os detalhes do telefonema, o ascensorista nos deixou e, como esses "empregados" democratas que afetam ser independentes em relação aos burgueses, e entre eles restabelecem o princípio de autoridade, querendo dizer que o porteiro e o cocheiro poderiam ficar descontentes se ele se atrasasse, acrescentou: — Já vou indo por causa dos chefes.

As amigas de Albertine estavam fora por algum tempo. Eu desejava distraí-la. Supondo que ela ficaria feliz em passar as tardes só comigo em Balbec, sabia eu contudo que a felicidade nunca se deixa possuir inteiramente, e que Albertine, ainda na idade (que certas pessoas jamais ultrapassam) em que não se descobriu que essa imperfeição decorre de quem experimenta a felicidade e não de quem a proporciona, talvez fosse tentada a atribuir a mim a causa da sua decepção. Preferia que ela a imputasse às circunstâncias que, por mim combinadas, não nos dariam a oportunidade de estarmos a sós, impedindo-a de ficar sem mim no cassino e no molhe. Assim, pedira-lhe naquele dia que me acompanhasse a Doncières, aonde iria visitar Saint-Loup. Com o mesmo objetivo de deixá-la ocupada, aconselhava-lhe a pintura, que ela havia aprendido outrora. Trabalhando, ela não se indagaria se era feliz ou infeliz. De bom grado a levaria igualmente, de vez em quando, para jantar na casa dos Verdurin e dos Cambremer, os quais certamente receberiam de boa vontade uma amiga apresentada por mim; mas primeiro era necessário que tivesse a certeza de que a Sra. Putbus ainda não chegara a La Raspelière. Só no próprio local é que poderia certificar-me; e, como sabia por antecipação que dois dias depois Albertine seria obrigada a ir aos arredores com sua tia, aproveitara a ocasião para enviar um despacho à Sra. Verdurin, perguntando se poderia me receber na quarta-feira. Se a Sra. Putbus se achasse presente, eu daria um jeito para ver a sua camareira, assegurar-me se não seria arriscado que ela fosse a Balbec e, nesse caso, saber quando, para levar Albertine bem longe dali nesse dia. O trenzinho local, dando uma volta inexistente quando eu e minha avó o havíamos tomado, passava agora por Doncières-la-Goupil, grande estação de onde partiam os trens importantes e principalmente o expresso em que eu tinha vindo de Paris para visitar Saint-Loup, e no qual voltara. E, devido ao mau tempo, o ônibus do Grande Hotel nos conduziu, a mim e a Albertine, à estação do bondinho, Balbec-Plage.

O trenzinho ainda não havia chegado, porém via-se, ocioso e lento, o penacho de fumo que ele deixara no caminho e que agora, reduzido a seus escassos meios de nuvem pouco móvel, subia devagar as verdes vertentes da falésia de Criquetot. Por fim o trenzinho, a que o fumo havia precedido para assumir a direção vertical, chegou por sua vez, lentamente. Os viajantes que iam tomá-lo afastaram-se para lhe dar lugar; mas sem apressar-se, sabendo que lidavam com um andarilho complacente, quase humano, e que, guiado como a bicicleta de um novato pelos sinais condescendentes do chefe da estação, sob a tutela poderosa do mecânico, não se arriscava a atropelar ninguém e pararia onde quisessem.

Meu despacho explicava o telefonema dos Verdurin e chegava tanto mais a propósito, pois a quarta-feira (dentro de dois dias) era dia de jantar de gala, tanto em La Raspelière como em Paris, o que eu ignorava. A Sra. Verdurin não dava "jantares", mas tinha "quartas-feiras". As quartas-feiras eram obras de arte. Sabendo que não tinham rival em parte alguma, a Sra. Verdurin introduzia matizes entre elas. — Esta última quarta-feira não valia a anterior — dizia. — Mas creio que a próxima será uma das mais bem-sucedidas que já dei. — Chegava por vezes a confessar: — Esta quarta não estava à altura das outras. Em compensação, reservo-lhes uma grande surpresa para a próxima. — Nas últimas semanas da temporada de Paris, antes de partir para o campo, a Patroa anunciava o fim das quartas-feiras. Era uma ocasião para estimular os fiéis: — Há somente três quartas, só faltam duas — dizia, com o mesmo tom de que se o mundo estivesse por acabar. — Não vá perder a quarta-feira próxima de encerramento. — Mas esse encerramento era fictício, pois ela avisava: — Agora, oficialmente não há mais quartas-feiras. Foi a última quarta deste ano. Mas em todo caso estarei aqui na quarta. Daremos uma quarta-feira íntima; quem sabe? Essas pequenas quartas íntimas talvez sejam as mais agradáveis. — Na Raspelière, as quartas eram forçosamente restritas, e como, segundo se houvesse encontrado um amigo de passagem, fora este convidado para tal ou qual dia, quase todos os dias eram quarta-feira. — Não me recordo bem do nome dos convidados, mas sei que lá está a Sra. Marquesa de Camembert — dissera-me o ascensorista. A lembrança de nossas explicações relativas aos Cambremer não chegara a suplantar definitivamente a da palavra antiga, cujas sílabas familiares e plenas de sentido vinham em socorro do jovem empregado quando ele se mostrava embaraçado com esse nome difícil, e eram imediatamente preferidas e readotadas por ele, não por preguiça e como um velho hábito inextirpável, mas por causa da necessidade de lógica e de clareza que elas satisfaziam.

Apressamo-nos a procurar um vagão vazio, onde eu pudesse beijar Albertine durante todo o trajeto. Não o tendo encontrado, subimos para um compartimento onde já se achava instalada uma dama de cara imensa, velha e feia, de expressão masculina, muito endomingada, e que lia a *Revue des Deux Mondes.* Malgrado sua vulgaridade, era pretensiosa em seus gestos, e eu me diverti em indagar a mim mesmo a que categoria social ela podia pertencer; concluí de imediato que devia se tratar de alguma gerente de uma grande casa de tolerância, uma alcoviteira em viagem. Suas maneiras e seu rosto o proclamavam. Apenas, eu ignorava até então que tais senhoras lessem *La Revue des Deux Mondes*. Albertine mostrou-ma, sorrindo, não sem piscar o olho. A dama tinha um aspecto muito digno; e, como de minha parte eu trazia em mim a consciência de que estava convidado para dali a dois dias, no ponto final da linha da pequena estrada de ferro, para ir à casa da célebre Sra. Verdurin, de que era esperado numa estação intermediária por Robert de Saint-Loup e que, um pouco mais adiante, daria um grande prazer à Sra. de Cambremer, indo parar em Féterne, meus olhos cintilaram de ironia ao considerar essa dama importante que parecia crer que, devido a seu vestido rebuscado, às plumas do seu chapéu e à sua *Revue des Deux Mondes,* era um personagem mais considerável do que eu. Esperava que essa dama não permanecesse por muito mais tempo que o Sr. Nissim Bernard e que descesse pelo menos em Toutainville; mas não. O trem parou em Épreville, ela ficou sentada. O mesmo ocorreu em Montmartin-sur-Mer, em Parville-la-Bingard, em Incarville, de modo que, por desespero, quando o trem deixou Saint-Frichoux, que era a última estação antes de Doncières, comecei a abraçar Albertine sem mais me ocupar com essa dama. Em Doncières, Saint-Loup tinha vindo esperar-me na gare, com as maiores dificuldades, disse-me, pois, parando na casa da tia, meu telegrama só lhe chegara às mãos há poucos instantes, e ele só podia dedicar-me uma hora, visto não ter conseguido distribuir seu tempo com antecipação. Ai de mim, essa hora me pareceu bastante longa, pois mal desceu do vagão Albertine só cuidou de Saint-Loup. Não conversava comigo, mal me respondia se lhe dirigia a palavra, repelia-me quando me aproximava dela. Em compensação, com Robert, ria o seu riso feiticeiro, falava-lhe com volubilidade, brincava com o cão que ele trazia e, ao mesmo tempo que acariciava o animal, roçava de propósito em seu dono. Lembrei-me de que, no dia em que Albertine deixara-se beijar por mim pela primeira vez, eu tivera um sorriso de gratidão pelo sedutor desconhecido que operara nela uma tão profunda modificação, simplificando tanto a minha tarefa. Pensava nele agora com horror. Robert devia ter percebido que Albertine não me era indiferente, pois não respondeu às suas provocações, o que a pôs de mau humor contra mim; depois, ele me falou como se eu estivesse sozinho, o que, quando ela o notou, me fez subir na sua estima. Robert me perguntou se eu não queria tentar encontrar, entre os amigos com os quais me fazia jantar todas as noites em Doncières, quando eu lá estivera, aqueles que ainda se achavam ali. E, como ele próprio incidia no gênero de pretensão irritante que reprovava: — De que te serve *tê-los encantado* com tanta perseverança se não queres revê-los? —, declinei de sua proposta porquanto não desejava correr o risco de me afastar de Albertine, mas também porque agora estava desligado deles. Deles, quer dizer, de mim. Desejamos apaixonadamente que exista uma outra vida na qual seríamos iguais ao que somos nesta. Mas não refletimos que, mesmo sem esperar essa outra vida, somos nesta, ao fim de alguns anos, infiéis ao que havíamos sido, ao que desejaríamos de nós mesmos como dessas pessoas com quem fomos ligados mas que há muito já não vemos — por exemplo, os amigos de Saint-Loup, que tanto me agradava encontrar todas as noites no *Faisan Doré* e cuja conversa só seria para mim agora importuna e constrangedora. A tal respeito, e porque preferi não ir e encontrar lá o que me havia agradado, um passeio a Doncières poderia como que me prefigurar a chegada ao paraíso. Sonha-se muito com o paraíso, ou melhor, com numerosos paraísos sucessivos, mas todos eles são, bem antes da morte, paraísos perdidos e onde a gente se sentiria perdido.

Saint-Loup nos deixou na gare. — Mas vais ter cerca de uma hora de espera — disse. — Se a passares aqui, verás sem dúvida o meu tio Charlus, que em breve há de tomar o trem para Paris, dez minutos antes do teu. Já me despedi dele, pois sou obrigado a regressar antes da hora do seu trem. Não pude lhe falar de ti visto que ainda não lera o teu telegrama. — Às censuras que fiz a Albertine depois que Saint-Loup nos deixou, ela me respondeu que desejara, com sua frieza para comigo, dissipar a idéia que ele pudesse ter tido se, no momento da parada do trem, me tivesse visto inclinado sobre ela e com o braço a enlaçar o seu talhe. De fato, ele havia reparado nessa posição (coisa que eu não percebera, pois do contrário me colocaria mais corretamente ao lado de Albertine) e tivera tempo de me dizer ao ouvido: — É isso... essas meninas tão bestinhas de que me falaste e que não queriam freqüentar a Srta. de Stermaria porque achavam que não se comportava bem? — Eu dissera com efeito a Robert, e muito sinceramente, quando fora de Paris para visitá-lo em Doncières, e como voltássemos a falar de Balbec, que nada havia a fazer com Albertine, que ela era a virtude em pessoa. E agora que, por mim mesmo, há muito tempo, soubera que aquilo era falso, desejava ainda mais que Robert acreditasse que era verdade. Bastaria dizer a Robert que amava Albertine. Robert era dessas criaturas que sabem renunciar a um prazer para poupar ao amigo sofrimentos que continuaria sentindo como se fossem seus. — Sim, ela é muito criança. Mas não sabes nada sobre ela? — acrescentei com inquietação. — Nada, a não ser que os vi abraçados como dois amantes.

— Sua atitude não dissipava nada — disse eu a Albertine quando Saint-Loup nos deixou. — É verdade — concordou ela; — fui desajeitada, magoei-o, sinto-me bem mais infeliz que você. Verá que nunca mais será assim; perdoe-me — disse ela, estendendo-me a mão com ar triste. Nesse momento, do fundo da sala de espera onde estávamos sentados, vi passar lentamente, seguido a certa distância por um empregado que carregava suas malas, o Sr. de Charlus.

Em Paris, onde eu só o encontrava em reuniões festivas, imóvel, apertado numa casaca preta, mantido em direção vertical por seu aprumo orgulhoso, seu impulso para agradar, pelo brilho da conversa, eu não me dava conta do quanto ele havia envelhecido. Agora, num terno claro de viagem que o fazia parecer mais gordo, em marcha e bamboleando-se, balançando um ventre barrigudo e um traseiro quase simbólico, a crueldade do dia claro decompunha, em arrebique sobre os lábios, em pó-de-arroz fixado pelo *cold-cream* na ponta do nariz, em negro nos bigodes tingidos cuja cor de ébano contrastava com os cabelos grisalhos, tudo aquilo que pareceria, sob as luzes, a animação da tez numa pessoa ainda jovem.

Enquanto conversava com ele, mas brevemente, por causa do seu trem, eu olhava para o vagão de Albertine para lhe fazer sinal de que já iria ao seu encontro. Quando desviei a cabeça para o Sr. de Charlus, ele me pediu que lhe fizesse o favor de chamar um militar, parente seu, que estava do outro lado da via férrea, exatamente como se fosse subir no nosso trem, mas em sentido oposto, na direção que se afastava de Balbec. — Ele faz parte da banda do regimento — disse o Sr. de Charlus. — Como o senhor tem a sorte de ser muito jovem e eu o aborrecimento de ser bastante velho, bem pode poupar-me atravessar a linha e ir até lá... — Senti-me no dever de ir até o militar apontado e, com efeito, vi, pelas liras bordadas na sua gola, que pertencia à banda. Mas, no momento em que eu ia prestar contas do meu recado, qual não foi minha surpresa e, posso dizer, o meu prazer ao reconhecer Morel, o filho do lacaio de meu tio e que me recordava tantas coisas! Esqueci de dar o recado do Sr. de Charlus. — Como! Está em Doncières? — Sim, e incorporaram-me à banda, a serviço das baterias. — Mas ele me falou isso num tom seco e altivo. Tornara-se muito posudo e, evidentemente, a minha vista, lembrando-lhe a profissão do pai, não lhe era agradável. De súbito, vi o Sr. de Charlus arremeter contra nós. Meu atraso claramente o impacientara. — Eu gostaria de ouvir um pouco de música esta noite — disse ele a Morel sem mais rodeios —; dou quinhentos francos pelo recital, isto poderia talvez interessar um de seus amigos, se é que os tem na banda. — Por mais que eu conhecesse a insolência do Sr. de Charlus, fiquei estupefato que ele nem sequer desse bom-dia a seu jovem amigo. Aliás, o barão não me deu tempo para refletir. Estendendo-me a mão, afetuosamente, disse: — Até logo, meu caro — para indicar que eu nada mais tinha a fazer ali. De resto, eu já deixara por muito tempo sozinha a minha querida Albertine. — Veja — disse-lhe eu, subindo para o vagão —, a vida dos banhos de mar e a vida de viagens fazem-me compreender que o teatro do mundo dispõe de menos cenários que de atores, e de menos atores que de "situações". — A propósito de que está dizendo isso? — É que o Sr. de Charlus acabou de me pedir que lhe chamasse um de seus amigos, o qual, justo nesse instante, na gare, reconheci como sendo um dos meus. — Porém, dizendo isso, perguntava a mim mesmo de que modo o barão podia conhecer Morel. A desproporção social, em que a princípio não havia pensado, era imensa. Primeiro, tive a idéia de que seria por meio de Jupien, cuja filha, estão lembrados, parecera enamorar-se do violinista. Entretanto, o que espantava era que, devendo viajar para Paris dentro de cinco minutos, o barão pedisse para ouvir música em Doncières. Revendo, porém, na lembrança a filha de Jupien, eu começava a achar que os "reconhecimentos", pobre expediente de obras fictícias, ao contrário, talvez exprimissem uma parte importante da vida, se a gente soubesse chegar ao verdadeiro romanesco, quando tive subitamente uma revelação e compreendi que fora bem ingênuo. O Sr. de Charlus por nada neste mundo conhecia Morel, nem este ao Sr. de Charlus, o qual, deslumbrado mas também tímido, ante um militar que no entanto só ostentava liras, requisitara-me, em sua emoção, para lhe trazer aquele a quem não imaginava que eu conhecesse. Em todo caso, a oferta dos quinhentos francos deveria, para Morel, ter substituído a ausência de relações anteriores, pois vi que continuavam a conversar, sem cuidar que se achavam ao lado do nosso trem. E, lembrando-me de como o Sr. de Charlus se dirigira a Morel e a mim, eu percebia a sua semelhança com certos parentes seus, quando apanhavam uma mulher na rua. Unicamente, o objeto visado mudara de sexo. A partir de uma certa idade, e até se se efetuam em nós evoluções diferentes, mais nos tornamos nós mesmos, mais se acentuam os traços de família. Pois a natureza, continuando harmoniosamente a trama de sua tapeçaria, interrompe a monotonia da composição graças à variedade das figuras intercaladas. Aliás, a altivez com que o Sr. de Charlus medira de alto a baixo o violinista é relativa conforme o ponto de vista em que nos coloquemos. Teria sido entendida pela maioria das pessoas da sociedade, que se inclinavam diante dele, mas não pelo chefe de polícia que, alguns anos depois, mandaria vigiá-lo.

— O trem de Paris já deu sinal, senhor — disse o empregado que carregava as malas. — Mas eu não vou tomar o trem, ponha tudo isso no depósito, que diabo! — retrucou o Sr. de Charlus, dando vinte francos ao empregado, que ficou estupefato com a reviravolta e encantado com a gorjeta. Tal generosidade logo atraiu uma vendedora de flores: — Fique com estes cravos, olhe esta bela rosa, meu bom senhor, vai lhe trazer felicidade. — O Sr. de Charlus, impaciente, estendeu-lhe quarenta *sous*, em troca do que a mulher ofereceu suas bênçãos e, de novo, as flores. — Meu Deus, se ela nos deixasse em paz — disse o Sr. de Charlus, dirigindo-se num tom irônico e gemendo, como se fosse uma pessoa enervada, a Morel, a quem achava uma certa doçura em solicitar apoio. — O que temos a nos dizer já é bem complicado. — Visto que o carregador do trem ainda não estava muito longe, talvez o Sr. de Charlus não quisesse ter uma audiência numerosa, talvez essas frases incidentais permitissem à sua timidez altiva não abordar muito diretamente o pedido de um encontro. O músico, voltando-se para a vendedora de flores com ar franco, imperativo e decidido, ergueu-lhe uma palma que a repelia e dava a entender que não queriam as suas flores e que ela desse o fora o quanto antes. Com deslumbramento, o Sr. de Charlus viu esse gesto autoritário e viril, feito pela mão graciosa para a qual ele ainda pareceria muito pesado, muito maciçamente brutal, com uma firmeza e um desembaraço precoces, que conferiam a esse adolescente ainda imberbe o ar de um jovem Davi, capaz de assumir um combate contra Golias. A admiração do barão era, involuntariamente, mesclada desse sorriso que experimentamos ao ver numa criança uma expressão sisuda acima de sua idade. — Eis alguém por quem desejaria ser acompanhado em minhas viagens e auxiliado em meus negócios. Como me simplificaria a vida! — disse consigo o Sr. de Charlus.

Partiu o trem de Paris (que o barão não tomou). Depois, subimos para o nosso, Albertine e eu, sem que eu ficasse sabendo o que fora feito de Morel e do Sr. de Charlus. — Nunca mais devemos brigar; novamente lhe peço que me perdoe — voltou a dizer Albertine, aludindo ao incidente Saint-Loup. — Precisamos ser sempre amáveis um com o outro — continuou com ternura. — Quanto ao seu amigo Saint-Loup, se acha que ele me interessa no que quer que seja, engana-se redondamente. O que me agrada nele é que parece gostar muito de você. — É muito bom rapaz — disse eu, evitando atribuir a Robert qualidades superiores imaginárias, como por amizade não teria deixado de fazer caso se tratasse de outra pessoa que não Albertine. — É uma criatura excelente, franca, devotada, leal, com quem se pode contar para tudo. — Dizendo isto, eu me limitava, tolhido pelo ciúme, a falar a verdade sobre Saint-Loup, mas era a verdade mesmo o que eu exprimia. Pois fora exatamente nos mesmos termos que se expressara a Sra. de Villeparisis para me falar dele, quando eu ainda não o conhecia, e o imaginava tão diferente, tão altaneiro, e dizia comigo: "Acham-no bom porque é um grão-senhor." Da mesma forma, quando ela me dissera: "Ele ficaria tão feliz", eu pensara depois de o ter avistado diante do hotel, pronto para guiar, que as palavras de sua tia eram pura banalidade mundana, destinadas a me lisonjear. E a seguir havia percebido que ela falara sinceramente, pensando no que me interessava, nas minhas leituras, e por saber que era daquilo que Saint-Loup gostava, como me devia suceder dizer sinceramente a alguém que estava escrevendo a história de seu antepassado La Rochefoucauld, autor das *Máximas*, e que desejaria pedir conselhos a Robert: — Ele ficaria muito feliz. É que eu aprendera a conhecê-lo. Mas, ao vê-lo pela primeira vez, não acreditara que uma inteligência aparentada à minha pudesse envolver-se em tanta elegância exterior de indumentária e atitudes. Devido a sua plumagem, eu o julgara um ser de outra espécie.

Agora era Albertine quem, um pouco talvez porque Saint-Loup, em consideração para comigo, a tratara de modo tão frio, me disse o que eu havia pensado outrora: — Ah, ele é tão devotado assim?! Percebo que acham sempre todas as virtudes nas pessoas quando elas saem do *faubourg* Saint-Germain. — Ora, que Saint-Loup pertencesse ao *faubourg* Saint-Germain era coisa em que eu não pensara uma só vez sequer em todos esses anos, quando, despojando-se de seu prestígio, ele me manifestara as suas virtudes. Mudança de perspectiva para contemplar os seres, já mais impressionante na amizade que nas simples relações sociais, mas quanto mais ainda no amor, onde o desejo, numa escala tão vasta, aumenta em tamanhas proporções os menores sinais de frieza, que bem menos me seria necessário do que a que possuía de início Saint-Loup, para que eu me acreditasse desde o começo desdenhado por Albertine, para que imaginasse suas amigas como criaturas maravilhosamente inumanas e que só atribuísse à indulgência que se tem para com a beleza e para com uma certa elegância o juízo de Elstir, quando ele me dizia acerca do pequeno grupo, exatamente nos mesmos sentimentos que a Sra. de Villeparisis sobre Saint-Loup: — São boas moças. — Ora, esse julgamento não era o que eu de bom grado faria ao ouvir Albertine dizer: — Em todo caso, devotado ou não, espero não mais tornar a vê-lo, já que ele causou desavença entre nós. Não devemos mais brigar. Não é justo. — Considerando que Albertine parecera ter desejado Saint-Loup, eu me sentia mais ou menos curado por algum tempo da idéia de que ela amava as mulheres, o que se me afigurava inconciliável. E, diante do impermeável de Albertine, no qual ela parecia tornar-se uma outra pessoa, a infatigável erradia das tardes chuvosas, e que, colante, maleável e cinzento naquela ocasião, parecia menos proteger seu vestuário contra a água do que ter sido encharcado por ela e ligar-se ao corpo de minha amiga, como que para modelar-lhe as formas para um escultor, arranquei aquela túnica que esposava zelosamente um colo desejado e, puxando Albertine ao meu encontro:

Mais toi, ne veux-tu pas, voyageuse indolente,
Rêver sur mon épaule en y posant ton front?[37]

disse-lhe, tomando sua cabeça em minhas mãos e lhe mostrando as grandes campinas inundadas e mudas que se estendiam no entardecer até o horizonte fechado pelas cadeias paralelas de longínquos e azulados vales.

[37] "Mas não queres, viajante indolente, sonhar no meu ombro, nele pousando a tua fronte?" (Poema "La maison du berger" [A casa do pastor] de Alfred de Vigny). (N. do T.)

Dois dias depois, a famosa quarta-feira, nesse mesmo trenzinho que acabava de tomar em Balbec, para ir jantar na Raspelière, fazia muita questão de não perder Cottard em Graincourt-Saint-Vast, onde um novo telefonema da Sra. Verdurin me dissera que o encontraria. Ele devia subir no meu trem e me indicaria onde era preciso descer para achar os carros que tinham mandado da Raspelière até a gare. Assim, como o trenzinho só parava por um instante em Graincourt, primeira estação depois de Doncières, eu me pusera antecipadamente à portinhola, tamanho era o meu medo de não ver Cottard ou de não ser avistado por ele. Temores bem vãos! Não me apercebera até que ponto o pequeno clã havia modelado todos os *habitués* pelo mesmo padrão; estes, além do mais vestidos a rigor para jantar, à espera na plataforma, deixando-se reconhecer de imediato por um certo ar de segurança, elegância e familiaridade, por olhares que franqueavam, como um espaço vazio onde nada atrai a atenção, as filas cerradas do público vulgar, espiavam a chegada de algum *habitué* que tivesse pegado o trem numa estação anterior e já se impacientavam pela próxima conversação. Este sinal de eleição, com que o hábito de jantar em conjunto havia marcado os membros do pequeno grupo, não os distinguia somente quando, numerosos, constituindo uma força, achavam-se reunidos, formando uma mancha mais brilhante no meio do rebanho de viajantes — o que Brichot denominava *pecus* — em cujos rostos embaciados não se podia ler nenhuma noção relativa aos Verdurin, nenhuma esperança de um dia jantar na Raspelière. Além disso, esses viajantes vulgares estariam menos interessados que eu se pronunciassem diante deles — e apesar da notoriedade adquirida por alguns — os nomes daqueles fiéis que me espantava ver ainda jantando fora, quando vários deles, conforme as narrativas que eu escutara, já o faziam antes do meu nascimento, numa época ao mesmo tempo bastante vaga e distante para que eu tentasse exagerar-lhe o afastamento. O contraste entre a continuação não só da existência deles mas também da plenitude de suas forças, e o aniquilamento de tantos amigos que eu já vira desaparecerem aqui e ali, dava-me essa mesma sensação que experimentamos quando, na última edição dos jornais, lemos precisamente a notícia que menos esperávamos, por exemplo, a de um passamento prematuro e que nos parece fortuito porque as causas de que ele é o desenlace nos continuaram a ser desconhecidas. Tal sentimento é o de que a morte não atinge uniformemente todos os homens, mas que uma onda mais adiantada de sua maré trágica carrega uma existência situada ao nível das outras, que durante muito tempo as ondas seguintes hão de poupar. Aliás, veremos mais tarde a diversidade dos mortos que circulam invisivelmente ser a causa do imprevisto especial que, nos jornais, apresentam os necrológios. Depois eu via que, com o passar do tempo, não somente dons reais, que podem coexistir com a pior vulgaridade de conversação, se revelam e se impõem, mas também que indivíduos medíocres alcançam esses altos postos, ligados na imaginação de nossa infância a alguns velhos célebres, sem imaginar que o seriam, alguns anos mais tarde, seus discípulos convertidos em mestres, inspirando agora o respeito e o temor que eles outrora sentiam. Mas, se os nomes dos fiéis não eram conhecidos do *pecus*, seu aspecto entretanto os designava a seus olhos. Mesmo no trem (quando nele o acaso os reunia a todos, conforme o que tivessem feito durante o dia), não tendo que recolher numa estação posterior senão um solitário, o vagão em que se encontravam juntos, indicado pelo cotovelo do escultor Ski, embandeirado por *Le Temps* de Cottard, floria de longe como uma carruagem de luxo e recolhia na estação própria o companheiro retardatário. O único a quem poderiam escapar estes sinais de promissão, devido à sua meia-cegueira, era Brichot. Mas também um dos *habitués* assumia voluntariamente, em relação ao cego, as funções de guia; e logo que avistavam o seu chapéu de palha, seu guarda-chuva verde e seus óculos azuis, dirigiam-no com rapidez e ternura para o compartimento de eleição. De modo que não havia exemplo de que um dos fiéis deixasse de encontrar os outros pelo caminho, sob pena de despertar as mais graves suspeitas de farra, ou até de não ter vindo "pelo trem". Por vezes, ocorria o oposto: um fiel precisava se afastar para bem longe à tarde e, por conseqüência, deveria fazer parte do percurso sozinho, antes de ser alcançado pelo grupo; mas, mesmo assim isolado, único de sua espécie, não deixava muitas vezes de produzir algum efeito. O Futuro para o qual ele se dirigia designava-o à pessoa sentada no banco em frente, a qual dizia consigo: "Deve ser alguém", e, com a obscura perspicácia dos discípulos de Emaús, discernia, fosse ao redor do chapéu de feltro de Cottard ou do escultor Ski, uma vaga auréola, e ficava só um pouco espantado quando, na estação seguinte, uma elegante multidão, se era o ponto final, recebia o fiel na portinhola e o acompanhava até um dos carros que estavam à espera, todos profundamente saudados pelo empregado de Douville, ou então invadia o compartimento, se se tratava de uma estação intermediária. Foi o que fez, e precipitadamente, pois diversos tinham chegado atrasados, justo no momento em que o trem, já na estação, ia sair, o grupo que Cottard conduziu correndo para o vagão, a cuja janela vira os meus sinais. Brichot, que se encontrava entre esses fiéis, era-o muito mais nesses últimos anos, quando outros haviam diminuído a sua assiduidade. Sua vista, progressivamente enfraquecida, obrigara-o, o mesmo em Paris, a diminuir as tarefas noturnas. Além disso, tinha pouca simpatia pela Nova Sorbonne, onde as idéias de exatidão científica, à maneira alemã, começavam a prevalecer sobre o humanismo. Agora, limitava-se exclusivamente a seu curso e às bancas de exame; dispunha também de muito mais tempo para se dedicar ao mundanismo, ou seja, às reuniões dos Verdurin, ou àquelas oferecidas às vezes aos Verdurin por um ou outro fiel, trêmulo de emoção. É verdade que em duas ocasiões o amor quase fizera o que os trabalhos já não podiam mais: desligar Brichot do pequeno clã. Contudo, a Sra. Verdurin, que "velava por sua sementeira" e, aliás, tendo se habituado a isso no interesse de seu salão, acabara por encontrar um prazer desinteressado nesse gênero de dramas e de execuções, fizera-o romper irremediavelmente com a pessoa perigosa, pois sabia, como ela mesma o afirmava, "pôr ordem em tudo" e "aplicar o ferro em brasa na ferida". Isto lhe fora tanto mais fácil no caso de uma das pessoas perigosas, que era simplesmente a lavadeira de Brichot, e a Sra. Verdurin, que tinha livre acesso ao quinto andar do professor, rubra de orgulho quando se dignava a subir-lhe as escadas, não fizera mais que pôr no olho da rua aquela mulher de nada. — Como! — dissera a Patroa a Brichot — Uma mulher feito eu lhe faz a honra de vir à sua casa e o senhor recebe uma criatura dessas? — Brichot jamais esquecera o serviço que a Sra. Verdurin lhe havia prestado, ao impedir que sua velhice soçobrasse no lodo, e se lhe mostrava cada vez mais apegado, ao passo que, em contraste com esse renovo de afeição e talvez devido a ele, a Patroa começava a se aborrecer com um fiel excessivamente dócil e com a obediência do qual estava certa por antecipação. Mas Brichot extraía de sua intimidade com os Verdurin um brilho que o distinguia entre todos os colegas da Sorbonne. Estes ficavam deslumbrados com a narrativa que Brichot lhes fazia de jantares aos quais nunca seriam convidados, com a menção nas revistas ou o retrato exposto no Salão, que dele haviam feito este ou aquele escritor ou pintor famosos, cujo talento os titulares das outras cátedras da Faculdade de Letras prezavam, mas sem terem a menor possibilidade de chamar a atenção, enfim, com a própria elegância indumentária do filósofo mundano, elegância que a princípio haviam tomado por displicência, até que seu colega benevolamente lhes explicasse que fica bem pousar a cartola no chão, no decorrer de uma visita, e não é adequada para os jantares no campo, por mais elegantes que sejam, onde convém que a substituam pelo chapéu de feltro que cai muito bem com o *smoking*. Durante os primeiros segundos em que o pequeno grupo se engolfou no vagão, nem sequer pude falar a Cottard, pois ele estava sufocado, menos por haver corrido para apanhar o trem do que pelo encantamento de tê-lo apanhado tão a tempo. Com isso, experimentava mais que a alegria de um êxito, quase que a hilaridade de boa farsa. — Ah, essa é boa! — disse ele, ao se recobrar. — Um pouco mais... Puxa! Isto é o que se chama chegar a propósito! — acrescentou piscando o olho, não para indagar se a expressão era correta, pois agora transbordava de segurança, mas por satisfação. Por fim, conseguiu apresentar-me aos outros membros do pequeno clã. Aborreceu-me verificar que estavam quase todos vestindo o que em Paris se chama *smoking*. Eu havia esquecido que os Verdurin principiavam uma evolução tímida em direção à sociedade, atenuada pelo Caso Dreyfus, acelerada pela música "nova", evolução aliás desmentida por eles, e que continuariam a desmentir até que houvesse chegado a bom termo, como esses objetivos militares que um general só anuncia quando os alcançou, de modo a não parecer derrotado se lhe falharem. De outra parte, a sociedade estava bem preparada para ir a seu encontro. Eram ainda considerados como pessoas que ninguém da sociedade freqüentava, mas que pouco se importavam com isso. O salão Verdurin passava por um templo da música. Fora lá, diziam, que Vinteuil encontrara inspiração e encorajamento. Ora, se a sonata de Vinteuil continuava totalmente incompreendida e mais ou menos desconhecida, o seu nome, pronunciado como o do maior compositor contemporâneo, era dotado de um prestígio extraordinário. Enfim, tendo certos jovens do *faubourg* achado que deviam ser tão instruídos como os burgueses, havia três dentre eles que tinham aprendido música e junto aos quais a sonata de Vinteuil gozava de imensa reputação. De volta para casa, falavam nisso à mãe inteligente que os impelira a cultivar-se. E, interessando-se pelos estudos dos filhos, as mães, no concerto, olhavam com algum respeito a Sra. Verdurin, que, no camarote de primeira, seguia a partitura. Até aqui, esse mundanismo latente dos Verdurin só se traduzia por dois fatos. Por um lado, a Sra. de Verdurin dizia da princesa de Caprarola: — Ah! Essa é inteligente, é uma mulher agradável. O que não posso tolerar são os imbecis, as pessoas que me enfadam, isso me deixa louca. — O que faria pensar a alguém um pouco inteligente que a princesa de Caprarola, mulher da mais alta sociedade, fizera uma visita à Sra. Verdurin. Tinha até chegado a pronunciar seu nome por ocasião de uma visita de pêsames à Sra. Swann, após a morte do marido desta, e lhe perguntara se ela os conhecia. — Como diz? — retrucara Odette, com ar subitamente triste. — Verdurin. — Ah! Então sei — volvera ela desolada. — Não os conheço, ou melhor, conheço-os sem conhecer, são gente que vi outrora em casa de amigos, há muito tempo; são agradáveis. — Logo que a princesa de Caprarola partiu, Odette bem que desejaria ter dito simplesmente a verdade. Mas a mentira imediata era não o produto de seus cálculos, mas a revelação de seus temores, de seus desejos. Ela negava não o que seria hábil negar, mas o que desejaria fosse inexistente, mesmo que o interlocutor viesse a saber uma hora depois que de fato se tratava disso. Pouco depois readquiria a sua segurança e até chegava a ir ao encontro das perguntas, dizendo, para não parecer que as receava: — Mas como! A Sra. Verdurin? Conheci-a enormemente — com uma afetação de humildade, feito uma grande dama que conta que pegou o bonde. — Faz algum tempo, fala-se muito nos Verdurin — dizia a Sra. de Souvré. Odette, com um desdenhoso sorriso de duquesa, respondia: — Claro que sim; parece-me de fato que se fala muito neles. De tempos em tempos, há dessa gente nova chegando à sociedade — sem pensar que ela mesma era uma das mais novas. — A princesa de Caprarola jantou na casa deles — replicou a Sra. de Souvré. — Ah! — respondeu Odette, acentuando o seu sorriso. — Isto não me espanta. É sempre pela princesa de Caprarola que essas coisas principiam; e depois vai uma outra, a condessa Molé, por exemplo. — Dizendo isto, Odette afetava um profundo desdém pelas duas grandes damas que tinham o hábito de inaugurar os salões recém-abertos. No seu tom, sentia-se que isso queria dizer que tanto ela, Odette, como a Sra. de Souvré não se deixariam levar por uma coisa dessas.

Depois da confissão feita pela Sra. Verdurin acerca da inteligência da princesa de Caprarola, o segundo sinal de que os Verdurin tinham consciência do destino futuro era que (sem o ter formalmente pedido, é claro) agora vivamente desejavam que viesse jantar em sua casa em traje de recepção; agora, o Sr. Verdurin poderia ser saudado sem constrangimento pelo sobrinho, aquele que estava "em apuros".

Entre os que subiram para o meu vagão em Graincourt, encontrava-se Saniette, que antigamente fora expulso da casa dos Verdurin por seu primo Forcheville, porém retornara. Seus defeitos, do ponto de vista da vida mundana, eram outrora — apesar das qualidades superiores — um pouco do mesmo tipo dos de Cottard: timidez, desejo de agradar, esforços baldados para consegui-lo. Mas se a vida, fazendo com que Cottard se revestisse, se não em casa dos Verdurin (onde, pela sugestão que exercem sobre nós os minutos antigos, quando novamente nos achamos num ambiente habitual, permanecera um pouco o mesmo), ao menos em sua clínica, no seu serviço de hospital, na Academia de Medicina, de aparências de frieza, de desdém, de gravidade, que se acentuavam enquanto dizia seus trocadilhos diante dos alunos complacentes, cavara um verdadeiro abismo entre o Cottard atual e o antigo — esses mesmos defeitos, ao contrário, haviam se exagerado em Saniette, à medida que este procurava corrigi-los. Sentindo que era enfadonho muitas vezes, que não o escutavam, em vez de ir mais devagar como Cottard o teria feito, e forçar a atenção com seu ar de autoridade, não somente procurava, com ar brincalhão, fazer-se perdoar o tom excessivamente sério de sua conversa, mas também apressava a elocução, cortava, empregava abreviações para parecer menos longo, mais familiar com as coisas de que falava, e apenas conseguia, fazendo-as ininteligíveis, parecer interminável. Sua segurança não era como a de Cottard, que gelava seus doentes, os quais respondiam às pessoas que elogiavam a sua amenidade nos salões: — Não é mais o mesmo homem quando nos recebe em seu consultório, nós em plena luz, e ele na contraluz, o olhar penetrante. — A segurança de Saniette não se impunha, sentia-se que ocultava demasiada timidez, que bastaria um nada para pô-la em fuga. Saniette, a quem os amigos sempre diziam que desconfiava muito de si mesmo, e que de fato via pessoas (a quem julgava, com razão, bastante inferiores) obterem facilmente o sucesso que lhe era recusado, já não começava uma história sem sorrir do engraçado da mesma, com receio de que um ar de seriedade não valorizasse bastante a sua mercadoria. Às vezes, dando crédito à comicidade que ele próprio parecia achar no que ia dizer, faziam-lhe o favor de um silêncio geral. Mas a narrativa fracassava inteiramente. Um conviva dotado de bom coração deslizava por vezes a Saniette o estímulo privado, quase secreto, de um sorriso de aprovação, fazendo-o chegar furtivamente até ele, sem chamar atenção, como se deslizasse um bilhete. Mas ninguém ia ao ponto de assumir a responsabilidade, a arriscar a adesão pública de uma boa risada. Muito tempo depois de finda e liquidada a história, Saniette, desolado, ficava sorrindo sozinho consigo mesmo, como se ainda desfrutasse nela, e para si próprio, o deleite que fingia achar bastante e que os demais não haviam sentido. Quanto ao escultor Ski, assim chamado por causa da dificuldade que sentiam de pronunciar o seu nome polonês, e porque ele próprio afetava, desde que vivia numa certa sociedade, não querer ser confundido com parentes em muito boa posição social, mas um tanto aborrecidos e muito numerosos, tinha, aos quarenta e cinco anos e bastante feio, uma espécie de criancice, de fantasia sonhadora que conservara por ter sido, até os dez anos, o mais arrebatador menino-prodígio do mundo, coqueluche de todas as damas. A Sra. Verdurin afirmava que ele era mais artista que Elstir. Aliás, Ski não possuía com aquele senão semelhanças meramente externas. Bastaram para que Elstir, que certa vez se encontrara com Ski, sentisse por ele a profunda repulsa que nos inspiram, mais ainda que as criaturas inteiramente opostas a nós, aqueles que se nos assemelham para pior, nos quais se ostenta o que possuímos de menos bom, os defeitos de que nos curamos, lembrando-nos de modo deplorável o que poderíamos ter parecido a certas pessoas antes que nos tornássemos o que somos. Mas a Sra. Verdurin achava que Ski tinha mais temperamento que Elstir porque não havia nenhuma arte para a qual ele não tivesse facilidade, e estava convencida de que ele poderia erguer essa facilidade até o talento, caso fosse menos preguiçoso. E, para a Patroa, essa preguiça chegava a parecer um dom a mais, sendo o contrário do trabalho, que ela julgava o quinhão das criaturas sem gênio. Ski pintava tudo o que quisessem, sobre botões de punho ou bandeiras de portas. Cantava com voz de compositor, tocava de ouvido, dando no piano a impressão de orquestra, menos por seu virtuosismo do que pelos seus falsos baixos, que significavam a impotência dos dedos, para indicar que ali havia um pistão, que aliás imitava com a boca. Procurando as palavras ao falar, para fazer crer numa impressão curiosa, da mesma forma que retardava um acorde vibrado em seguida, dizendo: "Ping", para fazer sentir os cobres, passava por ser maravilhosamente inteligente, mas suas idéias na verdade se resumiam em duas ou três grandemente limitadas. Aborrecido com sua reputação de fantasista, metera na cabeça mostrar que era uma pessoa prática, positiva, de onde lhe provinha uma afetação triunfante de falsa precisão, de falso bom-senso, agravados por sua falta de memória e pelas informações sempre inexatas. Seus movimentos de cabeça, de pescoço, de pernas teriam sido graciosos se ele ainda tivesse nove anos, cachos louros, uma grande gola de rendas e botinhas de couro vermelho. Tendo os dois chegado à estação de Graincourt antes da hora, com Cottard e Brichot, tinham ido dar uma volta, deixando Brichot na sala de espera. Quando Cottard quisera retornar, Ski respondera: — Nada de pressa. Hoje não é o trem local que passa, é o departamental. — Encantado por ver o efeito que essa nuança de precisão produzia em Cottard, acrescentou, falando de si mesmo: — Sim, porque Ski ama as artes, modela o barro, julgam que ele não é prático. Ninguém conhece a linha melhor que eu. — Não obstante, tinham voltado para a gare, quando de repente, percebendo a fumacinha do trenzinho que chegava, Cottard, dando um berro, gritara: — Não temos mais que correr desabaladamente. — Com efeito, tinham chegado justo a tempo, pois a diferença entre o trem local e o trem departamental só existira na cabeça de Ski. — Mas será que a princesa não está no trem? — perguntou Brichot com voz vibrante. Suas enormes lunetas, resplendentes como os refletores que os laringologistas prendem à testa para iluminar a garganta dos pacientes, pareciam ter emprestado sua vida aos olhos do professor e, talvez devido ao esforço que este fazia para acomodar sua visão a elas, pareciam, ainda que nos mais insignificantes momentos, olhar por si mesmas com uma atenção contínua e uma extraordinária fixidez. A doença, aliás, tirando aos poucos a vista a Brichot, revelara-lhe as belezas deste sentido, como tantas vezes é necessário que nos decidamos a separar-nos de um objeto, dá-lo de presente por exemplo, para que o contemplemos, lastimemos, admiremos. — Não, não, a princesa foi acompanhar até Maineville alguns convidados que tomavam o trem para Paris. Nem mesmo seria impossível que a Sra. Verdurin, que tinha o que fazer em Saint-Mars, estivesse com ela! Assim, viajaria conosco e trilharíamos juntos o caminho, seria agradável. Trataremos de abrir o olho em Maineville, e bem! Ah! Não tem importância, pode-se dizer que quase perdemos a carruagem. Quando vi o trem, fiquei siderado. É o que se chama chegar no momento psicológico. Imaginem se tivéssemos perdido o trem. A Sra. Verdurin, vendo que os carros chegavam sem nós: *tableau*! — acrescentou o doutor, que ainda não se refizera do susto. — Eis uma aventura nada vulgar. Então, Brichot, que diz da nossa escapadela? — indagou o doutor com certo orgulho. — Palavra de honra — respondeu Brichot; — de fato, se você não tivesse achado o trem, teria sido, como diria o finado Villemain, um profundo golpe para o bando! — Mas eu, distraído desde os primeiros instantes por essa gente a quem não conhecia, lembrei-me de súbito do que Cottard me havia dito no salão de dança do pequeno cassino, e, como se um elo invisível pudesse reatar um órgão e as imagens da lembrança, a de Albertine, apoiando seus seios contra os de Andrée, causava-me uma dor terrível ao coração. Esse mal não durou muito; a idéia de eventuais relações entre Albertine e outras mulheres já não me parecia possível desde a antevéspera, quando as provocações que minha amiga fizera a Saint-Loup haviam excitado em mim um novo ciúme que fizera esquecer o primeiro. Eu tinha a ingenuidade das criaturas que julgam que um gosto obrigatoriamente exclui o outro. Em Arembouville, como o trem estivesse superlotado, entrou no nosso compartimento um granjeiro de macacão azul, que só possuía uma passagem de terceira. O doutor, achando que não se poderia deixar viajar a princesa em tal companhia, chamou um empregado, exibiu seu cartão de médico de uma grande companhia de estrada de ferro, e forçou o chefe da estação a mandar descer o granjeiro. Esta cena magoou tanto o bom coração e alarmou de tal modo a timidez de Saniette que, desde que a viu começar, temendo já, devido à quantidade de camponeses que se achavam na plataforma, que assumisse as proporções de uma insurreição popular, fingiu estar com dor de barriga e, para que não pudessem acusá-lo de ter sua parte de responsabilidade no ato de violência do doutor, enfiou pelo corredor pretextando encontrar o que Cottard denominava os *waters*. Não os achando, pôs-se a olhar a paisagem de outra extremidade do "tortinho". — Se são estas as suas estréias na casa da Sra. Verdurin, senhor — disse-me Brichot, que fazia questão de mostrar seus talentos a um "novato" —, verá que não existe ambiente onde melhor se sinta a "doçura de viver", como dizia um dos inventores do diletantismo, do que-me-importismo, de muitas palavras em "ismo" que estão na moda entre nossas *snobinettes*; quero referir-me ao senhor príncipe de Talleyrand. — Pois, quando falava desses grandes senhores do passado, achava espirituoso e "cor da época" fazer preceder seu título de príncipe, e dizia "senhor duque de La Rochefoucauld", "senhor cardeal de Retz", aos quais também chamava, de quando em vez: "Esse *struggle for lifer* de Gondi", "esse boulangista de Marcillac". E nunca deixava de chamar Montesquieu, com um sorriso, quando falava dele: "O senhor presidente Secondat de Montesquieu." Um mundano de espírito ficaria agastado com esse pedantismo que cheirava a escola. Mas, nas maneiras perfeitas de um mundano ao falar de um príncipe, existe igualmente um pedantismo que trai uma outra casta, aquela em que se faz preceder o nome de Guilherme de "o imperador" e no qual se fala na terceira pessoa a uma Alteza. — Ah, esse — prosseguiu Brichot, falando do "senhor príncipe de Talleyrand" —, é preciso saudá-lo de chapéu na mão. É um antepassado. — É um meio encantador — disse-me Cottard; — o senhor encontrará um pouco de tudo, pois a Sra. Verdurin não é exclusivista: sábios ilustres como Brichot, gente da alta nobreza, como, por exemplo, a princesa Sherbatoff, uma grande dama russa, amiga da grã-duquesa Eudoxie, e que só a visita mesmo às horas em que ninguém mais é recebido. — De fato, a grã-duquesa Eudoxie, embora não se incomodasse que a princesa Sherbatoff, que desde muito tempo não era mais recebida por ninguém, fosse à sua casa quando pudesse haver visitas, deixava-a vir somente bem cedinho, quando não tinha junto dela nenhum dos amigos aos quais teria sido tão desagradável encontrar a princesa, como constrangedor seria para esta. Como fazia três anos que, logo após ter deixado, feito uma manicura, a grã-duquesa, a Sra. Sherbatoff partia para a casa da Sra. Verdurin, que recém acabava de acordar, e não mais a largava, pode-se dizer que a fidelidade da princesa ultrapassava infinitamente até a de Brichot, entretanto tão assíduo a essas quartas-feiras, onde tinha o prazer de julgar-se, em Paris, uma espécie de Chateaubriand na Abbaye-aux-Bois, e onde, no campo, experimentava a ilusão de tornar-se o equivalente do que podia ser, na casa da Sra. du Châtelet, aquele a quem sempre chamava (com malícia e satisfação de letrado): "o Sr. de Voltaire".

Sua falta de relações permitira à princesa Sherbatoff mostrar aos Verdurin, desde alguns anos, uma fidelidade que fazia dela mais que uma "fiel" comum, a fiel típica, o ideal que a Sra. Verdurin por muito tempo julgara inacessível e que agora, na idade crítica, achava por fim encarnada nessa nova recruta feminina. Por mais que os ciúmes torturassem a Patroa, não havia exemplo de que os mais assíduos de seus fiéis não a tivessem "largado" alguma vez. Os mais caseiros se deixavam tentar por uma viagem; os mais castos tinham tido uma aventura; os mais robustos podiam apanhar uma gripe; os mais ociosos estar ocupados durante as vinte e quatro horas; os mais indiferentes ir fechar os olhos da mãe agonizante. E era debalde que a Sra. Verdurin lhes dizia então, como a imperatriz romana, que ela era o único general a quem sua legião deveria obedecer, ou, como o Cristo ou o Kaiser, que aquele que amava o pai e a mãe tanto quanto a ela própria, e não estava pronto para deixá-los e segui-la, não era digno dela, que, em vez de se exaurir no leito ou se deixar enganar por uma prostituta, fariam melhor em permanecer junto dela, remédio único e única volúpia. Porém, o destino, que às vezes se compraz em embelezar o fim das existências muito prolongadas, fizera com que a Sra. Verdurin encontrasse a princesa Sherbatoff. Brigada com a família, exilada de seu país, conhecendo apenas a baronesa Putbus e a grã-duquesa Eudoxie, a cujas residências, como não tivesse vontade de encontrar as amigas da primeira, e visto que a segunda não desejava que suas amigas encontrassem a princesa, ela só comparecia às horas matinais, quando a Sra. Verdurin ainda estava dormindo, não se recordando de ter ficado de cama uma única vez desde os doze anos, quando tivera rubéola, tendo respondido no dia 31 de dezembro à Sra. Verdurin, que, inquieta por estar sozinha, lhe perguntara se não podia ficar, para dormir de improviso, apesar da passagem do ano: — Mas o que é que poderia me impedir de ficar, seja qual for o dia? Além disso, nesse dia a gente fica em família, e vocês são a minha família —, vivendo numa pensão e mudando de pensão quando os Verdurin se mudavam, seguindo-os em seus veraneios, a princesa realizara tão admiravelmente, para a Sra. Verdurin, o verso de Vigny:

Toi seule me parus ce qu'on cherche toujours[38]

que a presidenta do pequeno círculo, desejosa de assegurar-se uma "fiel" até a morte, pedira-lhe que a que morresse por último se fizesse enterrar ao lado da outra. Diante de estranhos — entre os quais é preciso incluir sempre aquele a quem mais mentimos, porque é aquele por quem nos seria mais penoso ser desprezado: nós mesmos — a princesa Sherbatoff tinha o cuidado de representar suas três únicas amizades — com a grã-duquesa, com os Verdurin e com a baronesa Putbus — como as únicas, não devido a cataclismos independentes de sua vontade que as tivessem feito emergir em meio à destruição de tudo o mais, mas que uma livre escolha as fizera eleger de preferência a quaisquer outras, e às quais um certo gosto pela soli-

[38] "Só tu me apareceste o que se busca sempre." (N. do T.)

dão e pela simplicidade a levara a restringir-se. — Não vejo ninguém mais — dizia ela, insistindo no caráter inflexível daquilo que antes dava a impressão de uma regra que nos impomos do que de uma necessidade que sentimos. E acrescentava: — Só freqüento três casas — como esses autores que, receando não poder chegar até a quarta, anunciam que sua peça terá apenas três representações. Que o Sr. e a Sra. Verdurin acreditassem ou não nessa história, o fato é que tinham ajudado a princesa a inculcá-la no espírito dos fiéis. E estes estavam convencidos, a um tempo, que a princesa, entre as milhares de relações que a ela se ofereciam, havia escolhido tão somente os Verdurin, e que estes, em vão solicitados por toda a alta aristocracia, tinham consentido em abrir uma única exceção em favor da princesa.

A seus olhos, a princesa, muito superior a seu meio de origem para que nele não se aborrecesse, entre tantas pessoas a quem poderia freqüentar só achava agradáveis os Verdurin, e, reciprocamente, estes, surdos às tentativas de toda a aristocracia que a eles se ofertava, tinham consentido em fazer uma única exceção, em favor de uma dama mais inteligente que seus pares: a princesa Sherbatoff.

A princesa era muito rica; em todas as estréias ocupava uma grande frisa, onde, com a autorização da Sra. Verdurin, acolhia os fiéis e mais ninguém. Indicava-se aquela pessoa enigmática e pálida, que envelhecera sem embranquecer, e antes ruborizando-se como certos frutos duráveis e enrugados das sebes. Admirava-se, a um tempo, o seu poder e a sua humildade, pois, tendo sempre em sua companhia um acadêmico, Brichot, um sábio famoso, Cottard, o primeiro pianista da época e, mais tarde, o Sr. de Charlus, procurava no entanto, de propósito, reservar para si mesma a frisa mais obscura; ficava ao fundo, não se ocupava em nada do que acontecia na sala, vivia exclusivamente para o pequeno grupo, o qual, um pouco antes do fim da representação, se retirava seguindo essa estranha soberana, não destituída de uma beleza tímida, fascinante e gasta. Ora, se a Sra. Sherbatoff não contemplava a sala, permanecia na sombra, era para tentar esquecer que existia um mundo vivo que ela apaixonadamente desejava e que não podia conhecer; o "grupo" em uma "frisa" era, para ela, o mesmo que significa para certos animais a imobilidade quase cadavérica em presença do perigo. Todavia, o gosto pela novidade e a curiosidade que opera sobre as pessoas mundanas faziam com que estas prestassem talvez mais atenção a essa misteriosa desconhecida do que às celebridades dos primeiros camarotes, a quem todos iam visitar. Imaginava-se que fosse bem diversa das pessoas que conheciam, que uma inteligência maravilhosa, aliada a uma bondade divinatória, retinha a seu redor esse pequeno grupo de pessoas eminentes. A princesa era obrigada, se lhe falavam de alguém ou se lhe apresentavam alguém, a fingir uma grande frieza para sustentar a ficção de seu horror à sociedade. Contudo, com o apoio de Cottard ou da Sra. Verdurin, alguns novatos conseguiam conhecê-la, e era tanta a embriaguez da princesa em conhecer alguém da sociedade, que ela esquecia a fábula do isolamento voluntário e desdobrava-se em atenções pelo recém-chegado. Caso se tratasse de pessoa muito medíocre, todos se espantavam. — Como é estranho que a princesa, que não deseja conhecer ninguém, abra uma exceção para esse indivíduo tão insignificante! — Porém, tais conhecimentos fecundantes eram raros, e a princesa vivia estreitamente confinada ao ambiente dos fiéis.

Cottard dizia com muito mais freqüência: "Eu o verei quarta-feira na casa dos Verdurin", do que: "Eu o verei terça-feira na Academia." Também falava das quartas como de uma ocupação igualmente importante e inelutável. Por outro lado, era dessas pessoas pouco requisitadas que se impõem como um dever tão imperioso o atendimento a um convite, como se este fosse uma ordem, feito uma convocação militar ou judiciária. Seria preciso que o chamassem para uma visita muito importante, para que ele "largasse" os Verdurin às quartas, importância que, aliás, se ligava mais à qualidade do enfermo do que à gravidade da doença. Pois Cottard, embora boa pessoa, renunciava às doçuras de uma quarta-feira não por um operário que tivesse sofrido um ataque cardíaco, mas sim pela coriza de um ministro. Mesmo nesse caso, dizia à esposa: — Desculpe-me junto à Sra. Verdurin. Avise que chegarei atrasado. Bem que esta Excelência podia ter escolhido outro dia para ficar gripado. — Uma quarta-feira, tendo sua velha cozinheira cortado a veia do braço, Cottard, já de *smoking* para ir à casa dos Verdurin, tinha dado de ombros quando sua esposa lhe perguntara, timidamente, se ele não poderia pensar a ferida: — Mas não posso, Léontine — exclamara ele gemendo —,vês bem que estou de colete branco. — Para não impacientar o marido, a Sra. Cottard mandara buscar o mais rápido possível o chefe da clínica. Este, para ir mais depressa, tomara um carro, de modo que o seu, entrando no pátio no momento em que o de Cottard ia sair para levá-lo à casa dos Verdurin, perderam ambos cinco minutos em avançar e recuar. A Sra. Cottard estava constrangida de que o chefe da clínica visse o seu superior de *smoking.* Cottard blasfemava com o atraso, talvez por remorsos, e partiu com um humor detestável, e foram necessários todos os prazeres da quarta-feira para os dissipar.

Se um cliente de Cottard lhe perguntasse: — O senhor encontra às vezes os Guermantes? — era com a maior boa fé do mundo que o professor respondia: — Talvez não exatamente os Guermantes, não sei bem. Mas vejo toda essa gente em casa de amigos meus. Certamente ouviu falar dos

Verdurin. Eles conhecem todo mundo. E depois, pelo menos, não são grã-finos de meia-tigela. Têm peso. Em geral, avalia-se que a Sra. Verdurin tem uma fortuna de trinta e cinco milhões. Diabo! Trinta e cinco milhões já é alguma coisa! Assim, não é das que lambem a colher. O senhor me falava da duquesa de Guermantes. Vou lhe dizer a diferença: a Sra. Verdurin é uma grande dama; a duquesa de Guermantes provavelmente é uma finória. Percebe bem a nuança, não é? Em todo caso, que os Guermantes compareçam ou não à casa da Sra. Verdurin, ela recebe, o que vale mais, os d'Sherbatoff, os d'Forcheville, e *tutti quanti,* pessoas da mais alta classe, toda a nobreza da França e de Navarra, a quem o senhor me verá falar de igual para igual. Aliás, esse gênero de pessoas de bom grado procura os príncipes da ciência — acrescentava com um sorriso de amor-próprio beato, levado a seus lábios pela satisfação orgulhosa, não porque a expressão, outrora aplicada aos Potain, aos Charcot, se aplicasse a ele agora, mas porque enfim sabia empregar como convinha todas as que o uso autoriza e que, depois de as ter estudado por muito tempo, ele dominava a fundo. Assim, após me haver citado a princesa Sherbatoff entre as pessoas que a Sra. Verdurin recebia, Cottard acrescentou, piscando o olho: — Vê o tipo da casa, compreende o que quero dizer? — Com isso, queria significar o que existe de mais grã-fino. Ora, receber uma dama russa que só conhecia a grã-duquesa Eudoxie era pouco. Porém, mesmo que a princesa Sherbatoff não a conhecesse, nem por isso diminuiria a opinião de Cottard quanto à suprema elegância do salão Verdurin e à sua alegria de ser recebido ali. O esplendor de que nos parecem revestidas as pessoas que freqüentamos não é mais intrínseco do que o dessas personagens de teatro, para cujo vestuário é inútil que um diretor gaste centenas de milhares de francos na compra de roupas autênticas e de jóias verdadeiras que não produzirão efeito algum, quando um grande decorador dará uma impressão de luxo mil vezes mais suntuoso, ao dirigir um raio fictício sobre um gibão de pano grosseiro, semeado de tampinhas de vidro e sobre um manto de papel. Certo homem terá passado a sua vida no meio dos graúdos da terra, que para ele não eram mais que fastidiosos parentes, ou relações aborrecidas, porque um hábito, contraído desde o berço, os despojara a seus olhos de todo prestígio. Mas, em compensação, basta que esse prestígio venha, por algum acaso, acrescentar-se às pessoas mais obscuras, para que incontáveis Cottards tenham vivido ofuscados por mulheres tituladas, cujo salão imaginavam ser o centro de elegâncias aristocráticas, e que nem ao menos eram o que representavam a Sra. de Villeparisis e suas amigas (grandes damas decaídas que a aristocracia que fora educada com elas não mais freqüentava); não, essas, cuja amizade foi o orgulho de tantas pessoas, se essa gente publicasse suas Memórias e desse o nome de tais mulheres e das que elas recebiam, ninguém, tanto a Sra. de Cambremer como a Sra. de Guermantes, poderia identificá-las. Mas que importa! Um Cottard, assim, tem sua baronesa ou sua marquesa, que, para ele, é "a baronesa" ou "a marquesa", como, em Marivaux, a baronesa de quem nunca se diz o nome e da qual não se tem a mínima idéia de que alguma vez tivesse tido um. Cottard tanto mais julga encontrar aí resumida a aristocracia — a qual ignora essa dama — como, quanto mais duvidosos são os títulos, mais as coroas ocupam lugar nas taças, na prataria, no papel de cartas, nas malas. Numerosos Cottards, que acreditaram passar suas vidas no coração do *faubourg* Saint-Germain, tiveram talvez sua imaginação mais encantada de sonhos feudais do que os que efetivamente viveram entre príncipes, da mesma forma que, para o pequeno comerciante que aos domingos vai por vezes visitar edifícios "dos velhos tempos", é às vezes naqueles em que todas as pedras são da nossa época, e cujas abóbadas foram pintadas de azul e semeadas de estrelas de ouro pelos discípulos de Viollet-le-Duc, que mais tem a sensação de Idade Média. — A princesa estará em Maineville. Viajará conosco. Mas não o apresentarei a ela de imediato. Será preferível que a Sra. Verdurin o faça. A menos que eu encontre uma oportunidade. Pode estar certo de que então a agarrarei pelos cabelos. — De que estavam falando? — perguntou Saniette, que fingia ter ido tomar um pouco de ar. — Eu citava a este cavalheiro — disse Brichot — uma frase que o senhor conhece bem, daquele que, na minha opinião, é o primeiro dos *fins de século* (do século XVIII, bem entendido), o supracitado Charles-Maurice, abade de Périgord. Começara prometendo tornar-se um bom jornalista. Mas desencaminhou-se, quero dizer, fez-se ministro! A vida tem dessas desgraças. Político aliás pouco escrupuloso, que, com desdéns de grão-senhor de raça, não se constrangia em trabalhar em suas horas pelo rei da Prússia, é o caso de se dizer, e morreu na pele de um centro-esquerda.

Em Saint-Pierre-des-Ifs subiu uma jovem esplêndida que, infelizmente, não fazia parte do pequeno grupo. Eu não podia desviar os olhos de sua carne de magnólia, de seus olhos pretos, da alta e admirável construção de suas formas. Passado um instante, ela quis abrir uma janela, pois fazia calor no compartimento, e, não desejando pedir licença a todos, como só eu não estivesse de capa, disse-me com voz rápida, fresca e risonha: — Não lhe incomoda o ar, cavalheiro? — Desejaria dizer-lhe: — Venha conosco à casa dos Verdurin —, ou: — Diga-me seu nome e seu endereço. — Respondi: — Não, o ar não me incomoda, senhorita. — E em seguida, sem se mover do lugar: — O fumo não incomoda seus amigos? — e acendeu um cigarro. Na terceira estação, ela desceu de um salto. No dia seguinte, perguntei a

Albertine quem poderia ser. Pois, estupidamente, julgando que só se pode amar a uma coisa, enciumado com a atitude de Albertine a respeito de Robert, sentia-me seguro quanto às mulheres. Albertine me disse, creio que sinceramente, que não sabia. — Gostaria tanto de tornar a vê-la! — exclamei. — Sossegue, a gente se encontra sempre de novo — observou Albertine. Nesse caso particular, ela se enganava; jamais voltei a ver nem a identificar a linda jovem do cigarro. De resto, veremos porque, durante muito tempo, tive de deixar de procurá-la. Mas não a esqueci. Muitas vezes me ocorre, ao pensar nela, ser tomado de um desejo louco. Mas esses retornos do desejo obrigam-nos a refletir que, se quiséssemos reencontrar essas moças com o mesmo prazer, seria também necessário regressar ao ano que depois foi seguido por dez outros durante os quais a moça perdeu o frescor. Às vezes, pode-se encontrar uma criatura, mas não abolir o tempo. Tudo isso até o dia, triste e imprevisto como uma noite de inverno, em que já não procuramos aquela moça, nem qualquer outra, e em que encontrá-la chegaria a assustar-nos. Pois já não sentimos atrativos suficientes para agradar, nem forças para amar. Não, é claro, que a gente esteja, no sentido próprio do termo, impotente. E, quanto a amar, amaríamos mais que nunca. Mas sentimos que se trata de uma empreitada demasiado grande para o pouco de forças que nos resta. O repouso eterno já dispôs intervalos em que não se pode sair nem falar. Pôr o pé no degrau devido é uma vitória, como não falhar no salto mortal. Ser visto nesse estado por uma mocinha a quem amamos, mesmo que tenhamos conservado o rosto e os cabelos louros de rapaz! Já não podemos nos arriscar ao cansaço de acompanhar o passo da juventude. Tanto pior se o desejo carnal reduplica ao invés de se amortecer! Trazem-nos então uma mulher a quem não nos preocupamos em agradar, que só por uma noite partilhará o nosso leito e que nunca mais veremos.

— Devem continuar não tendo notícias do violinista — disse Cottard. De fato, o acontecimento do dia no pequeno clã era o "sumiço" do violinista predileto da Sra. Verdurin. Prestando serviço militar perto de Doncières, ele vinha três vezes por semana jantar em La Raspelière, pois tinha licença noturna. Ora, na antevéspera, pela primeira vez os fiéis não tinham conseguido descobri-lo no trem. Supusera-se que havia faltado. Mas embora a Sra. Verdurin tivesse mandado esperar o trem seguinte, e por fim o último, o carro voltara vazio. — Certamente, ele está preso, não há outra explicação para a sua fuga. Ah, diabos! Vocês sabem, no serviço militar, com esses rapazes, basta um sargento ranzinza. — Será tanto mais mortificante para a Sra. Verdurin — disse Brichot — se ele "some" ainda esta noite, quando nossa amável anfitriã recebe para jantar, justamente pela primeira vez, os vizinhos que alugaram La Raspelière, o marquês e a marquesa de

Cambremer. — Esta noite, o marquês e a marquesa de Cambremer! — gritou Cottard. — Mas eu não sabia absolutamente nada. Naturalmente sabia, como todos vocês, que eles deveriam vir um dia, mas não imaginava que estivesse tão próximo. Diabos! — disse ele, voltando-se para mim: — que foi que lhe disse: a princesa Sherbatoff, o marquês e a marquesa de Cambremer. — E depois de ter repetido esses nomes, embalando-se com sua melodia: — Bem vê que atiramos bem. Não importa — disse ele —, para quem está começando, o senhor acerta em cheio. Vai ser um espetáculo brilhante. — E, voltando-se para Brichot, acrescentou: — A Patroa deve estar furiosa. Já é hora de chegarmos para lhe dar auxílio. — Desde que a Sra. Verdurin estava na Raspelière, afetava, diante dos fiéis, estar de fato na obrigação e no desespero de convidar uma vez os seus proprietários. Assim, dizia, teria melhores condições para o ano seguinte, e não o fazia senão por interesse. Mas pretendia ter tamanho horror, achar uma tal monstruosidade um jantar com pessoas que não fossem do pequeno grupo, que o adiava sempre. Aliás, se o jantar a assustava um pouco pelos motivos que ela proclamava, exagerando-os, por outro lado, encantava-a por razões de esnobismo que ela preferia calar. Portanto, era meio sincera, julgava o pequeno clã como algo de tão único no mundo, um desses conjuntos que levam séculos para que se constitua outro idêntico, que tremia à idéia de ver nele introduzidas essas pessoas provincianas, que ignoravam a Tetralogia e os *Mestres,* que não saberiam sustentar sua parte no concerto da conversação geral e eram capazes, comparecendo à casa da Sra. Verdurin, de destruir uma das famosas quartas-feiras, obras-primas incomparáveis e frágeis, semelhantes aos cristais de Veneza que uma nota desafinada basta para quebrar. — Além disso, devem ser o que há de mais *anti* e militaristas — dissera o Sr. Verdurin. Ah, isso, por exemplo, pouco me importa, já faz muito tempo que falam nessa história — respondera a Sra. Verdurin, que, sinceramente dreyfusista, desejaria no entanto encontrar, na preponderância de seu salão dreyfusista, uma recompensa mundana. Ora, o dreyfusismo triunfava politicamente, mas não entre os mundanos. Labori, Reinach, Picquart e Zola continuavam sendo, para a gente mundana, uns traidores que só podiam afastá-los do pequeno núcleo. Assim, depois dessa incursão na política, a Sra. Verdurin fazia questão de regressar à arte. Aliás, d'Indy e Debussy não estavam "mal" no Caso Dreyfus? — No que tange ao Caso, não teríamos mais que colocá-los junto de Brichot — disse ela, pois o universitário era o único dos fiéis que tomara o partido do Estado-Maior, o que o fizera baixar muito na estima da Sra. Verdurin. — Não se é obrigado a falar eternamente do Caso Dreyfus. Não, a verdade é que os Cambremer me aborrecem. — Quanto aos fiéis, tão excitados pelo desejo inconfesso que tinham de conhecer os Cambremer como iludidos pelo aborrecimento afetado que a Sra. Verdurin dizia sentir em recebê-los, retomavam todos os dias, conversando com ela, os frágeis argumentos que ela própria invocava em favor desse convite, buscavam torná-los irresistíveis. — Decida-se de uma vez — repetia Cottard —, e terá as concessões quanto ao aluguel, eles é que pagarão o jardineiro, e os senhores poderão utilizar-se do prado. Tudo isso bem vale a pena de aborrecer-se por uma noite. Só falo disso no seu interesse — acrescentava, conquanto o coração lhe palpitasse uma vez, quando, no carro da Sra. Verdurin, havia cruzado com o da velha Sra. de Cambremer na estrada, e sobretudo ao ser humilhado pelos empregados da estrada de ferro, quando se encontrava perto do marquês, na estação. Por seu turno, os Cambremer, vivendo realmente muito longe do movimento mundano para poderem sequer suspeitar que certas mulheres elegantes falavam da Sra. Verdurin com alguma consideração, imaginavam que esta era uma pessoa que só podia conhecer boêmios, não era nem mesmo legitimamente casada, e que, no tocante a pessoas "bem nascidas", não veria nunca senão a eles, Cambremer. Resignavam-se a jantar na casa dela, apenas para estarem em bons termos com uma locatária cujo retorno esperavam por numerosas temporadas, sobretudo desde que tinham sabido, no mês anterior, que ela havia acabado de herdar tantos milhões. Era em silêncio e sem gracejos de mau gosto que eles se preparavam para o dia fatal. Os fiéis já não esperavam que eles comparecessem algum dia, pois a Sra. Verdurin tantas vezes fixara, diante deles, a data sempre mudada. Essas falsas resoluções objetivavam não só fazer ostentação do tédio que lhe provocava esse jantar, como também manter em suspense os membros do pequeno grupo que residiam nas vizinhanças e eram às vezes tentados a abandoná-la. Não que a Patroa adivinhasse que o "grande dia" lhes era tão agradável quanto a si própria, mas porque, tendo-os persuadido que tal jantar era para ela a mais terrível das maçadas, podia apelar para o seu devotamento. — Vocês não vão me deixar sozinha frente a frente com esses chineses! Pelo contrário, é preciso que sejamos em grande número para suportar o tédio. Naturalmente, não poderemos falar coisa alguma sobre o que nos interessa. Que querem, será uma quarta-feira malograda!

— Com efeito — respondeu Brichot, dirigindo-se a mim —, creio que a Sra. Verdurin, que é muito inteligente e põe muita coqueteria na organização de suas quartas, não fazia questão de receber esses fidalgotes de grande linhagem mas sem espírito. Não pôde resolver-se a convidar a velha marquesa, mas resignou-se ao filho e à nora. — Ah, veremos a marquesa de Cambremer? — indagou Cottard com um sorriso em que julgou dever pôr um tanto de lascívia e afetação, embora ignorasse se a Sra. de

Cambremer era bonita ou não. Mas o título de marquesa lhe despertava imagens prestigiosas e galantes. — Ah! conheço-a — informou Ski, que a encontrara uma vez quando passeava com a Sra. Verdurin. — Não a conhece no sentido bíblico? — perguntou o doutor, deslizando um olhar ambíguo por baixo do seu *lorgnon,* pois esse era um de seus gracejos favoritos. — Ela é inteligente — disse-me Ski. — Naturalmente — continuou, vendo que eu ficava calado e acentuando, a sorrir, cada palavra —, ela é e não é inteligente; falta-lhe instrução, é frívola, mas tem o instinto das coisas belas. Ficará calada, mas jamais dirá uma asneira. E, além disso, possui uma linda coloração. Seria divertido pintar o seu retrato — acrescentou, entrecerrando os olhos como se a estivesse contemplando a posar diante dele. Como eu pensava exatamente o contrário daquilo que Ski exprimia com tantas nuanças, contentei-me em dizer que ela era a irmã de um engenheiro muito distinto, o Sr. Legrandin. — Pois bem, como vê, será apresentado a uma bela mulher — disse-me Brichot — e nunca se sabe o que pode resultar daí. Cleópatra não era sequer uma grande dama, era a mulherzinha, a mulherzinha inconsciente e terrível do nosso Meilhac, e veja as conseqüências, não só para aquele palerma do Marco Antônio, mas também para o mundo antigo. — Já fui apresentado à Sra. de Cambremer — respondi. — Ah! Mas então vai se achar em terreno conhecido. — E tanto mais satisfeito ficarei em vê-la, pois ela me prometeu uma obra do antigo cura de Combray sobre todos os lugares desta região — respondi —, e vou poder lembrar-lhe sua promessa. Interesso-me por esse padre e também pelas etimologias. — Não confie muito nas que ele indica — observou Brichot; — a obra, de que existe um exemplar em La Raspelière, e que me diverti em folhear, nada me diz que valha a pena; está repleta de erros. Vou lhe dar um exemplo. A palavra *bricq* entra na formação de uma grande quantidade de nomes de lugares das nossas redondezas. O bom eclesiástico teve a idéia, mais ou menos extravagante, de que ela provém de *briga*, altura, lugar fortificado. Ele a vê já nas povoações célticas, Latobriges, Nemetobriges, etc., e a segue até em nomes como Briand, Brion, etc. Para voltar à região que temos o prazer de atravessar neste momento com o senhor, Bricquebosc significaria o bosque da altitude; Bricqueville, a habitação da altura; Bricquebec, onde vamos parar em breve antes de chegar a Maineville, a altura perto do regato. Ora, não se trata absolutamente disso, pela razão de que *bricq* é a velha palavra norueguesa que significa simplesmente *ponte.* Assim também como *fleur,* que o protegido da Sra. de Cambremer se dá um trabalho infinito para ligar ora às palavras escandinavas *floi*, *flo*, ora aos termos irlandeses *ae* e *aer,* é, pelo contrário, sem dúvida nenhuma, o *fiord* dos dinamarqueses e significa *porto*. Da mesma forma, o excelente padre julga que a estação de Saint-Martin-le-Vêtu, vizinha a La Raspelière, significa Saint-Martin-le-Vieux (*vetos*). É certo que o vocábulo *vieux* desempenhou grande papel na toponímia desta região. Em geral, *vieux* procede de *vadum* e significa um vau, como no lugar chamado os *Vieux*. É o que os anglos chamavam *ford* (Oxford, Hereford). Mas, no caso particular, *vieux* provém não de *vetus*, mas de *vastatus*, lugar devastado e nu. Perto daqui, os senhores têm Sottevast, o *vast* de Setold, Brillevast, o *vast* de Berold. Tenho tanto mais certeza do erro do cura, pois antigamente Saint-Martin-le-Vieux se chamava Saint-Martin-du-Gast e até Saint-Martin-de-Terregate. Ora, o *v* e o *g* nessas palavras são a mesma letra. Diz-se devastar, mas também desgastar. *Jachères* e *gâtines* (do alto alemão *wastinna*) têm esse mesmo sentido. Terregate, portanto, é *terra vasta*. Quanto a Saint-Mars, outrora (*honni soit qui mal y pense*!) Saint-Merd, é Saint-Medardus, que ora é Saint-Médard, Saint-Mard, Saint-Marc, Cinq-Mars e até Dammas. Aliás, não convém esquecer que, bem perto daqui, lugares que trazem este mesmo nome de Mars atestam simplesmente uma origem pagã (o deus Marte) que permanece viva nesta região, mas que o santo homem se recusa a reconhecer. As colinas dedicadas aos deuses são especialmente bem numerosas, como a montanha de Júpiter (Jeumont). O seu cura não quer ver nada disso e, em compensação, por toda parte onde o cristianismo deixou vestígios, estes lhe escapam. Prolongou sua viagem até Loctudy, nome bárbaro, segundo ele, ao passo que se trata de *Locus sancti Tudeni,* e também não adivinhou, em Sammarcoles, *Sanctus Martialis*. O seu cura — continuou Brichot, vendo que eu estava interessado — faz provir as palavras terminadas em *hon*, *honre*, *holm* do termo *holl* (*hollus*), colina, ao passo que elas provêm do norueguês *holm,* ilha, que o senhor bem conhece em Estocolmo, e que se espalhou em toda esta região: Houlme, Engohomme, Tahoume, Robehomme, Néhomme, Quettehou, etc. — Esses nomes me fizeram pensar no dia em que Albertine quisera ir a Amfreville-la-Bigot (do nome dos deuses de seus senhores sucessivos, me disse Brichot), e onde ela a seguir me propusera jantarmos juntos em Robehomme. Quanto a Montmartin, íamos passar por ela dentro de alguns instantes. — Néhomme não fica perto de Carquethuit e de Clitourps? — perguntei. — Perfeitamente. Néhomme é o *holm*, a ilha ou península do famoso visconde Nigel, cujo nome permaneceu igualmente em Néville. Carquethuit e Clitourps, de que o senhor fala, são, para o protegido da Sra. de Cambremer, ocasião de cometer outros erros. Sem dúvida, ele vê muito bem que *carque* é uma igreja, a *Kirsche* dos alemães. O senhor conhece Querqueville, Carquebut, para não falar em Dunquerque. Pois então seria preferível que parássemos nesta famosa palavra *dun*, que para os celtas significava uma elevação. E isso o senhor há de encontrar em toda a França. Seu abade se hipnotiza diante de Duneville. Mas no Eure-et-Loir teria encontrado Châteaudun; Dun-le-Roi, no Cher; Duneau, no Sarthe; Dun, no Ariège; Dune-les-Places, na Nièvre, etc., etc.. Este *dun* fá-lo cometer um erro curioso no que concerne a Douville, onde desceremos e onde nos esperam os carros confortáveis da Sra. Verdurin. Douville, em latim *donvilla*, diz ele. De fato, Douville está ao sopé de grandes elevações. O seu cura, que sabe tudo, ainda assim percebe que cometeu um engano. Com efeito, leu, num antigo livro de registros, *Domvilla*. Então ele se retrata; Douville, segundo ele, é um feudo do abade, *domino abbati*, do monte Saint-Michel. Com isso, regozija-se, o que é bem estranho quando se pensa na vida escandalosa que, desde o capitulário de Saint-Clair-sur-Epte, levavam no monte Saint-Michel, e que não seria mais extraordinário do que ver o rei da Dinamarca suserano de todo este litoral, onde ele mandava celebrar muito mais o culto de Odin do que o do Cristo. Por outro lado, a suposição de que o *n* foi mudado para *u* não me choca e exige menos alteração do que o muito correto Lyon, que também deriva de *dun* (*Lugdunum*). Mas enfim, o abade se engana. Douville nunca foi Donville, e sim Doville, *Eudonis Villa*, a aldeia de Eudes. Douville se chamava antigamente Escalecliff, a escada da vertente. Por volta de 1233, Eudes le Bouteiller, senhor de Escalecliff, partiu para a Terra Santa; no momento da partida, mandou entregar à Igreja a abadia de Blanchelande. Troca de belos gestos: a aldeia tomou o seu nome, de onde atualmente Douville. Mas acrescento que a toponímia, em que aliás sou bastante ignaro, não é uma ciência exata; se não tivéssemos esse testemunho histórico, Douville poderia muito bem provir de Ouville, ou seja, as Águas. As formas em *ai* (Aigues-Mortes), de *aqua*, mudam-se amiúde em *eu*, em *ou*. Ora, bem perto de Douville havia águas renomadas. Imagine então como estaria contente o cura por encontrar ali algum traço cristão, ainda que essa região pareça ter sido bastante difícil para evangelizar, visto que foi necessário que insistissem nela, sucessivamente, Santo Ursal, São Gofroi, São Barsanore, São Laurent de Brévedent, o qual por fim passou o encargo para os monges de Beaubec. Porém quanto a *tuit*, o autor se engana; vê aí uma forma de *toft,* cabana, como em Criquetot, Ectot, Yvetot, ao passo que se trata de *thveit,* roçado, arroteamento, como em Braquetuit, Le Thuit, Regnetuit, etc. Da mesma forma, se ele reconhece em Clitourps o *thorp* normando, que significa aldeia, quer que a primeira parte do nome derive de *clivus*, vertente, quando na realidade provém de *cliff*, rochedo. Mas seus erros mais grosseiros decorrem menos de sua ignorância do que de seus preconceitos. Por bom francês que a gente seja, devemos negar a evidência e tomar Saint-Laurent-en-Bray pelo sacerdote romano tão conhecido, quando se trata de São Lourenço O'Toole, arcebispo de Dublin? Porém, mais que o sentimento patriótico, o preconceito religioso do seu amigo fá-lo cometer graves deslizes. Assim, o senhor tem, não longe dos nossos anfitriões de La Raspelière, dois Montmartin, Montmartin-sur-Mer e Montmartin-en-Graignes. Quanto a Graignes, o bom cura não cometeu erro, viu perfeitamente que Graignes, em latim *grania*, em grego *crene,* significa charco, pântano; quantos Cresmays, Croen, Grenneville, Lengronne não se poderiam citar? Mas, quanto a Montmartin, o seu pretenso lingüista quer absolutamente que se trate de paróquias dedicadas a São Martinho. Fundamenta-se em que o santo é o padroeiro da cidade, mas não se dá conta de que só posteriormente foi tomado como tal; ou melhor, está cego por seu ódio ao paganismo; não quer ver que se teria dito Mont-Saint-Martin como se diz Mont-Saint-Michel, se se tratasse de São Martinho, ao passo que o nome de Montmartin se aplica de modo bem mais pagão a templos consagrados ao deus Marte, templos dos quais, é verdade, não possuímos outros vestígios, mas que a inconteste presença da vizinhança de vastos acampamentos romanos tornaria mais verossímeis, mesmo sem o nome de Montmartin, que elimina qualquer dúvida. O senhor vê que o livrinho que vai encontrar em La Raspelière não é dos mais bem-feitos. — Objetei que, em Combray, o cura nos ensinara com freqüência etimologias interessantes. — Provavelmente, estava mais seguro em seu terreno, a viagem à Normandia o terá desambientado. — E não o terá curado — acrescentei —, pois chegara neurastênico e partiu com reumatismo. — Ah! É culpa da neurastenia. Ele caiu da neurastenia na filologia, como teria dito meu bom mestre Poquelin. Diga então, Cottard, acha que a neurastenia possa ter uma influência nefasta sobre a filologia, a filologia uma influência calmante sobre a neurastenia, e a cura da neurastenia conduzir ao reumatismo? — Perfeitamente, o reumatismo e a neurastenia são duas formas vicariantes do neurartritismo. Pode-se passar de um a outra por metástase. — O eminente professor — disse Brichot — exprime-se, Deus me perdoe, num francês tão mesclado de latim e de grego como o poderia ter feito o próprio Sr. Purgon, de molieresca memória![39] Quanto a mim, meu tio, quero dizer nosso Sarcey nacional... — Porém não pôde terminar sua frase. O professor acabava de ter um sobressalto e dar um berro: — Caramba! — exclamou, passando enfim à linguagem articulada — Já passamos por Maineville (hê! hê!) e até por Renneville. — Acabava de verificar que o trem parava em Saint-Mars-le-Vieux, onde quase todos os passageiros desciam. — No entanto, eles não devem ter queimado a parada. Não prestamos atenção, fa-

[39] Alusão ao médico de Argan, em *O Doente Imaginário,* de Molière. (N. do T.)

lando nos Cambremer. — Escute, Ski, olhe, vou lhe dizer "uma boa coisa" — disse Cottard, que se agradara dessa expressão utilizada em certos ambientes médicos. — A princesa deve estar no trem; não nos terá visto e deve ter subido para outro compartimento. Vamos à sua procura. Contanto que tudo isso não vá trazer encrenca! — E levou todos nós em busca da princesa Sherbatoff. Encontrou-a no canto de um vagão vazio, lendo *La Revue des Deux-Mondes*. Com receio de respostas grosseiras, adquirira há muitos anos o hábito de manter-se em seu lugar, ficar no seu cantinho, na vida como no trem, e de esperar para estender a mão a quem a cumprimentasse. Continuou a ler quando os fiéis entraram no vagão. Reconheci-a logo; essa mulher, que podia ter perdido sua posição social, mas nem por isso deixava de ser de elevado nascimento, que em todo caso era a pérola de um salão como o dos Verdurin, era a dama que, no mesmo trem, eu julgara na antevéspera poder ser uma dona de bordel. Sua personalidade social tão incerta imediatamente se me tornou clara quando soube o seu nome, como quando, após ter sofrido sobre uma adivinhação, descobre-se enfim a palavra que torna evidente tudo o que permanecia obscuro e que, para as pessoas, é o nome. Saber, dois dias após, que ela era a pessoa a cujo lado viajamos de trem, sem ter conseguido descobrir o seu nível social, é uma surpresa muito mais divertida do que ler na edição seguinte de uma revista a palavra-chave do enigma proposto no número anterior. Os grandes restaurantes, os cassinos, os "tortinhos" são o museu das famílias desses enigmas sociais. — Princesa, nós a perdemos em Maineville! Permite que tomemos lugar em seu compartimento? — Mas como não?— disse a princesa, que, ouvindo Cottard falar-lhe, só então ergueu da revista os olhos, que, como os do Sr. de Charlus, embora mais suaves, viam muito bem as pessoas de cuja presença ela parecia não tomar conhecimento. Cottard, pensando que o fato de ter sido convidado com os Cambremer, era para mim uma recomendação suficiente, ao fim de um instante tomou a decisão de me apresentar à princesa; esta se inclinou com extrema polidez, mas parecia pela primeira vez ouvir meu nome. — Diabo! — exclamou Cottard. — Minha mulher se esqueceu de trocar os botões do meu colete branco. Ah, as mulheres! Nunca pensam em nada. Jamais se case, está vendo? — disse-me ele. E, como este era um dos gracejos que julgava convenientes quando não se tinha o que dizer, olhou a princesa e os demais fiéis com o rabo do olho; estes, porque ele era professor e acadêmico, sorriram, admirando o seu bom humor e sua ausência de pose. A princesa nos informou que o jovem violinista já fora encontrado. Ficara de cama na véspera por causa de uma enxaqueca, mas compareceria à noite e levaria consigo um velho amigo de seu pai, que havia encontrado em Doncières. A princesa ficara sabendo da nova pela Sra. Verdurin, com quem almoçara de manhã. — Disse-nos ela com uma voz breve, onde o rolar dos rr do acento russo era suavemente engrolado no fundo da garganta, como se fossem ll e não rr. — Ah, a senhora almoçou com ela esta manhã — disse Cottard à princesa, mas olhando para mim, pois essas palavras tinham por finalidade mostrar o quanto a princesa era íntima da Patroa. — A princesa, sim, é que é uma fiel! — Sim, gosto desse pequeno *cílculo,* inteligente, *agladável,* nada mau, muito simples, nada esnobe, e onde se tem *espílito* até a ponta das unhas. — Droga! Devo ter perdido a minha passagem, não a encontro — exclamou Cottard, aliás sem se inquietar além da medida. Sabia que em Douville, onde dois landôs iam esperar-nos, o empregado o deixaria passar e nem por isso o cumprimentaria menos rasgadamente, a fim de dar, com tal saudação, a explicação de sua indulgência, a saber, que ele reconhecera perfeitamente em Cottard um *habitué* dos Verdurin. — Não me levarão até a polícia por causa disso — concluiu o doutor. — O senhor dizia haver perto daqui umas águas famosas? — perguntei a Brichot. — Como é que se sabe? — O nome da próxima estação o atesta, entre muitos outros testemunhos. Ela se chama Fervaches. — Não *compleendo* bem o que ele *quel dizel* — engrolou a princesa num tom em que me teria dito, por gentileza: — Ele nos incomoda, não é mesmo? — Mas, princesa, Fervaches quer dizer águas ferventes, *fervida aquae*... Mas, a propósito do jovem violinista — continuou Brichot —, eu me esquecia de lhe dizer a grande novidade, Cottard. Sabia que o nosso pobre amigo Dechambre, o antigo pianista favorito da Sra. Verdurin, acaba de morrer? É terrível. — Ele ainda era jovem — respondeu Cottard —, mas devia cuidar do fígado, devia estar com alguma porcaria ali, andava com uma cara horrível faz algum tempo. — Mas não era assim tão jovem — disse Brichot. — No tempo em que Elstir e Swann iam à casa da Sra. Verdurin, Dechambre já era uma notoriedade parisiense, e, o que é espantoso, sem ter recebido no estrangeiro o batismo do sucesso. Ah! Ele não era um adepto do Evangelho segundo são Barnum.[40] — Mas o senhor está confundindo, ele não podia ir à casa da Sra. Verdurin naquela ocasião, pois ainda andava de fraldas. — Mas, a menos que minha velha memória seja infiel, parece-me que Dechambre tocava a Sonata de Vinteuil para Swann, quando esse *clubman*, de relações cortadas com a aristocracia, ainda não imaginava que viria a ser o príncipe consorte aburguesado da nossa Odette nacional. — É impossível, a Sonata de Vinteuil foi tocada na casa da Sra. Verdurin muito

[40] Alusão a P. T. Barnum, charlatão americano, dono de um circo muito famoso. (N. do T.)

tempo depois que Swann deixara de comparecer a ela — disse o doutor, que, como as pessoas que trabalham muito e julgam dever reter várias coisas que imaginam lhes serão úteis, esquecem muitas outras, o que lhes permite se extasiarem diante da memória de pessoas que nada têm para fazer. — O senhor está prejudicando suas relações, mas no entanto não tem o miolo mole — disse o doutor sorrindo. Brichot convenceu-se de que estava errado. O trem parou. Estávamos na Sogne. Este nome intrigava-me. — Como gostaria de saber o que significavam todos esses nomes — disse eu a Cottard. — Ora, pergunte a Brichot, ele talvez saiba. — Mas a Sogne é a Cegonha, *Siconia* — respondeu Brichot, a quem eu ardia por fazer perguntas acerca de muitos outros nomes.

Esquecendo-se de que fazia questão do seu "canto", a Sra. Sherbatoff ofereceu-me amavelmente trocar de lugar comigo para que eu pudesse conversar melhor com Brichot, a quem desejava indagar sobre outras etimologias que me interessavam, e assegurou ser-lhe indiferente viajar na frente, atrás, de pé, etc. Permanecia na defensiva enquanto ignorava as intenções dos recém-chegados, mas, quando reconheceu que eles eram amáveis, buscou de todas as formas agradar a cada um. Por fim o trem parou na estação de Douville-Féterne, que, estando situada mais ou menos à mesma distância das aldeias de Féterne e de Douville, trazia seus dois nomes devido a essa particularidade. — Caramba! — exclamou o doutor Cottard, quando chegamos à barreira onde nos tomavam as passagens e mal fingindo só então perceber a coisa. — Não consigo encontrar o meu tíquete, devo tê-lo perdido. — Mas o empregado, tirando o seu casquete, garantiu que aquilo não tinha importância e sorriu respeitosamente. A princesa (dando explicações ao cocheiro, como o faria uma espécie de dama de honra da Sra. Verdurin, a qual, por causa dos Cambremer, não pudera comparecer à gare, o que aliás era raro que fizesse) levou-me consigo para um dos carros, assim como a Brichot. Para o outro subiram o doutor, Saniette e Ski.

O cocheiro, embora muito jovem, era o principal cocheiro dos Verdurin, o único a ter verdadeiramente o título de cocheiro; levava-os a todos os passeios de dia, pois conhecia todos os caminhos, e de noite ia buscar e trazer de volta os fiéis. Era acompanhado por cocheiros extras (que ele próprio escolhia) para caso de necessidade. Era um rapaz excelente, sóbrio e despachado, mas com um desses rostos melancólicos em que o olhar muito fixo mostrava que por uma ninharia punha-se bilioso e até mesmo com idéias negras. Mas, naquele momento, sentia-se muito feliz, pois conseguira colocar o irmão, outro excelente modelo de homem, na casa dos Verdurin. Primeiro atravessamos Douville. Pequenos outeiros relvados desciam até o mar em amplas pastagens, às quais a saturação da umidade e o sal davam uma espessura, uma suavidade, uma viveza de tons extremos. As ilhotas e chanfraduras de Rivebelle, muito mais aproximadas aqui do que em Balbec, davam a essa parte do mar o aspecto, novo para mim, de um plano em relevo. Passamos por pequenos chalés, quase todos alugados por pintores; tomamos por uma vereda onde vacas, em liberdade, tão assustadiças como nossos cavalos, nos barraram a passagem por dez minutos, e nos metemos pela estrada. — Mas em nome dos céus — disse Brichot de repente —, voltemos ao pobre Dechambre; acham que a Sra. Verdurin sabe? Por acaso lhe disseram? — A Sra. Verdurin, como quase todas as pessoas da sociedade, justamente porque necessitava da sociedade dos outros, não pensava mais nelas nem um só dia depois de mortas, pois não mais podiam comparecer às quartas, nem aos sábados, nem jantar de chambre. E não se podia dizer do pequeno clã, que nisso era a imagem de todos os salões, que se compunha mais de mortos que de vivos, visto que, desde que alguém morria, era como se nunca houvesse existido. Mas, para evitar o aborrecimento de ter de falar dos defuntos, e até de suspender os jantares devido a um luto, coisa impossível para a Patroa, o Sr. Verdurin fingia que a morte dos fiéis afetava de tal modo a esposa que, no interesse de sua saúde, não convinha falar nisso. Além disso, e talvez justamente porque a morte dos outros lhe parecia um acidente tão vulgar e definitivo, a idéia de sua própria morte lhe causava horror e ela evitava toda reflexão que pudesse relacionar-se com isto. Quanto a Brichot, como era um homem excelente, e perfeitamente iludido com o que o Sr. Verdurin dizia da esposa, receava para a amiga as emoções de semelhante desgosto. — Sim, ela sabe de tudo desde hoje de manhã — disse a princesa; — não foi possível ocultar-lhe. — Ah, com mil diabos! — gritou Brichot. — Ah, deve ter sido um choque terrível, um amigo de vinte e cinco anos! Eis um que era dos nossos! — É claro, é claro, mas o que quer? — disse Cottard. — São circunstâncias sempre penosas; mas a Sra. Verdurin é uma mulher forte, mais cerebral ainda do que emotiva. — Não sou inteiramente da opinião do doutor — disse a princesa, a quem decididamente seu modo rápido de falar, seu acento murmurado, davam um aspecto a um tempo amuado e rebelde. — A Sra. Verdurin, sob uma aparência fria, esconde tesouros de sensibilidade. O Sr. Verdurin me disse que teve muito trabalho para impedir que ela fosse a Paris para a cerimônia fúnebre; foi obrigado a fazê-la acreditar que tudo se realizaria no campo. — Ah, diabo! Ela queria ir a Paris. Mas sei muito bem que é uma mulher de coração, talvez até de coração demais. Pobre Dechambre! Como dizia a Sra. Verdurin há menos de dois meses: "Perto dele, Planté, Paderewski, e até Risler, nada fica de pé." Ah! Ele pôde afirmar, mais justamente do que aquele insignificante do Nero, que achou meios de lograr a própria ciência alemã: *Qualis artifex pereo!*[41] Mas ele, Dechambre, pelo menos deve ter morrido no cumprimento do sacerdócio, em odor de devoção beethoveniana; e corajosamente, não tenho dúvidas; em boa justiça, esse oficiante da música alemã teria merecido morrer celebrando a *Missa em ré*. Porém, de outra parte, era homem de acolher a morte com um trinado, pois esse intérprete de gênio encontrava às vezes, em sua ascendência de natural da Champagne aparisianado, audácias e elegâncias de *garde-française*.

Das alturas em que já estávamos, o mar não mais aparecia, assim como de Balbec, semelhante a ondulações de montanhas sublevadas, mas, ao contrário, como aparece de um pico, ou de uma estrada que contorna a montanha, uma geleira azulada, ou um planalto ofuscante, situados a uma altitude inferior. O recorte dos redemoinhos parecia imobilizado e ter desenhado para sempre os seus círculos concêntricos; e até o esmalte do mar, que insensivelmente mudava de cor, tomava, para o fundo da baía, onde se cavava um estuário, a brancura azulada de um leite onde pequenos barcos negros, que não andavam, pareciam presos como moscas. Achava eu que seria impossível descobrir em algum lugar um quadro mais amplo. Mas a cada volta uma parte nova se lhe acrescentava e, quando chegamos ao posto alfandegário de Douville, o espigão de rocha, que até então nos ocultara metade da baía, recolheu-se, e de súbito vi à minha esquerda um golfo tão profundo como aquele que tivera até o momento diante dos olhos, mas alterando-lhe as proporções e multiplicando-lhe a beleza. Naquele ponto tão elevado, o ar se tornava de uma vivacidade e de uma pureza que me embriagavam. Eu amava os Verdurin; que eles nos houvessem mandado um carro me parecia de uma bondade enternecedora. Desejaria beijar a princesa. Disse-lhe que jamais vira algo tão belo. Ela declarou amar também aquela região mais que qualquer outra. Mas eu percebia perfeitamente que para ela, como para os Verdurin, o importante era não contemplá-la como turistas, mas ali fazer boas refeições, receber uma sociedade que lhes agradasse, escrever cartas, ler, em suma viver, deixando passivamente a sua beleza banhá-los, em vez de fazerem dela o objeto de suas preocupações.

Na alfândega, tendo o carro ali parado por um instante àquela tamanha altitude acima do mar, que, como de um pico, a vista do abismo azulado quase dava vertigens, abri a janela; o rumor, distintamente ouvido, de cada onda que se quebrava, possuía, em sua doçura e nitidez, algo de sublime. Pois não era como um índice de medida que, invertendo nossas

[41] "Que artista morre comigo!". Segundo Suetônio, em suas *Vidas dos Doze Césares*, palavras do imperador romano Nero, ao ver que sua morte era inevitável. (N. do T.)

impressões habituais, nos mostra que as distâncias verticais podem ser assimiladas às distâncias horizontais, ao contrário da representação que o nosso espírito faz habitualmente delas; e que, aproximando assim de nós o céu, não são grandes; que são até menores para um rumor que as franqueia, como fazia o daquelas pequenas ondas, pois o meio que precisa atravessar é mais puro? E com efeito, se recuamos apenas dois metros para trás da alfândega, não distinguimos mais esse rumor das ondas, a que duzentos metros de rocha não tinham roubado sua delicada, minuciosa e suave precisão. Dizia comigo que minha avó teria por ele aquela admiração que lhe inspiravam todas as manifestações da natureza ou da arte, em cuja simplicidade se lê a grandeza. Sentia-me enternecido pelo fato de que os Verdurin nos tivessem mandado buscar na gare. Disse-o à princesa, que pareceu achar que eu exagerava demais uma simples cortesia. Sei que mais tarde confessou a Cottard que me julgava muito entusiasta; ele lhe respondeu que eu era emotivo em excesso e que precisaria de calmantes e de fazer tricô. Eu mostrava à princesa cada árvore, cada casinha desabando sob suas rosas, fazia com que admirasse tudo, gostaria de apertar ela própria contra meu coração. Disse-me ela que via que eu era dotado para a pintura, que deveria desenhar, que estava surpresa de que ainda não mo houvessem dito. E confessou que de fato aquela região era pitoresca. Atravessamos, encarapitada no alto, a pequena aldeia de Englesqueville (*Engleberti Villa*, disse-nos Brichot). — Mas tem certeza de que vai haver o jantar desta noite, princesa, apesar da morte de Dechambre? — acrescentou ele, sem pensar que a vinda dos carros em que estávamos já era uma resposta. — Sim — disse a princesa —, o Sr. *Veldulin* até fez questão de que não fosse adiado, justamente para impedir sua mulher de "pensar". E depois, passados tantos anos em que ela nunca deixou de receber às quartas-feiras, essa mudança nos seus hábitos poderia impressioná-la. Está muito *nelvosa* atualmente. O Sr. Verdurin estava particularmente feliz porque os senhores vinham jantar esta noite, pois sabia que isso seria uma grande distração para a Sra. Verdurin — disse a princesa, esquecendo o seu fingimento de não ter ouvido falar em mim. — Creio que os senhores farão bem em não falar de nada diante da Sra. Verdurin — acrescentou a princesa. — Ah! A senhora faz muito bem em avisar-me — respondeu ingenuamente Brichot. — Transmitirei a recomendação a Cottard. — O carro parou por um instante. Tornou a partir, mas o ruído que as rodas faziam na aldeia havia cessado. Tínhamos entrado na aléia de honra de La Raspelière, onde o Sr. Verdurin nos esperava no patamar. — Fiz bem em pôr o *smoking* — disse ele, constatando com prazer que os fiéis trajavam o seu — visto que recebo homens tão elegantes. — E, como eu me desculpasse pelo meu jaquetão: — Ora,

ora, é perfeito. Aqui são jantares entre camaradas. Eu poderia oferecer-lhe um de meus *smokings*, mas não lhe serviria. — O *shake-hand* cheio de emoção que, ao penetrar no vestíbulo da La Raspelière, e à maneira de condolências pela morte do pianista, Brichot deu ao Patrão não causou nenhum comentário da parte deste. Falei-lhe da minha admiração por aquela terra. — Ah! Tanto melhor, e o senhor não viu nada, nós lhe mostraremos. Por que não passa algumas semanas aqui? O ar é excelente. — Brichot receava que seu aperto de mão não tivesse sido compreendido. — Pois bem! Esse pobre Dechambre! — disse, mas à meia-voz, temendo que a Sra. Verdurin não estivesse longe. — É horrível — respondeu alegremente o Sr. Verdurin. — Tão jovem — continuou Brichot. Irritado em perder tempo com essas inutilidades, o Sr. Verdurin replicou num tom apressado e com um gemido extremamente agudo, não de desgosto, mas de impaciência irritada: — Pois bem, sim, mas o que é que o senhor quer, não podemos fazer nada contra isso, não serão nossas palavras que haverão de ressuscitá-lo, não é mesmo? — E, voltando-lhe a ternura com a jovialidade: — Vamos, meu caro Brichot, largue depressa as suas coisas. Temos uma *bouillabaisse* que não pode esperar. Principalmente, em nome do céu, não vá falar de Dechambre à Sra. Verdurin! O senhor sabe que ela oculta muito o que sente, mas tem uma verdadeira doença de sensibilidade. Não, mas eu lhe juro que, quando soube que Dechambre estava morto, quase chorou — disse o Sr. Verdurin num tom profundamente irônico. Ouvindo-o, dir-se-ia ser necessária uma espécie de loucura para lamentar a morte de um amigo de trinta anos, e, por outro lado, a união perpétua do Sr. Verdurin com a esposa não ia, da parte dele, sem que ele sempre a julgasse, e que ela freqüentemente o irritava. — Se lhe falar nele, ainda vai acabar doente. É deplorável, três semanas depois de sua bronquite. Nesses casos, eu é que sou o enfermeiro. Compreenda que evito tais situações. Aflija-se no íntimo com o destino de Dechambre, o quanto quiser. Pense nisso, mas não fale no assunto. Eu gostava de Dechambre, mas não pode me querer mal por gostar ainda mais da minha mulher. Olhe, aí está Cottard, pode lhe perguntar. — E, de fato, ele sabia que um médico da família sabe prestar pequenos serviços, como, por exemplo, prescrever que não é preciso sentir desgostos.

Cottard, dócil, dissera à Patroa: — Agite-se desse modo, e amanhã *me* fará 39 graus de febre — como teria dito à cozinheira: "Amanhã, você vai me preparar miúdos de vitela." À falta de curar, a medicina se ocupa em mudar o sentido dos verbos e dos pronomes.

O Sr. Verdurin ficou feliz em constatar que Saniette, apesar das respostas grosseiras que havia sofrido na antevéspera, não desertara o pequeno núcleo. De fato, a Sra. Verdurin e seu marido tinham adquirido, na ociosidade, instintos cruéis a que não mais bastavam as grandes circunstâncias, muito raras. De fato, haviam conseguido indispor Odette com Swann, Brichot com a amante. Era claro que recomeçariam com outros. Mas a ocasião não se apresentava todos os dias. Ao passo que, devido à sua sensibilidade fremente e à sua timidez receosa e logo assustada, Saniette lhes oferecia um bode expiatório cotidiano. Assim, de medo que ele abandonasse, tinham o cuidado de convidá-lo com palavras amáveis e persuasivas, como fazem no liceu os veteranos e no regimento os antigos, em relação a um calouro a que desejam aliciar para agarrá-lo, com o fim único de o lisonjear e então pregar-lhe peças, quando ele não mais poderá escapar. — Principalmente — lembrou a Brichot Cottard, que não ouvira o Sr. Verdurin — *motus* [mudo] diante da Sra. Verdurin. — Não tenha receio, ó Cottard, está lidando com um sábio, como diz Teócrito. Além disso, o Sr. Verdurin tem razão; para que servem nossos queixumes? — acrescentou, pois, capaz de assimilar as formas verbais e as idéias que elas lhe traziam, não tendo porém finura, admirara nas palavras do Sr. Verdurin o mais corajoso estoicismo. — Não importa, é um grande talento que desaparece. — Como, ainda estão falando de Dechambre? — indagou o Sr. Verdurin, que nos havia precedido e que, vendo que não o seguíamos, voltara para trás. — Escute — disse ele a Brichot —, não é preciso exagerar em nada. Não é porque está morto que devemos transformá-lo no gênio que ele não era. Está entendido que ele tocava bem, estava principalmente bem adaptado aqui; transplantado, não existe mais. Minha mulher entusiasmou-se por ele e fez a sua fama. Sabem como ela é. Direi mais, no interesse mesmo de sua reputação ele morreu no momento adequado, no ponto, como as lagostas de Caen, grelhadas conforme as receitas incomparáveis de Pampille, vão sê-lo, espero (a menos que se eternizem com suas jeremíadas neste *casbah* aberto a todos os ventos). Não há de querer, no entanto, que todos nós rebentemos porque Dechambre está morto, e ainda por cima quando, há mais de um ano, via-se obrigado a fazer escalas antes de dar um concerto para reencontrar momentaneamente, bem momentaneamente, a sua agilidade. Aliás, irão ouvir esta noite, ou pelo menos encontrar, pois esse velhaco abandona muitas vezes, após o jantar, a arte pelas cartas, alguém que é um artista diferente de Dechambre, um rapazinho que minha mulher descobriu (como tinha descoberto Dechambre, e Paderewski, e o resto): Morel. Ele ainda não chegou, esse bugre. Vou ser obrigado a enviar um carro para esperar o último trem. Vem com um velho amigo de família com quem se encontrou e que o mata de aborrecimento, mas sem o qual, para não ter queixas do pai, seria obrigado a ficar em Doncières para lhe fazer companhia: o barão de Charlus. — Os fiéis entraram. O Sr. Verdurin, tendo ficado para trás comigo, enquanto eu me desfazia de minhas coisas, tomou-me pelo braço de brincadeira, como faz num jantar o dono da casa que não tem convidada para lhe oferecer o braço: — Fez boa viagem? — Sim, o Sr. Brichot ensinou-me coisas que me interessaram muito — disse eu, pensando nas etimologias, e porque ouvira dizer que os Verdurin sentiam muita admiração por Brichot. — Ficaria espantado se ele não lhe tivesse ensinado coisa alguma — disse o Sr. Verdurin; — é um homem tão apagado, que pouco fala das coisas que sabe. — Esse cumprimento não me pareceu muito justo. — Ele tem um ar encantador — disse eu. — Requintado, delicioso, nada de coisas malfeitas, fantasista, leve, minha mulher o adora, eu também! — respondeu o Sr. Verdurin num tom exagerado e como se recitasse uma lição. Só então compreendi que o que me dissera de Brichot era irônico. E me perguntei se o Sr. Verdurin, desde os tempos antigos de que ouvira falar, já não havia se livrado da tutela da mulher.

O escultor ficou muito espantado ao saber que os Verdurin consentiam em receber o Sr. de Charlus. Ao passo que no *faubourg* Saint-Germain, onde o Sr. de Charlus era tão conhecido, jamais se falava dos seus costumes (ignorados da maioria, objeto de dúvida da parte de outros que preferiam acreditar em amizades exaltadas, mas platônicas, em imprudências e, por fim, cuidadosamente dissimulados pelos poucos bem informados, que davam de ombros quando alguma Gallardon malévola arriscava uma insinuação); tais costumes, conhecidos apenas por alguns íntimos, eram, ao contrário, diariamente censurados longe do meio em que ele vivia, como certos tiros de canhão que a gente só escuta após a interferência de uma zona de silêncio. Aliás, nesses meios burgueses e artísticos, onde ele passava por ser a própria encarnação da inversão sexual, sua grande posição mundana e suas altas origens eram totalmente ignoradas, por um fenômeno análogo ao que faz com que, entre o povo romeno, o nome de Ronsard seja conhecido como o de um grão-senhor, ao passo que sua obra poética é desconhecida. Mais ainda: na Romênia, a nobreza de Ronsard repousa num erro. Da mesma forma, se, no mundo dos pintores e dos comediantes, o Sr. de Charlus tinha tão má reputação, isto se dava porque o confundiam com um certo conde Leblois de Charlus, com quem não tinha o menor parentesco, ou era um parente muito distante, e que fora detido, talvez por engano, numa batida de polícia que ficou famosa. Em suma, todas as histórias que contavam acerca do Sr. de Charlus aplicavam-se ao falso. Muitos profissionais juravam ter tido relações com o Sr. de Charlus e o faziam de boa-fé, julgando que o falso Charlus era o verdadeiro, e o falso talvez favorecesse, meio por ostentação de nobreza, meio por dissimulação de vício, uma confusão que, para o verdadeiro (o barão que conhecemos), foi por muito tempo prejudicial e, a seguir, quando ele decaiu, tornou-se cômoda, pois também lhe permitiu que dissesse: "Não sou eu." De fato, atualmente, não era dele que falavam. Por fim, o que acrescentava à falsidade dos comentários um fato verdadeiro (os gostos do barão) era que ele fora amigo íntimo e totalmente puro de um autor que, no mundo teatral, tinha, não se sabe por quê, essa reputação e absolutamente não a merecia. Quando os viam juntos numa estréia, diziam: — Estamos sabendo — da mesma forma que se julgava que a duquesa de Guermantes tinha relações imorais com a princesa de Parma; lenda indestrutível, pois só se desvaneceria com uma aproximação a essas duas grandes damas, a que nunca verossimilmente haveriam de atingir as pessoas que a repetiam, senão contemplando-as no teatro e caluniando-as para o ocupante da poltrona ao lado. Dos costumes do Sr. de Charlus, o escultor concluía, com tanto menos hesitação, que a situação mundana do barão devia ser bastante ruim, visto que não possuía sobre a família a que pertencia o Sr. de Charlus, sobre seu título e sobre seu nome, nenhum tipo de informação. Da mesma forma que Cottard achava que todo mundo sabe que o título de doutor não significa nada, e o de interno dos hospitais alguma coisa, as pessoas da sociedade se enganam ao pensar que todos possuem, sobre a importância social de seus nomes, as mesmas noções que têm eles próprios e as pessoas de seu meio.

O príncipe de Agrigento passava por um *rasta* aos olhos de um empregado de clube ao qual devia vinte e cinco luíses, só readquirindo sua importância no *faubourg* Saint-Germain, onde possuía três irmãs duquesas, pois não é sobre as pessoas modestas, a cujos olhos vale pouco, mas sobre as pessoas brilhantes, que estão a par do que ele é, que produz algum efeito o grão-senhor. Aliás, o Sr. de Charlus ia verificar, naquela mesma noite, que o Patrão possuía noções pouco aprofundadas sobre as mais ilustres famílias ducais. Convencido de que os Verdurin iam dar um passo em falso deixando que se introduzisse num salão tão "seleto" um indivíduo tarado, o escultor julgou dever chamar à parte a Patroa. — O senhor está totalmente enganado; aliás, não acredito nunca nessas coisas; e depois, mesmo que fossem verdadeiras, digo-lhe que não seriam comprometedoras para mim! — retrucou a Sra. Verdurin, furiosa, pois, sendo Morel o principal elemento das quartas-feiras, ela fazia acima de tudo questão de não contrariá-lo. Quanto a Cottard, não podia dar opinião, pois pedira licença para subir e "dar um recado" no *buen retiro* e em seguida escrever, no quarto do Sr. Verdurin, uma carta urgente para um enfermo.

Um grande editor de Paris, que viera de visita e pensara que haveriam de retê-lo, foi-se embora brutalmente, às pressas, compreendendo que não era suficientemente elegante para o pequeno clã. Era um homem alto e forte, muito moreno, estudioso, com algo de cortante. Dava a impressão de uma espátula de ébano.

A Sra. Verdurin, que, para nos receber no seu salão imenso, onde troféus de gramíneas, de papoulas, flores do campo, colhidas no próprio dia, alternavam com o mesmo motivo pintado em camafeu, dois séculos antes, por um artista de gosto refinado, se levantara por um momento de uma partida que jogava com um velho amigo, pediu licença para terminá-la em dois minutos, sempre conversando conosco. Aliás, o que eu lhe disse acerca das minhas impressões só parcialmente lhe agradou. Primeiro, eu estava escandalizado de ver que ela e seu marido se recolhiam, todos os dias, muito tempo antes da hora daqueles ocasos, que passavam por ser tão lindos vistos daquele rochedo, e mais ainda do terraço de La Raspelière, e pelos quais eu teria viajado léguas. — Sim, é incomparável — disse rapidamente a Sra. Verdurin, lançando uma olhadela às imensas janelas que faziam de vidraças. — Por mais que olhemos isso o tempo todo, nunca nos cansamos — e voltou a absorver-se nas cartas. Ora, o meu próprio entusiasmo me fazia exigente. Lastimava não ver do salão os rochedos de Darnetal, que Elstir me assegurara serem adoráveis naquele momento em que refratavam tantas cores. — Ah, o senhor não pode vê-los daqui, seria necessário ir até a extremidade do parque, à "vista da baía". Do banco que ali se encontra, o senhor abrangerá todo o panorama. Mas não pode ir sozinho; acabaria se perdendo. Vou conduzi-lo até lá, se quiser — acrescentou languidamente. — Mas não, ora, já não bastam as dores que apanhaste no outro dia, queres ainda mais? Ele vai voltar outro dia e então verá a vista da baía — disse o Sr. Verdurin. Não insisti, compreendendo que bastava aos Verdurin saberem que aquele sol poente era, mesmo no seu salão ou na sua sala de jantar, uma pintura magnífica, como um precioso esmalte japonês, justificando o preço elevado que pagavam pelo aluguel de La Raspelière toda mobiliada, mas para o qual raramente erguiam os olhos; seu grande negócio aqui era viver de maneira agradável, passear, comer bem, conversar, receber amigos agradáveis, aos quais proporcionavam divertidos jogos de bilhar, boas refeições, alegres merendas. Entretanto, mais tarde, vi com que inteligência eles tinham aprendido a conhecer aquela região, fazendo os hóspedes darem passeios tão "inéditos" como a música que faziam com que escutassem. O papel que as flores da Raspeliére, os caminhos à beira-mar, as velhas casas, as igrejas desconhecidas representavam na vida do Sr. Verdurin era tão grande, que aqueles que somente o viam em Paris e que substituíam a vida à beira-mar e no campo pelos luxos citadinos mal podiam compreender a idéia que ele próprio se fazia de sua vida e a importância que suas alegrias lhe davam a seus próprios olhos. Essa importância ainda era acrescida pelo fato de que os Verdurin estavam persuadidos de que La Raspelière, que pretendiam comprar, era uma propriedade única no mundo. Essa superioridade, que o seu amor-próprio lhes atribuía a La Raspelière, justificou a seus olhos o meu entusiasmo que, sem isso, os teria irritado um pouco, por causa das decepções que ele comportava (como as que a audição da Berma me provocara outrora) e de que eu lhes fazia sincera confissão.

— Ouço o carro que está voltando. Esperemos que ele os tenha encontrado — murmurou a Patroa de repente. Digamos, numa palavra, que a Sra. Verdurin, afora até as mudanças inevitáveis da idade, já não se parecia mais à que era no tempo em que Swann e Odette ouviam em sua casa o pequeno trecho de Vinteuil. Mesmo quando o tocavam, ela já não se obrigava a mostrar o aspecto extenuado de admiração que assumia antigamente, pois este se tornara a sua própria fisionomia. Sob a ação de inumeráveis nevralgias, causadas pela música de Bach, de Wagner, de Vinteuil e de Debussy, a testa da Sra. Verdurin adquirira enormes proporções, como os membros que um reumatismo termina por deformar. Suas têmporas, semelhantes a duas belas esferas ardentes, doloridas e leitosas, onde imortalmente rola a Harmonia, repeliam de cada lado mechas prateadas e proclamavam da parte da Patroa, sem que esta precisasse falar: "Sei o que me espera esta noite." Suas feições não mais se davam ao trabalho de formular sucessivamente impressões estéticas muito fortes, pois elas próprias eram como que sua expressão permanente em um rosto soberbo e devastado. Essa atitude de resignação aos sofrimentos sempre iminentes infligidos pelo Belo, e a coragem que tivera em pôr um vestido quando mal se levantava após a última sonata, faziam com que a Sra. Verdurin, mesmo para escutar a música mais cruel, conservasse uma fisionomia desdenhosamente impassível e até chegasse a se esconder para engolir duas colheradas de aspirina.

— Ah, sim, ei-los — exclamou o Sr. Verdurin com alívio, vendo a porta se abrir e deixar passar Morel, seguido do Sr. de Charlus. Este, para quem jantar na casa dos Verdurin não era de forma alguma comparecer à sociedade, mas ir a um lugar suspeito, estava intimidado como um colegial que entra pela primeira vez num bordel e com mil respeitos para com a dona. Assim, o desejo habitual do Sr. de Charlus, de parecer frio e viril, foi dominado (quando apareceu na porta aberta) por essas idéias tradicionais de cortesia, que se revelam desde que a timidez arruína uma atitude fictícia e apela para os recursos do inconsciente. Quando é num Charlus, seja ele burguês ou nobre, que age tal sentimento de polidez instintiva e atávica para com desconhecidos, é sempre a alma de um parente do sexo feminino, auxiliadora como uma deusa, ou encarnada como um duplo, que se encarrega de introduzi-lo num novo salão e de modelar sua atitude até que ele tenha chegado diante da dona da casa. Certo pintor jovem, educado por uma santa prima protestante, entrará com a cabeça oblíqua e vacilante, os olhos no teto, as mãos presas a um regalo invisível, cuja forma evocada e cuja presença real e tutelar auxiliarão o artista intimidado a franquear, sem agorafobia, o espaço cavado de abismos que vai do vestíbulo ao salão pequeno. Assim, a piedosa parenta, cuja lembrança o guia hoje, entrava, há muitos anos e com um aspecto tão gemente, que todos se perguntavam qual a desgraça que vinha anunciar, quando às suas primeiras palavras compreenderam, como agora ocorria com o pintor, que ela vinha fazer uma visita de digestão. Em virtude dessa mesma lei que exige que a vida, no interesse do ato ainda não cumprido, mande servir, utilize, desnature, numa perpétua prostituição, os mais respeitáveis legados, por vezes os mais santos, por vezes os mais inocentes, do passado, e, embora ela engendrasse então um aspecto diferente, um dos sobrinhos da Sra. Cottard, que afligia a família por seus modos afeminados e suas relações, fazia sempre uma entrada alegre como se viesse dar uma surpresa ou anunciar uma herança, iluminado por uma felicidade de cuja causa seria baldado perguntar-lhe, que se ligava à sua hereditariedade inconsciente e a seu sexo desviado. Andava na ponta dos pés, estava sem dúvida ele próprio espantado de não ter à mão um carnê de cartões de visita, estendia a mão abrindo a boca em forma de coração, como vira a tia fazer, e seu único olhar inquieto era para o espelho, onde parecia querer verificar, embora estivesse de cabeça descoberta, se o seu chapéu, como um dia indagara a Sra. Cottard a Swann, não estava de través. Quanto ao Sr. de Charlus, a quem a sociedade na qual tinha vivido fornecia, nesse momento crítico, exemplos diferentes, outros arabescos de amabilidade e, enfim, a máxima que se deve conhecer em certos casos, para com simples pequeno-burgueses, externar e oferecer as mais raras graças, habitualmente conservadas em reserva, foi bamboleando com afetação e a mesma amplitude com que se umas saias houvessem alargado e embaraçado os seus requebros, que ele se dirigiu para a Sra. Verdurin, com um ar tão lisonjeado e honrado que se diria que ser apresentado em sua casa teria sido para ele um favor supremo. Seu rosto, meio inclinado, onde a satisfação competia com as conveniências, sulcava-se de pequeninas rugas de afabilidade. Julgar-se-ia ver avançar a Sra. de Marsantes, de tanto que, naquele momento, sobressaía a mulher que um erro da natureza colocara no corpo do Sr. de Charlus. Decerto, esse erro o barão duramente havia penado para dissimulá-lo e assumir uma aparência masculina. Porém, mal o conseguira e eis que, tendo conservado ao mesmo tempo os mesmos gostos, o hábito de sentir como mulher lhe dava uma nova aparência feminina, nascida esta não da hereditariedade, mas da vida individual. E, como chegava aos poucos a pensar, mesmo os fatos sociais, no feminino, e isto sem se dar conta de tal, pois não é somente à força de mentir para os outros, mas também de mentir para si mesmo, que se deixa de perceber que se mente, embora ele tivesse pedido ao corpo que tornasse manifesto (no momento em que entrava na casa dos Verdurin) toda a cortesia de um grão-senhor, esse corpo, que compreendera perfeitamente aquilo que o Sr. de Charlus deixara de ouvir, desenrolou, a ponto de que o barão teria merecido o epíteto de *lady-like*, todas as seduções de uma grande dama. Afinal, pode-se separar inteiramente o aspecto do Sr. de Charlus do fato de que os filhos, visto nem sempre se parecerem com os pais, mesmo não sendo invertidos e procurarem mulheres, consumam no rosto a profanação de sua mãe? Mas deixemos aqui o que mereceria um capítulo à parte: as mães profanadas.

Conquanto razões outras presidissem a essa transformação do Sr. de Charlus e fermentos puramente físicos fizessem "trabalhar" nele a matéria e passar seu corpo, aos poucos, para a categoria de corpos de mulher, todavia a mudança que aqui assinalamos era de origem espiritual. À força de se julgarem enfermas, as pessoas o acabam sendo, emagrecem, não têm mais forças para se levantar, sofrem de enterites nervosas. À força de pensar com ternura nos homens, uma pessoa se torna mulher e uma saia postiça entrava seus passos. A idéia fixa nelas pode modificar o sexo (assim como em outros casos a saúde). Morel, que o seguia, veio cumprimentar-me. Desde aquele momento, devido a uma dupla mudança que nele se efetuava, ele me causou (ai de mim, que não o soube perceber em tempo) uma má impressão. Eis o motivo. Disse eu que Morel, tendo escapado à servidão do pai, comprazia-se em geral numa familiaridade extremamente desdenhosa. Falara comigo, no dia em que me levara as fotografias, sem sequer uma vez me dizer "senhor" e tratando-me de alto a baixo. Qual não foi minha surpresa, na casa da Sra. Verdurin, ao vê-lo inclinar-se profundamente diante de mim, e só diante de mim, e ao ouvir, antes mesmo que ele tivesse pronunciado outras frases, as expressões de "respeito" e "muito respeitoso" — palavras que eu considerava impossíveis em seus lábios ou em seus escritos — a mim dirigidas! Tive logo a impressão de que ele queria me pedir alguma coisa. Tomando-me à parte ao cabo de um minuto: — O senhor me prestaria um grande serviço — disse ele, chegando dessa vez a me falar na terceira pessoa — ocultando inteiramente à Sra. Verdurin e a seus convidados o tipo de profissão que meu pai exerceu em casa de seu tio. Seria preferível dizer que ele era, em sua família, o intendente de domínios tão vastos que isto o fazia quase da mesma classe que seus pais. — O pedido de Morel me contrariava infinitamente, não por me obrigar a engrandecer a posição de seu pai, o que na verdade pouco me importava, mas a fortuna ao menos aparente do meu, o que achava ridículo. Mas seu aspecto era tão infeliz, tão premente, que não recusei. — Não, antes do jantar — pediu-me em tom de súplica; — o senhor tem mil pretextos para chamar à parte a Sra. Verdurin. — Foi o que fiz, com efeito, cuidando de realçar da melhor maneira o brilho do pai de Morel, sem exagerar muito "o modo de vida" e a "abastança" de meus pais. Isso passou como carta no correio, apesar do espanto da Sra. Verdurin, que vagamente conhecera meu avô. E, como fosse desprovida de tato e odiava as famílias (esse dissolvente do pequeno núcleo), depois de haver dito que outrora avistara meu bisavô e de ter se referido a ele como a alguém mais ou menos idiota que nada teria compreendido do pequeno grupo, e que, conforme sua expressão, "não era dos deles", ela me disse: — Aliás, isso de famílias é tão enfadonho; a gente só aspira em sair delas; — e em seguida contou-me, do pai de meu avô, essa tirada que eu ignorava, embora em casa tivesse suspeitado (não chegara a conhecê-lo, mas falavam muito nele) de sua avareza (oposta à generosidade um tanto faustosa do meu tio-avô, o amigo da dama cor-de-rosa e patrão do pai de Morel): — Já que seus pais tinham um intendente tão elegante, isto prova que há pessoas de todos os matizes nas famílias. O pai de seu avô era tão avarento que, quase caduco no fim da vida — cá entre nós, ele nunca foi muito forte, o senhor os compensa a todos —, não se conformava em gastar três *sous* com o ônibus. De modo que tinham sido obrigados a mandar alguém segui-lo, pagar em separado ao trocador e fazer acreditar ao velho que seu amigo, Sr. de Persigny, ministro de Estado, conseguira que ele andasse de graça nos ônibus. De resto, estou muito contente que o pai do nosso Morel tenha tido tão boa situação. Eu havia compreendido que ele era professor de liceu, não quer dizer nada, entendi mal. Mas não tem importância, pois aqui só apreciamos o valor próprio, a contribuição pessoal, o que chamo de participação. Contanto que se seja da arte, numa palavra, contanto que se seja da confraria, o resto pouco importa. — A maneira como Morel o era — tanto quanto pude sabê-lo — que ele amava bastante as mulheres e os homens para agradar a cada sexo com a ajuda do que experimentara no outro — é o que veremos mais tarde. O essencial a dizer aqui é que, desde que lhe dei minha palavra no sentido de intervir junto à Sra. Verdurin, sobretudo desde que o fiz, e sem ser possível voltar atrás, o "respeito" de Morel por mim se desvaneceu como por encanto, desapareceram as fórmulas respeitosas, e ele chegou mesmo, durante algum tempo, a me evitar, cuidando para parecer que me desdenhava, de forma que, se a Sra. Verdurin queria que lhe dissesse alguma coisa, lhe pedisse determinado trecho de música, ele continuava a falar com um fiel, depois com outro, mudava de lugar se me aproximava dele. Eram forçados a lhe dizer até três ou quatro vezes que eu lhe dirigira a palavra, após o que ele me respondia, constrangido, de modo breve, a menos que estivéssemos a sós. Neste caso, tornava-se expansivo, amistoso, pois apresentava aspectos de caráter muito encantadores. Nem por isso deixei de concluir, por aquela primeira reunião noturna, que sua natureza devia ser vil, que ele não recuava, se necessário, diante de nenhuma baixeza, ignorava a gratidão. Nisso assemelhava-se ao comum dos homens. Mas, como eu tinha dentro de mim um pouco de minha avó e me agradava a diversidade dos homens, sem deles nada esperar ou lhes querer mal, não me importei com sua baixeza, e diverti-me com sua boa disposição quando apareceu, e até no que acho ter sido uma sincera amizade de sua parte quando, tendo dado toda a volta de seus falsos conhecimentos da natureza humana, ele percebeu (por impulsos, pois era dotado de estranhos retrocessos à sua selvageria primitiva e cega) que minha suavidade para com ele era desinteressada, que minha indulgência não provinha de uma falta de perspicácia, mas do que chamou de bondade, e que sobretudo eu me encantava com sua arte, que não passava de admirável virtuosismo, mas que me fazia (sem que ele fosse um verdadeiro músico, no sentido intelectual do termo) ouvir de novo ou conhecer tantas belas músicas. Aliás, um *manager,* o Sr. de Charlus, em quem eu ignorava esses talentos (embora a Sra. de Guermantes, que o conhecera bem diferente na sua juventude, afirmasse que ele lhe compusera uma sonata, pintara um leque, etc.), modesto no que concernia a suas verdadeiras superioridades, mas de primeira ordem, soube colocar esse virtuosismo a serviço de um senso artístico multiforme, e que o decuplicou. Imagine-se algum artista puramente habilidoso dos *Ballets* russos, estilizado, instruído, desenvolvido em todos os sentidos pelo Sr. Diaghilev.

Acabava de transmitir à Sra. Verdurin a mensagem de que me havia encarregado Morel, e falava sobre Saint-Loup com o Sr. de Charlus, quando Cottard entrou no salão anunciando, como se se tratasse de um incêndio, que os Cambremer estavam chegando. A Sra. Verdurin, para não parecer, diante de novatos como eu e o Sr. de Charlus (que Cottard não tinha visto), ligar tanta importância à chegada dos Cambremer, não se mexeu, não respondeu nada ao anúncio daquela novidade, contentando-se em dizer ao doutor, abanando-se com graça e com o mesmo tom artificial de uma marquesa do *Théâtre-Français*: — O barão nos dizia justamente... — Era demais para Cottard! Com menos vivacidade do que faria outrora, pois o estudo e as altas posições tinham tornado mais vagarosa a sua fala, mas ainda assim com aquela emoção que reencontrava na casa dos Verdurin: — Um barão! Onde isso, um barão? Onde isso, um barão!? — exclamou, procurando-o com os olhos, num espanto que sublinhava a incredulidade. A Sra. Verdurin, com a indiferença afetada de uma dona-de-casa, a quem um criado, diante dos convidados, acaba de quebrar um copo valioso, e com a entonação artificial e aumentada de um primeiro do Conservatório que desempenha Dumas Filho, respondeu, designando com o leque o protetor de Morel: — Ora, o barão de Charlus, a quem vou apresentá-lo... senhor professor Cottard. — Aliás, não desagradava à Sra. Verdurin ter ocasião de se fazer de grande dama. O Sr. de Charlus estendeu dois dedos, que o professor apertou com um sorriso benévolo de "príncipe da ciência". Mas estacou de súbito, vendo entrarem os Cambremer, enquanto que o Sr. de Charlus me arrastava para um canto a fim de me dizer uma palavra, não sem apalpar meus músculos, o que é um costume alemão. O Sr. de Cambremer de modo algum se assemelhava à velha marquesa. Era, como dizia esta com ternura, "inteiramente do lado do papai". Para quem somente ouvira falar nele, ou de cartas dele, vivas e convenientemente redigidas, seu físico assombrava. Sem dúvida, a gente devia habituar-se a ele. Mas seu nariz havia escolhido, para vir colocar de través acima da boca, talvez a única linha oblíqua, entre tantas outras, que não se teria idéia de traçar sobre esse rosto, e que indicava uma estupidez vulgar, agravada ainda pela proximidade de uma pele normanda de vermelhidão de maçã. É possível que os olhos do Sr. de Cambremer guardassem nas pálpebras um pouco daquele céu do Cotentin, tão suave pelos belos dias ensolarados em que o passeante se diverte em ver, paradas à beira da estrada, e em contar por centenas as sombras dos álamos, mas aquelas pálpebras pesadas, remelentas e mal abaixadas, teriam impedido a própria inteligência de passar. Assim, desapontado com a exigüidade daquele olhar azul, a gente se reportava ao narigão atravessado. Por uma transposição de sentidos, o Sr. de Cambremer nos olhava com o nariz. Esse nariz do Sr. de Cambremer não era feio, antes um pouco bonito demais, por demais forte, excessivamente orgulhoso de sua importância. Convexo, brunido, reluzente, novinho em folha, estava inteiramente disposto a compensar a insuficiência espiritual do olhar; infelizmente, se os olhos são às vezes o órgão em que se revela a inteligência, o nariz (seja qual for aliás a íntima solidariedade e a repercussão insuspeitada dos traços uns sobre os outros), o nariz é normalmente o órgão em que se revela mais facilmente a tolice.

Por mais que a conveniência das roupas escuras que o Sr. de Cambremer usava sempre, mesmo de manhã, sossegasse aqueles a quem ofuscava e exasperava o brilho das roupas de banho de pessoas a quem não conheciam, não se podia compreender que a mulher do presidente do conselho declarasse com ar de faro e de autoridade, como pessoa que tem mais experiência do que nós acerca da alta sociedade de Alençon, que diante do Sr. de Cambremer logo nos sentíamos, mesmo antes de saber de quem se tratava, em presença de um homem de alta distinção, de um homem perfeitamente bem-educado, diferente do gênero de Balbec, enfim, um homem junto a quem se podia respirar. Era para ela, asfixiada por tantos turistas de Balbec que não conheciam o seu mundo, como um frasco de sais. Pareceu-me, ao contrário, que ele era dessas pessoas que minha avó teria achado logo "muito mal" e, como não compreendia o esnobismo, sem dúvida ficaria estupefata de que ele tivesse conseguido se casar com a Srta. Legrandin, que devia ser difícil em matéria de distinção, ela, cujo irmão era "tão bem". Quando muito, podia-se dizer da feiúra vulgar do Sr. de Cambremer que ela era um pouco da região e tinha algo de muito antigamente local; diante de seus traços errôneos e que se teria desejado retificar, pensava-se nesses nomes de cidadezinhas normandas sobre cuja etimologia o meu cura se enganava porque os camponeses, articulando mal ou tendo mal compreendido o termo normando ou latim que as designa, acabaram por fixar num barbarismo que já se encontra nas cartulárias, como diria Brichot, um contra-senso e um vício de pronúncia. A vida nessas velhas cidadezinhas pode aliás passar-se agradavelmente, e o Sr. de Cambremer devia ter qualidades, pois, se era próprio de uma mãe que a velha marquesa preferisse seu filho à nora, em compensação, ela, que tinha vários filhos, dos quais dois pelo menos não eram desprovidos de mérito, freqüentemente declarava que o marquês, em sua opinião, era o melhor da família. Durante o pouco tempo que havia passado no exército, seus companheiros, achando muito comprido dizer Cambremer, tinham lhe dado o apelido de Cancan, que ele de resto não merecera em nada. Sabia ornar um jantar ao qual o convidavam, dizendo no momento do peixe (mesmo que o peixe estivesse podre) ou à entrada: — Mas sim senhor, parece que está mesmo um belo animal. — E sua mulher, tendo adotado ao entrar para a família tudo o que julgava fazer parte do gênero daquela sociedade, punha-se à altura dos amigos do marido, e talvez procurasse agradar-lhe como uma amante, e como se outrora tivesse estado ligada à sua vida de solteiro, dizendo com ar displicente quando falava dele aos oficiais: — Vão ver Cancan, Cancan foi a Balbec, mas estará de volta esta noite. — Estava furiosa por se comprometer aquela noite com os Verdurin e só comparecia a instâncias da sogra e do marido, no interesse da locação. Porém, menos bem-educada que eles, não ocultava o motivo e fazia quinze dias que troçava com as amigas sobre esse jantar. — Sabem que vamos jantar com nossos locatários? Isso bem merece um aumento. No fundo, estou bastante curiosa por saber o que podem ter feito da nossa pobre e velha Raspelière (como se ali tivesse nascido e encontrasse todas as recordações dos seus). Nosso velho guarda nos disse ainda ontem que não era possível reconhecer mais nada. Nem tenho coragem de pensar em tudo o que deve se passar lá dentro. Acho que faremos bem em mandar desinfetar tudo antes de nos reinstalarmos. — Ela chegou altaneira e rabugenta, com o ar de grande dama cujo castelo, por ocasião de uma guerra, tivesse sido ocupado pelos inimigos, mas que ainda assim sente-se em casa e faz questão de mostrar aos vencedores que eles são intrusos. A princípio a Sra. de Cambremer não pôde me ver porque eu estava numa sacada lateral com o Sr. de Charlus, que me dizia ter sabido por Morel que seu pai fora "intendente" em minha família, e que ele, Charlus, contava muito com minha inteligência e magnanimidade (termo comum a ele e a Swann) para recusar-me o ignóbil e mesquinho prazer que pequenos imbecis vulgares (eu estava prevenido) não deixariam de gozar em meu lugar, revelando aos nossos anfitriões pormenores que estes poderiam julgar depreciativos. — O simples fato de que me interesse por ele e estenda sobre ele a minha proteção tem algo de sobre-eminente e abole o passado — concluiu o barão. Escutando-o e prometendo silêncio, que aliás teria guardado mesmo sem a esperança de, em troca, passar por inteligente e magnânimo, eu olhava a Sra. de Cambremer. E custou-me reconhecer a coisa sumarenta e deliciosa que eu tivera no outro dia junto a mim à hora da merenda, no terraço de Balbec, na bolacha que via, dura como uma pedra, e na qual os fiéis em vão tentariam cravar o dente. Antecipadamente irritada com o jeito bonachão que o marido herdara da mãe e que o faria assumir um ar de honrado quando o apresentassem aos fiéis, e no entanto desejosa de preencher suas funções de mulher da alta sociedade, quando lhe nomearam Brichot, quis fazê-lo travar conhecimento com o marido, porque vira suas amigas mais elegantes procederem desse modo; mas ou a raiva ou o orgulho, vencendo a ostentação do *savoir-vivre*, fê-la dizer, não como deveria: — Permita-me apresentar-lhe o meu marido — e sim: — Apresento-lhe o meu marido —, mantendo assim altaneiro o estandarte dos Cambremer, a despeito deles mesmos, pois o marquês inclinou-se diante de Brichot tão profundamente como ela havia previsto. Mas todo esse humor da Sra. de Cambremer mudou de súbito quando ela avistou o Sr. de Charlus, a quem conhecia de vista. Jamais conseguira fazer-se apresentada a ele, mesmo à época em que tivera uma ligação com Swann. Pois o Sr. de Charlus, tomando sempre o partido das mulheres, de sua cunhada contra as amantes do Sr. de Guermantes, de Odette, então ainda não casada, porém antiga ligação de Swann, contra as novas, severo defensor da moral e protetor fiel dos cônjuges, fizera a Odette a promessa de não se deixar apresentar à Sra. de Cambremer, promessa que mantivera. Certamente a Sra. de Cambremer não duvidara que era na casa dos Verdurin que haveria por fim de conhecer esse homem inabordável. O Sr. de Cambremer sabia que aquilo seria uma tão grande satisfação para ela que ele próprio se sentia enternecido, e olhou para a mulher com um ar que significava: "Está contente por ter se decidido a vir, não é mesmo?" Aliás, falava muito pouco, sabendo que se casara com uma mulher superior. — Eu, indigno — dizia a todo instante, e de bom grado citava uma fábula de La Fontaine e uma de Florian, que lhe pareciam aplicar-se à sua ignorância e, por outro lado, permitir-lhe, sob as formas de uma lisonja desdenhosa, mostrar aos homens da ciência que não eram do Jockey, que se pode muito bem caçar e ter lido fábulas. O diabo é que só conhecia duas. Assim, elas retornavam muitas vezes. A Sra. de Cambremer não era idiota, mas possuía diversos hábitos muito irritantes. Nela, a deformação dos nomes não tinha absolutamente nada do desdém aristocrático. Não seria ela que, como a duquesa de Guermantes (que, pelo nascimento, deveria estar, mais que a Sra. de Cambremer, ao abrigo desse ridículo), teria dito, para não parecer saber o nome pouco elegante (quando agora é o de uma das mulheres mais difíceis com quem se possa ter intimidade) de Julien de Monchâteau: — Uma senhorazinha... Pico della Mirandola. — Não, quando a Sra. de Cambremer citava falsamente um nome, era por benevolência, para não dar a entender que conhecia algo, e quando todavia por sinceridade o confessava, julgando que o ocultava ao desmarcá-lo. Se, por exemplo, defendia uma mulher, procurava dissimulá-lo, sempre querendo não mentir àquela que lhe suplicava dissesse a verdade, que tal senhora era atualmente amante do Sr. Sylvain Lévy, e dizia: — Não... não sei absolutamente nada sobre ela, creio que lhe censuraram o ter inspirado uma paixão a um senhor cujo nome desconheço, algo como Cahn, Kohn ou Kuhn; aliás, creio que este senhor já está morto há muitíssimo tempo e que nunca houve nada entre eles. — É o procedimento semelhante ao dos mentirosos — e inversamente ao deles — os quais julgam que, alterando o que fizeram quando o contam a uma amante ou simplesmente a um amigo, imaginam que uma e outro não verão imediatamente que a frase dita (assim como Cahn, Kohn ou Kuhn) é interpolada, e de espécie diversa das que compõem a conversação e têm fundo falso.

A Sra. Verdurin perguntou ao ouvido do esposo: — Devo dar o braço ao barão de Charlus? Como terás à tua direita a Sra. de Cambremer, poderíamos cruzar as finezas. — Não — disse o Sr. Verdurin —, visto que a outra é de grau mais elevado (querendo dizer que o Sr. de Cambremer era marquês), o Sr. de Charlus, em suma, é seu inferior. — Pois bem, vou colocá-lo ao lado da princesa. — E a Sra. Verdurin apresentou a Sra. Sherbatoff ao Sr. de Charlus; ambos se inclinaram em silêncio, com o ar de que sabiam muito bem um sobre o outro e de se prometerem segredo mútuo. O Sr. Verdurin me apresentou ao Sr. de Cambremer. Antes mesmo que me tivesse falado com sua voz forte e levemente gaguejante, sua elevada estatura e seu rosto colorido manifestaram, em sua oscilação, a hesitação marcial de um chefe que busca nos tranqüilizar e diz: "Falaram-me a respeito, vamos dar um jeito nisso; vou mandar cancelar sua punição; não somos vampiros; tudo correrá bem." Depois, apertando-me a mão: — Creio que conhece minha mãe — disse ele. O verbo "crer" lhe parecia, aliás, convir à discrição de um primeiro encontro, porém de maneira alguma exprimir uma dúvida, pois acrescentou: — De resto, trago uma carta dela para o senhor. — O Sr. de Cambremer estava ingenuamente feliz em rever os lugares onde vivera por tanto tempo: — Reencontro-me — disse à Sra. Verdurin, enquanto o seu olhar se maravilhava por reconhecer as pinturas de flores em tremós acima das portas, e os bustos em mármore sobre seus altos pedestais. Entretanto, podia achar-se desambientado, pois a Sra. Verdurin havia trazido uma boa quantidade de velhas coisas bonitas que possuía. Desse ponto de vista, a Sra. Verdurin, mesmo passando aos olhos dos Cambremer por devastar tudo, era não revolucionária, mas inteligentemente conservadora, num sentido que eles não compreendiam. Assim, acusavamna injustamente de detestar a velha mansão e desonrá-la com simples tecidos em vez de sua rica pelúcia, como um cura ignorante que censurasse um arquiteto diocesano por recolocar no seu lugar próprio velhas madeiras esculpidas deixadas num canto e que o eclesiástico achava melhor substituir pelos ornamentos adquiridos na praça de Saint-Sulpice. Enfim, um jardim de pároco principiava a substituir, diante do castelo, as platibandas que faziam o orgulho não só dos Cambremer, mas também de seu jardineiro. Este, que considerava os Cambremer como os seus únicos senhores e gemia sob o jugo dos Verdurin, como se a terra tivesse sido momentaneamente ocupada por um invasor e uma tropa de veteranos, ia em segredo levar suas condolências à proprietária despojada, indignava-se com o desprezo com que eram tratadas as suas araucárias, suas begônias, seus saiões, suas dálias duplas, e de que ousassem, numa tão rica morada, plantar flores tão comuns como a macela e o mimo-de-vênus. A Sra. Verdurin sentia essa oposição surda e havia decidido, caso fizesse um longo contrato de arrendamento ou até mesmo chegasse a comprar La Raspelière, a impor como condição a demissão do jardineiro, a quem a velha proprietária, ao contrário, prezava muito. Ele a servira por nada em tempos difíceis, adorava-a; mas, por esse estranho desdobramento da opinião das pessoas do povo, em que o desprezo moral mais profundo se entranha na mais apaixonada estima, que, por sua vez, cavalga velhos rancores não abolidos, ele dizia muitas vezes que a Sra. de Cambremer, em 1870, surpreendida pela invasão num castelo que possuía no Leste, tivera de sofrer durante um mês o contato dos prussianos: — O que muito se censurou na senhora marquesa foi o de ter tomado, durante a guerra, o partido dos prussianos e de tê-los inclusive alojado em sua casa. Em uma outra ocasião, eu compreenderia; mas em tempo de guerra, ela não deveria ter feito isso. Não é correto. — De modo que ele lhe era fiel até a morte, venerava-a por sua bondade e acreditava-a culpada de traição. A Sra. Verdurin sentiu-se melindrada porque o Sr. de Cambremer pretendia reconhecer tão bem La Raspelière. — No entanto, o senhor deve encontrar algumas mudanças — respondeu. — Primeiro, havia uns grandes diabos de bronze de Barbedienne e uns ridículos banquinhos de pelúcia que me apressei a mandar para o sótão, que ainda é bom demais para eles. — Depois dessa réplica acerba dirigida ao Sr. de Cambremer, ela lhe ofereceu o braço para ir à mesa. Ele hesitou por um momento, dizendo consigo: "Ainda assim, não posso passar adiante do Sr. de Charlus." Mas, pensando que este era um velho amigo da casa, uma vez que não tinha o lugar de honra, decidiu-se a tomar o braço que lhe era oferecido e disse à Sra. Verdurin o quanto se sentia orgulhoso por ser admitido no cenáculo (era assim que ele chamava o pequeno núcleo, não sem rir um pouco de satisfação por saber esse termo). Cottard, que estava sentado ao lado do Sr. de Charlus, observava-o por sob o *lorgnon* a fim de travar conhecimento e quebrar o gelo, com piscadelas muito mais insistentes do que outrora, e não cortadas pela timidez. E seus olhares insinuantes, acrescidos pelo sorriso, já não eram contidos pelas lentes do *lorgnon* e transbordavam de todos os lados. O barão, que em toda parte via facilmente seus semelhantes, não duvidou que Cottard fosse um deles e estivesse a namorá-lo. E logo evidenciou ao professor a dureza dos invertidos sexuais, tão desdenhosos com aqueles a quem agradam como ardentemente solícitos para com quem lhes agrada. Sem dúvida, embora cada qual fale mentirosamente da ternura de ser amado, sempre recusada pelo destino, trata-se de uma lei geral, cujo império está bem longe de estender-se unicamente sobre os Charlus, a que diz que a criatura a quem não amamos e que nos ama pareça-nos insuportável. A essa criatura, a essa mulher de quem não diremos que nos ama, mas que nos importuna, preferimos a companhia de qualquer outra, que não terá o seu encanto, nem seus dotes, nem seu espírito. Ela só os recobrará para nós quando nos deixar de amar. Neste sentido, poderia ver-se apenas a transposição, sob uma forma engraçada, dessa regra universal, na irritação causada num invertido por um homem que lhe desagrada e o procura. Mas nele, ela é bem mais forte. Assim, ao passo que o comum dos homens a procura dissimular quando a experimenta, o invertido, implacavelmente, fá-la sentir ao homem que a provoca, como com certeza a não faria sentir a uma mulher, como, por exemplo, o Sr. de Charlus à princesa de Guermantes, cuja paixão o entediava, embora o lisonjeasse. Mas, quando vêem um outro homem testemunhar-lhes um gosto particular, então, ou por incompreensão de que seja o mesmo gosto do deles, ou por lembrança infeliz de que esse gosto, por eles embelezado enquanto eles mesmos o experimentam, é considerado como vício, seja pelo desejo de se reabilitarem com um rompante numa circunstância em que isso nada lhes custa, seja pelo temor de serem adivinhados que experimentam de súbito quando o desejo não mais os impulsiona, de olhos vendados, de imprudência em imprudência, seja pelo furor de sofrer de fato com a atitude equívoca de outro o dano que, quanto à sua atitude, se esse outro lhes agradasse, não receariam causar-lhe, aqueles a quem não constrange seguirem um rapaz durante léguas, não lhe tirarem os olhos de cima no teatro, mesmo que esteja com amigos, arriscando-se com isso a fazê-lo brigar com eles, a gente pode ouvi-los dizer, por pouco que os olhe um outro que não lhes agrada: — Cavalheiro, por quem o senhor me toma? (simplesmente porque os tomam pelo que eles são.) Não o compreendo, é inútil insistir, o senhor está enganado — ir, se necessário, até as bofetadas e, diante de alguém que conhece o imprudente, indignar-se: — Como? O senhor conhece esse salafrário? Ele tem um jeito de olhar para a gente! E que maneiras! — O Sr. de Charlus não foi tão longe, mas mostrou o ar ofendido e glacial que assumem, quando parecemos julgá-las levianas, as mulheres que o não são, e ainda mais aquelas que o são. Ademais o invertido, posto em presença de outro invertido, vê não apenas uma imagem desagradável de si mesmo que, puramente inanimada, só poderia ferir seu amor-próprio, mas também um outro eu, vivo, que age no mesmo sentido, portanto capaz de fazê-lo sofrer em seus amores. Assim, é num instinto de conservação que ele falará todo o mal do possível concorrente, ou com as pessoas que podem prejudicar a este (e sem que o invertido nº 1 se inquiete de passar por mentiroso, quando desse modo liquida o invertido nº 2 aos olhos das pessoas que podem ser informadas a respeito de seu próprio caso), ou com o rapaz que ele "agarrou", que talvez lhe venha a ser arrebatado, e a quem trata de convencer que as mesmas coisas, que este tem todas as vantagens de fazer com ele, causariam a desgraça da sua vida se se deixasse levar a fazê-las com o outro. Quanto ao Sr. de Charlus, que talvez pensasse nos perigos (totalmente imaginários) que a presença desse Cottard, cujo sorriso entendia de modo errôneo, faria correr a Morel, um invertido que não lhe agradasse não era apenas uma caricatura de si mesmo, era igualmente um rival escolhido. Um comerciante que explora um ramo raro dos negócios, desembarcando numa cidade da província onde acaba de instalar-se para o resto da vida, se vê que, na mesma praça, bem defronte, o mesmo negócio é explorado por um concorrente, não fica menos desnorteado que um Charlus que, indo ocultar seus amores numa região tranqüila, vê no dia da chegada o gentil-homem do lugar, ou o cabeleireiro, cujo ar e maneiras não lhe deixam quaisquer dúvidas. Muitas vezes, o comerciante acaba sentindo um verdadeiro ódio pelo concorrente; por vezes, tal ódio degenera em melancolia, e por pouco que haja hereditariedade bastante carregada, já se viu em cidadezinhas o comerciante mostrar indícios de loucura que só se pode curar convencendo-o a vender seu "fundo" e a expatriar-se. A raiva do invertido é ainda mais lancinante. Compreendeu que, desde o primeiro instante, o gentil-homem e o cabeleireiro desejaram seu jovem camarada. Por mais que repita a este, cem vezes por dia, que o cabeleireiro e o gentil-homem são bandidos cuja aproximação o desonraria, é obrigado, como Harpagão, a velar pelo seu tesouro e levanta-se da cama à noite para ver se não lho roubam. E sem dúvida é o que, mais ainda que o desejo ou a comodidade de hábitos comuns e quase tanto como essa experiência de si mesmo que é a única verdadeira, faz com que o invertido despiste o invertido com uma rapidez e uma segurança quase infalíveis. Ele pode enganar-se por um momento; mas uma adivinhação rápida o põe de novo no caminho da verdade. Assim, o erro do Sr. de Charlus foi de curta duração. O discernimento divino mostrou-lhe, após um instante, que Cottard não era da sua espécie e que não havia o que temer de seus avanços, nem quanto a si mesmo, o que só faria deixá-lo exasperado, nem quanto a Morel, o que lhe pareceria mais grave. Voltou a tranqüilizar-se e, como estivesse ainda sob a influência da passagem de Vênus Andrógina, sorria às vezes debilmente aos Verdurin sem se incomodar em abrir a boca, apenas franzindo um canto dos lábios e, por um segundo, acendia ternamente os olhos, ele, tão cioso de sua virilidade, exatamente como o teria feito sua cunhada, a duquesa de Guermantes. — Caça muito, senhor? — perguntou a Sra. Verdurin com desprezo ao Sr. de Cambremer. — Ski já lhe contou que nos aconteceu uma boa? — indagou Cottard à Patroa. — Caço principalmente na floresta de Chatepie — respondeu o Sr. de Cambremer. — Não, não contei nada — disse Ski. — Merece ela o seu nome? — perguntou Brichot ao Sr. de Cambremer, depois de ter-me olhado com o rabo dos olhos, pois me havia prometido falar em etimologias, recomendando que dissimulasse aos Cambremer o desprezo que lhe inspiravam as do cura de Combray. — Com certeza é porque não sou capaz de compreender, mas não alcancei sua pergunta — disse o Sr. de Cambremer. — Quero dizer: será que por lá cantam muitas pegas?[42] — esclareceu Brichot. Entretanto, Cottard sofria porque a Sra. Verdurin ignorava que eles quase haviam perdido o trem. — Vamos — disse a Sra. Cottard ao marido para animá-lo —, conta a tua odisséia. De fato, ela sai fora do comum — disse o doutor, que recomeçou sua narrativa. — Quando vi que o trem estava na gare, fiquei petrificado. Tudo isso por culpa de Ski. O senhor é meio bizarróide em suas informações, meu caro! E Brichot que nos esperava na gare! — Pensava — disse o universitário, lançando a seu redor o que lhe restava de olhar e sorrindo com seus lábios delgados — que, se o senhor se havia demorado em Graincourt, era porque encontrara alguma peripatética. — Cale-se, por favor. Imagine se minha mulher o ouvisse! — disse o doutor. — A patroa é ciumenta. — Ah, esse Brichot! — exclamou Ski, em quem o divertido gracejo de Brichot despertara a alegria costumeira. — É sempre o mesmo — embora na verdade não soubesse dizer se o universitário tivesse sido libertino algum dia. E, para acrescentar a essas palavras consagradas o gesto ritual, fingiu que não podia resistir ao desejo de lhe beliscar a perna. — Ele não muda, esse galhofeiro de Brichot — continuou Ski, e, sem pensar no que a quase cegueira do universitário ajuntava de triste e cômico a essas palavras, acrescentou: — Sempre um olhinho para as mulheres. — Vejam — disse o Sr. de Cambremer — o que é encontrarmos um sábio. Faz quinze anos que caço na floresta de Chantepie e nunca havia pensado no que seu nome significa. — A Sra. de Cambremer lançou um olhar severo ao marido; não gostaria que ele se humilhasse de tal forma diante de Brichot. Ficou mais contrariada ainda quando, a cada "frase feita" empregada por Cancan, Cottard, que conhecia o forte e o fraco delas, pois tinha-as trabalhosamente aprendido, demonstrava ao marquês, o qual confessava sua tolice, que elas não queriam dizer nada: — Por que: burro como uma porta? Acha que as portas são mais burras do que qualquer outra coisa? O senhor diz: repetir cem vezes a mesma coisa. Por que particularmente cem? Por que: dormir como uma pedra? Por que: com todos os diabos? Por que: levar vida desregrada? — Mas então a defesa do Sr. de Cambremer ficava a cargo de Brichot, que explicava a origem de cada locução. Mas a Sra. de Cambremer ocupava-se principalmente em examinar as mudanças que os Verdurin tinham trazido a La Raspelière, a fim de poder criticar algumas, levar outras para Féterne, ou talvez as mesmas. — Pergunto-me o que quer dizer este lustre todo atra-

[42] *Chantepie* pode ser decomposto em *chante,* do verbo cantar, e *pie,* pega. (N. do T.)

vessado. Mal reconheço minha velha Raspelière — acrescentou com um ar familiarmente aristocrático, como se falasse de um servidor, não propriamente para designar-lhe a idade, mas para dizer que ele a vira nascer. E, como era um tanto livresca na linguagem: — Ainda assim, acrescentou a meia voz — parece-me que, se eu morasse em casa alheia, teria algum escrúpulo em mudar tudo assim. — É uma pena que os senhores não tenham vindo com eles — disse a Sra. Verdurin ao Sr. de Charlus e a Morel, na esperança de que o Sr. de Charlus voltasse com freqüência e se inclinasse à regra de chegarem todos no mesmo trem.

— Tem certeza de que Chantepie quer dizer "a pega que canta", Chochotte? — ajuntou ela, para mostrar que, como grande dona-de-casa, tomava parte em todas as conversas ao mesmo tempo. — Mas fale-me um pouco desse violinista — disse-me a Sra. de Cambremer — ele me interessa; adoro a música e creio que já ouvi falar nele, por favor queira informar-me, sim? — Soubera que Morel tinha vindo com o Sr. de Charlus e desejava, sendo apresentada ao primeiro, travar relações com o segundo. Entretanto, acrescentou, para que eu não pudesse adivinhar esse motivo: — O Sr. Brichot também me interessa. — Pois, se era muito instruída, como ocorre com certas pessoas predispostas à obesidade e que mal comem e caminham o dia inteiro sem cessar de engordar a olhos vistos, assim a Sra. de Cambremer, por mais que se aprofundasse, sobretudo em Féterne, numa filosofia cada vez mais esotérica, numa música cada vez mais transcendente, só saía desses estudos para maquinar intrigas que lhe permitissem "cortar" as amizades burguesas de juventude e travar relações que a princípio julgara fazerem parte da sociedade da família do marido, mas que em seguida percebeu estarem situadas muito mais alto e longe. Um filósofo que não era bastante moderno para ela, Leibnitz, disse que a trajetória da inteligência ao coração é muito longa. Essa trajetória, a Sra. de Cambremer, bem como o seu irmão, não tinha mais forças para percorrê-la. Só abandonando a leitura de Stuart Mill pela de Lachelier, à medida que acreditava menos na realidade do mundo exterior, mais se encarniçava, antes de morrer, em conseguir uma boa posição neste último. Apaixonada pela arte realista, nenhum objeto lhe parecia suficientemente humilde para servir de modelo ao pintor ou ao escritor. Um quadro ou um romance mundano lhe provocariam náuseas; um mujique de Tolstoi e um camponês de Millet eram o extremo limite social, que ela não permitia ao artista ultrapassar. Mas franquear o que limitava suas próprias relações, elevar-se até o convívio das duquesas, era a finalidade de todos os seus esforços, de tal modo permanecia ineficaz, contra o esnobismo congênito e mórbido que nela se desenvolvia, o tratamento espiritual a que se submetia através do estudo das obras-primas. Esse esnobismo terminara até curando certas inclinações à avareza e ao adultério, a que era propensa quando jovem, assemelhando-se nisso a esses singulares e contínuos estados patológicos que parecem imunizar os que deles sofrem contra outras doenças. Aliás, eu não podia, ao ouvi-la falar, deixar de fazer justiça ao refinamento de suas expressões, sem todavia sentir nenhum prazer nisso. São as que empregam, numa certa época, todas as pessoas de uma mesma estatura intelectual, de modo que a expressão refinada fornece de imediato, como o arco de um círculo, o meio de descrever e limitar toda a circunferência. Assim, tais expressões fazem com que as pessoas que as empregam me aborreçam logo como já conhecidas, mas também passam por superiores e muitas vezes me foram oferecidas como vizinhas deliciosas e inapreciadas. — A senhora bem sabe que muitas regiões florestais tiram o seu nome dos animais que as povoam. Vizinho à floresta de Chantepie, temos o bosque de Chantereine. — Não sei de que rainha se trata, mas o senhor não é galante com ela — disse o Sr. de Cambremer. — Pegue essa, Chochotte — disse a Sra. Verdurin. — E, fora isso, a viagem correu bem? — Só encontramos vagas humanidades que enchiam o trem. Mas respondo à pergunta do Sr. de Cambremer; rainha não é aqui a mulher de um rei, mas a rã. É o nome que ela conservou por muito tempo nesta região, como o testemunha a estação de Renneville, que deveria escrever-se Reinneville. — Parece-me que a senhora possui aí um belo animal — disse o Sr. de Cambremer à Sra. Verdurin, mostrando-lhe um peixe. Era um desses cumprimentos com que ele julgava pagar sua cota num jantar e já retribuir à gentileza. ("Inútil convidá-los," dizia com freqüência à mulher, falando de tais ou quais amigos. "Ficaram encantados de nos terem à sua mesa. Eles é que nos agradeciam.") — Aliás, devo dizer-lhe que há muitos anos vou quase diariamente a Renneville e lá não vi mais rãs do que em qualquer outro lugar. A Sra. de Cambremer mandou vir aqui o cura de uma paróquia onde possui fortes propriedades e que tem o mesmo feitio de espírito que o senhor, pelo que parece. Ele escreveu uma obra. — Sei disso, eu a li com grande interesse — respondeu hipocritamente Brichot. A satisfação que seu orgulho recebia indiretamente dessa resposta fez rir longamente o Sr. de Cambremer. — Pois bem, o autor, como direi, dessa geografia, desse glossário, discorre longamente acerca do nome de uma pequena localidade de que nós éramos outrora, se assim posso dizer, os senhores, e que se chama Pont-à-Couleuvre. Ora, é evidente que não passo de um vulgar ignorante ao lado desses poços de ciência, mas já fui mil vezes a Pont-à-Couleuvre, e diabos me levem se vi alguma vez uma única dessas serpentes danadas, digo danadas, apesar do elogio que lhes faz o bom La Fontaine (O *Homem e a Cobra* era uma das duas fábulas). — O senhor não viu, mas foi o senhor quem viu direito — respondeu Brichot. — Certamente o escritor de que fala conhece a fundo o seu assunto, escreveu um livro notável. — Claro! — exclamou a Sra. de Cambremer. — Este livro, é bom que se diga, é um verdadeiro trabalho de beneditino. — Sem dúvida terá ele consultado *pouillés* (entende-se por isso a lista dos benefícios e dos curatos de cada diocese, o que lhe pôde fornecer o nome dos patronos leigos e dos colatores eclesiásticos). Mas existem outras fontes. Um de meus amigos mais sábios nelas se abeberou. Descobriu que este mesmo lugar era denominado Pont-à-Quileuvre. Esse nome esquisito o incitou a remontar mais longe ainda, a um texto latino em que a ponte que o seu amigo crê infestada de cobras é designada: *Pons cui aperit.* Ponte fechada, que só se abria mediante uma contribuição razoável. — O senhor falava de rãs. Eu, achando-me no meio de pessoas tão sábias, tenho a impressão de que sou a rã diante do areópago — (era a segunda fábula) disse Cancan, que muitas vezes fazia rindo esse gracejo, graças ao qual acreditava ao mesmo tempo, por humildade e bem a propósito, fazer profissão de ignorância e ostentação de saber. Quanto a Cottard, bloqueado pelo silêncio do Sr. de Charlus e tentando dar-se importância sob outros aspectos, voltou-se para mim e me fez uma dessas perguntas que impressionavam seus doentes se eram acertadas e mostravam que ele estava, por assim dizer, no corpo deles; se, pelo contrário, eram erradas, permitiam-lhe retificar certas teorias, ampliar antigos pontos de vista. — Quando o senhor chega a locais relativamente elevados como este em que nos encontramos no momento, reparou que isto aumenta sua tendência às sufocações? — indagou, certo ou de se fazer admirar, ou de completar seus conhecimentos. O Sr. de Cambremer ouviu a pergunta, e sorriu. — Não posso lhe dizer como me agrada saber que o senhor tem sufocações — lançou-me ele através da mesa. Com isso, ele não queria dizer que a coisa o alegrava, embora isso também fosse verdade. Pois esse homem excelente não podia no entanto ouvir falar de desgraça de outrem sem um sentimento de bem-estar e um espasmo de hilaridade que rapidamente cediam à piedade de um bom coração. Mas sua frase tinha um outro sentido, que esclareceu a seguinte: — Isto me agrada — disse — porque precisamente a minha irmã também sofre disso. — Em suma, aquilo lhe agradava como se me tivesse ouvido citar como sendo um de meus amigos alguém que tivesse freqüentado muito a sua casa. — Como é pequeno o mundo — foi a reflexão que ele formulou mentalmente e que vi escrita no seu rosto sorridente quando Cottard me falou de minhas sufocações. E estas se tornaram, a partir desse jantar, uma espécie de relações comuns de que o Sr. de Cambremer jamais deixava de pedir notícias, nem que fosse apenas para transmiti-las à irmã.

Enquanto respondia às perguntas que sua mulher me fazia sobre Morel, eu pensava numa conversa que tivera com minha mãe à tarde. Como, embora não me desaconselhasse a ir à casa dos Verdurin, se isso podia distrair-me, ela me lembrasse que se tratava de um ambiente que não teria agradado a meu avô e o teria feito exclamar: "Em guarda!", minha mãe havia acrescentado: — Escuta, o presidente Toureuil[43] e sua esposa me disseram que haviam jantado com a Sra. Bontemps. Não me perguntaram nada. Mas julguei compreender que o casamento de Albertine contigo seria o sonho da sua tia. Creio que a verdadeira razão é que és muito simpático a todos eles. Ainda assim, o luxo que eles acham que poderias lhes dar, as relações que mais ou menos sabem que nós temos, creio que tudo isso não lhes é estranho, embora secundário. Não te falaria nisso porque não ligo muito para tais coisas, mas, como suponho que vão te falar, preferi tomar a dianteira. — Mas tu, que achas de Albertine? — perguntara eu a mamãe. — Ora, eu, não serei eu quem se casará com ela. Decerto podes arranjar coisa mil vezes melhor em matéria de casamento. Mas creio que tua avó não gostaria que te influenciassem. Atualmente não posso te dizer como acho Albertine, não acho nada. Direi como a Sra. de Sévigné: "Ela tem boas qualidades, pelo menos é o que creio. Mas agora no começo, só sei louvá-la com negativas. Ela não é isto, ela não tem o sotaque de Rennes. Com o tempo, talvez, eu diga: ela é isto." E sempre a acharei bem, se ela te fizer feliz. — Mas, com essas mesmas palavras, que colocavam nas minhas mãos a decisão sobre a minha própria felicidade, minha mãe me pusera nesse estado de dúvida em que eu já me vira quando, tendo meu pai permitido que eu fosse à representação da *Fedra,* e principalmente, que me tornasse escritor, sentira de súbito uma responsabilidade excessivamente grande, o medo de afligi-lo, e aquela melancolia que se sente quando se deixa de obedecer a ordens que, no dia-a-dia, nos ocultam o futuro, de perceber que afinal começamos a viver a vida de verdade, como gente grande, a única vida que está à disposição de todos nós.

Talvez fosse melhor esperar um pouco, começar a lidar com Albertine como antigamente, para tentar ver se a amava de verdade. Poderia levá-la à casa dos Verdurin para distraí-la, e isso me lembrou que eu mesmo só estava ali aquela noite para saber se a Sra. Putbus ali estava hospedada ou ainda ia chegar. Em todo caso, não viera para jantar. — A propósito de seu amigo Saint-Loup — disse-me a Sra. de Cambremer, em-

[43] *Toureuil*: sem dúvida trata-se de uma variante do nome de Poncin, o primeiro magistrado de Caen. (N. do T.)

pregando assim uma expressão que denotava mais seguimento nas idéias do que suas frases dariam a entender; pois, falando de música, pensava nos Guermantes —, o senhor sabe que todo mundo fala de seu casamento com a sobrinha da princesa de Guermantes. Dir-lhe-ei que, de minha parte, não me preocupo a *mínima* com esses mexericos mundanos. — Assaltou-me o temor de haver falado sem simpatia, diante de Robert, dessa jovem falsamente original, cujo espírito era tão medíocre quanto violento o caráter. Não há quase uma só notícia que venhamos a saber que nos faça lastimar uma de nossas frases. Respondi à Sra. de Cambremer que não sabia de nada (o que aliás era verdade), e que além disso a noiva me parecia ainda muito jovem. — Talvez por causa disso é que o noivado ainda não seja oficial; em todo caso, falam muito nisso. — Tendo ouvido que a Sra. de Cambremer me falara de Morel e julgando que ainda o fazia quando baixou a voz para me falar do noivado de Saint-Loup, disse-lhe secamente a Sra. Verdurin: — Quero preveni-la; não é música sem valor o que aqui se toca. A senhora sabe, em arte os fiéis das minhas quartas, meus filhos, como lhes chamo, é uma coisa espantosa como são avançados — ajuntou ela com ar de orgulhoso terror. — Muitas vezes lhe digo: "Meu pessoalzinho, vocês andam mais depressa do que aqui a sua Patroa, a quem, no entanto, passam as audácias por nunca terem causado medo." Todos os anos isso vai um pouco mais longe; virá em breve o dia em que ultrapassarão Wagner e d'Indy. — Mas é muito bom ser avançado, nunca se é o bastante — disse a Sra. de Cambremer, sempre inspecionando cada canto da sala de jantar, procurando reconhecer as coisas que a sogra havia deixado, as que a Sra. Verdurin trouxera, e apanhar esta em flagrante delito de falta de gosto. No entanto, buscava falar-me do assunto que mais a interessava: o Sr. de Charlus. Achava tocante que o barão protegesse um violinista. — Ele parece inteligente. — É até de uma verve extrema para quem já é um tanto idoso. — Idoso? Mas ele não tem jeito de idoso; olhe, o cabelo ainda é de moço. (Pois fazia uns três ou quatro anos que a palavra "cabelo" fora empregada no singular por um desses desconhecidos que são os lançadores de modas literárias, e todas as pessoas que tinham o comprimento de raio da Sra. de Cambremer diziam "o cabelo", não sem um sorriso afetado. Atualmente, ainda se diz "o cabelo", mas do excesso do singular renascerá o plural.) — O que me interessa, acima de tudo, no Sr. de Charlus — acrescentou — é que se sente nele o dom. Digo-lhe que pouco me importa o saber. O que se aprende não me interessa. — Tais palavras não estão em contradição com o valor particular da Sra. de Cambremer, que era precisamente imitado e adquirido. Mas justamente uma das coisas que se deviam saber naquele momento é que o saber não é nada e não pesa coisa alguma ao lado da originalidade. A Sra.

de Cambremer aprendera, como o resto, que não é preciso aprender nada. — É por isso — disse ela — que Brichot, que tem lá o seu lado curioso, pois não desprezo certa erudição saborosa, interessa-me no entanto muito menos. — Mas Brichot, naquele instante, só estava ocupado com uma coisa: ouvindo que falavam de música, receava que o assunto recordasse à Sra. Verdurin a morte de Dechambre. Queria dizer alguma coisa para afastar essa lembrança funesta. O Sr. de Cambremer forneceu-lhe a ocasião com esta pergunta: — Então, os lugares onde há florestas têm sempre nomes de animais? — Como não? — respondeu Brichot, contente por ostentar seu saber diante de tantos novos, entre os quais eu lhe dissera que estava certo de interessar ao menos um. — Basta ver como, nos próprios nomes de pessoas, uma árvore é conservada, como um feto na hulha. Um de nossos padres conscritos se chama Sr. de Saulces de Freycinet, o que significa, salvo engano, lugar plantado de salgueiros e de freixos, *salix et fraxinetum;* seu sobrinho, Sr. de Selves, reúne mais árvores ainda, visto que se chama de Selves, *sylva.* — Com satisfação, Saniette via a conversa animar-se. Podia, já que Brichot falava o tempo todo, conservar um silêncio que lhe evitaria ser o objeto dos motejos do Sr. e da Sra. Verdurin. E, tornando-se ainda mais sensível na alegria da libertação, emocionara-se ao ouvir o Sr. Verdurin, malgrado a solenidade de um tal jantar, dizer ao mordomo que pusesse uma jarra d'água junto do Sr. Saniette, que não bebia outra coisa. (Os generais que mais sacrificam soldados fazem questão de mantê-los bem alimentados.) Enfim, a Sra. Verdurin sorrira uma vez para Saniette. Decididamente eram boas pessoas. Ele não mais seria torturado. Nesse momento, a refeição foi interrompida por um convidado que eu me esquecera de citar, um ilustre filósofo norueguês que falava francês muito bem, porém muito lentamente, por dois motivos: primeiro, porque, tendo-o aprendido há pouco e não querendo cometer erros (entretanto cometia alguns), reportava-se para cada palavra a uma espécie de dicionário interior; depois, porque, sendo metafísico, pensava sempre o que desejava dizer enquanto o dizia, o que, mesmo num francês, é causa de lentidão. De resto, era uma criatura deliciosa, embora aparentemente igual a tantas outras, menos sob um aspecto. Esse homem, de falar tão vagaroso (havia um certo silêncio entre duas palavras), tornava-se de uma rapidez vertiginosa para escapar logo que se despedia. Da primeira vez, sua precipitação fazia pensar numa cólica ou até numa necessidade mais imperiosa.

— Meu caro... colega — disse ele a Brichot, depois de haver deliberado em seu espírito se "colega" era o termo conveniente —, tenho uma espécie de desejo de saber se há outras árvores na nomenclatura de sua bela língua — francesa — latina — normanda. A senhora (ele queria dizer

Sra. Verdurin, embora não se atrevesse a encará-la) me disse que o senhor sabia todas as coisas. Não será este precisamente o momento? — Não, é o momento de comer — interrompeu a Sra. Verdurin, que via que o jantar não acabava. — Ah, muito bem — respondeu o escandinavo baixando a cabeça para o prato, com um sorriso triste e resignado. — Porém devo observar à senhora que se me permito esse questionário, perdão, essa questação — é que amanhã devo voltar a Paris para jantar na Tour d'Argent ou no Hotel Meurice. Meu confrade — francês —, Sr. Boutroux, deve nos falar de sessões de espiritismo — perdão, de evocações espirituosas — que ele controlou. — Não é tão bom como dizem, o Tour d'Argent — retrucou a Sra. Verdurin, irritada. — Cheguei a ter ali uns jantares detestáveis. — Mas estou enganado, o que se come na casa da Senhora não é a mais fina cozinha francesa? — Meu Deus, positivamente não é mau — respondeu a Sra. Verdurin suavizada. — E, se o senhor voltar na quarta-feira próxima, será ainda melhor. — Mas segunda-feira parto para a Argélia e de lá vou até o Cabo. E, quando estiver no Cabo da Boa Esperança, não poderei mais encontrar o meu ilustre colega — perdão, não poderei encontrar mais o meu confrade. — E pôs-se, por obediência, após ter fornecido essas desculpas retrospectivas, a comer com rapidez vertiginosa. Mas Brichot estava bem feliz de poder dar outras etimologias vegetais e respondeu, interessando de tal modo o norueguês que este parou novamente de comer, mas fazendo sinal de que podiam lhe tirar o prato cheio e servir o seguinte: — Um dos Quarenta — disse Brichot — é chamado Houssaye, ou lugar plantado de azevinhos (*houx*); no nome de um fino diplomata, o Sr. d'Ormesson, o senhor encontra o olmo (*orme*), *o ulmus* caro a Virgílio e que deu seu nome à cidade de Ulm; no de seus colegas, o Sr. de La Boulaye, a bétula (*bouleau*); no Sr. d'Aunay, o amieiro (*aune*); no Sr. de Bussière, o buxo (*buis*); no Sr. Albaret, o alburno (*aubier*) (prometi a mim mesmo dizê-lo a Céleste); no Sr. de Cholet, a couve (*chou*); e a macieira (*pommier*) do nome do Sr. de La Pommeraye que nós ouvimos conferenciar (lembra-se, Saniette?), na época em que o bom Porel fora enviado aos confins do mundo como procônsul na Odéonie? — Ao nome de Saniette pronunciado por Brichot, o Sr. Verdurin lançou à mulher e a Cottard um olhar irônico que desmontou o tímido. — Afirmava o senhor que Cholet provém de *chou* — disse eu a Brichot. — Será que uma estação pela qual passei antes de chegar a Doncières, Saint-Frichoux, também provém de *chou*? — Não, Saint-Frichoux é *Sanctus Fructuosus*, como *Sanctus Ferreolus* deu Saint-Fargeau, mas isto não é absolutamente de origem normanda. — Ele sabe coisas demais, ele nos *abolece* — gargarejou docemente a princesa. — Há tantos outros nomes que me interessam, mas não posso perguntar-lhe todos de uma só vez.

— E, virando-me para Cottard: — Será que a Sra. Putbus está aqui? — indaguei. — Graças a Deus, não — respondeu a Sra. Verdurin, que ouvira a minha pergunta. — Tratei de desviar as suas vilegiaturas para Veneza; estamos livres dela este ano. — Eu mesmo vou ter direito a duas árvores — disse o Sr. de Charlus —, pois tenho mais ou menos reservada uma pequena casa entre Saint-Martin-du-Chêne e Saint-Pierre-des-Ifs. — Mas é muito perto daqui; espero que volte muitas vezes em companhia de Charlie Morel. Não terá mais do que entrar em acordo com o nosso pequeno grupo quanto aos trens, está a dois passos de Doncières — disse a Sra. Verdurin, que detestava que não viessem pelo mesmo trem e às horas em que enviava os carros para a estação. Ela sabia como era penosa a subida para La Raspelière, mesmo contornando-a por trás da Féterne, o que dava um atraso de meia hora, e temia que aqueles que formassem um grupo à parte não encontrassem carros para levá-los, ou que, tendo na verdade ficado em casa, pudessem pretextar não terem encontrado carros em Douville-Féterne e não se sentirem com forças para fazer uma tal subida a pé. A esse convite, o Sr. de Charlus se limitou a responder com uma inclinação muda. — Ele não deve ser fácil de tratar todos os dias, tem um ar afetado — sussurrou Ski ao doutor que, tendo permanecido uma criatura simples, apesar de uma camada superficial de orgulho, não procurava ocultar que Charlus o esnobava. Sem dúvida, ele ignora que em todas as estações de águas e até em Paris, nas clínicas, os médicos, para quem sou naturalmente o "grande chefe", fazem questão de me apresentar a todos os nobres que aí estejam e que não vão demorar muito. Isso torna até bem agradável para mim a permanência nas estâncias balneárias — acrescentou com ar leviano. — Mesmo em Doncières, o major do regimento, que é médico assistente do coronel, convidou-me para almoçar com ele dizendo que eu estava em condições de jantar com o general. E esse general era um senhor *de* alguma coisa. Não sei se esses títulos de nobreza são mais ou menos antigos que o deste barão. — Não deixe que isto lhe suba à cabeça, é uma bem pobre coroa — respondeu Ski a meia voz, e acrescentou algo confuso com um verbo, onde apenas distingui as últimas sílabas "ardar", ocupado como estava em ouvir o que Brichot dizia ao Sr. de Charlus. — Provavelmente não, lamento dizer-lho, o senhor só tem uma árvore, pois, se Saint-Martin-du-Chêne é evidentemente *Sanctus Martinus juxta quercum*, por outro lado a palavra *if* pode ser simplesmente a raiz, *ave*, *eve*, que quer dizer úmido, como em Aveyron, Lodève, Yvette, e que o senhor vê subsistir em nossas pias (*éviers*) de cozinha. É a "água", que em bretão se diz *Ster*: *Stermaria*, *Sterlaer*, *Sterbouest*, *Ster-en-Dreuchen*. — Não escutei o final, pois, por maior que fosse o prazer que sentia em voltar a ouvir o nome de *Stermaria*, ouvia sem querer, a meu lado, Cottard dizendo baixinho a Ski: — Ah, mas eu não sabia! Então, trata-se de um senhor que sabe se virar por todos os lados na vida! Como! Pertence à confraria! No entanto não tem os olhos pisados. Precisarei de cuidar dos pés embaixo da mesa, era só o que faltava, que me deixasse bolinar por ele. Aliás, isto só parcialmente me deixa espantado. Vejo diversos nobres na ducha, em trajes de Adão; são mais ou menos uns degenerados. Nem lhes falo, porque, afinal, sou funcionário e isto poderia me causar transtornos. Mas eles sabem perfeitamente quem sou. — Saniette, a quem a interpelação de Brichot assustara, começava a respirar, como alguém que tem medo da tempestade e que percebe que o raio não foi seguido de nenhum rumor de trovão, quando ouviu o Sr. Verdurin questioná-lo, fixando nele um olhar que não largava o infeliz enquanto estava falando, de modo a perturbá-lo imediatamente e a não lhe permitir recobrar o ânimo: — Mas Saniette, como é que sempre nos ocultou que freqüentava as matinês do Odeon? — Trêmulo como um recruta diante de um sargento torturador, Saniette respondeu, dando à sua frase as menores dimensões que pôde, a fim de que tivesse mais chances de escapar aos golpes: — Uma vez, em *La Chercheuse*. — Que é que ele está dizendo? — bramiu o Sr. Verdurin, com ar a um tempo desgostoso e furibundo, franzindo as sobrancelhas como se necessitasse de toda a sua atenção para entender algo de ininteligível. — Primeiro, não se compreende o que está dizendo. O que tem você na boca? — perguntou o Sr. Verdurin, cada vez mais violento, e aludindo ao defeito de pronúncia de Saniette. Pobre Saniette, não quero que o faça infeliz — disse a Sra. Verdurin num tom de falsa piedade e para não deixar dúvida em ninguém quanto às insolentes intenções do marido. — Eu estava na Ch... Che, che, che, procure falar claramente — disse o Sr. Verdurin —, não o ouço de jeito nenhum. — Quase nenhum dos fiéis sustinha o riso e tinham o aspecto de um bando de antropófagos em que a ferida feita num branco desperta o gosto pelo sangue. Pois o instinto de imitação e a ausência de coragem governam tanto as sociedades como as multidões. E todo mundo ri de alguém de quem se vê zombar, arriscando-se a venerá-lo dez anos depois em um círculo onde é admirado. Da mesma forma, o povo aclama e enxota os reis. — Ora — disse a Sra. Verdurin —, não é culpa dele. — Também não é minha, a gente não janta fora quando não consegue mais articular as palavras. — Eu estava assistindo a *La Chercheuse d'esprit*, de Favart. — O quê! É a *Chercheuse d'esprit* que você chamava de *Chercheuse*? Ah! É magnífica, eu poderia ficar imaginando cem anos que não descobriria nada — exclamou o Sr. Verdurin, que no entanto logo acharia que alguém não era letrado, artista, "não era dos seus", se o ouvisse dizer o título completo de certas obras. Por exemplo, era imperioso dizer *Le Malade, Le Bourgeois*; e aqueles que acrescentassem *Imaginaire* ou *Gentilhomme*[44] teriam revelado não serem "da roda", assim como, em um salão, alguém prova não pertencer à alta sociedade ao dizer: o Sr. de Montesquiou-Fezensac em vez de Sr. de Montesquiou. — Mas não é assim tão extraordinário — observou Saniette, sufocado pela emoção, porém risonho, conquanto não tivesse vontade de rir. — A Sra. Verdurin estourou: — Ah, é? — exclamou, escarnecendo. — Fique certo de que ninguém no mundo poderia adivinhar que se tratava de *La Chercheuse d'esprit.* — O Sr. Verdurin retornou com voz suave e, dirigindo-se ao mesmo tempo a Saniette e a Brichot: — Aliás, é uma bela peça *La Chercheuse d'esprit.* — Pronunciada em tom sério, esta simples frase, onde não se podia achar nenhum sinal de maldade, fez tanto bem a Saniette e excitou nele tanta gratidão como se fosse uma amabilidade. Ele não pôde proferir uma só palavra e manteve um silêncio feliz. Brichot foi mais loquaz: — É verdade — respondeu ele ao Sr. Verdurin — e, se a fizessem passar por obra de algum autor sármata ou escandinavo, poderiam apresentar a candidatura de *La Chercheuse d'esprit* à condição vacante de obra-prima. Mas diga-se, sem faltar com o respeito aos manes do gentil Favart, ele não era de temperamento ibseniano. (E logo enrubesceu até as orelhas, pensando no filósofo norueguês, o qual tinha um ar infeliz porque buscava em vão identificar que tipo de vegetal podia ser o *buis* de que há pouco falara Brichot a propósito de Bussière.) Aliás, a satrapia de Porel estava ocupada agora por um funcionário que é um tolstoiniano de rigorosa observância, e poderia ocorrer que víssemos *Anna Karenina* ou *Ressurreição* sob a arquitrave odeônica. — Sei a qual retrato de Favart o senhor quer se referir — disse o Sr. de Charlus. — Vi uma prova muito linda na casa da condessa Molé. — O nome da condessa Molé causou forte impressão na Sra. Verdurin: — Ah! O senhor costuma ir à casa da Sra. de Molé! — exclamou ela. Pensava que se dizia "a condessa Molé", "Sra. Molé", simplesmente por abreviação, como ouvia dizer os Rohan, ou, por desdém, como ela própria dizia: senhora La Trémoïlle. Não tinha nenhuma dúvida de que a condessa Molé, conhecendo a rainha da Grécia e a princesa de Caprarola, tivesse mais que ninguém direito à partícula, e estava decidida, de uma vez por todas, a dá-la a uma pessoa tão brilhante e que se mostrava muito amável com ela. Assim, para mostrar que falara desse modo intencionalmente e não regateava esse "de" à condessa, prosseguiu: — Mas eu absolutamente não sabia que o senhor conhecia a se-

[44] Alusão a duas peças de Molière: *O Doente Imaginário* ("Le Malade Imaginaire") e *O Burguês Fidalgo* ("Le Bourgeois Gentilhomme"). (N. do T.)

nhora de Molé! — como se fosse duplamente extraordinário que o Sr. de Charlus conhecesse aquela dama e que a Sra. Verdurin não soubesse que ele a conhecia. Ora, a alta sociedade, ou pelo menos aquilo que o Sr. de Charlus assim denominava, forma um todo relativamente homogêneo e fechado. Se, por um lado, é compreensível que na disparatada imensidade da burguesia um advogado diga, a alguém que conhece um de seus companheiros de colégio: "Mas como diabos você conhece Fulano?" em compensação, espantar-se de que um francês conheça o sentido das palavras *templo* ou *floresta* não seria mais extraordinário do que se admirar dos acasos que tinham podido reunir o Sr. de Charlus e a condessa Molé. Ademais, mesmo se um tal conhecimento não tivesse decorrido naturalmente das leis mundanas, se tivesse sido fortuito, como seria estranho que a Sra. Verdurin o ignorasse, já que via o Sr. de Charlus pela primeira vez e que as relações deste com a Sra. Molé estavam longe de ser a única coisa que ela não sabia a seu respeito, de que, na verdade, não sabia nada. — Quem era que representava essa *Chercheuse d'esprit,* meu caro Saniette? — perguntou o Sr. Verdurin. Mesmo sentindo que a tempestade passara, o antigo arquivista hesitou em responder. — Mas também, tu o intimidas — disse a Sra. Verdurin —, zombas de tudo o que ele diz e depois queres que ele responda. Vamos, diga quem representava aquilo, e lhe daremos galantina para levar para casa — acrescentou ela, fazendo uma alusão malévola à ruína em que caíra Saniette querendo salvar um casal amigo. — Lembro-me apenas de que era a Sra. Samary que fazia o papel da Zerbine — disse Saniette. — A Zerbine? O que é isso? — gritou o Sr. Verdurin como se houvesse um incêndio. — É uma personagem do antigo repertório, como *O Capitão Fracasso,* como quem diz o Fanfarrão, o Pedante. — Ah, o pedante é você! A Zerbine! Não, mas ele está tocado! — exclamou o Sr. Verdurin. A Sra. Verdurin olhou para seus convivas rindo, para desculpar Saniette. — A Zerbine! Ele pensa que todo mundo sabe logo o que significa isso. Você é como o Sr. de Longepierre, o homem mais idiota que conheço, que outro dia nos falava familiarmente "o Banat". Ninguém ficou sabendo do que ele estava falando. Finalmente fomos informados de que se tratava de uma província da Sérvia. — Para terminar com o suplício de Saniette, que me fazia mais mal do que a ele, perguntei a Brichot se sabia o que significava Balbec. — Balbec é provavelmente uma corruptela de Dalbec — disse ele. — Seria preciso consultar as cartas dos reis da Inglaterra, suseranos da Normandia, pois Balbec era dependente da baronia de Douvres, devido a que se dizia muitas vezes Balbec d'Outre-Mer, Balbec-en-Terre. Mas a própria baronia de Douvres dependia do bispado de Bayeux e, apesar dos direitos que os templários tiveram momentaneamente sobre a abadia a partir de Louis d'Harcourt, patriarca de Jerusalém e bispo de Bayeux, os bispos dessa diocese é que foram coletores dos bens de Balbec. Foi o que me explicou o deão de Doville, homem calvo, eloqüente, quimérico e *gourmet,* que vive na obediência a Brillat-Savarin, e me expôs incertas pedagogias com termos um tanto sibilinos, enquanto me fazia comer admiráveis batatas fritas. — Ao passo que Brichot sorria, para mostrar o que havia de espirituoso em juntar desse modo coisas tão díspares e empregar para coisas comuns uma linguagem ironicamente elevada, Saniette tentava encaixar algo espirituoso que pudesse reerguê-lo de seu desmoronamento de há pouco. A saída era o que ele chamava de "semelhança", mas que mudara de forma, pois existe uma evolução para os trocadilhos bem como para os gêneros literários e as epidemias, que desaparecem substituídos por outros, etc. Antigamente, a forma dessa "semelhança" era o "cúmulo". Mas estava antiquada, ninguém mais a empregava, e somente Cottard é que dizia ainda às vezes, durante uma partida de *piquet*: — Sabem qual é o cúmulo da distração? É tomar o édito de Nantes por uma inglesa. — Os cúmulos tinham sido substituídos pelos apelidos. No fundo, era sempre a mesma velha "semelhança", mas, como o apelido estava na moda, ninguém se dava conta disso. Infelizmente para Saniette, quando esses ditos não eram seus e normalmente desconhecidos do pequeno núcleo, ele os citava tão timidamente que, apesar do riso com que os acompanhava para assinalar o seu caráter humorístico, ninguém os compreendia. E, se, ao contrário, o dito era de sua lavra, como ele o houvesse conhecido através de um dos fiéis, este o repetia, adotando-o, e a frase então se tornava conhecida, mas não como sendo de Saniette. Assim, quando ele introduzia um desses, todos o reconheciam, mas, como ele se dava por autor, acusavam-no de plágio. — Pois bem — prosseguiu Brichot —, *bec* em normando quer dizer regato; existe a abadia de Bec, Mobec, o regato do pântano (*mor* ou *mer* queria dizer pântano, como em Morville, ou em Bricquemar, Alvimare, Cambremer); Bricquebec, o regato da altura, provém de *briga*, lugar fortificado, como em Bricqueville, Bricquebosc, o Bric, Briand, ou então de *brice*, ponte, que é o mesmo que *bruck* em alemão (*Innsbruck*) e que *bridge* em inglês, que é a terminação de tantos nomes de localidades (Cambridge, etc.). Temos ainda na Normandia muitos outros *bec:* Caudebec, Bolbec, Robec, o Bec Hellouin, Becquerel. É a forma normanda do germano *Bach,* Offenbach, Anspach; Varaguebec, da antiga palavra *varaigne,* equivalente de souto (*garenne*), bosques, tanques reservados. Quanto a *dal* — prosseguiu Brichot —, trata-se de uma forma de *Thal*, vale: Dametal, Rosendal, e até mesmo, perto de Louviers, Becdal. O rio que deu nome a Dalbec aliás é um encanto. Visto de uma penedia (*Fels* em alemão; o senhor tem mesmo, não longe daqui, sobre uma elevação, a cidade de Falaise), ele se torna vizinho das flechas da igreja, na realidade situada a uma grande distância, e parece refleti-las. — Acredito — disse eu —, é um efeito que Elstir aprecia muito. Já vi diversos esboços na casa dele. — Elstir! — exclamou a Sra. Verdurin; — então conhece Tiche?[45] Saiba que o conheci muito intimamente. Graças aos céus, não o vejo mais. Pergunte a Cottard, a Brichot, ele tinha seu lugar reservado aqui em casa, vinha todos os dias. Eis aí um de quem se pode dizer que não lhe aproveitou deixar o nosso pequeno núcleo. Já vou lhe mostrar as flores que ele pintou para mim; o senhor verá que diferença com o que está fazendo hoje e que absolutamente não me agrada, de jeito nenhum! E eu que lhe encomendei um retrato de Cottard, sem contar todos os que fez tendo-me por modelo. — E pintou cor-de-malva os cabelos do professor — disse a Sra. Cottard, esquecendo que na época o marido não era nem suplente. — Acha o senhor que meu marido tem cabelos cor-de-malva? — Isto não quer dizer nada — comentou a Sra. Verdurin, erguendo o queixo com ar de desdém para a Sra. Cottard e de admiração por aquele de quem falava —, era um grande colorista, um belo pintor. Ao passo que não sei — acrescentou, dirigindo-se novamente a mim — se o senhor chama aquilo de pintura, todos esses diabos de composição, essas enormes geringonças que ele expõe desde que cessou de vir à minha casa. A mim me parece uma borradela, coisa vulgar; falta-lhes relevo, originalidade. Ali há de tudo. — Ele restitui a graça do século XVIII, mas modernizada — disse precipitadamente Saniette, tonificado e refeito pela minha amabilidade. — Mas prefiro Helleu. — Ele não tem qualquer relação com Helleu — disse a Sra. Verdurin. — Sim, é um século XVIII febril. É um Watteau a vapor — disse Saniette, e pôs-se a rir.[46] — Oh, essa é velha, para lá de velha, faz anos que me servem o mesmo prato — disse o Sr. Verdurin, a quem Ski de fato havia, anos antes, feito a mesma observação, mas como sendo de sua autoria. — É muito azar que, na única vez em que você pronuncia inteligivelmente uma coisa engraçada, ela não seja sua. — É uma pena — continuou a Sra. Verdurin — porque ele era muito bem-dotado, estragou uma bela vocação de pintor. Ah, se ele tivesse ficado aqui! Seria o primeiro paisagista da nossa época. E foi uma mulher que o fez cair tão baixo! Aliás, isto não me espanta, pois o homem era agradável, mas vulgar. No fundo era um medíocre. Digo-lhes que o senti imediatamente. No fundo, ele nunca me interessou. Eu gostava

[45] Na realidade, Elstir era apelidado "Biche" no tempo em que freqüentava os Verdurin. Ver *No caminho de Swann*, p. 168. (N. do T.)

[46] Watteau a vapor: trocadilho com a expressão *bateau à vapeur*, barco a vapor. (N. do T.)

dele, e nada mais. E era de uma sujeira! Será que vocês gostam das pessoas que nunca se lavam? — Que coisa de tão lindo tom é essa que estamos comendo? — perguntou Ski. — É uma *mousse* de morango — respondeu a Sra. Verdurin. — Mas é des-lum-bran-te. Seria necessário mandar abrir garrafas de Château-Margaux, de Château-Lafite, de vinho do Porto. — Nem sei lhes dizer como isso me diverte; ele só bebe água — observou a Sra. Verdurin, para dissimular na graça que achava daquela fantasia o pavor que lhe causava essa prodigalidade. — Mas não é para beber — replicou Ski; — encherão todos os nossos copos, trarão maravilhosos pêssegos, enormes pêssegos-carecas, ali diante do sol poente; será luxuriante como um belo Veronese. — Custará quase tão caro — murmurou o Sr. Verdurin. — Mas levem daqui esses queijos tão feios de tom — continuou Ski, tentando retirar o prato do Patrão, que defendeu o seu *gruyère* com todas as forças. — O senhor bem compreende que eu não lastimo Elstir — disse-me a Sra. Verdurin. — Este possui outros dotes. Elstir é o trabalho, o homem que não sabe deixar a pintura quando tem vontade. É o bom aluno, o cavalo de concursos. Quanto a Ski, só conhece a sua fantasia. Irá vê-lo acender o cigarro bem no meio do jantar. — De fato, não sei por que não quis receber a mulher dele — disse Cottard. — Ele estaria aqui como outrora. — Quer ter a bondade de ser mais polido? Eu não recebo meretrizes, senhor professor — disse a Sra. Verdurin que, pelo contrário, tudo fizera para ter de volta Elstir, mesmo na companhia da mulher. Mas antes que se casassem, havia feito de tudo para separá-los e dissera a Elstir que a mulher que ele amava era idiota, suja, leviana, ladra. Ao menos por uma vez não conseguira a ruptura. Fora com o salão Verdurin que Elstir havia rompido; e se felicitava por isso, como os convertidos bendizem a doença ou o revés que os levou ao retiro e fê-los conhecer o caminho da salvação. — É magnífico, o professor! — disse ela. — É melhor declarar logo que meu salão é um bordel. Dir-se-ia que o senhor não sabe o que é a Sra. Elstir. Receberia eu antes a última das prostitutas! Ah, de modo algum como desse pão! Além disso, eu seria uma tola se aceitasse essa mulher quando o marido já não me interessa, é antiquado, já nem desenha mais. — É extraordinário, no caso de um homem de tamanha inteligência — disse Cottard. — Oh, não — respondeu a Sra. Verdurin —, mesmo na época em que ele tinha talento, pois é fato que o teve, o tratante, para dar e vender, o que irritava nele é que não era inteligente de modo nenhum. — Para fazer esse juízo de Elstir, a Sra. Verdurin não esperara o rompimento entre ambos nem que deixasse de gostar da sua pintura. É que, mesmo no tempo em que ele fazia parte do pequeno grupo, acontecia que Elstir passava dias inteiros com essa ou aquela mulher que a Sra. Verdurin, com ou sem razão, considerava uma "toupeira", o que, na sua opinião, não era próprio para um homem inteligente. — Não — disse ela com um ar de eqüidade —, creio que sua mulher e ele são feitos um para o outro. Deus sabe que não conheço criatura mais aborrecida sobre a face da Terra e ficaria exasperada se me fosse preciso passar duas horas com ela. Mas dizem que ele a considera muito inteligente. É preciso confessar: o nosso *Tiche* era sobretudo extremamente imbecil! Já o vi deslumbrado com pessoas que o senhor nem imagina, grandes idiotas que jamais haveríamos de querer em nosso pequeno clã. Pois bem! Ele lhes escrevia, discutia com elas, ele, Elstir! Isto não impede seus lados encantadores, ah! Encantadores, encantadores e deliciosamente absurdos, é claro! — Pois a Sra. Verdurin estava convencida de que os homens verdadeiramente notáveis praticam mil loucuras. Idéia falsa onde, entretanto, existe um pouco de verdade. Claro que as "loucuras" das pessoas são insuportáveis. Mas um desequilíbrio que somente se descobre com o passar do tempo é a conseqüência da entrada, num cérebro humano, de delicadezas para as quais ele habitualmente não é feito. De maneira que irritam as estranhezas de pessoas encantadoras, mas também não há pessoa encantadora que não seja estranha. — Olhe, já vou poder mostrar-lhe as flores — disse ela, vendo que o marido lhe fazia sinal de que podiam erguer-se da mesa. E retomou o braço do Sr. de Cambremer. O Sr. Verdurin quis desculpar-se com o Sr. de Charlus logo que deixou a Sra. de Cambremer, e dar-lhe os seus motivos, sobretudo pelo prazer de conversar sobre esses matizes mundanos com um homem titulado, momentaneamente tido como inferior àqueles que tomavam o lugar a que julgava ter direito. Mas, antes de tudo, fez questão de mostrar ao Sr. de Charlus que intelectualmente o considerava muito, para pensar que ele desse atenção a tais bagatelas: — Desculpe-me o estar falando dessas ninharias — começou —, pois suponho perfeitamente o pouco caso que o senhor dá a essas coisas. Os espíritos burgueses fazem questão disso, mas os outros, os artistas, as pessoas que o são de fato, pouco se importam. Ora, desde as primeiras palavras que trocamos, compreendi que o senhor era um desses! — O Sr. de Charlus, que dava a essa locução um sentido completamente diverso, teve um estremecimento. Depois das olhadelas do doutor, a franqueza injuriosa do Patrão o sufocava. — Não proteste, meu caro senhor, é um deles, está claro como o dia — prosseguiu o Sr. Verdurin. — Repare que não sei se o senhor exerce alguma arte, mas não é necessário e nem sempre é bastante. Dechambre, que acaba de falecer, trabalhava perfeitamente com o mais robusto mecanismo, mas não era desses, sentia-se logo que ele não era. Brichot não é. Morel é, minha mulher é, sinto que o senhor é... — Que ia me dizer? — interrompeu o Sr. de Charlus, que principiava a tranqüilizar-se com o que o Sr. Verdurin queria significar, mas que preferia que ele gritasse mais baixo essas palavras de duplo sentido. — Nós apenas o colocamos à esquerda — respondeu o Sr. Verdurin. O Sr. de Charlus, com um sorriso compreensivo, bonachão e insolente, respondeu: — Mas ora! Isto não tem nenhuma importância, aqui! — E deu um risinho que lhe era especial, que lhe vinha provavelmente de alguma avó bávara ou lorena, que o herdara ela própria, idêntico, de uma avó, de modo que ele soava assim, sem mudança, desde não poucos séculos, nas velhas cortes da Europa, e cujo precioso timbre era desfrutado com gosto como o de certos instrumentos antigos hoje raríssimos. Há momentos em que, para pintar completamente a alguém, é necessário que a imitação fonética se junte à descrição, e a do personagem que o Sr. de Charlus representava, arriscava-se a ser incompleta devido à falta desse risinho tão fino, tão leve, como certas suítes de Bach nunca são exatamente reproduzidas porque faltam às orquestras essas "pequenas trombetas" de som tão particular, para as quais o autor escreveu tal ou qual parte. — Mas — explicou o Sr. Verdurin, constrangido — foi de propósito. Não dou a menor importância a títulos de nobreza — acrescentou, com esse sorriso de desdém que já vi em tantas pessoas que conheço, ao contrário de minha avó e de minha mãe, para com tudo aquilo que não possuem, diante daqueles que, segundo pensam, não poderão com isso se sentir superiores a elas. — Mas enfim, já que estava presente justo o Sr. de Cambremer, que é marquês, ao passo que o senhor é somente barão... — Permita — respondeu o Sr. de Charlus, com ar altivo, ao Sr. Verdurin espantado — sou igualmente duque de Brabant, donzel de Montargis, príncipe de Oléron, de Carency, de Viareggio e de Dunes. Aliás, isso não tem a menor importância. Não se atormente — acrescentou, retomando o seu risinho fino, que se esvaneceu diante destas últimas palavras: — Logo vi que o senhor não estava habituado.

A Sra. Verdurin veio ao meu encontro para me mostrar as flores de Elstir. Se este ato, há muito tão indiferente para mim, de ir jantar fora, ao contrário não me houvesse, sob a forma que o renovaria inteiramente de uma viagem ao longo do litoral, seguida de uma subida em carro até duzentos metros acima do mar, causado uma espécie de embriaguez, esta não se dissipara na Raspelière. — Olhe, veja só isto — disse a Patroa, mostrando-me grandes e magníficas rosas de Elstir, mas cujo untuoso escarlate e a brancura agitada se realçavam com um relevo um tanto cremoso demais sobre a jardineira em que estavam. — Acha que ele poderia ainda ter mão bastante para fazer isto? É demais! E depois, é belo como matéria, seria divertido de apalpar. Nem posso lhe dizer como era divertido vê-las sendo pintadas. Sentia-se que ele se empenhava em buscar este efeito. —

E o olhar da Patroa se demorou sonhadoramente naquele presente do artista em que se achavam resumidos não só o seu grande talento, mas a sua longa amizade que somente sobrevivia nessas lembranças que lhe deixara; por trás das flores que ele outrora colhera para ela própria, a Sra. Verdurin julgava rever a bela mão que as havia pintado, certa manhã, com todo o seu frescor, de modo que, umas sobre a mesa, o outro encostado numa poltrona da sala de jantar, tinham podido figurar em colóquio, para o almoço da Patroa, as rosas ainda vivas e o seu retrato meio parecido. Meio parecido, apenas, pois Elstir só podia olhar uma flor transplantando-a primeiro para esse jardim interior onde sempre somos forçados a permanecer. Nesta aquarela, ele havia mostrado a aparição das rosas que contemplara e que, sem ele, nunca teríamos conhecido; de forma que se pode dizer que era uma variedade nova com que esse pintor, como um horticultor engenhoso, havia enriquecido a família das rosas. — A partir do dia em que ele abandonou o pequeno núcleo, era um homem acabado. Parece que meus jantares o faziam perder tempo, que eu prejudicava o desenvolvimento do seu gênio — disse ela num tom irônico. — Como se a convivência com uma mulher como eu pudesse não ser saudável a um artista! — exclamou num assomo de orgulho. Bem junto a nós, o Sr. de Cambremer, que já estava sentado, esboçou, ao ver o Sr. de Charlus de pé, um movimento para se levantar e ceder sua cadeira. Tal oferecimento talvez não correspondesse, no pensamento do marquês, senão a um propósito de vaga polidez. O Sr. de Charlus preferiu atribuir-lhe a significação de um dever que o simples gentil homem sabia que precisava prestar a um príncipe, e não achou melhor maneira de estabelecer o seu direito a essa precedência senão declinando-a. Assim, exclamou: — Mas como! Peço-lhe! Ora essa! — O tom astuciosamente incisivo desse protesto já continha algo de fortemente "Guermantes", que se acusou sobretudo no gesto imperativo, inútil e familiar com que o Sr. de Charlus pousou ambas as mãos, e como que para forçá-lo a reassentar-se, nos ombros do Sr. de Cambremer, que não se levantara: — Ora veja, meu caro — insistiu o barão — era só o que faltava! Não há motivo para isso! Em nosso tempo só se reservam estas coisas para os príncipes de sangue real. — Não emocionei mais aos Cambremer do que à Sra. Verdurin com meu entusiasmo pela sua casa. Pois eu me mantinha frio diante das belezas que me apontavam e exaltava-me com reminiscências confusas: por vezes chegava até a lhes confessar a minha decepção, sem achar algo de acordo com o que seu nome me fizera imaginar. Deixei indignada a Sra. de Cambremer ao lhe dizer que julgara que aquilo tudo fosse mais campesino. Em compensação, parei em êxtase a aspirar o aroma de um vento encanado que passava pela porta. — Vejo que o senhor aprecia as correntes de ar — disseram-me eles. Meu elogio da lustrina verde que tapava um caixilho quebrado não teve melhor êxito: — Mas que horror! — gritou a marquesa. O cúmulo foi quando eu disse: — Minha maior alegria se deu quando cheguei. Ao ouvir meus passos ressoarem na galeria, julguei que entrava em não sei qual escritório da prefeitura da aldeia, onde existe o mapa da região. — Desta vez a Sra. de Cambremer me voltou resolutamente as costas. — Não achou tudo isto muito mal arranjado? — perguntou-lhe o marido, com a mesma solicitude apiedada com que indagaria de que modo a mulher havia suportado uma triste cerimônia. — Há coisas belas. — Mas como a malevolência, quando as regras fixas de um gosto seguro não lhe impõem limites inevitáveis, acha tudo que criticar na pessoa ou na casa de quem nos suplantou: — Sim, mas não estão em seu lugar. E serão mesmo tão belas assim? — disse a Sra. de Cambremer. — O senhor reparou — disse o Sr. de Cambremer, com uma pena em que transparecia alguma firmeza — que há quadros de Jouy em que se vê a tela, coisas já totalmente gastas neste salão? — E esta peça de tecido com suas grandes rosas, como uma manta de camponesa — disse a Sra. de Cambremer, cuja cultura, toda postiça, aplicava-se exclusivamente à filosofia idealista, à pintura impressionista e à música de Debussy. E, para não protestar exclusivamente em nome do luxo, mas também do bom gosto: — E puseram meia cortina! Que falta de estilo! Que querem dessa gente, não sabem nada, onde teriam aprendido? Devem ser grandes comerciantes aposentados. Já não é muito mau para eles. Os lustres me pareceram bonitos — disse o marquês, sem que soubessem por que ele excetuava os lustres, assim como, a cada vez que se falava de uma igreja, fosse a catedral de Chartres, de Reims, de Amiens, ou a igreja de Balbec, inevitavelmente o que ele sempre se apressava a citar como admirável era: "a caixa do órgão, o púlpito e as obras de misericórdia". — Quanto ao jardim, nem falemos — disse a Sra. de Cambremer. — É um massacre. Essas aléias que vão em ziguezague!

Aproveitei que a Sra. Verdurin estava servindo o café para dar uma espiada na carta que o Sr. de Cambremer me entregara, na qual a sua mãe me convidava para jantar. Com um pingo de tinta, a escrita traduzia uma individualidade, de agora em diante reconhecível entre todas, sem que mais houvesse necessidade de recorrer à hipótese de penas especiais, como tintas raras e misteriosamente fabricadas não se fazem necessárias ao pintor para que este exprima a sua visão original. Mesmo um paralítico afetado de agrafia após um ataque e reduzido a olhar os caracteres como um desenho, sem os saber ler, teria compreendido que a Sra. de Cambremer pertencia a uma velha família em que a cultura entusiasta das letras e das artes havia arejado um pouco as tradições aristocráticas. Ele teria adivinhado igualmente em que época a marquesa aprendera simultaneamente a escrever e a tocar Chopin. Era a época em que as pessoas bem-educadas observavam o preceito de ser amáveis e a regra dita dos três adjetivos. A Sra. de Cambremer combinava regra e preceito. Um adjetivo laudatório não lhe bastava, ela o fazia seguir (após um pequeno travessão) de um segundo, e depois (após novo travessão) de um terceiro. Mas o que lhe era particular é que, contrariamente à finalidade social e literária que se propunha, a sucessão dos três epítetos nos bilhetes da Sra. de Cambremer assumia o aspecto, não de uma progressão, mas de um *diminuendo.* Nesta primeira carta, a Sra. de Cambremer disse que havia visto Saint-Loup e, mais do que nunca, apreciara suas qualidades "únicas — raras — reais" — e que ele devia voltar com um de seus amigos (precisamente aquele que amava a nora) e que, se eu quisesse vir com ou sem eles jantar em Féterne, ela ficaria "encantada — feliz — contente". Talvez porque nela o desejo de amabilidade não se igualasse à fertilidade da imaginação e à riqueza do vocabulário, é que essa dama, levada a empregar três exclamações, não tinha forças para conferir à segunda e à terceira mais que um eco enfraquecido da primeira. Houvesse apenas mais um quarto adjetivo, e nada restaria da amabilidade inicial. Enfim, por uma certa simplicidade refinada que não devia deixar de produzir uma considerável impressão na família e mesmo no seu círculo de relações, a Sra. de Cambremer tinha se habituado a substituir a palavra "sincera", que podia acabar por assumir um ar mentiroso, pela palavra "verdadeira". E, para deixar claro que se tratava mesmo de algo sincero, rompia a aliança convencional que colocaria "verdadeira" antes do substantivo, e o punha corajosamente depois. Suas cartas terminavam por: "Creia na minha afeição verdadeira", "creia na minha simpatia verdadeira". Infelizmente, aquilo de tal modo se tornara uma fórmula, que essa afetação de franqueza dava mais a impressão de polidez insincera do que as antigas fórmulas de cujo sentido ninguém mais se recorda. Aliás, sentia-me incomodado para ler devido ao rumor confuso das conversações, dominadas pela voz mais alta do Sr. de Charlus, que não largara o seu assunto e dizia ao Sr. de Cambremer: — O senhor me fazia pensar, ao querer que eu tomasse o seu posto, num cavalheiro que me enviou esta manhã uma carta, endereçando-a "A Sua Alteza o barão de Charlus", e que começava por: "Monsenhor". — De fato, o seu correspondente exagerava um pouco — respondeu o Sr. de Cambremer, entregando-se a uma discreta hilaridade. O Sr. de Charlus a tinha provocado; mas dela não participou. — Porém, no fundo, meu caro — disse —, repare que, do ponto de vista da heráldica, ele é que está com a verdade. Não faço disso uma questão pessoal, acredite. Falo como se se tratasse de outro. Mas o que quer, História é História. Nada podemos e não está em nós refazê-la. Não lhe citarei o imperador Guilherme, que em Kiel nunca deixou de me tratar de Monsenhor. Ouvi dizer que chamava assim a todos os duques franceses, o que é abusivo, e que era talvez simplesmente uma delicada atenção que, por sobre a nossa cabeça, visava a França. — Delicada e mais ou menos sincera — disse o Sr. de Cambremer. — Ah, não sou de sua opinião. Note que, pessoalmente, um senhor da última ordem como esse Hohenzollem, além do mais protestante, e que despojou o meu primo, o rei de Hanôver, não é de molde a me agradar — acrescentou o Sr. de Charlus, a quem o Hanôver parecia falar mais a seu coração do que a Alsácia-Lorena. — Porém acredito profundamente sincera a inclinação do imperador por nós. Os imbecis dirão que se trata de um imperador de teatro. Mas, ao contrário, ele é extraordinariamente inteligente. Porém não entende de pintura e obrigou o Sr. Tschudi a retirar os Elstir dos museus nacionais. Mas Luís XIV não gostava dos mestres holandeses, também tinha o gosto pelo aparato e, em suma, foi um grande soberano. E Guilherme II ainda armou seu país do ponto de vista militar e naval, como Luís XIV deixou de fazer, e espero que seu reinado jamais conheça os reveses que escureceram o final do reinado daquele a quem banalmente se chama o Rei-Sol. Na minha opinião, a República cometeu um grande erro ao repelir as amabilidades do Hohenzollern, ou só as retribuindo a conta-gotas. Ele mesmo percebe muito bem isso, e diz, com aquele dom de expressão que possui: "O que desejo é um aperto de mão, e não um cumprimento de chapéu." Como homem, é vil: abandonou, renegou, entregou seus melhores amigos em circunstâncias em que seu silêncio foi tão miserável como grande foi o silêncio deles — continuou o Sr. de Charlus que, sempre arrastado por sua inclinação, deslizava para o Caso Eulenbourg e se lembrava da frase que lhe dissera um dos acusados da mais alta posição: "É preciso mesmo que o imperador tenha confiança em nossa delicadeza para ter ousado permitir semelhante processo! Mas, aliás, não se enganou ao ter tido fé na nossa discrição. Até no cadafalso teríamos calado a boca." — De resto, aquilo tudo nada tem a ver com o que queria dizer, a saber que, na Alemanha, como príncipes mediatizados, somos Durchlaucht, e que, na França, nossa posição de Alteza era publicamente reconhecida. Saint-Simon pretende que a tomamos por abuso, no que se engana redondamente. O argumento que ele apresenta, a saber, que Luís XIV nos proibiu que o chamássemos de Rei Cristianíssimo, ordenando-nos que o tratássemos simplesmente de Rei, apenas prova que dependíamos dele e de modo algum que não tivéssemos a qualidade de príncipe. Sem o que, seria preciso negá-la ao duque de Lorena e a tantos outros! Além disso, vários de nossos títulos provêm da casa de Lorena através de Thérèse d'Espinoy, minha bisavó, que era filha do donzel de Commercy. — Tendo percebido que Morel o escutava, o Sr. de Charlus desenvolveu mais amplamente os motivos de sua pretensão. — Já fiz observar ao meu irmão que não é na terceira parte do Gotha, mas na segunda, para não dizer na primeira, que deveria encontrar-se a notícia sobre a nossa família — disse ele, sem se dar conta de que Morel não sabia o que era o Gotha. — Mas isso é com ele, ele é meu chefe de armas e, desde que ache bom assim e deixe correr a coisa, não tenho senão que fechar os olhos. — O Sr. Brichot me interessou muito — disse eu à Sra. Verdurin, que vinha a meu encontro, enquanto metia no bolso a carta da Sra. de Cambremer. — É um espírito culto e um bom homem — respondeu ela friamente. — É claro que não possui nem gosto nem originalidade; tem uma memória tremenda. Diziam dos "avós" das pessoas que recebemos esta noite, dos emigrados, que eles nada haviam esquecido. Mas pelo menos eles tinham a desculpa — disse ela, fazendo sua uma frase de Swann — de que não haviam aprendido coisa alguma. Ao passo que Brichot sabe tudo e nos atira à cabeça, durante o jantar, pilhas de dicionários. Creio que o senhor já não ignora nada sobre o que quer dizer o nome de tal aldeia ou de tal cidade. — Enquanto a Sra. Verdurin falava, eu pensava que me prometera perguntar-lhe algo, mas não conseguia me lembrar do que fosse. — Estou certo de que falavam de Brichot — disse Ski. — Hein? Chantepie e Freycinet, ele não perdoou nada. Eu bem que a estava observando, minha Patroazinha. — Bem que reparei, só me faltou explodir. — Hoje eu não saberia dizer como a Sra. Verdurin estava vestida aquela noite. Talvez nem naquele momento o soubesse, pois não tenho espírito de observação. Mas, sentindo que sua toalete não era despretensiosa, disse-lhe algumas palavras amáveis e até de admiração. Ela era como quase todas as mulheres, que imaginam que um cumprimento que lhes façam é a estrita expressão da verdade, e que é um juízo que se declara imparcialmente, irresistivelmente, como se se tratasse de um objeto de arte sem relação com uma pessoa. Assim, foi com uma seriedade que me fez enrubescer pela minha hipocrisia, que ela me fez esta orgulhosa e ingênua pergunta, habitual em tais circunstâncias: — Agrada-lhe? — Certamente estão falando de Chantepie — disse o Sr. Verdurin, aproximando-se. Pensando na minha lustrina verde e num cheiro de mato, eu era o único a não perceber que, enumerando essas etimologias, Brichot fizera com que rissem dele. E, como as impressões que davam às coisas o seu valor para mim eram daquelas que as outras pessoas ou não sentem ou recalcam, sem pensar, como sendo insignificantes, e que, por conseguinte, se eu as pudesse comunicar, ficariam incompreendidas ou teriam sido desdenhadas, eram inteiramente inutilizáveis para mim e, além disso, tinham o inconveniente de me fazer passar por estúpido aos olhos da Sra. Verdurin, que via que eu "engolira" Brichot, como já o parecera aos olhos da Sra. de Guermantes porque gostava de comparecer à casa da Sra. d'Arpajon. No caso de Brichot, entretanto, havia uma outra razão. Eu não pertencia ao pequeno clã. E em todo clã, seja mundano, político ou literário, desenvolve-se uma facilidade perversa de descobrir, numa conversação, num discurso oficial, numa novela, num soneto, tudo o que o leitor honesto jamais teria sonhado ver. Quantas vezes me aconteceu, lendo com certa emoção um conto habilmente escrito por um acadêmico diserto e um pouco antiquado, estar prestes a dizer a Bloch ou à Sra. de Guermantes: — Como é lindo! — quando, antes que tivesse aberto a boca, eles exclamavam, cada qual numa linguagem diferente: — Se quiser passar um bom momento, leia um conto de Fulano. A estupidez humana jamais foi tão longe. — O desprezo de Bloch decorria principalmente de que certos efeitos de estilo, aliás agradáveis, eram um tanto fanados; o da Sra. de Guermantes, de que o conto parecia provar justamente o contrário do que o autor queria dizer, por motivos de fato que ela engenhosamente deduzia, mas nos quais eu nunca teria pensado. Tão surpreso fiquei ao ver a ironia que se ocultava sob a aparente amabilidade dos Verdurin para com Brichot, como ao ouvir, alguns dias mais tarde, em Féterne, os Cambremer dizerem-me, diante do elogio entusiasmado que eu fazia de La Raspelière: — Não é possível que o senhor esteja sendo sincero, depois do que eles fizeram daquilo. — É verdade que confessaram que a baixela era bonita. Como as chocantes cortininhas, eu também não a tinha visto. — Enfim, agora, quando voltar a Balbec, o senhor saberá o que Balbec significa — disse ironicamente o Sr. Vedurin. O que me interessava eram justamente as coisas que Brichot me ensinava. Quanto ao que chamavam o seu espírito, era exatamente o mesmo que outrora fora tão apreciado no pequeno clã. Falava com a mesma irritante facilidade, mas suas palavras já não possuíam alcance, precisavam vencer um silêncio hostil ou ecos desagradáveis; o que havia mudado era não o que ele narrava, e sim a acústica do salão e as disposições do público. — Cuidado! — disse a Sra. Verdurin a meia voz, mostrando Brichot. Este, mantendo o ouvido mais penetrante que a vista, lançou à Patroa um olhar logo desviado de míope e de filósofo. Se esses olhos eram menos agudos, os de seu espírito em compensação lançavam sobre as coisas um olhar mais vasto. Via o pouco que se podia esperar das afeições humanas, e resignava-se. Certamente sofria com isso. Ocorre que, mesmo aquele que numa só noite, num meio onde tem o hábito de agradar, adivinha que o acharam ou muito frívolo, ou por demais pedante, ou demasiado canhestro, ou excessivamente atrevido, etc., volta infeliz para casa. Muitas vezes, foi por causa de uma questão de opiniões, de sistema, que ele pareceu absurdo ou antiquado aos outros. Muitas vezes, sabe perfeitamente que esses outros não se lhe igualam em valor. Poderia facilmente dissecar os sofismas de que os outros se valeram para condená-lo tacitamente, quer ir fazer uma visita, escrever uma carta: mais prudente, não faz nada, espera o convite da semana seguinte. Por vezes também essas desgraças, em vez de terminarem numa noite, duram meses. Devidas à instabilidade dos julgamentos humanos, aumentam-nas ainda mais. Pois aquele que sabe que a Sra. X... o despreza, sentindo que é estimado na casa da Sra. Y..., declara ser esta bem superior e emigra para o seu salão. Aliás, não é aqui o local de pintar esses homens, superiores à vida mundana, mas que, não tendo sabido realizar-se fora dela, felizes por serem acolhidos, amargurados quando os desconhecem, descobrindo todos os anos as taras da dona da casa a quem incensavam, e o gênio da que não tinham apreciado em seu devido valor, arriscando-se a retornar a seus primeiros amores quando tiverem sofrido os inconvenientes que igualmente traziam os segundos, e quando os desses primeiros estiverem um tanto esquecidos. Por essas pequenas desgraças pode-se avaliar o desgosto que causava a Brichot aquela que ele sabia definitiva. Não ignorava que a Sra. Verdurin ria às vezes publicamente dele, e até de suas enfermidades, e, sabendo o pouco que se deve esperar das afeições humanas, submetera-se, e nem por isso deixava de considerar a Patroa como sua melhor amiga. Mas, ao rubor que se espalhou pelo rosto do universitário, a Sra. Verdurin compreendeu que ele ouvira e prometeu a si mesma ser amável com ele durante a noite. Não pude deixar de lhe dizer que ela o era muito pouco para com Saniette. — Como não sou amável! Mas ele nos adora, o senhor não sabe o que somos para ele! Meu marido fica às vezes um pouco irritado com sua estupidez, e é preciso convir que tem razão, mas, nesses momentos, por que é que ele não reage um pouco mais em vez de assumir esses ares de cão escorraçado? Não é franco. Não gosto disto. O que não impede que eu tente sempre acalmar o meu marido, porque, se ele vai muito longe, Saniette poderia não voltar; e isso eu não desejaria, pois, aqui para nós, ele não tem um só tostão, precisa desses jantares. E depois, afinal, se ele fica melindrado, se não volta mais, não é da minha conta; quando se tem necessidade dos outros, que se procure não ser tão idiota. — O ducado de Aumale esteve durante muito tempo na nossa família, antes de passar para a Casa da França — explicava o Sr. de Charlus ao Sr. de Cambremer, diante de Morel embasbacado e para quem, a falar a verdade, toda essa dissertação era, se não endereçada, ao menos destinada. — Tínhamos precedência sobre todos os príncipes estrangeiros; poderia dar-lhe cem exemplos. A princesa de Croy, tendo desejado, no enterro de *Monsieur*, pôr-se de joelhos junto da minha trisavó, esta lhe observou abertamente que ela não tinha direito ao lajedo, mandou retirá-la pelo oficial de serviço e levou o caso ao rei, que ordenou à Sra. de Croy que pedisse desculpas à Sra. de Guermantes na casa desta. Tendo o duque de Borgonha vindo à nossa casa com os aguazis, a varinha erguida, obtivemos do rei que a mandasse abaixar. Sei que não fica bem falar das virtudes dos seus. Mas é bem conhecido que os nossos sempre estiveram à frente na hora do perigo. Nosso grito de armas, quando deixamos o dos duques de Brabant, foi "*Passavant*". De modo que esse direito de ser em toda parte os primeiros, que tínhamos reivindicado durante séculos na guerra, é bem legítimo em suma que o tenhamos depois obtido na Corte. E, que diabo, ali sempre nos foi reconhecido. Dar-lhe-ei ainda como prova a princesa de Baden. Como se esquecera do seu posto, chegando até a disputar o lugar a essa mesma duquesa de Guermantes de que lhe falei há pouco, e quisera entrar primeiro no Paço, aproveitando um movimento de hesitação que talvez tivesse tido minha parenta (embora não houvesse razão para tal), o rei exclamou vivamente: "Entre, entre, minha prima; a senhora de Baden sabe muito bem o que lhe deve." E era como duquesa de Guermantes que possuía esse lugar, embora por si mesma tivesse uma origem bastante elevada, visto que era, pelo lado materno, sobrinha da rainha da Polônia, da rainha da Hungria, do Eleitor Palatino, do príncipe de Savóia-Carignan e do príncipe de Hanôver, depois rei da Inglaterra. — *Maecenas atavis edite regibus!*[47] — disse o Sr. de Brichot, dirigindo-se ao Sr. de Charlus, que respondeu com uma leve inclinação de cabeça a essa cortesia. — Que está dizendo? — perguntou a Sra. Verdurin a Brichot, a quem desejaria reparar as palavras ditas pouco antes. — Eu falava, Deus me perdoe, de um dândi que era a flor da sociedade (a Sra. Verdurin franziu as sobrancelhas) lá pelo século de Augusto (a Sra. Verdurin, tranqüilizada pela distância dessa sociedade, assumiu uma expressão mais serena), de um amigo de Virgílio e Horácio, os quais levavam a adulação ao ponto de dizer-lhe na cara as suas ascendências mais que aristocráticas, régias; numa palavra, referia-me a Mecenas, um rato de biblioteca que era amigo de Horácio, de Virgílio e de Augusto. Estou certo de que o Sr. de Charlus sabe muito bem, sob todos os aspectos, quem foi Mecenas. — Olhando graciosamente de esguelha para a Sra. Verdurin, porque a ouvira convidar Morel

[47] Citação de Horácio (*Odes*, livro I, 1, primeiro verso): "Mecenas, descendente de régios ancestrais." Mecenas era o protetor de Virgílio e Horácio, e seu nome se tornou sinônimo de protetor das artes. (N. do T.)

daí a dois dias, e receando não ser convidado, o Sr. de Charlus disse: — Creio que Mecenas era algo como o Verdurin da Antiguidade. — A Sra. Verdurin só pôde reprimir a meio um sorriso de satisfação. Dirigiu-se a Morel: — É muito agradável o amigo de seus pais — disse. — Vê-se que é um homem instruído, bem-educado. Fará boa figura no nosso pequeno núcleo. Onde mora ele em Paris? — Morel guardou um silêncio altivo e pediu somente para jogar uma partida de cartas. A Sra. Verdurin exigiu primeiro um pouco de violino. Para espanto geral, o Sr. de Charlus, que jamais falava de seus grandes dons, acompanhou no mais puro estilo o último trecho (inquieto, atormentado, *schumanesco*, mas enfim anterior à sonata de Franck) da sonata para piano e violino de Fauré. Senti que ele daria a Morel, maravilhosamente dotado para o som e o virtuosismo, precisamente o que lhe faltava, a cultura e o estilo. Mas pensei com curiosidade naquilo que une, num mesmo homem, uma tara física e um dom do espírito. O Sr. de Charlus não era muito diferente do irmão, o duque de Guermantes. Ainda há pouco (e isso era raro), falara num francês tão ruim como o deste. Censurando-me (sem dúvida para que eu falasse em termos elogiosos de Morel à Sra. Verdurin) por jamais ir visitá-lo, e invocando minha discrição, dissera-me: — Mas já que sou eu quem lhe pede, só eu é que poderia formalizar-me. — Isto poderia ser dito pelo duque de Guermantes. Em resumo, o Sr. de Charlus não passava de um Guermantes. Mas bastara que a natureza desequilibrasse suficientemente nele o sistema nervoso para que, em vez de uma mulher, como o teria feito seu irmão, ele preferisse um pastor de Virgílio ou um aluno de Platão; e logo as qualidades desconhecidas do duque de Guermantes e freqüentemente ligadas a esse desequilíbrio tinham feito do Sr. de Charlus um delicioso pianista, um pintor amador que possuía um certo gosto, um conversador eloqüente. O estilo rápido, ansioso, encantador, com que o Sr. de Charlus executava o trecho *schumanesco* da sonata de Fauré — quem poderia discernir que esse estilo tinha o seu correspondente (não me atrevo a dizer a sua causa) nas características inteiramente físicas, nas imperfeições nervosas do Sr. de Charlus? Mais tarde explicaremos esta expressão — "imperfeição nervosa" — e por quais motivos um grego dos tempos de Sócrates e um romano dos tempos de Augusto podiam ser o que se sabe enquanto permaneciam homens absolutamente normais, e não homens-fêmeas como os vemos atualmente. Assim como reais inclinações artísticas, não chegadas a termo, o Sr. de Charlus tinha, bem mais que o duque, amado sua mãe, amado a esposa, e até anos depois, quando lhe falavam nelas, brotavam-lhe lágrimas, porém superficiais, como a transpiração de um homem muito gordo, cuja testa por um nada se umedece de suor. Com a diferença de que a este se diz: "Como o senhor está com calor!" — enquanto se finge não ver o choro dos outros. Finge-se, isto é, finge-o a sociedade; pois o povo se inquieta de ver chorar, como se um soluço fosse mais grave que uma hemorragia. A tristeza que se seguiu à morte da esposa, graças ao hábito de mentir, não excluía no Sr. de Charlus uma vida que não lhe era adequada. Ainda mais tarde, ele teve a ignomínia de dar a entender que, durante a cerimônia fúnebre, achara um meio de pedir o nome e o endereço ao menino do coro. E talvez fosse verdade.

Findo o trecho musical, permiti-me reclamar Franck, o que pareceu causar tanto sofrimento à Sra. de Cambremer que não insisti. — O senhor não pode gostar disso — disse-me ela. Em seu lugar, pediu as *Festas* de Debussy, o que fez gritarem: — Ah, é sublime! — desde a primeira nota. Porém Morel percebeu que só conheciam os primeiros compassos e, por brincadeira, sem qualquer intenção de mistificar, principiou uma marcha de Meyerbeer. Infelizmente, como fez poucas transições e não avisou nada, todo mundo acreditou que ainda se tratava de Debussy, e continuaram a exclamar "Sublime!" Morel, revelando que o autor não era o de *Pélleas,* mas o de *Roberto o Diabo*, causou certa frieza. A Sra. de Cambremer não teve tempo de o sentir por si mesma, pois acabava de descobrir um caderno de Scarlatti e se lançara sobre ele num ímpeto de histérica. — Oh, toque isto, tome, este aqui, é divino! — gritava. E, no entanto, desse autor por tanto tempo desprezado, e erguido há pouco às mais altas honrarias, o que ela escolhia em sua impaciência febril era um desses trechos malditos que muitas vezes nos impediram de dormir, e que uma aluna desapiedada recomeça indefinidamente no andar vizinho ao nosso. Mas Morel estava farto de música, e, como fazia questão de jogar cartas, o Sr. de Charlus, para participar da partida, desejaria um uíste. — Há pouco, ele disse ao Patrão que era príncipe — disse Ski à Sra. Verdurin —, mas isto não é verdade; ele pertence a uma simples família burguesa de pequenos arquitetos. — Quero saber o que o senhor dizia de Mecenas. Isto me diverte, e muito! — repetiu a Sra. Verdurin a Brichot, com uma amabilidade que o deixou exaltado. Assim, para brilhar aos olhos da Patroa e talvez aos meus: — Mas, para falar a verdade, senhora, Mecenas me interessa principalmente por ter sido o primeiro apóstolo marcante desse Deus chinês que hoje conta na França mais seguidores do que Brama, que o próprio Cristo, o todo-poderoso Deus Que-Mim-Porta. — A Sra. Verdurin já não se contentava, nesses casos, em mergulhar a cabeça nas mãos. Abatia-se com o ímpeto dos insetos chamados efêmeros sobre a princesa Sherbatoff; se esta estivesse a pouca distância, a Patroa se agarrava à axila da princesa, fincava-lhe as unhas e, por alguns instantes, ocultava a cabeça como uma criança que brinca de esconde-esconde. Dissimulada por esse anteparo protetor, podia ela pretender que ria até as lágrimas e também podia perfeitamente não pensar em nada, como as pessoas que, enquanto fazem uma oração um tanto longa, têm a sábia precaução de esconder o rosto nas mãos. A Sra. Verdurin as imitava ao ouvir os quartetos de Beethoven, a um tempo para mostrar que os considerava como uma oração, e para que não vissem que dormia. — Falo com toda a seriedade, senhora — disse Brichot. — Acho que hoje é demasiado grande o número de pessoas que passam o tempo todo considerando que seu umbigo é o centro do mundo. Em boa doutrina, não tenho coisa alguma a objetar e não sei qual nirvana que tende a nos dissolver no grande Todo (o qual, como Munique e Oxford, está muito mais perto de Paris do que Asnières ou Bois-Colombes), mas não é nem de um bom francês, nem mesmo de um bom europeu, quando os japoneses estão talvez às portas da nossa Bizâncio, que antimilitaristas socializados discutam gravemente acerca das virtudes cardeais do verso livre. — A Sra. Verdurin julgou que podia largar a espádua machucada da princesa e deixou reaparecer seu rosto, não sem fingir que enxugava os olhos e recuperar o fôlego duas ou três vezes. Mas Brichot queria que eu tivesse a minha parte no festim, e, tendo aprendido, nas sustentações de teses a que presidia como ninguém, que nunca se lisonjeia tanto a juventude como repreendendo-a, dando-lhe importância, fazendo-se tratar por ela de reacionário: — Eu não gostaria de blasfemar contra os deuses da juventude — disse ele, lançando-me esse olhar furtivo que um orador dirige às escondidas a alguém presente no auditório, e de quem cita o nome. — Não gostaria de ser condenado como herético e relapso na capela mallarmaica, onde o nosso novo amigo, como todos de sua idade, deve ter ajudado a missa esotérica, ao menos como menino de coro, e ter se mostrado deliqüescente ou rosa-cruz.[48] Mas, na verdade, já vimos muitos desses intelectuais adorando a Arte com um A maiúsculo e que, quando já não lhes basta embriagarem-se com Zola, tomam injeções de Verlaine. Tornando-se eterômanos por devoção baudelairiana, não mais seriam capazes do esforço viril que a pátria pode lhes pedir um dia ou outro, anestesiados que estão pela grande nevrose literária na atmosfera quente, enervante, pesada de odores malsãos, de um simbolismo de casa de ópio. — Incapaz de fingir a menor sombra de admiração pela tirada inepta e diversificada de Brichot, voltei-me para Ski e lhe garanti que se equivocava inteiramente sobre a família a que pertencia o Sr. de Charlus; respondeu-me que estava seguro do que afirmara e acrescentou que eu até

[48] "Rosa-cruz": aqui, trata-se não do grupo de iluminados alemães do século XVII, mas de um movimento estético e intelectual de escritores e artistas do final do século XIX. (N. do T.)

lhe dissera que o verdadeiro nome dele era Gandin, Le Gandin. — Eu lhe disse — respondi — que a Sra. de Cambremer era irmã de um engenheiro, Sr. Legrandin. Nunca lhe falei do Sr. de Charlus. Há tanta relação de nascimento entre ele e a Sra. de Cambremer, como entre os Grande Condé e Racine. — Ah, eu pensava — disse Ski descuidadamente, sem se desculpar pelo seu erro, como não se desculpara pelo que, algumas horas antes, quase nos fizera perder o trem. — Pretende o senhor ficar muito tempo no litoral? — perguntou a Sra. Verdurin ao Sr. de Charlus, em quem pressentia um fiel, tremendo à idéia de que ele voltasse logo para Paris. — Meu Deus, a gente nunca sabe — respondeu o Sr. de Charlus num tom arrastado e fanhoso. — Gostaria de ficar até fins de setembro. — O senhor tem razão — disse a Sra. Verdurin; — é a ocasião das belas tempestades. — Para falar a verdade, não seria isso o que me decidiria a permanecer. Faz algum tempo que tenho negligenciado demais o arcanjo São Miguel, meu padroeiro, e gostaria de compensá-lo ficando até o dia de sua festa, a 29 de setembro, na abadia do Mont. — Essas coisas lhe interessam muito? — indagou a Sra. Verdurin, que talvez conseguisse calar o seu anticlericalismo ferido, caso não temesse que uma tão longa excursão fizesse o violinista e o barão "largarem" por 48 horas. — Talvez a senhora esteja atacada de surdez intermitente — disse o Sr. de Charlus com insolência. — Eu lhe disse que São Miguel era um de meus gloriosos padroeiros. — Depois, sorrindo num êxtase benévolo, os olhos fixos na distância, a voz erguida numa exaltação que me pareceu mais do que estética, conquanto religiosa: — É tão belo, no ofertório, quando Miguel se mantém de pé junto do altar, de manto branco, balançando um turíbulo de ouro, e com tal quantidade de perfumes que o odor sobe até Deus! — A gente poderia ir até lá em bando — sugeriu a Sra. Verdurin, apesar de seu horror ao clero. — Nesse momento, desde o ofertório — prosseguiu o Sr. de Charlus, que, por outros motivos, mas da mesma maneira que os bons oradores da Câmara, jamais respondia a uma interrupção e fingia não a ter ouvido —, seria um deslumbramento ver o nosso amigo palestrinizando e executando até uma ária de Bach. Ficaria louco de júbilo, e o bom abade também; e seria a maior homenagem, ao menos a maior homenagem pública, que eu poderia fazer ao meu santo padroeiro. Que exemplo edificante para os fiéis! Logo falaremos sobre isso ao jovem Angélico musical, militar como São Miguel.

Saniette, chamado para fazer o papel de morto, declarou que não sabia jogar uíste. E Cottard, vendo que não havia mais tempo antes da hora do trem, pôs-se logo a começar uma partida de *écarté* com Morel. O Sr. Verdurin, furioso, caminhou com ar terrível para Saniette: — Você não sabe jogar nada! — gritou, danado por ter perdido uma oportunidade de jogar uíste e encantado por ter encontrado um modo de injuriar o antigo arquivista. Este, aterrorizado, resolveu ser espirituoso: — Sim, sei tocar[49] piano — disse. Cottard e Morel estavam sentados frente a frente. — Ao senhor, a honra — disse Cottard. — E se nos aproximássemos um pouco da mesa de jogo? — sugeriu ao Sr. de Cambremer o Sr. de Charlus, inquieto por ver o violinista na companhia de Cottard. — É tão interessante como essas questões de etiqueta, que já não significam grande coisa no nosso tempo. Os únicos reis que nos restam, pelo menos na França, são os reis do baralho, e me parece que eles vêm a rodo às mãos do jovem virtuose — acrescentou a seguir, com uma admiração por Morel que se estendia até a sua maneira de jogar, igualmente para lisonjeá-lo e, por fim, para explicar o movimento que fazia debruçando-se sobre o ombro do violinista. — Eu corto — disse Cottard, imitando o sotaque rastaqüera; seus filhos riram às gargalhadas, como faziam seus alunos e o chefe da clínica, quando o Mestre, mesmo à cabeceira de um doente em estado grave, lançava, com a máscara impassível do epilético, uma de suas facécias de costume. — Não sei bem o que devo jogar — disse Morel, consultando o Sr. de Cambremer. — Como quiser; de qualquer modo será derrotado, desse jeito ou de outro, será igual. — Igual... Galli-Marié? — comentou o doutor, escorregando para o Sr. de Cambremer um olhar insinuante e benévolo. — Era o que chamávamos a verdadeira diva, era o sonho, uma Cármen como nunca mais se verá. Era a mulher para o papel. Gostava também de ouvir Ingalli-Marié.[50] — O marquês se ergueu com essa vulgaridade desdenhosa das pessoas bem-nascidas que não compreendem que insultam o dono da casa parecendo não estarem certos de poder freqüentar os seus convidados e que se desculpam com o hábito inglês para empregar uma expressão depreciativa: — Quem é este senhor que está jogando cartas? Que faz na vida? O que é que ele *vende*? Gosto muito de saber com quem me encontro, para não me ligar com qualquer um. Ora, não ouvi o seu nome quando o senhor deu-me a honra de me apresentar a ele. — Se o Sr. Verdurin, autorizando-se com estas últimas palavras, tivesse de fato apresentado aos convidados o Sr. de Cambremer, este o levaria a mal. Mas sabendo que o contrário é que ocorrera, achava gracioso parecer bom moço e modesto sem perigo. O orgulho que tinha o Sr. Verdurin de sua intimidade com Cottard só fez aumentar desde que o doutor

[49] Trocadilho, só possível no original, com os dois sentidos do verbo *jouer* (jogar e tocar). (N. do T.)

[50] Todo o trecho da fala de Cottard envolve um trocadilho com o nome de duas cantoras: Marie Célestine Laurence Galli-Marié (1840-1905), famosa criadora da Cármen na ópera de Bizet, e Speranza Engally – a partir da palavra *égal*, igual. (N. do T.)

se tornara um professor ilustre. Porém, já não se exprimia sob a forma ingênua de outrora. Então, quando Cottard mal era conhecido, se falavam ao Sr. Verdurin das nevralgias faciais de sua esposa: — Não há nada a fazer — dizia ele, com o ingênuo amor-próprio das pessoas que acham ilustre o que lhes diz respeito, e que todos conhecem o professor de canto da sua filha. — Se ela tivesse um médico de segunda categoria, a gente poderia tentar outro tratamento, mas, quando este médico se chama Cottard (nome que ele pronunciava como se fosse Bouchard ou Charcot), o remédio é agüentar firme. — Utilizando um procedimento inverso, sabendo que o Sr. de Cambremer certamente já ouvira falar no famoso professor Cottard, o Sr. Verdurin assumiu um ar simplório. — É o nosso médico de família, um grande coração, que nós adoramos e que se faria esquartejar por nós; não é um médico, é um amigo; não creio que o senhor o conheça nem que o seu nome lhe diga alguma coisa; em todo caso, para nós é o nome de um bom homem, de um caríssimo amigo, Cottard. — Este nome, murmurado com ar modesto, enganou o Sr. de Cambremer, que julgou tratar-se de outra pessoa. — Cottard? O senhor não está falando do professor Cottard? — Ouviu-se precisamente a voz do dito professor que, atrapalhado com uma jogada, dizia, segurando as cartas: — Foi aqui que os atenienses se aterraram.[51] — Ah, sim, justamente, ele é professor — disse o Sr. Verdurin. — O quê! O professor Cottard! O senhor não está enganado? Tem certeza de que se trata do mesmo? O que mora na rua de Bac! — Sim, ele mora na rua de Bac, 43. O senhor o conhece? — Mas todo mundo conhece o professor Cottard. É uma sumidade! É como se o senhor me perguntasse se eu conhecia Bouffe de Saint-Blaise ou Courtois-Suffit. Bem que eu havia reparado, ao ouvi-lo falar, que não era um homem comum e foi por isso que me permiti perguntar-lhe. — Vamos, o que é preciso ajuntar? Trunfo? — perguntava Cottard. Depois, bruscamente, com uma vulgaridade que teria sido irritante mesmo numa circunstância heróica, em que um soldado quer emprestar uma expressão familiar ao desprezo pela morte, mas que se tornava duplamente estúpido no passatempo sem perigo das cartas, Cottard, decidindo-se a jogar trunfo, tomou um aspecto sombrio, "cabeça tonta", e, por alusão aos que arriscam a pele, jogou sua carta como se fosse a sua vida, gritando: — Afinal de contas, dane-se! — Não era o que precisava jogar, mas teve um consolo. No meio do salão, numa larga poltrona, a Sra. Cottard, cedendo ao efeito, irresistível nela, da digestão, depois de

51 No original: "*les Athéniens s'atteignirent*" ('os atenienses se derrotaram'). Forcei a tradução para manter a aliteração. (N. do T.)

vãos esforços, havia cedido ao sono vasto e leve que dela se apoderara. Por mais que se endireitasse às vezes para sorrir, seja por zombaria de si própria, seja com receio de deixar sem resposta alguma palavra amável que lhe dirigissem, sem querer recaía no mal delicioso e implacável. Mais que o ruído, o que a despertava assim por um segundo apenas era o olhar (que, por ternura, ela via mesmo de olhos fechados, e previa, pois a mesma cena se verificava todas as noites e obcecava o seu sono, como a hora em que é preciso que nos levantemos), o olhar pelo qual o professor assinalava o sono da esposa às pessoas presentes. Para começar, contentava-se em olhá-la e sorrir, pois, se como médico censurava esse sono após o jantar (pelo menos, dava essa razão científica para se zangar no fim, mas não é certo que ela fosse determinante, tal a variedade de pontos de vista que possuía a respeito), como marido todo-poderoso e zombeteiro ficava encantado em troçar da mulher, de a princípio só a despertar pela metade, a fim de que ela voltasse a adormecer e ele tivesse o prazer de despertá-la novamente.

Agora, a Sra. Cottard dormia a sono solto. — Ora, ora, Léontine, estás pescando? — gritou-lhe o professor. — Estou escutando o que diz a Sra. Swann, meu caro — respondeu debilmente a Sra. Cottard, que recaiu na sua letargia. — É loucura! — exclamou Cottard; — daqui a pouco vai garantir que não dormiu. É como os pacientes que vão a uma consulta e afirmam que nunca dormem. — Talvez o imaginem — disse rindo a Sra. de Cambremer. Mas o doutor gostava tanto de contradizer como de troçar e principalmente não admitia que um profano lhe fosse falar de medicina. — Ninguém imagina que não dorme — decretou em tom dogmático. — Ah, — respondeu o marquês, inclinando-se respeitosamente como o teria feito Cottard outrora. — Bem se vê — prosseguiu Cottard — que o senhor não administrou, como eu, até dois gramas de trional sem chegar a provocar sonolência. — É verdade, é verdade — respondeu o marquês, rindo com ar de presumido — nunca tomei trional, nem nenhuma dessas drogas que logo não fazem mais efeito, mas desarranjam o estômago. Quando se caça a noite inteira, como eu na floresta de Chantepie, asseguro-lhe que não é necessário trional para poder dormir. — São os ignorantes que dizem isso — respondeu o professor. — O trional recupera às vezes de modo notável o tônus nervoso. O senhor fala do trional, mas sabe ao menos o que é? — Mas... ouvi dizer que é um medicamento para dormir. — O senhor não respondeu à minha pergunta — replicou doutoralmente o professor, que, três vezes por semana, estava "de exame" na Faculdade. — Não lhe pergunto se faz ou não dormir, mas de que se trata. Pode me dizer o que contém em partes de amila e etila? — Não — respondeu o Sr. de Cambremer, embaraçado. —

Prefiro um bom cálice de aguardente fina ou até vinho do Porto 345. — Que são dez vezes mais tóxicos — interrompeu o professor. — Quanto ao trional — animou-se o Sr. de Cambremer —, minha mulher usa todas essas coisas; seria melhor que o senhor falasse com ela. — Que deve saber mais ou menos tanto quanto o senhor. Em todo caso, se a sua mulher toma trional para dormir, o senhor está vendo que a minha não precisa disso. Vamos, Léontine, mexe-te, vais ficar anquilosada; por acaso eu durmo depois do jantar? Que vai ser de ti aos sessenta, se hoje dormes como uma velha? Vais engordar, paralisas a circulação... Ela nem sequer me ouve mais. — Fazem mal à saúde esses cochilos após o jantar, não é, doutor? — disse o Sr. de Cambremer para reabilitar-se junto a Cottard. — Depois de comer bastante, seria preciso fazer exercício. — Histórias! — respondeu o doutor. — Examinou-se igual quantidade de alimento do estômago de um cão que permanecera em repouso, e no estômago de um cão que havia corrido, e ficou no primeiro que a digestão estava mais adiantada. — Então é o sono que interrompe a digestão? — Isto depende se se trata de uma digestão esofágica, estomacal ou intestinal; é inútil lhe dar explicações que o senhor não compreenderia, visto que não fez estudos de medicina. Vamos, Léontine, de pé! Está na hora de partir. — Não era verdade, pois o doutor apenas ia continuar seu jogo de cartas, mas assim ele esperava contrariar, da maneira mais brusca, o sono da muda a quem dirigia as mais sábias exortações, sem obter resposta. Ou porque uma vontade de dormir persistia na Sra. Cottard, mesmo em estado de sono, ou porque a poltrona não desse apoio à sua cabeça, esta última foi lançada mecanicamente da esquerda para a direita, e de baixo para cima, no vácuo, como um objeto inerte, e a Sra. Cottard, de cabeça oscilante, ora tinha o ar de quem ouvia música, ora parecia entrar na última fase da agonia. Lá onde fracassavam as admoestações cada vez mais veementes do marido, o sentimento da própria idiotice venceu: — O banho está bom de temperatura — murmurou ela —, mas as plumas do dicionário... — exclamou, endireitando-se. — Oh, meu Deus, como sou tola! Que estou dizendo? Estava pensando no meu chapéu, devo ter dito alguma asneira, um pouco mais e eu ia adormecer; é esse maldito fogo. — Todo mundo se pôs a rir, pois não havia nenhum fogo aceso.

— Estão zombando de mim — disse a Sra. Cottard, rindo ela própria. Mão na testa, ela apagou, com a leveza do magnetizador e uma habilidade de mulher que arruma o penteado, os últimos vestígios do sono; — desejo apresentar minhas humildes escusas à querida Sra. Verdurin e dela saber a verdade. — Mas seu sorriso tornou-se logo triste, pois o professor, sabendo que a mulher buscava agradá-lo e temia não o conseguir, acabava de gritar-lhe: — Olha-te no espelho, estás vermelha como se tivesses uma erupção de acne, pareces uma velha camponesa. — Sabem, ele é encantador — disse a Sra. Verdurin; — tem um bonito lado de bonomia maliciosa. E depois, trouxe meu marido das portas do túmulo quando toda a Faculdade já o dava por perdido. Passou três noites junto dele, sem ir deitar-se. Assim, Cottard, para mim, já sabem — acrescentou num tom grave e quase ameaçador, erguendo a mão para as duas esferas de mechas brancas de suas têmporas musicais, e como se quiséssemos tocar no doutor: — é sagrado! Poderia pedir tudo o que quisesse. Aliás, não o chamo de doutor Cottard, chamo-o de doutor Deus! E, mesmo dizendo isto, calunio-o, pois este Deus repara, na medida do possível, uma parte das desgraças de que o outro é responsável. — Jogue trunfo — disse a Morel o Sr. de Charlus com ar feliz. — Trunfo, para ver — disse o violinista. — Seria preciso anunciar primeiro o rei — volveu o Sr. de Charlus —, o senhor está distraído, mas como joga bem! — Tenho o rei — disse Morel. — É um belo homem — respondeu o professor. — Que negócio é este com essas estacas? — indagou a Sra. Verdurin, mostrando ao Sr. de Cambremer um soberbo escudo esculpido acima da lareira. — São suas armas? — acrescentou com desdém irônico. — Não, não são as nossas — respondeu o Sr. de Cambremer. — Nós usamos escudo de ouro com três faixas ameadas e contra-ameadas de goles, com cinco peças, cada uma carregada de um trevo de ouro. Não, essas aí pertencem aos d'Arrachepel, que não eram da nossa linhagem, mas de quem herdamos a casa; e nunca os de nossa linhagem quiseram mudar aqui fosse o que fosse. Os Arrachepel (antigamente Pervilain, dizem) usavam escudo de ouro com cinco estacas pontiagudas de goles. Quando se aliaram aos Féterne, o seu escudo mudou, porém permaneceu, cantonada de vinte cruzetas recruzetadas, a estaca diminuída e fincada, de ouro, acompanhada à destra de um vôo de arminho. — Pegue essa — disse baixinho a Sra. de Cambremer. — Minha bisavó era uma d'Arrachepel, ou de Rachepel se preferir, pois os dois nomes são encontrados nas velhas cartas — continuou o Sr. de Cambremer, que enrubesceu vivamente, pois só então lhe ocorrera a idéia de que sua mulher lhe tinha horror e receou que a Sra. Verdurin aplicasse a si mesma palavras que de modo algum a visavam. — A História pretende que, no século XI, o primeiro Arrachepel, Macé, dito Pelvilain, tenha demonstrado especial habilidade nos cercos para arrancar estacas. De onde o cognome de Arrachepel, com o qual foi nobilitado, e os bastiões que a gente vê persistir em suas armas através dos séculos. Trata-se dos bastiões que, para tornar mais inabordáveis as fortificações, plantavam, fincavam em terra — permita-me a expressão —, diante delas, e que eram ligados entre si. São os que a senhora muito bem chamava de estacas e que não tinham nada dos bastões flutuantes do bom

La Fontaine.[52] Pois tinham fama de tornar uma praça inexpugnável. Evidentemente, com a artilharia moderna isto faz sorrir. Mas é preciso lembrar que se trata do século XI. — Falta-lhe atualidade — disse a Sra. Verdurin —, mas a pequena campânula tem caráter. A senhora tem — disse Cottard — uma veia de... *turlututu* — palavra que seguidamente empregava para evitar o termo de Molière.[53] — Sabem por que foi reformado o rei de ouros? — Bem que eu desejaria estar em seu posto — disse Morel, a quem entediava o serviço militar. — Ah! O mau patriota — exclamou o Sr. de Charlus, que não pôde conter-se de beliscar a orelha do violinista. — Não, não sabem por que o rei de ouros foi reformado? — repetiu Cottard, que insistia em seus gracejos. — É porque só tem um olho. — O senhor tem um parceiro forte, doutor — disse o Sr. de Cambremer, para mostrar a Cottard que sabia quem ele era. — Este rapaz é espantoso — interrompeu ingenuamente o Sr. de Charlus, assinalando Morel. — Joga como um deus. — Esta reflexão não agradou muito ao doutor, que respondeu: — Quem viver verá. Para espertalhão, espertalhão e meio. — A dama, o ás — anunciou triunfalmente Morel, a quem a sorte favorecia. O doutor curvou a cabeça como não pudesse negar essa boa sorte e confessou, fascinado: — É belo. — Ficamos muito contentes em jantar com o Sr. de Charlus — disse a Sra. de Cambremer à Sra. Verdurin. — Não o conheciam? É extremamente agradável, é especial, é *de uma época* (teria ficado muito embaraçado para dizer qual) — respondeu a Sra. Verdurin com o sorriso satisfeito de uma diletante, de um juiz e de uma dona-de-casa. A Sra. de Cambremer perguntou-me se eu iria a Féterne com Saint-Loup. Não pude deixar de soltar um grito de admiração ao ver a lua suspensa, como um lampião alaranjado, à abóbada dos carvalhos que partia do castelo. — Isso ainda não é nada; daqui a pouco, quando a lua estiver mais alta e o vale ficar iluminado, será mil vezes mais lindo. Eis o que não têm em Féterne! — disse a Sra. Verdurin em tom desdenhoso à Sra. de Cambremer, a qual não sabia o que responder, não querendo depreciar a sua propriedade, sobretudo diante dos locatários. — A senhora ainda fica por algum tempo na região? — perguntou o Sr. de Cambremer à Sra. Cottard, o que podia passar por uma vaga intenção de convidá-la e que dispensava por ora encontros mais precisos. — Oh, certamente, senhor, faço muita questão desse êxodo anual por causa das crianças. Digam o que disserem, elas têm necessidade de ar livre. Talvez eu seja muito primitiva nisso, mas creio que curativo algum vale

[52] Alusão à fábula "Os camelos e os bastões flutuantes." (N. do T.)

[53] A palavra de Moliére é *cocu* ("cornudo"). *Turlututu*, como interjeição, significa "caluda!", indicando suspensão do que se diria. (N. do T.)

mais, para as crianças, que o ar livre, ainda que me provem o contrário por A mais B. Seus rostinhos já estão mudados. A Faculdade queria mandar-me para Vichy; mas lá é sufocante demais e eu cuidarei do meu estômago quando os rapazes já estiverem bem grandes. E depois, o professor, com os exames, tem sempre muito trabalho, e os calores o cansam muito. Acho que uma pessoa tem necessidade de repouso total quando esteve o ano inteiro muito atarefada. De qualquer maneira, ficaremos ainda um bom mês. — Ah, então nos veremos de novo. — Aliás, eu tanto mais sou obrigada a ficar porque meu marido deve ir dar uma volta pela Savóia, e só dentro de uma quinzena é que vai fixar-se aqui. Prefiro o lado do vale ao do mar — prosseguiu a Sra. Verdurin. — Vão ter um tempo esplêndido na volta. — Era preciso mesmo ver se os carros estão prontos, para o caso que o senhor faça absolutamente questão de regressar esta noite a Balbec — disse-me o Sr. Verdurin —, pois não vejo necessidade disso. Nós o mandaríamos levar de carro amanhã de manhã. Certamente vai fazer um dia lindo. As estradas estão admiráveis. — Eu disse que era impossível. — Mas, em todo caso, ainda não é hora — objetou a Patroa. — Deixe-os sossegados, têm tempo de sobra. Nada adiantará chegar uma hora antes na estação. Estão melhor aqui. E você, meu pequeno Mozart — disse ela a Morel, não ousando dirigir-se diretamente a Charlus — não quer ficar? Temos belos quartos que dão para o mar. — Mas ele não pode — respondeu o Sr. de Charlus pelo jogador que, absorvido, não ouvira. — Só tem licença até meia-noite. Precisa voltar para dormir, como um menino muito obediente e bem comportado — acrescentou em tom complacente, amaneirado, insistente, feito sentisse uma sádica volúpia em empregar essa casta comparação e igualmente em apoiar de passagem a sua voz sobre o que se referisse a Morel, em tocá-lo, na falta de mão, com palavras que pareciam apalpá-lo.

Pelo sermão que me dirigira Brichot, o Sr. de Cambremer concluíra que eu era dreyfusista. Como fosse tão antidreyfusista quanto possível, por cortesia para com um inimigo, pôs-se a fazer o elogio de um coronel judeu que sempre fora muito correto com um primo dos Chevreny e lhe conseguira a promoção que ele merecia. — E meu primo tinha idéias absolutamente contrárias — disse o Sr. de Cambremer, deixando no vago o que seriam essas idéias, mas que eu senti serem tão antigas e malformadas como o seu rosto, idéias que algumas famílias de certas cidadezinhas deveriam ter há muito tempo. — Pois bem, o senhor sabe, acho isso muito bonito! — concluiu o Sr. de Cambremer. É verdade que ele não empregava "bonito" no sentido estético em que designaria para sua mãe ou sua mulher, obras diversas, mas obras de arte. O Sr. de Cambremer servia-se antes desse qualificativo para felicitar, por exemplo, uma pessoa de saúde frágil que houvesse engordado um pouco. — Como, recuperou três quilos em dois meses? Fique sabendo que isto é bonito! — Estavam servidos refrescos numa mesa. A Sra. Verdurin convidou os senhores para irem escolher pessoalmente a bebida que lhes agradasse. O Sr. de Charlus foi beber o seu copo e voltou rapidamente a sentar-se perto da mesa de jogo e não se moveu mais dali. A Sra. Verdurin lhe perguntou: — Não provou da minha laranjada? — Então o Sr. de Charlus, com um gracioso sorriso, num tom cristalino que raramente ostentava e com mil trejeitos da boca e requebros do talhe, respondeu: — Não, preferi o seu vizinho, o refresco de morango, acho, é delicioso. — É singular que uma certa ordem de atos secretos tenha como conseqüência exterior uma forma de falar ou de gesticular que os revela. Se uma pessoa crê ou não na Imaculada Conceição ou na inocência de Dreyfus, ou na pluralidade dos mundos, e deseja calar-se a respeito, não se achará na sua voz, nem no seu modo de andar, coisa alguma que permita entrever seu pensamento. Mas, ao ouvir o Sr. de Charlus dizer com aquela voz aguda e com esse sorriso e esses gestos: — Não, preferi o seu vizinho, o refresco de morango —, a gente podia dizer: — Vejam, ele ama o sexo forte — com certeza igual à que permite a um juiz condenar um criminoso que não confessou, e um médico a um paralítico geral que talvez não conheça a sua enfermidade, mas que comete tais erros de pronúncia que deles se pode deduzir que morrerá dentro de três anos. Talvez as pessoas que concluam da maneira de dizer: — Não, preferi o seu vizinho, o refresco de morango — por um amor chamado antifísico, não precisem de tanta ciência. Mas dá-se que aqui existe uma relação mais direta entre o signo revelador e o segredo. Sem dizê-lo precisamente, sente-se que é uma doce e risonha dama que nos responde e que parece amaneirada porque se faz passar por um homem, e que a gente não está acostumada a ver os homens fazerem tantos trejeitos. E talvez seja mais gracioso pensar que, há muito tempo, um certo número de mulheres angélicas foram arroladas por engano no sexo masculino, onde, exiladas, enquanto batem as asas em vão para os homens, a quem inspiram uma repulsa física, sabem arrumar um salão, compõem "interiores". O Sr. de Charlus não se importava que a Sra. Verdurin ficasse de pé, e permanecia instalado em sua poltrona para estar mais perto de Morel. — Não acha um crime — disse a Sra. Verdurin ao barão — que este aí, que poderia encantar-nos com seu violino, esteja numa mesa de *écarté*? Quando se toca violino como ele! — Ele joga cartas muito bem, faz tudo muito bem, é extremamente inteligente — disse o Sr. de Charlus, enquanto olhava o jogo, a fim de dar conselhos a Morel. Esta, aliás, não era a única razão para que ele não se levantasse da poltrona diante da Sra. Verdurin. Com o singular amálgama que fizera de suas concepções sociais, a um tempo de grão-senhor e de apreciador de arte, em vez de ser polido da mesma forma como o seria um homem do seu meio, fazia para si próprio, segundo Saint-Simon, como que quadros vivos; e, naquele momento, divertia-se em figurar o marechal d'Huxelles, o qual o interessava ainda sob outros aspectos e de quem se dizia que era presunçoso a ponto de não se erguer de sua cadeira, com um ar de preguiça, diante do que havia de mais distinto na Corte. — Diga então, Charlus — falou a Sra. Verdurin, que principiava a tomar familiaridades —, não teria o senhor em seu bairro algum velho nobre arruinado que pudesse me servir de porteiro? — Como não?... Como não?... — respondeu o Sr. de Charlus, sorrindo com ar de bonacheirice. — Mas não lhe aconselho. — Por quê? — Recearia pela senhora, que os convidados elegantes não passassem além da portaria. — Foi a primeira escaramuça entre eles. A Sra. Verdurin mal lhe deu atenção. Infelizmente deveria haver outras em Paris. O Sr. de Charlus continuou sem abandonar sua poltrona. Aliás, não podia deixar de sorrir imperceptivelmente ao ver o quanto a submissão, tão facilmente obtida, da Sra. Verdurin confirmava suas máximas favoritas acerca do prestígio da aristocracia e da covardia dos burgueses. A Patroa não parecia de modo algum espantada pela postura do barão e, se o deixou, foi apenas porque se inquietara de me ver importunado pelo Sr. de Cambremer. Mas antes disso, queria esclarecer as relações do Sr. de Charlus com a condessa Molé. — O senhor me disse que conhecia a Sra. Molé. Costuma ir à casa dela? — indagou, conferindo às palavras "ir à casa dela" o sentido de ser recebido em sua casa, de ter recebido autorização de ir visitá-la. O Sr. de Charlus respondeu com um acento de desdém, uma afetação de precisão e um tom de salmodia: — Ora, às vezes. — Este "às vezes" provocou dúvidas na Sra. Verdurin, que perguntou: — Não tem encontrado lá o duque de Guermantes? — Ah, não me lembro. — Ah — disse a Sra. Verdurin —, o senhor não conhece o duque de Guermantes? — Mas como não haveria de conhecê-lo? — respondeu o Sr. de Charlus, a quem um sorriso fez ondular a boca. O sorriso era irônico; mas, como o barão temia deixar ver um dente de ouro, quebrou o sorriso com um refluxo dos lábios, de modo que a sinuosidade dali resultante foi a de um sorriso de benevolência: — Por que o senhor diz: "Como não haveria de conhecê-lo?" — É que ele é meu irmão — disse negligentemente o Sr. de Charlus, deixando a Sra. Verdurin imersa na estupefação e na incerteza de saber se o seu convidado zombava dela, se era um filho natural ou filho de outro leito. A idéia de que o irmão do duque de Guermantes se chamasse barão de Charlus não lhe ocorreu ao espírito. Dirigiu-se a mim: — Agora há pouco ouvi que o Sr. de Cambremer o convidava para jantar. O senhor compreende, para mim tanto faz. Porém, no seu interesse, espero que o senhor não vá. Em primeiro lugar, aquilo está infestado de gente aborrecida. Ah! Se o senhor gosta de jantar com condes e marqueses provincianos que ninguém conhece, estará bem servido. — Creio que serei obrigado a comparecer uma ou duas vezes. Aliás, não estou muito livre, pois tenho uma jovem prima que não posso deixar sozinha (achava que essa pretensa parenta simplificaria as coisas para que eu saísse com Albertine). Mas, quanto aos Cambremer, como já a apresentei a eles... — Faça o que quiser. O que posso lhe dizer é que é excessivamente malsão; quando apanhar um catarro, ou esses reumatismos de família, vai ficar bem arranjado. — Mas o local não é bem bonito? — Mmm... sim, se quiserem. Quanto a mim, confesso francamente que prefiro cem vezes a vista daqui para este vale. Primeiro, ainda que nos pagassem, eu não teria ficado com outra casa, porque o ar marinho é fatal ao Sr. Verdurin. Por pouco que a sua prima seja nervosa... Mas de resto o senhor é nervoso, creio... tem sufocações. Pois bem! O senhor verá. Vá por uma vez, que não dormirá durante oito dias. Mas isto não é da nossa conta. — E sem pensar no que sua nova frase ia ter de contraditório com as anteriores: — Se lhe diverte ver a casa que não é má, bonita seria demais, mas enfim divertida, com o velho fosso, a velha ponte levadiça, como é preciso que eu dê um jeito e jante lá uma vez, pois bem! Venha nesse dia, tratarei de levar todo o meu pequeno círculo, e então será galante. Depois de amanhã iremos a Arembouville de carro. A estrada é magnífica, há uma sidra deliciosa. Venha então. O senhor, Brichot, virá também. E o senhor também, Ski. Será uma excursão que aliás o meu marido já deve ter arrumado. Não sei exatamente a quem ele convidou. Sr. de Charlus, não é dos tais? — O barão, que somente ouvira esta última frase e não sabia que se falava de uma excursão a Arembouville, teve um sobressalto: — Estranha pergunta — murmurou num tom malicioso, que deixou irritada a Sra. Verdurin. — Aliás — disse-me ela —, enquanto espera o jantar dos Cambremer, por que não traz aqui a sua prima? Será que ela gosta de conversação, de pessoas inteligentes? E agradável? Sim? Pois muito bem! Venha com ela. Não existem só os Cambremer no mundo. Compreendo que se sintam felizes em convidá-la, pois não conseguem apanhar ninguém. Aqui ela terá bons ares, e sempre homens inteligentes. Em todo caso, espero que não me largue na próxima quarta. Ouvi dizer que o senhor tinha um chá em Rivebelle com sua prima, o Sr. de Charlus e não sei quem mais. Devia arranjar um modo de trazer tudo isso para cá, seria interessante uma pequena chegada em massa. As comunicações não podem ser mais fáceis, os caminhos são encantadores; em caso de necessidade, mandarei buscá-lo. De resto, não sei o que pode atraí-lo em Rivebelle, está infestada de mosquitos. Decerto acredita na reputação das tortas. Meu cozinheiro as faria bem melhor. Eu mesma lhe darei a torta normanda, a verdadeira, e *sablés*, só lhe digo isto. Ah, se o senhor faz questão da porcaria que se serve em Rivebelle, que assim seja; eu não assassino os meus convidados, senhor, e, mesmo que o quisesse, meu cozinheiro recusaria fazer essa coisa inominável e mudaria de casa. As tortas de lá a gente não sabe de que são feitas. Conheço uma pobre menina a quem aquilo causou uma peritonite que a levou em três dias. Tinha só dezessete anos. É triste devido à sua pobre mãe — acrescentou a Sra. Verdurin com ar melancólico, sob as esferas de suas têmporas carregadas de experiência e dor. — Mas enfim, vá merendar em Rivebelle se lhe diverte ser explorado e atirar dinheiro pela janela. Unicamente, peço-lhe, é uma missão de confiança que lhe atribuo: quando for seis horas, traga todo o seu pessoal para cá, não vá deixar as pessoas voltarem cada qual para sua casa, em debandada. Poderá trazer quem quiser. Não diria isso a qualquer um. Mas estou certa de que seus amigos são gentis, vejo logo que havemos de nos compreender. Além do pequeno núcleo, quarta-feira vêm justamente pessoas muito agradáveis. Não conhece a pequena Sra. de Longpont? Ela é deslumbrante e cheia de espírito, nada esnobe, verá que ela lhe agradará muito. E ela também deve trazer todo um bando de amigos — acrescentou a Sra. Verdurin, para me mostrar que isso era distinto e me animar pelo exemplo. — Veremos quem é que terá maior influência e quem trará mais gente, Barbe de Longpont ou o senhor. E depois, creio que também se deve trazer Bergotte — acrescentou com ar vago, já que esse concurso de uma celebridade se tornara muito improvável devido a uma nota aparecida nos jornais pela manhã, anunciando que a saúde do grande escritor inspirava os mais sérios cuidados. — Enfim, o senhor verá que há de ser uma de minhas quartas de maior êxito, não quero ter mulheres aborrecidas. De resto, não avalie por esta noite, que falhou inteiramente. Não proteste, não deve ter-se entediado mais que eu, pois eu mesma a achei cacetíssima. Saiba que não será sempre como hoje! Aliás, não falo dos Cambremer, que são impossíveis, mas conheci gente da alta sociedade que passava por ser agradável. Pois bem! Ao lado de meu pequeno núcleo, não existiam. Ouvi-o dizer que achava Swann inteligente. Primeiro, minha opinião é que era muito exagerado, mas sem mesmo abordar o caráter do homem, que sempre considerei fundamente antipático, sorrateiro, dissimulado, tive-o diversas vezes no jantar das quartas. Pois bem! O senhor pode indagar aos outros, mesmo ao lado de Brichot, que está longe de ser uma águia, que é um bom professor de segunda que fiz entrar para o Instituto, mesmo assim, Swann não valia nada. Era tão apagado! — E, como eu externasse uma opinião contrária: — É assim. Não quero lhe dizer nada contra ele, visto que era seu amigo; aliás, gostava muito do senhor, falou-me a seu respeito de modo delicioso, mas pergunte a estes se ele jamais disse alguma coisa de interessante em nossos jantares. Isso afinal é a pedra de toque. Pois bem! Não sei por quê, mas Swann, aqui em casa, não dava nada, não rendia coisa alguma. E o pouco que ele ainda valia, adquiriu-o aqui. — Assegurei-lhe que ele era inteligente. — Não, o senhor só acreditava nisso porque o conhecia há menos tempo do que eu. No fundo, bem depressa a gente lhe dava a volta. A mim, ele aborrecia. (Tradução: ele comparecia à casa dos La Trémoïlle e à dos Guermantes, e sabia que eu não ia.) E eu posso tolerar tudo, menos o tédio. Ah, isso não! — O horror ao tédio era agora, para a Sra. Verdurin, o motivo encarregado de explicar a composição do pequeno grupo. Ela ainda não recebia duquesas por ser incapaz de entediar-se, como era incapaz de fazer um cruzeiro marítimo por causa dos enjôos. Dizia comigo que o que a Sra. Verdurin proclamava não era absolutamente falso, e, nesse caso, mesmo que os Guermantes tivessem declarado Brichot o homem mais imbecil que já houvessem encontrado, eu ficaria incerto de que, se no fundo ele não era superior ao próprio Swann, era-o pelo menos às pessoas que, dotadas do espírito dos Guermantes e tendo o bom gosto de evitar e o pudor de enrubescer de suas facécias pedantescas, eu o indagava a mim mesmo, como se a natureza da inteligência pudesse esclarecer-se em alguma medida pela resposta que eu me daria com a seriedade de um cristão influenciado por Port-Royal, que se questiona o problema da Graça. — O senhor verá — continuou a Sra. Verdurin —, quando se tem gente da alta sociedade com pessoas verdadeiramente inteligentes, pessoas do nosso meio, aí é que é necessário vê-los, o aristocrata mais espirituoso no reino dos cegos não passa de um zarolho aqui. Além disso, acolhe com frieza os outros, que já não se sentem mais à vontade. Aí eu me pergunto se, em vez de tentar fusões que estragam tudo, não seria melhor arranjar umas séries só para os aborrecidos, de modo que pudéssemos gozar plenamente do nosso pequeno grupo. Concluindo, o senhor virá com sua prima. É conveniente. Bem. Pelo menos, aqui, ambos terão o que comer. Em Féterne, é a fome, é a sede. Ah, por exemplo, se gosta de ratos, vá logo para lá, será servido a contento. E lhe guardarão tanto quanto quiser. Aí sim, o senhor morre de fome. De resto, quando eu for lá, jantarei antes de partir. E para que fique mais alegre, o senhor deveria vir buscar-me. Tomaríamos um bom chá e cearíamos na volta. Gosta de tortas de maçã? Sim? Ótimo! Nosso cozinheiro-chefe prepara-as como ninguém. Bem vê que eu tinha razão de dizer que o senhor foi feito para viver aqui. Portanto, venha morar conosco. Sabe muito bem que há muito mais lugar em nossa casa do que parece. Não o digo para não atrair as pessoas aborrecidas. Poderia trazer sua prima para morar aqui. Ela respiraria um ar diferente do de Balbec. Com o ar daqui, tenho a pretensão de curar os incuráveis. Palavra que os curei, e não é de hoje. Pois morei outrora bem perto daqui, alguma coisa que havia desencavado, que obtive por um pedaço de pão e que possuía um caráter diferente do da Raspelière deles. Vou mostrá-la, se formos passear. Porém reconheço que, mesmo aqui, o ar é realmente vivificante. Não desejo falar muito nisso, pois os parisienses começariam a apreciar o meu cantinho. Essa foi sempre a minha boa sorte. Enfim, fale nisso à sua prima. Vão lhe ser dados dois lindos quartos com vistas para o vale; verá o que é isso pela manhã, o sol na neblina! E quem é esse Robert de Saint-Loup de que fala? — Acrescentou com ar inquieto, porque ouvira que eu deveria ir vê-lo em Doncières e temia que ele me fizesse desertar. — Talvez fosse melhor trazê-lo para cá, se não é uma pessoa aborrecida. Ouvi falar dele por Morel; parece que é um de seus grandes amigos — disse a Sra. Verdurin, mentindo completamente, pois Saint-Loup e Morel nem sequer tinham noção da existência um do outro. Mas, tendo ouvido que Saint-Loup conhecia o Sr. de Charlus, pensava que era através do violinista e queria dar a impressão de estar ciente de tudo. — Por acaso ele não pratica a medicina, ou a literatura? O senhor sabe que, se tem necessidade de recomendações para os exames, Cottard pode tudo, e faço dele o que quero. Quanto à Academia, para mais tarde, pois julgo que ainda não tem idade para isso, disponho de vários votos. Seu amigo estaria aqui em terra conhecida e talvez o divertisse ver a casa. Doncières não tem graça nenhuma. Enfim, o senhor proceda como entender, como lhe parecer melhor — concluiu sem insistir, para não dar a impressão de que procurava a nobreza, e porque sua pretensão era de que o regime sob o qual fazia viver os fiéis, a tirania, fosse denominado liberdade. — Vamos, o que é que tens? — indagou ela, ao ver o Sr. Verdurin que, fazendo gestos de impaciência, alcançava o terraço de tábuas que se estendia sobre o salão, do lado do vale, como um homem que sufoca de raiva e precisa de ar. — Foi ainda Saniette quem te irritou? Mas, visto que sabes que ele é um idiota, toma o teu partido e não fica nesse estado... Não gosto disto — disse-me ela — porque é mau para ele, deixa-o congestionado. Mas devo confessar também que às vezes é necessário ter uma paciência de santo para aturar Saniette, e sobretudo lembrar que é uma caridade recolhê-lo. De minha parte, confesso que o esplendor da sua tolice é antes uma alegria. Penso que ouviu a frase dele depois do jantar: "Não sei jogar uíste, mas sei tocar piano."[54] Tremenda, não? É grande como o mundo, e aliás uma mentira, pois

[54] Ver nota 49, p. 786. (N. do T.)

ele não sabe um nem outro. Porém meu marido, sob sua aparência rude, é muito sensível, muito bondoso, e essa espécie de egoísmo de Saniette, preocupado sempre com o efeito que vai fazer, deixa-o fora de si... Vamos, meu querido, acalma-te, sabes muito bem que Cottard te disse que faz mal para o teu fígado. E tudo acaba recaindo sobre mim — disse a Sra. Verdurin. — Amanhã Saniette vai ter a sua pequena crise de nervos e lágrimas. Pobre homem, está muito doente. Mas afinal isso não é motivo para que mate os outros. E, além disso, mesmo nos momentos em que mais sofre, quando a gente gostaria de sentir pena dele, sua tolice corta logo qualquer sentimento. Ele é por demais estúpido. Basta que lhe digas, muito gentilmente, que tais cenas fazem vocês dois ficarem doentes, que ele não volte aqui; como é o que ele mais teme, isso terá um efeito calmante sobre seus nervos — soprou a Sra. Verdurin a seu marido.

Mal se distinguia o mar pelas janelas da direita. Mas as do outro lado mostravam o vale sobre o qual agora caíra a neve do luar. De vez em quando, ouvia-se a voz de Morel e a de Cottard. — Tem o trunfo? — *Yes*. — Ah, o senhor tem boas — disse a Morel, em resposta à sua pergunta, o Sr. de Cambremer, pois havia visto que o jogo do doutor estava repleto de trunfos. — Aqui está a dama de ouros — disse o doutor. — Isto é trunfo, sabia? Eu corto, eu faço a vaza... — Mas não há mais Sorbonne — disse o doutor ao Sr. de Cambremer; — só existe a Universidade de Paris. — O Sr. de Cambremer confessou que ignorava o motivo pelo qual o doutor lhe fazia essa observação. — Eu julgava que o senhor estava falando da Sorbonne — replicou o doutor. — Tinha ouvido o senhor dizer: "tu nous la *sors bonne*" — acrescentou piscando o olho, para mostrar que se tratava de um trocadilho. — Espere — disse ele mostrando o adversário —, preparo-lhe um golpe de Trafalgar. — E o golpe devia ser excelente para o doutor, pois, em sua alegria, ele se pôs a rir, movendo voluptuosamente os ombros, o que, na família, no "gênero" Cottard, era um traço quase zoológico de satisfação. Na geração anterior, o movimento de esfregar as mãos como se se ensaboassem, acompanhava o movimento. O próprio Cottard usara primeiro, simultaneamente, a dupla mímica; porém um dia, sem que se soubesse a que intervenção conjugal, magistral, quem sabe, aquilo era devido, o esfregar das mãos havia desaparecido. O doutor, mesmo no dominó, quando forçava o adversário a "pedir" e a ficar com o carroção, o que para ele era o mais vivo dos prazeres, contentava-se com o movimento dos ombros. E quando — o mais raramente possível — ia à sua terra natal por alguns dias, encontrando lá o seu primo-irmão, o qual ainda estava na fase da esfregação de mãos, dizia na volta à Sra. Cottard: — Achei bastante vulgar o pobre Renê. — Tem aquela coisinha? — disse ele, voltando-se para Morel. — Não?

Então eu jogo este velho David. — Mas então o senhor tem cinco, e ganhou! — Eis uma bela vitória, doutor — disse o marquês. — Uma vitória de Pirro — disse Cottard, voltando-se para o marquês e encarando-o por sobre o seu *lorgnon*, para avaliar o efeito de sua tirada. — Se ainda temos tempo — disse ele a Morel —, dou-lhe a sua revanche. É a minha vez... Ah, não, eis os carros; ficará para a sexta, e eu lhe mostrarei um golpe todo especial. — O Sr. e a Sra. Verdurin nos conduziram para fora. A Patroa foi particularmente carinhosa com Saniette, a fim de assegurar-se de que ele voltaria no dia seguinte. — Mas não me parece que esteja bem agasalhado, meu filho — disse-me o Sr. Verdurin, cuja idade permitia esse tratamento paternal. — Tenho a impressão de que o tempo mudou. — Estas palavras encheram-me de alegria, como se a vida profunda, e o aparecimento de combinações diferentes que elas implicam na natureza, devesse anunciar outras mudanças, estas a cumprirem-se na minha vida e nela criar possibilidades novas. Mal se abria a porta para o parque antes de partir, e já se sentia que um outro "tempo" ocupava a cena desde alguns instantes; sopros frescos, volúpia estival, erguiam-se na mata de abetos (onde outrora a Sra. de Cambremer sonhava com Chopin) e quase imperceptivelmente, em meandros acariciadores, em remoinhos caprichosos, principiavam os seus leves noturnos. Recusei o agasalho que nas noites seguintes deveria aceitar quando Albertine estivesse presente, antes pelo segredo do prazer do que pelo perigo do frio. Procuraram em vão o filósofo norueguês. Sentira uma cólica? Teria medo de perder o trem? Um aeroplano viera buscá-lo? Fora arrebatado numa assunção? O fato é que desaparecera sem que ninguém percebesse, como um deus. — O senhor está errado — disse-me o Sr. de Cambremer —, faz um frio de pato. — Por que de pato? — indagou o doutor. — Cuidado com as sufocações — prosseguiu o marquês. — Minha irmã nunca sai à noite. De resto, ela está bem mal hipotecada, neste momento. Em todo caso, não fique de cabeça descoberta, ponha logo o seu boné. — Não são sufocações *a frigore* — disse Cottard sentenciosamente. — Ah, então — disse o Sr. de Cambremer, inclinando-se —, visto que é de seu aviso... — Aviso ao leitor! — exclamou Cottard, deslizando seus olhares para fora do *lorgnon*, a fim de sorrir. O Sr. de Cambremer riu, mas, convencido de que estava com a razão, insistiu. — No entanto — disse ele —, cada vez que minha irmã sai à noite, tem uma crise. — É inútil argumentar — respondeu o doutor, sem se dar conta de sua descortesia. — Aliás, não pratico a medicina à beira-mar, salvo se sou chamado em consulta. Estou aqui de férias. — De resto, ele o estava ainda mais talvez do que o desejaria. Tendo-lhe dito o Sr. de Cambremer, ao subir para o carro: — Temos a sorte de também ter perto de nós (não do seu lado da baía, mas do outro, mas ela é tão apertada nesse local) uma outra celebridade médica, o Dr. Du Boulbon. — Cottard, que de hábito, por *deontologia*, abstinha-se de criticar os confrades, não pôde deixar de gritar, como o fizera diante de mim no dia funesto em que tínhamos ido ao pequeno cassino: — Mas isto não é um médico. Ele pratica a medicina literária, é a terapêutica fantasista, é charlatanismo. Aliás, nós estamos em bons termos. Tomaria o barco para ir visitá-lo uma vez se não estivesse obrigado a me ausentar. — Mas, pelo ar que assumira Cottard para falar de Du Boulbon ao Sr. de Cambremer, senti que o barco, no qual iria de bom grado visitá-lo, muito se parecia com o navio que, para arruinar as águas descobertas por um outro médico literário, Virgílio (o qual, assim, lhes roubava toda a clientela), os doutores de Salerno haviam fretado, mas que soçobrou com eles durante a travessia. — Adeus, meu bom Saniette, não deixe de vir amanhã; bem sabe que meu marido o aprecia muito. Aprecia o seu espírito, sua inteligência; mas, se, como sabe perfeitamente, gosta de atitudes bruscas, o fato é que não pode passar sem vê-lo. É sempre a primeira pergunta que me faz: "Será que Saniette vem? Gosto tanto de vê-lo." — Eu nunca falei isto — disse o Sr. Verdurin a Saniette com uma franqueza simulada que parecia conciliar perfeitamente o que dizia a Patroa com a maneira como ele tratava Saniette. Depois, consultando o relógio, sem dúvida para não prolongar as despedidas na umidade da noite, recomendou aos cocheiros que não se atrasassem, que fossem prudentes na descida, e assegurou-nos que chegaríamos antes do trem. Este devia deixar os fiéis, um numa estação, outro em outra, terminando por mim, pois nenhum ia a tão grande distância como Balbec, e principiando pelos Cambremer. Estes, para não fazerem os cavalos subirem de noite até La Raspelière, tomaram o trem conosco em Douville-Féterne. Com efeito, a estação mais próxima da casa deles não era esta, que, já um pouco distante da aldeia, o é ainda mais do castelo, porém La Sogne. Chegando à gare de Douville-Féterne, o Sr. de Cambremer fez questão de dar "a peça", como dizia Françoise, ao cocheiro dos Verdurin (justamente o gentil cocheiro sensível de idéias melancólicas), pois o marquês era generoso e nisso antes "puxava à sua mamãe". Mas fosse porque o seu "lado do papai" interviesse aqui, e enquanto dava a moeda experimentava o escrúpulo de um erro cometido — ou por ele, que, enxergando mal, dava por exemplo um *sou* em vez de um franco, ou pelo destinatário, que não se aperceberia da importância do que lhe davam. Assim, observou: — É mesmo um franco que lhe estou dando, não? — disse ao cocheiro, fazendo rebrilhar a moeda na luz, e para que os fiéis pudessem repeti-lo à Sra. Verdurin. — Não é? É mesmo de vinte *sous*, já que foi só uma pequena corrida. — Ele e a Sra. de Cambremer nos deixaram em La Sogne. — Eu direi à minha irmã — repetiu-me ele — que o senhor tem sufocações, estou certo de interessá-la. — Compreendi o que ele queria dizer: agradar-lhe. Quanto à sua mulher, empregou, ao despedir-se de mim, duas dessas abreviaturas que, mesmo escritas, me chocavam então numa carta, embora nos tenhamos habituado depois a isso, mas que, faladas, me pareciam, e até mesmo hoje, conter, em sua displicência intencional, em sua familiaridade adquirida, algo de insuportavelmente pedante: — Encantada por ter passado a noite com o senhor — disse-me ela. — Recomendações a Saint-Loup se o vir. — Dizendo-me esta frase, a Sra. de Cambremer pronunciou Saint-Loupe. Jamais pude saber quem o pronunciara assim diante dela, ou quem lhe tivera dado a entender que se devia pronunciar desse modo. Sempre é verdade que, durante algumas semanas, ela pronunciou Saint-Loupe e que um homem que lhe tinha grande admiração, e que com ela fazia uma só pessoa, fez o mesmo. Se outras pessoas diziam Saint-Lou, eles insistiam, diziam com força Saint-Loupe, ou para dar indiretamente uma lição aos demais, ou para se distinguir deles. Mas, sem dúvida, mulheres mais brilhantes que a Sra. de Cambremer lhe disseram, ou lhe fizeram indiretamente compreender que não se devia pronunciar assim, e que o que ela tomava por originalidade era um erro que faria com que a julgassem pouco a par das coisas da sociedade, pois, pouco depois, a Sra. de Cambremer voltava a dizer Saint-Lou, e seu admirador igualmente deixou toda resistência, ou porque ela o tivesse advertido, ou porque tivesse ele percebido que ela já não fazia soar a final, dizendo consigo que, para que uma mulher daquele valor, daquela energia e de tanta ambição houvesse cedido, era preciso que fosse por uma boa razão. O pior de seus admiradores era o marido. A Sra. de Cambremer gostava de fazer aos outros brincadeiras muitas vezes bem impertinentes. Logo que ela investia desse modo contra mim ou contra algum outro, o Sr. de Cambremer punha-se a olhar a vítima, rindo. Como o marquês fosse vesgo — o que dá uma intenção de espírito à própria graça dos imbecis —, o efeito daquele riso era o de trazer um pouco de pupila para o branco do olho, que sem isso ficaria completo. Da mesma forma, uma abertura põe um tanto de azul num céu coberto de nuvens. O monóculo protegia do resto essa operação delicada, como um vidro sobre um quadro precioso. Quanto à própria intenção do riso, não se sabe se por acaso seria amável: "Ah, tratante! Poderia considerar-se digno de inveja. Está recebendo os favores de uma mulher de espírito rude"; ou travessa: "Espero que se arranje, senhor, engolindo cobras e lagartos"; ou prestimosa: "O senhor sabe, aqui estou; levo a coisa a rir, pois é puro gracejo, mas não deixaria que o maltratassem"; ou cruelmente cúmplice: "Não tenho porque atirar o meu grãozinho de sal, mas bem vê que morro de rir com todas essas maldades que ela lhe prodigaliza. Gargalho como um corcunda, portanto aprovo, eu o marido. Agora, se lhe der na telha corcovear, achará quem lhe faça frente, meu senhor. Primeiro, lhe daria um par de bofetadas, com capricho, depois iríamos cruzar os ferros na floresta de Chantepie."

Fosse qual fosse o resultado dessas diversas interpretações da alegria do marido, os gracejos da esposa rapidamente acabavam. Então o Sr. de Cambremer cessava de rir, a pupila momentaneamente desaparecia e, como a gente perdera havia alguns minutos o hábito daquele olho inteiramente branco, dava este àquele rubro normando algo a um tempo de exangue e de extático, como se o marquês acabasse de ser operado ou como se implorasse aos céus, sob o monóculo, as palmas do martírio.

CAPÍTULO TERCEIRO

Tristezas do Sr. de Charlus. — Seu duelo fictício. — As estações do "Transatlântico". — Cansado de Albertine, desejo romper com ela.

Eu caía de sono. Fui levado de elevador até o meu andar não pelo ascensorista, mas pelo *groom* vesgo que travou conversa para me contar que sua irmã continuava a viver com o cavalheiro tão rico e que, certa vez, como ela tivesse vontade de voltar para casa em lugar de permanecer séria, o seu cavalheiro fora procurar a mãe do vesgo e dos outros filhos mais afortunados, a qual encaminhara o mais rápido possível a insensata à casa de seu amigo. — Saiba o senhor, é uma grande dama a minha irmã. Ela toca piano, fala espanhol. E o senhor não a acreditaria ser irmã do simples empregado que o faz subir no elevador; ela não se nega coisa alguma. Tem a sua camareira pessoal, e não me espantaria que um dia venha a ter o seu carro. É muito bonita, se o senhor a visse, um tanto orgulhosa, mas — diabos! — isto se compreende. Tem muito espírito. Nunca deixa um hotel sem se aliviar num armário, numa cômoda, para deixar uma lembrancinha à camareira que há de fazer a limpeza. Às vezes, até no carro ela faz isso e, depois de pagar a corrida, oculta-se num canto, coisa de muito rir, para ver reclamar o cocheiro que terá de lavar o carro. Meu pai também deu uma boa, ao encontrar para o meu irmão mais novo aquele príncipe indiano que havia conhecido antigamente. Naturalmente é outro gênero. Mas a posição é soberba. Se não fossem as viagens, seria o ideal. Até agora, só eu é que fiquei no desvio. Mas nunca se sabe. A sorte está na minha família; quem sabe se não serei um dia presidente da República? Mas estou fazendo-o tagarelar (eu não dissera uma só palavra e começava a dormir ao ouvir as suas). Boa-noite, senhor. Oh, obrigado, senhor! Se todo mundo tivesse tão bom coração como o senhor, não haveria mais desgraçados. Mas como diz a minha irmã, sempre é necessário que os haja para que, agora que sou rica, possa cagar neles um pouco. Desculpa a expressão. Boa-noite, senhor.

Talvez a cada noite aceitemos o risco de viver, dormindo, sofrimentos que consideramos nulos e não acontecidos, pois foram suportados no decorrer de um sono que julgamos sem consciência. Com efeito, nessas noites em que eu regressava tarde da Raspelière, sentia muito sono. Porém, logo que chegaram os frios intensos eu não podia adormecer imediatamente, pois o fogo da lareira iluminava como se uma lâmpada se acendesse. Apenas, não passava de uma chama e — também como uma lâmpada, como o dia quando cai a tarde — sua luz muito viva não tardava a diminuir; e eu caía no sono, o qual é como um segundo apartamento que tivéssemos e onde, abandonando o nosso, fôssemos dormir. Tem campainhas próprias, e às vezes somos violentamente despertados por um rumor de timbre, perfeitamente escutado por nossos ouvidos, quando todavia ninguém tocou. Tem seus criados, seus visitantes particulares que vêm buscar-nos para sair, de modo que estamos prontos para levantar-nos quando nos é forçoso constatar, por nossa quase imediata transmigração para o outro apartamento, o da véspera, que o quarto está vazio, que não veio ninguém. A raça que o habita, como a dos primeiros humanos, é andrógina. Ali, um homem, ao cabo de um instante, aparece sob o aspecto de uma mulher. As coisas ali possuem uma inclinação a se tornarem homens, e os homens em amigos e inimigos. O tempo que transcorre para o adormecido, durante esse sono, é absolutamente diverso do tempo em que se cumpre a vida do homem acordado. Ora seu curso é muito mais rápido: um quarto de hora parece um dia inteiro; às vezes, muito mais longo: julgamos ter dado um breve cochilo e dormimos o dia todo. Então, no carro do sono, descemos às profundezas em que a recordação não pode mais alcançá-lo e para aquém das quais o espírito foi obrigado a arrepiar caminho. A parelha de cavalos do sono, semelhante à do sol, caminha num passo tão igual, numa atmosfera onde não pode mais detê-lo nenhuma resistência, que é preciso algum pedregulho aerolítico estranho a nós (por qual Desconhecido dardejado do céu azul?) para atingir o sono regular (que, sem isso, não teria motivo algum para se deter e duraria, com um movimento igual, séculos afora) e fazê-lo, numa curva brusca, retornar ao real, queimar etapas, atravessar regiões próximas à vida — ou breve o adormecido ouvirá, desta, os rumores quase vagos ainda, mas já perceptíveis, conquanto deformados — e aterrissar de chofre no despertar. Então, desses sonos profundos, a gente acorda numa aurora, sem saber onde está, não sendo ninguém, novo, pronto para tudo, o cérebro vazio desse passado que era a vida até ali. E talvez ainda seja mais belo quando a aterrissagem do despertar se faz de maneira brutal e os nossos pensamentos do sono, ocultos por um manto de esquecimento, não têm tempo de regressar progressivamente antes que o sono acabe. Então, da negra tempestade que nos parece que atravessamos (mas nem sequer dizemos *nós*), saímos deitados, sem pensamentos: um *nós* que não tivesse conteúdo. Que martelada a criatura ou a coisa que ali está recebeu a ponto de ignorar tudo; estupefata até o momento em que a memória, acorrendo, lhe restitua a consciência ou a personalidade? Ainda, para esses dois tipos de despertar, convém não adormecer, mesmo que profundamente, sob a lei do hábito. Pois o hábito vigia tudo o que encerra em suas redes; é preciso escapar a ele, adormecer no momento em que se julgava fazer coisa bem diversa do que dormir, numa palavra, receber um sono que não permanece sob a tutela da previdência, na companhia, mesmo oculta, da reflexão. Ao menos nesses despertares, tais como os que acabo de descrever, e que eram na maior parte do tempo os meus quando eu tinha jantado na véspera na Raspelière, tudo se passava como se assim fosse, e posso testemunhá-lo, eu, o estranho humano que, esperando que a morte o venha libertar, vê os postigos fechados, não sabe nada do mundo, permanece imóvel feito uma coruja e, como esta, só vê um pouco de claridade nas trevas. Tudo se passa como se assim fosse, mas talvez somente uma camada de estopa impediu o adormecido de perceber o diálogo interior das lembranças e a incessante tagarelice do sono. Pois (o que aliás pode se explicar igualmente no primeiro sistema, mais amplo, mais misterioso, mais astral) no momento em que se produz o despertar, o adormecido ouve uma voz interior que lhe diz: "Não vem jantar esta noite, meu caro amigo? Como seria agradável!" e pensa: "Sim, como seria agradável, irei"; depois, acentuando-se o despertar, ele recorda de súbito: "Minha avó só tem algumas semanas de vida, afirma o doutor." Ele toca a campainha, chora à idéia de que não será, como antigamente, a sua avó, a sua avó agonizante, mas um criado-grave indiferente que virá atendê-lo. Todavia, mesmo que o sono o levasse para bem longe do mundo habitado pela recordação e pelo pensamento, através de um éter onde estivesse sozinho, mais que sozinho, sem nem sequer ter esse companheiro em que a gente se vê a si mesmo, estava ele fora do tempo e de suas medidas. E já entra o camareiro e ele não se anima a perguntar-lhe a hora, pois ignora se dormiu, ou quantas horas dormiu (indaga a si próprio se não foram dias, de tal modo retorna com o corpo exausto e o espírito descansado, o coração nostálgico, como de uma viagem demasiado distante para que não tenha durado muito tempo). Decerto pode-se pretender que só existe um tempo, pelo fútil motivo de que foi olhando para a pêndula que se constatou ser apenas um quarto de hora o que pensáramos fosse um dia inteiro. Mas, no momento em que o verificamos, somos justamente um homem desperto, mergulhado no tempo dos homens despertos; desertamos do outro tempo. Talvez até mais que de um outro tempo: de uma outra vida. Os prazeres que temos no sono, não os fazemos figurar na conta dos prazeres experimentados durante a existência. Para só aludirmos ao mais vulgarmente sensual de todos, qual de nós, ao despertar, não sentiu alguma irritação por ter experimentado, enquanto dormia, um prazer que, se não queremos nos cansar demais, já não podemos, uma vez despertos, renovar indefinidamente nesse dia? É como uma riqueza perdida. Tivemos prazer em uma outra vida que não a nossa. Sofrimentos e prazeres do sonho (que em geral se dissipam rapidamente ao despertar), se os fizéssemos figurar num orçamento, não seria no da vida corrente.

Disse eu: dois tempos; talvez exista apenas um, não que o do homem desperto seja válido para o adormecido, mas talvez porque a outra vida, aquela em que se dorme, não esteja — em sua parte profunda — submetida à categoria do tempo. Assim eu o representava quando, no dia seguinte aos jantares na Raspelière, adormecia tão completamente. Eis o porquê. Principiava a desesperar-me, ao acordar, vendo que, depois de ter chamado dez vezes, o criado-grave não aparecia. Na undécima vez ele entrava. Era apenas a primeira vez. As dez outras não tinham passado de esboços no meu sono, que durava ainda, do toque de campainha que eu desejava. Minhas mãos entorpecidas nem mesmo se haviam mexido. Ora, nessas manhãs (e é o que me faz dizer que o sono talvez ignore a lei do tempo), o meu esforço para me acordar consistia sobretudo em um esforço para adaptar o bloco obscuro, não definido, do sono que eu acabava de viver, aos quadros do tempo. Não é fácil tarefa; o sono, que não sabe se dormimos duas horas ou dois dias, não pode nos fornecer nenhum ponto de referência. E, se não o encontrarmos no exterior, não conseguindo retornar ao tempo, voltamos a adormecer, por cinco minutos que parecem três horas.

Eu sempre disse — e experimentei — que o mais poderoso dos hipnóticos é o sono. Depois de ter dormido profundamente por duas horas, ter combatido tantos gigantes e de ter travado para sempre tantas amizades, é bem mais difícil despertar do que depois de ter tomado vários gramas de veronal. Pensando assim sobre um e outro, fiquei surpreendido ao saber, pelo filósofo norueguês, que o soubera pelo Sr. Boutroux, "seu eminente colega, perdão, confrade", o que o Sr. Bergson pensava das alterações particulares da memória devidas aos hipnóticos. "Está entendido", teria dito o Sr. Bergson ao Sr. Boutroux, a crer no filósofo norueguês, "que os hipnóticos tomados de vez em quando em doses moderadas não têm influência sobre essa memória sólida da nossa vida cotidiana, tão bem instalada em nós. Mas existem igualmente outras memórias, mais altas e também mais instáveis. Um de meus colegas está dando um curso de História antiga. Disse-me que, se na véspera havia tomado um comprimido para dormir, tinha dificuldade, durante a aula, de encontrar as citações gregas de que necessitava. O médico que lhe recomendara esses comprimidos assegurou-lhe que não tinham influência sobre a memória. 'É que o senhor talvez não tenha de fazer citações gregas', respondera o historiador, não sem um toque de orgulho zombeteiro."

Não sei se esta conversação entre o Sr. Bergson e o Sr. Boutroux estará correta. O filósofo norueguês, todavia tão profundo e claro, tão passionalmente atento, pode ter compreendido mal. Pessoalmente, minha experiência me proporcionou resultados opostos. Os momentos de olvido que, no dia seguinte, se seguem à ingestão de certos narcóticos têm uma semelhança meramente parcial, mas perturbadora, com o esquecimento que reina no decurso de uma noite de sono profundo e natural. Ora, o que eu esqueço, num e noutro caso, não é determinado verso de Baudelaire, que antes me fatiga, "assim como um tímpano", não é certo conceito de um dos filósofos citados, é a própria realidade das coisas vulgares que me cercam se durmo — e cuja não-percepção faz de mim um louco; é — se estou acordado e saio, logo após um sono artificial — não o sistema de Porfírio ou de Plotino, que posso discutir tão bem como em qualquer outro dia, mas a resposta que prometi dar a um convite, cuja lembrança foi substituída por um branco total. A idéia elevada permaneceu em seu lugar; o que o hipnótico pôs fora de uso é o poder de agir nas pequenas coisas, em tudo o que exige atividade para recuperar bem a tempo, para agarrar determinada lembrança da vida cotidiana. Apesar de tudo o que se possa dizer da sobrevivência após a destruição do cérebro, reparo que a cada alteração do cérebro corresponde um fragmento de morte. Todos nós possuímos as nossas lembranças, se não a faculdade de recordá-las, diz, segundo Bergson, o grande filósofo norueguês, cuja linguagem não procurei imitar, para não demorar ainda mais. Se não a faculdade de recordá-las. Mas o que é uma lembrança da qual não se recorda? Porém vamos mais longe. Não nos recordamos das lembranças dos últimos trinta anos; mas elas nos banham por inteiro; por que então parar a trinta anos, por que não prolongar até além do nascimento essa vida anterior? Desde o momento em que não conheço toda uma parte das lembranças que estão por detrás de mim, desde o momento em que elas me são invisíveis, que não tenho a faculdade de chamá-las a mim, quem me diz que nessa massa desconhecida de mim não há recordações que remontam muito além da minha vida humana? Se posso ter em mim e a meu redor tantas lembranças de que não me recordo, esse olvido (ao menos olvido de fato, visto que não possuo a faculdade de nada ver) pode estender-se sobre uma vida que vivi no corpo de outro homem, até mesmo em outro planeta. Um mesmo esquecimento apaga tudo. Mas então, que significa essa imortalidade da alma, de que o filósofo norueguês afirmava a realidade? A criatura que serei após a morte não tem mais motivos de se lembrar do homem que sou desde o nascimento, assim como este último não se recorda do que eu fui antes de nascer.

O criado-grave entrava. Eu não lhe dizia que havia tocado a campainha diversas vezes, pois já percebia que o fizera até então enquanto sonhava. No entanto, assustava-me pensar que semelhante sonho tivera a nitidez do conhecimento. Teria o conhecimento, reciprocamente, a irrealidade do sonho?

Em compensação, perguntava-lhe quem havia tocado tanto aquela noite. Ele dizia "ninguém", e podia afirmá-lo, pois o "quadro" das chamadas o teria registrado. Entretanto, escutava os toques repetidos, quase furiosos, que ainda vibravam em meu ouvido e me deviam permanecer perceptíveis durante vários dias. No entanto, é raro que o sono lance desse modo, na vida desperta, lembranças que não morrem com ele. Podem-se contar esses aerólitos. Se se trata de uma idéia que o sono forjou, ela depressa se dissocia em fragmentos tênues, inencontráveis. Porém aí o sono fabricara sons. Mais materiais e mais simples, duravam por mais tempo. Espantava-me a hora relativamente matinal que o camareiro me dizia. Nem por isso me sentia menos repousado. São os sonos leves que têm longa duração, porque, intermediários entre a vigília e o sono, mantendo da primeira uma noção um tanto apagada mas permanente, é-lhes necessário infinitamente mais tempo para repousar-nos do que um sono profundo, o qual pode ser de curta duração. Sentia-me bem disposto por outra razão. Se é bastante lembrarmo-nos de que estamos cansados para sentirmos penosamente o nosso cansaço, dizer para nós mesmos: "Estou descansado", basta para criar o repouso. Ora, havia sonhado que o Sr. de Charlus estava com cento e dez anos e acabara de dar um par de tapas na própria mãe, Sra. Verdurin, porque ela comprara um buquê de violetas por cinco bilhões; portanto, estava certo de ter dormido profundamente e sonhado às avessas todas as minhas noções da véspera e todas as possibilidades da vida corrente; bastava isso para que me sentisse inteiramente repousado.

Teria deixado bem surpreendida a minha mãe, que não podia compreender a assiduidade do Sr. de Charlus na casa dos Verdurin, se lhe tivesse contado (precisamente no dia em que fora encomendada a touca de Albertine, sem nada lhe dizer e para lhe fazer uma surpresa) com quem o Sr. de Charlus fora jantar num salão do Grande Hotel de Balbec. O convidado não era outro senão o lacaio de uma prima dos Cambremer. Este lacaio vestia-se com grande elegância e, quando atravessou o *hall* com o barão, "fez-se de homem do mundo" aos olhos dos turistas, como teria dito Saint-Loup. Mesmo os jovens *grooms*, os "levitas" que desciam em bando os degraus do templo nesse instante, porque era o momento da rendição, não prestaram atenção nos dois recém-chegados, dos quais um, o Sr. de Charlus, timbrava em mostrar, baixando os olhos, que eles pouco lhe importavam. Dava a impressão de abrir passagem no meio deles. "Prosperai, cara esperança de uma santa nação", citou ele, lembrando-se dos versos de Racine, ditos num sentido bem diverso. — O que diz, senhor? — perguntou o lacaio, pouco a par dos clássicos. O Sr. de Charlus não lhe respondeu, pois punha um certo orgulho em não fazer caso das perguntas e em caminhar direito para a frente como se não houvesse outros fregueses no hotel e no mundo só existisse ele, barão de Charlus. Mas, tendo continuado os versos de Josabeth: "Vinde, vinde, minhas filhas", sentiu-se desgostoso e não acrescentou, como ela: "é preciso chamá-las", pois esses jovens ainda não tinham alcançado a idade em que o sexo está inteiramente formado e que agradava ao Sr. de Charlus. Aliás, se escrevera ao lacaio da Sra. de Chevregny, por não duvidar de sua docilidade, havia esperado que fosse mais viril. Ao vê-lo, achara-o mais efeminado do que o desejaria. Disse-lhe que pensara tratar com alguém diferente, pois conhecia de vista outro lacaio da Sra. de Chevregny, em quem de fato havia reparado no carro. Era um tipo de camponês bem rústico, completamente o oposto deste, que, julgando, pelo contrário, suas afetações como superioridades, e estando certo de que fossem essas qualidades de mundano que seduziriam o Sr. de Charlus, não compreendeu sequer de que é que o barão queria falar. — Mas não tenho nenhum companheiro, a não ser um, a quem o senhor não pode ter deitado o olho; é horroroso, parece um camponês brutamontes. — E, à idéia de que talvez semelhante rústico fosse o que o barão vira, sentiu uma pontada no seu amor-próprio. O barão o adivinhou e, ampliando o inquérito: — Mas eu não fiz um voto especial de só conhecer gente da Sra. de Chevregny — disse. — Será que aqui, ou em Paris, já que vai partir em breve, não poderia você apresentar-me muitos de seus companheiros, de uma casa ou de outra? — Oh, não — respondeu o lacaio —, não freqüento ninguém da minha classe. Só lhes falo sobre o serviço, mas há alguém muito distinto que poderei fazer com que conheça. — Quem? — indagou o barão. — O príncipe de Guermantes. — O Sr. de Charlus ficou despeitado de que só lhe oferecessem um homem daquela idade, e para o qual, aliás, não necessitava da recomendação de um lacaio. Assim, declinou a oferta em tom seco e, não se deixando desanimar pelas pretensões mundanas do criado, recomeçou a explicar-lhe o que desejava, o gênero, o tipo, mesmo que fosse um jóquei, etc. Receando que o tabelião que passava nesse momento o tivesse escutado, julgou prudente mostrar que falava de coisa bem diversa daquela que poderiam supor, e disse com insistência e como que para o público, mas feito não fizesse mais que continuar a conversação: — Sim, apesar da minha idade, mantive o gosto de comprar quinquilharias, o gosto pelos lindos bibelôs, faço loucuras por um velho bronze, por um lustre antigo. Adoro o Belo. — Mas, para fazer o lacaio entender a mudança de assunto que tão rapidamente consumara, o Sr. de Charlus acentuava de tal modo cada palavra e, mais ainda, para ser ouvido pelo tabelião, gritava-as todas com tanta força, que todo esse jogo de cena teria bastado para denunciar o que ele ocultava a ouvidos mais avisados que os do oficial do ministério. Este não desconfiou de coisa alguma, bem como nenhum outro hóspede do hotel, pois todos viram um elegante estrangeiro no lacaio tão bem vestido. Em compensação, se os homens da sociedade se equivocavam, tomando-o por um americano muito elegante, mal apareceu diante dos criados foi logo adivinhado por eles, assim como um forçado reconhece outro, e até mesmo mais depressa, farejado a distância como um animal por certos animais. Os chefes da categoria ergueram os olhos. Aimé lançou um olhar suspeitoso. O copeiro, dando de ombros, disse por trás da mão, porque julgava isso cortês, uma frase injuriosa que todos ouviram. E até a nossa velha Françoise, cuja vista diminuía e que passava naquele momento ao pé da escada para ir jantar nos "mensageiros", ergueu a cabeça, reconheceu um criado onde os convivas do hotel não o suspeitavam — como a velha ama Euricléia reconhece Ulisses bem antes dos pretendentes assentados no festim — e, vendo o Sr. de Charlus andar familiarmente com ele, demonstrou uma expressão acabrunhada, como se de repente as maldades de que ouvira falar e em que não tinha acreditado houvessem adquirido a seus olhos uma pungente verossimilhança. Ela nunca me falou, nem a ninguém, deste incidente, o qual, todavia, deve ter dado trabalho considerável a seu cérebro, pois mais tarde, cada vez que, em Paris, teve ocasião de ver "Julien", que até então apreciara tanto, sempre se mostrou cortês com ele, mas de uma cortesia que se resfriara e estava sempre acrescida de forte dose de reserva. Esse mesmo incidente, ao contrário, levou alguém bem diverso a me fazer uma confidência; foi Aimé. Quando eu cruzara pelo Sr. de Charlus, este, que não esperava encontrar-me, gritou-me, erguendo a mão: "Boa-noite", com a indiferença, ao menos aparente, de um grão-senhor que julga que tudo lhe é permitido e que acha mais hábil dar a entender que não se esconde. Ora, Aimé, que nesse momento o observava com olhar desconfiado e viu que eu cumprimentava o companheiro daquele em que estava certo de ver um criado, perguntou-me nessa mesma noite de quem se tratava. Pois, desde algum tempo, Aimé gostava de conversar, ou melhor, como dizia, sem dúvida para marcar o caráter, segundo ele filosófico, dessas conversas, de "discutir" comigo. E, como várias vezes lhe dissesse que me sentia constrangido que ele ficasse de pé junto a mim enquanto eu jantava, em vez de sentar-se e compartilhar da minha refeição, declarava que jamais vira um freguês com "raciocínio tão justo". Naquele momento, conversava com dois garçons. Tinham me saudado; não sabia por quê; seus rostos eram-me desconhecidos, embora ressoasse, na sua conversa, um rumor que não me parecia novo. Aimé censurava-os por causa do noivado de ambos, que desaprovava. Tomou-me como testemunha; eu disse que não podia ter uma opinião, visto que não os conhecia. Eles recordaram-me os seus nomes e também que muitas vezes me haviam servido em Rivebelle. Mas um deixara crescer o bigode, o outro o raspara e havia cortado o cabelo à escovinha; e devido a isso, e apesar de ser a mesma cabeça de outrora que estava sobre seus ombros (e não uma outra, como nas restaurações errôneas da Notre-Dame), ela me havia permanecido tão invisível como esses objetos que escapam às mais minuciosas perquirições, e que estão simplesmente aos olhos de todos, que não os percebem, acima de uma lareira. Logo que lhes soube os nomes, reconheci com exatidão a melodia incerta de suas vozes porque revi os rostos antigos que a determinavam. — Eles querem se casar e nem mesmo sabem o inglês! — disse Aimé, que não imaginava que eu estivesse pouco a par da profissão de hoteleiro e não conseguia compreender que, se não se conhecem as línguas estrangeiras, não se pode contar com uma boa situação. Eu, que pensava que ele facilmente saberia que o novo freguês era o Sr. de Charlus, e imaginava até que devia lembrar-se dele, por tê-lo servido, quando o barão viera visitar a Sra. de Villeparisis por ocasião da minha primeira temporada em Balbec, disse-lhe o seu nome. Ora, não só Aimé não se lembrava do barão de Charlus, mas também esse nome lhe pareceu causar uma funda impressão. Disse-me que iria procurar, no dia seguinte, em seus guardados, uma carta que eu talvez pudesse explicar-lhe. Tanto mais espantado fiquei, pois que o Sr. de Charlus, quando quisera dar-me um livro de Bergotte, em Balbec, naquela temporada, tinha mandado chamar especialmente Aimé, a quem deve ter encontrado em seguida nesse restaurante de Paris onde eu jantara com Saint-Loup e a amante deste, e onde o Sr. de Charlus tinha ido nos espionar. É verdade que não pudera cumprir pessoalmente essas missões, estando deitado da primeira vez e, da segunda, ocupado em serviço. No entanto, eu sentia muitas dúvidas quanto à sua sinceridade, quando afirmava não conhecer o Sr. de Charlus. Por um lado, devia ser conveniente ao barão. Como todos os chefes de andar do hotel de Balbec, como vários camareiros do príncipe de Guermantes, Aimé pertencia a uma raça mais antiga que a do príncipe, e portanto mais nobre. Quando alguém pedia um salão, a princípio acreditava-se a sós. Mas em breve avistava na copa um escultural mordomo, desse gênero etrusco ruivo de que Aimé era o tipo, um tanto envelhecido pelos excessos de champanha e vendo aproximar-se a hora necessária da água de Contrexéville.[55] Todos os fregueses só lhes pediam que os servissem. Os *grooms*, que eram jovens, escrupulosos, apressados, a quem uma amante esperava na cidade, tratavam de escapulir. Assim, Aimé lhes censurava o não serem sérios. Estava no seu direito. Sério, ele o era. Tinha mulher e filhos, e ambições para a família. Portanto, não repelia as tentativas que uma estrangeira ou um estrangeiro lhe faziam, mesmo que tivesse de ficar toda a noite. Pois o trabalho deve estar acima de tudo. De tal modo ele era do gênero que podia agradar ao Sr. de Charlus, que suspeitei que mentia quando me disse não conhecê-lo. Enganava-me. Era com toda a sinceridade que o *groom* havia dito ao barão que Aimé (que lhe passara uma reprimenda no dia seguinte) estava deitado (ou tinha saído) e, da outra vez, que estava de serviço. Mas a imaginação supõe além da realidade. E o embaraço do *groom* provavelmente causara, no Sr. de Charlus, quanto à sinceridade de suas desculpas, dúvidas que nele haviam ferido sentimentos dos quais Aimé não suspeitava. Viu-se também que Saint-Loup impedira que Aimé fosse ao carro onde o Sr. de Charlus que, não sei como, obtivera o novo endereço do mordomo, passara por uma nova decepção. Aimé, que não o percebera, experimentou o espanto que se pode imaginar quando, na mesma noite do dia em que eu almoçara com Saint-Loup e sua amante, recebeu uma carta lacrada com as armas de Guermantes e da qual citarei aqui algumas passagens, como exemplo de loucura unilateral de um homem inteligente que se dirigisse a um imbecil sensato. "Senhor, não pude conseguir, apesar dos esforços que assombrariam muitas pessoas que buscam inutilmente ser recebidas e saudadas por mim, que escutasse as poucas explicações que não me pedia, mas que eu julgava apresentar-lhe, devido à minha e à sua dignidade. Portanto, vou escrever aqui o que seria mais fácil dizer-lhe de viva voz. Não lhe ocultarei que da primeira vez que o vi, em Balbec, sua figura me pareceu francamente antipática." Seguiam-se então reflexões sobre a semelhança — notada apenas no segundo dia — com um amigo defunto, pelo qual o Sr. de Charlus sentira grande afeição. "Então, tive por um momento a idéia de que o senhor poderia, sem prejudicar em nada a sua profissão, vir jogar comigo partidas de cartas, com as quais a alegria desse amigo sabia dissipar a minha tristeza, para dar-me a ilusão de que ele não estava morto. Seja qual for a natureza das suposições mais ou menos tolas que o senhor provavelmente fez, e mais ao alcance de um serviçal (que nem merece tal nome,

[55] Contrexéville é uma estância hidromineral francesa, indicada para o tratamento de doenças urinárias e biliares, gota e obesidade. (N. do T.)

já que não quis servir) do que a compreensão de um sentimento tão elevado, julgou o senhor provavelmente dar-se importância, ignorando quem eu era e o que era, mandando responder, quando lhe mandava pedir um livro, que estava deitado; ora, é um erro supor que um mau procedimento acrescenta o que quer que seja à graça, de que aliás o senhor é inteiramente destituído. Teria eu ficado nisso, se por acaso, na manhã seguinte, não lhe pudesse falar. Sua semelhança com meu pobre amigo acentuou-se de tal maneira, fazendo até desaparecer a forma insuportável de seu queixo proeminente, que compreendi que era o defunto que, nesse momento, emprestava-lhe um pouco de sua expressão tão bondosa a fim de lhe permitir que voltasse a me impressionar e impedi-lo de perder a oportunidade única que se lhe oferecia. Com efeito, embora eu não deseje, visto que nada disso tem mais razão de ser e que não terei mais ocasião de encontrá-lo nesta vida, misturar a isso tudo brutais questões de interesse, ficaria muito feliz em obedecer às súplicas do morto (pois creio na comunhão dos santos e em sua veleidade de intervenção no destino dos vivos), de agir consigo como com ele, que tinha seu carro, seus criados, e a quem era muito natural que eu consagrasse a maior parte de minhas rendas, pois amava-o como a um filho. O senhor decidiu de outra forma. A meu pedido de que me trouxesse um livro, mandou responder que precisava sair. E esta manhã, quando mandei lhe pedir que viesse ao meu carro, o senhor, se posso lhe falar assim sem sacrilégio, renegou-me pela terceira vez. O senhor me desculpará por não colocar neste envelope as gorjetas elevadas que contava dar-lhe em Balbec, e nas quais muito penoso me seria insistir em relação a uma pessoa com que, por um instante, julguei que iria dividir tudo. Quando muito, poderia poupar-me fazer, junto ao senhor, em seu restaurante, uma quarta tentativa inútil e até à qual não iria a minha paciência. (E aqui o Sr. de Charlus dava o seu endereço, a indicação das horas em que seria encontrado, etc.) Adeus, senhor. Como creio que, sendo de tal modo parecido com o amigo que perdi, não deve ser inteiramente estúpido, a menos que a fisiognomonia se revele como uma ciência falsa, estou convencido de que um dia, se pensar de novo neste incidente, não o será sem experimentar uma certa pena e algum remorso. De minha parte, creia que bem sinceramente não lhe guardo amargura nenhuma. Teria preferido que nos separássemos com uma lembrança menos ruim do que a desta terceira tentativa inútil. Será logo esquecida. Somos como esses navios que o senhor deve ter avistado às vezes de Balbec, que se cruzam por um momento; poderia haver, para cada um deles, vantagens em parar; porém um julgou de modo diverso; em breve não se avistarão sequer no horizonte, e o encontro está apagado; mas, antes dessa separação definitiva, cada qual saúda o outro, e é o que faz aqui, senhor, desejando-lhe boa sorte, o barão de Charlus."

Aimé nem sequer havia lido essa carta até o fim, pois não entendera nada e desconfiava de uma mistificação. Quando lhe expliquei quem era o barão, ele pareceu um tanto sonhador e sentiu aquela pena que o Sr. de Charlus lhe predissera. Nem mesmo juraria que ele então não tivesse escrito para se desculpar perante um homem que dava carros a seus amigos. Mas, nesse intervalo, o Sr. de Charlus travara relações com Morel. Quando muito, sendo essas relações talvez platônicas, o Sr. de Charlus buscava às vezes, por uma noite, uma companhia como aquela em que eu acabava de encontrá-lo no *hall*. Mas ele não podia mais desviar de Morel o sentimento violento que, livre alguns anos antes, desejara fixar-se em Aimé e que havia ditado a carta que me mostrara o mordomo e me fazia sentir constrangido pelo Sr. de Charlus. Por causa do amor anti-social que era o do Sr. de Charlus, constituía essa carta um exemplo mais impressionante da força poderosa e insensível dessas correntes da paixão e dentro das quais o enamorado, como um nadador que é arrastado sem o perceber, rapidamente perde a terra de vista. É claro que o amor de um homem normal também pode, quando o amoroso, pela invenção sucessiva de seus desejos, de suas penas, de suas decepções e de seus projetos, constrói todo um romance inteiro sobre uma mulher que ele não conhece, permitir que se meça um bem considerável afastamento das duas pontas de compasso. Todavia, um tal afastamento era singularmente ampliado pela natureza de uma paixão que em geral não é partilhada e pela diferença das condições de Aimé e do Sr. de Charlus.

Todos os dias eu saía com Albertine. Ela resolvera dedicar-se à pintura e havia escolhido primeiramente, para trabalhar, a igreja de Saint-Jean-de-la-Haise, que não é mais freqüentada por ninguém, sendo muito mal conhecida, difícil de fazer-se indicar, impossível de descobrir sem guia e demorada de se atingir em seu isolamento, a mais de meia hora da estação de Épreville, depois de passadas há muito as últimas casas da aldeia de Quetteholme. Quanto ao nome de Épreville, não encontrei concordância entre o livro do cura e as informações de Brichot. Para um, Épreville era a antiga *Sprevilla*; o outro indicava como etimologia *Aprivilla*. Da primeira vez, tomamos a pequena estrada de ferro em sentido oposto ao de Féterne, ou seja, na direção de Grattevast. Mas era um dia de canícula e já fora terrível partir logo em seguida do almoço. Eu teria preferido não sair tão cedo; o ar luminoso e ardente despertava idéias de indolência e refrescamento. Sujeitava nossos quartos, o meu e o de minha mãe, conforme sua exposição, a temperaturas desiguais, como quartos de estâncias balneárias. O gabinete de toalete de mamãe, festoado pelo sol, de uma brancura fulgurante e mourisca, parecia estar mergulhado no fundo de um poço, devido aos quatro muros de estuque para os quais dava, ao passo que lá em cima, no quadrado vazio, o céu, cujas ondas macias e superpostas se viam deslizar umas sobre as outras, parecia (por causa do desejo que tínhamos) estar situado num terraço ou (visto às avessas em algum espelho pendurado à parede) ser uma piscina cheia de uma água azul, reservada às abluções. Apesar dessa temperatura abrasadora, tínhamos tomado o trem de uma da tarde. Porém Albertine sentira muito calor no vagão, e mais ainda durante o longo trajeto a pé, e eu temia que ela se resfriasse ao ficar, em seguida, imóvel naquela concavidade úmida que o sol não atingia. Por outro lado, e desde nossas primeiras visitas a Elstir, tendo-me apercebido de que ela apreciava não apenas o luxo mas até um certo conforto, do qual a privava sua falta de dinheiro, entendera-me com um locador de Balbec para que todos os dias um carro viesse buscar-nos. Para sentir menos calor, tomávamos pela floresta de Chantepie. A invisibilidade dos inúmeros pássaros, alguns meio marinhos, que se respondiam uns aos outros ao nosso lado nas árvores, dava a mesma impressão de repouso de quando estamos de olhos fechados. Ao lado de Albertine, preso em seus braços no fundo do carro, escutava essas oceânides. E, quando por acaso via um desses músicos que passava de um ramo a outro, havia tão pouca relação aparente entre ele e seus trinados, que não julgava enxergar a causa destes no pequeno corpo saltitante, humilde, assustado e sem olhos. O carro não podia nos levar até a igreja. Eu o mandava parar à saída de Quetteholme e me despedia de Albertine. Pois ela me impressionara ao dizer dessa igreja, como de outros monumentos, ou de certos quadros: — Que prazer seria ver tudo isto na sua companhia! — E eu não me sentia capaz de dar-lhe esse prazer. Só o sentia diante das belas coisas se estivesse sozinho, ou quando fingia estar e ficava calado. Mas já que ela pensara poder experimentar, graças a mim, as sensações de arte que não se comunicam desse modo, achava eu mais prudente dizer-lhe que a deixava e voltaria para buscá-la no fim do dia, mas que, até lá, era preciso que regressasse com o carro para fazer uma visita à Sra. Verdurin ou aos Cambremer, ou até passar uma hora com mamãe em Balbec, mas nunca mais distante que isso. Pelo menos nos primeiros tempos. Pois, tendo-me dito Albertine uma vez por capricho: "É aborrecido que a natureza tenha feito tão mal as coisas e que tenha posto Saint-Jean-de-la-Haise de um lado, La Raspelière de outro, e que a gente fique o dia inteiro aprisionado no local que escolheu", logo que recebi a touca e o véu, encomendei para minha desgraça um automóvel em Saint-Fargeau (*Sanctus Ferreolus*, segundo o livro do cura). Albertine, deixada por mim na ignorância, e que viera me buscar, ficou surpresa ao ouvir diante do hotel o ronco do motor, e encantada quando soube que esse automóvel era para nós dois. Fi-la subir por um instante para o meu quarto. Ela pulava de alegria. — Vamos visitar os Verdurin? — Sim, mas é preferível que não vá desse jeito, pois vai ter o seu auto. Veja, ficará melhor assim. — E apresentei-lhe a touca e o véu que havia escondido. — É para mim? Oh, como você é gentil! — exclamou ela, saltando-me ao pescoço. Aimé nos encontrou na escada, orgulhoso da elegância de Albertine e do nosso meio de transporte, pois esses autos eram bastante raros em Balbec, e deu-se o prazer de descer atrás de nós. Albertine, desejando ser vista um pouco em sua nova toalete, pediu-me para suspender a capota, que se baixaria depois para que ficássemos livremente juntos. — Vamos — disse Aimé ao motorista, a que, aliás, não conhecia e que não se havia mexido —, não ouves que te dizem para suspender a capota? — Pois Aimé, curtido pela vida de hotel, onde de resto havia conquistado um cargo eminente, não era tão tímido como o cocheiro do fiacre, para quem Françoise era uma "dama": apesar da falta de apresentação prévia, tratava por tu os plebeus a quem nunca vira, sem que se soubesse com certeza se era, de sua parte, desdém aristocrático ou fraternidade popular. — Eu não sou livre — respondeu o motorista, que não me conhecia. — Fui chamado a serviço da Srta. Simonet. Não posso levar o cavalheiro. — Aimé desatou a rir: — Mas ora, seu grande imbecil — respondeu ele ao motorista, a quem logo convenceu —, é justamente a Srta. Simonet, e o cavalheiro que te manda erguer a capota é justamente o teu patrão. — E, como Aimé, embora não tivesse pessoalmente simpatia por Albertine, estava, por minha causa, orgulhoso da toalete que ela vestia, segredou ao chofer: — Se pudesses, hem! Bem que gostarias de conduzir todos os dias princesas como esta! — Nesta primeira vez, não fui só eu quem pôde ir a La Raspelière, como fiz outros dias enquanto Albertine pintava; ela quis ir comigo até lá. Achava que poderíamos perfeitamente parar aqui e ali na estrada, mas julgava impossível começar indo a Saint-Jean-de-la-Haise, isto é, numa outra direção, e fazer um passeio que parecia votado a um dia diferente. Ao contrário, soube pelo motorista que nada era mais fácil do que ir a Saint-Jean, onde chegaríamos em vinte minutos, e que poderíamos ali ficar, se quiséssemos, várias horas, ou então ir bem mais longe, pois de Quetteholme a La Raspelière ele não levaria mais que trinta e cinco minutos. Compreendemo-lo assim que o automóvel, avançando, transpôs de um só ímpeto vinte passos de um excelente cavalo. As distâncias são unicamente a relação entre o espaço e o tempo e variam com este. Exprimimos a dificuldade que temos em nos dirigir a um local num sistema de léguas e quilômetros que se torna falso desde que essa dificuldade diminui. Com isso, a arte também é modificada, pois uma aldeia que parecia localizar-se num mundo bem diverso de outra, torna-se vizinha sua numa paisagem cujas dimensões estão mudadas. Em todo caso, saber que talvez exista um universo em que 2 mais 2 fazem 5 e onde a linha reta não seja o caminho mais curto entre dois pontos, teria assombrado menos a Albertine do que ouvir o motorista dizer que era fácil ir, numa mesma tarde, a Saint-Jean e à Raspelière. Douville e Quetteholme, Saint-Mars-le-Vieux e SaintMars-le-Vêtu, Gourville e Balbec-le-Vieux, Tourville e Féterne, prisioneiros tão hermeticamente fechados até ali na célula de dias distintos como outrora Méséglise e Guermantes, e sobre as quais os mesmos olhos não podiam pousar numa única tarde, libertos agora pelo gigante de botas de sete léguas, vieram reunir por volta da hora do nosso chá suas torres e campanários, seus velhos jardins que o bosque, ao aproximar-se, se apressava a descobrir.

Chegando à estrada do precipício, o auto subiu de um só impulso, com um ruído contínuo de motor, como uma faca que se afia, ao passo que o mar, rebaixado, se alargava aos nossos pés. As casas antigas e rústicas de Montsurvent acorreram, mantendo presos contra si o seu vinhedo ou o seu roseiral; os abetos de La Raspelière, mais agitados que quando se erguia o vento da tardinha, correram em todos os sentidos para nos evitar, e um criado novo, que eu ainda não tinha visto, veio receber-nos na escadaria, enquanto o filho do jardineiro, revelando disposições precoces, devorava com os olhos o local do motor. Como não era segunda-feira, não sabíamos se haveríamos de encontrar a Sra. Verdurin, pois, a não ser naquele dia em que ela recebia, era imprudente ir visitá-la de improviso. Sem dúvida, "em princípio" ela ficava em casa, mas essa expressão, que a Sra. Swann empregava no tempo em que também procurava formar o seu pequeno clã e atrair os convivas sem se mexer, conquanto muitas vezes não tirasse nem para os gastos, e que ela, num contra-senso, traduzia "por princípio", significava apenas "em regra geral", isto é, com numerosas exceções. Pois não só a Sra. Verdurin gostava de sair como também levava muito longe os deveres da hospitalidade, e, quando tinha convidados para o almoço, logo após o café, os licores e os cigarros (apesar do primeiro entorpecimento do calor e da digestão quando se teria preferido contemplar, através das folhagens do terraço, a passagem do paquete de Jersey pelo mar de esmalte), o programa compreendia uma série de passeios no decurso dos quais os convivas, instalados à força num carro, eram conduzidos a contragosto para um ou outro dos panoramas que se multiplicam em torno de Douville. Aliás, esta segunda parte da festa não era (depois de cumprido o esforço de se levantar e subir para o carro) a que menos agradava aos convivas, já preparados pelos pratos suculentos, os vinhos finos ou a sidra espumante, a se deixar embriagar facilmente pela pureza da brisa e a magnificência dos sítios. A Sra. Verdurin fazia com que estes lugares fossem visitados pelos estrangeiros um pouco feito os anexos (mais ou menos distantes) de sua propriedade, e que não se podia deixar de ir ver, uma vez que se vinha almoçar em casa dela e que, reciprocamente, não seria possível conhecer se não se fosse recebido em casa da Patroa. Essa pretensão de arrogar-se um direito único sobre os passeios, como sobre o recital de Morel e antigamente o de Dechambre, e de constranger as paisagens a fazerem parte do pequeno clã, não era aliás tão absurda quanto parece à primeira vista. A Sra. Verdurin troçava da falta de gosto que, segundo ela, os Cambremer demonstravam não só no mobiliário de La Raspelière e no arranjo do jardim, mas também nos passeios que davam ou mandavam dar pelos arredores. Do mesmo modo que, a seu ver, La Raspelière só principiara a tornar-se o que deveria ter sido depois de se constituir no asilo do pequeno clã, afirmava ela que os Cambremer, refazendo perpetuamente em sua caleça, ao longo da estrada de ferro, à beira-mar, a única estrada ordinária que existe nas cercanias, moravam desde sempre na região, mas não a conheciam. Havia um pouco de verdade nesta asserção. Fosse rotina, falta de imaginação, incuriosidade por uma região que parece batida de tão próxima, os Cambremer só saíam de casa para ir sempre aos mesmos locais e pelos mesmos caminhos. Decerto, riam muito da pretensão dos Verdurin em fazê-los conhecer sua própria terra. Mas, colocados entre a espada e a parede, eles e até o seu cocheiro teriam sido incapazes de nos levar aos lugares esplêndidos, e um tanto secretos, aonde nos conduzia o Sr. Verdurin, erguendo aqui a barreira de uma propriedade particular, mas abandonada, onde outros não acreditariam ser possível aventurar-se; ali, descendo de carro para seguir um caminho que não era carroçável, mas tudo isso com a segura recompensa de uma paisagem maravilhosa. Digamos, além disso, que o jardim da Raspelière era de certa forma um resumo de todos os passeios que se podia fazer a muitos quilômetros em derredor. Primeiro, por causa de sua posição dominante, olhando de um lado para o vale, do outro para o mar, e depois porque, mesmo de um só lado, o do mar, por exemplo, tinham sido abertas clareiras no meio das árvores, de tal maneira que daqui se avistava um horizonte, dali um outro. Em cada uma dessas perspectivas existia um banco; a gente vinha assentar-se alternativamente naquele de onde se avistava Balbec, ou Parville, ou Douville. Mesmo numa só direção, fora colocado um banco mais ou menos a pique sobre a falésia, em local relativamente retirado. Destes últimos, tinha-se um primeiro plano de verdura e um horizonte que já parecia o mais vasto possível, mas que ia se ampliando indefinidamente se, continuando por um estreito caminho, a gente andava até um banco seguinte, de onde se abrangia todo o círculo do mar. Ali se percebia nitidamente o rumor das vagas, que, pelo contrário, não chegava às partes mais recônditas do jardim, lá onde as vagas ainda se deixavam avistar, porém não ouvir. Esses locais de repouso tinham na Raspelière, para os donos da casa, o nome de "vistas". E de fato, reuniam em torno do castelo as mais belas "vistas" das regiões vizinhas, das praias ou das florestas, muito diminuídas pelo afastamento, como o imperador Adriano reunira em sua *villa* reduções dos monumentos mais célebres de diversos países. O nome que se seguia à palavra "vista" não era forçosamente o de um ponto do litoral, porém, muitas vezes da margem oposta da baía e que se descortinava com certo relevo, apesar da extensão do panorama. Da mesma forma que se pegava um livro na biblioteca do Sr. Verdurin para ir ler durante uma hora na "vista de Balbec", assim também, se o tempo estava bom, ia-se tomar licor na "vista de Rivebelle", desde que não ventasse muito, pois, apesar das árvores plantadas de cada lado, o ar era bastante vivo ali. Voltando aos passeios de carro que a Sra. Verdurin organizava para a tarde, se a Patroa encontrava na volta os cartões de algum mundano "de passagem pelo litoral", fingia estar encantada, mas desolava-se por haver perdido essa visita e (embora ainda não viessem senão para ver "a casa" ou conhecer por um dia uma mulher cujo salão artístico era célebre, porém infreqüentável em Paris) mandava convidá-lo sem demora pelo Sr. Verdurin, para que viesse jantar na quarta-feira seguinte. Como muitas vezes o turista era obrigado a viajar antes, ou temia os regressos tardios, a Sra. Verdurin havia convencionado que aos sábados encontrá-la-iam sempre à hora da merenda. Essas merendas não eram extremamente numerosas, e eu já conhecera em Paris outras mais brilhantes na casa da princesa de Guermantes, da Sra. de Galliffet ou da Sra. d'Arpajon. Mas aqui justamente não era mais Paris, e o encanto do quadro não reagia para mim sobre o aspecto aprazível da reunião, e sim sobre a qualidade dos visitantes. O encontro de determinado mundano, que em Paris não me proporcionaria prazer nenhum, mas que na Raspelière, aonde viera de longe pela floresta de Chantepie ou por Féterne, mudava de caráter, de importância, tornava-se um incidente agradável. Às vezes era alguém que eu conhecia perfeitamente e a quem não teria dado um passo para encontrar na casa dos Swann. Mas seu nome soava de outra forma naqueles alcantis, como o de um ator que se ouve muitas vezes num teatro, impresso em cor diferente no cartaz de um espetáculo extraordinário e de gala, onde sua notoriedade se multiplica de repente, no imprevisto do contexto. Como no campo a gente não tem cerimônia, freqüentemente o mundano trazia por conta própria os amigos em cuja casa se hospedava, alegando baixinho, como desculpa, à Sra.

Verdurin, que não poderia deixá-los, porque estava na casa deles; em compensação, a esses anfitriões, fingia ele oferecer, como uma espécie de atenção, o divertimento de ir a um centro espiritual nessa vida monótona de praia, de visitar uma residência magnífica e de saborear um chá excelente. Isto, em seguida, compunha uma reunião de valor mediano; e, se um pequeno recanto de jardim com algumas árvores, que pareceria mesquinho no campo, adquire um encanto extraordinário na avenida Gabriel ou então na rua de Monceau, onde somente multimilionários podem permitir-se coisa semelhante, inversamente, senhores que estão em segundo plano num sarau parisiense assumiam todo o seu valor segunda-feira à tarde, em La Raspelière. Mal sentavam-se em torno à mesa coberta de uma toalha bordada de vermelho, e onde sob os tremós de camafeu serviam-lhes bolos folhados, pastéis normandos, tortas em forma de barco, repletas de cerejas como pérolas de coral, "diplomatas", e logo aqueles convidados sofriam, com a proximidade da profunda concha de azul para a qual abriam as janelas e que não podia se deixar de ver, ao mesmo tempo que eles, uma alteração, uma transmutação profunda que os mudava em algo mais precioso. Mais ainda, mesmo antes de os ter visto, quando vinham na segunda-feira à casa da Sra. Verdurin, as pessoas que em Paris apenas tinham olhares cansados pelo hábito para as atrelagens elegantes que estacionavam diante de um palacete suntuoso, sentiam o coração bater à vista de duas ou três feias carruagens paradas diante da Raspelière, sob os grandes pinheiros. Sem dúvida, por ser diferente o quadro agreste e porque as impressões mundanas, graças a essa transposição, retomavam o seu frescor. Era também porque a má carruagem que se tomava para ir visitar a Sra. Verdurin evocava um belo passeio e um custoso "trato" concluído com um cocheiro que havia pedido "tanto" pela jornada. Mas a curiosidade levemente excitada, em relação aos que chegavam, ainda impossíveis de distinguir, também provinha de que cada um indagava a si próprio: "Quem poderá ser?", pergunta a que era difícil responder, por não se saber quem poderia vir passar oito dias na casa dos Cambremer ou alhures, e que sempre se gosta de fazer nas vidas agrestes e solitárias, onde o encontro de um ser humano que se deixou de ver havia muito tempo, ou a apresentação a alguém que não se conhece, já não é mais essa coisa fastidiosa que é na vida de Paris, e interrompe deliciosamente o espaço vazio das vidas demasiado isoladas, em que até a hora do correio se torna agradável. E, no dia em que fomos de automóvel a Raspelière, como não se tratava de uma segunda-feira, o Sr. e a Sra. Verdurin deviam estar atormentados pela necessidade de ver gente, necessidade que perturba os homens e as mulheres e dá ao doente, que encerraram longe dos seus, para uma cura de isolamento, vontade de se atirar pela janela. Pois, tendo-nos respondido o novo criado de pés mais rápidos, e já familiarizado com essas expressões, que "se madame não tinha saído, devia estar na 'vista de Douville', e que ele ia ver", voltou logo para dizer-nos que seríamos recebidos por ela. Encontramo-la um tanto despenteada, pois estava chegando do jardim, do galinheiro e do pomar, aonde fora dar de comer a seus pavões e galinhas, procurar ovos, colher frutas e flores para "fazer seu trilho de mesa", trilho que lembrava em miniatura o do parque; mas, sobre a mesa, apresentava a diferença de só fazê-lo suportar coisas úteis e boas para comer; pois, ao redor desses outros presentes do jardim que eram as peras, os ovos batidos em ponto de neve, erguiam-se hastes elevadas de viperinas, de cravos, de rosas e de coreópsis, entre as quais se viam, como entre estacas indicadoras e floridas, deslocando-se pelos vidros da janela, os barcos ao largo. Pelo espanto que o Sr. e a Sra. Verdurin, interrompendo o arranjo de flores para receber os visitantes anunciados, mostraram ao ver que esses visitantes eram apenas Albertine e eu, percebi que o novo criado, cheio de zelo, mas a quem seu nome ainda não era familiar, repetira-o mal e que a Sra. Verdurin, ouvindo o nome de visitantes desconhecidos, mesmo assim dissera que os mandasse entrar, tanta a sua necessidade de ver qualquer pessoa. E o novo criado contemplava da porta este espetáculo, a fim de compreender o papel que desempenhávamos na casa. A seguir, afastou-se correndo, a grandes pernadas, pois só estava contratado desde a véspera. Depois de ter mostrado bastante sua touca e seu véu aos Verdurin, Albertine lançou-me um olhar para me lembrar de que não tínhamos muito tempo à nossa frente para o que desejávamos fazer. A Sra. Verdurin queria que esperássemos a hora do chá, porém recusamos, quando, de súbito, se apresentou um projeto que liquidaria todos os prazeres que eu me prometia lucrar desse passeio com Albertine: a Patroa, não podendo decidir-se a nos deixar, ou talvez a deixar escapar uma nova distração, queria voltar conosco. Habituada desde muito a que oferecimentos desse gênero não causassem prazer, e provavelmente não tendo certeza de que este nos causasse algum, dissimulou sob um excesso de confiança a timidez que sentia ao nos fazê-lo, e nem sequer dando a impressão de supor que pudesse haver dúvidas quanto à nossa resposta, não nos fez nenhuma pergunta, porém disse ao marido, falando de Albertine e de mim como se nos fizesse um favor: — Eu os levarei de volta. — Ao mesmo tempo, um sorriso se lhe aplicou à boca, sorriso que não lhe pertencia propriamente, sorriso que eu já vira em certas pessoas, quando diziam a Bergotte com ar finório: — Comprei o seu livro, é assim-assim —, um desses sorrisos coletivos, universais, que, quando as pessoas dele necessitam como a gente se utiliza da estrada de ferro ou dos carros de mudança —, tomam emprestado, menos alguns muito refinados como Swann ou o Sr. de Charlus, em cujos lábios nunca vi pousar tal sorriso. Desde aquele momento a minha visita estava envenenada. Fiz cara de não haver compreendido. Após um instante, tornou-se evidente que o Sr. Verdurin participaria da festa. — Mas será um passeio muito longo para o Sr. Verdurin — objetei. — Que nada! — replicou a Sra. Verdurin com ar condescendente e divertido — ele diz que muito lhe agradará refazer com essa mocidade o caminho que tantas vezes percorreu outrora; se necessário, ficará ao lado do *wattman*; isto não o assusta e nós dois voltaremos bem direitinho pelo trem como bons esposos. Olhem, ele parece encantado. — Ela dava a impressão de falar de um grande pintor velho cheio de bonomia que, mais moço que os jovens, alegra-se em garatujar figuras para fazer rir seus netinhos. O que aumentava a minha tristeza era que Albertine parecia não compartilhá-la e achar divertido circular desse modo por toda a região com os Verdurin. Quanto a mim, o prazer que me havia prometido desfrutar com ela era tão imperioso que não quis deixar que a Patroa o estragasse; inventei mentiras que as irritantes ameaças da Sra. Verdurin tornavam desculpáveis, mas que Albertine, ai de mim, contradizia. — Mas temos uma visita a fazer — disse eu. — Que visita? — perguntou Albertine. — Eu lhe explicarei, é indispensável. — Pois bem, nós os esperaremos — disse a Sra. Verdurin, resignada a tudo. No último minuto, a angústia de sentir que me arrebatavam um prazer tão desejado deu-me coragem para ser descortês. Recusei redondamente, dizendo ao ouvido da Sra. Verdurin que, por causa de um desgosto que Albertine havia tido e sobre o qual queria me consultar, era absolutamente necessário que estivesse a sós com ela. A Patroa assumiu um aspecto irritado: — Está bem, não iremos — disse-me, a voz trêmula de cólera. Senti que estava tão zangada que, para parecer que cedia um pouco, disse: — Mas a gente talvez pudesse... — Não — retrucou ela, mais furiosa ainda; — quando digo não, é não. — Julguei que estávamos rompidos; mas ela nos chamou à porta para nos recomendar que não "largássemos" a quarta-feira seguinte e que não viéssemos naquela máquina, que era perigosa à noite, mas pelo trem com todo o pequeno grupo, e mandou parar o auto, já em marcha, na descida do parque, pois o novo criado se esquecera de pôr na capota o pedaço de torta e os *sablés* que ela mandara embrulhar para nós. Tornamos a partir, escoltados um momento pelas casinhas, que acorriam com suas flores. A fisionomia da região nos parecia toda mudada, de tanto que a noção do espaço está longe de ser a que desempenha o maior papel na imagem topográfica que formamos de cada uma delas. Dissemos que a do tempo as afasta ainda mais. E ela também não será a única. Certos lugares que vemos sempre isolados nos parecem não ter medida comum com o resto, quase fora do mundo, como essas pessoas a quem conhecemos em períodos à parte da nossa vida, no regimento, na nossa infância, e que não relacionamos com coisa alguma. No primeiro ano da minha temporada em Balbec, existia uma elevação a que a Sra. de Villeparisis gostava de nos levar, porque dali só se via a água e os bosques, e que se chamava Beaumont. Como o caminho pelo qual ela mandava seguir para lá chegar, e que achava ser o mais bonito devido às velhas árvores, era o tempo todo em aclive, os cavalos do seu carro iam a passo e levavam muito tempo. Uma vez chegados ao alto, descíamos, passeávamos um pouco, voltávamos a subir para o carro, e regressávamos pelo mesmo caminho sem ter encontrado nenhuma aldeia, nenhum castelo. Eu sabia que Beaumont era algo de muito curioso, muito longínquo, muito altaneiro, e não tinha a mínima idéia da direção em que se encontrava, pois jamais tomara o caminho de Beaumont para ir a outro lugar; aliás, levava-se muito tempo de carro para chegar até lá. Evidentemente fazia parte do mesmo departamento (ou da mesma província) de Balbec, mas, para mim, estava situado num plano diverso, gozava de um privilégio especial de extraterritorialidade. Mas o automóvel, que não respeita nenhum mistério, depois de ter passado por Incarville, cujas casas eu ainda levava nos olhos, como descêssemos a costa pelo atalho que vai dar em Parville (*Paterni villa*), avistando o mar de um terrapleno onde estávamos, perguntei como se chamava aquele lugar e, antes mesmo que o chofer me respondesse, reconheci Beaumont, a cujo lado assim passava sem o saber de cada vez que tomava o trenzinho, pois ficava a dois minutos de Parville. Como um oficial de meu regimento, que teria me parecido uma criatura especial, por demais bonachão e simples para pertencer a uma grande família, já muito distante e misterioso para ser simplesmente de uma grande família, e do qual viesse a saber que era cunhado e primo de tais ou quais pessoas com quem eu jantava fora, assim Beaumont, de súbito ligado a locais de que o supunha tão diferente, perdeu seu mistério e assumiu seu posto na região, fazendo-me pensar com terror que Madame Bovary e a Sanseverina talvez me tivessem parecido criaturas semelhantes às outras se eu as tivesse encontrado em outra parte que não a atmosfera fechada de um romance. Pode parecer que meu amor pelas feéricas viagens de trem deveria impedir-me de compartilhar do encantamento de Albertine diante do automóvel que leva, mesmo um doente, aonde ele quer, e impede — como eu o fizera até aqui — que consideremos a localização como marca individual, a essência sem sucedâneo das belezas inamovíveis. E sem dúvida, o automóvel não fazia dessa localização, como outrora o trem de ferro, quando eu viera de Paris a Balbec, um objetivo subtraído às contingências da vida comum, quase ideal à partida, e que, continuando a sê-lo à chegada — à chegada nessa grande residência onde não mora ninguém e que leva apenas o nome da cidade: a estação —, tem o ar de prometer-lhe enfim o acesso como se fosse a sua materialização. Não, o automóvel não nos conduzia assim feericamente a uma cidade que víamos primeiro no conjunto que resume o seu nome, e com as ilusões do espectador na platéia. Ele nos fazia entrar nos bastidores da rua, parava para pedir uma informação a um habitante. Mas, como para compensar uma progressão tão familiar, temos os próprios titubeios do chofer, incerto quanto ao caminho, e que retrocede, e os ziguezagues da perspectiva, que fazem um castelo jogar os quatro-cantos com uma colina, uma igreja e o mar enquanto nos aproximamos dele, embora debalde se encolha sob sua folhagem secular; e esses círculos, cada vez mais próximos, que o automóvel descrevia em torno de uma cidade fascinada, que fugia em todos os sentidos para lhe escapar e sobre a qual, finalmente, avança direto, a pique, no fundo do vale, onde ela jaz por terra; de modo que essa localização, único ponto que o automóvel parece ter destituído do mistério dos trens expressos, dá pelo contrário a impressão de que o descobrimos, de que o determinamos nós mesmos como que a compasso, de nos ajudar a sentir, com mão mais amorosamente exploradora, com mais fina precisão, a verdadeira geometria, a bela "medida da terra".

O que infelizmente eu ignorava naquela ocasião, e só vim a saber dois anos mais tarde, é que um dos fregueses do chofer era o Sr. de Charlus, e que Morel, encarregado de pagá-lo e guardando para si uma parte do dinheiro (fazendo o chofer triplicar e quintuplicar o número dos quilômetros), estava muito ligado a este (enquanto fingia não conhecê-lo diante dos outros) e utilizava o seu carro para corridas distantes. Se então eu soubesse disso, e que provinha daí a confiança que os Verdurin, sem o saberem, logo tiveram nesse chofer, tivessem sido evitados muitos dos aborrecimentos de minha vida em Paris, no ano seguinte, bem como diversas infelicidades relativas a Albertine; mas eu não o suspeitava em absoluto. Em si mesmos, os passeios do Sr. de Charlus de auto com Morel não me interessavam diretamente. Aliás, o mais das vezes limitavam-se a um almoço ou a um jantar num restaurante da costa, onde o Sr. de Charlus passava por um velho criado arruinado, e Morel, que tinha a missão de pagar as contas, por um bondoso fidalgo. Conto aqui uma dessas refeições, que pode dar uma idéia das outras. Era num restaurante de forma oblonga, em Saint-Mars-le-Vêtu.

— Será que não poderiam levar isto daqui? — perguntou o Sr. de Charlus a Morel, como a um intermediário, e para não se dirigir diretamente aos garçons. Por "isto", ele designava três rosas murchas, com que um *maître d'hôtel* bem-intencionado julgara dever decorar a mesa. — Sim... — disse

Morel embaraçado. Não gosta de rosas? — Provaria, ao contrário, pelo pedido em questão, que as amo, já que não há rosas aqui (Morel pareceu surpreso), mas na verdade não gosto muito de rosas. Sou bastante sensível aos nomes; e, quando uma rosa é um pouco bonita, ficamos sabendo que ela se chama *Baronesa de Rothschild* ou *Marechala Niel*, o que nos deixa frios. Gosta dos nomes? Já encontrou belos títulos para seus pequenos trechos de concerto? — Há um deles que se chama *Poema Triste*. — É horrível — respondeu o Sr. de Charlus com voz aguda e estridente como uma bofetada. — Mas eu não tinha pedido champanha? — disse ele ao *maître d'hôtel*, que julgara trazê-lo, colocando diante dos dois fregueses duas taças cheias de vinho espumante. — Mas, senhor... — Leve daqui este horror, que não tem nenhuma relação com o pior dos champanhas. É o vomitivo chamado *cup*, onde em geral se põem três morangos podres numa mistura de vinagre e água de Seltz... Sim — continuou ele, virando-se para Morel — o senhor parece ignorar o que seja um título. E até na interpretação daquilo que executa melhor, parece não se aperceber do lado mediúnico da coisa. — O senhor diz? — indagou Morel que, não tendo compreendido absolutamente nada do que o barão dissera, temia ficar privado de uma informação útil, como, por exemplo, um convite para almoçar. Tendo o Sr. de Charlus desdenhado considerar "O senhor diz?" como uma pergunta, Morel, conseqüentemente, sem obter resposta, achou melhor mudar de conversa e dar-lhe um torneio sensual: — Olhe, é a lourinha que vende estas flores de que o senhor não gosta; mais uma que tem seguramente uma amiguinha. E a velha que janta na mesa do fundo, também. — Mas como sabes de tudo isso? — perguntou o Sr. De Charlus, maravilhado com a presciência de Morel. — Oh, em um segundo eu as adivinho. Se nós dois passeássemos no meio de uma multidão, o senhor veria que não me engano duas vezes. — E quem naquele momento houvesse olhado Morel, com seu ar de menina em meio à sua máscula beleza, teria compreendido a obscura adivinhação que não o apontava menos a certas mulheres do que elas a ele. Tinha vontade de suplantar Jupien, vagamente desejoso de acrescentar ao seu "fixo" os rendimentos que, segundo julgava, o coleteiro extraía do barão. — E, quanto aos gigolôs, ainda sou mais entendido, posso poupar-lhe todos os erros. Em breve, chegará à feira de Balbec, onde encontraremos muitas coisas. E em Paris, então! Aí é que o senhor haverá de se divertir. — Mas uma prudência hereditária de criado fê-lo dar um outro sentido à frase que já estava começando. De modo que o Sr. de Charlus julgou que se tratava sempre de moças. — Veja o senhor — disse Morel, desejoso de excitar, de um modo que achava menos comprometedor para si mesmo (embora na realidade fosse mais imoral), os sentidos do barão —, meu sonho seria encontrar uma moça bem pura, de me fazer amado por ela, e tirar-lhe a virgindade. — O Sr. de Charlus não pôde impedir-se de beliscar suavemente a orelha de Morel, mas acrescentou com ingenuidade: — Para que te serviria isto? Se lhe acabasses com a donzelice, serias obrigado a casar com ela. — Casar com ela? — exclamou Morel, que sentia que o barão estava "alto", ou então que não pensava no homem, afinal mais escrupuloso do que imaginava, com quem estava falando. — Casar? Uma ova! Prometeria, sim, mas logo que pequena operação fosse levada a cabo de modo satisfatório, abandonava-a na mesma noite. — O Sr. de Charlus tinha o hábito, quando uma ficção podia causar-lhe um momentâneo prazer sensual, de dar-lhe sua adesão, pronto para retirá-la inteiramente, instantes depois, quando o prazer se esgotasse. — Verdadeiramente farias isto? — indagou a Morel, rindo e apertando-o com mais força. — E como! — disse Morel, vendo que não desagradava ao barão se continuasse a lhe explicar sinceramente o que era de fato um de seus desejos. — É perigoso — disse o Sr. de Charlus. — Eu faria antecipadamente as minhas malas e sumiria sem deixar endereço. — E eu? — disse o barão. — Eu o levaria comigo, é claro — apressou-se a dizer Morel, que não pensara no que seria do Sr. de Charlus, o qual era o menor de seus cuidados. — Olhe, existe uma garota que agradaria muito para o caso, é uma costureirinha que possui sua loja no palacete do Senhor duque. — A filha de Jupien! — exclamou o barão, enquanto entrava o copeiro. — Oh, jamais! — acrescentou, ou porque a presença de um estranho o tivesse esfriado, ou porque, mesmo nessas espécies de missas negras, em que as pessoas se comprazem em achincalhar as coisas mais santas, ele não pudesse resolver-se a fazer entrar pessoas por quem nutria amizade. — Jupien é um bom homem, a mocinha é encantadora, seria horrível causar-lhes esse desgosto. — Morel sentiu que tinha ido longe demais e se calou. Mas seu olhar continuava, no vago, a fixar-se na moça, diante da qual quisera certa vez que eu o chamasse de "meu caro artista" e a quem encomendara um colete. Muito trabalhadeira, a garota não tirava férias, mas depois eu soube que, enquanto o violinista estava nos arredores de Balbec, ela não cessava de pensar no seu belo rosto, enobrecido pelo fato de que, tendo visto Morel em minha companhia, ela o tomara por um "senhor".

— Nunca ouvi Chopin tocar piano — disse o barão; — e no entanto poderia, pois tomava lições com Stamati, mas ele me proibiu de ir ouvir, na casa da minha tia Chimay, o mestre dos *Noturnos*. — Que asneira que ele fez! — exclamou Morel. — Pelo contrário — replicou vivamente o Sr. de Charlus com voz aguda. — Ele provava ser inteligente. Compreendera que eu era um "temperamento" e que sofreria a influência de Chopin. Isso não importa, porquanto abandonei a música bem jovem, como aliás tudo. E depois, a gente imagina um pouco — acrescentou com uma voz anasalada, vagarosa e lânguida; — sempre existe gente que ouviu, que nos dá uma idéia. Mas afinal Chopin era só um pretexto para voltar ao lado mediúnico que você negligencia.

Observar-se-á que, após uma interpolação da linguagem vulgar, a do Sr. de Charlus se tornara bruscamente tão preciosa e altaneira como o era de hábito. É que a idéia de que Morel "largaria" sem remorsos uma moça violada fizera-o de súbito experimentar um prazer completo. Desde aí os seus sentidos se apaziguaram por algum tempo, e o sádico (este sim, verdadeiramente mediúnico), que durante alguns instantes substituíra o Sr. de Charlus, havia fugido e devolvera a palavra ao legítimo Sr. de Charlus, cheio de refinamento artístico, de sensibilidade e bondade. — Outro dia, você tocou a transcrição para piano do quarteto XV, o que já é absurdo, pois nada é menos pianístico. Ela é destinada para pessoas a quem as cordas por demais tensas do Surdo glorioso fazem mal aos ouvidos. Ora, justamente esse misticismo quase acre é que é divino. Em todo caso, o senhor o tocou muito mal, modificando todos os movimentos. É preciso tocar aquilo como se o senhor o estivesse compondo: o jovem Morel, acometido de uma surdez momentânea e de um gênio inexistente, permanece imóvel por um momento; depois, tomado do delírio sagrado, ele toca, ele compõe os primeiros compassos; então, esgotado por semelhante esforço de transe, ele se abate, deixando cair a bela mecha para agradar à Sra. Verdurin, e, mais ainda, assim dispõe de tempo para reconstituir a prodigiosa quantidade de massa cinzenta que gastou para a objetivação pítica; então, tendo recobrado as forças, tomado de nova e condoreira inspiração, lança-se para a sublime frase inesgotável que o virtuose berlinense (cremos que o Sr. de Charlus designava desse modo a Mendelssohn) devia infatigavelmente imitar. É dessa maneira, a única e verdadeiramente transcendente e animadora, que o farei tocar em Paris. — Quando o Sr. de Charlus lhe dava conselhos desse gênero, Morel ficava muito mais assustado que ao ver o *maître d'hôtel* levar suas rosas e seu *cup* desdenhados, pois se perguntava ansiosamente qual o efeito que aquilo produziria sobre a "classe". Mas não podia demorar-se nessas reflexões, pois o Sr. de Charlus lhe dizia imperiosamente: — Pergunte ao *maître d'hôtel* se ele não tem um bom cristão. — Bom cristão? Não compreendo. — Bem vê que tratamos de frutas, é uma pêra. Esteja certo de que a Sra. de Cambremer a tem em sua casa, pois a condessa d'Escarbagnas, que ela é, também a tinha. O Sr. Thibaudier a envia, e ela diz: "Eis um bom cristão que está lindo." — Não, eu não sabia. — Aliás, vejo que o senhor não sabe nada. Se nem sequer leu Molière...[56] Pois bem, visto que não deve saber encomendar, mais que o resto, peça muito simplesmente uma pêra que se colhe justo perto daqui, a Louise-Bonne-d'Avranches. — A...? — Espere, já que é tão canhestro, vou eu mesmo pedir outras, que prefiro: *Maître d'hôtel*, tem o senhor a Doyenné des Comices? Charlie, deveria ler a página sensacional que sobre essa pêra escreveu a duquesa Émilie de Clermont-Tonnerre. — Não, senhor; não tenho. — Tem o Triunfo de Jodoigne? — Não, senhor. — A Virginie-Dallet? A Passe-Colmar? Não? Pois bem, já que não tem nada, vamos embora. A duquesa d'Angoulême ainda não está madura; vamos, Charlie, partamos. — Infelizmente para o Sr. de Charlus, a sua falta de bom-senso, talvez a castidade das relações que provavelmente mantinha com Morel fizeram com que, desde essa época, se empenhasse em cumular o violinista de estranhas gentilezas que este não podia compreender, e às quais sua natureza, doida à sua moda, porém ingrata e mesquinha, só podia corresponder com uma secura ou uma violência sempre maiores, e que mergulhavam o Sr. de Charlus — antes tão altivo, agora todo tímido — em acessos de legítimo desespero. Veremos como nas menores coisas, Morel, que acreditava ter se transformado num Charlus mil vezes mais importante, compreendera de esguelha, tomando-as ao pé da letra, as orgulhosas informações do barão quanto à aristocracia. Por ora, digamos simplesmente, enquanto Albertine me espera em Saint-Jean-de-la-Haise, que se havia uma coisa que Morel punha acima da nobreza (e isso, em princípio, era bastante nobre, sobretudo vindo de alguém cujo prazer era ir procurar menininhas — despercebidamente — com o chofer) era a sua reputação artística e o que poderiam pensar na classe de violino. Sem dúvida era feio, pois sentia o Sr. de Charlus todo dedicado à sua pessoa, que desse a impressão de renegá-lo, de zombar dele, da mesma maneira como, logo que lhe prometi guardar segredo sobre as funções de seu pai na casa de meu tio-avô, ele passara a tratar-me com altivez. Mas, por outro lado, seu nome de artista diplomado, Morel, parecia-lhe superior a um "nome". E quando o Sr. de Charlus, em seus devaneios de ternura platônica, queria fazer com que ele tomasse um título de sua família, Morel recusava energicamente.

Quando Albertine achava mais prudente ficar em Saint-Jean-de-la-Haise para pintar, eu tomava o auto e não era só a Gourville e a Féterne que podia ir, mas também a Saint-Mars-le-Vieux e até a Criquetot, antes de voltar para pegá-la. Fingindo estar ocupado com outra coisa que não ela, e

[56] A Sra. de Escarbagnas é personagem da comédia de Molière, *A Condessa de Escarbagnas*. "Bom cristão" é nome dado a uma pêra flamenga. (N. do T.)

ser obrigado a deixá-la por outros prazeres, só nela pensava. Muitas vezes não ia além da grande planície que domina Gourville, e, como esta se assemelha um pouco à que principia acima de Combray, na direção de Méséglise, eu, ainda que a uma enorme distância de Albertine, sentia-me alegre ao pensar que, se meus olhares não podiam chegar até ela, aquela poderosa e suave brisa marinha que passava a meu lado, alcançando muito mais do que eles, deveria baixar, sem ser detida por nada, até Quetteholme, para agitar os ramos das árvores que ocultavam Saint-Jean-de-la-Haise sob sua folhagem, acariciando o rosto da minha amiga, e, assim, lançando um duplo elo entre nós dois, naquele retiro indefinidamente aumentado, mas sem riscos, como nesses jogos em que duas crianças se encontram por instantes fora do alcance da voz e da vista uma da outra, e onde, mesmo estando afastadas, permanecem juntas. Eu regressava por esses caminhos de onde se avista o mar e onde, outrora, antes que ele aparecesse por entre os ramos, eu fechava os olhos para bem pensar que o que ia ver era mesmo o queixoso ancestral da terra, prosseguindo, como no tempo em que ainda não existiam seres vivos, em sua demente e imemorial agitação. Agora, essas estradas não eram para mim senão o meio de ir ao encontro de Albertine; quando as reconhecia tão iguais, sabendo até onde iriam em linha reta, onde fariam uma curva, eu me lembrava de que as seguira pensando na Srta. de Stermaria, e também que a mesma pressa de encontrar-me com Albertine, eu a tivera em Paris ao descer as ruas por onde passava a Sra. de Guermantes; assumiam, para mim, a profunda monotonia, a significação moral de uma espécie de linha que seguia o meu caráter. Era natural e, contudo, não era indiferente; lembravam-me que minha sorte consistia apenas em perseguir fantasmas, criaturas cuja realidade em boa parte estavam na minha imaginação; de fato, existem seres — e fora o meu caso desde a juventude — para quem nada do que possui um valor fixo, averiguável por outros, a fortuna, o sucesso, as altas posições, é levado em conta; o que lhes é necessário, são os fantasmas. Sacrificam tudo o mais, põem tudo em ação, fazem tudo servir para achar determinado fantasma. Mas este não tarda em se desvanecer; então correm atrás de outro, prontos para voltarem logo ao primeiro. Não era a primeira vez que eu procurava Albertine, a moça vista no primeiro ano diante do mar. É verdade que outras mulheres haviam sido intercaladas entre a Albertine amada da primeira vez e esta a quem quase não deixava no momento; outras mulheres, notadamente a duquesa de Guermantes. Mas, dirão, por que tantos cuidados a respeito de Gilberte, ter tanto trabalho por causa da Sra. de Guermantes, se, tornando-se amigo desta, fizera-o com o único fim de não mais pensar nela, mas somente em Albertine? Antes de morrer, Swann teria podido responder, ele que fora amador de fantasmas. De fantasmas perseguidos, esquecidos, de novo procurados, às vezes para uma só entrevista, e a fim de tocar numa vida irreal que logo se evolava, estavam cheias as estradas de Balbec. Pensando que suas árvores, pereiras, macieiras, tamargas, me sobreviveriam, parecia-me receber delas o conselho de me pôr enfim a trabalhar enquanto não soasse a hora do repouso eterno.

Eu saltava do carro em Quetteholme, corria pela íngreme descida, cruzava o regato por uma tábua e encontrava Albertine que pintava diante da igreja toda em torreões, espinhosa e rubra, florescente como um roseiral. Só o tímpano era liso; e, à superfície ridente da pedra, afloravam anjos que continuavam, diante do casal do século XX, a celebrar, círios na mão, as cerimônias do século XIII. Era deles que Albertine procurava fazer o retrato em sua tela preparada e, imitando Elstir, dava grandes pinceladas, buscando obedecer ao nobre ritmo que tornava esses anjos, dissera-lhe o grande mestre, tão diferentes de todos os que conhecia. Depois ajuntava as suas coisas. Apoiados um no outro, subíamos a encosta, deixando a igrejinha, tão tranqüila como se não nos tivesse visto, a escutar o perpétuo rumor do regato. Em breve o auto partia, fazia-nos tomar de regresso um caminho diverso do que seguíramos na ida. Passávamos por Marcouville-l'Orgueilleuse. Sobre sua igreja, metade nova, metade restaurada, o sol poente estendia sua pátina, tão linda como a dos séculos. Através dela, os grandes baixos-relevos pareciam ser vistos apenas sob uma camada fluida, meio líquida, meio luminosa; a Santa Virgem, Santa Isabel e São Joaquim nadavam ainda no impalpável remoinho quase em seco, à flor d'água ou à tona do sol. Numa cálida poeira surgiam as numerosas estátuas modernas, erguendo-se sobre colunas até meia altura dos véus dourados do poente. Defronte à igreja, um grande cipreste parecia estar dentro de uma espécie de recinto consagrado. Descíamos um instante para o contemplar e dávamos alguns passos. Tanto quanto de seus membros, tinha Albertine consciência de sua touca de palha da Itália e da *écharpe* de seda (que, para ela, não eram a sede das menores sensações de bem-estar), e delas recebia, enquanto ia ao redor da igreja, uma outra espécie de impulsão, traduzida por um contentamento inerte mas no qual eu encontrava graça; touca e *écharpe* que eram apenas uma parte recente, adventícia, de minha amiga, mas que já me era bastante cara e cujo rastro eu seguia com os olhos, ao longo do cipreste, no ar da tardinha. Ela própria não podia vê-lo, mas desconfiava que tais elegâncias faziam bem, pois me sorria harmonizando o porte da cabeça com o chapéu que a completava: — Não gosto, é restaurada — disse-me ela, mostrando a igreja e lembrando-se do que Elstir havia dito acerca da preciosa, da inimitável beleza das velhas pedras. Albertine sabia reconhecer de pronto uma restauração. A gente só podia assombrar-se com a segurança de gosto que ela já possuía em matéria de arquitetura, a par do gosto deplorável que conservava em música. Tanto quanto Elstir, eu não gostava dessa igreja, e foi sem me dar prazer que sua fachada veio postar-se, ensolarada, aos meus olhos, e só desci a contemplá-la para ser agradável a Albertine. E achava, no entanto, que o grande impressionista estava em contradição consigo mesmo; por que esse fetichismo ligado ao valor arquitetônico objetivo, sem levar em conta a transfiguração da igreja no poente? — Não — disse Albertine —, decididamente não me agrada; gosto do seu nome de Orgueilleuse (*orgulhosa*). Mas o que será preciso indagar a Brichot é por que Saint-Mars se chama "le Vêtu". Iremos lá na próxima vez, não? — perguntava-me olhando-me com seus olhos negros, sobre os quais a touca estava abaixada como outrora a sua pequena boina. Seu véu flutuava. Eu voltava ao auto com ela, feliz por irmos juntos, no dia seguinte, a Saint-Mars, de que, naqueles dias ardentes em que só se pensava em banhos de mar, os dois antigos campanários de um rosa-salmão, com telhas em losango, ligeiramente inclinadas e como que palpitantes, pareciam velhos peixes agudos, imbricados de escamas, musgosos e arruivados, que, sem dar a impressão de se moverem, erguiam-se numa água transparente e azul. Para resumir, deixando Marcouville, bifurcávamos numa encruzilhada de caminhos, onde havia uma granja. Às vezes Albertine mandava parar e me pedia que fosse buscar sozinho, a fim de poder beber no carro, vinho Calvados ou sidra, que asseguravam não ser espumante e que nos borrifava por completo. Estávamos apertados um contra o outro. As pessoas da granja mal avistavam Albertine no auto fechado, e eu lhes devolvia as garrafas; partíamos novamente, como para continuar naquela nossa vida, essa vida de amantes que elas podiam achar que levávamos, e da qual essa parada para beber não passasse de um momento insignificante; suposição que teria parecido tanto menos inverossímil se nos vissem depois que Albertine houvesse bebido a sua garrafa de sidra; de fato, ela parecia então não mais poder suportar, entre nós dois, um intervalo que de hábito não a incomodava; sob sua saia de algodão, suas pernas apertavam-se contra as minhas, ela aproximava do meu rosto as suas faces que se tornavam pálidas, quentes e rubras nos pômulos, com algo de ardente e descorado como o têm as mulheres dos arrabaldes. Nesses momentos, quase tão depressa como de personalidade, ela mudava de voz, perdia a sua e assumia uma outra, enrouquecida, ousada, quase crapulosa. A tarde caía. Que prazer senti-la juntinho a mim, com sua *écharpe* e sua touca, lembrando-me que é sempre assim, lado a lado, que se encontram os que se amam! Talvez eu sentisse amor por Albertine, mas não tinha coragem de dá-lo a perceber, se bem que, se existisse em mim, não podia ser senão como uma verdade sem valor até que fosse possível verificá-la pela experiência; ora, isto me parecia irrealizável e fora dos planos da minha vida. Quanto ao meu ciúme, forçava-me a deixar Albertine o menos possível, embora soubesse que ela não o haveria de curar totalmente senão separando-me dela para sempre. Podia até senti-lo junto dela, mas então cuidava para que não se renovassem as circunstâncias que o tivessem despertado em mim. Foi assim que, num dia de bom tempo, saímos para almoçar em Rivebelle. As grandes portas envidraçadas do refeitório, daquele *hall* em forma de corredor que servia para os chás, estavam abertas de par em par para a relva dourada pelo sol e das quais o vasto restaurante luminoso parecia fazer parte. O garçom de rosto róseo, de cabelos negros revoltos como chamas, movia-se por toda aquela vasta extensão menos depressa que antigamente, pois não era mais simples garçom, mas um chefe de mesa; não obstante, devido a sua atividade natural, às vezes de longe, no refeitório, às vezes mais perto, porém do lado de fora, servindo a fregueses que tinham preferido almoçar no jardim, a gente o avistava ora aqui, ora ali, como estátuas sucessivas de um jovem deus corredor, umas no interior, aliás bem iluminado, de uma sala que se prolongava em grama verde, outras sob as folhagens, na claridade da vida ao ar livre. Por um instante, esteve ao nosso lado. Albertine respondeu distraidamente ao que eu lhe dizia. Ela o mirava com os olhos crescidos. Durante alguns minutos, senti que é possível estar junto da pessoa amada e todavia não tê-la consigo. Pareciam estar num *tête-à-tête* misterioso, tornado mudo pela minha presença, e talvez continuação de encontros antigos que eu não conhecia, ou apenas de um olhar que ele lhe lançara — e do qual eu era o terceiro importuno e de quem se escondem. Mesmo quando, chamado com violência por seu patrão, ele se afastou, Albertine, embora continuasse a almoçar, já não parecia considerar o restaurante e os jardins senão como pista iluminada, onde aparecia aqui e ali, em cenários variados, o deus corredor de cabelos negros. Num momento, cheguei a perguntar-me se, para segui-lo, ela não iria me deixar sozinho na mesa. Porém nos dias seguintes comecei a esquecer para sempre essa impressão penosa, pois havia decidido jamais voltar a Rivebelle e fizera com que Albertine, que me assegurou ter ido ali pela primeira vez, me prometesse que não voltaria nunca mais. E neguei que o garçom de pés ágeis só tivesse olhos para ela, para que Albertine não julgasse que minha companhia a houvesse privado de um prazer. Aconteceu-me voltar por vezes a Rivebelle, porém só, e beber demais, como já o fizera. Esvaziando um último copo, eu contemplava uma rosácea pintada na parede branca e reportava a ela o prazer que experimentava. Somente ela, no mundo, existia para mim; eu a perseguia, a tocava e a perdia sucessivamente com meu olhar fugidio e era indiferente ao futuro, contentando-me com a rosácea como uma borboleta que gira ao redor de uma borboleta pousada, com a qual vai acabar a vida num ato de suprema volúpia. Ora, eu achava perigoso deixar que se instalasse em mim, mesmo sob uma forma leve, um mal que se assemelha a esses estados patológicos habituais a que não se costumam dar atenção, mas a que, se sobrevém o menor acidente, imprevisível e inevitável, bastam para lhe conferir logo uma extrema gravidade. O momento talvez fosse particularmente bem escolhido para renunciar a uma mulher, a quem nenhum sofrimento muito recente e muito vivo me obrigava a pedir esse bálsamo contra um mal que possuem aquelas que o provocaram. Eu me sentia tranqüilizado por esses mesmos passeios que, embora no momento só os considerasse como uma espera de um amanhã que, apesar do desejo que me inspirava, não deveria ser diferente da véspera, tinham o encanto de serem arrancados aos lugares onde até então se encontrava Albertine, e onde eu não estava com ela, na casa de sua tia, na casa das amigas. Encanto não de uma alegria positiva, mas apenas do apaziguamento de uma inquietação, e contudo bem intenso. Pois a alguns dias de distância, quando voltava a pensar na granja diante da qual tínhamos bebido sidra, ou simplesmente nos poucos passos que déramos defronte de Saint-Mars-le-Vêtu, lembrando-me que Albertine caminhava a meu lado com sua touca, o sentimento de sua presença acrescentava de súbito uma certa virtude à imagem indiferente da igreja nova, que, no momento em que a fachada ensolarada vinha desse modo pousar por si mesma em minha lembrança, era como uma grande compressa calmante que houvesse aplicado ao meu coração. Eu deixava Albertine em Parville, mas para ir encontrá-la de tarde e estender-me a seu lado na praia e no escuro. Claro que não a via diariamente, e no entanto podia dizer comigo: "Se ela contasse o emprego de seu tempo, de sua vida, era ainda eu quem ocuparia o maior lugar"; e passávamos juntos longas horas seguidas que davam aos meus dias uma tão doce embriaguez que até quando, em Parville, ela saltava do auto que eu ia lhe enviar de novo uma hora depois, já não me sentia sozinho no carro, como se, antes de desembarcar, ela tivesse deixado flores ali. Poderia ter deixado de vê-la todos os dias; e seria feliz, pois sentia que o efeito calmante dessa felicidade podia prolongar-se por vários dias. Mas então ouvia Albertine, ao deixar-me, dizer à sua tia ou a uma amiga: — Então, amanhã às oito e meia. Não podemos chegar tarde, eles estarão prontos às oito e quinze. — A conversação de uma mulher amada se parece a um solo que recobre uma água subterrânea e perigosa; a todo momento, sente-se por detrás das palavras a presença e o frio penetrante de um lençol invisível; percebe-se aqui e ali o seu pérfido transudar, mas ele próprio permanece oculto. Tão logo ouvia a frase de Albertine, a minha calma ficava destruída. Desejava pedir para ir vê-la na manhã seguinte, a fim de impedi-la de comparecer a esse misterioso encontro das oito e meia de que se falara na minha frente em meias palavras. Sem dúvida, me obedeceria das primeiras vezes, lastimando, no entanto, ter de renunciar a seus projetos; depois teria descoberto minha necessidade permanente de estragá-los; e eu me transformaria naquele para quem se esconde tudo. E, além disso, é provável que essas festas das quais me via excluído consistissem em muito pouca coisa, e que era talvez por receio de que eu me encontrasse com uma certa convidada vulgar ou maçante que não me convidavam. Infelizmente, essa vida tão mesclada à de Albertine não exercia efeitos apenas sobre mim; ela me tranqüilizava; porém causava à minha mãe inquietações cuja confissão a destruía. Como eu voltasse contente para casa, decidido a terminar de um dia para o outro uma existência cujo fim eu julgava depender exclusivamente da minha vontade, minha mãe me disse, ao ouvir-me dizer ao chofer que fosse buscar Albertine após o jantar: — Como gastas dinheiro! (Françoise, em seu linguajar simples e expressivo, dizia com mais força: "O dinheiro voa.") — Procura — continuou mamãe — não ficar como Charles de Sévigné, cuja mãe dizia: "Sua mão é um crisol onde o dinheiro se derrete." E depois, creio que de fato saíste bastante com Albertine. Asseguro-te que é exagerado, que até mesmo para ela pode parecer ridículo. Fico encantada que isso te distraia, não te peço que não a vejas mais, mas enfim que não seja impossível um ficar sem o outro. — Minha vida com Albertine, vida carente de grandes prazeres — pelo menos de grandes prazeres percebidos —, essa vida que eu tencionava mudar de um dia para o outro, escolhendo uma hora de calma, tornou-se-me de repente necessária por algum tempo, quando se achou ameaçada pelas palavras de mamãe. Disse à minha mãe que suas palavras acabavam de atrasar talvez de dois meses a decisão que pediam e que, sem elas, seria tomada antes do fim da semana. Mamãe pôs-se a rir (para não me deixar triste) do efeito instantâneo de seus conselhos, e prometeu-me não voltar a falar no assunto, para não impedir que renascesse a minha boa intenção. Mas, desde a morte de minha avó, cada vez que mamãe se deixava rir, o riso principiado estacava de súbito e terminava com uma expressão quase soluçante de sofrimento, ou devido ao remorso de, por um instante, ter podido esquecer, ou pela recrudescência com que esse esquecimento tão breve reavivara ainda mais a sua cruel preocupação. Mas, à que lhe causava a lembrança da minha avó, instalada em minha mãe como uma idéia fixa, senti que desta vez se acrescentava uma outra, relativa a mim, por causa de seus temores pelas conseqüências de minha intimidade com

Albertine; intimidade que ela, no entanto, não se animava a estorvar devido ao que lhe acabara de dizer. Mas não pareceu persuadida de que eu não estava enganado. Lembrava-se durante quantos anos minha avó e ela não me haviam mais falado de meu trabalho e de uma norma de vida mais higiênica e que, dizia eu, só a agitação em que me punham as suas exortações bastava para me impedir de começá-la, e que, apesar de seu silêncio obediente, eu não havia seguido.

Depois do jantar, o auto trazia de volta Albertine; ainda havia um pouco de claridade. O ar estava menos quente, mas, após um dia abrasador, nós dois sonhávamos com frescores ignorados. Então, a nossos olhos enfebrecidos, a lua muito estreita apareceu, a princípio (como na noite em que eu fora à casa da princesa de Guermantes e Albertine me telefonara) como a leve e delgada casca, depois como o quarto fresco de uma fruta que uma faca invisível começasse a descascar no céu. Também às vezes, era eu quem ia buscar a minha amiga, então um pouco mais tarde; ela devia esperar-me diante das arcadas do mercado, em Maineville. Nos primeiros instantes, eu não a distinguia; já me inquietava que não devesse aparecer, que tivesse compreendido mal. Então, via-a, com sua blusa branca de pintas azuis, saltar para o meu lado, no carro, num leve pulo que mais parecia o de um animalzinho que de uma moça. E era ainda como uma cadelinha que ela principiava logo a me acariciar sem fim. Quando a noite descia completamente e, como dizia o gerente do hotel, o céu ficava todo semeado de estrelas, se não íamos passear na floresta com uma garrafa de champanha, sem nos preocuparmos com os passeantes que deambulavam ainda sobre o molhe fracamente iluminado, mas que nada poderiam vislumbrar a dois passos sobre a areia escura, ficávamos estendidos ao pé das dunas; aquele mesmo corpo, em cuja flexibilidade vivia toda a graça feminina, marinha e esportiva das moças que eu vira passar pela primeira vez diante do horizonte das ondas, mantinha-o apertado contra o meu, sob a mesma coberta, exatamente à beira do mar imóvel, visível por um trêmulo reflexo; e o escutávamos sem cansar e com o mesmo prazer, seja quando retinha sua respiração, suspensa por tempo bastante para que se julgasse estancado o refluxo, seja quando enfim exalava a nossos pés o murmúrio esperado e retrasado. Eu acabava por levar Albertine a Parville. Chegado diante de sua casa, era necessário interromper nossos beijos de medo que nos vissem; não tendo vontade de ir deitar-se, ela voltava comigo até Balbec, de onde a levava uma última vez até Parville; os motoristas desses primeiros tempos do automóvel eram pessoas que iam deitar-se a qualquer hora. E, de fato, eu só voltava para Balbec com a primeira umidade da manhã, dessa vez sozinho, mas envolto ainda pela presença de minha amiga, repleto de uma quantidade de beijos longa para se esgotar. Na minha mesa encontrava um telegrama ou um cartão-postal. Era de Albertine ainda! Ela os escrevera em Quetteholme, enquanto eu saíra sozinho de auto e para me dizer o que pensava de mim. Eu me deitava na cama relendo-os. Então percebia, acima das cortinas, o primeiro clarão do dia e dizia comigo que devíamos nos amar, apesar de tudo, pois tínhamos passado a noite aos beijos. Quando via Albertine no molhe, na manhã seguinte, sentia tanto medo de que ela me dissesse que não estava livre aquele dia, não podendo aquiescer aos meus pedidos para passearmos juntos, que atrasava esse pedido o mais que podia. Sentia-me tanto mais inquieto porque ela estava com um aspecto frio e preocupado; passavam pessoas que a conheciam; sem dúvida, havia ela formado, para a tarde, projetos dos quais eu estava excluído. Eu a olhava, olhava aquele corpo encantador, aquele rosto rosado de Albertine, erguendo à minha face o enigma de suas intenções, a decisão desconhecida que deveria fazer a felicidade ou a desgraça da minha tarde. Era todo um estado de espírito, todo um futuro de existência que assumira diante de mim a forma alegórica e fatal de uma moça. E, quando por fim me decidia, quando com o ar mais indiferente possível perguntava: — Vamos passear juntos daqui a pouco e de noite? — e ela me respondia: — Com muito gosto —, então toda a brusca reviravolta, na figura rósea, da minha longa inquietude por uma quietude deliciosa, tornava-me ainda mais preciosas essas formas a que eu devia perpetuamente o bem-estar, o sossego que se experimenta depois que desaba um temporal. Eu repetia comigo mesmo: "Como ela é gentil, como é adorável!" — numa exaltação menos fecunda do que a devida à embriaguez, apenas mais profunda que a da amizade, mas muito superior à da vida mundana. Só não contratávamos o automóvel quando havia jantar na casa dos Verdurin e nos dias em que, não estando Albertine livre para sair comigo, eu aproveitava para avisar as pessoas que queriam me ver de que permaneceria em Balbec. Nesses dias eu dava licença a Saint-Loup para que fosse me visitar; mas somente nesses dias. Pois, numa vez em que ele chegara de surpresa, eu teria preferido privar-me de ver Albertine do que arriscar-me a que ele a encontrasse e que ficasse comprometido o estado de calma feliz em que me achava desde algum tempo e que se renovasse o meu ciúme. E só havia sossegado depois que Saint-Loup se fora. Assim, ele se limitava, com pesar mas escrupulosamente, a nunca vir a Balbec sem que o chamasse. Outrora, pensando com inveja nas horas que a Sra. de Guermantes passava com ele, quanto valor dava eu à sua presença! As criaturas não cessam de mudar de lugar em relação a nós. Na marcha insensível porém eterna do mundo, consideramo-las como imóveis num instante de visão, curto demais para que seja percebido o momento que as carrega. Porém, basta escolher na nossa memória duas imagens suas tomadas em instantes diversos, todavia bastante próximos, para que não tenham mudado, ao menos sensivelmente, e a diferença das duas imagens mede o deslocamento que operaram em relação a nós. Ele me inquietou horrivelmente ao falar dos Verdurin; receei que me pedisse para ser recebido em casa deles, o que seria suficiente, por causa do ciúme que eu não deixava de sentir, para estragar todo o prazer que ali encontrava com Albertine. Felizmente, porém, Robert me confessou, pelo contrário, que desejava acima de tudo não conhecê-los. — Não — disse ele —, acho exasperantes esses meios clericais. — A princípio não compreendi esse adjetivo "clerical" aplicado aos Verdurin, mas a continuação da frase de Saint-Loup esclareceu-me o seu pensamento, suas concessões às modas da linguagem, que a gente muita vez se espanta de ver empregadas pelos homens inteligentes. — São meios — disse ele — onde se forma uma tribo, onde se fazem congregações e capelinhas. Não me dirás que não é uma pequena seita; tudo mel para quem pertence ao grupo, e nenhum desprezo bastante para as pessoas de fora. A questão não é, como para Hamlet, ser ou não ser, mas ser deles ou não ser deles. Tu és deles, o meu tio Charlus é deles. Que queres? Jamais gostei disso, a culpa não é minha.

Fica entendido que a regra que eu impusera a Saint-Loup, de só vir me visitar a meu chamado, eu a estabeleci estritamente para qualquer pessoa com quem aos poucos me relacionava na Raspelière, em Féterne, em Montsurvent e arredores; e, quando avistava do hotel a fumaça do trem das três horas que, na anfratuosidade das falésias de Parville, deixava seu penacho estável que permanecia por muito tempo enganchado no flanco das verdes vertentes, não tinha nenhuma hesitação quanto ao visitante que vinha tomar chá comigo e que, à maneira de um deus, ainda estava oculto sob aquela nuvenzinha. Sou obrigado a confessar que esse visitante, previamente autorizado a vir por mim, não foi quase nunca Saniette, e muitas vezes censurei-me por isto. Mas a consciência que tinha Saniette de aborrecer (naturalmente ainda mais vindo fazer uma visita do que contando uma história) fazia com que, embora fosse mais instruído, mais inteligente e melhor pessoa que os outros, parecia impossível experimentar junto dele não só algum prazer como outra coisa que não um *spleen* quase intolerável e que estragava toda a nossa tarde. Provavelmente, se Saniette confessasse francamente esse tédio que receava causar, a gente não temeria tanto as suas visitas. O tédio é um dos males menos graves que temos de suportar; o seu talvez só existisse na imaginação dos outros, ou lhe fora inoculado por eles graças a uma espécie de sugestão, que encontrava pasto em sua agradável modéstia. Mas ele tanto se empenhava em não dar a perceber que não era procurado, que não tinha coragem de oferecer-se. Certamente estava correto em não proceder como as pessoas que ficam tão contentes em desfazer-se em cumprimentos nos lugares públicos que, não nos tendo visto desde muito e lobrigando-nos em um camarote com pessoas brilhantes a quem desconhecem, lançam-nos uma saudação furtiva e ruidosa, desculpando-se com a emoção e o prazer que sentiram ao ver-nos, ao constar que reatamos os prazeres sociais, que temos bom aspecto, etc. Mas Saniette, ao contrário, carecia muito de audácia. Poderia, na casa da Sra. Verdurin ou no trenzinho, dizer-me que sentiria muito prazer em ir visitar-me em Balbec, caso não me fosse incômodo. Tal proposta não teria me assustado. Pelo contrário, ela nada oferecia, mas com uma fisionomia torturada e um olhar tão indestrutível como um esmalte cozido, em cuja composição, porém, entrava, com um desejo palpitante de nos ver — a menos que não achasse alguém mais divertido —, a vontade de não deixar perceber esse desejo, dizia-me com ar desligado: — O senhor não sabe o que vai fazer nestes dias? Porque sem dúvida irei para perto de Balbec. Mas não tem importância, eu só estava perguntando por acaso. — Aquele ar não me enganava, e os signos inversos com ajuda dos quais exprimimos nossos sentimentos pelo seu oposto são de uma leitura tão clara, que é de perguntar-se como ainda existem pessoas que dizem, por exemplo: "Tenho tantos convites que não sei o que fazer", para dissimular que não são convidados. Porém, mais ainda, aquele ar desligado, possivelmente devido ao que entrava em sua turva composição, nos causava o que jamais teria podido fazer o temor ao tédio ou a confissão franca do desejo de nos ver, isto é, essa espécie de mal-estar, de repulsa, que, na ordem das relações de simples polidez social, é o equivalente ao que, no amor, é o oferecimento disfarçado, que faz a uma dama o amoroso a quem ela não ama, de vê-la no dia seguinte, enquanto, ao mesmo tempo, protesta que não faz questão disso, ou nem sequer esse oferecimento, mas uma atitude de falsa frieza. E logo emanava da pessoa de Saniette um não sei quê, fazendo com que a gente lhe respondesse com o ar mais afetuoso do mundo: — Não, infelizmente, esta semana, vou explicar-lhe... — E eu deixava que viessem, em vez de Saniette, pessoas que estavam longe de ter o seu valor, mas que não possuíam o seu olhar carregado de melancolia e sua boca encrespada da amargura inteira de todas as visitas que ele tinha vontade, calando-a, de fazer a uns e outros. Infelizmente, era bem raro que Saniette não encontrasse no "tortinho" o convidado que vinha me visitar, se é que este já não me dissera na casa dos Verdurin: — Não se esqueça de que vou visitá-lo na quinta-feira —, dia em que eu precisamente havia dito a Saniette que não estava livre. De modo que ele acabava por imaginar a vida como cheia de divertimentos organizados à sua revelia, se não mesmo contra ele. Por outro lado, como a gente nunca é completamente uno, aquele discreto exagerado era doentiamente indiscreto. A única vez em que por acaso veio visitar-me, contra a minha vontade, uma carta, não sei de quem, estava atirada sobre a mesa. Ao cabo de um momento, percebi que ele só distraidamente escutava o que lhe dizia. A carta, cuja procedência ele ignorava por completo, o fascinava, e eu julgava que a qualquer instante as suas pupilas esmaltadas iam saltar das órbitas para se unirem à carta sem importância, mas que sua curiosidade imantava. Dir-se-ia um pássaro que vai se lançar fatalmente ao encontro de uma serpente. Por fim, não pôde mais conter-se e primeiro mudou-a de lugar, como para pôr ordem no meu quarto. Não lhe bastando isso, pegou-a, virou-a, revirou-a, como se o fizesse maquinalmente. Uma outra forma de sua indiscrição era que, uma vez grudado na gente, não conseguia ir embora. Como me achasse adoentado naquele dia, pedi-lhe que tomasse o trem seguinte, que partia dentro de meia hora. Ela não duvidou de que eu estivesse mal, porém respondeu: — Ficarei uma hora e um quarto, depois partirei. — Depois, sofri de não lhe haver dito, de cada vez que o podia fazer, que viesse. Quem sabe? Talvez eu tivesse conjurado sua má sorte, e o houvessem convidado outros por quem imediatamente me largaria, de forma que meus convites teriam tido a dupla vantagem de lhe proporcionar alegria e de me desembaraçar dele.

Nos dias seguintes aos quais eu havia recebido, naturalmente não esperava visitas, e o automóvel vinha nos buscar a mim e a Albertine. E, quando regressávamos, Aimé, no primeiro degrau da escada, não podia deixar de espiar, com olhos apaixonados, curiosos e glutões, que tipo de gorjeta eu dava ao chofer. Por mais que eu encerrasse a moeda ou a nota na mão fechada, os olhares de Aimé afastavam meus dedos. Desviava a cabeça após um segundo, pois era discreto, bem-educado, e até mesmo se contentava com benefícios relativamente pequenos. Mas o dinheiro recebido por outrem excitava nele uma curiosidade irreprimível, dando-lhe água na boca. Nesses curtos instantes, tinha o ar atento e febril de uma criança que lê um romance de Júlio Verne, ou de uma pessoa que janta tão longe de nós, num restaurante, e que, vendo que nos trincham um faisão, que ele próprio não quer ou não pode saborear, abandona por um instante seus pensamentos sérios para pregar na ave um olhar que o amor e a inveja tornam risonho.

Assim ocorriam diariamente aqueles passeios de automóvel. Mas uma vez, quando eu subia pelo elevador, o ascensorista me disse: — Aquele cavalheiro esteve aqui, e deixou um recado para o senhor. — O ascensorista me disse tais palavras com voz absolutamente mudada, tossindo e cuspindo-me na cara. — Que resfriado que peguei! — acrescentou, como se eu não fosse capaz de percebê-lo por mim mesmo. — O doutor disse que é coqueluche — e recomeçou a tossir e a cuspir em mim. — Não se canse falando — disse-lhe eu com ar de bondade fingida. Temia pegar a coqueluche, a que, com minha tendência às sufocações, me seria bastante penosa. Mas ele empenhou todo o seu orgulho, como um virtuose que não quer se confessar doente, em falar e cuspir o tempo todo. — Não, isso não quer dizer nada — disse ele (para você, talvez, pensei, mas não para mim). — Aliás, vou em breve de volta a Paris (tanto melhor, desde que não me passe a coqueluche antes). — Parece — continuou — que Paris é bem magnífica. Deve ser mais magnífica ainda do que aqui e em Monte-Carlo, embora alguns companheiros e mesmo fregueses, e até mordomos que iam a Monte-Carlo devido à estação, tenham me dito muitas vezes que Paris era menos magnífica que Monte-Carlo. Talvez estivessem enganados e, no entanto, para ser mordomo não se pode ser imbecil; para guardar todos os pedidos, reservar todas as mesas, é preciso ter uma cabeça! Disseram-me que era ainda mais terrível do que escrever peças e livros. — Tínhamos quase chegado ao meu andar, quando o ascensorista me fez descer até embaixo, porque achou que o botão funcionava mal, e consertou-o num piscar de olhos. Disse-lhe que preferia subir a pé, o que queria dizer, e ocultar, que preferia não pegar coqueluche. Mas, com um acesso de tosse cordial e contagioso, ele me impeliu para o elevador. — Agora, não há mais perigo, consertei o botão. — Vendo que ele não parava de falar, preferindo conhecer o nome do visitante e o recado que deixara, em vez do paralelo entre as belezas de Balbec, Paris e Monte-Carlo, disse-lhe (como a um tenor que nos importuna com Benjamin Godard: cante de preferência Debussy): — Mas quem foi que veio me visitar? — É o cavalheiro com quem o senhor saiu ontem. Vou buscar o seu cartão, que está com o porteiro. — Como na véspera eu deixara Saint-Loup na estação de Doncières, antes de ir buscar Albertine, julguei que o ascensorista falava de Saint-Loup, mas tratava-se do chofer. E, designando-o com estas palavras: "O cavalheiro com quem o senhor saiu ontem", ele ao mesmo tempo ensinava-me que um operário é tão exatamente um cavalheiro como um homem da alta sociedade. Lição de palavras, simplesmente. Pois, quanto à coisa, eu nunca fizera distinção entre as classes. E, se tivera, ao ouvir chamar um chofer de cavalheiro, o mesmo espanto do conde X... (que não o era senão há oito dias e a quem, tendo dito: "a condessa parece cansada", fiz virar a cabeça para trás para ver de quem eu falava), era apenas por falta de hábito do vocabulário; jamais fizera diferença entre os operários, os burgueses e os fidalgos, e teria tomado indiferentemente uns e outros por amigos, com uma certa preferência pelos operários, e depois pelos fidalgos, não por gosto, mas sabendo que se pode exigir deles mais polidez para com os operários do que da parte dos burgueses, seja porque os fidalgos não desdenham os operários como o fazem os burgueses, ou então porque são de boa vontade atenciosos para com qualquer pessoa, como as mulheres bonitas se sentem felizes em dar um sorriso que sabem ser acolhido com tanta alegria. Aliás, não posso dizer que esse modo que eu tinha de colocar a gente do povo em pé de igualdade com as pessoas da sociedade, se foi muito bem admitida por esta, sempre satisfizesse plenamente a minha mãe. Não que, humanamente, ela fizesse qualquer diferença entre as criaturas e, sempre que Françoise tinha algum desgosto ou se achava enferma, era consolada e cuidada por mamãe com a mesma amizade, o mesmo devotamento que sua melhor amiga. Mas minha mãe era muito filha de meu avô para que socialmente não levasse em conta as castas. Por mais que as pessoas de Combray tivessem coração, sensibilidade e assimilassem as mais belas teorias sobre a igualdade humana, quando um lacaio se emancipava, dizia uma vez "você" e insensivelmente passava a não me tratar mais na terceira pessoa, minha mãe mostrava, diante dessas usurpações, o mesmo descontentamento que explode, nas *Memórias* de Saint-Simon, cada vez que um senhor que não tem direito utiliza um pretexto para assumir a qualidade de "Alteza", numa ata autêntica, ou para não render aos duques o que lhes devia e de que pouco a pouco se dispensa. Existia um "espírito de Combray" tão refratário que serão necessários séculos de bondade (a de minha mãe era infinita), de teorias igualitárias, para chegar a dissolvê-lo. Não posso dizer que em minha mãe não tivessem permanecido indissolúveis certas parcelas desse espírito. Tão dificilmente daria ela a mão a um lacaio como facilmente lhe entregava dez francos (o que a este, aliás, causava muito mais prazer). Para ela, quer o confessasse ou não, os patrões eram os patrões, e os criados eram aqueles que comiam na cozinha. Quando ela via um chofer de automóvel jantar comigo no refeitório, não ficava nada contente e me dizia: — Acho que poderias ter coisa melhor que um motorista para amigo — como teria dito, se se tratasse de um casamento: — poderias encontrar melhor partido. — O chofer (felizmente nunca pensei em convidá-lo) viera me dizer que a Companhia de autos, que o enviara a Balbec para a estação, dera-lhe ordem para voltar a Paris no dia seguinte. Esse motivo, tanto mais que o chofer era encantador e se exprimia de maneira tão simples que a gente pensava sempre estar ouvindo palavras do Evangelho, pareceu-nos de acordo com a verdade. Era só meia verdade, no entanto. De fato, ele nada mais tinha a fazer em Balbec. E, em todo caso, não tendo a Companhia senão meia confiança na veracidade do jovem evangelista, apoiado em sua roda consagradora, queria que ele voltasse o mais depressa possível a Paris. E, com efeito, se o jovem apóstolo realizava miraculosamente a multiplicação dos quilômetros quando os computava para o Sr. de Charlus, em compensação, desde que se tratava de prestar contas à Companhia, ele dividia por seis o que havia ganho. O resultado é que a Companhia, pensando ou que ninguém mais dava passeios em Balbec, o que a estação tornava inverossímil, ou que era lesada, achava, num ou noutro caso, que o melhor era chamá-lo de volta a Paris, onde aliás não se fazia grande coisa. O desejo do chofer era evitar a estação morta. Já disse — o que ignorava então e cujo conhecimento teria me poupado muitos desgostos — que ele era muito ligado a Morel (sem que jamais parecessem conhecer-se diante dos outros). A partir do dia em que ele foi chamado, sem saber ainda que dispunha de um meio para ficar em Balbec, fomos obrigados a nos contentar com o aluguel de um carro para nossos passeios, ou às vezes, para distrair Albertine, e como ela gostasse de equitação, de cavalos de sela. Os carros eram ruins. — Que calhambeque! — dizia Albertine. Aliás, muitas vezes eu bem gostaria de ficar a sós. Sem querer fixar uma data, aspirava a que tivesse fim aquela vida, pela qual me censurava de renunciar, não tanto ao trabalho, mas aos prazeres. No entanto, ocorria também que os hábitos que me retinham fossem de súbito abolidos, principalmente quando algum antigo eu, cheio do desejo de viver alegremente, substituía por um instante o eu atual. Experimentei especialmente esse desejo de evasão num dia em que, tendo deixado Albertine na casa da tia, fui a cavalo visitar os Verdurin e tomara pelos bosques um atalho agreste de que eles me haviam elogiado a beleza. Esposando as formas da falésia, ora o caminho subia, ora, estreitado entre espessas moitas de árvores, aprofundava-se em gargantas selvagens. Por um momento, os rochedos despidos que me cercavam e o mar que se avistava entre as suas chanfraduras flutuaram diante de meus olhos como fragmentos de outro universo: eu havia reconhecido a paisagem montanhosa e marinha que Elstir atribuíra por moldura a essas duas admiráveis aquarelas: "Poeta encontrando uma Musa" e "Rapaz encontrando um Centauro", que eu tinha visto na casa da duquesa de Guermantes. De tal maneira a sua lembrança recolocava fora do mundo atual os lugares em que me encontrava, que não me espantaria se, como o jovem de idade pré-histórica que Elstir havia pintado, tivesse cruzado no meu passeio com um personagem mitológico. De repente, meu cavalo se encabritou; tinha ouvido um barulho singular, e eu senti dificuldades para dominá-lo e não ser jogado ao chão; depois ergui os olhos cheios de lágrimas para o ponto de onde parecia vir esse barulho, e vi, a uns cinqüenta metros acima da cabeça, ao sol, entre duas grandes asas de aço fulgurante que o carregavam, uma criatura cujo rosto indistinto me pareceu assemelhar-se ao de um homem. Fiquei tão emocionado como o poderia ter ficado um grego que visse pela primeira vez um semideus. E também chorava, pois estava prestes a chorar no momento em que reconhecera que o barulho se fazia acima da minha cabeça — os aeroplanos ainda eram escassos naquele tempo —, à idéia de que aquilo que ia ver pela primeira vez era um aeroplano. Então, como quando se sente que vem no jornal uma frase emocionante, só esperava avistar o aeroplano para me debulhar em lágrimas. Entretanto, o aviador pareceu hesitar quanto à direção a tomar; eu sentia abertas à sua frente — diante de mim, se o hábito não me aprisionasse — todas as rotas do espaço, da vida; ele avançou, pairou por um instante sobre o mar e, depois, tomando bruscamente uma decisão, parecendo ceder a alguma atração contrária à da gravidade, como que regressando à sua terra, ele se afastou direto para o céu com um leve movimento de suas asas douradas.

Para voltar agora ao mecânico, ele não só pediu a Morel que os Verdurin substituíssem o seu *break* por um auto (o que, dada a generosidade dos Verdurin quanto aos fiéis, era relativamente fácil), porém, o que era mais complicado, que o seu principal cocheiro, aquele rapaz sensível e de pensamentos melancólicos, fosse trocado por ele, motorista. Isto foi realizado em poucos dias pela seguinte forma. Morel começara por mandar roubar tudo o que era necessário para que o cocheiro atrelasse. Um dia, este não achava o freio, noutro dia a barbela. De outras vezes, era a almofada da sela que desaparecia, e até o seu chicote, sua manta, o martinete, a ponta da ferradura, a pele de camurça. Mas ele sempre se arrumava com os vizinhos; contudo, chegava atrasado, o que excitava contra ele a irritação do Sr. Verdurin, mergulhando-o num estado de tristeza e idéias negras. O chofer, intimado a regressar, declarou a Morel que ia voltar a Paris. Era preciso dar um grande golpe. Morel convenceu os criados do Sr. Verdurin de que o jovem cocheiro havia afirmado que os faria cair a todos numa cilada e se gabava de poder enfrentar todos os seis, e lhes disse que eles não poderiam deixar passar aquilo. De sua parte, não podia meter-se no negócio, mas prevenia-os a fim de que tomassem a dianteira. Combinou-se que, enquanto o Sr. e a Sra. Verdurin e seus amigos estivessem dando um passeio, cairiam todos sobre o rapaz na cavalariça. Direi, conquanto não passasse de uma ocasião para o que haveria de acontecer, mas porque as personagens me interessaram depois, que naquele dia um amigo dos Verdurin estava de férias na casa destes, e insistiram para que desse um passeio a pé antes de sua partida, fixada para aquela mesma noite.

O que muito me surpreendeu, quando todos saíram a passeio, foi que, nesse dia, Morel, que vinha conosco a pé, pois deveria tocar violino sob as árvores, me disse: — Escute, estou com o braço machucado; não quero dizê-lo à Sra. Verdurin, mas peça-lhe que traga um de seus criados, Howsler, por exemplo, para carregar meus instrumentos. — Creio que outro seria mais bem escolhido — respondi —, pois precisam dele para o jantar. — Uma expressão de cólera passou pelo rosto de Morel. — De modo nenhum; não desejo confiar meu violino a qualquer pessoa. — Compreendi tarde demais a razão daquela preferência. Howsler era o irmão bem-amado do jovem cocheiro e, se ficasse em casa, poderia ir em seu socorro. Durante o passeio, bem baixinho para que o Howsler mais velho não nos ouvisse: — Eis um bom rapaz — disse Morel. — De resto, seu irmão o é igualmente. Se não tivesse o funesto hábito de beber... — Como? Beber? — perguntou a Sra. Verdurin, empalidecendo à idéia de ter um cocheiro que bebesse. — A senhora não percebe nada. Sempre digo para mim mesmo que é um milagre que não lhe aconteça um acidente enquanto a está conduzindo. Mas então ele leva outras pessoas? — Basta ver quantas vezes já caiu, tem o rosto sempre cheio de equimoses. Não sei como já não se matou; até quebrou os varais. — Eu não o vi hoje — disse a Sra. Verdurin, trêmula ante a idéia do que poderia ter ocorrido com ela própria. — O senhor me deixa consternada. — Quis abreviar o passeio a fim de voltar para casa, e Morel escolheu uma ária de Bach com variações infinitas para fazê-la durar. Logo ao chegar, ela dirigiu-se à cocheira, viu os varais novos e Howsler ensangüentado. Ia dizer-lhe, sem fazer qualquer observação, que já não precisava de cocheiro e entregar-lhe o salário, mas ele próprio, não querendo acusar os camaradas, a cuja animosidade atribuía retrospectivamente o roubo diário de todas as selas, etc., e vendo que sua paciência só o levava a deixar-se cair como morto no chão, pediu para ir embora, o que simplificou tudo. O chofer entrou no dia seguinte e, mais tarde, a Sra. Verdurin (que fora obrigada a contratar outro) ficou tão satisfeita com ele que o recomendou calorosamente a mim como pessoa de absoluta confiança. Eu, que ignorava tudo, contratei-o por dia em Paris; mas isso já é antecipar demais, pois tudo será relatado na história de Albertine. Neste momento, estamos na Raspelière, onde acabo de jantar pela primeira vez com minha amiga, e o Sr. de Charlus com Morel, filho suposto de um "intendente" que ganhava trinta mil francos fixos por ano, possuía um carro e numerosos mordomos subalternos, jardineiros, administradores e granjeiros sob suas ordens. Porém, visto que me antecipei desse modo, não quero todavia deixar o leitor sob a impressão de que Morel tivesse cometido uma perversidade absoluta. Ele era principalmente cheio de contradições, capaz em certos dias de uma verdadeira gentileza.

Naturalmente, fiquei muito espantado ao saber que o cocheiro fora despedido, e bem mais ao reconhecer em seu substituto o chofer que nos levava a passeio, a mim e a Albertine. Mas ele me contou uma história complicada, segundo a qual regressara a Paris, de onde fora chamado pelos Verdurin, e não duvidei sequer por um segundo. A despedida do cocheiro deu motivo a que Morel conversasse um tanto comigo, a fim de manifestar-me sua tristeza pela partida daquele excelente rapaz. De resto, mesmo afora os momentos em que eu estava sozinho e em que ele saltava literalmente sobre mim com uma expansão de alegria, Morel, vendo que todos me festejavam na Raspelière e sentindo que ele se excluía voluntariamente da familiaridade de alguém que não lhe oferecia perigo, pois me fizera destruir as pontes e me tirara qualquer possibilidade de assumir ares protetores para consigo (ares que eu absolutamente não pensara em assumir), deixou de se manter afastado de mim. Atribuí sua mudança de atitude à influência do Sr. de Charlus, a qual, de fato, o tornava em certos casos menos limitado, mais artista; mas em outros, em que aplicava ao pé da letra as fórmulas eloqüentes, mentirosas e aliás momentâneas do mestre, o fazia ainda mais bobo. O que o Sr. de Charlus poderia lhe ter dito, foi com efeito a única coisa que supus. Como poderia então adivinhar o que depois me disseram (e de que nunca tive certeza, pois as afirmações de Andrée sobre tudo que dissesse respeito a Albertine, especialmente mais tarde, sempre me pareceram sujeitas a aval, porquanto, como já vimos anteriormente, ela não gostava com sinceridade da minha amiga, e tinha-lhe inveja), o que, em todo caso, se era verdade, foi-me notavelmente oculto por ambos: que Albertine conhecia muito a Morel? A nova atitude que este adotou para comigo por ocasião da despedida do cocheiro permitiu-me mudar de opinião a seu respeito. Conservei de seu caráter a triste idéia que formara devido ao servilismo que ele havia mostrado quando precisara de mim, seguido, tão logo fora prestado o serviço, de um desdém que chegara ao ponto de fingir que não me via. Era necessário acrescentar, a isso, a evidência de suas relações de venalidade com o Sr. de Charlus, e também seus instintos de bestialidade inconseqüente, cuja não-satisfação (quando isso ocorria), ou as complicações que acarretavam, era a causa de suas tristezas; mas esse caráter não era tão uniformemente mau e cheio de contradições. Parecia-se a um velho livro da Idade Média, cheio de erros, de tradição absurda, de obscenidades; era extraordinariamente compósito. A princípio, eu julgara que sua arte, em que de fato era verdadeiramente um mestre, lhe proporcionara superioridades que ultrapassassem o virtuosismo do executante. Certa vez em que manifestara meu desejo de me pôr a trabalhar, ele me disse: — Trabalhe, torne-se ilustre. — De quem é isso? — perguntei-lhe. — De Fontanes, para Chateaubriand. — Conhecia também uma correspondência amorosa de Napoleão. Bem, pensei, ele é letrado. Mas essa frase, que ele havia lido não sei onde, era sem dúvida a única que conhecia de toda a literatura antiga e moderna, pois repetia-a para mim todas as noites. Uma outra, que repetia mais vezes para impedir-me que dissesse alguma coisa a seu respeito para quem quer que fosse, era esta, que ela igualmente acreditava ser literária, mas é apenas francesa ou pelo menos não oferece nenhum tipo de sentido, salvo talvez para um criado que faz mistério de tudo: "Desconfiemos dos desconfiados." No fundo, indo dessa máxima estúpida até a frase de Fontanes para Chateaubrind, ter-se-ia percorrido toda uma parte, variada mas menos contraditória do que parece, do caráter de Morel. Esse rapaz que, por qualquer dinheiro, teria feito fosse o que fosse, e sem remorsos — talvez não sem uma estranha contrariedade, que chegasse à sobreexcitação nervosa, mas à qual não ficaria nada bem o nome de remorso —, que teria, se fosse de seu interesse, mergulhado na dor e até mesmo no luto famílias inteiras, esse rapaz que colocava o dinheiro acima de tudo, e, para não falar em bondade, acima dos mais naturais sentimentos de pura humanidade, esse mesmo rapaz, no entanto, punha acima do dinheiro o seu diploma de primeiro prêmio do Conservatório e a preocupação de que não pudessem falar nada de desabonador a seu respeito na classe de flauta ou de contraponto. Assim, suas maiores cóleras, seus mais sombrios e injustificados acessos de mau humor provinham do que ele denominava (sem dúvida generalizando alguns casos particulares em que encontrara pessoas malévolas) a patifaria universal. Gabava-se de escapar-lhe, não falando jamais de ninguém escondendo o seu jogo e desconfiando de todo mundo. (Para minha desgraça, pelo que devia resultar disso após o meu regresso a Paris, sua desconfiança não "funcionara" em relação ao chofer de Balbec, no qual é certo que reconhecera um semelhante, ou seja, contrariamente à sua máxima, um desconfiado na boa acepção do termo, um desconfiado que se cala obstinadamente diante das pessoas honestas e logo depois se associa a um crápula.) Parecia-lhe — e isso não era absolutamente falso — que semelhante desconfiança lhe permitiria sempre livrar-se de qualquer situação, de escapulir, imperceptível, através das mais perigosas aventuras, e sem que nada pudessem contra ele, não só provar mas nem sequer dizer nada a seu respeito no estabelecimento da rua Bergère. Estudaria, tornar-se-ia ilustre, talvez fosse um dia, com respeitabilidade intacta, presidente do júri de violino em concurso daquele prestigioso Conservatório.

Mas seria talvez inserir lógica demais no cérebro de Morel fazer saírem suas contradições umas das outras. Na realidade, sua natureza era de fato como um papel no qual se fizeram tantas dobras, em todos os sentidos, que é impossível desemaranhar qualquer coisa. Ele parecia ter princípios bastante elevados e, numa escrita magnífica, enfeada pelos mais grosseiros erros de ortografia, passava horas escrevendo ao irmão, que este havia agido mal com as irmãs, que ele era o seu irmão mais velho, o seu arrimo; às irmãs, que estas haviam cometido uma inconveniência a seu respeito.

Dentro em pouco, no fim do verão, quando se descia do trem em Douville, o sol, amortecido pela bruma, já não era, no céu uniformemente cor-de-malva, senão um bloco vermelho. À grande paz que desce à noite sobre aqueles prados densos e salinos e que estimulara muitos parisienses, na maioria pintores, a fazerem uma temporada em Douville, acrescentava-se uma umidade que os fazia voltar cedo para seus pequenos chalés. Em muitos destes, a lâmpada já se achava acesa. Apenas algumas vacas ficavam de fora contemplando o mar, a mugir, ao passo que outras, interessando-se mais pela humanidade, voltavam sua atenção para os nossos carros. Somente um pintor, que havia armado o cavalete numa delgada eminência, cuidava de tentar reproduzir aquela grande calma, aquela luz tranqüila. Talvez as vacas fossem lhe servir, inconsciente e benevolamente, de modelos, pois seu ar contemplativo e sua presença solitária, quando os humanos já tinham se recolhido, contribuíam a seu modo para a poderosa impressão de repouso que se desprende da noite. E, algumas semanas depois, a transposição não foi menos agradável, quando, com o avanço do outono, os dias tornaram-se bem curtos e foi necessário fazer essa viagem com a noite fechada. Se eu fosse dar uma volta de tarde, precisaria regressar para vestir-me às cinco horas o mais tardar, quando o sol redondo e rubro já descera para o meio do espelho oblíquo, outrora detestado, e, como um fogo grego, incendiava o mar em todos os vidros da minha biblioteca. Tendo algum gesto encantatório suscitado, enquanto eu passava o meu *smoking,* o eu alerta e frívolo que era o meu quando ia jantar em Rivebelle com Saint-Loup, e a noite em que eu pensara levar a Srta. de Stermaria para jantar na ilha do Bois, pus-me a cantarolar inconscientemente a mesma canção daquele tempo; e foi somente ao percebê-lo que reconheci pela canção o cantor intermitente, o qual, de fato, só sabia aquela. Da primeira vez que a cantara, começava a amar Albertine, mas achava que jamais a conheceria. Mais tarde, em Paris, fora quando a deixara de amar e poucos dias depois de a ter possuído pela primeira vez. Agora, era amando-a de novo e no momento de ir jantar com ela, para grande mágoa do gerente, que julgava que eu acabaria por ir morar na Raspelière e deixaria seu hotel, e que afirmava ter ouvido dizer que ali grassavam febres devidas aos pântanos do Bec, bem como a suas águas "acocoradas". Eu me sentia feliz com essa multiplicidade que via assim na minha vida que se desenrolava em três planos; e depois, quando nos tornamos por um momento um homem antigo, isto é, diferente do que somos desde muito, a sensibilidade, não estando mais amortecida pelo hábito, recebe, dos menores choques, impressões tão vivas que fazem empalidecer tudo o que as precedeu e às quais, devido à sua intensidade, nos prendemos com a exaltação de um bêbado. Já era noite fechada quando subíamos para o ônibus ou o carro que nos levaria à gare a fim de tomarmos o trenzinho. E no *hall*, o presidente do Conselho nos dizia: — Ah, vão à Raspelière! Com os diabos, essa Sra. Verdurin tem topete para obrigá-los a fazer uma hora de trem à noite, só para jantar. E depois, refazer o trajeto às dez horas, com um vento danado! Bem se vê que os senhores não têm nada para fazer — acrescentava, esfregando as mãos. Sem dúvida, falava desse jeito pela contrariedade de não ser convidado, e também pela satisfação que ostentam os homens "ocupados" mesmo que pelo trabalho mais idiota — de "não terem tempo" de fazer o que fazemos.

Decerto é legítimo que o homem que redige relatórios, enumera cifras, responde a cartas de negócios, segue o movimento da Bolsa experimente, quando nos diz com uma risadinha: — É bom para os senhores, que não têm o que fazer —, um agradável sentimento de superioridade. Porém esta se afirmaria igualmente desdenhosa, e mais ainda (pois o homem ocupado também janta fora), se a nossa distração consistisse em escrever o *Hamlet* ou apenas em lê-lo. Nisso os homens ocupados são faltos de reflexão, pois a cultura desinteressada, que lhes parece cômico passatempo de gente ociosa quando a surpreendem no momento em que é praticada, deveriam eles pensar que é a mesma que, no seu próprio ofício, coloca acima do nível geral homens que talvez não sejam melhores magistrados ou administradores que eles, mas diante de cujo rápido progresso inclinam-se, dizendo: — Parece que é um grande letrado, um indivíduo muito distinto. — Mas, sobretudo, o presidente do Conselho não se dava conta de que o que me agradava naqueles jantares na Raspelière era que, como dizia ele com razão, embora em tom de crítica, eles "representavam uma verdadeira viagem", uma viagem cujo encanto me parecia tanto mais vivo por não ser ela o seu próprio fim, e nem procurávamos nela nenhum prazer, estando este adstrito à reunião para a qual nos dirigíamos e que não deixava de ser muito modificada por toda a atmosfera que a cercava. Já era noite agora, quando trocava o calor do hotel — do hotel que se tornara o meu lar — pelo vagão onde embarcava com Albertine e onde o reflexo da lanterna na vidraça indicava, em certas paradas do trenzinho impulsivo, que tínhamos chegado a uma estação. Para não corrermos o risco de que Cottard não nos avistasse, e não tendo ouvido anunciar a estação, eu abria a portinhola, mas o que se precipitava no vagão não eram os fiéis, e sim o vento, a chuva, o frio. Na obscuridade, eu distinguia os campos, ouvia o mar, estávamos em plena campina. Albertine, antes que nos reuníssemos ao pequeno núcleo, olhava-se num espelhinho tirado de um *nécessaire* de ouro que trazia consigo. De fato, nas primeiras vezes, tendo a Sra. Verdurin feito com que ela subisse para o seu gabinete de toalete a fim de que se arrumasse para jantar, eu experimentara, no seio da profunda tranqüilidade em que vivia desde algum tempo, um pequeno movimento de inquietação e ciúme ao ser obrigado a deixar Albertine ao pé da escada, e me sentira tão ansioso enquanto estava sozinho no salão em meio ao pequeno clã e perguntava a mim mesmo o que faria a minha amiga lá em cima, que, no dia seguinte, por telegrama, depois de pedir algumas indicações ao Sr. de Charlus sobre o que havia de mais elegante no gênero, encomendei à casa Cartier um *nécessaire* que era a alegria de Albertine e também a minha. Era para mim um penhor de calma e também da solicitude da minha amiga. Pois ela certamente adivinhara que eu não gostava que ficasse sem minha companhia na casa da Sra. Verdurin, e se arranjava para fazer no vagão toda a sua toalete anterior ao jantar.

No número dos *habitués* da Sra. Verdurin, e o mais fiel de todos, contava-se agora e desde vários meses o Sr. de Charlus. Regularmente, três vezes por semana, os viajantes que estacionavam nas salas de espera ou na plataforma de Doncières-Oeste viam passar aquele homem corpulento, de cabelos grisalhos e bigode preto, os lábios rubros de uma pintura que se notava menos no fim da estação que no verão, quando a luz intensa a fazia mais crua, e o calor, meio líquida. Enquanto se dirigia para o trenzinho, não podia deixar (só por hábito de conhecedor, visto que agora possuía um sentimento que o tornava casto ou, pelo menos, durante a maior parte do tempo, fiel) de lançar sobre os carregadores, os militares, os rapazes de uniforme de tênis um olhar furtivo, a um tempo inquisitorial e timorato, após o qual baixava logo as pálpebras sobre os olhos quase fechados, com a unção de um eclesiástico a desfiar o seu rosário, com a reserva de uma esposa votada ao seu único amor, ou de uma jovem bem-educada. Os fiéis tanto mais estavam convencidos de que ele não os vira, porque subia para um compartimento diverso do deles (como igualmente o fazia a princesa Sherbatoff), como homem que não sabe se ficariam satisfeitos ou não de serem vistos na sua companhia e que deixa a todos o direito de ir procurá-lo caso tenham vontade. Tal vontade não foi sentida nas primeiras vezes pelo doutor, que desejava deixássemos o barão a sós em seu compartimento. Dissimulando sua natureza vacilante desde que alcançara uma grande posição como médico, foi sorrindo, virando-se para trás, olhando Ski por cima do *pince-nez*, que ele disse por malícia ou para surpreender de esguelha a opinião dos companheiros: — Vocês compreendem, se eu estivesse sozinho, solteiro... mas, por causa de minha mulher, pergunto-me se posso deixá-lo viajar conosco depois do que o senhor me disse — sussurrou o doutor. — Que é que estás dizendo? — indagou a Sra. Cottard. — Nada, isto não é contigo, não é assunto para as mulheres — respondeu o doutor, piscando o olho, com uma majestosa satisfação de si mesmo, que ficava entre o ar sonso que mantinha ante os alunos e os enfermos, e a inquietação que outrora acompanhava suas tiradas na casa dos Verdurin, e continuou a falar em voz baixa. A Sra. Cottard só percebeu as palavras "da confraria" e "lingüinha", e, como na linguagem do doutor a primeira designava a raça judaica e a segunda as pessoas que falam pelos cotovelos, a Sra. Cottard concluiu que o Sr. de Charlus devia ser um judeu tagarela. Não entendeu que mantivessem o barão à parte por causa disso, e julgou de seu dever de decana do clã exigir que não o deixassem a sós, e nos encaminhamos todos para o compartimento do Sr. de Charlus, guiados por Cottard, sempre perplexo. Do seu canto, onde lia um volume de Balzac, o Sr. de Charlus percebeu aquela hesitação; entretanto, não erguera os olhos. Mas, como os surdos-mudos reconhecem, devido a uma corrente de ar insensível aos demais, que alguém está chegando por trás deles, o barão possuía, para ser advertido da frieza que sentiam a seu respeito, uma verdadeira hiperacuidade sensorial. Esta, como tem o hábito de fazer em todos os domínios, engendrara sofrimentos imaginários no espírito do Sr. de Charlus. Como esses nevropatas que, sentindo um leve frescor, induzem que deve haver uma janela aberta no andar de cima, enfurecem-se e entram a espirrar, o Sr. de Charlus, se uma pessoa mostrasse diante dele um ar preocupado, concluía que tinham repetido a essa pessoa uma frase que ele pronunciara a seu respeito. Mas nem sequer havia necessidade de que tivesse um ar distraído, ou sombrio, ou risonho: ele os inventava. Em compensação, a cordialidade mascarava-lhe facilmente as maledicências que ele desconhecia. Tendo adivinhado da primeira vez a hesitação de Cottard, se, para grande espanto dos fiéis, que não se julgavam percebidos ainda pelo leitor de olhos baixos, ele lhes estendeu a mão quando chegaram a distância conveniente, limitou-se, quanto a Cottard, a uma inclinação de todo o corpo, logo vivamente endireitado, sem apertar com a mão enluvada de couro da Suécia a mão que o doutor lhe estendera. — Fizemos questão absoluta de viajar em sua companhia, senhor, e não deixá-lo sozinho desse jeito no seu canto. É um grande prazer para nós — disse a Sra. Cottard bondosamente ao barão. — Fico muito honrado — enunciou o barão, inclinando-se com ar frio. — Fiquei muito contente ao saber que o senhor tinha escolhido definitivamente esta região para fixar aqui os seus tabern... — Ela ia dizer tabernáculos, mas essa palavra lhe pareceu hebraica e pouco delicada para um judeu que poderia ver nela uma alusão. Assim, conteve-se para escolher uma outra expressão que lhe fosse familiar, ou seja, uma expressão solene: — para fixar aqui, eu queria dizer, os seus penates — (é verdade que essas divindades tampouco pertenciam à religião cristã, mas a uma que está extinta há tanto tempo que já não tem seguidores a quem receemos melindrar). — Infelizmente, nós, com a volta às aulas e o serviço hospitalar do doutor, nunca podemos fixar domicílio por muito tempo em um mesmo local. — E exibindo-lhe uma caixa: — Aliás, veja como nós, mulheres, somos menos felizes que o sexo forte; para ir tão pertinho como a casa dos nossos amigos Verdurin, somos obrigadas a levar conosco toda uma série de bagagens. — Durante todo esse tempo, eu olhava o volume de Balzac do barão. Não era uma brochura, comprada ao acaso como o volume de Bergotte que ele me emprestara no primeiro ano. Era um livro de sua biblioteca e, como tal, trazia a divisa: "Pertenço ao barão de Charlus", a qual por vezes era substituída, para mostrar o gosto dos Guermantes pelo estudo: *In proeliis non semper* e, ainda outra: *Non sine labore*.[57] Porém, nós as veremos em breve substituídas por outras, para tentar agradar a Morel. A Sra. Cottard, ao cabo de um instante, adotou um assunto que achava tocar mais pessoalmente ao barão: — Não sei se o senhor é da minha opinião — disse ela —, mas tenho idéias muito liberais e, a meu ver, desde que sejam praticadas com sinceridade, todas as religiões são boas. Não sou como as pessoas a quem à vista de um... protestante deixa hidrófobas. — Ensinaram-me que a minha era a verdadeira — respondeu o Sr. de Charlus. — "É um fanático", pensou a Sra. Cottard; "Swann, a não ser no fim, era mais tolerante; é verdade que se tratava de um convertido." Ora, pelo contrário, o Sr. de Charlus era não só cristão, como todos sabiam, mas também piedoso à maneira da Idade Média. Para ele, como para os escultores do século XIII, a Igreja cristã era, no sentido vivo do termo, povoada por uma multidão de seres tidos como perfeitamente reais: profetas, apóstolos, anjos, santas personagens de toda espécie, que cercavam o Verbo encarnado, sua mãe e seu esposo, o Padre eterno, todos os mártires e doutores, tais como seu povo em alto-relevo se apressa no pórtico ou enche a nave das catedrais. Entre todos eles, o Sr. de Charlus escolhera como patronos intercessores os arcanjos Miguel, Rafael e Gabriel, com os quais tinha freqüentes conversações, a

[57] Expressões latinas, respectivamente: "Nem sempre nos combates" e "Não [foi adquirido] sem trabalho". (N. do T.)

fim de que eles comunicassem suas preces ao Padre eterno, diante de cujo trono estão postados. Assim, o engano da Sra. Cottard muito me divertia.

Para abandonarmos o terreno religioso, digamos que o doutor, que chegara a Paris com a magra bagagem de conselhos de uma mãe camponesa, e depois, absorvido pelos estudos quase puramente materiais, aos quais aqueles que desejam subir bastante na carreira médica são obrigados a se consagrar durante muitos anos, nunca se cultivara; adquirira mais autoridade, mas não experiência. Tomou ao pé da letra a palavra "honrado" e com isso ficou a um tempo satisfeito, pois era vaidoso, e aflito, pois era uma boa pessoa. — Esse pobre Charlus — disse ele de noite à mulher — deu-me pena quando disse que se sentia honrado em viajar conosco. Sente-se, pobre diabo, que ele não tem relações, que se humilha.

Mas dali a pouco, sem necessidade de serem guiados pela caridosa Sra. Cottard, os fiéis conseguiram dominar o constrangimento que todos haviam mais ou menos sentido a princípio por se acharem junto do Sr. de Charlus. Sem dúvida, na sua presença, conservavam sem cessar no espírito a lembrança das revelações de Ski e a idéia da estranheza sexual que estava inclusa em seu companheiro de viagem. Mas essa própria estranheza exercia sobre eles uma espécie de atração. Conferia, para eles, à conversa do barão, aliás notável mas em pontos que não podiam apreciar, um sabor que transformava a conversa mais interessante, até mesmo a de Brichot, em algo insosso. Por outro lado, desde o princípio, todos se mostraram satisfeitos ao reconhecer que ele era inteligente. — O gênio pode ser vizinho da loucura — enunciou o doutor e, se a princesa, ávida por instruir-se, insistia, ele nada mais dizia, já que esse axioma era tudo o que sabia sobre o gênio e, além disso, não lhe parecia tão demonstrado como tudo o que se referisse à febre tifóide e ao artritismo. E como se tornara orgulhoso e permanecera mal-educado: — Nada de perguntas, princesa, não me interrogue, estou à beira-mar para um descanso. Aliás, a senhora não me compreenderia, pois não sabe medicina. — E a princesa se calava, desculpando-se, achando Cottard um homem encantador e compreendendo que as celebridades nem sempre são abordáveis. Nesse primeiro período, tinham portanto achado o Sr. de Charlus inteligente, apesar de seu vício (ou aquilo que geralmente se chama desse modo). Agora, sem perceberem, era devido a esse vício que o achavam mais inteligente que os outros. As máximas mais simples que, habilmente provocado pelo universitário ou o escultor, o Sr. de Charlus enunciava acerca do amor, do ciúme, da beleza, por causa da experiência singular, secreta, refinada e monstruosa em que as havia haurido, assumiram para os fiéis aquele encanto do exotismo que uma psicologia, análoga à que nos tem oferecido o tempo todo a nossa literatura dramática, adquire numa peça da Rússia ou do Japão representada por artistas desses países. Arriscavam ainda, quando ele não estava ouvindo, um gracejo de mau gosto: — Oh! — cochichava o escultor, ao ver um jovem empregado de longos cílios de bailarina indiana e que o Sr. de Charlus não pudera evitar de encarar. — Se o barão se põe a namorar o fiscal, não estaremos perto de chegar, pois o trem irá de marcha a ré. Olhem só a forma como ele o encara; já não é num trenzinho de ferro que estamos, é num funicular. — Mas, no fundo, se o Sr. de Charlus não comparecia, ficavam quase decepcionados de viajar apenas entre pessoas comuns, e de não terem junto deles aquele personagem pintalgado, pançudo, semelhante a alguma caixa de proveniência exótica e suspeita, que deixa escapar o curioso odor de frutas, às quais o simples pensamento de provar nos causaria náuseas. Desse ponto de vista, os fiéis do sexo masculino tinham satisfações mais vivas, no curto pedaço do trajeto que se fazia entre Saint-Martin-du-Chêne, onde embarcava o Sr. de Charlus, e Doncières, estação em que Morel se juntava a nós. Pois, enquanto o violinista não se achava presente (e se as senhoras e Albertine, formando grupo à parte para não incomodar a conversa, mantinham-se afastadas), o Sr. de Charlus, para não parecer que evitava certos assuntos, não se constrangia de falar daquilo "que se convencionou chamar os maus costumes". Albertine não podia constrangê-lo, pois estava sempre com as senhoras, por deferência de moça que não quer que sua presença restrinja a liberdade da conversa. Ora, eu suportava com facilidade o não tê-la a meu lado, com a condição, porém, de que permanecesse no mesmo vagão. Pois eu, que não mais sentia ciúme nem quase amor por ela, não pensava no que fazia Albertine nos dias em que não a via; em compensação, quando estava ali, um simples tabique que, a rigor, pudesse dissimular uma traição, era-me insuportável e, se ela ia com as senhoras para o compartimento vizinho, ao fim de um momento, sem poder ficar no mesmo lugar, arriscando-me a constranger o interlocutor, fosse Brichot, Cottard ou Charlus, e a quem não podia explicar o motivo de minha saída, eu me levantava, deixava-os ali e, para ver se não havia nada de anormal, passava para o outro lado. E até Doncières, o Sr. de Charlus, sem medo de escandalizar, falava às vezes muito cruamente dos costumes que ele declarava, por sua conta, não achar nem bons nem maus. Fazia-o por habilidade, para mostrar sua largueza de espírito, persuadido como estava de que os seus não despertavam nenhuma suspeita entre os fiéis. Acreditava que havia no universo algumas pessoas que, conforme uma expressão que mais tarde se lhe tornou familiar, "tinham opinião assente a seu respeito". Mas ele imaginava que essas pessoas não passavam de três ou quatro e que não havia nenhuma delas no litoral da Normandia. Essa ilusão pode espantar, provindo de alguém tão fino, tão inquieto. Mesmo quanto aos que supunha mais ou menos informados, gabava-se de que o fossem apenas de modo vago, e tinha a pretensão, segundo alguém lhe dissesse tal ou qual coisa, de pôr essa pessoa fora das suposições de um interlocutor que, por polidez, fingia aceitar suas palavras. Mesmo desconfiando do que eu podia saber ou supor a seu respeito, pensava que essa opinião, que julgava ser muito mais antiga de minha parte do que o era na realidade, fosse geral, e que lhe bastava negar este ou aquele detalhe para ser acreditado, quando pelo contrário, se o conhecimento do conjunto precede sempre o dos detalhes, facilita infinitamente a investigação destes e, tendo destruído o poder de invisibilidade, já não permite ao dissimulador ocultar o que lhe agrada. Na verdade, quando o Sr. de Charlus, convidado para jantar por um certo fiel ou um certo amigo dos fiéis, fazia os mais complicados rodeios para incluir o nome de Morel em meio aos nomes de dez pessoas que citava, não suspeitava que aos motivos sempre diversos que dava do prazer ou da comodidade que sentiria aquela noite em ser convidado juntamente com ele, seus anfitriões, aparentando acreditá-lo piamente, substituíam todos os motivos por um só, sempre o mesmo, e que o barão julgava ignorado por eles, ou seja, que ele o amava. Da mesma forma, a Sra. Verdurin, parecendo sempre admitir totalmente os motivos meio artísticos, meio humanitários, que o Sr. de Charlus lhe dava acerca do interesse que tinha por Morel, não cessava de agradecer ao barão, emocionada, a tocante generosidade, dizia, que ele mostrava pelo violinista. Ora, qual seria o espanto do Sr. de Charlus se, num dia em que ele e Morel estavam atrasados e não haviam chegado pelo trem, ouvisse a Patroa dizer: — Só estamos esperando essas senhoritas. — Tanto mais estupefato ficaria o barão, pois que, não saindo de La Raspelière, fazia ali o papel de capelão, de abade do repertório, e às vezes (quando Morel tinha quarenta e oito horas de licença), dormia lá dois dias seguidos. A Sra. Verdurin lhes dava então dois quartos com comunicação interna e, para deixá-los à vontade, dizia: — Se desejarem tocar música, não se acanhem; as paredes são como as de uma fortaleza, não há ninguém no andar dos senhores, e meu marido tem sono de pedra. — Nesses dias, o Sr. de Charlus substituía a princesa, indo pegar os novatos na estação; desculpava a Sra. Verdurin de não ter vindo por causa de um estado de saúde, que ele descrevia tão bem que os convidados entravam com uma cara de circunstância e soltavam uma exclamação de espanto ao encontrar a Patroa de pé e bem disposta, num vestido semidecotado.

Pois o Sr. de Charlus, para a Sra. Verdurin, tornara-se momentaneamente o fiel dos fiéis, uma segunda princesa Sherbatoff. De sua posição mundana ela estava bem menos segura do que da posição da princesa, imaginando que, se esta só desejava freqüentar o pequeno núcleo, era por desprezo aos outros, e predileção por ele. Como semelhante ficção era própria dos Verdurin, que consideravam aborrecidos aqueles a quem não podiam freqüentar, era incrível que a Patroa pudesse julgar a princesa uma alma de aço que detestava a vida chique. Mas não desistia e estava certa de que era com sinceridade e pelo gosto das coisas intelectuais que a grande dama também não freqüentava os aborrecidos. Aliás, para os Verdurin, o número destes diminuía. A vida dos banhos de mar tirava a uma apresentação as conseqüências para o futuro que se poderia recear em Paris. Homens brilhantes que tinham ido sem a mulher a Balbec, o que facilitava tudo, davam os primeiros passos na Raspelière e, de aborrecidos, tornavam-se requintados. Foi o caso do príncipe de Guermantes, a que todavia a ausência da princesa não teria decidido a ir "como solteiro" à casa dos Verdurin, se o ímã do dreyfusismo não fosse tão poderoso que o fizesse galgar de um só impulso as encostas que levam a Raspelière, infelizmente num dia em que a Patroa havia saído. A Sra. Verdurin não estava bem certa de que ele e o Sr. de Charlus pertencessem à mesma sociedade. O barão afirmara que o duque de Guermantes era seu irmão, mas aquilo talvez fosse mentira de um aventureiro. Por mais elegante que ele se mostrasse, por mais amável, por mais "fiel" quanto aos Verdurin, a Patroa hesitava quase em convidá-lo com o príncipe de Guermantes. Consultou Ski e Brichot: — O barão e o príncipe de Guermantes; será que funciona? — Meu Deus, senhora, quanto a um dos dois creio que posso dizer... — Mas, um dos dois, de que pode me adiantar? — replicara a Sra. Verdurin, irritada. — Eu lhes pergunto se dará certo os dois juntos? — Ah, senhora, eis uma coisa que é bem difícil de saber. — A Sra. Verdurin não punha qualquer malícia naquilo. Estava certa dos costumes do barão, mas, quando se expressava desse modo, não pensava neles, mas simplesmente em saber se poderiam convidar juntos o príncipe e o Sr. de Charlus, se aquilo combinava. Não punha nenhuma intenção malévola no emprego dessas frases feitas e que os "pequenos clãs" artísticos favorecem. Para pavonear-se com o Sr. de Guermantes, desejava levá-lo, na tarde que se seguiria ao almoço, a uma festa de caridade na qual marinheiros da costa representariam uma aparelhagem. Mas, não tendo tempo de se ocupar de tudo, delegou suas funções ao fiel dos fiéis, ao barão. — O senhor compreende, não é necessário que eles fiquem imóveis feito mexilhões, é preciso que não deixem de ir e vir, para que se veja a confusão, não sei o nome disso tudo. Mas o senhor, que vai muitas vezes ao porto de Balbec-Plage, poderia muito bem mandar fazer um ensaio sem se cansar. O senhor deve ser muito mais entendido do que eu,

Sr. de Charlus, em fazer funcionar os marujinhos. Mas, afinal, estamos tendo muito trabalho com o Sr. de Guermantes. Talvez seja um imbecil do Jockey. Oh, meu Deus, falei mal do Jockey e parece-me que me lembro que o senhor é sócio. Ei, barão, não me responde, será que é mesmo sócio? Não quer sair conosco? Veja, aqui está um livro que recebi, acho que pode lhe interessar. É de Roujon. O título é bonito: *Entre os homens*.

De minha parte, estava muito satisfeito de que o Sr. de Charlus substituísse tantas vezes a princesa Sherbatoff, pois não me achava de bem com esta, por um motivo a um tempo insignificante e profundo. Um dia em que estava no trenzinho, como de costume cumulando de amabilidades a princesa Sherbatoff, vi embarcar a Sra. de Villeparisis. Com efeito, esta viera passar algumas semanas na casa da princesa de Luxemburgo, mas, preso à necessidade cotidiana de ver Albertine, eu jamais respondera aos múltiplos convites da marquesa e de sua régia anfitriã. Senti remorsos ao ver a amiga de minha avó e, por puro dever (sem deixar a princesa Sherbatoff), conversei com ela durante muito tempo. De resto, ignorava absolutamente que a Sra. de Villeparisis sabia perfeitamente quem era a minha vizinha, mas que não desejava conhecê-la. Na estação seguinte, a Sra. de Villeparisis deixou o vagão, e eu até me censurei por tê-la ajudado a descer; fui sentar-me ao lado da princesa. Porém dir-se-ia — cataclisma freqüente nas pessoas cuja posição é pouco sólida e que temem que a gente haja ouvido falar mal delas e as despreze — que ocorrera uma mudança. Mergulhada na sua *Revue des Deux Mondes*, a Sra. Sherbatoff mal respondeu com o canto da boca às minhas perguntas e acabou por me dizer que eu lhe causava uma enxaqueca. Eu nada entendia do meu crime. Quando disse adeus à princesa, o sorriso habitual não iluminou o seu rosto, uma seca saudação abaixou o seu queixo, ela nem sequer me estendeu a mão e desde aí nunca mais voltou a falar-me. Mas deve ter falado aos Verdurin — e não sei para dizer o quê —, pois sempre que eu perguntava a eles se não deveria fazer uma gentileza à princesa Sherbatoff, eles em coro se precipitavam: — Não! Não! Não! Sobretudo isso! Ela não gosta de amabilidades! — Não o faziam para me ver rompido com ela, mas a princesa conseguira que acreditassem ser insensível às amabilidades, uma alma inacessível às vaidades deste mundo. É preciso ter visto o político que passa por ser o mais íntegro, o mais intransigente, o mais inabordável desde que está no poder; é preciso tê-lo visto no tempo de sua desgraça, mendigar timidamente, com um sorriso radiante de apaixonado, o cumprimento altivo de um jornalista qualquer; é preciso ter visto o aprumo de Cottard (que seus novos clientes tomavam por uma barra de ferro), e saber de que despeitos amorosos, de que fracassos de esnobismo eram feitos a aparente altivez, o antiesnobismo universalmente admitido da princesa Sherbatoff, para compreender que na humanidade a regra — que comporta exceções, é claro — que os duros são frágeis repelidos, e que os fortes, sem se preocuparem se são queridos ou não, são os únicos que possuem essa doçura que o vulgo toma por fraqueza.

Ademais, não devo julgar severamente a princesa Sherbatoff. Seu caso é tão freqüente! Um dia, no enterro de um Guermantes, um homem notável a meu lado me mostrou um senhor esbelto e dotado de um rosto bonito. — De todos os Guermantes — disse o meu vizinho —, este é o mais extraordinário, o mais singular. É o irmão do duque. — Respondi-lhe imprudentemente que se equivocava, que aquele senhor, sem qualquer parentesco com os Guermantes, se chamava Fournier-Sarlovèze. — O homem notável voltou-me as costas e daí em diante nunca mais me cumprimentou.

Um grande músico, membro do Instituto, alto dignitário oficial e que conhecia Ski, passou por Arembouville, onde tinha uma sobrinha, e compareceu a uma quarta-feira na casa dos Verdurin. O Sr. de Charlus mostrou-se particularmente amável com ele (a pedido de Morel) e sobretudo para que, quando de regresso a Paris, o acadêmico lhe permitisse assistir a diversas sessões privadas, ensaios, etc., em que tocava o violinista. O acadêmico, lisonjeado e aliás pessoa encantadora, prometeu e cumpriu a promessa. O barão ficou muito comovido com todas as gentilezas que esse personagem (que aliás, de sua parte, amava profunda e exclusivamente as mulheres) teve para com ele, com todas as facilidades que lhe proporcionou para ver Morel em lugares oficiais, onde os profanos não entram, com todas as oportunidades oferecidas pelo célebre artista ao jovem virtuose para se apresentar, fazer-se conhecido, designando-o, de preferência a outros de igual talento, para audições que deviam ter uma repercussão especial. Mas o Sr. de Charlus não desconfiava que devia tanto maior reconhecimento ao mestre, visto que este, duplamente merecedor, ou, se preferem, duas vezes culpado, não ignorava coisa alguma acerca das relações entre o violinista e seu nobre protetor. Ele as favoreceu, certamente sem simpatia por elas, não podendo compreender outro amor que não o da mulher, que havia inspirado toda a sua música, mas por indiferença moral, complacência e servilismo profissionais, amabilidade mundana, esnobismo. Quanto às dúvidas sobre o caráter dessas relações, tinha-as tão poucas que, desde o primeiro jantar em La Raspelière, perguntara a Ski, falando do Sr. de Charlus e de Morel como se falasse de um homem e sua amante: — Faz muito tempo que estão juntos? — Porém, mundano demais para deixar transparecer fosse o que fosse aos interessados, pronto, se aparecessem falatórios entre os colegas de Morel, a reprimi-los e a tranqüilizar Morel, dizendo-lhe paternalmente: — Dizem isso de todo mundo, hoje em dia —, não deixou de cumular o barão de gentilezas que este achava encantadoras, embora naturais, incapaz de supor no ilustre mestre tanto vício ou tanta virtude. Pois as palavras que se diziam na ausência do Sr. de Charlus, as insinuações sobre Morel, ninguém era de alma tão baixa que fosse repeti-las. E no entanto, esta simples situação basta para mostrar que mesmo esta coisa universalmente desacreditada, que em parte alguma encontraria um defensor — o mexerico —, também ele, ou que tenha por objeto a nós mesmos e se nos torne desse modo particularmente desagradável, ou que nos informe sobre um terceiro algo que ignorávamos, tem seu valor psicológico. Ele impede o espírito de adormecer sobre a visão artificial do que julga serem as coisas e que não passa da aparência destas. Revira esta última com a destreza mágica de um filósofo idealista e rapidamente nos apresenta uma ponta insuspeitada do avesso do tecido. Poderia o Sr. de Charlus imaginar estas palavras ditas por certa amável parenta: — Como queres que Mémé esteja apaixonado por mim? Então esqueces que sou uma mulher?! — E, no entanto, ela nutria uma amizade verdadeira e profunda pelo barão. Como então espantar-se, no caso dos Verdurin, com cuja bondade e afeto ele não tinha direito nenhum de contar, de que as palavras que diziam longe dele (e não foram só palavras, conforme se verá) fossem tão diversas do que ele imaginava, ou seja, simples reflexo das que ouvia quando se achava presente? Somente estas ornavam de inscrições afetuosas o pequeno pavilhão ideal onde por vezes o Sr. de Charlus vinha sonhar sozinho, quando por um instante introduzia a sua imaginação na idéia que os Verdurin faziam dele. Ali a atmosfera é tão simpática, tão cordial, o repouso tão reconfortante, que, quando o Sr. de Charlus, antes de adormecer, vinha ali descansar um momento de suas preocupações, nunca saía sem um sorriso. Mas, para cada um de nós, esse gênero de pavilhão é dúplice: diante daquele que julgamos ser o único existe outro, normalmente invisível para nós, o verdadeiro, simétrico em relação ao que conhecemos, porém muito diferente e cuja ornamentação, em que não achamos nada do que esperávamos ver, nos assombraria como se fosse feita com os símbolos odiosos de uma hostilidade insuspeitada. Que pasmo para o Sr. de Charlus, se ele penetrasse num desses pavilhões adversos graças a um mexerico, como por uma dessas escadas de serviço onde, à porta dos apartamentos, são rabiscados a carvão grafitos obscenos por fornecedores descontentes ou criados despedidos! Mas, da mesma forma como somos privados desse senso de orientação de que são dotados certos pássaros, falta-nos o sentido da visibilidade, como o das distâncias, e julgamos estar próxima a atenção interessada de pessoas que, pelo contrário, jamais pensam em nós, e não suspeitamos que, durante esse tempo, somos para os outros a sua única preocupação. Assim, o Sr. de Charlus vivia iludido como o peixe que julga que a água em que nada se estende para além do vidro de seu aquário, que lhe apresenta o reflexo dessa água, ao passo que não vê a seu lado, na sombra, o passeante divertido que segue suas evoluções ou o piscicultor todo-poderoso que, no momento imprevisto e fatal, diverso desse momento em relação ao barão (para quem o piscicultor, em Paris, será a Sra. Verdurin), irá tirá-lo sem piedade do ambiente em que gostava de viver para arremessá-lo a outro. De resto, os povos, na qualidade de coleções de indivíduos, podem oferecer exemplos mais ampliados, porém idênticos em cada uma de suas partes, desta cegueira profunda, obstinada e desconcertante. Até aqui, se ela fora causa de que o Sr. de Charlus mantivesse, no pequeno clã, conversas de uma habilidade inútil ou de uma audácia que fazia sorrir às escondidas, ainda não tivera para ele, nem deveria tê-lo em Balbec, conseqüências graves. Um pouco de albumina, de açúcar, de arritmia cardíaca não impede que a vida continue de modo normal para aquele que nem sequer se apercebe disso, enquanto que só o médico vê no caso um presságio de catástrofes. No momento presente, o gosto — platônico ou não — do Sr. de Charlus por Morel somente impelia o barão a dizer de bom grado, na ausência de Morel, que o achava muito bonito, pensando que isso será ouvido com toda a inocência, e nisso agia como um homem fino que, chamado a depor diante do tribunal, não se acanhará de entrar em detalhes que aparentemente lhe são desvantajosos, mas que, por isso mesmo, têm maior naturalidade e menos vulgaridade do que os protestos convencionais de um réu de teatro. Com a mesma liberdade, sempre entre Doncières-Oeste e Saint-Martin-du-Chêne — ou vice-versa —, o Sr. de Charlus falava de bom grado acerca das pessoas que, segundo parece, têm costumes bem estranhos, e até mesmo acrescentava: — Afinal de contas, digo "estranhos" não sei por quê, pois isso nada possui de tão estranho —, para mostrar a si próprio como se sentia à vontade com seu público. E ele o era de fato, com a condição de que fosse ele a tomar a iniciativa das operações e soubesse que a galeria estava muda e risonha, desarmada pela credulidade ou pela boa educação.

Quando o Sr. de Charlus não falava de sua admiração pela beleza de Morel, como se não tivesse nenhuma relação com um gosto chamado vício, tratava desse vício, mas como se de modo algum fosse o seu. Por vezes até não hesitava em chamá-lo pelo seu nome. Como, depois de haver observado a bela encadernação de seu Balzac, eu lhe perguntasse o que preferia na *Comédia Humana*, respondeu-me, dirigindo seu pensamento para uma idéia fixa: — Tanto faz, as pequenas miniaturas, como *O Cura de Tours* e *A Mulher Abandonada*, ou os grandes afrescos, como a série das *Ilusões*

Perdidas. Como! Não conhece as *Ilusões Perdidas*? É tão belo! O momento em que Carlos Herrera indaga o nome do castelo pelo qual está passando a sua caleça: é Rastignac, a moradia do rapaz a quem ele amou outrora. E o abade nesse momento cai num devaneio que Swann denominava, o que era bem espirituoso, a "Tristeza de Olímpio" da pederastia.[58] E a morte de Lucien! Já não me lembro qual foi o homem de gosto que teve esta resposta, a quem lhe perguntava que acontecimento mais o afligira em toda a sua vida: "A morte de Lucien de Rubempré em *Esplendores e Misérias*". — Sei que Balzac vai passando muito bem este ano, como no ano passado o pessimismo — interrompeu Brichot. — Mas com o risco de entristecer as almas atacadas de deferência balzaquiana, sem pretender, Deus me livre!, o papel de guarda das letras e abrir processo contra erros de gramática, confesso que o copioso improvisador de quem o senhor parece sobrestimar singularmente as espantosas elucubrações, pareceu-me sempre um escriba insuficientemente meticuloso. Eu li estas *Ilusões Perdidas* de que nos fala, barão, torturando-me para atingir um fervor de iniciado, e confesso com toda a simplicidade de alma que esses romances-folhetins redigidos em *pathos*, em algaravia dupla ou tripla ("Esther feliz", "Aonde levam os maus caminhos", "Por quanto o amor fica aos velhos"), sempre me deram o efeito dos mistérios de *Rocambole*, promovido por inexplicável favor à condição precária de obra-prima. — O senhor diz isso porque não conhece a vida — retrucou o barão, duplamente irritado, pois sentia que Brichot não haveria de compreender suas razões de artista nem quaisquer outras. Entendo perfeitamente — respondeu Brichot — que, para falar como mestre Rabelais, o senhor quer dizer que sou mui sorbonagra, sorbonícola e sorboniforme.[59] Entretanto, assim como os camaradas, gosto que um livro dê impressão de sinceridade e de vida, não sou desses clérigos... — O quarto de hora de Rabelais — interrompeu Cottard,[60] com um ar não mais de dúvida, mas de espirituosa segurança — ... que fazem voto de literatura seguindo a regra da Abbaye-aux-Bois, na obediência do Sr. visconde de Chateaubriand, grande mestre do *chiqué*, segundo a regra estrita dos humanistas. O Sr. visconde de Chateaubriand... — Chateaubriand com batatas? — interrompeu o doutor Cottard. — É ele o patrono da confraria — continuou Brichot sem ligar para

[58] "Tristeza de Olímpio" é um célebre poema de Victor Hugo, em que o poeta revê com melancolia os locais onde principiou seu amor por Juliette Drouet. (N. do T.)

[59] Adjetivos usados por Rabelais para debicar dos universitários da Sorbonne. (N. do T.)

[60] Quanto à expressão "o quarto de hora de Rabelais", veja-se *No Caminho de Swann*, p. 166, nota 3. (N. do T.)

o gracejo do doutor, o qual em compensação, alarmado pela frase do universitário, olhou inquieto para o Sr. de Charlus. Era uma falta de tato de Brichot, segundo Cottard, cujo trocadilho fizera aflorar um fino sorriso aos lábios da princesa Sherbatoff. — Com o professor, a ironia mordaz do perfeito cético jamais perde os seus direitos — disse ela por amabilidade e para mostrar que a "palavra" do médico não lhe passara despercebida. — O sábio é forçosamente cético — respondeu o doutor. — Que sei eu? "γνῶθ σεαυτὸν."[61], dizia Sócrates. É muito justo, o excesso é um defeito em tudo. Mas fico embasbacado quando penso que bastou isso para fazer durar o nome de Sócrates até nossos dias. O que existe nessa filosofia? Pouca coisa, em suma. Quando se pensa que Charcot e outros realizaram trabalhos mil vezes mais notáveis, e que pelo menos se apóiam em alguma coisa, a respeito da supressão do reflexo pupilar como síndrome da paralisia geral, e que estão quase esquecidos! Em suma, Sócrates não é extraordinário. Trata-se de pessoas que não tinham nada para fazer, que passavam o dia inteiro a passear, a discutir. É como Jesus Cristo: Amai-vos uns aos outros... Muito bonito! — Meu amigo... — implorou a Sra. Cottard. — Naturalmente a minha mulher protesta, todas elas são umas neuróticas. — Mas, meu doutorzinho, eu não sou neurótica — murmurou a Sra. Cottard. — Como? Ela não é neurótica? Quando seu filho está doente, ela apresenta fenômenos de insônia. Mas, afinal, reconheço que Sócrates e o resto são necessários para uma cultura superior, para se obter talentos de exposição. Costumo citar sempre o γνῶθ σεαυτὸν a meus alunos no primeiro ano. O padre Bouchard, que soube disso, felicitou-me. — Não sou dos cultores da forma pela forma e também não entesouraria como poesia a rima milionária — retorquiu Brichot. — Mas ainda assim *A Comédia Humana* (bem pouco humana) é por demais o oposto dessas obras em que a arte excede o fundo, como diz a besta do Ovídio. E é permitido preferir uma trilha a meia encosta, que leve ao curato de Meudon ou à ermida de Ferney, a igual distância da Vallée-aux-Loups, onde René cumpria magnificamente os deveres de um pontificado sem mansuetude, e Jardies, onde Honoré de Balzac, atormentado pelos esbirros, não parava de cacografar para uma polonesa, como apóstolo zeloso da algaraviada. — Chateaubriand está muito mais vivo do que o senhor diz, e Balzac mesmo assim é um grande escritor — respondeu o Sr. de Charlus, ainda por demais impregnado do gosto de Swann para não se sentir irritado com Brichot — e Balzac conheceu até mesmo essas paixões que todo mundo ignora ou só estuda para as difamar. Sem voltar a

[61] "Conhece-te a ti mesmo." Divisa adotada por Sócrates. (N. do T.)

falar das imortais *Ilusões Perdidas*, *Sarrazine*, *A Menina dos Olhos de Ouro*, *Uma Paixão no Deserto*, até a bastante enigmática *A Falsa Amante* salta em meu apoio. Quando eu falava a Swann sobre esse aspecto "fora da natureza" de Balzac, ele me dizia: — O senhor é da mesma opinião de Taine. Eu não tive a honra de conhecer o Sr. Taine — acrescentou o Sr. de Charlus (com esse hábito irritante do "senhor" inútil que têm as pessoas da sociedade, como se julgassem que, tachando de senhor a um grande escritor, lhe conferiam uma honra, talvez guardassem as distâncias e davam a entender que o não conheciam) — eu não conhecia o Sr. Taine, mas me sentia muito honrado de ser da mesma opinião que ele. — Aliás, malgrado esses ridículos hábitos mundanos, o Sr. de Charlus era muito inteligente, e é provável que, se algum casamento antigo tivesse estabelecido laços entre a sua família e a de Balzac, ele teria sentido (de resto, não menos que Balzac) uma satisfação de que, no entanto, não poderia deixar de vangloriar-se como de um sinal de admirável condescendência.

Às vezes, na estação seguinte a Saint-Martin-du-Chêne, rapazes embarcavam no trem. O Sr. de Charlus não podia deixar de olhá-los, mas como abreviava e disfarçava a atenção que lhes prestava, esta parecia ocultar um segredo, mais especial até que o verdadeiro; dir-se-ia que o barão os conhecia; deixava-o transparecer contra a sua vontade, depois de ter aceito o seu sacrifício, antes de virar-se para nós, como esses meninos que, devido a uma briga dos pais, foram proibidos de cumprimentar seus camaradas, mas que, ao se encontrarem, não podem deixar de erguer a cabeça antes de recair sob a férula do preceptor.

À expressão grega de que o Sr. de Charlus, falando de Balzac, fizera seguir a alusão à "Tristeza de Olímpio" em *Esplendores e Misérias*, Ski, Brichot e Cottard se entreolharam com um sorriso, talvez menos irônico de que impregnado da satisfação que sentiriam os convivas que tivessem conseguido que Dreyfus falasse sobre o seu próprio caso, ou a imperatriz do seu reinado. Contavam levá-lo um pouco mais adiante no assunto, mas já estávamos em Doncières, onde Morel se reuniria a nós. Diante dele, o Sr. de Charlus vigiava cuidadosamente a sua conversa, e, quando Ski desejou fazê-lo voltar ao amor de Carlos Herrera por Lucien de Rubempré, o barão mostrou-se contrariado, misterioso, e por fim (vendo que não o escutavam), assumiu o ar severo e justiceiro de um pai que ouvisse dizer indecências diante da filha. Tendo Ski teimado um pouco para que ele continuasse, o Sr. de Charlus, de olhos fora das órbitas, erguendo a voz, disse em tom significativo e apontando para Albertine, que todavia não podia escutar-nos, ocupada em conversar com a Sra. Cottard e a princesa Sherbatoff, e no tom ambíguo de alguém que pretende dar uma lição a pessoas mal-educadas:

— Creio que não faltará ocasião de falar dessas coisas que podem interessar a essa moça. — Mas eu compreendi perfeitamente que, para ele, a "moça" não era Albertine e sim Morel; mais tarde, aliás, comprovou ele a justeza da minha interpretação, com as frases de que se serviu ao pedir que não mais se conversasse sobre tais assuntos na presença de Morel. — O senhor sabe — disse-me ele, falando do violinista — que ele absolutamente não é o que poderiam acreditar; é um menino muito honrado, que sempre teve muito juízo, um menino muito sério. — E sentia-se por essas palavras que o Sr. de Charlus considerava a inversão sexual como um perigo tão ameaçador para os jovens como a prostituição para as mulheres, e que se ele se servia do epíteto de "sério" para Morel, era no mesmo sentido que tem quando aplicado a uma operariazinha. Então Brichot, para mudar de conversa, perguntou se eu pretendia ficar ainda muito tempo em Incarville. Por mais que eu lhe tivesse observado várias vezes que não morava em Incarville, mas em Balbec, ele recaía sempre no mesmo erro, pois era sob o nome de Incarville, ou Balbec-Incarville, que designava aquela parte do litoral. Assim, há pessoas que falam da mesma coisa que nós, chamando-as por nomes um pouco diferentes. Certa dama do *faubourg* Saint-Germain me perguntava sempre, quando queria falar da duquesa de Guermantes, se fazia muito tempo que eu não via Zénaïde, ou Oriane-Zénaïde, e o resultado é que eu não compreendia no primeiro instante. Provavelmente, houvera um tempo em que, chamando-se Oriane uma parenta da Sra. de Guermantes, chamavam a esta de Oriane-Zénaïde para evitar confusões. Talvez também houvesse no começo apenas uma estação em Incarville, e de onde se ia de carro até Balbec. — De que estavam falando, então? — indagou Albertine, espantada com o tom solene de pai de família que o Sr. de Charlus acabara de assumir. — De Balzac — apressou-se a responder o barão — e você hoje está precisamente com a toalete da princesa de Cadignan, não a primeira, a do jantar, mas a segunda. — Esta circunstância decorria de que, para escolher as toaletes de Albertine, eu me inspirava no gosto que ela havia formado graças a Elstir, o qual muito apreciava uma sobriedade que poderia chamar-se britânica, não fosse temperada de uma certa doçura, certa languidez francesa. Na maioria das vezes, seus vestidos prediletos ofereciam aos olhos uma harmoniosa combinação de tons cinzentos, como a de Diane de Cadignan. Não havia ninguém como o Sr. de Charlus para saber apreciar em seu justo valor as toaletes de Albertine; logo em seguida, seus olhos descobriam o que lhes formava a raridade, o valor; jamais teria dito o nome de um tecido em vez de outro, e reconhecia os costureiros. Só que apreciava — para as mulheres — um pouco mais de brilho e de cor do que o tolerado por Elstir. Assim, naquela noite, lançou-me ela um olhar meio risonho, meio inquieto, franzindo seu narizinho róseo de gata. Com efeito, cruzada sobre sua saia de crepe da China cinzenta, sua jaqueta de cheviote cor-de-cinza fazia crer que Albertine estivesse toda de gris. Mas, fazendo-me sinal para que a ajudasse, pois suas mangas bufantes precisavam ser abaixadas ou erguidas para tirar ou botar sua jaqueta, Albertine despiu esta e, como essas mangas eram escocesas de um tom muito suave, róseo, azul pálido, esverdeado, furta-cor, foi como se num céu cinzento se formasse um arco-íris. E ela se perguntava se aquilo iria agradar ao Sr. de Charlus. — Ah! — exclamou este, encantado — eis um raio de luz, um prisma de cores. Apresento-lhe os meus cumprimentos. Mas este Senhor aqui é que possui todos os méritos — respondeu gentilmente Albertine, designando-me, pois gostava de mostrar o que lhe provinha de minha parte. — Só as mulheres que não sabem se vestir é que receiam a cor — continuou o Sr. de Charlus. — Pode-se ser deslumbrante sem vulgaridade, e suave sem ser insosso. Além disso, você não tem os mesmos motivos que a Sra. de Cadignan para querer parecer desligada da vida, pois era a idéia que ela desejava incutir em d'Arthez com essa toalete gris. — Albertine, a quem interessava essa muda linguagem dos vestidos, fez perguntas ao Sr. de Charlus acerca da *Princesa de Cadignan*. — Oh, é uma novela refinada — disse o barão num tom sonhador. — Conheço o jardinzinho em que Diane de Cadignan passeava com a Sra. d'Espard. É o jardim de uma de minhas primas. — Todas essas questões do jardim de sua prima — murmurou Brichot a Cottard — podem, assim como a sua genealogia, ter importância para este excelente barão. Mas que interesse tem isso para nós, que não temos o privilégio de passear nele, nem conhecemos essa dama e não possuímos títulos de nobreza? — Pois Brichot não imaginava que fosse possível alguém interessar-se por um vestido ou um jardim como por uma obra de arte, e que era como em Balzac que o Sr. de Charlus revia as pequenas alamedas da Sra. de Cadignan. O barão continuou: — Mas o senhor a conhece — disse-me ele, falando daquela prima e para me lisonjear, dirigindo-se a mim como a alguém que, exilado no pequeno clã, se não era propriamente de seu mundo para o Sr. de Charlus, ao menos o freqüentava. — Em todo caso, deve tê-la visto na casa da Sra. de Villeparisis. — A marquesa de Villeparisis, a quem pertence o castelo de Baucreux? — perguntou Brichot com ar submisso. — Sim, conhece-a? — indagou secamente o barão. — De forma alguma — respondeu Brichot —, mas nosso colega Norpois passa, todos os anos, uma parte de suas férias em Baucreux. Já tive ocasião de lhe escrever para lá. — Disse eu a Morel, pensando interessar-lhe, que o Sr. de Norpois era amigo de meu pai. Mas nenhum movimento de seu rosto mostrou que ele tivesse ouvido, de tal modo considerava meus pais como gente sem importância, e que não estavam muito longe do que havia sido o meu tio-avô, em cuja casa o pai dele fora criado de quarto e que, aliás, contrariamente ao restante da família, como gostava de "fazer encrencas", deixara em seus criados uma recordação fascinante. — Parece que a Sra. de Villeparisis é uma mulher superior; porém, nunca me foi dado julgá-lo por mim mesmo, assim como o resto dos meus colegas. Pois Norpois, que aliás é cheio de cortesia e afabilidade no Instituto, não apresentou nenhum de nós à marquesa. Não sei de ninguém recebido por ela, a não ser o nosso amigo Thureau-Dangin, que tinha com ela antigas relações de família, e também Gaston Boissier, a quem ela desejou conhecer devido a um estudo que a interessava muito especialmente. Jantou lá uma vez e voltou fascinado. E o fato é que a Sra. Boissier não foi convidada. — A esses nomes, Morel sorriu enternecido: — Ah, Thureau-Dangin — disse-me ele, tão interessado agora como fora indiferente ao ouvir falar do marquês de Norpois e de meu pai. — Thureau-Dangin e seu tio formavam um bom par de amigos. Quando uma dama queria um bom lugar para uma recepção da Academia, o seu tio dizia: "Escreverei a Thureau-Dangin." E naturalmente o lugar era logo enviado, pois bem compreende que ele não se animaria a negar coisa alguma a seu tio, que se desforraria de volta. Diverte-me igualmente ouvir o nome de Boissier, pois era lá que seu tio-avô mandava comprar todos os presentes para as senhoras no Ano-Novo. Sei disso, pois conheço a pessoa encarregada de fazê-lo. — Fazia mais que conhecê-la, era o pai dele. Algumas das lembranças afetuosas de Morel à memória de meu tio ligavam-se ao fato de que não tencionávamos permanecer sempre no palacete de Guermantes, aonde só fôramos morar por causa da minha avó. Às vezes, falava-se de uma possível mudança. Ora, para compreender os conselhos que a tal respeito me dava Charles Morel, é preciso saber que antigamente meu tio-avô morava no bulevar Malesherbes *40-bis*. Como nós íamos muito à casa de meu tio Adolphe, até o dia fatal em que fiz meus pais brigarem com ele ao contar a história da dama cor-de-rosa, resultou daí que, na família, em vez de se dizer "casa do seu tio", dizia-se "no *40-bis*". Primas de minha mãe diziam com o ar mais natural do mundo: — Ah! Domingo não podemos visitar vocês, pois vão jantar no *40-bis*. — Se eu ia visitar uma parenta, recomendavam-me que passasse primeiro no *40-bis*, para que meu tio não se melindrasse por não ter começado por ele. Ele era proprietário da casa e, para falar a verdade, mostrava-se muito difícil na escolha dos locatários, que eram todos seus amigos, ou ficariam sendo. O coronel barão de Vatry vinha todos os dias fumar um charuto com ele a fim de mais facilmente obter os consertos. A porta da rua estava sempre fechada. Se, numa janela, meu tio avistava uma roupa, um tapete, enfurecia-se e mandava retirá-los mais rapidamente do que hoje o faz a polícia. Mas afinal, nem por isso deixava de alugar uma parte da casa, reservando para seu uso apenas dois andares e as cavalariças. Apesar disso, sabendo que lhe agradava elogiassem a boa manutenção da casa, louvavam o conforto do "palacete" como se meu tio fosse o seu único ocupante, e ele deixava que o dissessem, sem opor o desmentido formal que seria de esperar. Seguramente o "palacete" era confortável (pois meu tio introduzia nele todas as invenções da época). Porém nada possuía de extraordinário. Só meu tio, embora dizendo com falsa modéstia "meu casebre", estava persuadido, ou pelo menos inculcara a seu criado de quarto, à mulher deste, ao cocheiro, à cozinheira a idéia de que não existia nada em Paris que se comparasse ao pequeno palacete em conforto, luxo e satisfação. Charles Morel crescera dentro dessa fé. E nela permanecera. Assim, mesmo nos dias em que não conversava comigo, se, no trem, eu falasse a alguma pessoa sobre a possibilidade de uma mudança, logo ele me sorria e, piscando o olho com ar de entendido, dizia: — Ah, o que o senhor precisaria era de alguma coisa do tipo do *40-bis*! Aí é que haveria de sentir-se a gosto! Pode-se dizer que seu tio entendia dessas coisas. Estou certo de que em Paris inteira não existe nada que valha o *40-bis*.

Ao ar melancólico que o Sr. de Charlus assumira ao falar da princesa de Cadignan, bem senti que essa novela não o fazia pensar apenas no jardinzinho de uma prima muito indiferente. Caiu num profundo devaneio e, como que falando para si mesmo, exclamou: — *Os Segredos da Princesa de Cadignan*! Que obra-prima! Como é profunda, como é dolorosa essa má reputação de Diane, que tanto receia que o homem a quem ama o venha a saber! Que verdade eterna, e mais geral do que aparenta! Como vai longe isso! — O Sr. de Charlus pronunciou essas palavras com uma tristeza que, no entanto, a gente sentia que ele não achava sem atrativos. Provavelmente o Sr. de Charlus, não sabendo ao certo em que medida os seus costumes eram ou não conhecidos, estremecia desde algum tempo à idéia de que voltaria a Paris e que o encontrariam com Morel, a família deste acabasse por intervir e que, assim, a sua felicidade ficasse comprometida. Tal eventualidade provavelmente só lhe aparecera até então como algo de profundamente penoso e desagradável. Mas o barão era muito artista. E agora que, desde um momento, confundia sua situação com a descrita por Balzac, refugiava-se de algum modo na novela, e, ao infortúnio que talvez o ameaçasse e, de qualquer forma, não deixava de assustá-lo, ele tinha esse consolo de encontrar na própria ansiedade aquilo que Swann e o próprio Saint-Loup teriam denominado algo de "muito balzaquiano". Essa identificação com a princesa de Cadignan tornara-se fácil ao Sr. de Charlus graças à transposição mental que se lhe tornara um hábito e da qual já dera vários exemplos. Aliás, era o bastante para que a simples substituição da mulher, como objeto amado, por um rapaz desencadeasse imediatamente, em torno deste, todo o processo de complicações sociais que se desenvolvem ao redor de uma ligação comum. Quando, por um motivo qualquer, introduz-se de uma vez por todas uma mudança no calendário ou nos horários, se se faz principiar o ano algumas semanas mais tarde ou soar a meia-noite quinze minutos mais cedo, como os dias, mesmo assim, terão vinte e quatro horas e os meses trinta dias, tudo o que decorre da medida do tempo permanecerá idêntico. Tudo pode ter sido alterado sem causar nenhum transtorno, pois as relações entre os números são sempre as mesmas. Assim ocorre com os que seguem "a hora da Europa central" ou os calendários orientais. Parece até que o amor-próprio que se tem em sustentar uma atriz desempenhava um papel nesta ligação. Quando, desde o primeiro dia, o Sr. de Charlus tomara informações sobre Morel, certamente ficara sabendo que era de origem humilde; mas uma *demi-mondaine* a quem amamos, nada perde de seu prestígio para nós por ser filha de gente pobre. Em compensação, os músicos conhecidos a quem ele mandara escrever — nem mesmo por interesse, como os amigos que, apresentando Swann a Odette, haviam-na descrito como mais difícil e mais requestada do que o era — por simples banalidade de homens em evidência que exaltam um estreante, haviam respondido ao barão: — Ah, grande talento, boa situação, naturalmente considerando que é um jovem, muito apreciado pelos conhecedores, irá longe. — E, com a mania dos que ignoram a inversão, falando da beleza masculina: — E depois, dá gosto vê-lo tocar; faz melhor figura que ninguém num concerto; tem lindos cabelos, uma postura distinta; a cabeça é atraente e ele parece um violinista de retrato. — Assim o Sr. de Charlus, aliás sobre-excitado por Morel, que não o deixava ignorar de quantas propostas era objeto, sentia-se lisonjeado em trazê-lo consigo, de construir-lhe um pombal a que ele voltasse várias vezes. Pois desejava estar livre o restante do tempo, o que se fazia necessário para a sua carreira, que o Sr. de Charlus queria que Morel continuasse, por mais dinheiro que tivesse de lhe dar, fosse por causa daquela idéia muito Guermantes de que é necessário que um homem faça alguma coisa, de que as pessoas só valem pelo seu talento, e que a nobreza ou o dinheiro são somente o zero que multiplica um valor, fosse por ter medo de que, ocioso e sempre a seu lado, o violinista acabasse se aborrecendo. Enfim, não queria privar-se do prazer que sentia consigo próprio, de dizer por ocasião de certos concertos de gala: "Este a quem aclamam no momento estará comigo esta noite." As pessoas elegantes, quando estão enamoradas, e de qualquer maneira que o estejam, põem sua vaidade naquilo que pode destruir as vantagens anteriores em que sua vaidade encontrou satisfação.

Morel, sentindo que eu não tinha maldade com ele, sinceramente ligado ao Sr. de Charlus e, por outro lado, de uma indiferença física absoluta em relação a ambos, acabou por manifestar a meu respeito os mesmos sentimentos de calorosa simpatia de uma cocote que sabe que não a desejamos e que seu amante tem em nós um amigo sincero que não tentará fazê-lo romper com ela. Não só me falava exatamente como outrora Rachel, a amante de Saint-Loup, mas também, conforme o que me repetia o Sr. de Charlus, dizia de mim, na minha ausência, as mesmas coisas que Rachel falava sobre mim a Robert. Por fim, o Sr. de Charlus me dizia: — Ele gosta muito do senhor — como Robert: — Ela gosta muito de ti. — E, como o sobrinho em nome da amante, era em nome de Morel que o tio me pedia muitas vezes que fosse jantar com eles. Além disso, não havia menos tempestades entre eles do que entre Robert e Rachel. Certo, quando Charlie (Morel) ia embora, o Sr. de Charlus não lhe poupava elogios, repetindo desvanecido que o violinista era muito bom para ele. Mas era visível, no entanto, que freqüentemente Charlie, mesmo diante de todos os fiéis, tinha um ar irritado em vez de parecer sempre feliz e submisso como o teria desejado o barão. Essa irritação chegou até, mais tarde, devido à fraqueza que fazia o Sr. de Charlus perdoar as atitudes inconvenientes de Morel, ao ponto de o violinista não mais ocultá-la, ou ainda a afetava. Vi o Sr. de Charlus entrando num vagão onde se achava Morel com alguns de seus amigos militares e ser recebido com um dar de ombros do músico, acompanhado com um piscar de olhos a seus amigos. Ou então fingia estar dormindo, como alguém a quem semelhante chegada é o cúmulo do aborrecimento. Ou punha-se a tossir; os outros riam, simulando, para divertir-se, o falar amaneirado de homens como o Sr. de Charlus; atraíam Charlie para um canto e este acabava por voltar, como que forçado, para junto do Sr. de Charlus, cujo coração era transpassado por todos esses maus-tratos. É inconcebível que os tenha suportado; e essas formas cada vez diferentes de sofrimento colocavam de novo para o Sr. de Charlus o problema da felicidade, forçavam-no não apenas a pedir mais, como também a desejar outra coisa, já que a combinação precedente se achava viciada por uma lembrança horrível. E no entanto, por mais penosas que fossem logo tais cenas, convém reconhecer que, nos primeiros tempos, se manifestava em Morel o gênio do homem do povo da França, emprestando-lhe formas encantadoras de simplicidade, de aparente franqueza, e até de uma altivez independente que parecia inspirada pelo desinteresse. Isso era falso, mas a vantagem da atitude estava bem mais a favor de Morel, considerando-se que, enquanto aquele que ama está sempre forçado a voltar à carga, a insistir, pelo contrário, é fácil ao que não ama seguir uma linha reta, inflexível e graciosa. Ela existia, por privilégio da raça, no rosto tão aberto desse Morel de coração tão fechado, nesse rosto adornado com a graça neo-helênica que floresce nas basílicas da Champagne. Apesar de sua altivez artificial, seguidamente, avistando o Sr. de Charlus no momento em que não o esperava, ficava constrangido diante do pequeno clã, enrubescia, baixava os olhos, para deslumbramento do barão que via naquilo todo um romance. Era simplesmente um sinal de irritação e de vergonha. A primeira por vezes se expressava; pois, por mais calma e energicamente decente que fosse a atitude de Morel, ele não passava sem desmentir-se com freqüência. Às vezes até, a alguma palavra que o barão lhe dissesse, estourava da parte de Morel uma réplica insolente, em tom duro, e com o qual todos ficavam chocados. O Sr. de Charlus baixava a cabeça com ar triste, nada respondia e, com a faculdade que têm os pais idólatras de achar que ninguém repara na frieza e dureza dos filhos, nem por isso deixava de entoar louvores ao violinista. Aliás, o Sr. de Charlus não era sempre tão submisso, mas suas rebeliões em geral não alcançavam seu objetivo, principalmente porque, tendo convivido com pessoas da alta sociedade, levava em conta, no cálculo das reações que podia despertar, a baixeza, se não original pelo menos adquirida pela educação. Ora, em vez disso, encontrava em Morel alguma veleidade plebéia de indiferença momentânea. Infelizmente para o Sr. de Charlus, ele não compreendia que, para Morel, tudo cedia diante das questões em que o Conservatório e a boa reputação no Conservatório (porém isto, que devia ser mais grave, não se colocava de momento) entravam em jogo. Assim, por exemplo, os burgueses mudam facilmente de nome por vaidade, os grão-senhores por vantagem. Para o jovem violinista, ao contrário, o nome de Morel estava indissoluvelmente ligado a seu 1º prêmio de violino; logo, era impossível modificá-lo. O Sr. de Charlus gostaria que Morel tivesse tudo dele, mesmo o seu nome. Considerando que o prenome de Morel era Charles, que se assemelhava a Charlus, e que a propriedade em que eles se encontravam tinha o nome de Charmes, quis convencer Morel de que um belo nome, agradável de dizer, era a metade de uma reputação artística, e que o virtuose devia sem hesitar tomar o nome de "Charmel", discreta alusão ao local de seus encontros. Deu de ombros Morel e, como último argumento, o Sr. de Charlus teve a infeliz idéia de acrescentar que tinha um criado de quarto que se chamava desse modo. Não fez mais que excitar a furiosa indignação do rapaz. — Houve um tempo em que meus antepassados sentiam-se orgulhosos do título de criado de quarto, de mordomo do rei. — Houve um outro — respondeu altivamente Morel — em que meus antepassados mandaram cortar o pescoço dos seus. — O Sr. de Charlus ficaria muito espantado se pudesse supor que, na falta de "Charmel", resignado a adotar Morel e a lhe dar um dos títulos da família de Guermantes de que dispunha, mas que as circunstâncias, conforme se verá, não lhe permitiram oferecer ao violinista, este o houvesse recusado, pensando na reputação artística ligada a seu nome de Morel e nos comentários que fariam na "classe". De tal modo colocava ele a rua Bergère acima do *faubourg* Saint-Germain! Ao Sr. de Charlus forçoso lhe foi contentar-se, no momento, em mandar fazer, para Morel, anéis simbólicos com a antiga inscrição: PLVS VLTRA CAROLVS. Por certo, diante de um adversário de uma espécie a que não conhecia, o Sr. de Charlus deveria mudar de tática. Mas quem é capaz de tal? Além disso, se o Sr. de Charlus tinha dessas inabilidades, tampouco Morel as deixava de ter. Bem mais do que a simples circunstância que provocou o rompimento, o que devia, ao menos provisoriamente (mas esse provisório veio a ser definitivo), perdê-lo ante o Sr. de Charlus é que nele não havia apenas a baixeza, que o fazia ser vulgar diante da severidade e responder com insolência à doçura. Paralelamente à natural baixeza, havia nele uma neurastenia complicada com a má educação, que, despertando em toda circunstância em que estivesse em falta ou dependesse de alguém, fazia com que, no próprio momento em que necessitaria de toda a sua gentileza, de toda a sua doçura, de toda a sua alegria para desarmar o barão, ele se tornasse sombrio, intratável, procurasse travar discussões em que sabia que divergiam dele, sustentava seu ponto de vista hostil com uma fraqueza de razões e uma violência cortante que só fazia aumentar essa mesma fraqueza. Pois bem depressa, à falta de argumentos, ainda assim os inventava, revelando destarte toda a extensão de sua tolice e ignorância. Estas mal se mostravam quando ele era amável e só procurava agradar. Pelo contrário, só elas é que apareciam em seus acessos de mau humor sombrio, nos quais, de inofensivas tornavam-se odiosas. Então o Sr. de Charlus sentia-se farto pondo toda a sua esperança num dia seguinte melhor, ao passo que Morel, esquecendo que o barão o fazia viver faustosamente, ostentava um sorriso irônico de piedade superior e dizia: — Nunca aceitei nada de ninguém. Desse modo, não há ninguém a quem eu deva um só muito obrigado.

Nesse meio tempo, e como se tivesse de lidar com um homem da alta sociedade, o Sr. de Charlus continuava a exercer as suas cóleras, verdadeiras ou fingidas, porém agora inúteis. Entretanto, nem sempre o eram. Assim, um dia (que se coloca aliás após aquele primeiro período) em que o barão voltava comigo e Charlie de um almoço em casa dos Verdurin, julgando passar o fim da tarde e a noite com o violinista em Doncières, a despedida deste, logo que o trem partiu, respondendo: — Não, tenho o que fazer —, causou ao Sr. de Charlus uma tão forte decepção que, embora tentasse mostrar boa cara diante do azar, vi que lágrimas dissolviam o cosmético de suas pestanas, enquanto que ele permanecia estupidificado diante do trem. Essa dor foi tamanha que, como Albertine e eu pretendêssemos acabar o dia em Doncières, disse ao ouvido dela que não gostaria de deixar sozinho o Sr. de Charlus, que me parecia, não sabia por quê, muito desgostoso. A querida pequena aceitou de bom grado. Então, perguntei ao Sr. de Charlus se não desejava que o acompanhasse um pouco. Ele também aceitou, mas recusou incomodar por isso a minha prima. Achei uma certa doçura (e sem dúvida pela última vez, pois estava decidido a romper com ela) em lhe ordenar suavemente, como se ela fosse minha mulher: — Volta sozinha, vou me encontrar contigo esta noite —, e em ouvi-la, como o faria uma esposa, dar-me licença de proceder como quisesse e aprovar que me pusesse à disposição do Sr. de Charlus, caso este, de quem muito gostava, precisasse de mim. Fomos, o barão e eu, ele bamboleando a sua corpulência, com seus olhos de jesuíta baixos, eu seguindo-o até um café onde nos serviram cerveja. Senti os olhos do Sr. de Charlus presos pela inquietação a algum projeto. De súbito, pediu papel e tinta e pôs-se a escrever com rapidez singular. Enquanto enchia folha após folha, seus olhos brilhavam num devaneio raivoso. Depois de escrever oito páginas: — Posso pedir-lhe um grande obséquio? — indagou. — Desculpe-me fechar esta carta. Mas é necessário. O senhor vai tomar um carro, um auto se puder, para ir mais depressa. Certamente ainda encontrará Morel no seu quarto, aonde foi se trocar. Pobre menino, quis bancar o fanfarrão no momento de nos deixar, mas fique certo de que ele está com o coração mais pesado que eu. O senhor vai entregar-lhe esta carta e, se ele perguntar onde é que me viu, dirá que desembarcou em Doncières (o que aliás era verdade) para ver Robert (o que talvez não seja verdade), mas que me encontrou com alguém a quem não conhecia, que eu parecia bastante encolerizado, que o senhor julgou surpreender palavras de envio de testemunhas (na verdade, bato-me amanhã). Principalmente, não lhe diga que peço para chamá-lo, nem procure trazê-lo, mas, se ele quiser voltar com o senhor, não o impeça. Vá, meu menino, é para o bem dele, o senhor pode evitar um grande drama. Enquanto estiver fora, vou escrever às minhas testemunhas. Impedi o senhor de ir passear com sua prima. Espero que ela não me queira mal por isso, e até o creio. Pois trata-se de uma alma nobre e sei que é daquelas que sabem não se furtar à grandeza das circunstâncias. Terá de agradecer-lhe em meu nome. Sou-lhe pessoalmente devedor e agrada-me que assim seja. — Sentia grande piedade pelo Sr. de Charlus; parecia-me que Charlie poderia impedir esse duelo, do qual talvez fosse a causa; e, se assim era, sentia-me revoltado que ele tivesse ido embora com aquela indiferença em vez de dar assistência a seu protetor. Minha indignação cresceu quando, ao chegar à casa em que residia Morel, reconheci a voz do violinista que, pela necessidade de expandir sua alegria, cantava a plenos pulmões: "Na noite de sábado, depois do batente!" Se o pobre Sr. de Charlus o ouvisse, justo ele que desejava que acreditassem, e sem dúvida acreditava, que Morel tinha o coração pesado naquele momento! Charlie pôs-se a dançar de prazer quando me viu. — Oh, meu velho (perdoe-me chamá-lo desse modo, mas com essa maldita vida de militar a gente adquire maus hábitos), que sorte que o vejo! Não tenho nada a fazer de noite. Vamos passá-la juntos, que tal? Ficaremos aqui, se isto lhe agrada; se achar melhor, vamos passear de bote, tocaremos música, não tenho qualquer preferência. Disse-lhe que era obrigado a jantar em Balbec, ele tinha muita vontade de que o convidasse, mas eu não queria. — Mas, se está tão apressado, por que veio até aqui? — Trago-lhe uma carta do Sr. de Charlus. — A esse nome, toda a sua alegria desapareceu; seu rosto contraiu-se. — Como! Até aqui ele vem me importunar? Então eu sou um escravo! Meu velho, seja amável. Não vou abrir a carta. Você lhe dirá que não me encontrou. — Não seria melhor abri-la? Acho que contém algo de grave. — Cem vezes não, você não conhece as mentiras, as manhas infernais desse velho pirata. É um truque para que vá vê-lo. Pois bem! Não irei, quero ter paz esta noite. — Mas não haverá um duelo amanhã? — perguntei a Morel, que eu julgava a par de tudo. — Um duelo? — indagou com ar estupefato. — Não sei uma só palavra a respeito. Afinal, pouco me importa. Esse velho repulsivo bem pode se deixar esfaquear se lhe agrada. Mas olhe, você me deixou intrigado; em todo caso, vou ler a carta dele. Diga-lhe que a deixou aqui, para o caso de eu voltar para casa. — Enquanto Morel me falava, eu olhava com espanto os admiráveis livros que o Sr. de Charlus lhe dera e que atulhavam o quarto. Tendo o violinista recusado aqueles que traziam a divisa: "Pertenço ao barão, etc.", divisa que lhe parecia insultante para si próprio, como um sinal de posse, o barão, com o engenho sentimental em que se compraz o amor infeliz, tinha variado com outras, provenientes de ancestrais, porém encomendadas ao encadernador conforme as circunstâncias de uma amizade melancólica. Às vezes eram breves e confiantes, como *Spes mea*, ou como *Exspectata non eludet*; às vezes, apenas resignadas, como "Esperarei"; algumas galantes: *Mesmes, prazer do Mestre*, ou recomendando a castidade, como aquela tomada de empréstimo aos Simiane, semeada de torres de blau (azul) e de flores-de-lis, e desviada de seu sentido: *Sustentant lilia turres*; outras, enfim, desesperadas e marcando encontro no céu para quem não quisera saber dele na terra: *Manet ultima coelo*; e achando muito verdes as uvas que não podia alcançar, fingindo não ter procurado aquilo que não obtivera, o Sr. de Charlus dizia em uma: *Non mortale quod opto.*[62] Mas não tive tempo de ver todas.

Se o Sr. de Charlus, lançando no papel essa carta, parecera possuído do demônio da inspiração que fazia correr a sua pena, assim que Morel rompeu o selo: *Atavis et armis*,[63] acometido por um leopardo acompanhado de duas rosas de goelas, pôs-se a ler com tão grande febre como a que tivera o Sr. de Charlus ao escrever, e sobre essas páginas preenchidas ao acaso, o seu olhar não corria menos depressa que a pena do barão. — Ah, meu Deus! — gritou — só faltava mais essa! Mas onde encontrá-lo? Deus sabe onde estará agora. — Insinuei que, se a gente se apressasse, iria encontrá-lo ainda no mesmo café onde ele pedira cerveja para se refazer. — Não sei se voltarei — disse ele à governanta da casa, e acrescentou *in petto*: — Isso dependerá do aspecto que as coisas assumirem. — Minutos depois chegávamos ao café. Notei o aspecto do Sr. de Charlus ao me avistar. Vendo que eu não voltava sozinho, senti que a respiração e a vida lhe eram devolvidas. Estando naquela noite num estado de espírito em que não podia dispensar Morel, inventara que lhe tinham dito que dois oficiais do regimento haviam falado mal dele a propósito do violinista e que ele ia enviar-lhes suas testemunhas. Morel adivinhara o escândalo, sua vida ficaria impossível no regimento, e havia acorrido. No que absolutamente não procedera mal. Pois, para tornar mais verossímil a sua mentira, o Sr. de Charlus já escrevera a dois amigos (um deles era Cottard) para pedir que fossem suas testemunhas. E, se o violinista não tivesse vindo, é certo que, doido como era o Sr. de Charlus (e para mudar sua tristeza em furor), ele os teria enviado a um oficial qualquer, ao acaso, oficial com quem lhe seria um alívio bater-se. Durante esse tempo, o Sr. de Charlus, lembrando-se que era de mais pura estirpe que a Casa de França, dizia consigo que ele era muito bom por inquietar-se tanto por causa do filho de um mordomo, cujo patrão ele não se dignaria a freqüentar. Por outro lado, se apenas lhe agradava agora a companhia dos crápulas, o hábito arraigado que têm estes de não responder a uma carta, de faltar a um encontro sem prevenir, sem se desculparem depois, dava-lhe, como se tratava muitas vezes de amores, tantas emoções, e, no resto de tempo, lhe causava tanta irritação, constrangimento e raiva, que às vezes chegava a lamentar a multiplicidade de car-

62 Tradução respectiva das expressões em latim: *Spes mea*, "minha esperança"; *Exspectata non eludet*, "Não decepcionará minhas expectativas"; *Sustentant filia turres*, "As torres sustentam os lírios"; *Manet ultima coelo*, "O fim pertence ao céu"; *Non mortale quod opto*, "Tenho a ambição de um imortal". (N. do T.)

63 *Atavis et armis* (latim): "Pelos ancestrais e pelas armas." (N. do T.)

tas por um nada, a exatidão escrupulosa dos príncipes e embaixadores, os quais, se desgraçadamente lhe eram indiferentes, apesar de tudo davam-lhe uma espécie de repouso. Habituado aos modos de Morel e sabendo da pouca influência que tinha sobre ele e de como era incapaz de insinuar-se numa vida em que as camaradagens vulgares mais consagradas pelo hábito ocupavam excessivo lugar e tempo para que se reservasse uma hora ao grão-senhor repelido, orgulhoso e que implorava em vão, o Sr. de Charlus estava de tal modo persuadido de que o músico não viria, de tal maneira receava estar brigado para sempre com ele, por ter ido longe demais, que mal pôde reter um grito ao vê-lo. Porém, sentindo-se vencedor, fez questão de ditar as condições de paz e delas tirar as vantagens que pudesse. — Que vem fazer aqui? — disse-lhe. — E o senhor? — acrescentou, olhando-me — eu lhe havia recomendado, acima de tudo, que não o trouxesse. — Ele não queria me trazer — disse Morel, virando para o Sr. de Charlus, na ingenuidade de sua coqueteria, olhares convencionalmente tristes e langorosamente desusados, com um ar, que sem dúvida julgava irresistível, de querer beijar o barão e de ter vontade de chorar. — Fui eu que vim contra a vontade dele. Venho, em nome da nossa amizade, para suplicar de joelhos que não cometa essa loucura. — O Sr. de Charlus delirava de alegria. A reação era muito forte para os seus nervos; apesar disso, manteve-se senhor da situação. — A amizade, que o senhor invoca de modo bastante inoportuno — respondeu ele em tom seco — devia pelo contrário conseguir a aprovação de sua parte, quando acho que não devo deixar passar em branco as impertinências de um tolo. Além disso, se eu quisesse obedecer aos rogos de uma afeição que já conheci mais bem inspirada, não poderia mais fazê-lo, visto que as cartas já foram expedidas às minhas testemunhas e não duvido que sejam aceitas. O senhor sempre agiu comigo como um perfeito imbecil e, em vez de se orgulhar, como seria de seu direito, da predileção com que eu o assinalava, em vez de fazer compreender, à chusma de ajudantes ou de criados em meio aos quais a lei militar o força a viver, que motivo de incomparável orgulho era para o senhor uma amizade como a minha, procurou desculpar-se, quase transformando num mérito estúpido o fato de não ser devidamente reconhecido. Sei que nisso — acrescentou, para não deixar perceber o quanto certas cenas o haviam humilhado — o senhor só é culpado de ter-se deixado levar pelo ciúme dos outros. Mas como é que, na sua idade, pode ser tão criança (e criança mal-educada) para não ter adivinhado imediatamente que minha preferência pelo senhor e todas as vantagens que daí deviam resultar iriam provocar ciúmes? Que todos os seus camaradas, enquanto o incitavam a brigar comigo, iriam trabalhar para tomar o seu posto? Achei que não devia mostrar-lhe as cartas que recebi, sobre o assunto, de todos aqueles em quem mais confia. Desdenho tanto as investidas desses lacaios como suas vãs zombarias. A única pessoa que me preocupa é o senhor, porque muito o estimo, mas a afeição tem limites, e o senhor bem o deveria saber. — Por mais dura que fosse a palavra "lacaio" aos ouvidos de Morel, cujo pai fora lacaio, mas justamente porque o fora, a explicação de todas as desventuras sociais pelo "ciúme", explicação simplista e absurda, mas que não se desgasta, e que, em determinada classe, "pega" sempre de modo tão infalível como os velhos truques junto ao público dos teatros, ou a ameaça do perigo clerical nas assembléias, encontrava nele um crédito quase tão forte como em Françoise ou nos criados da duquesa de Guermantes, para quem era a causa única dos males da humanidade. Não duvidou que seus camaradas tivessem tentado arrebatar-lhe o lugar e mais infeliz se sentia com aquele duelo calamitoso e, aliás, imaginário. — Oh, que desespero! — gritou Charlie. — Não sobreviverei a isto. Mas eles não devem vir vê-lo antes de se encontrar com esse oficial? — Não sei, acho que sim. Mandei dizer a um deles que ficarei aqui esta noite e lhe darei as minhas instruções. — Espero que, até ele chegar, eu já possa ter feito o senhor recobrar a razão; permita-me apenas que permaneça a seu lado — pediu-lhe Morel com ternura. Era tudo o que o Sr. de Charlus desejava. Não cedeu logo. — O senhor faria mal em aplicar aqui o "quem muito ama, muito castiga" do provérbio, pois era ao senhor que eu amava muito, e pretendo castigar, mesmo após a nossa briga, aqueles que covardemente tentaram lhe fazer mal. Até agora, as suas insinuações indagativas, que ousavam me perguntar como é que um homem como eu podia ombrear-me com um gigolô de sua espécie, saído do nada, só respondi com a divisa de meus primos La Rochefoucauld: "É meu prazer." Eu mesmo lhe observei várias vezes que esse prazer era suscetível de tornar-se o meu maior prazer, sem que de sua arbitrária elevação resultasse um abaixamento para mim. — E, num movimento de orgulho quase louco, exclamou erguendo os braços: — *Tantus ab uno splendor!*[64] Condescender não é descer — acrescentou mais calmo, depois desse delírio de orgulho e alegria. — Espero ao menos que meus dois adversários, apesar de sua estirpe inegável, sejam de um sangue que eu possa fazer correr sem desonra. Sobre tal assunto, andei tomando algumas informações discretas que me deixaram tranqüilo. Se tem alguma gratidão por mim, deveria ao contrário sentir-se orgulhoso por ver que, por sua causa, retomo o temperamento belicoso de meus antepassados, dizendo como eles, no caso de um desfe-

[64] Do latim: "Tamanho esplendor [vindo] de um só." (N. do T.)

cho fatal: "A morte é vida para mim." — E o Sr. de Charlus dizia-o com sinceridade, não só por amor a Morel, mas também porque uma inclinação pelos combates, que ele ingenuamente acreditava herdar dos ancestrais, lhe dava tanta alegria à idéia de se bater que esse duelo, maquinado a princípio apenas para fazer com que Morel voltasse, fazia com que experimentasse agora uma certa mágoa em desistir dele. Jamais tivera uma questão qualquer sem se julgar logo valoroso e identificado ao ilustre condestável de Guermantes, ainda que, em se tratando de outro, esse mesmo ato de marchar para o campo de honra lhe parecesse da última insignificância. — Creio que será muito bonito — disse-nos com sinceridade, salmodiando cada palavra. — Ver Sarah Bernhardt no *L'Aiglon*, que é isso? Cocô. Mounet-Sully, no *Édipo*? Cocô. No máximo ela alcança uma certa lividez de transfiguração, quando aquilo se passa nas Arenas de Nîmes. Mas o que é isso ao lado dessa coisa inaudita, ver combater o próprio descendente do Condestável? — E a esta simples idéia, o Sr. de Charlus, não se contendo de alegria, pôs-se a dar golpes e contragolpes que lembravam Molière, fazendo-nos aproximar prudentemente de nós os nossos copos e recear que os primeiros entrechoques de lâmina fossem ferir os adversários, o médico e as testemunhas. — Que espetáculo sugestivo não seria para um pintor! Você, que conhece o Sr. Elstir — disse-me ele —, deveria trazê-lo. — Respondi que ele não se encontrava no litoral. O Sr. de Charlus insinuou que poderiam passar um telegrama. — Oh, digo isto por causa dele — acrescentou, diante do meu silêncio. — É sempre interessante para um mestre (e na minha opinião ele é um mestre) fixar um exemplo de semelhante revivescência étnica. E talvez não exista um por século.

Mas, se o Sr. de Charlus se encantava à idéia de um combate que a princípio julgara totalmente fictício, Morel pensava com terror nos mexericos que, da banda do regimento, poderiam estender-se, graças ao rumor que o duelo provocaria, até o templo da rua Bergère. Vendo já a sua "classe" informada de tudo, fazia-se cada vez mais insistente junto ao Sr. de Charlus, o qual continuava a gesticular ante a embriagadora idéia de se bater. Suplicou ao barão que lhe permitisse não abandoná-lo até dois dias mais tarde, data suposta do duelo, para vigiá-lo e tentar fazê-lo escutar a voz da razão. Uma tão terna proposta triunfou das últimas hesitações do Sr. de Charlus, que disse que ia buscar encontrar uma saída, que dali a dois dias enviaria uma resolução definitiva. Desse modo, não resolvendo a questão de vez, o Sr. de Charlus sabia conservar Charlie durante pelo menos dois dias e aproveitaria a ocasião para dele obter compromissos para o futuro em troca de sua renúncia ao duelo, exercício, dizia, que o encantava por si mesmo e do qual não se privava sem pena. E nisto, aliás, era sincero, pois sempre tivera prazer em ir ao campo de honra quando se tratava de cruzar ferros ou de trocar balas com um adversário. Por fim Cottard chegou, embora muito atrasado, pois, encantado por servir de testemunha, porém mais emocionado ainda, fora obrigado a parar em todos os cafés ou granjas da estrada pedindo que lhe indicassem o "n° 100" ou o "local exato". Logo que chegou, o barão o conduziu a um aposento isolado, pois achava mais regulamentar que eu e Charlie não assistíssemos à entrevista e era mestre em dar a um aposento qualquer a afetação provisória de sala do trono ou de deliberações. Uma vez a sós com Cottard, agradeceu-lhe calorosamente, mas declarou que parecia provável que as frases repetidas na realidade não tivessem sido ditas, e que, em tais condições, o doutor houvesse por bem avisar à segunda testemunha de que, salvo possíveis complicações, o incidente dava-se por encerrado. Afastando-se o perigo, Cottard mostrou-se desapontado. Por um momento, pensou mesmo em manifestar cólera, mas lembrou-se de que um de seus mestres, que fizera a mais bela carreira médica de seu tempo, tendo deixado de entrar para a Academia por apenas dois votos, havia mostrado boa cara à má sorte e fora apertar a mão do concorrente eleito. Desse modo, o doutor evitou uma expressão de despeito, que não teria mudado coisa alguma, e depois de ter murmurado, ele, o mais medroso dos homens, que há certas coisas que não se pode deixar passar, acrescentou que era melhor assim, que com esta solução ele ficava contente. O Sr. de Charlus, desejoso de provar sua gratidão ao doutor, da mesma forma que o senhor duque, seu irmão, ajeitaria a gola do paletó de meu pai, principalmente como uma duquesa teria abraçado uma plebéia, aproximou sua cadeira bem perto da do doutor, apesar do desagrado que este lhe inspirava. E não apenas sem prazer físico, mas vencendo uma repulsão física, como Guermantes e não como invertido, para dizer adeus ao doutor, pegou-lhe a mão e acariciou-a por um instante com uma bondade de dono que afaga o focinho de seu cavalo e lhe dá açúcar. Mas Cottard, que nunca deixara ver ao barão que nem mesmo tivesse ouvido os mais vagos rumores maliciosos acerca dos costumes deste, e nem por isso o deixava de considerar, em seu foro íntimo, como fazendo parte da classe dos "anormais" (a tal ponto que, com sua habitual impropriedade de termos e no tom mais sério, dizia de um criado de quarto do Sr. Verdurin: "Não é a amante do barão?"), personagens de que tinha pouca experiência, imaginou que essa carícia da mão era o imediato prelúdio de uma violação, para cuja realização — visto que o duelo não passara de um pretexto — ele fora atraído a uma cilada e levado pelo Sr. de Charlus àquele gabinete solitário onde ia ser agarrado à força. Não se atrevendo a deixar a cadeira, revirava os olhos de pavor, como se houvesse caído nas mãos de um selvagem do qual não tivesse certeza de que não se alimentava de carne humana. Por fim o Sr. de Charlus, largando-lhe a mão e querendo ser amável até o fim: — Vai tomar alguma coisa conosco, como se diz, o que antigamente se chamava um mazagrã ou um *gloria*, bebidas que agora só se encontram, como curiosidades arqueológicas, nas peças de Labiche e nos cafés de Doncières. Um *gloria* seria bem adequado ao local, não? E às circunstâncias, que diz? — Sou presidente da liga antialcoólica — respondeu Cottard. — Bastaria que um medicastro provinciano passasse para que começassem a dizer que eu não dou o exemplo. *Os homini sublime dedit coelumque tueri*[65] — acrescentou, embora isso nada tivesse a ver com o assunto, pois era bem pobre o seu estoque de citações latinas, bastando aliás para maravilhar os alunos. O Sr. de Charlus deu de ombros e reconduziu Cottard para junto de nós, depois de lhe haver pedido segredo sobre o que se passara, segredo que tanto mais lhe importava, pois que o motivo do duelo abortado era puramente imaginário, sendo preciso evitar que chegasse aos ouvidos do oficial arbitrariamente posto em questão. Enquanto nós quatro bebíamos, a Sra. Cottard, que esperava pelo marido do lado de fora, diante da porta, e que o Sr. de Charlus vira muito bem, sem se preocupar em mandar chamá-la, entrou e cumprimentou o barão, que lhe estendeu a mão como a uma camareira, sem se mexer do assento, em parte como um rei que recebe homenagens, em parte como um esnobe que não deseja que uma mulher pouco elegante se assente à sua mesa, em parte como egoísta que tem prazer em estar sozinho com os amigos e não quer ser importunado. Assim, a Sra. Cottard ficou de pé, falando ao Sr. de Charlus e a seu marido. Mas talvez porque a cortesia, o que "se tem a fazer", não seja privilégio exclusivo dos Guermantes, e pode subitamente iluminar e guiar os cérebros mais indecisos, ou porque, enganando muito a mulher, Cottard por momentos, numa espécie de compensação, sentisse necessidade de protegê-la contra quem lhe faltasse com o devido respeito, o doutor bruscamente franziu as sobrancelhas, o que eu jamais o vira fazer, e, sem consultar o Sr. de Charlus, como dono: — Vamos, Léontine, não fiques assim de pé; senta-te. — Mas não o incomodo? — indagou timidamente a Sra. Cottard ao barão, o qual, surpreendido com o tom do doutor, nada respondera. E, sem lhe dar tempo dessa vez, Cottard repetiu com autoridade: — Já te disse para sentares.

Após um momento, a gente se dispersou, e então o Sr. de Charlus disse a Morel: — De toda esta história, que terminou melhor do que você merecia, concluo que não sabe se comportar e que, ao final de seu serviço

[65] De Ovídio: "Ele deu ao homem um rosto voltado para o céu." (N. do T.)

militar, eu mesmo o levarei de volta a seu pai, como fez o arcanjo Rafael, enviado por Deus ao jovem Tobias. — E o barão se pôs a sorrir com ar de grandeza e uma alegria de que Morel, a quem a perspectiva de ser desse modo mandado de volta não agradava nada, parecia não compartir. Na embriaguez de se comparar ao arcanjo e Morel ao filho de Tobias, o Sr. de Charlus não pensava mais na finalidade de sua frase, que era tatear o terreno para saber se, como o desejava, Morel consentiria em voltar com ele a Paris. Embriagado pelo seu amor ou pelo amor-próprio, o barão não viu, ou fingiu não ver, a careta do violinista, pois, tendo deixado este sozinho no café, disse-me com um sorriso orgulhoso: — Reparou, quando o comparei ao filho de Tobias, como ele delirava de alegria? É porque, como é muito inteligente, compreendeu logo que o Pai, junto ao qual ia viver de agora em diante, não era o seu pai carnal, que deve ser um horrendo criado de quarto com bigodes, mas seu pai espiritual, isto é, Eu. Que orgulho para ele! Com que altivez erguia a cabeça! Como se sentia alegre por ter compreendido! Estou certo de que vai repetir todos os dias: "Ó, Deus, que destes o bem-aventurado arcanjo Rafael por *guia* a vosso servo Tobias em uma longa viagem, concedei a nós, vossos servidores, que sejamos sempre por ele protegidos e dotados de seu socorro." Não tenho nem mesmo necessidade — acrescentou o barão, muito convencido de que se assentaria um dia diante do trono de Deus — de lhe dizer que eu era o enviado celeste, ele o compreendeu por si mesmo e está mudo de felicidade! — E o Sr. de Charlus (a quem, pelo contrário, a felicidade não tirava a palavra), pouco se importando com alguns passantes que viravam a cabeça para ele, julgando ter dado com um louco, gritou com todas as suas forças, erguendo os braços: — Aleluia!!!

Esta reconciliação só pôs fim durante algum tempo aos tormentos do Sr. de Charlus; muitas vezes Morel, tendo partido em manobras longe demais para que o Sr. de Charlus pudesse ir vê-lo e enviar-me para lhe falar, escrevia ao barão cartas desesperadas e ternas, em que lhe assegurava que teria de matar-se, devido a uma coisa horrível que o punha na necessidade de ter vinte e cinco mil francos. Não dizia que coisa horrível era essa e, mesmo que o dissesse, sem dúvida era invenção. Quanto ao dinheiro, o Sr. de Charlus o teria enviado de boa vontade, se não sentisse que aquilo dava a Charlie condições de não precisar dele e também de ter os favores de outra pessoa. Assim, recusava, e seus telegramas tinham o tom seco e cortante de sua voz. Quando estava certo de seu efeito, desejava que Morel rompesse com ele para sempre, pois, persuadido de que o contrário é que haveria de ocorrer, dava-se conta de todos os inconvenientes que renasceriam dessa ligação inevitável. Mas, se não chegasse resposta alguma de

Morel, ele deixava de dormir, não tinha mais nenhum momento de sossego, tão grande é de fato o número de coisas que vivemos sem as conhecer, e das realidades interiores e profundas que nos permanecem ocultas. Então, ele formulava todas as hipóteses acerca dessa enormidade que fazia com que Morel tivesse necessidade de vinte e cinco mil francos, dava-lhes todas as formas, ligava-lhes sucessivamente diversos nomes próprios. Creio que naqueles momentos o Sr. de Charlus (embora por essa época o seu esnobismo, diminuindo, já tivesse sido alcançado, senão ultrapassado, pela crescente curiosidade que o barão mostrava pelo povo) devia se lembrar com certa nostalgia dos graciosos turbilhões multicores das reuniões mundanas, em que as mulheres e os homens mais encantadores só o procuravam pelo prazer desinteressado que ele lhes dava, onde ninguém teria sonhado em "armar-lhe um golpe", inventar uma "coisa horrível", pela qual estariam prontos a matar-se caso não recebessem imediatamente vinte e cinco mil francos. Creio que então, e talvez porque, ainda assim, permanecera mais aferrado a Combray do que eu e houvesse enxertado a altivez feudal no orgulho alemão, devia julgar que não se é impunemente o amante sincero de um criado, que o povo não é exatamente a sociedade, que ele não inspirava confiança ao povo, como sempre ocorrera comigo.

A estação seguinte do trenzinho, Maineville, lembra-me justamente um incidente relativo a Morel e ao Sr. de Charlus. Antes de falar nele, devo dizer que a chegada a Maineville (quando se levava até Balbec um recém-chegado elegante que, para não perturbar, preferia não se hospedar na Raspelière) era ocasião de cenas menos penosas do que a que vou contar dentro de um instante. O recém-chegado, tendo suas bagagens miúdas no trem, em geral achava o Grande Hotel um tanto afastado, mas, como não havia antes de Balbec senão praiazinhas com vivendas desconfortáveis, resignava-se, de gosto pelo luxo e pelo bem-estar, ao longo trajeto, quando, no momento em que o trem estacionava em Maineville, via bruscamente erguer-se o Palace, que ele não podia suspeitar fosse uma casa de prostituição. — Mas não precisamos ir mais longe — dizia infalivelmente à Sra. Cottard, mulher conhecida como de espírito prático e boa conselheira. — Eis exatamente o que me serve. Para que continuar até Balbec, onde certamente não será melhor? Só pelo aspecto, acho que tem todo o conforto; poderia perfeitamente mandar buscar a Sra. Verdurin, pois pretendo, em troca de suas gentilezas, dar algumas reuniões em sua homenagem. Ela não terá de andar tanto como se eu morasse em Balbec. Isto me parece perfeitamente adequado para ela, e para sua esposa, meu caro professor. Deve ter salões; convidaremos as senhoras. Cá entre nós, não compreendo por que, em vez de alugar La Raspelière, a Sra. Verdurin não veio morar aqui. É muito mais sadio que nas velhas casas como La Raspelière, que é forçosamente úmida, e aliás sem ser limpa; eles não têm água quente, a gente não pode lavar-se como queira. Maineville me parece bem mais agradável. A Sra. Verdurin, aqui, teria desempenhado perfeitamente o seu papel de dona-de-casa. Em todo caso, cada um com seu gosto; quanto a mim, vou fixar-me aqui. Senhora Cottard, não quer descer comigo? Despachemo-nos, o trem não vai demorar a partir. A senhora me guiaria até essa casa que será a sua e que já deve ter freqüentado várias vezes. É um quadro que parece feito para a senhora. — Custava-nos muito fazê-lo calar-se e, sobretudo, impedi-lo de descer, pois o infeliz convidado, com a obstinação que muitas vezes provém das gafes, insistia, pegava as suas malas e não queria dar ouvidos a coisa alguma, até que lhe asseguravam que nem a Sra. Verdurin nem a Sra. Cottard jamais iriam vê-lo naquela casa. — Em todo caso, vou fixar domicílio ali. A Sra. Verdurin não terá mais do que me escrever.

A lembrança relativa a Morel se refere a um incidente de caráter mais particular. Houve outros, porém contento-me aqui, à medida que o "tortinho" pára e o empregado grita Doncières, Grattevast, Maineville, etc., em assinalar o que a praiazinha e a guarnição evocam. Já falei de Maineville (*media villa*) e da importância que ela adquiria devido àquela suntuosa casa de mulheres recentemente construída, não sem despertar os protestos inúteis das mães de família. Mas, antes de dizer em que Maineville tem alguma relação, na minha memória, com Morel e o Sr. de Charlus, tenho de apontar a desproporção (que mais tarde terei de esmiuçar) entre a importância que Morel atribuía a conservar livres determinadas horas e a insignificância das ocupações em que pretendia empregá-las, sendo que essa mesma desproporção ocorria em meio às explicações de outra natureza que dava ao Sr. de Charlus. Ele, que se fingia de desinteressado com o barão (e podia fazê-lo sem riscos, tendo em vista a generosidade de seu protetor), quando desejava ter a noite livre para dar uma aula, etc., não deixava de acrescentar a seu pretexto estas palavras ditas com um sorriso de cupidez: — E depois, isto pode me fazer ganhar quarenta francos. Não é nada. Permita-me ir, pois, como vê, é do meu interesse. Diabos, não tenho rendas como o senhor, preciso ir fazendo a minha situação, é o momento de ganhar uns trocados. — Ao desejar dar a sua aula, Morel não estava sendo de todo insincero. Por um lado, é falso que o dinheiro não tenha cor. Uma nova maneira de ganhá-lo devolve o brilho às moedas que o uso gastou. Se de fato ele havia saído para dar uma aula, é possível que dois luíses entregues na despedida por uma aluna tenham produzido sobre ele um efeito diverso de dois luíses caídos das mãos do Sr. de Charlus. Depois, o homem mais rico caminharia, por dois luíses, quilômetros que se transformam em léguas quando se é filho de um criado de quarto. Mas várias vezes, acerca da realidade da aula de violino, o Sr. de Charlus tinha dúvidas, tanto maiores, visto que o músico freqüentemente invocava pretextos de outro gênero, de natureza inteiramente desinteressada do ponto de vista material, e além disso absurdos. Assim, Morel não podia deixar de apresentar uma imagem de sua vida, mas voluntariamente, e também involuntariamente, de tal modo entenebrecida que somente certas partes se deixavam distinguir. Durante um mês ele se pôs à disposição do Sr. de Charlus, com a condição de ter as noites livres, pois desejava freqüentar assiduamente o curso de álgebra. Ir depois visitar o Sr. de Charlus? Ah, impossível, as aulas iam às vezes até muito tarde. — Mesmo até depois das duas da manhã? — perguntava o barão. — Às vezes. — Mas a álgebra se aprende tão facilmente num livro. — Até mais facilmente, pois não entendo grande coisa nas aulas. — Então? Aliás, a álgebra não vai te servir para nada. — Gosto disso. Dissipa a minha neurastenia. — "Não, não pode ser a álgebra que lhe faz pedir licenças noturnas", dizia consigo o Sr. de Charlus. "Estará ligado à polícia?" Em todo caso Morel, fossem quais fossem as objeções que lhe fizessem, reservava certas horas tardias, seja para a álgebra, seja para o violino. Uma vez não foi uma nem outra coisa, mas o príncipe de Guermantes, que, tendo vindo passar alguns dias na praia para visitar a duquesa de Luxemburgo, encontrou o músico, sem saber de quem se tratava e sem que Morel tampouco o conhecesse, e lhe ofereceu cinqüenta francos para passarem a noite juntos na casa de mulheres em Maineville; prazer duplo para Morel, pelo dinheiro recebido do Sr. de Guermantes e pela volúpia de achar-se rodeado de mulheres cujos seios morenos se exibiam desnudos. Não sei como o Sr. de Charlus soube do local e do que se passava, mas não do nome do sedutor. Louco de ciúme, e a fim de conhecer este último, telegrafou a Jupien, que chegou dois dias depois, e, quando, no começo da semana seguinte, Morel anunciou que de novo estaria ausente, o barão perguntou a Jupien se ele se encarregaria de comprar a patroa do estabelecimento e conseguir que os escondessem, a ele e Jupien, para assistirem à cena. — Está entendido. Vou cuidar disso, seu tratante — respondeu Jupien ao barão. Não se pode compreender a que ponto essa inquietação agitava e, por isso mesmo, havia enriquecido momentaneamente o espírito do Sr. de Charlus. Assim, o amor provoca verdadeiras convulsões geológicas do pensamento. No do Sr. de Charlus, que ainda poucos dias antes se assemelhava a uma planície tão uniforme que, na maior distância, não se poderia perceber uma única idéia ao nível do solo, tinham-se bruscamente erguido, duras como pedras, um maciço de montanhas, mas de montanhas que fossem igualmente esculpidas, como se algum estatuário, em vez de transportar o mármore, o tivesse cinzelado no local e onde se retorciam, em grupos gigantes e titânicos, a Fúria, o Ciúme, a Curiosidade, a Inveja, o Ódio, o Sofrimento, o Orgulho, o Receio e o Amor.

Nesse meio tempo, chegara o dia em que Morel devia estar ausente. A missão de Jupien obtivera êxito. Ele e o barão deveriam chegar por volta das onze da noite e ficariam escondidos. Três ruas antes de chegar a essa esplêndida casa de prostituição (aonde vinha gente de todos os arredores elegantes), o Sr. de Charlus andava na ponta dos pés, dissimulava a voz, suplicava a Jupien que falasse mais baixo, de medo que Morel os ouvisse lá de dentro. Ora, logo que entrou a passo de gato no vestíbulo, o Sr. de Charlus, pouco habituado a esse tipo de lugares, encontrou-se, para seu terror e estupefação, num local mais barulhento que a Bolsa de Valores ou a Sala dos Leilões. Era em vão que recomendava, às *soubrettes* que se apressavam a seu redor, que falassem mais baixo; e aliás a sua própria voz era abafada pelo barulho dos gritos e imprecações de uma velha "subpatroa" de peruca muito escura, com um rosto em que se estampava a gravidade de um notário ou de um padre espanhol, e que, a todo instante, soltava, com voz de trovão, fazendo alternativamente abrir e fechar as portas, como se regula a circulação dos carros: "Ponha o cavalheiro no 28, no quarto espanhol." "Já não se pode passar." "Abram a porta, estes cavalheiros perguntam pela Srta. Noémie. Ela os espera no salão persa." O Sr. de Charlus estava assustado como um provinciano que tem de atravessar os bulevares; e, para empregar uma comparação infinitamente menos sacrílega que o assunto representado nos capitéis do pórtico da velha igreja de Couliville, as vozes das jovens criadas repetiam mais baixo, sem se cansar, a ordem da subpatroa, como esses catecismos que ouvimos os alunos salmodiarem na sonoridade de uma igreja rural. Por mais medo que tivesse, o Sr. de Charlus, que na rua tremia à idéia de ser ouvido, convencendo-se de que Morel estava à janela, talvez não se assustasse tanto em meio ao ranger daquelas escadarias enormes, onde se compreendia que não era possível ouvir coisa alguma dos quartos. Afinal, no termo de seu calvário, encontrou a Srta. Noémie, que devia escondê-lo com Jupien, mas principiou por fechá-lo num salão persa extremamente suntuoso, de onde ele não via nada. Ela disse-lhe que Morel pedira uma laranjada e que, logo que a tivessem servido, introduziriam os dois viajantes num salão transparente. Enquanto isso, como a reclamassem, ela lhes prometeu, como num conto, que, para passarem o tempo, iria mandar-lhes "uma mulherzinha inteligente". Pois ela estava sendo chamada. A mulherzinha inteligente vestia um *peignoir* persa, que desejava tirar. O Sr. de Charlus pediu-lhe que não fizesse nada, e ela mandou subir champanha, que custava quarenta francos a garrafa. Durante todo esse tempo, Morel na verdade estava com o príncipe de Guermantes; para salvar as aparências, fingira enganar-se de quarto, entrara num em que havia duas mulheres, as quais se apressaram a deixar os dois cavalheiros a sós. O Sr. de Charlus ignorava tudo isso, mas praguejava e queria abrir as portas; mandou chamar de novo a Srta. Noémie, a qual, tendo ouvido a mulherzinha inteligente dar ao Sr. de Charlus detalhes sobre Morel que não concordavam com os que ela mesma dera a Jupien, fê-la retirar-se e em breve enviou, para substituí-la, "uma mulherzinha gentil", que não lhes mostrou nada de mais, mas falou o quanto a casa era séria e também pediu champanha. O barão, espumando de ódio, mandou que a Srta. Noémie voltasse; esta lhes disse: — Sim, demora um pouco, essas damas tomam atitudes, não parece que ele tenha vontade de fazer alguma coisa. — Por fim, diante das promessas e ameaças do barão, a Srta. Noémie saiu com ar contrariado, assegurando-lhes que não esperariam mais de cinco minutos. Tais cinco minutos duraram uma hora, após o que Noémie conduziu, na ponta dos pés, o Sr. de Charlus, ébrio de furor, e Jupien, desolado, para uma porta entreaberta, dizendo: — Os cavalheiros vão ver muito bem. Aliás, neste momento não é interessante, ele está com três damas e conta-lhes a sua vida no regimento. — Enfim o barão pôde ver pela abertura da porta e também nos espelhos. Mas um terror mortal o obrigou a apoiar-se à parede. Era Morel mesmo que ele tinha diante de si, mas, como se ainda existissem os mistérios pagãos e os enfeitiçamentos, era antes a sombra de Morel, Morel embalsamado, nem sequer Morel ressuscitado como Lázaro, uma aparição de Morel, um fantasma de Morel, Morel retornando ou evocado naquele quarto (onde por todo lado as paredes e os divãs repetiam emblemas de feitiçaria), que estava a poucos metros dele, de perfil, Morel tinha, como depois da morte, perdido todas as cores; entre aquelas mulheres, com as quais era de esperar que se entregasse a alegres folguedos, permanecia lívido, preso a uma imobilidade artificial; para beber a taça de champanha à sua frente, seu braço sem forças tentava estender-se devagar e tombava. Tinha-se a impressão desse equívoco que faz que uma religião fale de imortalidade, mas por isso entende alguma coisa que não exclui o Nada. As mulheres o atormentavam com perguntas. — Está vendo? — disse baixinho a Srta. Noémie ao barão. — Elas lhe falam de sua vida no regimento. É divertido, não? — riu: — Está contente? Ele está tranqüilo, não? — acrescentou, como se falasse de um agonizante. As perguntas das mulheres se avolumavam, porém Morel, inanimado, não mais tinha forças para lhes responder. Até mesmo o milagre de uma palavra murmurada não se produzia. O Sr. de Charlus não teve um instante de hesitação; compreendeu a verdade e que, fosse por falta de jeito de Jupien, quando foi combinar as coisas, fosse pelo poder expansivo dos segredos confiados que faz com que nunca sejam guardados, fosse pelo caráter indiscreto daquelas mulheres, fosse por medo da polícia, o fato é que tinham prevenido Morel de que dois cavalheiros haviam pago bem caro para vê-lo, tinham feito que saísse o príncipe de Guermantes metamorfoseado em três mulheres, e deixado o pobre Morel trêmulo, paralisado de estupor, de tal modo que, se o Sr. de Charlus o via mal, ele, aterrorizado, sem palavras, não ousando beber a sua taça com medo de deixá-la cair, via em cheio o barão.

Além disso, a história não acabou melhor para o príncipe de Guermantes. Quando o fizeram sair para que o Sr. de Charlus não o visse, furioso com seu fracasso e sem desconfiar quem fosse o autor daquilo, suplicara a Morel, sempre sem querer se dar a conhecer quem era, que marcasse um encontro para a noite seguinte na vivenda bem pequenina que havia alugado e que, apesar do pouco tempo que deveria permanecer ali, conforme o mesmo hábito maníaco que outrora assinalamos na Sra. de Villeparisis, havia decorado de uma porção de lembranças de família, para se sentir mais em casa. Assim, pois, no dia seguinte, Morel, virando a cabeça a todo instante, temendo ser seguido e espionado pelo Sr. de Charlus, não tendo notado nenhum passante suspeito, acabara por entrar na vivenda. Um lacaio o fez passar ao salão, dizendo que ia avisar o Senhor (seu amo lhe prevenira que não pronunciasse o título de príncipe para não despertar suspeitas). Mas, quando Morel se achou sozinho e quis ver no espelho se a mecha não estava desarrumada, foi como uma alucinação. Sobre a lareira, as fotografias (reconhecíveis para o violinista, pois vira-as na casa do Sr. de Charlus) da princesa de Guermantes, da duquesa de Luxemburgo, da Sra. de Villeparisis, a princípio o deixaram petrificado de pavor. No mesmo instante avistou a do Sr. de Charlus, que estava um tanto afastada. O barão parecia imobilizar sobre Morel um olhar estranho e fixo. Louco de terror, Morel, recobrando-se do primeiro assombro, sem duvidar que se tratasse de uma cilada em que o Sr. de Charlus o fizera cair para experimentar se ele era fiel, desceu de quatro em quatro os poucos degraus da vivenda, pôs-se a correr a toda pela estrada, e, quando o príncipe de Guermantes (pensando haver obrigado um conhecido de passagem a uma espera necessária, não sem ter perguntado a si próprio se aquilo era muito prudente e se o indivíduo não seria perigoso) entrou no salão, já não encontrou ninguém. Por mais que, junto com o criado, por medo de um assalto, explorasse de revólver em punho a casa inteira, que não era grande, e os recantos do jardinzinho e o porão, desaparecera o companheiro cuja presença julgara certa. Encontrou-o várias vezes durante a semana seguinte. Mas de cada vez, era Morel, o sujeito perigoso, quem fugia, como se o príncipe fosse mais perigoso ainda. Renitente em suas suspeitas, Morel nunca as dissipou, e mesmo em Paris, a simples vista do príncipe de Guermantes bastava para pô-lo em fuga. Por onde se vê que o Sr. de Charlus foi protegido de uma infidelidade que o desesperava, e vingado sem jamais tê-lo imaginado, e nem principalmente de que modo.

Mas as lembranças do que me contaram a respeito já não substituídas por outras, pois o T.S.N., retomando a sua marcha de "calhambeque", continua a largar ou apanhar os viajantes nas estações seguintes.

Em Grattevast, onde morava sua irmã com quem fora passar a tarde, subia às vezes o Sr. Pierre de Verjus, conde de Crécy (a quem chamavam apenas conde de Crécy), fidalgo pobre mas de extrema distinção, que eu conhecera através dos Cambremer, a quem aliás era pouco ligado. Reduzido a uma vida extremamente modesta, quase miserável, sentia eu que um charuto, uma "consumação" eram coisas tão agradáveis para ele que tomei o hábito, quando não podia ver Albertine, de convidá-lo para vir a Balbec. Muito fino e expressando-se às maravilhas, cabeça toda branca e encantadores olhos azuis, falava principalmente com o canto dos lábios, e muita delicadeza, dos confortos da vida senhorial, que evidentemente conhecera, e também de genealogias. Como lhe perguntasse o que estava gravado em seu anel, disse com um sorriso modesto: — É um ramo de *verjus* (agraço).[66] — E acrescentou com prazer de degustador: — Nossas armas são um ramo de agraço — simbólico, pois me chamo Verjus — com caule e folhas de sinople. — Creio, porém, que ficaria decepcionado se em Balbec eu só lhe oferecesse *verjus* para beber. Ele apreciava os vinhos mais caros, decerto por privação, pelo conhecimento profundo daquilo de que se achava privado, por gosto, talvez também por inclinação exagerada. Assim, quando o convidava para jantar em Balbec, ele encomendava a refeição com uma ciência requintada, mas comia um pouco demais, e sobretudo bebia, mandando guardar os vinhos que deviam ser bebidos logo, e gelar aqueles que deviam ficar no gelo. Antes e depois do jantar, indicava a data ou o número que desejava de um vinho do porto ou de um conhaque, como o teria feito para a ereção geralmente ignorada de um marquesado, mas que ele conhecia igualmente bem.

Como eu era para Aimé um freguês predileto, ficava ele encantado que eu desse esses jantares extras e gritava para os garçons: — Depressa, preparem a mesa 25; — ele nem mesmo dizia "preparem", mas "prepa-

[66] Agraço: estado das uvas antes de amadurecerem. (N. do T.)

rem-me", como se fosse para ele próprio. E, como a linguagem dos mordomos de hotel não é exatamente a mesma da dos chefes de mesa, subchefes, copeiros, etc., no momento em que eu pedia a nota, ele dizia ao garçom que nos servira, com um gesto repetido e apaziguador da palma da mão, como se quisesse acalmar um cavalo prestes a tomar o freio nos dentes: — Não avance muito (para a nota); vá devagarinho, bem devagarinho. — Depois, como o garçom partisse com esse aviso, Aimé, receando que suas recomendações não fossem observadas com exatidão, tornava a chamá-lo: — Espere, eu mesmo vou pôr os preços. — E, como eu lhe dissesse que aquilo não fazia diferença: — Tenho por princípio que, como se diz vulgarmente, não se deve burlar o freguês. — Quanto ao gerente, observando as roupas simples, sempre as mesmas e bastante gastas do meu convidado (e contudo ninguém poria tão bem em prática a arte de se vestir com opulência, como um elegante de Balzac, se possuísse meios), limitava-se, por minha causa, a inspecionar de longe para ver se tudo corria bem e a exigir, com um olhar, que pusessem um calço no pé da mesa que não estava a prumo. Não que não soubesse meter a mão na massa como qualquer outro, embora ocultasse os seus começos como lava-pratos. Foi preciso, todavia, uma circunstância excepcional para que um dia ele próprio trinchasse os perus. Eu havia saído, mas soube que ele o fizera com uma majestade sacerdotal, cercado, a respeitosa distância do trinchante, de um círculo de garçons que assim procuravam menos aprender do que se exibir, e tinham um ar beatífico de admiração. Aliás, não foram vistos de modo algum pelo gerente (que mergulhava num gesto lento no flanco das vítimas e sem despregar os olhos, compenetrados de sua alta função e como se devesse ler algum augúrio). O sacrificador nem sequer se apercebeu da minha ausência. Quando o soube, ficou desolado. — Como, o senhor não me viu decepar eu mesmo os perus? — Respondi que, não tendo podido ver até então Roma, Veneza, Siena, o museu do Prado, o museu de Dresde, as Índias, nem Sarah na *Fedra*, já conhecia a resignação e acrescentaria à lista o seu trinchamento dos perus. A comparação com a arte dramática (Sarah na *Fedra*) foi a única que ele pareceu compreender, pois sabia por mim que, nos dias de representações de gala, Coquelin sênior aceitara papéis de estreante, ou até o de personagens que só dizem uma frase ou nem dizem nada. — Tanto faz, estou desolado pelo senhor. Quando é que vou trinchar de novo? Seria preciso um acontecimento, seria preciso uma guerra. — (Com efeito, foi necessário o armistício.) Desde esse dia, o calendário foi mudado, contava-se assim: "Foi no dia seguinte àquele em que trinchei pessoalmente os perus." — "Foi exatamente oito dias depois que o gerente trinchou ele próprio os perus." — Assim, aquela prossectomia serviu, como o nascimento de Cristo ou a Hégira, de ponto de partida para um calendário diverso dos demais, mas que não logrou sua extensão nem igualou sua duração.

A tristeza da vida do Sr. de Crécy tanto provinha de não mais possuir cavalos e uma mesa suculenta, como de conviver com pessoas que imaginavam que Cambremer e Guermantes fossem uma só família. Quando viu que eu sabia que Legrandin, que agora se fazia chamar Legrand de Méséglise, a que não tinha o menor direito, aliás animado pelo vinho que bebia, teve uma espécie de acesso de alegria. Sua irmã me dizia com ar de compreensão: — Meu irmão jamais se sente tão feliz como quando pode conversar com o senhor. — De fato, ele sentia-se existir desde que descobrira alguém que conhecia a mediocridade dos Cambremer e a grandeza dos Guermantes, alguém para quem o universo social existia. Como se, após o incêndio de todas as bibliotecas do globo e a ascensão de uma raça totalmente ignorante, um velho latinista retomasse pé e confiança na vida ao ouvir alguém citar-lhe um verso de Horácio. Assim, se ele jamais saía do vagão sem me dizer: — Para quando, a nossa pequena reunião? — tanto era por avidez de parasita, como por gula de erudito, e porque considerava os ágapes de Balbec como uma ocasião para conversar, ao mesmo tempo, sobre assuntos que lhe eram caros e de que não podia falar com ninguém, e análogos nisso a esses jantares em que se reúnem em datas fixas, diante da mesa particularmente suculenta do Círculo da União, a Sociedade dos Bibliófilos. Muito modesto no que se referia à sua própria família, não foi pelo Sr. de Crécy que fiquei sabendo que ela era bem grande e um autêntico ramo, enraizado na França, da família inglesa que leva o título de Crécy. Quando soube que ele era um verdadeiro Crécy, contei-lhe que uma sobrinha da Sra. de Guermantes havia desposado um americano de nome Charles Crécy e lhe disse que pensava que o mesmo não tinha qualquer relação com ele. — Nenhum — disse-me. — Como também (apesar de que minha família não possui tanta ilustração) muitos americanos que se chamam Montgommery, Berry, Chandos ou Capel não têm qualquer relação com as famílias de Pembroke, de Buckingham, d'Essex, ou com o duque de Berry. — Pensei várias vezes em lhe dizer, para diverti-lo, que conhecia a Sra. Swann, a qual, como cocote, era conhecida antigamente sob o nome de Odette de Crécy; mas, embora o duque d'Alençon não pudesse ficar constrangido que lhe falassem de Émilienne d'Alençon, não me julguei bastante íntimo do Sr. de Crécy para levar o gracejo a esse ponto. — Ele pertence a uma grande família — disse-me um dia o Sr. de Montsurvent. — Seu patronímico é Saylor. — E acrescentou que, no seu velho castelo acima de Incarville, aliás quase inabitável, e que, embora o Sr. de Crécy tivesse nascido muito rico, estava atualmente arruinado demais para poder reformá-lo, lia-se ainda a antiga divisa da família. Achei essa divisa muito bonita, seja aplicada à impaciência de uma raça de presa aninhada naquele ambiente de onde outrora devia alçar vôo, seja, hoje, atribuída à contemplação do declínio, à espera da morte próxima naquele retiro selvagem e dominador. Com efeito, é nesse duplo sentido que essa divisa joga com o nome de Saylor: *Ne sçais l'heure*.[67]

Em Hermonville, embarcava às vezes o Sr. de Chevregny, cujo nome, disse-me Brichot, significava (como o de Monsenhor de Cabrières) "lugar onde se reúnem as cabras". Era parente dos Cambremer e, por causa disso, e devido a uma falsa apreciação da elegância, estes o convidavam freqüentemente a Féterne, mas apenas quando não tinham convidados para exibir. Vivendo o ano inteiro em Beausoleil, o Sr. de Chevregny permanecera mais provinciano do que eles. Assim, quando ia passar algumas semanas em Paris, não tinha um só dia a perder para tudo o que "haveria de ver"; a tal ponto que às vezes, um pouco aturdido pelo número de espetáculos digeridos depressa demais, quando lhe perguntavam se tinha visto uma determinada peça, chegava a não ter certeza. O que era raro, pois ele conhecia as coisas de Paris com esse pormenor particular às pessoas que raramente a visitam. Aconselhava-me as "novidades" que convinha ir ver ("Isto vale a pena"), aliás considerando-as apenas do ponto de vista da noite agradável que fazem passar, e ignorando o ponto de vista estético até não desconfiar sequer que pudessem, de fato, constituir às vezes uma "novidade" na história da arte. Assim é que, falando de tudo sob um mesmo plano, ele nos dizia: — Uma vez fomos à Ópera-Cômica, mas o espetáculo não era famoso. Chamava-se *Pélleas et Mélisande*. É insignificante. Périer representa sempre bem, mas é preferível vê-lo em outra coisa. Em compensação, no Gymnase, representava-se *A Castelã*. Voltamos duas vezes lá; não deixem de ir, merece ser vista. E depois, é representada às maravilhas. Verão Frévalles, Marie Magnier, Baron fils. — Citava-me até nomes de atores de que eu jamais ouvira falar, e sem fazê-los preceder de "senhor", "senhora" ou "senhorita", como o teria feito o duque de Guermantes, o qual falava no mesmo tom cerimoniosamente desdenhoso das "canções da Srta. Yvette Guilbert" e das "experiências do Sr. Charcot". O Sr. de Chevregny não procedia dessa forma; dizia Cornaglia e Dehelly, como teria dito Voltaire e Montesquieu. Nele, relativamente aos atores e a tudo quanto fosse parisiense, o desejo de se mostrar desdenhoso, que tinha o aristocrata, era vencido pelo de parecer familiar, próprio do provinciano.

[67] *Ne sçais l'heure*, "não sei a hora" em francês arcaico. Notar a semelhança fônica com o nome de *Saylor*. (N. do T.)

Logo depois do meu primeiro jantar na Raspelière com o que ainda se chamava em Féterne "o jovem casal", embora o Sr. e a Sra. de Cambremer já não fossem jovens, a velha marquesa me escrevera uma dessas cartas cuja caligrafia se reconhece entre milhares. Dizia-me: "Traga sua prima deliciosa — encantadora —, agradável. Será um encanto, um prazer" — falhando sempre com tal infalibilidade a progressão esperada por aquele que recebia a carta, que acabei por mudar de opinião acerca da natureza daqueles *diminuendo*, por julgá-los intencionais e por encontrar neles a mesma deterioração do gosto — transposta para a ordem mundana — que levava Sainte-Beuve a quebrar todas as alianças de palavras, a alterar toda expressão um tanto habitual. Dois métodos, sem dúvida ensinados por mestres diferentes, contrariavam-se nesse estilo epistolar, o segundo fazendo a Sra. de Cambremer compensar a banalidade dos adjetivos múltiplos ao empregá-los em escala descendente, e evitando acabar no acorde perfeito. Em troca, eu me inclinava a ver, nessas gradações inversas, não mais o requinte, como quando elas eram obra da velha marquesa, mas sim falta de jeito, todas as vezes em que eram empregadas pelo marquês, seu filho, ou por suas primas. Pois em toda a família, até um grau bastante afastado e por uma imitação admirativa da tia Zélia, a regra dos três adjetivos era muito estimada, bem como uma certa maneira entusiasta de retomar a respiração ao falar. Imitação que aliás passara ao sangue; e, quando na família uma meninazinha, desde a infância, parava ao falar para engolir saliva, diziam: — Ela puxou à tia Zélia — e sentiam que mais tarde o seu lábio teria uma rápida inclinação a sombrear-se de um leve buço, e prometiam cultivar nela as disposições que mostrasse para a música. As relações dos Cambremer não tardaram a ser menos perfeitas com a Sra. Verdurin do que comigo, e por motivos diversos. Desejavam convidar esta última. A "jovem" marquesa dizia-me com desdém: — Não vejo por que não havemos de convidar essa mulher; no campo, a gente visita qualquer um; isso não traz conseqüências. — Mas no fundo, muito impressionados, não cessavam de me consultar sobre a maneira como deveriam realizar o seu desejo de polidez. Como nos haviam convidado para jantar, a mim e a Albertine, na companhia de amigos de Saint-Loup, pessoas elegantes da região, proprietários do castelo de Gourville, e que mais ou menos representavam a elite normanda, que a Sra. Verdurin apreciava, embora não quisesse aparentá-lo, aconselhei aos Cambremer que convidassem a Patroa também. Mas os castelãos de Féterne, por medo (de tanto que eram tímidos) de descontentar seus nobres amigos, ou (de tanto que eram ingênuos) que o Sr. e a Sra. Verdurin se entediassem com pessoas que não eram intelectuais, ou ainda (como estavam impregnados de um espírito rotineiro que a experiência não fecundara), receando misturar os gêneros e cometer uma tolice, declararam que aquilo não "daria certo" em conjunto, que "estragaria", e que era melhor reservar a Sra. Verdurin (que haveriam de convidar com todo o seu pequeno grupo) para um outro jantar. Para o próximo — o elegante, com os amigos de Saint-Loup — do pequeno grupo só convidaram Morel, a fim de que o Sr. de Charlus fosse indiretamente informado sobre as pessoas brilhantes que eles recebiam, e também para que o músico fosse um elemento de distração para os convidados, pois pediram-lhe que levasse o seu violino. Acrescentaram-lhe Cottard, porque o Sr. de Cambremer declarou que ele era um sujeito animado e fazia boa figura num jantar; além do mais, seria conveniente estar em bons termos com um médico, para o caso de alguém ficar doente. Mas convidaram-no sozinho, para "não começar nada com a mulher". A Sra. Verdurin ficou indignada quando soube que dois membros do pequeno grupo tinham sido convidados sem ela para um jantar íntimo em Féterne. Ditou ao doutor, cujo primeiro movimento fora de aceitar o convite, uma altiva resposta em que dizia: "*Nós* jantamos esta noite na casa da Sra. Verdurin", plural que deveria ser uma lição para os Cambremer, e mostrar-lhes que ele era inseparável da Sra. Cottard. Quanto a Morel, a Sra. Verdurin não teve necessidade de lhe traçar uma conduta impolida, que ele próprio adotou espontaneamente. Eis por quê. Se, no que se refere aos seus prazeres, tinha ele, em relação ao Sr. de Charlus, uma independência que a este muito afligia, já vimos que a influência deste último se fazia sentir mais em outros domínios e que, por exemplo, ele havia ampliado seus conhecimentos musicais e apurado o estilo do virtuose. Porém, ao menos do ponto de vista da nossa narrativa, não passava de uma influência. Em compensação, havia um terreno sobre o qual aquilo que o barão dizia era cegamente acreditado e feito por Morel. Cega e loucamente, pois não só os ensinamentos do Sr. de Charlus eram falsos como também, ainda que válidos para um grão-senhor, tornavam-se grotescos aplicados ao pé da letra por Morel. O terreno em que Morel se tornava tão crédulo e era tão dócil ao mestre era o terreno mundano. O violinista que, antes de conhecer o Sr. de Charlus, não tinha noção alguma da sociedade, tomara ao pé da letra o esboço altivo e sumário que lhe traçara o barão: — Há um certo número de famílias preponderantes — dissera-lhe o Sr. de Charlus. — Antes de tudo os Guermantes, que contam quatorze alianças com a Casa de França, o que aliás é principalmente lisonjeiro à Casa de França, pois era a Aldonce de Guermantes e não a Luís o Gordo, seu irmão consangüíneo, porém secundogênito, que deveria ter voltado o trono da França. Sob Luís XIV, pusemos luto pela morte de Monsenhor, pois tínhamos a mesma avó que o rei. Muito abaixo dos Guermantes, pode-se todavia citar os La

Trémoïlle, descendentes dos reis de Nápoles e dos condes de Poitiers; os d'Uzès, pouco antigos como família mas que são os mais antigos pares; os Luynes, bem recentes, mas com o brilho das grandes alianças; os Choiseul, os Harcourt, os La Rochefoucauld. Acrescente ainda os Noailles, apesar do conde de Toulouse, os Montesquiou, os Castellane e, salvo esquecimento, isso é tudo. Quanto a todos esses fidalgotes que se chamam marquês de Cambremerda ou de Vaitefumar, não há nenhuma diferença entre eles e o último soldado do teu regimento. Que você vá fazer xixi na casa da condessa Cocô e cocô na da baronesa Xixi, é a mesma coisa, terá comprometido a sua reputação e tomado um trapo sujo por papel higiênico. É uma porcaria. — Morel recolhera piedosamente essa lição de história, talvez um tanto sumária; julgava as coisas como se ele próprio fosse um Guermantes e sonhava com uma ocasião de se encontrar com os falsos La Tour d'Auvergne para fazê-los sentir, com um soco desdenhoso, que ele não os levava a sério. Quanto aos Cambremer, eis que justamente podia mostrar-lhes que não valiam mais que "o último soldado de seu regimento". Não respondeu ao convite deles e na noite do jantar desculpou-se à última hora com um telegrama, deslumbrado como se acabasse de agir feito um príncipe de raça. Além disso, resta acrescentar que não se pode imaginar o quanto, de um modo geral, o Sr. de Charlus podia ser insuportável, minucioso, e até, ele tão fino, também imbecil, em todas as ocasiões em que entravam em jogo os defeitos do seu caráter. De fato, pode-se dizer que estes são como que uma enfermidade intermitente do espírito. Quem já não reparou no fato entre as mulheres, e até nos homens, dotados de inteligência notável porém afligidos de nervosismo? Quando estão felizes, sossegados, satisfeitos com o ambiente, fazem com que admiremos seus preciosos dotes; é literalmente a verdade que fala por sua boca. Uma enxaqueca, uma pequena picada de amor-próprio, basta para mudar tudo. A luminosa inteligência, convulsiva, brusca e acanhada, só reflete um *ego* irritado, suspicaz, caprichoso, fazendo todo o possível para desagradar. Foi intensa a cólera dos Cambremer; e, no intervalo, outros incidentes levaram a uma certa tensão em suas relações com o pequeno clã. Quando voltávamos, os Cottard, Charlus, Brichot, Morel e eu, de um jantar na Raspelière e como os Cambremer, que tinham almoçado com amigos em Arembouville, tivessem feito na ida uma parte do trajeto conosco: — O senhor, que tanto aprecia Balzac e sabe reconhecê-lo na sociedade contemporânea — dissera eu ao Sr. de Charlus —, deve achar que esses Cambremer saíram das *Cenas da Vida Provinciana*. — Mas o Sr. de Charlus, exatamente como se fosse amigo deles e eu o tivesse melindrado com minha observação, cortou-me bruscamente a palavra: — O senhor diz isto porque a mulher é superior ao marido — replicou ele em tom seco. — Oh, eu não queria dizer que ela era a Musa do Departamento, nem a Sra. de Bargeton, muito embora... — O Sr. de Charlus interrompeu de novo: — Diga antes a Sra. de Mortsauf. — O trem parou, e Brichot desceu. — Por mais que lhe fizéssemos sinais, o senhor é terrível. — Como? — Ora, não percebeu que Brichot está loucamente apaixonado pela Sra. de Cambremer? — Pela atitude dos Cottard e de Charlie, vi que aquilo era aceito sem sombra de dúvida no pequeno núcleo. Creio que havia maldade da parte deles. — Pois não notou como ele ficou perturbado quando você falava dela? — continuou o Sr. de Charlus, que gostava de mostrar que tinha experiência com as mulheres e falava do sentimento que elas inspiram com um ar natural, e como se este sentimento fosse o que ele próprio sentisse habitualmente. Porém um certo ar de paternidade equívoca em relação a todos os jovens — apesar de seu amor exclusivo por Morel — acabou desmentindo, pelo tom, as opiniões de mulherengo que ele emitia: — Oh, esses meninos! — disse com voz aguda, piegas e cadenciada. — É preciso ensinar-lhes tudo, são inocentes como criança recém-nascida, não sabem reconhecer quando um homem está enamorado de uma mulher. Na sua idade eu era mais esperto — acrescentou, pois gostava de empregar as expressões do mundo apache, talvez por gosto, talvez para não parecer, evitando-as, que freqüentava aqueles para quem tais expressões faziam parte do vocabulário corrente. Alguns dias mais tarde, fui obrigado a render-me à evidência e reconhecer que Brichot estava apaixonado pela marquesa. Desgraçadamente, aceitou vários almoços na casa dela. A Sra. Verdurin achou que era tempo de dar um basta naquilo. Fora a utilidade que ela via numa intervenção, para a política do pequeno núcleo, sentia por esses tipos de explicações e pelos dramas daí decorrentes um prazer cada vez mais vivo e que a ociosidade faz nascer tanto no mundo aristocrático como na burguesia. Foi um dia de grande emoção na Raspelière quando se viu a Sra. Verdurin desaparecer durante uma hora com Brichot, a quem soube-se que ela dissera que a Sra. de Cambremer zombava dele, que ele era motivo de troça em seu salão, que ele ia desonrar a sua velhice, comprometer a sua posição no ensino. Chegou ao ponto de falar em termos tocantes da lavadeira com quem ele vivia em Paris, e de sua filhinha. Ela venceu, e Brichot deixou de ir a Féterne, mas seu desgosto foi tal que, durante dois dias, julgamos que perderia completamente a visão, e, em todo caso, sua enfermidade se agravou a um estágio que se tornou definitivo. Entretanto, os Cambremer, cuja raiva contra Morel era grande, convidaram uma vez, e de propósito, o Sr. de Charlus, mas sem o violinista. Não recebendo resposta do barão, recearam ter cometido uma gafe, e, achando que o rancor era mau conselheiro, escreveram um pouco tardiamente a Morel, servilismo que fez sorrir o Sr. de

Charlus, mostrando-lhe o seu poder. — Responda por nós dois que aceito — disse o barão a Morel. Chegado o dia do jantar, esperavam no grande salão de Féterne. Na realidade, os Cambremer davam o jantar para a fina flor da elegância que eram o Sr. e a Sra. Féré. Mas de tal modo temiam desagradar o Sr. de Charlus que, embora tivessem conhecido os Féré através do Sr. de Chevregny, a Sra. de Cambremer sentiu-se febril ao ver, no dia do jantar, que este os vinha visitar em Féterne. Inventaram todos os pretextos para mandá-lo para Beausoleil o mais rápido possível, mas não tão depressa que ele não cruzasse no pátio com o casal Féré, os quais ficaram tão chocados por vê-lo assim mandado embora, como ele envergonhado. Mas, custasse o que custasse, os Cambremer queriam poupar ao Sr. de Charlus a vista do Sr. de Chevregny, achando que este era provinciano, devido a matizes que se deixam passar em família e só se levam em conta diante de estranhos, que são precisamente os únicos a não se aperceberem de tal. Mas ninguém gosta de exibir os parentes que permanecem aquilo que tanto nos esforçamos por deixar de ser. Quanto ao Sr. e à Sra. Féré, eram no mais alto grau aquilo que se chama pessoas de muita distinção. Aos olhos dos que assim os qualificavam, sem dúvida os Guermantes, os Rohan e vários outros também eram pessoas muito distintas, mas o seu nome dispensava de dizê-lo. Como nem todos sabiam do elevado nascimento da mãe do Sr. Féré nem da mãe da Sra. Féré, e do círculo extraordinariamente fechado que ela e o marido freqüentavam, quando diziam os seus nomes, sempre acrescentavam, para explicar, que se tratava "do que há de melhor". O seu nome obscuro acaso lhes ditava uma espécie de sobranceira reserva? Sempre é fato que os Féré não tinham relações com pessoas que os La Trémoille teriam freqüentado. Fora necessário a posição de rainha do litoral, que a velha marquesa de Cambremer possuía na Mancha, para que os Féré viessem a uma de suas vesperais todos os anos. Tinham-nos convidado para jantar, e muito contavam com o efeito que o Sr. de Charlus ia produzir neles. Anunciaram discretamente que ele estava no número dos convivas. Por acaso, a Sra. Féré não o conhecia. A Sra. de Cambremer teve com isso uma grande satisfação, e pelo seu rosto perpassou o sorriso do químico que vai pôr em contato, pela primeira vez, dois corpos especialmente importantes. A porta se abriu, e a Sra. de Cambremer esteve a ponto de desmaiar ao ver Morel entrar sozinho. Como um secretário encarregado de desculpar o seu ministro, como uma esposa morganática a exprimir o pesar que tem o príncipe de estar doente (assim fazia a Sra. de Clinchamp em relação ao duque d'Aumale), Morel disse, no tom mais leviano: — O barão não poderá vir. Está um pouco indisposto; pelo menos, acho que é por causa disso; não estive com ele esta semana — acrescentou, desesperando até com essas últimas palavras a Sra. de Cambremer, que dissera ao casal Féré que Morel estava com o Sr. de Charlus em todas as horas do dia. Os Cambremer fingiram que a ausência do barão era um atrativo a mais para a recepção, e, sem que Morel ouvisse, diziam aos convidados: — Passaremos bem sem ele, não é mesmo? Até será mais agradável. — Mas estavam furiosos, suspeitaram de uma intriga urdida pela Sra. Verdurin, e, em represália, quando esta voltou a convidá-los para La Raspelière, o Sr. de Cambremer, não podendo resistir ao prazer de rever sua casa e de se reencontrar com o pequeno grupo, compareceu, mas só, dizendo que a marquesa estava desolada, pois seu médico lhe ordenara que não deixasse o quarto. Com essa meia presença, os Cambremer julgaram, a um tempo, dar uma lição ao Sr. de Charlus e mostrar aos Verdurin que não lhes deviam senão uma polidez restrita, como as princesas de sangue outrora acompanhavam as duquesas, mas unicamente até o meio do segundo quarto. Ao fim de algumas semanas, estavam quase brigados. O Sr. de Cambremer me dava explicações: — Direi que com o Sr. de Charlus era mesmo difícil. Ele é extremamente dreyfusista... — Mas não! — Sim... em todo caso seu primo, o príncipe de Guermantes, o é; falam muito mal dele por isso. Tenho parentes que notam muito essas coisas. Não posso freqüentar essas pessoas; acabaria brigando com minha família. — Visto que o príncipe de Guermantes é dreyfusista, tanto melhor — disse a Sra. de Cambremer; — pois Saint-Loup, que dizem que vai casar com a sobrinha deles, também é. Talvez até seja este o motivo do casamento. — Ora, minha cara, não diga que Saint-Loup, de quem tanto gostamos, é dreyfusista. Não convém espalhar levianamente essas alegações — disse o Sr. de Cambremer. — Você o deixaria malvisto no exército! — Ele foi, mas não o é mais — disse eu ao Sr. de Cambremer. — Quanto ao seu casamento com a Srta. de Guermantes-Brassac, é certo mesmo? — Só se fala nisso, mas o senhor está em condições de sabê-lo. — Mas eu repito que ele disse a mim mesma que era dreyfusista — insistiu a Sra. de Cambremer. — De resto, é muito desculpável; os Guermantes são meio alemães. — Quanto aos Guermantes da rua de Varenne, pode dizer que o são inteiramente — observou Cancan. — Mas Saint-Loup é vinho de outra pipa; ainda que tenha toda uma parentela alemã, seu pai reivindicava, acima de tudo, o seu título de grão-senhor francês; voltou à ativa em 1871 e foi morto durante a guerra da maneira mais bela. Por muito que eu seja intransigente sobre a matéria, não é preciso exagerar num sentido ou noutro. *In medio... virtus*, ah! não consigo me lembrar. É algo que diz o doutor Cottard. Eis aí um que tem sempre a palavra pronta. Deveriam ter aqui um *Petit Larousse*. — Para evitar pronunciar-se sobre a citação latina e abandonar o assunto Saint-Loup em que seu marido parecia achar que ela carecia de tato, a Sra. de Cambremer tocou no caso da Patroa, cujo estremecimento com eles ainda era necessário explicar. — Alugamos La Raspelière à Sra. Verdurin com toda a boa vontade — disse a marquesa. Apenas, ela parece ter acreditado que, com a casa e tudo o que achou meios de se atribuir, a utilização do prado, as velhas tapeçarias, todas as coisas que absolutamente não estavam no contrato, teria ainda mais direito a ligar-se a nós. São coisas inteiramente distintas. Nosso erro foi o de não ter mandado fazer as coisas por um procurador ou uma agência. Em Féterne isso não tem importância, mas creio que daqui estou vendo a cara que faria a tia de Ch'nouville se visse aparecer, no meu dia de recepção, a velha Verdurin toda descabelada. Quanto ao Sr. de Charlus, naturalmente ele conhece pessoas muito distintas, mas também gente de muito má posição. — Perguntei quem. Pressionada, a Sra. de Cambremer acabou por dizer: — Afirma-se que é ele quem sustenta um senhor Moreau, Morille, Morue, já nem sei mais. Nenhuma relação, é claro, com Morel, o violinista — acrescentou enrubescendo. — Quando senti que a Sra. Verdurin imaginava que, por ser nossa locatária na Mancha, teria o direito de me fazer visitas em Paris, compreendi ser necessário cortar as amarras.

Apesar dessa desavença com a Patroa, os Cambremer não estavam de mal com os fiéis, subindo de bom grado ao nosso vagão quando se achavam na linha. Quando estávamos prestes a chegar a Douville, Albertine, pegando uma última vez o seu espelho, julgava conveniente às vezes mudar as luvas ou tirar por um momento o chapéu e, com o pente de tartaruga que eu lhe dera e que ela trazia nos cabelos, alisava os coques, ajeitava os fofos e, caso necessário, erguia o rolo de cabelos acima das ondulações que caíam em vales regulares até a nuca. Uma vez dentro dos carros que nos esperavam, a gente absolutamente não sabia mais onde estava; as estradas não tinham iluminação; pelo ruído mais forte das rodas, reconhecíamos estar atravessando uma aldeia, julgávamos ter chegado, e nos achávamos em pleno campo, ouvíamos sinos ao longe, esquecíamos estar de *smoking,* e tínhamos quase adormecido quando, no fim dessa longa margem de escuridão que, devido à distância percorrida e aos incidentes característicos de todo trajeto em estrada de ferro, parecia ter nos levado até uma hora avançada da noite e quase à metade do caminho de volta a Paris — de repente, depois que o rodar do carro sobre uma areia mais fina revelara que acabávamos de entrar no parque, explodiam, reintegrando-nos na vida mundana, as ofuscantes luzes do salão e, depois, da sala de jantar, onde sentíamos um vivo movimento de recuo ao ouvir soar aquelas oito horas que acreditávamos passadas há muito, enquanto que os numerosos serviços e os vinhos finos iam suceder-se ao redor dos homens de fraque e das mulheres meio decotadas, num jantar de claridade rutilante como um verdadeiro jantar na cidade e a que apenas cercava, desse modo mudando o seu caráter, a dupla *écharpe* sombria e singular que haviam tecido, desviadas por essa utilização mundana de sua primitiva solenidade, as horas noturnas, campestres e marinhas da ida e da volta. Esta, com efeito, nos forçava a deixar o esplendor radiante e logo esquecido do salão luminoso, pelos carros onde eu me acomodava com Albertine para que minha amiga não pudesse estar com os outros sem mim, e muitas vezes por uma outra causa ainda, que era nós dois podermos fazer muita coisa num carro escuro, onde, no caso de se filtrar um súbito raio de luz, os solavancos da descida aliás nos desculpariam de estarmos agarrados um ao outro. Quando o Sr. de Cambremer ainda não havia brigado com os Verdurin, ele me perguntava: — Não acha que vai ter sufocações, com esse nevoeiro? Minha irmã teve sufocações terríveis esta manhã. Ah, o senhor também teve — dizia com satisfação. — Vou contar a ela esta noite. Sei que, logo que eu chegar, ela imediatamente vai se informar se o senhor não as tem há muito tempo. — Aliás, ele só me falava das minhas sufocações para chegar às da irmã, e me fazia descrever as particularidades das primeiras apenas para assinalar melhor as diferenças existentes entre as duas. Mas apesar destas, como as sufocações da irmã lhe parecessem dever constituir autoridade, não podia crer que o que "aprovava" nas suas não fosse indicado para as minhas, e irritava-se por ver que eu não o experimentava, pois há uma coisa ainda mais difícil do que seguir um regime: é não impô-lo aos outros. — Aliás, que digo eu, um profano, quando o senhor está aqui diante do areópago, na fonte. Que pensa disso o professor Cottard?

Além disso, voltei a ver sua mulher uma outra vez porque ela dissera que minha "prima" era um tipo esquisito e eu quis saber o que ela entendia por isso. Ela negou que o havia dito, mas terminou por confessar que falara de uma pessoa que julgara encontrar com minha prima. Não lhe sabia o nome e disse afinal que, se não se enganava, era a mulher de um banqueiro, a qual se chamava Lina, Linette, Lisette, Lia, enfim, alguma coisa desse gênero. Eu pensava que "mulher de um banqueiro" fora posto ali apenas para maior delimitação. Quis indagar a Albertine se aquilo era verdade. Mas preferia aparentar ser aquele que sabe a ser o que faz perguntas. Além disso, Albertine não teria respondido nada, ou um "não", cujo "n" seria hesitante demais e o "ão" acentuado em excesso. Albertine jamais contava fatos que pudessem prejudicá-la, e sim outros que só podiam explicar-se pelos primeiros, pois a verdade é antes uma corrente que parte do que nos dizem, e que captamos, por invisível que seja, do que a própria coisa que nos disseram. Assim, quando lhe afirmei que uma mulher que ela havia conhecido em Vichy era de mau gênero, jurou-me que essa mulher não era de modo algum aquilo que eu imaginava e jamais tentara induzi-la a nada. Mas, noutro dia, como lhe falasse de minha curiosidade por esse tipo de gente, acrescentou que a dama de Vichy também tinha uma amiga que ela, Albertine, não conhecia, mas que a dama lhe havia "*prometido* apresentar". Para que o tivesse prometido, era portanto necessário que Albertine o desejasse, ou que a dama soubesse, ao oferecê-lo, que lhe causava prazer. Mas, se eu o objetasse a Albertine, daria a impressão de que só dispunha de revelações por meio dela, e logo as teria interrompido. Não saberia de mais nada e teria deixado de me fazer temido. Aliás, estávamos em Balbec, a dama de Vichy e sua amiga moravam em Menton; o afastamento e a impossibilidade do perigo destruiriam logo as minhas suspeitas.

Muitas vezes, quando o Sr. de Cambremer me interpelava da plataforma da estação, eu acabava de aproveitar-me das trevas com Albertine, e com tanto mais dificuldade porque ela se debatera um pouco, receando que as trevas não fossem bem completas. — Sabe que tenho certeza de que Cottard nos viu; de resto, mesmo sem ver, ele bem que ouviu a sua voz sufocada, justo no momento em que se falava das suas sufocações de outro gênero — dizia-me Albertine ao chegar à gare de Douville, onde retomávamos o trenzinho para o regresso. Mas esse regresso, bem como a ida, ao dar-se certa impressão de poesia, revelava em mim o desejo de fazer viagens, de levar uma vida nova, e, desse modo, fazia-me desejar abandonar qualquer projeto de casamento com Albertine, e até acabar definitivamente com as nossas relações, e assim me tornava, devido mesmo à sua natureza contraditória, mais fácil esse rompimento. Pois na volta, como na ida, em cada estação havia conhecidos que embarcavam conosco ou nos cumprimentavam da plataforma; acima dos prazeres furtivos da imaginação, dominavam estes, contínuos, da sociabilidade, que são tão apaziguadores, tão calmantes. Antes das próprias estações, já seus nomes (que tanto me haviam feito sonhar, desde o dia em que os ouvira, na primeira tarde em que viajara com minha avó) tinham se humanizado, tinham perdido sua singularidade desde a noite em que Brichot, a pedido de Albertine, nos explicara mais completamente suas etimologias. Eu achara um encanto essa "flor" (*fleur*) com que terminavam certos nomes, como Figuefleur, Honfleur, Flers, Barfleur, Harfleur, etc., e divertido o "boi" (*boeuf*) que existe no fim de Bricqueboeuf. Mas a flor e o boi desapareceram quando Brichot (e isto ele me dissera no primeiro dia no trem) nos informara que *fleur* quer dizer "porto" (como fiord) e que *boeuf*, em normando *budh*, quer dizer cabana. Como citava diversos exemplos, o que me parecera particular se generalizava: Bricqueboeuf juntava-se a Elbeuf, e, mesmo num nome à primeira vista tão individual como o local, feito o nome de Pennedepie, onde as estranhezas mais impossíveis de elucidar pela razão me pareciam amalgamadas desde um tempo imemorial em um vocábulo vilão, saboroso e endurecido como determinado queijo normando, fiquei desolado ao encontrar o *per* gaulês que significa "montanha" e se encontra tanto em Penmarch como nos Apeninos. Como a cada parada do trem eu sentisse que teríamos mãos amigas para apertar, dizia a Albertine: — Trate logo de perguntar a Brichot os nomes que quer saber. Você me falou de Marcouville-l'Orgueilleuse. — Sim, gosto muito desse orgulho, é uma aldeia altiva — disse Albertine. — Achá-la-ia mais altiva ainda — respondeu Brichot se em vez de sua forma francesa, ou até de baixa latinidade, tal como a encontramos no cartulário do bispo de Bayeux, *Marcovilla superba*, tomasse a forma mais antiga, mais vizinha do normando, *Marculphivilla superba*, a aldeia, o domínio de Marculph. Em quase todos estes nomes que terminam em *ville*, vocês ainda poderiam ver, erguido sobre esta costa, o fantasma dos rudes invasores normandos. Em Hermonville, você não teve, de pé à pontinhola do vagão, mais que o nosso excelente doutor que, evidentemente, não tem nada de chefe normando. Porém, fechando os olhos, poderia ver o ilustre Herimund (*Herimundivilla*). Conquanto eu não saiba por que se vai por estas estradas, compreendidas entre Loigny e Balbec-Plage, em vez das outras, bem mais pitorescas, que levam de Loigny ao velho Balbec, a Sra. Verdurin talvez já o tenha levado de carro para aquelas bandas. Então deve ter visto Incarvillle, ou aldeia de Wiscar, e Tourville, antes de chegar à casa da Sra. Verdurin, é a aldeia de Turold. Além disso, não houve só normandos. Parece que os alemães chegaram até aqui (Aumenancourt, *Alemanicurtis*); não o digamos àquele jovem oficial que vejo daqui; seria capaz de não mais querer ir visitar seus primos. Houve também saxões, como o testemunha a fonte de Sissone (um dos passeios prediletos da Sra. Verdurin, e com toda a razão), tanto como na Inglaterra o Middlesex, o Wessex. Coisa inexplicável, parece que os godos, *gueux* como diziam, vieram até cá, e mesmo os mouros, pois Mortagne provém de *Mauretania*. Ficou o vestígio deles em Gourville (*Gothorumvilla*). Aliás, também subiste algum vestígio dos latinos: Lagny (*Latiniacum*). — Quanto a mim, peço a explicação de Thorpehomme — disse o Sr. de Charlus. — Compreendo "homme" — acrescentou, enquanto Cottard e o escultor trocavam um olhar de inteligência. — Mas Thorp? — "Homme" não significa de modo algum aquilo que o senhor é naturalmente levado a crer, barão — respondeu Brichot, olhando maliciosamente para o escultor e Cottard. — "Homme" nada tem a ver aqui com o sexo a que não devo minha mãe. "Homme" é *Holm*, que significa "ilhota", etc. Quanto a *Thorp*, ou "aldeia", encontramo-lo em cem palavras com que já aborreci o nosso jovem amigo. Assim, em Thorpehomme não existe nome de chefe normando, mas palavras do idioma normando. Veja como toda esta região foi germanizada. — Creio que ele exagera — disse o Sr. de Charlus. — Estive ontem em Orgeville... — Desta vez devolvo-lhe o homem que havia tirado em Thorpehomme, barão. Seja dito sem pedantismo; uma carta de Roberto I nos dá para Orgeville, *Otgerivilla*, o domínio de Otger. Todos estes nomes são os de antigos senhores. Octeville-la-Venelle corresponde a l'Avenel. Os Avenel eram uma família conhecida na Idade Média. Bourguenolles, aonde a Sra. Verdurin nos levou outro dia, escrevia-se "Bourg de Môles", pois essa aldeia pertenceu no século XI a Baudouin de Môles, bem como La Chaise-Baudouin; mas eis-nos em Doncières. — Meu Deus, quantos tenentes vão tentar embarcar! — disse o Sr. de Charlus com simulado pavor. — Digo-o pelos senhores; quanto a mim, não me incomoda, pois vou descer aqui. — Está ouvindo, doutor? — disse Brichot. — O barão tem medo de que os oficiais lhe passem por cima do corpo. E contudo estão no seu papel, encontrando-se agrupados aqui, pois Doncières é exatamente Saint-Cyr, *dominus Cyriacus*. Há muitos nomes de cidades onde *sanctus* e *sancta* são substituídos por *dominus* e *domina*. Ademais, esta cidade tranqüila e militar apresenta às vezes falsos ares de Saint-Cyr, de Versalhes e até de Fontainebleau.

Durante esses regressos (como nas idas), eu dizia a Albertine que se arrumasse, pois sabia muito bem que em Amancourt, em Doncières, em Épreville e em Saint-Vast, nós teríamos de receber visitas breves. Aliás, tais visitas não eram desagradáveis, fosse, em Hermonville (o domínio de Herimund), a do Sr. de Chevregny, aproveitando a oportunidade de que tinha vindo receber convidados para me convidar a ir almoçar no dia seguinte em Montsurvent, ou, em Doncières, a brusca invasão de um dos encantadores amigos de Saint-Loup, enviado por este (se não estivesse livre) para me transmitir um convite do capitão de Borodino, do grupo de oficiais no *Coq Hardi*, ou dos suboficiais no *Faisan Doré*. Saint-Loup vinha muitas vezes pessoalmente, e, durante todo o tempo em que ele ali se encontrava, eu, sem que ninguém percebesse, mantinha Albertine prisioneira sob meu olhar, aliás inutilmente vigilante. Entretanto, por uma vez interrompi a guarda. Como houvesse uma longa parada, Bloch, tendo-nos cumprimentado, retirou-se quase imediatamente para se juntar ao pai, o qual acabava de herdar do tio, e, tendo alugado um castelo que se chamava La Commanderie, achava bem próprio de um grão-senhor só circular em sege de posta, com postilhões de libré. Bloch pediu-me que o acompanhasse até a carruagem. — Mas apressa-te, pois esses quadrúpedes são impacientes; vem, homem caro aos deuses, que darás alegria a meu pai. — Mas eu sofria muito em deixar Albertine no trem com Saint-Loup; eles poderiam falar-se enquanto eu estivesse de costas, ir para outro vagão, sorrir-se, tocar-se; meu olhar aderente a Albertine não podia destacar-se dela enquanto Saint-Loup ali estivesse. Ora, vi muito bem que Bloch, que me havia pedido como um serviço que fosse cumprimentar seu pai, primeiro achou pouco gentil que eu recusasse, visto que nada me impedia, já que os empregados tinham avisado que o trem ainda ficaria pelo menos um quarto de hora na estação, e que quase todos os passageiros, sem os quais o trem não partiria, haviam descido; e a seguir não duvidou de que fosse porque, decididamente — minha conduta nessa ocasião lhe servia de prova decisiva —, eu era um esnobe. Pois não ignorava o nome das pessoas com quem eu me achava. De fato, o Sr. de Charlus me dissera, algum tempo antes e sem se lembrar ou importar-se que isso já fora feito outrora para se aproximar dele: — Mas apresente-me o seu companheiro. O que você faz é uma falta de respeito para comigo — e havia conversado com Bloch, que parecera agradar-lhe imensamente, tanto que o havia gratificado com um "espero tornar a vê-lo". — Então é irrevogável, não queres andar estes cem metros para cumprimentar meu pai, a quem isso daria tanta satisfação? — indagou Bloch. Sentia-me desgraçado por dar a impressão de que faltava com a boa camaradagem, ainda mais pelo motivo suposto por Bloch, e por ver que ele imaginava que eu já não era o mesmo para com meus amigos burgueses na presença de pessoas "bem-nascidas". Desde esse dia, deixou de me testemunhar a mesma amizade e, o que me era mais penoso, não teve mais a mesma estima pelo meu caráter. Mas, para desenganá-lo quanto ao motivo que me fizera permanecer no vagão, teria de lhe dizer alguma coisa — a saber, que eu tinha ciúmes de Albertine —, o que me seria ainda mais doloroso do que deixá-lo crer que eu era estupidamente mundano. É assim que, teoricamente, achamos que deveríamos sempre nos explicar com toda a franqueza, evitar mal-entendidos. Mas com muita freqüência a vida os combina de tal maneira que, para dissipá-los, nas raras circunstâncias em que isso seria possível, teríamos de revelar — o que não é o caso presente — algo que deixaria o nosso amigo ainda mais ofendido do que a culpa imaginária de que nos acusa, ou um segredo cuja divulgação — e era o que me acabava de ocorrer — nos parece ainda pior que o mal-entendido. E além disso, mesmo sem explicar a Bloch, visto que não podia fazê-lo, a razão pela qual eu não o acompanhara, se eu lhe tivesse pedido que não ficasse magoado, não teria feito mais que aumentar essa mágoa, mostrando que dela me apercebera. Não havia o que fazer senão inclinar-se diante desse *fatum* que havia desejado que a presença de Albertine me impedisse de acompanhá-lo e que ele pudesse acreditar, pelo contrário, que era a das pessoas brilhantes, a qual, ainda que estas o fossem cem vezes mais, só teria por efeito fazer que me ocupasse exclusivamente de Bloch e reservasse para ele toda a minha polidez. Desse modo, bastou que, acidental e absurdamente, um incidente (no caso a presença de Albertine e de Saint-Loup) se interpusesse entre dois destinos cujas linhas convergiam uma para a outra, para que elas se desviassem, se afastassem cada vez mais e jamais pudessem reaproximar-se. E existem amizades mais belas que a de Bloch por mim, que se acham destruídas, sem que o autor involuntário do rompimento tenha jamais podido explicar ao ofendido aquilo que sem dúvida teria curado o seu amor-próprio e recuperado a sua fugitiva simpatia.

Amizades mais belas que a de Bloch não seria aliás dizer muito. Ele possuía todos os defeitos que mais me desagradavam. Por acaso, minha afeição por Albertine tornava-os absolutamente insuportáveis. Assim, naquele simples momento em que conversei com ele, sempre vigiando Robert com o olhar, Bloch me disse que havia almoçado na casa da Sra. Bontemps e que todos tinham falado de mim com os maiores elogios até o "declínio de Hélios". — "Bom", pensei, "como a Sra. Bontemps julga Bloch um gênio, o sufrágio entusiasta que ele me terá concedido fará mais do que o que os outros possam ter dito; chegará aos ouvidos de Albertine. De um dia para o outro, ela não poderá deixar de saber, e espanta-me que sua tia já não lhe tenha repetido que sou um homem 'superior'." — Sim — acrescentou Bloch —, todo mundo faz o teu elogio. Só eu é que guardei um silêncio tão profundo como se tivesse absorvido em vez do repasto, aliás medíocre, que nos serviam, papoulas, caras ao bem-aventurado irmão de Tánatos e de Letes, o divino Hipnos, que envolve em brandos laços o corpo e a língua. Não é que te admire menos que o bando de cães ávidos com os quais me haviam convidado. Mas eu te admiro porque te compreendo e eles te admiram sem compreender-te. A bem dizer, admiro-te demais para falar assim de ti em público, e me pareceria uma profanação louvar em voz alta o que trago no mais fundo do meu coração. Por mais que me questionassem a teu respeito, um Pudor sagrado, filho do Krônion, me fez permanecer mudo. Não tive o mau gosto de parecer descontente, mas aquele Pudor me cheirou a um parente — muito mais que ao Krônion — do pudor que impede um crítico que nos admira a falar de nós porque o templo secreto em que estamos entronizados seria invadido pela turba de leitores ignaros e jornalistas; do pudor do estadista que não nos exorna para que não fiquemos confundidos no meio de pessoas que não têm o nosso valor; do pudor do acadêmico que não vota em nós, a fim de nos evitar a vergonha de ser colega de X... que não tem talento; do pudor, enfim, mais respeitável e todavia mais criminoso, dos filhos que nos imploram que não escreva sobre o defunto pai deles, que foi repleto de méritos, para assegurar-lhe o silêncio e o repouso, para impedir que se entretenha a vida e se crie a glória em torno do pobre morto, que preferiria ter seu nome pronunciado pelas bocas dos homens às coroas, aliás bem piedosamente colocadas sobre seu túmulo.

Se Bloch, desolando-me por não poder compreender o motivo que me impedia de ir cumprimentar seu pai, me havia exasperado ao confessar que me desconsiderara na casa da Sra. Bontemps (compreendia agora porque Albertine nunca me aludira a esse almoço e ficava em silêncio quando eu lhe falava do afeto de Bloch por mim), o jovem israelita produzira sobre o Sr. de Charlus uma impressão bem diversa da irritação. Agora, com certeza, Bloch julgava que não só eu não podia permanecer um segundo longe das pessoas elegantes, mas também que, cioso das tentativas que eles poderiam lhe fazer (como o Sr. de Charlus), eu procurava opor obstáculos e impedir que se relacionasse com eles; mas, por seu lado, o barão lamentava não ter visto mais vezes o meu camarada. Conforme seu hábito, evitou demonstrá-lo. Começou por fazer-me, como quem não quer nada, algumas perguntas sobre Bloch, mas em tom tão negligente com um interesse que de tal modo parecia fingido, que ninguém acreditaria que ouvisse as respostas. Com um ar desligado, numa melopéia que exprimia mais que indiferença, indicando a distração, e como por simples cortesia para comigo: — Ele tem ar inteligente, disse que escrevia; tem talento? — Disse-lhe que fora muito amável de sua parte dizer-lhe que esperava tornar a vê-lo. Nenhum movimento revelou no barão que ele ouvira a minha frase, e como a repeti quatro vezes sem obter resposta, acabei por desconfiar que fora vítima de uma ilusão acústica, ao julgar ouvir o que o Sr. de Charlus dissera. — Ele mora em Balbec? — cantarolou o barão, com um ar tão pouco indagador que é deplorável que a língua francesa não possua um sinal diverso do ponto de interrogação para encerrar essas frases aparentemente muito pouco interrogativas. É verdade que um sinal desses quase só serviria para o Sr. de Charlus. — Não; alugaram La Commanderie aqui pertinho. — Tendo sabido o que desejava, o Sr. de Charlus fingiu desprezar Bloch. — Que horror! — exclamou, devolvendo à sua voz todo o vigor estridente. — Todas as localidades ou propriedades denominadas "La Commanderie" foram construídas ou ocupadas pelos cavaleiros da Ordem de Malta (à qual pertenço), assim como os lugares ditos "Templo" ou "Cavalaria", pelos Templários. Nada mais natural que eu morasse em La Commanderie. Mas um judeu! Aliás, isso não me espanta; refere-se a um curioso gosto pelo sacrilégio, particular a essa raça. Desde que um judeu possui dinheiro bastante para comprar um castelo, escolhe sempre um que se chama o Priorado, a Abadia, o Mosteiro, a Casa de Deus. Tive de me haver com um funcionário judeu; adivinhe onde ele morava? Em Pont-l'Évêque. Caído em desgraça, transferiu-se para a Bretanha, em Pont-l'Abbé. Quando ocorrem na Semana Santa esses espetáculos indecentes a que chamam *A Paixão*, metade da platéia está repleta de judeus, exultantes à idéia de que pela segunda vez vão pôr Cristo na Cruz, ao menos em efígie. No concerto Lamoureux, eu tive um dia como vizinho um rico banqueiro judeu. Tocavam *A Infância de Cristo,* de Berlioz; ele estava consternado. Porém, logo recuperou a expressão de beatitude, que lhe é habitual, ao ouvir "O Encantamento da Sexta-Feira Santa". Seu amigo mora na Commanderie, o desgraçado! Que sadismo! O senhor vai indicar-me o caminho — acrescentou, retomando o ar de indiferença — para que um dia eu vá ver como os nossos antigos domínios toleram uma tal profanação. É uma pena, pois ele é polido, parece fino. Só faltava que morasse na rua do Templo, em Paris! — Com tais palavras, o Sr. de Charlus dava a impressão de querer apenas achar um novo exemplo para apoio de sua teoria; mas na verdade me fazia uma pergunta com dois objetivos, onde o principal era saber o endereço de Bloch. — De fato — observou Brichot —, a rua do Templo se chamava rua da Cavalaria do Templo. E, a propósito, permite-me uma observação, barão? — perguntou o universitário. — O quê? De que se trata? — indagou secamente o Sr. de Charlus, a quem essa interrupção impedia de obter o seu informe. — Nada, nada — respondeu Brichot intimidado. — É a propósito da etimologia de Balbec, que me pediram. A rua do Templo se chamava antigamente rua Barre-du-Bec, porque l'Abbaye du Bec, na Normandia, tinha ali, em Paris, a sua barra de justiça. — O Sr. de Charlus não respondeu nada e pareceu não ter ouvido, o que era nele umas das formas de insolência. — Onde mora o seu amigo em Paris? Como três quartas partes das ruas tiram o seu nome de uma igreja ou de uma abadia, é provável que o sacrilégio continue. Não se pode impedir os judeus de morarem no bulevar da Madeleine, no *faubourg* Saint-Honoré ou na praça Saint-Augustin. Desde que não o façam por um pérfido requinte, escolhendo domicílio na praça do Parvis-Notre-Dame, no cais do Arcebispado, na rua Canonisa ou na rua da Ave-Maria, convém levar em conta as suas dificuldades. — Não pude informar o Sr. de Charlus, visto que me era desconhecido o endereço atual de Bloch. Mas eu sabia que os escritórios de seu pai ficavam na rua dos Blancs-Manteaux. — Oh, é o cúmulo da perversidade! — gritou o Sr. de Charlus, parecendo achar no seu próprio grito de indignação irônica uma profunda satisfação. — Rua dos Blancs-Manteaux — repetiu rindo e acentuando cada sílaba. — Que sacrilégio! Pensem que esses Blancs-Manteaux, poluídos pelo Sr. Bloch, eram os dos frades mendicantes, ditos servos da Santa Virgem, que São Luís assentou ali. E a rua sempre pertenceu a ordens religiosas. A profanação é tanto mais diabólica porque, a dois passos da rua dos Blancs-Manteaux, existe uma rua cujo nome não me lembra e que é toda inteira concedida aos judeus; há caracteres hebraicos nas lojas, fábricas de pães ázimos, açougues judeus, é a perfeita *Judengasse* de Paris. O Sr. de Rochegude a denomina gueto parisiense. Era aí que o Sr. Bloch deveria morar. Naturalmente — prosseguiu num tom bastante enfático e altaneiro, e dando, para sustentar conceitos estéticos com uma resposta que lhe dirigia, malgrado seu, a sua hereditariedade, um ar de velho mosqueteiro de Luís XIII à sua cabeça atirada para trás — só me ocupo de tudo isso do ponto de vista da arte. A política não é da minha competência, e eu não posso condenar em bloco, visto tratar-se de Bloch, uma nação que conta Spinoza entre seus membros ilustres. E admiro bastante Rembrandt para não reconhecer a beleza que se pode extrair da freqüentação da sinagoga. Mas enfim, um gueto é tanto mais belo quanto mais homogêneo e mais completo. Aliás, fique certo, de tal modo o instinto prático e a cupidez se misturam nesse povo ao sadismo, que a proximidade da rua hebraica de que lhe falo, a comodidade de ter à mão os açougues de Israel, fez com que o seu amigo escolhesse a rua dos Blancs-Manteaux. Como é curioso! Aliás, é por ali que residia um estranho judeu que mandara ferver hóstias, após o que imagino que o fizeram ferver a ele próprio, o que é mais estranho ainda, já que isso parece significar que o corpo de um judeu pode valer tanto quanto o corpo do bom Deus. Talvez fosse possível combinar com seu amigo para que ele nos leve a visitar a igreja dos Blancs-Manteaux. Considere que foi lá que deixaram exposto o corpo de Luís de Orléans depois de seu assassinato por João sem Medo, o qual, infelizmente, não nos livrou dos Orléans. De resto, dou-me pessoalmente muito bem com meu primo, o duque de Chartres, mas, enfim, trata-se de uma raça de usurpadores, que mandaram assassinar Luís XVI e despojar Carlos X e Henrique V. Além disso, têm a quem sair, pois contam entre seus antepassados a Monsenhor, a quem assim chamavam sem dúvida por ser a mais espantosa das velhas damas, o Regente e o resto. Que família! — Esse discurso anti-semita ou pró-semita conforme se leve em conta o exterior das frases ou as intenções que elas revelam — me fora comicamente interrompido por uma frase que Morel me sussurrou e que teria desesperado o Sr. de Charlus. Morel, que havia reparado na impressão que Bloch produzira, agradecia-me ao ouvido o tê-lo "despachado", acrescentando cinicamente: — Ele bem que desejaria ficar, isso tudo é ciúme; gostaria de tomar o meu posto. É bem típico de um judeu! — Poderíamos aproveitar essa parada que se prolonga para pedir algumas explicações rituais ao seu amigo. Será que não podia trazê-lo de volta? — perguntou-me o Sr. de Charlus com a ansiedade da dúvida. — Não, é impossível; ele já se foi de carro e, além disso, aborrecido comigo. — Obrigado, obrigado — me sussurrou Morel. — A desculpa é absurda, sempre se pode alcançar um carro, nada o impediria de tomar um auto — respondeu o Sr. de Charlus, como homem acostumado a que todos se inclinassem diante dele. Mas, reparando no meu silêncio: — Qual é esse carro mais ou menos imaginário? — perguntou-me com insolência e numa última esperança. — É uma sege de porta aberta e que já deve ter chegado à Commanderie. — Diante do impossível, o Sr. de Charlus se resignou e pareceu gracejar. — Compreendo que tenham recuado diante do cupê redundante. Pois, seria um *recupê*.[68] — Finalmente fomos avisados de que o trem ia partir, e Saint-Loup nos deixou. Mas esse dia foi o único em que ele, subindo para o nosso vagão, me fez involuntariamente sofrer com a idéia de ter de deixá-lo por um instante com Albertine para acompanhar Bloch. Das outras vezes a sua presença não me torturou. Pois, por si mesma, Albertine, para me evitar qualquer inquietação, colocava-se, sob um pretexto qualquer, de tal forma que nem mesmo sem querer poderia roçar em Robert, que ficava quase longe demais até para lhe estender a mão; desviando dele os olhos, logo que ele se achava presente, ela punha-se a conversar ostensivamente, e quase com afetação, com qualquer outro dos passageiros, continuando nesse jogo até que Saint-Loup descesse. De modo que, assim, as visitas que ele nos fazia em Doncières não me causavam nenhum sofrimento, nem sequer nenhum incômodo, não constituíam qualquer exceção entre as outras, pois todas eram agradáveis, trazendo-me de certa maneira a homenagem e o convite daquela terra. Já desde o fim do verão, no nosso trajeto de Balbec a Douville, quando eu avistava de longe aquela estação de Saint-Pierre-des-Ifs, onde à tardinha cintilava por um instante a crista das falésias, toda rosada como ao sol poente a neve de uma montanha, ela já não me fazia pensar (não falo nem mesmo na tristeza que a vista de seu estranho relevo subitamente me causara na primeira noite, ao me dar tão grande vontade de tomar o trem de volta para Paris em vez de continuar até Balbec) no espetáculo que de manhã se podia ter dali, segundo me dissera Elstir, na hora que precede o nascer do sol, em que todas as cores do arco-íris se refratam sobre os rochedos, e onde tantas vezes ele havia despertado o menino que, durante

68 Trocadilho intraduzível em português, pois faz alusão à circuncisão dos judeus (em francês *coupé*, ou seja, "cortado"). (N. do T.)

um ano, lhe servira de modelo, a fim de pintá-lo inteiramente nu na areia da praia. O nome de Saint-Pierre-des-Ifs anunciava-me apenas que ia aparecer um qüinquagenário estranho, espirituoso e maquilado, com quem eu poderia falar sobre Chateaubriand e Balzac. E agora, nas névoas da tarde, detrás daquela falésia de Incarville que tanto me fizera sonhar outrora, o que eu via, como se a sua greda antiga se tornasse transparente, era a bela casa de um tio do Sr. de Cambremer e na qual eu sabia que ficariam sempre contentes em me acolher caso não quisesse jantar na Raspelière ou voltar a Balbec. Assim, não eram somente os nomes de lugares dessa região que haviam perdido o seu mistério inicial, mas os próprios lugares. Os nomes, já meio vazios de um mistério que a etimologia substituíra pelo raciocínio, tinham baixado ainda mais um grau. Em nossos regressos a Hermonville, a Saint-Vast, a Arembouville, no momento em que o trem parava, avistávamos sombras que a princípio não reconhecíamos e que Brichot, que não via coisa alguma, poderia talvez ter tomado, de noite, por fantasmas de Herimund, de Wiscar e de Herimbald. Era simplesmente o Sr. de Cambremer, completamente rompido com os Verdurin, que reconduzia convidados e que, da parte de sua mãe e da esposa, vinha me perguntar se eu não queria que ele me "raptasse" para hospedar-se alguns dias em Féterne, onde iam apresentar-se uma excelente musicista que me cantaria todo o Glück e um renomado jogador de xadrez com quem eu disputaria excelentes partidas que não prejudicariam a pesca e o iatismo na baía, nem mesmo os jantares dos Verdurin, para os quais o marquês se comprometia, sob palavra de honra, a "emprestar-me", mandando que me levassem e trouxessem para maior facilidade, e também para maior segurança. — Mas não posso crer que seja bom para o senhor ir até tão alto. Sei que minha irmã não o poderia suportar. Voltaria num tal estado! Aliás, no momento ela não anda muito bem... Na verdade, o senhor teve uma crise tão forte! Amanhã não poderá ficar de pé! — E se torcia de riso, não por maldade, mas pelo mesmo motivo por que não podia, sem rir, ver um coxo estatelar-se na rua ou conversar com um surdo. — E então? O quê, o senhor não tem um acesso há quinze dias? Pois saiba que isso é ótimo! Verdadeiramente, deveria vir instalar-se em Féterne, conversaria com minha irmã sobre suas sufocações. — Em Incarville, era o marquês de Montpeyroux que, não tendo podido ir a Féterne, pois ausentara-se para caçar, tinha vindo "ao trem" de botas e com o chapéu ornado com uma pluma de faisão, a fim de apertar a mão de parentes e anunciar-me na mesma ocasião, para o dia que eu quisesse, a visita de seu filho, que ele me agradecia que eu recebesse e gostaria muito que o fizesse ler um pouco; ou então o Sr. de Crécy, que vinha fazer a sua digestão, dizia ele, fumando seu cachimbo, aceitando um ou até vários charutos, e que me dizia: — Pois bem, o senhor não marca um dia para a nossa próxima reunião à Lúculo? Não temos nada a nos dizer? Permita-me que lhe lembre que deixamos em aberto no trem a questão das duas famílias Montgommery. É preciso que encerremos o assunto. Conto com o senhor. — Outros vinham apenas comprar jornais. E também muitos conversavam conosco, tanto que eu sempre desconfiei acharem-se ali na plataforma, na estação mais próxima de seu pequeno castelo, somente por não terem o que fazer senão encontrar num momento pessoas conhecidas. Em suma, um quadro da vida mundana como qualquer outro, eram essas paradas do trenzinho. Este parecia ter consciência do papel que lhe cabia, adquirira uma certa amabilidade humana: paciente, de temperamento dócil, esperava pelos retardatários o tempo que eles quisessem, e até mesmo, depois de ter partido, parava para recolher os que lhe faziam sinal; estes então corriam atrás dele, resfolegando, no que se pareciam a ele, mas com a diferença de que o alcançavam a toda velocidade, ao passo que ele só se utilizava de uma sábia lentidão. Assim Hermonville, Arembouville, Incarville já nem sequer me evocavam as rudes grandezas da conquista normanda, não satisfeitas de se haverem totalmente despojado da inexplicável tristeza em que as banhara outrora na umidade da noite. Doncières! Para mim, mesmo depois de a ter conhecido e de haver despertado do meu sonho, o quanto não restava nesse nome, por muito tempo, das ruas agradavelmente gélidas, das vitrinas iluminadas, das aves suculentas! Doncières! Agora, nada mais era que a estação onde embarcava Morel; Égleville (*Aquilaevilla*), aquela em que geralmente nos esperava a princesa Sherbatoff; Maineville, a estação em que descia Albertine nas noites de bom tempo, quando, não estando muito cansada, tinha vontade de se demorar ainda um momento comigo, visto que, por um atalho, não precisava caminhar muito mais do que se tivesse descido em Parville (*Paterni villa*). Não só eu já não sentia o temor ansioso do isolamento que me oprimira na primeira noite, como também não mais tinha que recear a sua renovação, nem de sentir-me desenraizado ou de me achar sozinho nessa terra que produzia não apenas castanheiros e tamargueiras, mas também amizades que, ao longo do percurso, formavam uma longa cadeia, interrompida como a das colinas azuladas, por vezes ocultas na anfratuosidade do rochedo ou por detrás das tílias da avenida, mas delegando a cada estação um amável gentil-homem que vinha, com um cordial aperto de mão, interromper o meu caminho, impedir-me de sentir sua extensão e, se preciso, oferecer-se para continuá-la comigo. Um outro estaria na estação seguinte, de forma que o apito do trenzinho não nos fazia deixar um amigo senão para permitir que encontrássemos outros. Entre os castelos mais afastados e o trem de ferro que os costeava quase ao passo de uma pessoa que caminha depressa, tão curta era a distância que no momento em que, na plataforma, diante da sala de espera, os seus proprietários nos interpelavam, quase poderíamos acreditar que o faziam da soleira de sua porta, da janela do seu quarto, como se a pequena via férrea departamental não passasse de uma rua de província e o solar isolado de um hotel citadino; e até nas raras estações em que eu não ouvia o "boa-noite" de ninguém, o silêncio possuía uma plenitude nutritiva e calmante, pois eu o sabia formado pelo sono de amigos que se deitavam cedo na mansão próxima, onde a minha vinda seria saudada com alegria se eu precisasse despertá-los para lhes pedir um serviço de hospitalidade. Além do que, o hábito preenche de tal modo o nosso tempo que, no fim de alguns meses, não nos resta um só instante livre numa cidade em que, ao chegarmos, o dia nos dava a disponibilidade de suas doze horas; se por acaso uma hora ficasse vaga, não mais teria a idéia de empregá-la em visitar uma igreja pela qual outrora eu tinha vindo a Balbec, nem mesmo confrontar um local pintado por Elstir com o esboço que eu vira em casa dele, mas ir jogar mais uma partida de xadrez em casa do Sr. Féré. Com efeito, era a influência degradante, como também o encanto, que tivera essa região de Balbec de se converter para mim numa verdadeira terra de conhecidos; se sua repartição territorial, sua semeadura extensiva ao longo do litoral em culturas diversas conferiam obrigatoriamente às visitas que eu fazia a esses diferentes amigos a forma de viagem, também restringiam essa viagem a não ter mais que o agrado social de uma série de visitas. Os próprios nomes de lugares, tão perturbadores para mim outrora, que o simples *annuaire des châteaux*, folheado no capítulo do departamento da Mancha, me causava tanta emoção como o Indicador das estradas de ferro, tinham-se tornado tão familiares que eu podia até consultar esse mesmo Indicador, na página Balbec-Douville por Doncières, com a mesma tranqüilidade de um catálogo de endereços. Nesse vale por demais social, a cujos flancos eu sentia grudada, visível ou não, uma comparsaria de amigos numerosos, o grito poético da noite já não era o da coruja ou da rã, e sim o "Como vai?" do Sr. de Criquetot ou o "*Kairé!*" de Brichot. A atmosfera já não despertava angústias e, carregada de eflúvios puramente humanos, era facilmente respirável, até mesmo excessivamente calmante. O benefício que eu dela tirava era, pelo menos, o de só ver as coisas do ponto de vista prático. O casamento com Albertine me parecia uma loucura.

CAPÍTULO QUARTO

Brusca reviravolta para Albertine. — Desolação pela madrugada. — Vou imediatamente para Paris com Albertine.

Só esperava uma oportunidade para a ruptura definitiva. E, uma noite, como mamãe partisse no dia seguinte para Combray, onde ia assistir uma irmã de sua mãe em sua última enfermidade, deixando-me para que aproveitasse os ares marinhos, como o teria desejado a minha avó, eu lhe anunciara que irrevogavelmente estava decidido a não casar com Albertine e em breve ia deixar de vê-la. Estava contente de ter podido, com estas palavras, dar uma satisfação à minha mãe na véspera de sua partida. Ela não me ocultara que isto havia sido de fato uma satisfação bem grande. Precisava também explicar-me com Albertine. Como voltasse com ela da Raspelière, tendo os fiéis descido, uns em Saint-Mars-le-Vêtu, outros em Saint-Pierre-des-Ifs, outros ainda em Doncières, sentindo-me especialmente feliz e desligado dela, decidira-me, agora que só havia nós dois no vagão, a abordar finalmente o assunto. Aliás, a verdade é que aquela dentre as moças de Balbec que eu amava, embora ausente naquela ocasião como suas amigas, mas que ia voltar (agradava-me estar com todas, pois cada uma delas tinha, para mim, como no primeiro dia, algo da essência das outras, como se pertencesse a uma raça à parte), era Andrée. Visto que ela ia chegar de novo a Balbec dentro de alguns dias, certamente viria logo me visitar, e então, para estar livre, não casar com ela se não quisesse, para poder ir a Veneza e, no entanto, daqui até lá, tê-la todinha para mim, o meio que adotaria seria não dar a entender que me aproximava demais dela e, desde a sua chegada, quando estivéssemos conversando, lhe diria: — Que pena que eu não a tenha visto algumas semanas antes! Eu a teria amado; agora, meu coração já está preso. Mas isto não quer dizer nada, nós nos veremos amiúde, pois estou entristecido com meu outro amor, e você me ajudará a consolar-me. — Sorria interiormente ao pensar nessa conversação, pois, assim, daria a Andrée a ilusão de que não a amava de verdade; desse modo, ela não ficaria cansada de mim e eu aproveitaria alegre e suavemente a sua ternura. Mas tudo isso só tornava mais necessário falar afinal seriamente com Albertine, para não agir de forma indelicada, e, visto estar resolvido a me dedicar à sua amiga, era preciso que ela, Albertine, soubesse perfeitamente que eu não a amava. Era preciso dizer-lho imediatamente, pois Andrée podia chegar a qualquer momento. Porém, como nos aproximássemos de Parville, senti que não teríamos tempo nessa noite e que era preferível deixar para o dia seguinte o que agora estava irrevogavelmente decidido. Portanto, contentei-me em lhe falar do jantar que tivéramos na casa dos Verdurin. No momento em que repunha a sua capa, tendo o trem acabado de deixar Incarville, última estação antes de Parville, ela me disse: — Então amanhã, re-Verdurin, não se esqueça que é você quem vai me buscar. — Não pude evitar dizer com bastante secura: — Sim, a menos que eu "largue", pois começo a achar esta vida verdadeiramente idiota. Em todo caso, se formos, para que o meu tempo na Raspelière não seja inteiramente perdido, será necessário que pense em pedir à Sra. Verdurin algo que muito possa interessar-me, ser um objeto de estudo e me dar prazer, pois de fato tive pouco prazer este ano em Balbec. — Isto não é gentil para comigo, mas não lhe quero mal porque sinto que você está nervoso. Qual seria esse prazer? — Que a Sra. Verdurin faça tocar para mim peças de um compositor cuja obra conhece muito bem. Eu também conheço uma, porém creio que há outras e eu teria necessidade de saber se foram editadas, se são diversas das primeiras. — Que compositor? — Minha queridinha, quando eu te disser que se chama Vinteuil, ficarás mais adiantada? — Podemos ter desenvolvido todas as idéias possíveis, que a verdade nunca penetra nelas, e é de fora, quando menos se espera, que ela nos dá sua tremenda picada e nos fere para sempre. — Você não sabe como me diverte — respondeu Albertine erguendo-se, pois o trem ia parar. — Não só isto me diz muito mais do que você poderia pensar, mas mesmo sem a Sra. Verdurin poderei lhe dar todas as informações que quiser. Lembra-se que falei de uma amiga mais velha, que me serviu de mãe e de irmã, e com quem passei em Trieste os meus melhores anos e que, aliás, devo reencontrar dentro de algumas semanas em Cherburgo, de onde viajaremos juntas (é meio barroco, mas você sabe como amo o mar); pois bem, essa amiga (oh, não é absolutamente o tipo de mulher que você poderia imaginar!), veja que coisa extraordinária, é justamente a melhor amiga da filha desse Vinteuil, e eu conheço quase tanto a filha de Vinteuil. Nunca as chamo senão de minhas duas irmãs mais velhas. Não me sinto constrangida em mostrar que sua pequena Albertine poderá lhe ser útil nesses assuntos de música, de que você diz, aliás com razão, que não entendo nada. — A essas palavras, pronunciadas quando chegávamos à estação de Parville, tão longe de Combray e de Montjouvain, tanto tempo depois da morte de Vinteuil, uma imagem se agitava em meu coração, uma imagem mantida em reserva durante tantos anos que, mesmo se tivesse podido adivinhar o seu poder nocivo ao armazená-la outrora, acharia que, com o passar do tempo, ela o tivesse perdido inteiramente; conservada viva no fundo de mim como Orestes, cuja morte os deuses haviam impedido, a fim de que, no dia marcado, regressasse à sua terra para punir o assassinato de Agamenon — para meu suplício, talvez para meu castigo, quem sabe, de ter deixado morrer a minha avó; surgindo de súbito do fundo da noite onde parecia sepultada para sempre e ferindo, como um Vingador, a fim de inaugurar-me uma vida terrível, nova e merecida, talvez também para expor a meus olhos as funestas conseqüências que as más ações engendram indefinidamente, não apenas para aqueles que as cometeram, mas para aqueles que não acreditaram, que só fizeram contemplar um espetáculo curioso e divertido, como eu, ai de mim, naquele distante entardecer em Montjouvain, escondido atrás de um arbusto, onde (como quando escutara complacentemente a narrativa dos amores de Swann) havia deixado que se abrisse perigosamente em mim a via funesta do Saber, destinada a ser dolorosa. E nesse mesmo tempo da minha maior dor, tive uma sensação quase orgulhosa, quase alegre, como a de um homem a quem o choque recebido faria dar tamanho salto que ele alcançasse um ponto a que nenhum esforço o poderia ter levantado. Albertine, amiga da Srta. Vinteuil e da amiga desta, praticante profissional do safismo, era, junto do que eu imaginara nas maiores dúvidas, o que é, para o pequeno acústico da Exposição de 1889, de que mal se esperava pudesse ir de uma casa a outra, o telefone que voa sobre as ruas, as cidades, os campos, os mares, ligando países. Era uma *terra incognita* terrível aonde eu fora aterrissar, uma nova fase de sofrimentos insuspeitados que se abria. E, entretanto, esse dilúvio da realidade que nos submerge, se é enorme em face de nossas tímidas e ínfimas suposições, era pressentido por elas. Era sem dúvida algo como o que eu acabava de saber, era algo como a amizade de Albertine e da Srta. Vinteuil, algo que meu espírito não teria sabido inventar, mas que eu obscuramente apreendia quando me inquietava tanto ao ver Albertine junto de Andrée. Muitas vezes, é unicamente por falta de espírito criador que não se vai muito longe no sofrimento. E a mais terrível realidade nos concede, ao mesmo tempo que o sofrimento, a alegria de uma bela descoberta, porque só faz doar uma forma clara e nova ao que ruminávamos há muito sem desconfiar. O trem havia parado em Parville, e como éramos os seus únicos passageiros, foi com uma voz amolentada pela sensação de inutilidade da tarefa, pelo mesmo hábito que no entanto o fazia cumpri-la, inspirando-lhe a um tempo a exatidão e a indolência, e mais ainda, o desejo de dormir, que o empregado gritou: — Parville! — Albertine, sentada à minha frente e vendo que chegara a seu destino, deu alguns passos do fundo do vagão onde estávamos e abriu a portinhola. Mas este movimento, que ela assim fazia para descer, me dilacerava intoleravelmente o coração, como se, ao contrário da posição independente do meu corpo, que a dois passos dele parecia ocupar o de Albertine, tal separação espacial, que um desenhista verídico seria forçado a figurar entre nós, não passasse de uma aparência, e como se, para quem quisesse redesenhar as coisas conforme a realidade verdadeira, fosse preciso agora colocar Albertine, não a certa distância de mim, mas dentro de mim. Ela me fazia tanto mal ao se afastar que, agarrando-a, puxei-a desesperadamente pelo braço. — Seria materialmente impossível — perguntei — que você fosse dormir esta noite em Balbec? — Materialmente, não. Mas estou caindo de sono. — Você me faria um imenso favor... — Pois seja, embora eu não compreenda; por que não me falou mais cedo? De qualquer modo, fico. — Minha mãe dormia quando, depois de ter mandado que dessem a Albertine um quarto situado em outro andar, voltei para o meu. Sentei-me junto à janela, reprimindo os soluços para que não me ouvisse minha mãe, que só estava separada de mim por um delgado tabique. Nem sequer pensara em fechar os postigos, pois, num dado instante, erguendo os olhos, vi à minha frente, no céu, aquele mesmo clarão de um vermelho tinto que se via no restaurante de Rivebelle, num estudo que Elstir fizera de um sol poente. Lembrei-me da exaltação que me provocara, quando a vira do trem no dia da minha primeira chegada a Balbec, essa mesma imagem de uma tarde que não precedia a noite, mas um novo dia. Porém, agora, nenhum dia mais seria novo para mim, nem mais me despertaria o desejo de uma felicidade desconhecida, e somente prolongaria meus sofrimentos até que eu não tivesse mais forças para suportá-los. A verdade daquilo que Cottard me havia dito no cassino de Parville[69] já não me apresentava dúvidas. O que eu temera, e vagamente suspeitara havia muito tempo em Albertine, o que meu instinto deduzia de todo o seu ser, e aquilo que meus raciocínios, dirigidos pelo meu desejo, tinham me feito pouco a pouco negar, era verdade! Por trás de Albertine, eu já não via as montanhas azuladas do mar, mas o quarto de Montjouvain em que ela caía nos braços da Srta. Vinteuil com aquele riso que ela fazia ouvir como o som ignorado do seu prazer. Pois, linda como era Albertine, como podia ser que a Srta. Vinteuil, com os gostos que tinha, não lhe pedisse para satisfazê-los? E a prova de que Albertine não ficara chocada com isso e havia consentido é que não tinham brigado e a sua intimidade não cessara de aumentar. E aquele gracioso movimento de Albertine, ao pousar

[69] Lapso de Proust: o cassino citado fica em Incarville.

o queixo no ombro de Rosemonde, olhando-a a sorrir e depondo-lhe um beijo no pescoço, esse movimento que me lembrara a Srta. Vinteuil e para cuja interpretação eu todavia hesitara em admitir que uma mesma linha traçada por um gesto resultasse obrigatoriamente de uma mesma tendência, quem sabe se Albertine simplesmente não o aprendera com a Srta. Vinteuil? Pouco a pouco o céu apagado se iluminava. Eu que até então nunca havia despertado sem sorrir para as coisas mais humildes, para a taça de café com leite, o ruído da chuva, o estrondo do vento, senti que o dia que estava para nascer em alguns instantes, e todos os dias que se seguiriam, nunca mais me haveriam de trazer a esperança de uma felicidade desconhecida, e sim o prolongamento de meu martírio. Aferrava-me à vida ainda; sabia que nada mais tinha a esperar dela que não fosse cruel. Corri para o elevador, apesar da hora indevida, para chamar o ascensorista, que preenchia as funções de vigia noturno, e lhe pedi que fosse ao quarto de Albertine dizer-lhe que eu tinha algo de importante para lhe comunicar, caso ela pudesse receber-me. — A senhorita prefere vir ela própria — veio ele me responder. — Estará aqui num instante. — De fato, em breve Albertine entrou de *robe de chambre*. — Albertine — disse-lhe bem baixinho, recomendando que não elevasse a voz para não acordar minha mãe, de quem estávamos separados por esse tabique cuja delgadez, hoje importuna e que obrigava a sussurrar, parecia outrora, quando ali tão bem se pintaram as intenções de minha avó, uma espécie de diafaneidade musical —, estou envergonhado por incomodá-la. Eis do que se trata. Para que você compreenda, é preciso que lhe diga uma coisa que você não sabe. Quando vim para cá, deixei uma mulher com quem deveria me casar, que estava prestes a abandonar tudo por mim. Devia seguir de viagem esta manhã e, desde uma semana, todos os dias eu me perguntava se teria coragem de não lhe telegrafar dizendo que voltava. Tive essa coragem, mas sentia-me tão infeliz que achei que me mataria. Por isso é que perguntei ontem à noite se não poderia vir dormir em Balbec. Se eu tivesse que morrer, gostaria de lhe dizer adeus. — E dei livre curso às lágrimas, que minha ficção tornava naturais. — Meu pobrezinho, se eu tivesse sabido, teria passado a noite a seu lado — exclamou Albertine, a cujo espírito nem mesmo ocorreu a idéia de que eu talvez desposasse a tal mulher, desvanecendo-se desse modo a oportunidade de que ela própria fizesse um "bom casamento", de tanto que ela se sentia sinceramente comovida com um pesar cuja causa eu não podia ocultar-lhe, mas não a realidade e a força. — Além disso — continuou ela —, ontem, durante todo o trajeto desde a Raspelière, bem que havia sentido que você estava triste e nervoso, receava alguma coisa. — Na verdade, o meu desgosto só começara em Parville, e o nervosismo bem diferente, mas que por felicidade Albertine confundia com ele, provinha do tédio de viver ainda alguns dias com ela. Albertine acrescentou: — Não o deixo mais, vou ficar aqui o tempo todo. — Oferecia-me justamente — e só ela podia oferecê-lo — o único remédio contra o veneno que me queimava, aliás homogêneo a ele; um suave, o outro cruel, ambos igualmente derivavam de Albertine. Nesse momento Albertine — meu mal — livrava-me de sofrimentos, me deixava — ela, a Albertine remédio — enternecido como um convalescente. Mas eu pensava que ela em breve ia partir de Balbec para Cherburgo e de lá para Trieste. Seus hábitos de outrora iriam renascer. Antes de tudo o que eu desejava era impedir Albertine de tomar o barco, tratar de conduzi-la a Paris. Decerto, de Paris, mais facilmente ainda que de Balbec, ela poderia, se o quisesse, ir para Trieste, mas em Paris nós veríamos; talvez eu pudesse pedir à Sra. de Guermantes para indiretamente agir sobre a amiga da Srta. Vinteuil, no sentido de que esta não ficasse em Trieste, para fazê-la aceitar um emprego alhures, talvez na casa do príncipe de ***, que eu havia encontrado na casa da Sra. de Villeparisis e na da própria Sra. de Guermantes. E este, mesmo que Albertine quisesse ir à sua casa para visitar a amiga, poderia, avisado pela Sra. de Guermantes, impedir que se encontrassem. Com certeza, poderia eu refletir que em Paris, se Albertine possuía esses gostos, acharia muitas outras pessoas com quem satisfazê-los. Porém cada movimento de ciúme é particular e traz a marca da criatura — desta vez a amiga da Srta. Vinteuil — que o suscitou. Era a amiga da Srta. Vinteuil que continuava sendo a minha grande preocupação. A paixão misteriosa com que antigamente havia pensado na Áustria, porque era o país de origem de Albertine (seu tio ali fora conselheiro da embaixada), de modo que sua singularidade geográfica, a raça que o habitava, seus monumentos — suas paisagens, podia eu considerá-los, tais como num atlas ou numa coleção de quadros, no sorriso e nas maneiras de Albertine —, essa paixão misteriosa eu a sentia ainda, mas, por uma troca de sinais, no domínio do horror. Sim, era dali que Albertine provinha. Era ali que, em cada residência, ela estava segura de encontrar, fosse a amiga da Srta. Vinteuil, fossem outras. Iriam renascer os hábitos da infância, iriam reunir-se dentro de três meses para o Natal, depois para o Ano-Novo, datas que já me eram tristes por si mesmas, pela recordação inconsciente da mágoa que nelas sentira, quando outrora me separavam de Gilberte durante todo o tempo das férias de Natal. Após longos jantares, depois dos *réveillons*, quando todos estariam alegres, animados, Albertine ia tomar, com suas amigas de lá, as mesmas atitudes que eu a vira assumir com Andrée, quando a amizade de Albertine por ela era inocente, quem sabe? — talvez as atitudes que tinham aproximado, diante de mim, a Srta. Vinteuil perseguida por sua amiga, em Montjouvain. À Srta.

Vinteuil, agora, enquanto sua amiga a acariciava antes de cair sobre ela, eu emprestava o rosto afogueado de Albertine, da Albertine que eu ouvi lançar, fugindo, e depois se abandonando, o seu riso estranho e profundo. Que era, diante do sofrimento que sentia, o ciúme que um dia havia sentido, quando Saint-Loup encontrara a mim e Albertine em Doncières e onde ela lhe fizera provocações? E também aquele que experimentara ao pensar no iniciador desconhecido a quem eu devera os primeiros beijos que ela me dera em Paris, no dia em que eu esperava a carta da Srta. de Stermaria? Aquele outro ciúme, provocado por Saint-Loup ou por um jovem qualquer, nada valia. Em tal caso, poderia no máximo temer um rival contra quem eu tivesse de arrebatá-la. Mas aqui o rival não era meu semelhante, suas armas eram diferentes, eu não podia lutar no mesmo terreno, dar a Albertine os mesmos gozos, nem sequer concebê-los com exatidão. Em muitos momentos da nossa vida trocaríamos todo o futuro por um poder em si mesmo insignificante. Outrora, eu teria renunciado a todas as vantagens da vida para conhecer a Sra. Blatin, porque ela era uma amiga da Sra. Swann. Hoje, para que Albertine não fosse a Trieste, eu teria suportado todos os sofrimentos e, se isso não fosse bastante, lhos teria infligido, tê-la-ia isolado, seqüestrado, tomado o pouco dinheiro que ela possuía para que a penúria a impedisse materialmente de fazer a viagem. Como outrora, quando queria ir a Balbec, o que me impelia a partir era o desejo de uma igreja persa, de um temporal pela madrugada, o que agora me dilacerava o coração, ao pensar que Albertine talvez fosse a Trieste, era que ela passaria ali a noite de Natal com a amiga da Srta. Vinteuil; pois a imaginação, quando muda de natureza e se transforma em sensibilidade, não dispõe para tanto de maior número de imagens simultâneas. Se me dissessem que ela não se encontrava naquele momento em Cherburgo ou em Trieste, que não poderia ver Albertine, como teria eu chorado de alegria e de doçura! Como teria mudado minha vida e seu futuro! E, no entanto, eu bem sabia que era arbitrária essa localização do meu ciúme, que, se Albertine possuía esses gostos, poderia satisfazê-los com outras. Aliás, quem sabe se até essas mesmas jovens, podendo encontrá-la em outro local, não torturariam elas tanto o meu coração? Era de Trieste, daquele mundo ignorado onde eu sentia que Albertine passava bem, onde estavam suas lembranças, suas amizades, seus amores de infância, que se exalava aquela atmosfera hostil, inexplicável, como a que se evolava outrora até o meu quarto de Combray, da sala de jantar em que eu ouvia conversar e rir com estranhos, dentre o ruído dos talheres, mamãe, que não viria dar-me boa-noite; como a que enchera, para Swann, as casas em que Odette ia procurar, em festas, prazeres inconcebíveis. Não era mais como uma terra deliciosa, onde a raça é pensativa, os ocasos dourados, os carrilhões tristes, que agora eu imaginava Trieste, mas como uma cidade maldita que eu desejaria mandar queimar de imediato e suprimir do mundo real. Aquela cidade estava afundada no meu coração como aguilhão permanente. Deixar Albertine partir em breve para Cherburgo e Trieste causava-me horror. E até mesmo ficar em Balbec. Pois agora que a revelação da intimidade de minha amiga com a Srta. Vinteuil se fazia uma quase certeza, parecia-me que, em todos os momentos em que Albertine não estivesse comigo (e havia dias inteiros em que, por causa de sua tia, não podia vê-la), ela se entregaria às primas de Bloch, talvez a outras. A idéia de que naquela mesma noite ele poderia ver as primas de Bloch me deixava louco. Assim, depois que me disse que não me largaria durante uns dias, respondi: — Mas é que eu desejaria voltar a Paris. Não viria comigo? E não gostaria de vir morar um pouquinho conosco em Paris? — Era necessário impedi-la, a todo custo, de estar sozinha, pelo menos durante alguns dias, conservá-la junto a mim para assegurar-me de que ela não pudesse ver a amiga da Srta. Vinteuil. Isto, na verdade, equivaleria a morar sozinha comigo, pois minha mãe, aproveitando-se de uma viagem de inspeção que meu pai ia fazer, impusera-se como um dever obedecer a uma vontade de minha avó, que desejaria que ela fosse passar alguns dias em Combray junto de uma de suas irmãs. Mamãe não gostava da tia porque esta não fora para a minha avó, tão carinhosa com ela, a irmã que deveria ter sido. Assim, depois de crescidas, as crianças lembram-se, rancorosas, dos que foram maus com elas. Porém mamãe, transformada em minha avó, era incapaz de rancor; a vida de sua mãe era para ela como uma pura e inocente infância onde ia aspirar aquelas lembranças cuja doçura ou amargor regulavam suas ações com uns e outros. Minha tia teria podido fornecer a mamãe certos detalhes inestimáveis, porém agora dificilmente o faria, pois achava-se muito enferma (dizia-se que era um câncer), e minha mãe censurava-se por não ter ido mais cedo, para acompanhar meu pai, e nisso não via senão mais um motivo para fazer o que sua mãe teria feito; e, assim como ela, ia, no aniversário do pai de minha avó, o qual fora tão ruim pai, depositar sobre seu túmulo as flores que minha avó costumava levar. Assim, junto ao túmulo que ia se entreabrir, desejava minha mãe levar as suaves conversas que minha tia não viera oferecer à minha avó. Enquanto estivesse em Combray, minha mãe se ocuparia de certos trabalhos que minha avó sempre desejara, mas somente se fossem executados sob a supervisão de sua filha. Assim, eles ainda não tinham sido principiados, pois não queria mamãe, deixando Paris antes de meu pai, fazer-lhe sentir demasiado o peso de um luto ao qual ele se associava, mas que não podia afligi-lo tanto quanto a ela. — Ah, isto não será possível por agora —

respondeu Albertine. — Além disso, que necessidade tem você de voltar tão depressa a Paris, visto que essa dama já partiu? — Porque estarei mais tranqüilo num lugar onde a conheci, em vez de Balbec, que ela nunca viu e a que tomei horror. — Terá Albertine compreendido mais tarde que essa outra mulher não existia, e que se naquela noite eu quisera morrer de verdade fora porque ela me revelara, estouvadamente, que tinha ligações com a amiga da Srta. Vinteuil? É possível. Há momentos em que isso me parece provável. Em todo caso, naquela manhã, acreditou na existência dessa mulher. — Mas você deveria casar com essa senhora, meu pequeno — disse ela. — Seria feliz e ela certamente o seria também. — Respondi que a idéia de que poderia fazer feliz aquela mulher, de fato, quase estivera a ponto de me decidir; ultimamente, depois de receber uma grande herança que me permitiria dar muito luxo e distrações à minha mulher, estivera a ponto de aceitar o sacrifício daquela a quem amava. Inebriado pela gratidão que me inspirava a gentileza de Albertine, tão próxima do atroz sofrimento que ela me causara, assim como prometeríamos de bom grado uma fortuna ao garçom do café que nos serve um sexto cálice de aguardente, disse-lhe que minha mulher teria um auto e um iate; que, sob esse aspecto, já que Albertine gostava tanto de passear de auto e de iate, era uma pena que não fosse ela a quem eu amava; que eu teria sido o marido perfeito para ela, mas que se haveria de dar um jeito, que talvez a gente pudesse encontrar-se de forma agradável. Apesar de tudo, como na própria embriaguez a gente evita interpelar os passantes, com receio dos golpes, abstive-me de cometer a imprudência que teria cometido no tempo de Gilberte, dizendo que era a ela, Albertine, que eu amava. — Você vê, estive prestes a casar com ela. Mas não ousei fazê-lo, todavia, e não desejaria obrigar uma jovem a viver junto de alguém tão doente e aborrecido. — Mas você está louco, todos desejariam viver com você, olhe como todo mundo o procura. Só se fala de você na casa da Sra. Verdurin, e me disseram que se dá o mesmo na mais alta sociedade. Portanto, essa senhora não foi justa com você, para lhe dar essa impressão de dúvida a seu próprio respeito. Vejo que se trata de uma malvada, detesto-a; ah! se eu estivesse em seu lugar... — Nada disso, ela é muito gentil, gentil demais. Quanto aos Verdurin e aos outros, rio-me deles. Fora aquela a quem amo e à qual, de resto, renunciei, só ligo para a minha pequena Albertine; somente ela, ficando muito tempo comigo, pelo menos nos primeiros dias — acrescentei, para não assustá-la e poder pedir-lhe muito nesses dias —, é que poderá consolar-me um pouco. — Só vagamente aludi a uma possibilidade de casamento, dizendo que era irrealizável porque nossos temperamentos não combinavam. Contra minha própria vontade, sempre perseguido em meu ciúme pelas lembranças das relações de Saint-Loup com "Rachel-quando-do-Senhor" e de Swann com Odette, estava muito inclinado a crer que, no momento em que amava, não podia ser amado, e que só o interesse podia unir a mim uma mulher. Certamente era uma loucura julgar Albertine por Odette e Rachel. Porém não se tratava dela, mas de mim; eram os sentimentos que eu pudesse inspirar que o meu ciúme me fazia subestimar em excesso. E desse julgamento, talvez errôneo, nasceram sem dúvida muitas desgraças que iriam se abater sobre nós. — Então recusa o meu convite para Paris? — Minha tia não há de querer que eu parta neste momento. Além disso, mesmo que eu possa mais tarde, não será esquisito que eu entre assim em sua casa? Em Paris, vão logo descobrir que não sou sua prima. — Pois bem, diremos que somos meio noivos. Que diferença faz, já que você sabe que não é verdade? — O pescoço de Albertine, que lhe saía inteiro da camisa, era forte, dourado, de intensa granulação. Beijei-a tão puramente como se tivesse beijado minha mãe para acalmar um desgosto de criança que julgasse então jamais poder arrancar do peito. Albertine deixou-me para ir vestir-se. Aliás, o seu devotamento já principiava a diminuir; agora há pouco me dissera que não me deixaria um segundo sequer. (E eu bem sentia que sua resolução não duraria, visto que eu receava, caso permanecêssemos em Balbec, que ela fosse ter naquela mesma noite, sem mim, com as primas de Bloch.) Ora, ela vinha agora me dizer que desejava passar em Maineville e que voltaria para me ver à tarde. Não se recolhera na véspera à noite, poderia haver correspondência para ela, além do que a sua tia podia estar inquieta. Eu havia respondido: — Se é só por isso, a gente podia mandar o ascensorista dizer à sua tia que você está aqui e pegar suas cartas. — E, desejosa de se mostrar gentil, porém contrariada por estar sendo reprimida, franzira a testa e depois, de súbito, disse amavelmente: — É isto mesmo — e mandara o ascensorista. Não fazia um momento que Albertine me deixara, quando o ascensorista veio bater de leve. Eu não esperava que, enquanto conversava com Albertine, tivesse ele tido tempo de ir a Maineville e voltar. Vinha me dizer que Albertine escrevera um bilhete à sua tia e que podia, se eu o quisesse, ir a Paris no mesmo dia. Aliás, fizera mal em dar o recado oralmente, pois, apesar da hora matinal, o gerente já estava a par de tudo e, transtornado, vinha perguntar-me se eu estava descontente com alguma coisa, se de fato ia partir, se não poderia esperar ao menos alguns dias, já que o vento hoje estava muito receoso (de recear). Eu não queria lhe explicar que desejava a todo custo que Albertine já não estivesse em Balbec quando as primas de Bloch fossem dar o seu passeio, principalmente na ausência de Andrée, a única que poderia protegê-la, e que Balbec era como um desses lugares em que um doente, que ali não mais respira, decide, mesmo que deva morrer no caminho, não passar a noite seguinte. Além do mais, eu ia ter de lutar contra rogos do mesmo gênero, primeiro no hotel, onde Marie Gineste e Céleste Albaret tinham os olhos vermelhos. (Aliás, Marie fazia ouvir o soluço apressado de uma torrente; Céleste, mais frágil, recomendava-lhe calma; porém, tendo Marie murmurado os únicos versos que conhecia: *Ici-bas tous les lilas meurent*,[70] Céleste não pôde se conter, e um lençol de lágrimas se espalhou pelo seu rosto cor de lilás; penso, aliás, que me esqueceram na mesma noite.) A seguir, no trenzinho local, apesar de todas as minhas precauções para não ser visto, encontrei o Sr. de Cambremer que, à vista de minhas malas, empalideceu, pois contava comigo para dali a dois dias; exasperou-me querendo me convencer de que minhas sufocações deviam-se à mudança de tempo e que outubro seria um mês excelente para elas, e me perguntou se, de qualquer modo, não poderia "adiar a minha partida por oito dias", expressão cuja estupidez só não me deixou enfurecido talvez porque me fazia mal a sua proposta. E, enquanto ele me falava no vagão, a cada parada eu temia ver aparecer, mais terrível que Herimbald ou Guiscard, o Sr. de Crécy, implorando para ser convidado, ou, mais temível ainda, a Sra. Verdurin, fazendo questão de me convidar. Mas isto só devia acontecer dentro de algumas horas. Eu ainda não chegara a tanto. Só precisava fazer face às queixas desesperadas do gerente. Mandei-o embora, pois receava que, mesmo sussurrando, acabasse ele por acordar mamãe. Fiquei sozinho no quarto, aquele mesmo quarto de teto por demais alto, onde me sentira tão infeliz na minha primeira chegada, onde pensara com tanta ternura na Srta. de Stermaria e havia espiado a passagem de Albertine e suas amigas como aves de arribação paradas na praia, onde a possuíra com tanta indiferença quando a mandara buscar pelo ascensorista, onde conhecera a bondade de minha avó e depois soubera que ela estava morta; aqueles postigos ao pé dos quais caía a luz da manhã, eu os abrira a primeira vez para avistar os primeiros contrafortes do mar (esses postigos que Albertine me fazia fechar para que não nos vissem aos beijos). Eu tomava melhor consciência de minhas próprias transformações confrontando-as com a identidade das coisas. Entretanto, habituamo-nos a elas como às pessoas, e, quando subitamente nos lembramos da significação diversa que elas comportam e, depois que tiverem perdido toda significação, dos acontecimentos bem diferentes dos de hoje que enquadraram, a diversidade dos atos realizados sob o mesmo teto, entre as mesmas biblio-

[70] Ver nota 36, p. 699. (N. do T.)

tecas envidraçadas, e a mudança no coração e na vida que semelhante diversidade implica, parecem ainda acrescidas pela permanência imutável do cenário, reforçado pela unidade do lugar.

Duas ou três vezes, durante um momento, tive a idéia de que o mundo onde estavam esse quarto e essas bibliotecas, e no qual Albertine era coisa tão pouca, consistisse talvez num mundo intelectual, que era a única realidade, e meu desgosto, algo como aquilo que é causado pela leitura de um romance e de que somente um louco poderia fazer um sofrimento durável e permanente que se prolongasse por toda a sua vida; que talvez bastasse um pequeno movimento de minha vontade para alcançar esse mundo real e nele penetrar, ultrapassando a minha dor como um círculo de papel que se fura, e não mais me preocupar com o que fizera Albertine, assim como não nos preocupamos com os atos da heroína imaginária de um romance depois que terminamos a leitura. Além disso, as amantes a quem mais amei jamais coincidiram com o meu amor por elas. Esse amor era verdadeiro, visto que eu subordinava todas as coisas à função de vê-las, de guardá-las só para mim, já que soluçava se as tinha esperado uma noite. Mas elas mais possuíam a propriedade de despertar esse amor, de levá-lo ao paroxismo, do que serem a sua imagem. Quando as via, quando as ouvia, nada encontrava nelas que se parecesse ao meu amor e pudesse explicá-lo. No entanto, minha única alegria era vê-las, minha única ansiedade, esperá-las. Dir-se-ia que uma virtude, sem qualquer relação com elas, lhes fora acessoriamente acrescentada pela natureza, e que essa virtude, essa força similielétrica, tinha por efeito excitar em mim o meu amor, isto é, dirigir todas as minhas ações e provocar todos os meus sofrimentos. Porém a beleza, a inteligência ou a bondade dessas mulheres eram inteiramente distintas de tudo isso. Como por uma corrente elétrica que nos move, fui sacudido pelos meus amores, vivi-os e senti-os; nunca pude chegar a vê-los ou a pensá-los. Inclino-me até a crer que nesses amores (ponho de lado aliás o prazer físico que os acompanha em geral, mas que não basta para constituí-los), sob a aparência da mulher, é a essas forças invisíveis, de que ela está acessoriamente acompanhada, que nós nos dirigimos como a obscuras divindades. É delas, cuja benevolência nos é necessária, que buscamos o contato, sem nele encontrar um prazer positivo. Com essas deusas, a mulher põe-nos em relação, sem fazer mais que isso. Como oferendas, prometemos jóias, viagens, pronunciamos fórmulas que significam que adoramos, e fórmulas opostas que significam sermos indiferentes. Dispusemos de todo o nosso poder para alcançar um novo encontro, mas que seja concedido sem tédio. Ora, seria pela própria mulher, se ela não estivesse complementada com essas forças ocultas, que faríamos tanto esforço que, quando ela partisse, não saberíamos dizer como estava vestida e nos aperceberíamos de que nem sequer a tínhamos olhado?

Como é enganador o sentido da vista! Um corpo humano, até mesmo amado como o de Albertine, nos parece a alguns metros, a poucos centímetros, bem distante de nós. Da mesma forma a alma que nele está. Unicamente, se alguma coisa muda violentamente o lugar dessa alma em relação a nós, mostrando-nos que ela ama a outros seres e não a nós, então, pelas batidas do nosso coração deslocado, sentimos que, não a alguns passos de nós, mas dentro de nós, é que estava a criatura amada. Em nós, nas regiões mais ou menos superficiais. Mas as palavras: "Esta amiga é a Srta. Vinteuil" tinham sido o Sésamo, que eu seria incapaz de achar por mim mesmo, que fizeram entrar Albertine nas profundezas do meu coração dilacerado. E a porta que se fechara sobre ela, poderia eu procurá-la durante cem anos sem saber como reabri-la.

Essas palavras, deixara de ouvi-las por um momento, enquanto Albertine estava junto a mim, ainda há pouco. E, beijando-a como beijava minha mãe em Combray para acalmar a minha angústia, quase acreditava na inocência de Albertine ou, pelo menos, não pensava continuamente na descoberta que fizera acerca de seu vício. Mas agora que estava sozinho, as palavras ressoavam de novo como esses ruídos internos do ouvido que ouvimos logo que alguém deixa de nos falar. Agora, seu vício não apresentava dúvidas para mim. A luz do sol que ia se erguer, modificando as coisas a meu redor, me fez de novo tomar, como que me deslocando um momento em relação a ela, consciência mais cruel ainda do meu sofrimento. Eu jamais vira principiar uma manhã tão linda nem tão dolorosa. Pensando em todas as paisagens indiferentes que iam iluminar-se e que ainda na véspera só teriam me dado o desejo de as visitar, não pude conter um soluço quando, num gesto de ofertório, mecanicamente concluído, e que me pareceu simbolizar o sacrifício sangrento que ia ter de fazer de toda alegria, a cada manhã, até o fim da minha vida, renovação solenemente celebrada em cada aurora de minha mágoa cotidiana e do sangue de minha chaga, o ovo de ouro do sol, como que propulsado pela ruptura de equilíbrio que, no momento da coagulação, traria uma mudança de densidade, farpado de chamas como nos quadros, rompeu de um salto a cortina atrás da qual o sentíamos desde um instante, fremente e prestes a entrar em cena, e da qual apagou, sob ondas de luz, a púrpura misteriosa e condensada. Ouvi-me a chorar a mim mesmo. Mas nesse momento, contra toda expectativa, a porta se abriu e, o coração batendo, pareceu-me ver a minha avó diante de mim, como numa dessas aparições que eu já tivera, mas só dormindo. Então tudo aquilo não passava de um sonho? Ai de mim! Estava bem desperto. — Achas que me pareço com tua pobre avó — me disse mamãe (pois era ela) com doçura, como para acalmar o meu assombro, confessando de resto aquela semelhança, com um belo sorriso de orgulho modesto que jamais conhecera a coqueteria. Seus cabelos em desordem, onde as mechas grisalhas não estavam escondidas e serpenteavam em torno de seus olhos inquietos, de suas faces envelhecidas, o próprio chambre de minha avó que ela usava, tudo isso me impedira, por um instante, de reconhecê-la, fazendo-me duvidar se dormia ou se minha avó havia ressuscitado. Fazia já muito tempo que minha mãe se assemelhava bem mais à minha avó do que à jovem e risonha mamãe que minha infância conhecera. Mas eu não pensara mais nisso. Assim, quando ficamos lendo por muito tempo, distraídos, não percebemos o passar das horas e, de repente, vemos a nosso redor o sol, inevitavelmente levado a passar pelas mesmas fases, lembrar, a ponto de equivocar-nos, o sol que ali existia na véspera à mesma hora, e despertar a seu redor as mesmas harmonias, as mesmas correspondências que preparam o ocaso. Foi sorrindo que minha mãe me fez ver o meu erro, pois era-lhe doce ter tal semelhança com a mãe. — Eu vim — disse ela — porque, ao dormir, me parecia ouvir alguém que chorava. Isso me acordou. Mas o que houve que não está deitado? E tens os olhos cheios de lágrimas. Que está acontecendo? — Segurei-lhe a cabeça entre os braços: — Mamãe, ouve, receio não ter te falado amavelmente de Albertine; o que te disse era injusto. — E o que tem isso? — disse mamãe; e, percebendo o sol nascente, sorriu com tristeza pensando na mãe; e para que eu não perdesse o fruto de um espetáculo que minha avó lastimava que eu não contemplasse nunca, apontou-me a janela. Mas, por detrás da praia de Balbec, do mar, do nascer do sol que mamãe me mostrava, eu via, com os movimentos de desespero que não lhe escapavam, o quarto de Montjouvain, onde Albertine, rósea, enroscada como uma grande gata, o nariz rebelde, tomara o lugar da amiga da Srta. Vinteuil e dizia, nos assomos de seu riso voluptuoso: — Pois bem! Se nos virem, será melhor. Então eu não ousaria escarrar nesse macaco velho? — Era esta a cena que eu via por detrás da que se estendia pela janela e que não era, sobre a outra, mais que um véu sombrio, superposto como um reflexo. Ela própria parecia um efeito quase irreal, como uma vista pintada. À nossa frente, na saliência dos rochedos de Parville, o bosquezinho onde havíamos feito o "jogo do anel" fazia cair em declive até o mar, sob o verniz da água, todo dourado ainda, o tabuleiro de suas folhagens, como na hora em que muitas vezes, no fim do dia, quando ali eu tinha ido dormir uma sesta com Albertine, nos levantáramos ao ver o sol descambando. Na desordem das névoas da noite, que ainda arrastavam os farrapos róseos e azuis sobre as águas atulhadas dos destroços nacarados da aurora, passavam barcos sorrindo à luz oblíqua que amarelava suas velas e a ponta dos gurupés como quando regressavam à tardinha: cena imaginária, tiritante e deserta, pura evocação do poente que não repousava, como a noite, na seqüência das horas do dia que eu tinha o hábito de ver preceder-lhe, desligada, interpolada, mais inconsistente ainda que a imagem horrível de Montjouvain que ela não lograva anular, encobrir, esconder — poética e baldada imagem da lembrança e do sonho. — Mas vejamos — disse minha mãe —, não me disseste nenhum mal dela, falaste até que ela te aborrecia um pouco, que estavas contente por teres desistido da idéia de te casares com ela. Não é motivo para chorar desse jeito. Pensa que tua mamãe vai partir hoje e ficará desolada por deixar o seu lobinho nesse estado. Tanto mais, meu pobrezinho, que não tenho tempo para te consolar. Pois, por mais que minhas coisas já estejam prontas, a gente nunca dispõe de tempo num dia de partida. — Não é isso. — E então, calculando o futuro, pesando bem a minha vontade, compreendendo que aquela ternura de Albertine pela amiga da Srta. Vinteuil, e durante tanto tempo, não podia ter sido inocente, que Albertine já fora iniciada e, tanto quanto o indicavam os seus gestos, nascera aliás com a predisposição ao vício que minhas inquietações tantas vezes tinham pressentido, ao qual jamais deveria ter deixado de se entregar (ao qual se entregava talvez naquele instante, aproveitando um momento em que eu não estava presente), disse à minha mãe, sabendo a mágoa que lhe causava, que ela não demonstrou e que só se traiu por aquele ar de séria preocupação que tinha quando comparava a gravidade de me causar desgosto ou de me fazer mal. Aquele ar que tivera em Combray pela primeira vez, quando se resignara a passar a noite junto a mim, aquele ar que nesse momento se parecia extraordinariamente ao de minha avó quando me permitia beber conhaque, disse à minha mãe: — Sei do desgosto que vou te causar. Primeiro, em vez de ficar aqui como querias, vou partir ao mesmo tempo que tu. Mas isto ainda não é nada. Não me sinto bem aqui, prefiro voltar. Mas escuta, não te aborreça demais. Eis o que ocorre: enganei-me, enganei-te de boa-fé ontem, refleti a noite inteira. É necessário absolutamente, e decidamo-lo de imediato, porque eu bem o reconheço agora, porque não mudarei mais e porque não poderia viver sem isso, é absolutamente necessário que eu me case com Albertine.